완역 성리대전 ❻

이 저서는 2010년 정부(교육과학기술부)의 재원으로 한국연구재단의 지원을 받아 수행된 연구임(NRF-2010-322-A00065)

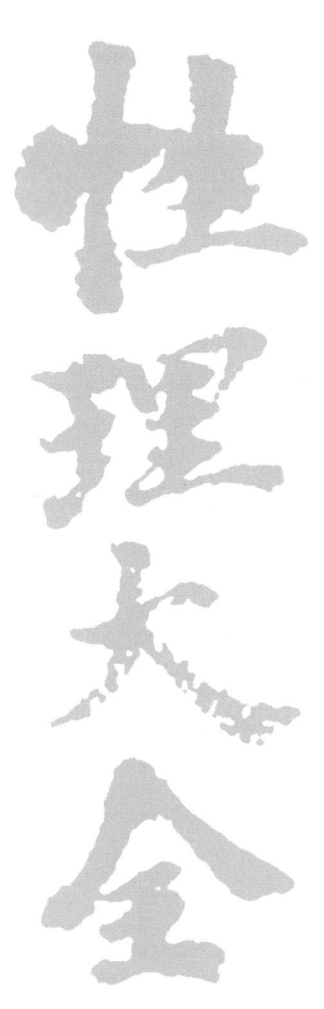

완역

성리대전 ❻

윤용남·이충구·김재열·윤원현
추기연·이철승·심의용·김형석
이치억·김현경 역주

性理

學古房

성리대전 총목차

性理大全書目錄 성리대전서 목록

6

7

性理一 성리 1

性理一
성리 1

[29-1]

性命 성명

[29-1-1]

程子曰 : "在天曰命, 在人曰性, 循性曰道. 性也, 命也, 道也, 各有所當."[1]

정자程子[程頤][2]가 말했다. "하늘에 있는 것을 명命이라고 하고, 사람에 있는 것을 성性이라고 하며, 성을 따르는 것을 도道라고 한다. 성과 명과 도는 각각 해당되는 영역이 있다."[3]

1 程顥 · 程頤, 『河南程氏文集』 권10 「與呂大臨論中書」

2 程頤(1033~1107) : 자는 正叔이고, 호는 伊川이다. 송대 洛陽(현 하남성 낙양) 사람으로서 형 程顥와 함께 二程이라 불린다. 15세 무렵에 형과 함께 주돈이에게 배운 적이 있으며, 18세에는 태학에 유학하면서 「顔子好學論」을 지었는데 胡瑗(호는 安定)이 그것을 경이롭게 여겼다고 한다. 벼슬은 秘書省校書郎 · 崇政殿說書 등을 역임하였으나, 거의 30년을 강학에 힘 쏟아 북송 신유학의 기반을 정초하였다. 이정의 학문은 '洛學'이라고 하며, 특히 정이의 학문은 주희에게 결정적으로 영향을 끼쳐 세칭 '程朱學'이라고 하면 정이와 주희의 학문을 지칭한다. 저서는 『易傳』 · 『經說』 · 『文集』 등이 있다.

3 성과 명과 … 있다. : 여기에서 '각각 해당되는 영역이 있다.'의 의미는, 『中庸』 1장의 "하늘이 명한 것을 性이라 하고, 성을 따르는 것을 道라고 하며, 도를 수양하는 것을 가르침이라고 한다. … 희로애락이 아직 발동하지 않은 것을 中이라고 하고 발동하여 절도에 맞는 것을 和라고 하니, 중이란 세상의 큰 근본이고 화란 세상에 두루 통하는 도이다.(天命之謂性, 率性之謂道, 脩道之謂敎. … 喜怒哀樂之未發, 謂之中, 發而皆中節, 謂之和. 中也者, 天下之大本也, 和也者, 天下之達道也.)"에서 말하는 성과 명과 도의 관계가 그 실질적인 내용은 서로 일맥상통하지만, 해당되는 영역 혹 측면은 각각 구별이 있음을 말한다. 원문에는 본문 전후로 "만약 성과 도 및 큰 근본과 세상에 두루 통하는 도를 섞어서 한 가지라고 하면, 타당하지 못하다. … 큰 근본은 그 본체를 말하고 세상에 두루 통하는 도는 그 작용을 말하여, 본체와 작용이 본래 다른데 어찌 두 가지가 되지 않는다고 할 수 있겠는가?(若謂性與道, 大本與達道, 可混而爲一, 卽未安. … 大本言其體, 達道言其用, 體用自殊, 安得不爲二乎?)"라고 하여 그 의미가 더욱 분명하다.

[29-1-2]

"天所賦爲命, 物所受爲性."[4]

(정이가 말했다.) "하늘이 부여한 것은 명命이 되고, 만물이 받은 것은 성性이 된다."[5]

[29-1-3]

"天之付與之謂命, 稟之在我之謂性, 見於事物之謂理. 理也, 性也, 命也, 三者未嘗有異. 窮理則盡性, 盡性則知天命矣. 天命, 猶天道也. 以其用而言之, 則謂之命. 命者, 造化之謂也."[6]

(정이가 말했다.) "하늘이 부여한 것을 명命이라고 하고, 품부 받아서 나에게 있는 것을 성性이라고 하며, 사물에 드러나는 것을 리理라고 한다. 리와 성과 명 셋은 다른 적이 없었다.[7] 리를 궁구하면 성을 다 구현하고 성을 다 구현하면 천명을 안다.[8] 천명은 천도天道와 같다. 그 작용의 측면으로 말하면 명命이라고 한다.[9] 명命은 조화造化[10]를 말한다."

[29-1-4]

張子曰: "天授於人則爲命, 人受於天則爲性."[11]

장자張子[張載][12]가 말했다. "하늘이 사람에게 주면 명命이 되고, 사람이 하늘에서 받으면 성性이 된다."[13]

---

4 程頤, 『伊川易傳』 권1 「周易上經」

5 "하늘이 부여한 … 된다.": 熊節 編, 熊剛大 註의 『性理羣書句解』 권1에서 이 구절을, "하늘이 사람에게 음양오행의 理를 부여한 것을 命이라 하고, 사람이 마음에 이 음양오행의 리를 받은 것을 性이라고 한다.(天以陰陽五行之理賦於人, 則謂之命, 人稟得此陰陽五行之理於心, 則謂之性.)"라고 풀이 하였다.

6 "天之付與之謂命, 稟之在我之謂性, 見於事物之謂理."까지는 『河南程氏遺書』 권6에 "天之付與之謂命, 稟之在我之謂性. 見於事業(一作物也)之謂理."라고 되어 있고, 그 이후는 『河南程氏遺書』 권21下 「附師說後」에 실려 있다.

7 리와 성과 … 없었다.: 리와 성과 명의 셋은 그 실질적인 내용이 서로 같다는 의미이다.

8 리를 궁구하면 … 안다.: 『易』 「說卦傳」에는 "리를 궁구하고 성을 구현하여 命에 이른다.(窮理盡性以至於命.)"라고 하였다.

9 그 작용의 … 한다.: 본문에서는 생략되었지만, 천도의 본체의 측면으로 말하면 天理라고 할 수 있을 것이다.

10 造化: 만물을 化育하는 하늘의 작용을 말한다.

11 張載, 『張子全書』 권12 「語錄」

12 張載(1020~1077): 자는 子厚이고, 세칭 橫渠先生이라고 한다. 송대 大梁(현 하남성 開封) 사람으로 거주지는 郿縣橫渠鎭(현 섬서성 眉縣)이었다. 1057년 진사에 급제했고 雲巖令 · 崇政院校書 등을 역임하였다. 젊어서 병법을 좋아하여 범중엄에게 서신을 보냈다가 『中庸』을 읽기를 권유받고, 얼마 뒤 『六經』에 전념하게 되었다. 특히 『易』과 『中庸』을 중시하여 『正蒙』 · 『西銘』 · 『易說』 등을 지었는데, 이로써 나중에 '關學'의 창시자가 되었다.

13 장재의 『張子全書』 권12 「語錄」에는, "하늘이 사람에게 주면 명이 되고, 〈또한 성이라고도 할 수 있다.〉 사람이 하늘에서 받으면 성이 된다. 〈또한 명이라도 할 수 있다.〉(天授於人則爲命, 〈亦可謂性〉, 人受於天則爲性, 〈亦可謂命〉.)"라고 原註가 붙어 있다.

[29-1-5]

龜山楊氏曰 : "性, 天命也 ; 命, 天理也 ; 道, 則性命之理而已. 孟子道性善, 蓋原於此."[14]

구산 양씨龜山楊氏[楊時][15]가 말했다. "성性은 천명이고, 명命은 천리이며,[16] 도道는 성과 명의 리理일 뿐이다. 맹자가 성선性善에 대해 말한 것[17]은 여기에 근원한 것이다."

[29-1-6]

華陽范氏曰 : "性者, 天所賦於人 ; 命者, 人所受於天."

화양 범씨華陽范氏[范仲俺][18]가 말했다. "성性은 하늘이 사람에게 부여한 것이고, 명命은 사람이 하늘에서 받은 것이다."

[29-1-7]

朱子曰 : "理者, 天之體 ; 命者, 理之用. 性, 是人之所受 ; 情, 是性之用."[19]

주자朱熹[20]가 말했다. "리理는 천天[21]의 본체이고,[22] 명命은 리의 작용이다.[23] 성性은 사람이 받은 것이고,

14 楊時의 『龜山集』에는 보이지 않지만, 朱熹의 『中庸輯略上』에 楊時의 말로 실려 있다.

15 楊時(1053~1135) : 자는 中立이고 호는 龜山이며 시호는 文靖이다. 북송 將樂(현 복건성 장락현) 사람이다. 관직은 高宗 때 龍圖閣直學士에 이르렀다. 程顥·程頤 형제에 師事했는데, 특히 형 정호의 신임을 받았다. 閔學의 창시자이자 정문 4대 제자 가운데 한 사람이다. 그는 오래 살면서 二程(程顥·程頤)의 도학을 전하여 洛學(이정의 학파)의 大宗이 되었으며, 그 學系에서는 주희·張栻·呂祖謙 등 뛰어난 학자가 많이 배출되었다. 저서에 『龜山集』·『龜山語錄』·『二程粹言』 등이 있다.

16 명은 천리이며 : '명은 천리이다.(命, 天理也.)'라는 말은 楊時의 스승이기도 한 정이의 『伊川易傳』 권3에도 보인다. 이 말 또한 그 의미는 천명의 내용이 바로 천리라는 것이다.

17 맹자가 性善에 … 것 : 이 말은 굳이 『孟子』「滕文公上」의 "맹자가 性善을 말하면 반드시 요순을 일컫는다.(孟子道性善, 言必稱堯舜.)"에서의 '맹자가 性善을 말한 것[孟子道性善]'으로 볼 필요가 없다. 이는 차라리 '맹자가 성선설을 주장한 것'이라는 포괄적인 의미로 보아야 할 것이다.

18 范仲淹(989~1052) : 자는 希文이고, 시호는 文正이다. 송대 吳縣(현 강소성 蘇州) 사람으로, 1015년에 진사에 급제하여 秘閣校理·樞密副使·參知政事·河東陝西宣撫使 등을 역임하였다. 송 仁宗에게 올린 10개항의 개혁 상소문은 나중에 王安石 신법의 선구가 되었다. 저서는 『范文正公集』이 있다.

19 朱熹, 黎靖德 편, 『朱子語類』 권5, 2조목

20 朱熹(1130~1200) : 자는 元晦·仲晦이고, 호는 晦庵·晦翁·考亭·紫陽·遯翁 등이다. 송대 婺源(현재 강서성 무원현) 사람으로 建陽(현 복건성 건양현)에서 살았다. 1148년에 진사에 급제하여 同安主簿·秘書郎·知南康軍·江西提刑·寶文閣待制·侍講 등을 역임하였다. 스승 李侗을 통해 二程의 신유학을 전수받고, 북송 유학자들의 철학사상을 집대성하여 신유학의 체계를 정립하였다. 저서는 『程氏遺書』·『程氏外書』·『伊洛淵源錄』·『古今家祭禮』·『近思錄』 등의 편찬과 『四書集注』·『西銘解』·『太極圖說解』·『通書解』·『四書或問』·『詩集傳』·『周易本義』·『易學啓蒙』·『孝經刊誤』·『小學書』·『楚辭集注』·『資治通鑑綱目』·『八朝名臣言行錄』 등이 있다. 막내아들 朱在가 편찬한 『朱文公文集』(100권 속집 11권 별집 10권)과 黎靖德이 편찬한 『朱子語類』(140권)가 있다.

21 天 : '天'이라는 글자에 대해 일반적으로 '하늘'이라고 번역하고 있다. 국어사전에도 '하늘'에 대해 '지평선이나

정情은 성의 작용이다."

[29-1-8]

"命猶誥勑, 性猶職事, 情猶施設, 心則其人也."[24]

(주자가 말했다.) "명은 (관료를 임명하는) 칙서와 같고, 성은 (임명된 관료의) 직무와 같으며, 정은 (그 관료가 직무를) 실행하는 것과 같고, 심心은 (관리로 임명되어 직무를 실행하는) 그 사람이다."

[29-1-9]

"天所賦爲命, 物所受爲性. 賦者命也, 所賦者氣也; 受者性也, 所受者理也.[25]"[26]

(주자가 말했다.) "하늘이 부여한 것이 명이 되고, 만물이 받은 것은 성이 된다. 부여하는 것은 명命이고 부여한 것은 기氣이며, 받는 것은 성性이고 받은 것은 리理이다."

[29-1-10]

"聖賢說性命, 皆是就實事上說. 如言'盡性', 便是盡得此君臣 · 父子 · 三綱五常之道而無餘; 言'養性', 便是養得此道而不害. 至微之理, 至著之事, 一以貫之, 略無餘欠, 非虛語也."[27]

(주자가 말했다.) "성현이 성과 명을 말한 것은 모두 실제적인 일에서 말한 것이다. 예컨대 '성을 구현한다.[盡性]'라고 말하면[28] 곧 군신 관계와 부자 관계 및 삼강오륜의 도리를 다 구현하여 남음이 없다는

수평선 위로 보이는 무한대의 넓은 공간', '공중 또는 허공', '저절로 된 운명', '하느님', '신이나 천사들이 산다고 생각되는 세계', '자연의 理法' 등 다양한 의미로 풀이하고 있다. 우리는 일상생활에서도 이렇듯 다양한 의미로 '하늘'이라는 말을 사용하고 있다. 하지만 성리학자들이 말하는 '天'은 엄밀히 말하면, 이렇듯 다양한 의미 가운데 어떤 하나를 가지고 정확하게 풀이하기 어렵다. 여기에서 '하늘에 있는 것'이라고 번역하면 이것은 곧바로 종교적인 主宰의 의미로 보아 '신이나 천사들이 산다고 생각되는 세계 혹은 하느님에게 있는 것'이라고 생각하기 쉽지만, 실제로는 이러한 주재의 의미보다 '자연의 이법에 있는 것'이라는 의미가 조금 더 가깝다. 그렇지만 이것도 아주 적절한 표현이라고 하기 어렵다. 그 의미를 조금 더 정확하게 설명하면, 아마 '자연의 이법으로 주재하는 그 어떤 것에 있는 것' 정도가 될 것이다. 程頤와 朱熹 등 성리학자들이 선진유가 경전에 나오는 '天'이라는 글자를 매번 그 문맥에 따라 달리 음미해 보라고 하는 지적은 아직도 유효하다. '天' 관념은 상황에 따라 몇 가지 다른 개념으로 이해해야 하는 어려움이 여전히 남아 있다. 따라서 본문에는 한글 문맥에 따라 '天'을 '하늘'로 풀거나, 혹은 개념으로 보아 그대로 '천'이라고도 옮길 것이다.

22 理는 天의 본체이고: 여기에서의 理는 문맥으로 볼 때, 天理를 가리킨다.

23 命은 리의 작용이다.: 여기에서의 命은 문맥으로 볼 때, 天命을 가리킨다.

24 『朱子語類』 권5, 3조목

25 所受者理也.: 『朱子語類』 권5, 4조목에는 '所受者理也.'가 아니라, '所受者氣也.'로 기재되어 있다. 본문을 만약 성과 명과의 관계만으로 논한다면 사람이 받은 것을 '天地之性'으로 보아 '리'라고 할 수 있겠지만, 이미 '기'와의 관계를 말했으니 '氣質之性'을 고려하여 '기'로 보는 것도 괜찮을 것이다.

26 『朱子語類』 권5, 4조목

27 朱熹, 朱在 편, 『朱文公文集』 권59 「答陳衛道」

것이고, '성을 기른다.[養性]'라고 말하면[29] 곧 이 도리를 길러서 해치지 않는다는 것이다. 지극히 은미한 이치와 지극히 현저한 일을 하나로 꿰뚫어서 조금도 남거나 모자람이 없으니, 빈 말이 아니다."

[29-1-11]

問性命.[30]

曰: "氣不可謂之性命, 但性命因此而立耳. 故論天地之性, 則專指理言; 論氣質之性, 則以理與氣雜而言之, 非以氣爲性命也."[31]

성性과 명命에 대해 물었다.

(주자가) 대답했다. "기氣를 성과 명이라고 할 수 없지만, 성과 명은 이것에 의지하여 존립할 뿐이다. 그러므로 '천지의 성[天地之性]'을 논하면 오로지 리를 가리켜 말하고, '기질의 성[氣質之性]'을 논하면 리와 기를 섞어서 말하니, 기를 성과 명이라고 한 것이 아니다."

[29-1-12]

問: "天與命, 性與理, 四者之別, 天則就其自然者言之, 命則就其流行而賦於物者言之, 性則就其全體而萬物所得以爲生者言之, 理則就其事事物物各有其則者言之. 到得合而言之, 則天卽理也, 命卽性也, 性卽理也. 是如此否?"

曰: "然."[32]

물었다. "천과 명 및 성과 리 넷의 구별에서, 천은 본래 그러하다는 것에서부터 말하고, 명은 (천도가) 유행流行[33]하여 만물에 부여한 것에서부터 말하며, 성은 그 '온전한 본체[全體]'를 만물이 얻어서 생겨나는

28 '성을 구현한다.[盡性]'라고 말하면: 『易』「說卦傳」에서 "리를 궁구하고 성을 구현하여 命에 이른다.(窮理盡性以至於命.)"라고 한 것을 말한다.

29 '성을 기른다.[養性]'라고 말하면: 『孟子』「盡心上」에서 "그 마음을 보존하고 그 성을 길러서 하늘을 섬긴다.(存其心, 養其性, 所以事天也.)"라고 한 것을 말한다. 주희는 『孟子集註』에서 "기른다는 것은 순조롭게 따라서 해치지 않는 것을 말한다.(養, 謂順而不害.)"라고 주석하였다.

30 問性命: 『朱文公文集』 권56 「答鄭子上」에서 보면, "성과 명에 대해 물었다.(問性命.)"는 것은 鄭可學의 질문 내용을 요약한 것이다. 그 구체적인 내용은 다음과 같다. "명은 하늘이 사람과 만물에 부여한 것입니다. 성이란 사람과 만물이 하늘에게 품부 받은 것입니다. 그러나 성과 명은 각각 둘씩 있으니, 그 리로부터 말하면 하늘이 이 리를 사람과 만물에게 명한 것을 명이라고 하고, 사람과 만물이 하늘에게 이 리를 받은 것을 성이라고 합니다. 그 기로부터 말하면 하늘이 이 기를 사람과 만물에게 명한 것을 명이라고 하고, 사람과 만물이 하늘에게 이 기를 받은 것을 성이라고 합니다.(命者天之所以賦予乎人物也. 性者人物之所以稟受乎天也. 然性命各有二, 自其理而言之, 則天以是理命乎人物謂之命, 而人物受是理於天謂之性. 自其氣而言之, 則天以是氣命乎人物亦謂之命, 而人物受是氣於天亦謂之性.)"

31 『朱文公文集』 권56 「答鄭子上」

32 『朱子語類』 권5, 1조목

33 流行: 流行이라는 말은 천도가 사계절의 반복적인 순환과 같이 끊임없이 작동하는 것을 표현하는 개념화

것에서부터 말하고, 리는 모든 일과 물건들이 각각 그 법칙이 있다는 것에서부터 말한 것입니다. 합쳐서 말하게 되면 천은 곧 리이고, 명은 곧 성이며, 성은 곧 리입니다. 이와 같지 않습니까?"
(주자가) 대답했다. "그렇다."

[29-1-13]

問 : "看道理須尋根原來處, 只是就性上看否?"

曰 : "如何?"

물었다. "도리를 볼 때에 반드시 근원적인 곳을 찾아야 한다고 하는 것은 다만 성性에서부터 본 것이 아닙니까?"
(주자가) 대답했다. "왜 그런가?"

曰 : "天命之性, 萬理完具. 總其大目則仁義禮智, 其中遂分別成許多萬善. 大綱只如此, 然就其中須件件要徹."

曰 : "固是如此. 又須看性所因是如何."

물었다. "천명지성天命之性에는 온갖 이치가 다 갖추어졌습니다. 그 큰 조목을 총괄하면 인의예지仁義禮智이나, 그 가운데에는 마침내 제각기 수많은 온갖 선善들을 이루고 있습니다. 그 대강大綱이 다만 이와 같지만, 그 가운데에서 반드시 일마다 환하게 꿰뚫어 봐야 합니다."
(주자가) 대답했다. "참으로 이와 같다. 또 반드시 성의 근원이 무엇인지를 보아야 한다."

曰 : "當初天地間元有這箇渾然道理, 人生稟得便是性."

曰 : "性只是理, 萬理之總名. 此理亦只是天地間公共之理, 稟得來便爲我所有. 天之所命, 如朝廷指揮差除人去做官, 性如官職, 官便有職事."[34]

물었다. "애초에 천지 사이에는 원래 이 혼연한 도리가 있었는데, 사람이 태어나면서 품부 받은 것이 바로 성性입니다."
(주자가) 대답했다. "성은 다만 리이고, 온갖 리를 총괄한 이름이다. 이 리는 또한 다만 천지 사이의 공공公共의 리일 뿐이지만, 그것을 품부 받으면 곧 나의 소유가 된다. 하늘이 명命한 것은 마치 조정에서 지휘하여 어떤 사람을 관리로 임명하여 관료가 되게 하는 것과 같고, 성性은 관직과 같으며, 관료에게는 곧 직무가 있다."

[29-1-14]

北溪陳氏曰 : "性卽理也. 何以不謂之理而謂之性? 蓋理是汎言天地間人物公共之理, 性是在

된 용어이다.

34 『朱子語類』 권117, 29조목

我之理. 只這道理受於天而爲我所有, 故謂之性. '性'字從生從心, 是人生來具是理於心, 方名之曰性. 其大目只是仁·義·禮·智四者而已. 得天命之元, 在我謂之仁; 得天命之亨, 在我謂之禮; 得天命之利, 在我謂之義; 得天命之貞, 在我謂之智. 性與命本非二物, 在天謂之命, 在人謂之性, 故程子曰, '天所賦爲命, 人所受爲性.' 文公曰, '元·亨·利·貞, 天道之常. 仁·義·禮·智, 人性之綱.'"[35]

북계 진씨北溪陳氏[陳淳][36]가 말했다. "성은 곧 리이다. 왜 리라고 말하지 않고 성이라고 하는가? 리는 천지 사이에 있는 사람과 사물의 공공의 리를 광범하게 말하고, 성은 나에게 있는 리이기 때문이다. 다만 이 도리는 하늘에서 받아서 나의 소유가 되었기 때문에 성이라고 한다. '성性'이라는 글자는 '생生'자와 '심心'자로 이루어진 것[37]으로서, 사람이 태어나면서 마음에 이 리를 구비해야, 비로소 그것을 이름붙여서 '성'이라고 한다. 그 큰 조목은 다만 인·의·예·지 네 가지일 뿐이다. 천명의 원元을 얻어 나에게 있는 것을 인仁이라 하고, 천명의 형亨을 얻어 나에게 있는 것을 예禮라고 하며, 천명의 이利를 얻어 나에게 있는 것을 의義라 하고, 천명의 정貞을 얻어 나에게 있는 것을 지智라고 한다. 성性과 명命은 본래 두 가지가 아니니, 하늘에 있는 것을 명이라고 하고, 사람에게 있는 것을 성이라고 한다. 그러므로 정자程子[程頤]는 '하늘이 준 것은 명이 되고, 사람이 받은 것은 성이 된다.'라고 말했고,[38] 문공文公[朱熹]은 '원·형·이·정은 천도의 불변의 원칙이고, 인·의·예·지는 인성의 벼리이다.'[39]라고 말했다."

[29-1-15]

"'命'一字有二義. 有以理言者, 有以氣言者. 其實理不外乎氣. 蓋二氣流行, 萬古生生不息. 不成只是空箇氣, 必有主宰之者, 曰理是也. 理在其中爲之樞紐, 故大化流行, 生生未嘗止息.

(북계 진씨가 말했다.) "'명命'이라는 글자에는 두 가지 뜻이 있다. 리理로써 말하는 경우가 있고 기氣로써 말하는 경우가 있다. 그러나 사실 리는 기를 벗어나지 않는다. 음과 양 두 기의 유행은 영원토록 낳고 낳아 그치지 않는다. 공허한 기일 뿐이라고 해서는 안 되고 반드시 그것을 주재主宰하는 것이 있으니 리理라고 하는 것이 그것이다. 리는 그 가운데에서 중심축이 되므로[40] 천지의 조화造化와 유행流行이

35 陳淳, 『北溪字義』 권상 「性」

36 陳淳(1159~1223): 자는 安卿이고, 호는 北溪이다. 송대 龍溪(현 복건성 漳州) 사람으로 주희가 장주 지사일 때 제자가 되어, 주희에게 '남쪽에 와서 나의 도가 진순 한 사람을 얻었다.'라는 칭찬을 받았다. 시호는 文安이다. 저서는 『字義詳講』·『論孟學庸口義』·『北溪大全集』 등이 있다.

37 '性'이라는 글자는 … 것: '性'이 '生'자와 '心'자의 의미가 결합되어 이루어진 會意 문자로 설명한 것이다.

38 程子[程頤]는 '하늘이 … 말했고: 정이는 『伊川易傳』 권1 「周易上經」에서, 『易』「乾·彖傳」의 "乾道가 변화함에 각각 性命을 바르게 하니, 大和를 보존하여 이에 이롭고 貞하다.(乾道變化, 各正性命, 保合太和, 乃利貞.)"라는 구절을 설명하면서, "하늘이 준 것은 명이고, 만물이 받은 것은 성이다.(天所賦爲命, 物所受爲性.)"라고 하였다.

39 『朱文公文集』 권76 「小學題辭」

40 리는 그 … 되므로: 주희는 주돈이의 『太極圖』에 대한 주석인 『太極解義』에서 태극 즉 리를 "조화의 중심축이고 만물의 근저이다.(造化之樞紐, 品彙之根柢)"라고 하였다.

낳고 낳아 멈춘 적이 없다.

所謂以理言者, 非有離乎氣, 只是就氣上指出箇理, 不雜乎氣而爲言耳. 如'天命之謂性', '五十知天命', '窮理盡性至於命', 此等'命'字, 皆是專指理而言. '天命', 卽天道之流行而賦予於物者. 就元·亨·利·貞之理而言, 則謂之天道; 卽此道之流行賦予於物者而言, 則謂之天命.

이른바 리로써 말한다는 것은 기에서 떠나 있는 것이 아니고, 다만 기에서 리를 지적해 내는 것으로서 기와 섞여있지 않음을 말하고 있을 뿐이다.[41] 예컨대 '하늘이 명한 것을 성이라고 한다.',[42] '50세에 천명을 알았다.',[43] '리를 궁구하고 성을 다 구현하여 명에 이른다.'[44] 등에서 이들 '명命'자는 모두 오로지 리만을 가리켜 말한 것이다. '천명'은 곧 천도가 유행하여 만물에 부여한 것이다. 원·형·이·정의 리에서 말하면 천도天道라고 하며, 이 도가 유행하여 만물에 부여한 것에서 말하면 천명天命이라고 한다.

如就氣說, 却亦有兩般. 一般說貧富·貴賤·壽夭·禍福, 如所謂'死生有命'與'莫非命也'之命, 是乃就受氣之短長厚薄不齊上論, 是命分之命. 又一般如孟子所謂'仁之於父子, 義之於君臣, 命也'之命, 是又就稟氣之淸濁不齊上論, 是說人之智愚賢否.

만약 기에서 말하면 또한 두 가지가 있다. 한 가지는 가난함[貧]과 부유함[富], 귀함[貴]과 천함[賤], 장수함[壽]과 단명함[夭], 재앙[禍]과 복福 등을 말한 것으로, 예컨대 이른바 '죽고 사는 것은 명命에 달려 있다.'[45]라는 것과 '명命 아님이 없다.'[46]라고 할 때의 명命과 같은데, 이것은 받은 기의 짧음[短]과 김[長], 두터움[厚]과 엷음[薄]이 가지런하지 않음에서 논한 것이니, 이 명은 명분命分이라고 할 때의 명命[47]이다. 또 한 가지는

---

41 기에서 떠나 … 뿐이다. : 주희는 『太極解義』에서 "(태극은) 음양과 떨어져 있는 것이 아니고, 음양에서 그 본체를 가리키며, 음양과 섞여있지 않음을 말하고 있을 뿐이다.(非有以離乎陰陽也, 卽陰陽而指其本體, 不雜乎陰陽而爲言耳.)"라고 하였다.

42 『中庸』 1장

43 『論語』「爲政」

44 '리를 궁구하고 … 이른다.' : 『易』「說卦傳」에서 "옛날 성인이 『易』을 지을 때에 그윽히 神明을 도와 蓍草를 내었고, 하늘에서 셋을 취하고 땅에서 둘을 취하여 數를 의지하였으며, 陰陽에서 변화를 살펴서 卦를 세우고, 剛柔에서 발휘하여 爻를 낳으니, 도덕에 和順하고 義에 맞게 하며, 리를 궁구하고 성을 다 구현하여 명에 이른다.(昔者聖人之作易也, 幽贊於神明而生蓍, 參天兩地而倚數, 觀變於陰陽而立卦, 發揮於剛柔而生爻, 和順於道德而理於義, 窮理盡性以至於命.)"라고 하였다.

45 '죽고 사는 … 있다.' : 『論語』「顔淵」에서 "죽고 사는 것은 命에 달려 있고, 부유함과 귀함은 天에 달려 있다.(死生有命, 富貴在天.)"라고 하였다.

46 '命 아님이 없다.' : 『孟子』「盡心上」에서, "맹자가 말했다. '命 아님이 없으나, 그 正命을 순조롭게 받아야 한다.(孟子曰, '莫非命也, 順受其正.')"라고 하였다.
이 구절에 대해 주자는 "사람과 만물이 생겨남에 吉凶·禍福은 모두 하늘이 命한 것이다. 그러나 오직 그것을 이르게 함이 없어도 저절로 이른 것이 正命이 된다. 그러므로 君子가 몸을 닦아서 기다리는 것은 이것을 순조롭게 받아들이는 것이다.(人物之生, 吉凶禍福, 皆天所命. 然惟莫之致而至者, 乃爲正命, 故君子修身以俟之, 所以順受乎此也.)"라고 주석하였다.

예컨대 맹자의 이른바 '부모와 자식 관계에서 인仁과 군주와 신하 관계에서 의義는 명이다.'라고 할 때의 명命인데,[48] 이것은 또 품부 받은 기의 깨끗함[淸]과 혼탁함[濁]이 가지런하지 않음에서 논한 것이니, 이 명은 사람의 지혜로움과 어리석음, 현명함과 그렇지 않음을 말하는 것이다.[49]

若就造化上論, 則天命之大目只是元·亨·利·貞. 此四者就氣上論也得, 就理上論也得. 就氣上論, 則物之初生處爲元, 於時爲春; 物之發達處爲亨, 於時爲夏; 物之成遂處爲利, 於時爲秋; 物之斂藏處爲貞, 於時爲冬. 貞者, 正而固也. 自其生意之已定者而言, 故謂之正; 自其斂藏者而言, 故謂之固. 就理上論, 則元者, 生理之始; 亨者, 生理之通; 利者, 生理之遂; 貞者, 生理之固."[50]

만약 조화造化에서 논하면, 천명의 큰 조목은 다만 원·형·이·정일 뿐이다. 이 넷은 기氣에서 논해도 되고 리理에서 논해도 된다. 기에서 논하면, 만물이 처음 생겨나는 곳이 원元이니 계절로는 봄이고, 만물이 발육하는 곳이 형亨이니 계절로는 여름이며, 만물이 성취하는 곳이 이利이니 계절로는 가을이고, 만물이 거두어들여 저장하는 곳이 정貞이니 계절로는 겨울이다. 정貞은 바르면서 견고하다.[51] '생겨나는 의지[生意]'가 이미 정해졌다는 것으로부터 말하므로 바름[正]이라고 하며, 거두어들여 저장하는 것으로부터 말하므로 견고함[固]이라고 한다. 리에서 논하면 원元은 '생겨나는 이치[生理]'의 시작이고, 형亨은 생겨나는 이치의 통함이며, 이利는 생겨나는 이치의 성취이고, 정貞은 생겨나는 이치의 견고함이다."

[29-1-16]

"命, 猶令也.[52] 天無言做, 如何命? 只是大化流行, 氣到這物便生這物, 氣到那物又生那物, 便

47 命分이라고 할 … 命: 주자는 命分에 대해 『朱子語類』 권4, 89조목에서 다음과 같이 설명하고 있다. "물었다. '性의 分數(몫)와 命의 분수는 어떻게 다릅니까?' 주자가 대답했다. '성의 분수는 리로써 말하는 것이고 명의 분수는 기를 겸해서 말하는 것이다. 명의 분수는 많음과 적음, 두터움과 엷음의 다름이 있는데, 성의 분수와 같으면 또한 모두 마찬가지이다. 이 리는 성현이나 어리석은 사람이나 할 것 없이 모두 같다.(問, '性分·命分何以別?' 曰, '性分是以理言之, 命分是兼氣言之. 命分有多寡·厚薄之不同, 若性分則又都一般. 此理, 聖愚賢否皆同.')" 즉 命分은 運命의 分數를 가리키는 것으로서 이렇게 말할 때의 명은 숙명론적인 명을 가리킨다. 이 명에는 태어나면서 한 번 정해지면 바꾸기 어렵다는 의미를 내포하고 있다.

48 맹자의 이른바 … 命인데: 『孟子』「盡心下」에서, "맹자가 말했다. '부모와 자식 관계에서의 仁과 군주와 신하 관계에서의 義와 주인과 손님 관계에서의 禮와 현명한 사람에 있어서의 智와 천도에 있어서의 聖人은 命이지만 (즉 운명적으로 생각하지만) 性이 내재해 있으므로 군자는 명이라고 하지 않는다.(孟子曰, '仁之於父子也, 義之於君臣也, 禮之於賓主也, 智之於賢者也, 聖人之於天道也, 命也, 有性焉, 君子不謂命也.')"라고 하였다.

49 이 명은 … 것이다.: 이 명은 위의 '命分이라고 할 때의 명'과는 달리, 사람이 스스로 노력하면 고칠 수 있는 가능성이 열려있는 명이다.

50 陳淳, 『北溪字義』 권상 「命」

51 貞은 바르면서 견고하다.: 주희는 『周易本義』「乾」에서, "貞은 바르면서 견고하다.(貞, 正而固也.)"라고 하였다.

52 命, 猶令也.: 陳淳의 『北溪字義』 권상 「命」에는 '命, 猶令也.' 뒤에 '마치 지체가 높은 사람의 명령과 三政丞의 명령과 같은 따위이다(如尊命, 台命之類.)'가 더 들어가 있다.

是分付命令他一般."[53]

(북계 진씨가 말했다.) "명命은 명령[令]과 같다. 하늘은 말이나 행위가 없는데 어떻게 명령하는가? 다만 큰 조화造化가 유행하여 기氣가 이것에 이르면 바로 이것을 낳고, 기가 저것에 이르면 또 저것을 낳을 뿐이니, 바로 그것에게 분부하고 명령하는 것과 마찬가지이다."[54]

[29-1-17]

魯齋許氏曰: "凡言性者便有命. 凡言命者便有性."[55]

노재 허씨魯齋許氏[許衡][56]가 말했다. "무릇 성性을 말하는 것에는 바로 명命이 있고, 명을 말하는 것에는 바로 성이 있다."

[29-1-18]

臨川吳氏曰: "夫善者, 天之道也, 人之德也. 天之道, 孰爲善? 元·亨·利·貞流行四時而謂之命者也. 人之德, 孰爲善? 仁·義·禮·智備具一心而謂之性者也. 是善也, 天所付於人, 人所受於天也. 天之付於人者, 公而不私; 人之受於天也, 同而不異, 雖或氣質之不齊, 而其善則一也. 不必皆'自誠而明'之聖也. 不必皆'自明而誠'之賢也. 夫所生之民無不有是則, 人所秉之彝無不好是德也. 人之善也, 猶水之下; 人之樂於爲善, 猶水之樂於就下也. 無他, 順其自然而已矣."[57]

임천 오씨臨川吳氏[吳澄][58]가 말했다. "선善은 하늘의 도이고, 사람의 덕이다. 하늘의 도는 무엇이 선한가? 원·형·이·정이 사계절에 유행하는 것이니, 명命이라고 하는 것이다. 사람의 덕은 무엇이 선한가? 인·의·예·지가 하나의 마음에 구비된 것이니, 성性이라고 하는 것이다. 이 선은 하늘이 사람에게

---

53 陳淳, 『北溪字義』 권상 「命」

54 하늘은 말이나 … 마찬가지이다. : 『論語』「陽貨」에서 "공자가 말했다. '하늘이 무엇을 말하는가? 사계절이 운행되고 온갖 사물이 생겨나는 데에 하늘이 무엇을 말하는가?'(子曰, '天何言哉? 四時行焉, 百物生焉, 天何言哉?')"라고 한 말을 참조할 만하다.

55 許衡, 『魯齋遺書』 권1 「語錄上」

56 許衡(1209~1281) : 자는 仲平이고, 河內李封(현재 하남성) 사람이며, 학자들이 魯齋先生이라고 불렀다. 시호는 文正이고, 魏國公에 봉해졌다. 13세기의 걸출한 사상가이며 교육자였고 천문역법학자였다. 程朱理學을 전파하고, 朱陸을 융합하는데 큰 영향을 미쳤다. 저서로 『魯齋集』·『魯齋心法』·『授時曆經』·『讀易私言』 등이 있고, 후세에 다시 『魯齋遺書』·『魯齋全書』·『許文正公遺書』 등으로 편집되었다.

57 吳澄, 『吳文正集』 권43 「善樂堂記」

58 吳澄(1249~1333) : 자는 幼淸이고, 세칭 草廬先生이라 한다. 宋元교체기 崇仁(현 강서성 소속) 사람으로 國子監司業·翰林學士를 역임하였다. 시호는 文正이다. 그의 학문은 주로 주희와 육구연의 사상을 절충하는 경향이 있으며, 특히 주희 이래의 道統을 은연중에 자임하고 있다. 저서는 『學基』·『學統』·『書·易·春秋·禮記纂言』·『吳文正公集』·『孝經章句』 등이 있고, 『皇極經世書』·『老子』·『莊子』·『太玄經』·『八陣圖』·『郭璞葬書』를 교정했다.

부여한 것이고, 사람이 하늘에게서 받은 것이다. 하늘이 사람에게 부여한 것은 공평하여 사사롭지 않고, 사람이 하늘에게서 받은 것 또한 같아서 다르지 않으니, 비록 기질이 가지런하지 않음이 있더라도 그 선은 한가지이다. 꼭 모두 '성誠으로 말미암아 밝은' 성인일 필요도 없고, 꼭 모두 '(선에) 밝음[明]으로 말미암아 성誠하게 되는' 현인일 필요도 없다.[59] 하늘에 의해 생겨난 백성은 이 법칙이 있지 않음이 없고, 사람이 다잡아 지키는 타고난 천성은 이 덕을 좋아하지 않음이 없다.[60] 사람이 선한 것은 물이 아래로 흐르는 것과 같고, 사람이 선을 실천하기를 즐거워하는 것은 물이 아래로 흐르는 것을 즐거워하는 것과 같다.[61] 그것은 다른 이유에서가 아니라, 저절로 그렇게 되는 것에 순응하는 것일 뿐이다."

[29-2]

性 성

[29-2-1]

程子曰: "'民受天地之中以生', '天命之謂性'也.[62] 孟子言性之善,[63] 是性之本. 孔子言'性相近', 謂其稟受處不相遠也. 人性皆善, 所以善者, 於四端之情可見."[64]

정자[程頤]가 말했다. "'백성이 천지의 중中을 받아 태어난다.'[65]라는 것은 '하늘이 명命한 것을 성性이라고 한다.'[66]는 것이다. 맹자가 성性의 선함을 말한 것은[67] 성의 본원[本]이다. 공자가 '성性은 서로 가깝다.'라

59 모두 '誠으로 … 없다.: 『中庸』 21장에서 "誠으로 말미암아 밝은 것을 性이라 하고, (선에) 밝음[明]으로 말미암아 誠하게 되는 것을 가르침이라고 한다. 誠하면 밝아지고, 밝으면 誠해진다.(自誠明, 謂之性. 自明誠, 謂之教. 誠則明矣, 明則誠矣.)"라고 하였다.

60 하늘에 의해 … 없다.: 『詩』「大雅·蕩之什·烝民」에서 "하늘이 백성들을 낳았으니 사물이 있으면 법칙이 있다. 백성들이 다잡아 지키는 타고난 천성은 이 덕을 좋아하지 않음이 없다.(天生烝民, 有物有則. 民之秉彝, 好是懿德.)"라고 하였다.

61 사람이 선한 … 같다.: 『孟子』「告子上」에서 "사람의 性이 善한 것은 마치 물이 아래로 흘러내려가는 것과 같다. 사람은 선하지 않은 사람이 없고, 물은 아래로 내려가지 않는 것이 없다.(人性之善也, 猶水之就下也. 人無有不善, 水無有不下.)"라고 하였다.

62 '天命之謂性'也.: 『河南程氏遺書』 권12에는 이 구절 뒤에 "'사람의 생명의 이치는 곧음이다.'(『論語』「雍也」)라는 말의 뜻도 역시 이와 같다.('人之生也直,' 意亦如此.)"라는 말이 더 있다.

63 孟子言性之善: 『河南程氏遺書』 권22上에는, 정이의 말 앞에 "체[唐棣]가 물었다. '공자와 맹자가 성에 대해 말한 것이 같지 않은 것은 무엇 때문입니까?'(棣問, '孔孟言性不同如何?')"라는 질문이 있다.

64 "民受天地之中以生, 天命之謂性也."까지는 『河南程氏遺書』 권12에 수록되어 있고, 그 뒤는 같은 책 권22上에 실려 있다.

65 『春秋左傳』「成公 13년」

66 『中庸』 1장

67 맹자가 性의 … 것은: 맹자의 성선설에 관한 내용은 『孟子』「滕文公上」과 「告子上」 등에 상세히 기술되어

고 말한 것은[68] 그 품부 받은 것이 서로 크게 다르지 않음을 말한다.[69] 사람의 성은 모두 선한데, 그것이 선한 까닭은 사단의 정情에서 볼 수 있다."

[29-2-2]

"人之性果惡耶? 則聖人何爲能反其性以至於斯也?"[70]

(정자가 말했다.) "사람의 성性이 정말로 악한가? 그렇다면 성인이 어떻게 그 성을 돌이켜서 이러한 경지에 이를 수 있겠는가?"[71]

[29-2-3]

"稱性之善謂之道. 道與性, 一也. 以性之善如此, 故謂之性善. 性之本謂之命, 性之自然者謂之天, 自性之有形者謂之心, 自性之有動者謂之情, 凡此數者皆一也. 聖人因事以制名, 故不同若此. 而後之學者隨文析義求奇異之說, 而去聖人之意遠矣."[72]

(정자가 말했다.) "성性이 선함을 일컬어 도道라고 한다. 도와 성은 하나이다. 성의 선함이 이와 같기 때문에 성이 선하다고 한다. 성의 본원을 명命이라고 하고, 성이 저절로 그러한 것을 천天이라고 하며, 성이 형체가 있는 것에서부터 심心이라고 하고, 성이 움직임이 있는 것에서부터 정情이라고 하는데,[73]

…………………

있다.

68 공자가 '性이 … 것은 : 『論語』「陽貨」에서 "공자가 말했다. '성은 서로 가깝고 습관은 서로 멀다.'(子曰, '性相近也, 習相遠也.')"라고 하였다.

69 공자가 '性은 … 말한다. : 『河南程氏遺書』 권19에서는 "'성은 서로 가깝다.'라는 것은 품부 받은 성을 말하지 성의 본원을 말하는 것이 아니다. 맹자가 말한 것이 꼭 바로 성의 본원을 말한 것이다.('性相近也', 此言所稟之性, 不是言性之本. 孟子所言, 便正言性之本.)"라고 하였다.

주희는 『論語集註』「陽貨」 "성은 서로 가깝고 습관은 서로 멀다.(性相近也, 習相遠也.)"의 주석에서 다음과 같은 정이의 말을 기록하고 있다. "정이가 말했다. '이것은 기질지성을 말한다. 성의 본원을 말한 것이 아니다. 만약 그 본원을 말하면 성은 곧 리이고, 리는 선하지 않음이 없으니 맹자가 성선을 말한 것이 이것이다. 어찌 서로 가까움이 있겠는가?'(程子曰, "此言氣質之性. 非言性之本也. 若言其本, 則性卽是理, 理無不善, 孟子之言性善是也. 何相近之有哉?")"

성의 본원 즉 本然之性(천지지성과 같은 의미임)은 바로 리로서 한결 같이 선한 것이고, 이른바 맹자의 '성선'이 이것을 말한다. 한편 기질지성은 본연지성이 사람을 비롯한 만물에 내재한 것으로서 기질의 영향을 받는 것이다. 만약 사람의 기질지성으로 말하면, 種과 類 개념으로 볼 때 인류의 기질은 꼭 같지는 않지만 대체로 비슷하다. 공자의 이른바 '성이 서로 가깝다.'고 한 것이 바로 이것을 말한다.

70 『二程粹言』 권下 「心性篇」

71 "사람의 性이 … 있겠는가?" : 『河南程氏遺書』 권25에는 "순자는 성인을 어그러뜨린 자이다. 그러므로 맹자를 「十二子」에 열거하고, 사람의 성은 악하다고 말했다. (사람의) 성이 정말로 악한가? 그렇다면 성인이 어떻게 그 성을 돌이켜서 이러한 경지에 이를 수 있겠는가?(荀子悖聖人者也. 故列孟子於「十二子」, 而謂人之性惡. 性果惡邪? 聖人何能反其性以至於斯邪?)"라고 하였다.

72 『河南程氏遺書』 권25

73 성이 형체가 … 하는데 : 주희는 이 말에 대해 아마 문인이 잘못 기록한 것이라고 판단한다. 『朱子語類』

이들 몇 가지는 모두 하나이다. 성인은 일에 따라서 이름을 짓기 때문에 같지 않음이 이와 같다. 그런데 후세의 학자는 글자를 좇아 의미를 분석하여 기이한 설명을 추구하지만, 성인의 뜻과는 거리가 멀다."

[29-2-4]

"自性而行, 皆善也. 聖人因其善也, 則爲仁·義·禮·智·信以名之. 以其施之不同也, 故爲五者以別之. 合而言之皆道, 別而言之亦皆道也. 舍此而行, 是悖其性也, 是悖其道也. 而世人皆言性也道也與五者異, 其亦弗學歟, 其亦未體其性也歟, 其亦不知道之所存歟!"[74]

(정자가 말했다.) "성性으로부터 실행하는 것은 모두 선하다. 성인은 그 선한 것에 따라 그것을 인·의·예·지·신으로 이름 붙였다. 인·의·예·지·신이 베풀어지는 것이 같지 않기 때문에 다섯 가지로 구별하였다. 합쳐서 말하면 모두 도道이고, 구별해서 말해도 역시 모두 도이다. 이것을 버리고 실행하는 것은 그 성을 거스르는 것이고, 그 도를 거스르는 것이다. 그런데 세상 사람들은 모두 성과 도가 이

권59, 43조목에 다음과 같이 말했다.
"김거위가 물었다. '… 明道[程顥]는 「하늘에서 품부 받은 것이 性이고 느끼는 것은 情이며 움직이는 것은 心이다.」라고 말했고, 伊川[程頤]은 「성이 형체가 있는 것에서부터 心이라고 하고, 성이 움직임이 있는 것에서부터 情이라고 한다.」라고 하였는데, 두 분 선생님의 말과 같으면 정과 심은 모두 하나의 성이 발동한 것에 비롯합니다. … 그러나 명도는 움직이는 것을 심으로 여겼고 이천은 움직이는 것을 정으로 여겼으니, 저절로 서로 가지런하지 않습니다. 이제 움직이는 것을 심이라고 해야 할지, 정이라고 해야 할지 모르겠습니다. … 橫渠[張載]는 「심이 성과 정을 통섭한다.」고 말했습니다. 이미 심이 성과 정을 통섭한다고 하였는데, 이천은 어떻게 도리어 「성이 형체가 있는 것에서부터 심이라고 하고, 성이 움직임이 있는 것에서부터 정이라고 한다.」라고 말할 수 있습니까? 만약 이천이 말한 것과 같다면, 도리어 성이 심과 정을 통섭하는 것이 됩니다. 심이 성과 정을 통섭한다고 하는 것이 옳은지, 성이 심과 정을 통섭한다고 하는 것이 옳은지 모르겠습니다.'(金〈去僞〉曰, '…… 明道曰, 「稟於天爲性, 感爲情, 動爲心.」, 伊川則又曰, 「自性之有形者謂之心, 自性之動者謂之情.」, 如二先生之說, 則情與心皆自夫一性之所發. ……然明道以動爲心, 伊川以動爲情, 自不相侔. 不知今以動爲心是耶, 以動爲情是耶? …… 橫渠云, 「心統性情者也.」 旣是心統性情, 伊川何得卻云「自性之有形者謂之心, 自性之有動者謂之情」耶? 如伊川所言, 卻是性統心情者也. 不知以心統性情爲是耶, 性統心情爲是耶?')
주희가 대답했다. '『近思錄』 중 한 단락에서 「심은 하나이지만 본체를 가리켜 말한 것이 있고, 작용을 가리켜 말한 것이 있다.」라고 하였는데, 「본체를 가리켜 말한 것」에 대해서는 「적연하여 움직이지 않음이 이것이다.」라고 주석하였고, 「작용을 가리켜 말한 것」에 대해서는 「감응하여 온 세상일에 두루 소통함이 이것이다.」라고 주석하였다. 무릇 「적연하여 움직이지 않는 것」은 성이고, 「감응하여 두루 소통하는 것」은 정이다. 그러므로 횡거가 「심이 성과 정을 통섭한다.」라고 말한 것이 가장 온당하다. 예컨대 앞의 두 선생(이정을 가리킴)의 말은 아마 기록자가 잘못한 것일 것이다. 예컨대 명도가 「느끼는 것을 정이라 하고, 움직이는 것을 심이라고 한다.」라고 하면, 느끼는 것과 움직이는 것을 어떻게 분별할 수 있겠는가? 만약 이천이 「성이 형체가 있는 것으로부터 심이라고 한다.」라고 말했다면, 나는 결코 그의 말을 이해할 수 없다. 이 때문에 이것은 문인이 잘못 기록한 것임을 알 수 있다.'(曰, '近思錄中一段云, 心一也, 有指體而言者. 注云, 寂然不動是也. 有指用而言者. 注云, 感而遂通天下之故是也. 夫'寂然不動'是性, 感而遂通是情. 故橫渠云, 心統性情者也. 此說最爲穩當. 如前二先生說話, 恐是記錄者誤耳. 如明道感爲情, 動爲心, 感與動如何分得? 若伊川云, 自性而有形者謂之心. 某直理會他說不得! 以此知是門人記錄之誤也.')"

74 『河南程氏遺書』 권25

다섯 가지와 다르다고 말하는데, 아마 또한 배우지 않았거나, 미처 성을 체득하지 못했거나, 도가 보존되어 있는 곳을 몰라서일 것이다!"

[29-2-5]

或曰 : "某欲以金作器, 比性成形."

曰 : "金可以比氣, 不可以比性."[75]

어떤 사람이 말했다. "나는 쇠붙이로 그릇을 만드는 것을 성性이 형체를 이루는 것과 비교하려고 합니다."

대답했다. "쇠붙이는 기氣와 비교할 수 있지만, 성性과는 비교할 수 없다."[76]

[29-2-6]

邵子曰 : "性者, 道之形體也. 道妙而無形. 性則仁義禮智具而體著矣."[77]

소자邵子[邵雍][78]가 말했다. "성性은 도道의 형체이다. 도는 오묘하여 형체가 없다. 성은 인의예지를 갖추어 형체가 드러난다."

[29-2-7]

延平李氏曰 : "動靜 · 眞僞 · 善惡, 皆對而言之, 是世之所謂動靜 · 眞僞 · 善惡, 非性之所謂動靜 · 眞僞 · 善惡也. 惟求靜於未始有動之先, 而性之靜可見矣 ; 求眞於未始有僞之先, 而性之眞可見矣 ; 求善於未始有惡之先, 而性之善可見矣."[79]

연평 이씨延平李氏[李侗][80]가 말했다. "움직임과 고요함, 참과 거짓, 선과 악은 모두 대비해서 말한 것인데,

75 『河南程氏遺書』 권25

76 어떤 사람이 … 없다." : 『二程粹言』 권下 「心性篇」에는 "어떤 사람이 물었다. '성이 형체를 이루는 것은 쇠붙이가 그릇이 되는 것과 같습니까?' 선생님이 대답했다. '氣를 쇠붙이와 비교할 수 있지만, 性과는 비교할 수 없다.'(或問, '性之成形, 猶金之爲器歟?' 子曰, '氣比之金可也, 不可以比性.')"라고 하였다.

77 "性者, 道之形體也."까지는 소옹의 『伊川擊壤集』 自序에 실려 있고, 전체 문장은 蔡沈의 『洪範皇極內篇』 권1에 실려 있다.

78 邵雍(1011~1077) : 자는 堯夫이고, 호는 安樂先生이며, 蘇文山 百源가에 은거하여 百源先生이라고도 불리었다. 시호는 康節이다. 송대 范陽(현 하북성 涿縣) 사람으로 만년에는 洛陽에 거주하였는데, 이때 司馬光 · 呂公著 · 富弼 등이 그를 존경하여 함께 교류하면서 대저택을 증여하였다. 李之才에게 圖書先天象數學을 배웠다고 한다. 그는 도가사상의 영향을 받고 유가의 易哲學을 발전시켜 독특한 數理哲學을 완성하였다. 易이 음과 양의 二元으로서 우주의 모든 현상을 설명하고 있음에 대하여, 그는 陰 · 陽 · 剛 · 柔의 四元을 근본으로 하고, 4의 倍數로서 모든 것을 설명하였다. 그의 易學은 朱熹에게 큰 영향을 주었다. 저서는 『皇極經世』 · 『伊川擊壤集』 · 『漁樵問答』 등이 있다.

79 朱熹, 『延平答問』 補錄. 『延平答問』은 부록과 보록이 있는데, 둘 다 주희 문인이 주희와의 평소의 언론을 통해 李侗의 말로 여긴 것과 이통과 관련된 글들을 기재한 것이다.

이것은 세상에서 말하는 움직임과 고요함, 참과 거짓, 선과 악이지, 성性에서 말하는 움직임과 고요함, 참과 거짓, 선과 악이 아니다. 오직 아직 움직임이 있기 전에 미리 고요함을 구하면 성의 고요함을 알 수 있고, 아직 거짓이 있기 전에 미리 참을 구하면 성의 참됨을 알 수 있으며, 아직 악이 있기 전에 미리 선을 구하면 성의 선함을 알 수 있다."

[29-2-8]

"天下之理無異道也, 天下之人無異性也. 性惟不可見, 孟子始以善形之. 惟能自性而觀, 則其致可求. 苟自善而觀, 則理一而見二."[81]

(연평 이씨가 말했다.) "세상의 리理에는 다른 도道가 없고, 세상의 사람에게는 다른 성性이 없다. 성은 오직 알 수 없었는데, 맹자가 비로소 선善으로 드러냈다. 오직 성으로부터 살필 수 있다면 (선의) 극치를 찾을 수 있다. 만약 선으로부터 살핀다면 리는 하나이지만 둘을 보게 된다."[82]

[29-2-9]

「朱子性圖」

性善 - 性無不善 ↳ 惡 - 惡不可謂從善中直下來, 只是不能善則偏於一邊爲惡. ↳ 善 - 發而中節, 無往不善.

「주자성도朱子性圖」

성선性善 - 성은 선하지 않음이 없다. ↳ 악 - 악은 선으로부터 곧바로 나온 것이라고 할 수 없고, 다만 선할 수 없으면 한쪽으로 치우쳐서 악이 될 뿐이다. ↳ 선 - (성이) 발현되어 절도에 맞으니 어떤 경우에도 선하지 않음이 없다.

[29-2-10]

朱子曰 : "性, 卽理也. 在心喚做性 ; 在事喚做理."[83]

주자朱子[朱熹]가 말했다. "성性은 곧 리理이다. 심心에서는 성이라고 부르고, 일에서는 리라고 부른다."

80 李侗(1093~1163) : 자는 愿中이고, 세칭 延平先生이라 하며, 시호는 文靖이다. 南劍州劍浦(현 복건성 南平) 사람으로 楊時 · 羅從彦과 함께 '南劍三先生'이라 불리운다. 나종언에게서 二程의 학문을 배우고, 40여 년간 세속을 끊고 연구한 뒤에 '理一分殊' 등 이정의 학문을 주희에게 전수해 주었다. 저서는 『延平文集』이 있다.

81 朱熹, 『延平答問』 補錄

82 오직 성으로부터 … 된다. : 여기에서 '성으로부터 살필 수 있다.'는 것은 순수하게 선한 하나의 리인 성의 측면으로 살핀다는 의미이고, '선으로부터 살핀다.'는 것은 상대적인 선한 행위의 측면에서 살핀다는 것을 말한다.

83 朱熹, 『朱子語類』 권5, 6조목

[29-2-11]

"生之理謂性."[84]

(주자가 말했다.) "생겨나는 리理를 성性이라고 한다."

[29-2-12]

"性則純是善底."[85]

(주자가 말했다.) "성은 순전히 선한 것이다."

[29-2-13]

"性是天生成許多道理, 散在處爲性."[86]

(주자가 말했다.) "성은 하늘이 생성한 많은 도리이고, 그 도리가 흩어져 있는 곳이 성이다."

[29-2-14]

"性是實理, 仁·義·禮·智皆具."[87]

(주자가 말했다.) "성은 실제적인 리이니 인·의·예·지를 모두 갖추었다."

[29-2-15]

"性, 天理也. 理之所具, 便是天德, 在人識而體之爾."[88]

(주자가 말했다.) "성은 천리이다. 리가 갖춘 것이 곧 '하늘의 덕[天德]'이니, 사람이 그것을 깨달아 체인體認하는 데에 달려있을 뿐이다."

[29-2-16]

問: "性固是理, 然性之得名, 是就人生稟得言之否?"

曰: "'繼之者善, 成之者性', 這箇理在天地間時, 只是善, 無有不善者. 生物得來, 方始名曰性, 只是這理.[89]"[90]

84 『朱子語類』 권5, 7조목

85 『朱子語類』 권5, 10조목

86 "性是天生成許多道理."는 『朱子語類』 권5, 11조목이고, "散在處爲性."은 같은 책 권5, 12조목에서 "性是許多理散在處爲性."이라고 하였다.

87 『朱子語類』 권5, 14조목

88 朱熹, 『朱文公文集』 권40 「答何叔京」

89 只是這理. : 『朱子語類』 권5, 15조목에는 이 구절 뒤에 "하늘에서는 命이라 하고, 사람에서는 性이라 한다.(在天則曰命, 在人則曰性.)"라는 말이 더 있다.

90 『朱子語類』 권5, 15조목

물었다. "성은 본디 리인데, 성이라고 이름 붙여진 것은 사람이 품부 받은 것에서 말하는 것입니까?"
(주자가) 대답했다. "'이를 이어가는 것은 선이고 이를 이루는 것은 성이다.'[91]라고 하였으니, 이 리가 천지 사이에 있을 때는 다만 선할 뿐 선하지 않음이 없다. 만물이 생겨나서 그것을 얻어야 비로소 성性이라고 이름 붙이니, 다만 이 리일 뿐이다."

[29-2-17]

問 : "先生謂性是未發, 善是已發, 何也?"

曰 : "纔成箇人影子, 許多道理便都在那人上. 其惻隱, 便是仁之善 ; 羞惡, 便是義之善. 到動極復靜處, 依舊只是理."

물었다. "선생先生[朱熹]께서는 성은 '아직 발동하지 않은 상태의 것[未發]'이고 선은 '이미 발동한 상태의 것[已發]'이라고 하였는데,[92] 무엇 때문입니까?"
(주자가) 대답했다. "사람의 모습을 이루자마자 많은 도리가 곧 모두 그 사람에게 있다. 그 가운데 측은은 곧 인仁의 선善이고 수오는 곧 의義의 선이다. 움직임이 극한에 이르러 다시 고요함이 되는 곳은 여전히 다만 리理일 뿐이다."

曰 : "這善, 也是性中道理, 到此方見否?"

曰 : "這須就那地頭看. '繼之者善也. 成之者性也.' 在天地言, 則善在先, 性在後, 是發出來方生人物. 發出來是善, 生人物便成箇性. 在人言, 則性在先, 善在後."

물었다. "여기에서 말하는 선은 또한 성 가운데의 도리인데, 여기에 이르러 비로소 볼 수 있는 것입니까?"
(주자가) 대답했다. "이것은 반드시 그 상황에서 보아야 한다.[93] '이를 이어가는 것은 선이고 이를 이루는 것은 성이다.'라는 것은, 천지의 입장에서 말하면 선이 먼저 있고 성이 뒤에 있으니, 선이 밖으로 나타나

91 '이를 이어가는 … 성이다.' : 『易』「繫辭上」에서, "한 번 음이 되고 한 번 양이 되는 것을 도라고 하니, 이를 이어가는 것은 선이고 이를 이루는 것은 성이다.(一陰一陽之謂道. 繼之者善也, 成之者性也.)"라고 하였다.

92 先生[朱熹]께서는 성은 … 하였는데 : 『朱子語類』 권65, 16조목에서, 주자는 "'이를 이어가는 것은 선이다.'라는 것은 이미 발동한 상태의 리이고, '이를 이루는 것은 성이다.'라는 것은 아직 발동하지 않은 상태의 리이다. 연이어서 유행하는 것으로부터 말하므로 이미 발동한 상태라고 말하고, 품부 받아서 성을 이룬 것으로 말하면 아직 발동하지 않은 상태라고 말한다. 사람에 있어서는 아직 발동하지 않은 상태의 것은 본디 성이고, 그것이 발동한 것도 역시 다만 선일 뿐이다.('繼之者善', 是已發之理 ; '成之者性', 是未發之理. 自其接續流行而言, 故謂之已發 ; 以賦受成性而言, 則謂之未發. 及其在人, 則未發者固是性, 而其所發亦只是善.)"라고 하였다.

93 이것은 반드시 … 한다. : 李宜哲의 『朱子語類古文解義』에는 이 구절을 다음과 같이 풀이하였다. "상황[地頭]은 말하는 중심이 되는 생각이 있는 곳을 가리키니, 각각 그 곳에 따라서 생동적으로 보아야 한다. 예컨대 '善이 먼저이고 性이 뒤이다.'라고 해도 되고, '성이 먼저이고 선이 뒤이다.'라고 해도 된다. 그런데 질문한 사람의 말과 같이 뭉뚱그려 보아서 먼저 선이 있고 뒤에 선이 있다고 생각해서는 안된다.(地頭, 指所言主意所在處, 各隨其地而活看之. 如云, '善先性後', 可也 ; '性先善後', 亦可也. 不可汎看以爲先有善而後有善, 如問者之說也.)"

서 비로소 사람과 만물이 생겨난다는 것이다. 밖으로 나타나는 것은 선이고 사람과 만물이 생겨나면 곧 성을 이룬다. 사람의 입장에서 말하면 성이 먼저 있고 선이 뒤에 있다."[94]

或擧孟子道性善.

曰: "此則'性'字重, '善'字輕, 非對言也."[95]

어떤 사람이 맹자가 성선性善에 대해 말한 것[96]을 제기하였다.

(주자가) 대답했다. "이것은 '성性'자가 중요하고 '선善'자는 비중이 가벼우니, 짝지어 말한 것이 아니다."[97]

[29-2-18]

問: "性旣無形, 復言以理, 理又不可見."

曰: "父子有父子之理. 君臣有君臣之理."[98]

물었다. "성이 이미 형체가 없는데 다시 리로써 말해도 리 또한 볼 수 없습니다."

(주자가) 대답했다. "부자간에는 부자의 리가 있고 군신간에는 군신의 리가 있다."

[29-2-19]

"世間只是這箇道理. 譬如晝日當空, 一念之間合著這道理, 則皎然明白, 更無纖毫窒礙, 故曰'天命之謂性.' 不只是這處有, 處處皆有. 只是尋時, 先從自家身上尋起. 所以說'性者, 道之形體也', 此一句最好. 蓋是天下道理尋討將去, 那裏不可體驗? 只是就自家身上體驗, 一性之內, 便是道之全體. 千人萬人, 一切萬物, 無不是這道理. 不特自家有, 他也有; 不特甲有, 乙也有. 天下事都恁地."[99]

(주자가 말했다.) "세간에는 다만 이 도리가 있을 뿐이다. 비유하건대 낮에 태양이 하늘에 걸려있는

94 사람의 입장에서 … 있다. : 이의철은 『朱子語類考文解義』에서 이 구절에 대하여, "이것은 먼저 성이 이루어짐이 있고 그런 다음에 비로소 선을 이어가면서 유행하는 情이 있다는 것이다.(謂此則是先有性成, 然後始有繼善流行之情也.)"라고 풀이하였다.

95 『朱子語類』 권5, 16조목

96 맹자가 性善을 … 것 : 이 말은 굳이 『孟子』「滕文公上」의 "맹자가 性善을 말하면 반드시 요순을 일컫는다.(孟子道性善, 言必稱堯舜.)"에서의 '맹자가 性善을 말한 것[孟子道性善]'으로 볼 필요가 없다. 이는 차라리 '맹자가 성선설을 주장한 것'이라는 포괄적인 의미로 보아야 할 것이다.

97 "이것은 '性'자가 … 아니다." : 이의철은 『朱子語類考文解義』에서 이 구절에 대하여, "맹자는 성을 위주로 하고 그 성의 선을 미루어 말했다. 이것은 '性善'이라는 두 글자에서 주객과 경중의 의미를 보인 것이니, 예컨대 '이를 이어가는 것은 선이고 이를 이루는 것은 성이다.'라는 문장과 같이 선과 성을 짝지어 제기하여 둘로 말해서 그 둘이 모두 중요하지 비중이 가벼운 것이 없는 것이 아니다.(孟子以性爲主, 而推言其性之善. 是見'性善'二字主客輕重之義, 非如繼善成性之文, 善與性對擧而兩言之, 皆重而無輕也.)"라고 풀이하였다.

98 『朱子語類』 권5, 13조목

99 『朱子語類』 권116, 4조목

것과 같이 한 순간의 생각에도 이 도리에 합치되면 환히 명백하니, 다시 조금이라도 막혀서 방해되는 것이 없으므로, 『중용』에서 '하늘이 명령한 것을 성이라고 한다.'라고 하였다. 다만 여기에만 있을 뿐 아니라 처처곳곳에 모두 있다. 다만 그것을 찾을 때 먼저 자신의 몸에서 그것을 찾기 시작해야할 뿐이다. 그러므로 소옹이 '성性은 도道의 형체이다.'[100]라고 한 말은 가장 훌륭하다. 대개 이렇게 하고서 천하의 도리를 찾아 나가면 어느 것인들 체험할 수 없겠는가? 다만 자신의 몸에서 체험하면 한 사람의 성性 안에 있는 것이 바로 도의 전체이다. 천만이나 되는 사람과 모든 만물도 이 도리가 아닌 것이 없다. 다만 자신만 소유할 뿐 아니라 다른 사람도 소유하며, 다만 갑甲만 소유할 뿐 아니라 을乙도 소유하고 있다. 천하의 일이 모두 그러하다."

[29-2-20]

"'性者, 道之形體; 心者, 性之郛郭', 康節這數句極好. 蓋道卽理也, 如'父子有親, 君臣有義'是也. 然非性, 何以見理之所在? 故曰, '性者, 道之形體.' 仁·義·禮·智, 性也, 理也, 而具此性者心也. 故曰, '心者, 性之郛郭.'"[101]

(주자가 말했다.) "'성性은 도道의 형체이고, 심心은 성性의 성곽이다.'라고 한 강절康節[邵雍]의 말을 매우 훌륭하다. 대개 도는 곧 리이니 예컨대 '부자간에는 친함이 있고, 군신간에는 의義가 있다.'[102]는 것이 이것이다. 그러나 성이 아니면 무엇으로써 리가 있는 곳을 볼 수 있겠는가? 그러므로 '성은 도의 형체이다.'라고 하였다. 인·의·예·지는 성이고 리이며 이 성을 구비한 것은 심心이다. 그러므로 '심心은 성의 성곽이다.'라고 하였다."

[29-2-21]

問"性者, 道之形體."

曰: "性者, 人所稟受之實; 道者, 事物當然之理也. 事物之理, 固具於性. 但以道言, 則冲漠散殊而莫見其實. 惟求之於性, 然後見其所以爲道之實初不外乎此也. 『中庸』所謂'率性之謂道', 亦以此而言耳."[103]

"성性은 도道의 형체이다."에 대해 물었다.

100 '性은 道의 형체이다.': 소옹은 『擊壤集』 序에서, "性은 道의 형체이고, 心은 性의 성곽이며, 몸[身]은 心의 집이고, 만물[物]은 몸의 배와 수레이다.(性者, 道之形體; 心者, 性之郛郭; 身者, 心之區宇; 物者, 身之舟車.)"라고 하였다.

101 『朱子語類』 권100, 44조목

102 '부자간에는 친함이 … 있다.': 『孟子』「滕文公上」에서 "성인이 그것을 근심하여, 契을 司徒로 삼아 人倫을 가르치게 하였으니, 부자간에는 친함이 있고, 군신간에는 義가 있으며, 부부간에는 분별이 있고, 長幼간에는 차례가 있으며, 붕우간에는 믿음이 있는 것이다.(聖人有憂之, 使契爲司徒, 敎以人倫, 父子有親, 君臣有義, 夫婦有別, 長幼有序, 朋友有信.)"라고 하였다.

103 『朱文公文集』 권56 「答方賓王」

(주자가) 대답했다. "성은 사람이 품부 받은 실질이고 도는 사물의 당연한 리이다. 사물의 리는 본디 성에 갖추어져 있다. 그러나 도道로써 말하면 텅 비고 고요한 가운데 각기 다르게 흩어져 있어 그 실제를 보지 못한다. 오직 그것을 성性에서 구한 뒤에라야 그것(리)이 도가 되는 실제로서 애초에 이것(성)을 벗어나지 않는다는 것을 알 수 있다. 『중용』에서 이른바 '성을 따르는 것을 도라고 한다.'라는 말도 역시 이것을 가지고 말했을 뿐이다."

[29-2-22]

因言：“性如何是道之形體?”

陳淳曰：“道是性中之理.”

曰：“道是泛言, 性是就自家身上說. 道在事物之間, 如何見得? 只就這裏驗之, 一作‘反身而求’ 性之所在, 則道之所在也. 道是在物之理, 性是在己之理. 然物之理, 都在我此理之中. 道之骨子便是性.”

이어서 (주자가) 말했다. "성이 어떻게 도의 형체인가?"

진순陳淳이 대답했다. "도는 성 가운데의 리입니다."

(주자가) 말했다. "도는 개괄적인 말이고 성은 자신의 몸으로부터 말하는 것이다. 사물들 속에서 도를 어떻게 볼 수 있겠는가? 다만 자신의 몸에서 체인體認하면, 어떤 판본에서는 '몸에 돌이켜서 구하면'이라고 하였다. 성이 있는 곳에는 곧 도가 있는 곳이다. 도는 사물에 있는 리이고, 성은 자기에게 있는 리이다. 그러나 만물의 리는 모두 나의 이 리 가운데 있다. 도의 골자는 바로 성이다."

劉砥問：“性, 物我皆有, 恐不可分在己·在物否?”

曰：“道雖無所不在, 須是就己驗之而後見. 如‘父子有親, 君臣有義’, 若不就己驗之, 如何知得是本有? ‘天叙有典’, 典是天底, 自我驗之, 方知得‘五典五惇’; ‘天秩有禮’, 禮是天底, 自我驗之, 方知得‘五禮有庸.’”

유지劉砥(주자 문인)가 물었다. "성은 만물과 내가 모두 소유한 것이니, 아마도 나에게 있는 것과 만물에 있는 것을 구분할 수 없지 않겠습니까?"

(주자가) 대답했다. "도는 비록 있지 않는 곳이 없지만, 반드시 자기 몸에서 체험한 뒤에 알 수 있다. 예컨대 '부자간에는 친함이 있고, 군신간에는 의義가 있다.'라는 것에 대하여, 만약 자기 몸에서 체험하지 않으면 어떻게 이것이 본래 소유하고 있는 것임을 알겠는가? '하늘이 차례로 펴서 법이 있게 되었다.'에서 법은 하늘의 것이니, 내가 스스로 체험해야 비로소 '오전五典을 바로잡아 다섯 가지를 도탑게 함이 있다.'는 것을 알 수 있으며, '하늘이 차례를 지어서 예禮가 있게 되었다.'에서 예는 하늘의 것이니, 내가 스스로 체험해야 비로소 '오례五禮로부터 다섯 가지를 떳떳하게 함이 있다.'는 것을 알 수 있다."[104]

104 '하늘이 차례로 … 있다.: 『書』「虞書」·「皐陶謨」에서 "하늘이 차례로 펴서 법이 있게 되니 우리 五典을 바로잡아 다섯 가지를 도탑게 하며, 하늘이 차례를 지어서 禮가 있게 되니 우리 五禮로부터 다섯 가지를

陳淳問 : "心是郛郭, 便包了性否?"

曰 : "是也. 如橫渠'心統性情'一句, 乃不易之論. 孟子說心許多, 皆未有似此語端的. 子細看, 便見其他諸子等書, 皆無依稀似此."[105]

진순이 물었다. "심心은 성곽이니 성性을 에워쌀 수 있습니까?"
(주자가) 대답했다. "그렇다. 예컨대 횡거橫渠[張載]의 '심心은 성性과 정情을 통섭한다.'[106]라는 구절은 바꿀 수 없는 이론이다. 맹자가 심心에 대해 많이 설명했지만 모두 이 말만큼 확실한 것은 없는 것 같다. 이 말을 자세히 살펴보면, 기타 여러 학자들의 글은 모두 이 말만큼 유사하게 표현한 것이 없다는 것을 알 수 있다."

[29-2-23]

問 : "所謂'道之形體', 如何?"

曰 : "諸先生說這道理, 却不似邵子說得最著實. 這箇道理, 纔說出, 只是虛空, 更無形影. 惟是說'性者, 道之形體', 却見得實有, 不須談空說遠, 只反諸吾身求之, 是實有這箇道理? 還是無這箇道理? 故嘗曰, '欲知此道之實有者, 當求之吾性分之內.' 邵子忽地自說出幾句,[107] 最說得好."[108]

물었다. "소옹의 이른바 '도의 형체'라는 말은 어떻습니까?"
(주자가) 대답했다. "여러 선생들이 이 도리를 말했지만, 도리어 소자邵子[邵雍]가 말한 것처럼 그렇게 절실하지는 않은 것 같다. 이 도리는 말로 표현하자마자 다만 공허하여 더욱더 종적을 잡을 수 없다. 오직 '성은 도의 형체이다.'라고 말할 때 도리어 실제로 있는 것을 알 수 있으니, 반드시 공허하고 고원한 것을 말하지 말고 다만 내 몸에서 돌이켜 실제로 이 도리가 있는지 없는지를 구해야 한다. 그러므로 나는 일찍이 '이 도가 실제로 있다는 것을 알려면 우리가 「개별적으로 가진 성[性分(성의 몫)」 안에서 구해야 한다.'[109]고 하였다. 소자邵子[邵雍]가 홀연히 몸소 말로 표현한 이 몇 구절이 가장 잘 말한 것이다."

又曰 : "天之付與, 其理本不可見, 其總要却在此. 蓋人得之於天地元無欠闕,[110] 只是其理却無形象. 不於性上體認, 如何知得? 程子謂'其體謂之道, 其用謂之神. 而其理屬之人, 則謂之性

떳떳하게 함이 있다!(天敍有典, 勅我五典五惇哉! 天秩有禮, 自我五禮有庸哉!)"라고 하였다.

105 『朱子語類』 권100, 36조목

106 張載, 『張子全書』 권14 「性理拾遺」

107 邵子忽地自說出幾句 : 『朱子語類』 권100, 37조목에는 "소자가 홀연히 『擊壤集』「序」에서 몸소 말로 표현한 몇 구절(邵子忽地於『擊壤集』序自說出幾句)"이라고 되어 있다.

108 『朱子語類』 권100, 37조목

109 '이 도가 … 한다.' : 본문 [29-2-21]에 이 구절과 같은 내용의 말이 있다.

110 蓋人得之於天地元無欠闕 : 『朱子語類』 권100, 38조목에는 "사람이 하늘에서 얻은 것 가운데 리는 원래 결핍됨이 없다.(蓋人得之於天, 理元無欠闕.)"라고 되어 있다.

；其體屬之人，則謂之心；其用屬之人，則謂之情."[111]

(주자가) 또 말했다. "하늘이 부여한 것에서 그 리는 본래 볼 수 없는 것이지만 그 총괄적인 요체는 도리어 여기에 있다. 사람이 천지에서 얻은 것은 원래 결핍됨이 없지만 다만 그 리는 도리어 형상이 없다. 성에서 체인하지 않으면 어떻게 알 수 있겠는가? 정자程子는 '그 체體를 도道라 하고, 그 용用을 신神이라고 한다. 그리고 그 리가 사람에게 배속되면 성性이라 하고, 그 체가 사람에게 배속되면 심心이라 하며, 그 용이 사람에게 배속되면 정情이라고 한다.'[112]라고 하였다."

又曰："道是發用處. 見於行者, 方謂之道；性是那道骨子. 性是體, 道是用. 如云'率性之謂道', 亦此意."[113]

(주자가) 또 말했다. "도道는 발동하여 운용하는 곳이다. 행위에 나타나는 것이라야 비로소 도라고 하며, 성性은 그 도의 핵심[骨子]이다. 성은 체體이고 도는 용用이다. 예컨대 『중용』에서 '성을 따르는 것을 도라고 한다.'[114]라고 한 것도 역시 이 의미이다."

[29-2-24]

答張敬夫曰："性不可以善惡名. 蓋善者, 無惡之名. 夫其所以有好有惡者, 特以好善而惡惡耳, 初安有不善哉? 然則名之以善, 又何不可之有?"[115]

주자가 장경부張敬夫[張栻][116]에게 답하는 편지에서 말했다. "성性은 선·악으로 이름 붙일 수 없다. 선은

111 『朱子語類』 권100, 38조목

112 '그 體를 … 한다.'：『河南程氏遺書』 권1에서 "'하늘의 일은 소리도 없고 냄새도 없다.' 그 體는 易이라 하고, 그 理는 道라고 하며, 그 用은 神이라고 한다. 그 명령이 사람에게 있는 것은 性이라 하고, 성을 좇는 것을 道라고 하며, 도를 닦는 것을 가르침[敎]이라고 한다.(蓋'上天之載, 無聲無臭.' 其體則謂之易, 其理則謂之道, 其用則謂之神. 其命於人則謂之性, 率性則謂之道, 修道則謂之敎.)"라고 하였다.
또 『二程粹言』 권1 「論道篇」에서는, "하늘의 일은 느낄 수 있는 소리도 없고 냄새도 없다. 그 體는 易이라 하고, 그 理는 道라고 하며, 그 명령이 사람에게 있는 것을 性이라 하고, 그 用이 끝이 없는 것을 神이라고 하는데, 모두 한 가지일 뿐이다.(上天之載, 無聲無臭之可聞. 其體則謂之易, 其理則謂之道, 其命在人則謂之性, 其用無窮則謂之神, 一而已矣.)"라고 하였다.
『河南程氏遺書』 권25에서는 "性의 본원을 命이라 하고, 성의 저절로 그러함을 天이라 하며, 성이 형체가 있는 것으로부터 心이라고 하고, 성이 움직임이 있는 것으로부터 情이라고 하는데, 이 몇 가지는 모두 한 가지이다.(性之本謂之命, 性之自然者謂之天, 自性之有形者謂之心, 自性之有動者謂之情, 凡此數者皆一也.)"라고 하였다.

113 『朱子語類』 권100, 43조목

114 『中庸』 제1장

115 『朱文公文集』 권32 「答張敬夫」

116 張栻(1133~1180)：자는 敬夫·欽夫·樂齋이고, 호는 南軒이다. 송대 漢州 錦竹(현 사천성 廣漢縣) 사람이다. 그의 부친 張浚은 宋 高宗, 孝宗 양 조정에서 丞相을 지냈다. 知撫州·知嚴州·湖北安撫사·吏部侍郞兼侍講 등을 역임하였다. 주희보다 세 살 어리지만 呂祖謙과 더불어 친구로 지냈으며, 후대에 이들 셋을 '東南三賢'

악이 없는 것의 명칭이다. 성性에 좋아함과 싫어함이 있는 까닭은 다만 선을 좋아하고 악을 싫어하기 때문일 뿐이니, 애초에 어찌 선하지 않음이 있었겠는가? 그렇다면 그것을 선이라고 이름 붙이는 데에 또 무슨 안될 일이 있겠는가?"

[29-2-25]

答胡廣仲曰 : "天命之性, 只以'仁·義·禮·智'四字言之, 最爲端的. 率性之道, 便是率此之性, 無非是道, 亦離此四字不得. 如程子所謂, '仁, 性也, 孝弟是用也. 性中只有仁義禮智而已, 曷嘗有孝弟來?' 此語亦可見矣. 蓋父子之親, 兄弟之愛, 固性之所有. 然在性中只謂之仁, 而不謂之父子兄弟之道也. 君臣之分, 朋友之交, 亦性之所有. 然在性中只謂之義, 而不謂之君臣朋友之道也. 推此言之, 曰禮, 曰智, 無不然者."

주자가 호광중胡廣仲[胡實][117]에게 답하는 편지에서 말했다. "하늘이 명령한 성性에 대해서 다만 '인·의·예·지'라는 네 글자로 말한 것이 가장 확실하다. 성을 따르는 도道는 곧 이것(인·의·예·지)을 따르는 성이 도 아님이 없다는 것이니, 또한 이 네 글자를 떠날 수 없다. 예컨대 정자程子[程頤]가 이른바 '인仁은 성性이고, 효제孝弟는 용用이다. 성 가운데에는 오직 인의예지가 있을 뿐 어찌 효제孝弟가 있었겠는가?'[118]라고 한 말에서도 역시 알 수 있다. 대개 부자간의 친함과 형제간의 우애는 본디 성性이 가지고 있는 것이다. 그러나 성 가운데에는 다만 인仁이라고 말하지, 부자간·형제간의 도라고 말하지 않는다. 군신간의 분수와 친구간의 교제도 역시 성性이 가지고 있는 것이다. 그러나 성 가운데에는 다만 의義라고 말하지, 군신간·친구간의 도라고 말하지 않는다. 이것을 미루어 말하면 예禮라고 말하고 지智라고 말하는 것도 그렇지 않음이 없는 것이다."

又曰 : "伊川云, '天地儲精, 得五行之秀者爲人. 其本也眞而靜. 其未發也五性具焉, 曰仁·義·禮·智·信. 形旣生矣, 外物觸其形而動於中矣. 其中動而七情出焉, 曰喜·怒·哀·樂·愛·惡·欲. 情旣熾而益蕩, 其性鑿矣.' 詳味此數語,[119] 與「樂記」之說指意不殊.

(주자가 호광중에게 답하는 편지에서) 또 말했다. "이천伊川[程頤]은 '천지가 정기精氣를 저축한 것[120]에서

이라고 부른다. 장식은 스승 胡宏으로부터 이어지는 胡湘學派를 정립하였으며, 그의 察識端倪說은 주희의 中和舊說을 확립하는데 중요한 역할을 하였다. 저서는 『南軒易說』·『論語解』·『孟子說』·『伊川粹言』·『南軒集』 등이 있다.

117 胡實(1136~1173) : 자는 廣仲이고, 송대 崇安(현 복건성 소속) 사람으로 胡宏의 사촌동생이다. 호굉에게 학문을 배우고 음사로 將仕郎에 임명되었으니 벼슬에 나아가지 않고 학문에 힘 쏟았다. 나중에 欽州靈山縣 主簿가 되었으나 부임하기 전에 죽었다. 朱熹·張栻 등과 학술 논변을 벌였으나 영합하려 하지 않았다.

118 『河南程氏遺書』 권18

119 詳味此數語 : 『朱文公文集』 권42 「答胡廣仲」에는 "熹詳味此數語"라고 되어 있다.

120 천지가 精氣를 … 것 : 주자는 『朱子語類』 권30, 49조목에서, "물었다. '「천지가 精氣를 저축한다.(天地儲精.)」에서 어떻게 하는 것이 정기를 저축하는 것입니까?' (주자가) 대답했다. '儲는 저축을 말한다. 천지는 음과

오행五行의 빼어난 것을 얻은 것이 사람이다.[121] 그 본체는 참되고 고요하다. 그것이 아직 발동하기 이전의 상태에 오성五性을 갖추니, 인仁·의義·예禮·지智·신信이라고 한다. 형체가 이미 생겨나면 외부 사물이 그 형체에 접촉하여 마음을 움직인다. 마음이 움직이면 칠정七情이 나오게 되니 희喜·노怒·애哀·락樂·애愛·오惡·욕欲이라고 한다. 정情이 이미 왕성해져서 더욱 제멋대로 움직이면 그 성性이 손상을 입게 된다.[122][123] 라고 말했다. 내가 이 몇 마디 말을 자세히 음미해보니, 『예기』「악기樂記」의 말[124]과 가리키는 뜻이 다르지 않았다.

所謂靜者, 亦指未感時言耳. 當此之時, 心之所存, 渾是天理, 未有人欲之僞, 故曰'天之性.' 及

양 두 기의 정수가 모인 것을 저축하므로 만물을 생겨나게 할 수 있다.'(問, '「天地儲精」, 如何是儲精?' 曰, '儲, 謂儲蓄. 天地儲蓄得二氣之精聚, 故能生出萬物.')"라고 하였다.

또 같은 책 권30, 50조목에서, "물었다. '무엇을 「정기를 저축함[儲精]」이라고 합니까?' 주자가 대답했다. '儲는 저축이고, 精은 精氣이다. 정기가 유통하는 것은 마치 만물을 낳을 때 장차 다 정해지는 것과 같다. (「其本也眞而靜」에서) 本은 본체이고, 眞은 사람의 거짓됨이 섞이지 않는 것이며, 靜은 아직 발동하지 않은 상태이다.'(問, '何爲儲精?' 曰, '儲, 儲蓄; 精, 精氣. 精氣流通, 若生物時闐定. 本, 是本體; 眞, 是不雜人僞; 靜, 是未發.')"라고 하였다.

121 五行의 빼어난 … 사람이다. : 주자는 『朱子語類』 권30, 52조목에서, "'五行의 빼어난 것을 얻은 것이 사람이다.'라는 구절에서 다만 오행만을 말하고 음양을 말하지 않은 것은 사람을 만들 때 반드시 오행이 있어야 비로소 완성할 수 있기 때문이다. 그러나 음양은 곧 오행 가운데에 있으므로 周子[周惇頤]는 『太極圖』에서 '오행은 하나의 음양이다.'라고 하였다. 오행을 버리고는 따로 음양을 구할 곳이 없다. 예컨대 甲과 乙은 木에 배속되지만 갑은 곧 양이고 을은 곧 음이며, 丙과 丁은 火에 배속되지만 병은 곧 양이고 정은 곧 음인 것과 같다. 다시 음양을 말할 필요도 없이 음양은 그 가운데에 있다.('得五行之秀者爲人.' 只說五行而不言陰陽者, 蓋做這人, 須是五行方做得成. 然陰陽便在五行中, 所以周子云, '五行一陰陽也.' 舍五行無別討陰陽處. 如甲乙屬木, 甲便是陽, 乙便是陰; 丙丁屬火, 丙便是陽, 丁便是陰. 不須更說陰陽, 而陰陽在其中矣.)"라고 하였다.

122 情이 이미 … 된다. : 『朱子語類』 권30, 54조목에서, "물었다. '程子[程頤]는 「情이 이미 왕성해져서 더욱 제멋대로 움직이면 그 性이 손상을 입게 된다.」라고 말했는데, 性에 대해 어떻게 손상을 입게 된다는 말을 할 수 있습니까?' 주자가 대답했다. '성은 본디 손상을 입을 수 없다. 그러나 사람이 이 리를 따르지 않고 제멋대로 함부로 움직여서 그것에 손상을 입혔을 뿐이다. 「손상을 입힌다[鑿]」는 말은 맹자의 이른바 「손상을 입힌다[鑿]」는 말(所惡於智者, 爲其鑿也.)과 같으므로, 맹자는 다만 「그 성을 기른다.」고 말했을 뿐이다. 기른다는 것은 그것을 순조롭게 따라서 해치지 않는다는 것을 말한다.'(問, '程子云, 「情旣熾而益蕩, 其性鑿矣.」 性上如何說鑿?' 曰, '性固不可鑿. 但人不循此理, 任意妄作, 去傷了他耳. 鑿, 與孟子所謂鑿一般, 故孟子只說「養其性」. 養, 謂順之而不害.')"라고 하였다.

123 程顥·程頤, 『二程文集』 권9 「雜著·顔子所好何學論」

124 『禮記』「樂記」의 말 : "사람이 처음 태어날 때 고요한 것은 천연의 성이고, 외물에 감동하여 움직이는 것은 性의 욕망이다. 사물이 이르러 마음의 인식능력이 그것을 감지한 뒤에 좋아함과 싫어함이 드러난다. 좋아함과 싫어함이 마음속에서 절도가 없고 마음의 인식능력이 바깥 사물에 유혹되는 데도 스스로 자기 몸에 돌이켜 반성하지 않으면 天理가 없어진다.(人生而靜, 天之性也. 感於物而動, 性之欲也. 物至知知, 然後好惡形焉. 好惡無節於內, 知誘於外, 不能反躬, 天理滅矣.)"라는 구절을 가리킨다.

其感物而動, 則是非眞妄自此分矣. 然非性, 則亦無自而發, 故曰'性之欲.' '動'字與『中庸』'發'字無異. 而其是非眞妄, 特決於有節與無節, 中節與不中節之間耳. 來敎所謂'正要此處識得眞妄'是也.

이른바 고요함[靜]은 또한 아직 감동하지 않았을 때를 가리켜 말하는 것일 뿐이다. 이때에 마음이 보존하고 있는 것은 혼연히 천리天理이니, 아직 인욕人欲의 거짓됨이 있지 않으므로 '천연의 성[天之性]'이라고 하였다. 그것이 사물에 감동하여 움직이게 되면 옳음과 그름, 참됨과 거짓이 여기에서부터 나누어진다. 그러나 성이 아니면 그 어느 것으로부터라도 발동할 곳이 없기 때문에 '성의 욕망[性之欲]'이라고 하였다. '움직임[動]'이라는 글자는 『중용』의 '발동함[發]'이라는 글자[125]와 다름이 없다. 그런데 그것이 옳음과 그름, 참됨과 거짓이 있는 것은 다만 절도節度가 있음과 절도가 없음, 절도에 맞음과 절도에 맞지 않음의 사이에서 결정될 뿐이다. 보내온 편지에서 이른바 '바로 이곳에서 참됨과 거짓을 식별해야 된다.'라고 한 말은 옳다.

至謂'靜'字所以形容天性之妙, 不可以動靜眞妄言, 却有疑焉.[126] 蓋性無不該, 動靜之理具焉. 若專以'靜'字形容, 則反偏却'性'字矣. 旣以靜爲天性,[127] 只謂未感物之前, 私欲未萌, 渾是天理耳, 不必以'靜'字爲性之妙也. 眞妄, 又與動靜不同. 性之爲性, 天下莫不具焉, 但無妄耳.

'고요함[靜]'이라는 글자로 천연의 성의 오묘함을 형용한다고 말한 경우는, 움직임과 고요함, 참됨과 거짓으로 말할 수 없기 때문에 도리어 의문이 있다. 대개 성은 갖추지 않은 것이 없으니 움직임과 고요함의 리도 갖추었다. 만약 오로지 고요함[靜]'이라는 글자만으로 천연의 성의 오묘함을 형용한다면 도리어 '성性'이라는 글자를 치우치게 하는 것이다. 이미 고요함을 천연의 성으로 여겼다면 다만 아직 사물에 감동하기 이전에 사욕私欲이 아직 싹트지 않아서 혼연히 천리天理인 것이라고 말할 수 있을 뿐, '고요함[靜]'이라는 글자를 성의 오묘함으로 삼을 필요가 없다. 참됨과 거짓은 또 움직임과 고요함과는 같지 않다. 성이 성다운 것은 온 세상 모든 것이 그것을 갖추지 않음이 없지만 거짓이 없기 때문이다.

今乃欲并與其眞而無之, 此韓公'道無眞假'之言, 所以見譏於明道也. 伊川所謂'其本眞而靜'者, '眞'·'靜'兩字亦自不同. 蓋眞則指本體而言, 靜但言其初未感乎物. 明道云, '人生而靜之上不容說, 纔說性時, 便已不是性矣.' 蓋人生而靜, 只是靜之未發. 但於此可見天性之全, 非眞以靜狀性也."[128]

125 『中庸』의 … 글자 : 『中庸』 제1장의 "희노애락이 아직 발동하지 않은 상태를 中이라 하고, 발동하여 모두 節度에 맞는 것을 和라고 하니, 中은 천하의 큰 근본이요, 和는 천하의 공통된 道이다.(喜怒哀樂之未發, 謂之中 ; 發而皆中節, 謂之和 ; 中也者, 天下之大本也 ; 和也者, 天下之達道也.)"에서의 '발동함[發]'을 가리킨다.
126 却有疑焉. : 『朱文公文集』 권42 「答胡廣仲」에는 "則熹却有疑焉"이라고 되어 있다.
127 旣以靜爲天性 : 『朱文公文集』 권42 「答胡廣仲」에는 "『記』以靜爲天性"이라고 되어 있다.
128 『朱文公文集』 권42 「答胡廣仲」

이제 그 참됨과 함께 아울러서 없애려고 하면, 이것은 한공韓公[韓維][129]의 '도에는 참됨과 거짓이 없다.'는 말이므로 명도明道[程顥]에게 비난을 받게 되었다.[130] 이천伊川[程頤]의 이른바 '그 본체는 참되고 고요하다.'[131]라는 말에서 '참됨[眞]'과 '고요함[靜]'이라는 두 글자는 또한 본래 같지 않다. 대개 '참됨[眞]'은 본체를 가리켜 말하는 것이고, '고요함[靜]'은 다만 그것이 처음에 사물에 감동되지 않았음을 말하는 것일 뿐이다. 명도明道[程顥]는 '사람이 처음 태어날 때 고요한 상태 이전은 말이 용납되지 않으니, 성이라고 말할 때 바로 이미 성이 아니다.'[132]라고 말했으니, 대개 사람이 처음 태어날 때 고요한 상태는 다만 고요함[靜]이 아직 발동되지 않은 상태일 뿐이다. 그러나 여기에서 천연의 성의 온전함을 볼 수 있지만, 참으로 고요함[靜]을 가지고 성을 형용한 것은 아니다."

書藁後復補其意曰："如廣仲之言，旣以靜爲天地之妙，又論性不可以眞妄動靜言．是『知言』所謂'歎美之善，而不與惡對'者云爾．應之宜曰，'善惡也，眞妄也，動靜也，一先一後，一彼一此，皆以對待而得名者也．不與惡對，則不名爲善；不與動對，則不名爲靜矣．旣非妄，又非眞，則亦無物之可指矣．今不知性之善而未始有惡也，眞而未始有妄也，主乎靜而涵乎動也，顧曰「善惡·眞妄·動靜，凡有對待皆可以言性．[133] 而對待之外，別有無對之善與靜焉，然後可以形容天性之妙」，不亦異乎?'

(주자는) 편지를 쓴 뒤에 다시 그 의미를 보충하여 다음과 같이 말했다. "광중廣仲[胡實]의 말과 같으면 이미 고요함[靜]을 천지의 오묘함으로 삼았을 뿐 아니라 또한 성性을 논하는 데에 참됨과 거짓, 움직임과 고요함으로 말할 수 없게 되었다. 이것은 호굉胡宏의 『지언知言』에서 이른바 '선을 찬미한 것이고 악과 짝하지 않은 것이다.'[134]이라고 말한 것일 뿐이다. 마땅히 다음과 같이 말해야 할 것이다. '선과 악, 참됨

129 韓維(1017~1098) : 자는 持國이고 송대 開封雍丘(현 하남성 杞縣) 사람이다. 韓億子, 韓絳, 韓縝 등과 형제이다. 부친 덕택에 蔭官이 되었으니, 부친이 죽은 뒤에는 벼슬에 나아가지 않았다. 仁宗 때에 歐陽修가 천거하여 知太常禮院이 되었으나 오래지 않아 通判涇州로 나갔다. 神宗 熙寧 2년(1069)에 翰林學士, 知開封府로 옮겼다. 이 때 王安石과 뜻이 맞지 않아 知襄州, 知許州 등으로 나갔다가 哲宗이 즉위하여 門下侍郎으로 불러들였다. 紹聖 2년(1095)에는 元祐黨人으로 지목되어 두 차례나 귀양 갔었다. 저술로는 『文集』 30권이 있었는데, 南陽郡公으로 봉해졌기 때문에 『南陽集』으로 전해진다.

130 이것은 韓公[韓維]의 … 되었다. : 『二程粹言』 권上 「論道篇」에서, 정호는 "韓侍郎[韓維]이 말했다. '도에는 참됨과 거짓이 없다.' 선생님[程顥]이 말했다. '이미 참됨이 없으면 거짓일 뿐이고 이미 거짓이 없으면 참됨이다. 참됨과 거짓이 모두 없다면 또한 무엇이 있겠는가? 반드시 「옳은 것은 참됨이고 그른 것은 거짓이다.」라고 말하는 것이 또한 분명하고 쉽게 알 수 있는 것이 아니겠는가?(韓侍郎曰, '道無眞假.' 子曰, '旣無眞則是假爾. 旣無假則是眞矣. 眞假皆無, 尙何有哉? 必曰「是者爲眞, 非者爲假」, 不亦顯然而易明乎?)"라고 한유를 비판하였다.

131 程顥·程頤, 『河南程氏文集』 권9 「雜著·顔子所好何學論」

132 『河南程氏遺書』 권1

133 凡有對待皆可以言性 : 『朱文公文集』 권75 「記論性答稿後」에는 "凡有對待皆不可以言性"이라고 되어 있다. 논리상 『朱文公文集』에 따라야 한다.

134 '선을 찬미한 … 것이다.' : 『知言』 권4에서 "맹자가 性善을 말한 것에서 선이라고 말한 것은 찬미하는 말이니

과 거짓, 움직임과 고요함, 한 번 앞이 됨과 한 번 뒤가 됨, 한 번 저것이 됨과 한 번 이것이 됨은 모두 대대對待[135]로서 명칭을 얻은 것이다. 악과 대가 되지 않으면 선이라고 이름 붙여지지 않으며, 움직임과 대가 되지 않으면 고요함이라고 이름 붙여지지 않는다. 이미 거짓이 아닐 뿐 아니라 또한 참도 아니라면 이 역시 가리킬 수 있는 것이 없다. 이제 성性은 선하여 악이 있은 적이 없으며, 참됨에는 거짓이 있은 적이 없으며, 고요함을 위주로 하되 움직임을 포함하고 있다는 것을 모르고, 다만 「선과 악, 참됨과 거짓, 움직임과 고요함 등 무릇 대대對待가 있는 것은 모두 그것으로 성을 말할 수 없다. 그러므로 대대하는 것 외에 별도로 짝이 없는 선과 고요함을 가진 다음에 그것으로써 천연의 성의 오묘함을 형용할 수 있다.」라고 말하면 또한 이상하지 않은가?'

當時酬對旣不出此, 而他所自言亦多曠闕. 如'論性無不該, 不可專以靜言', 此固是也. 然其說當云, '性之分雖屬乎靜, 而其蘊則該動靜而不偏.' 故「樂記」以靜言性則可, 如廣仲遂以「靜」字形容天性之妙則不可.' 如此則語意圓矣. 如論程子眞·靜之說, 以眞爲本體, 靜爲未感, 此亦是也. 然當云, '下文所謂未發, 卽靜之謂也; 所謂五性, 卽眞之謂也. 然則仁·義·禮·智·信云者, 乃所謂未發之蘊而性之眞也歟?' 如此則文義備矣."[136]

당시에 응답에는 이런 것까지 논의되지 않았고, 그곳에서 한 말들도 빠뜨린 것이 많다. 예컨대 '성을 논하는 데에는 다 갖추지 않으면 안되니 오로지 고요함으로만 말할 수 없다,'라고 한 것은 본디 옳다. 그러나 그것에 대한 말은 마땅히 '성의 직분은 비록 고요함에 속하지만 그것에 함축된 것은 움직임과 고요함을 다 갖추어서 치우치지 않는다. 그러므로 『예기』「악기樂記」에서 고요함으로 성을 말한 것은 괜찮지만, 광중廣仲[胡實]과 같이 마침내 「고요함[靜]」이라는 글자로 천연의 성의 오묘함을 형용하면 안된다.'라고 했어야 한다. 이와 같으면 말의 의미가 원만해진다. 예컨대 정자程子[程頤]의 참됨과 고요함이라는 말을 논하면서 참됨을 본체로 삼고 고요함을 아직 감동하지 않은 상태로 삼은 것도 역시 옳다. 그러나 마땅히 '아래 글에서 이른바 아직 발동하지 않은 상태는 곧 고요함을 말하고, 이른바 오성五性은 곧 참됨을 말한다. 그렇다면 인·의·예·지·신이라고 하는 것은 이른바 성이 아직 발동하지 않은 상태의 함축적인 내용이고 성의 참됨일 것이다!'라고 해야 한다. 이와 같으면 글의 의미가 갖추어진다."

[29-2-26]

"'人生而靜, 天之性'者, 言人生之初, 未有感時, 便是渾然天理也. '感物而動, 性之欲'者, 言及其有感, 便是此理之發也."[137]

악과 짝하지 않은 것이다.(孟子道性善, 善云者, 嘆美之詞, 不與惡對.)"라고 하였다.

135 對待 : 이는 對峙와 함께 음과 양 두 기가 서로 대립하면서도 서로 의존적인 관계에 있음을 표현하는 용어이다. 이는 流行과 대비된다.

136 『朱文公文集』 권75 「記論性答稿後」

137 『朱文公文集』 권42 「答胡廣仲」

(주자가 말했다.) "'사람이 처음 태어날 때 고요한 것은 천연의 성이다.'[138]라는 것은 사람이 처음 태어나 아직 감동하지 않았을 때 곧 혼연한 천리라는 것을 말한다. '외물에 감동하여 움직이는 것은 성性의 욕망이다.'[139]라는 것은 감동이 있게 되면 곧 이 리가 발동하는 것이라는 것이다."

[29-2-27]

"'人生而靜, 天之性', 未嘗不善; '感物而動, 性之欲', 此亦未是不善. 至於'物至知知, 然後好惡形焉. 好惡無節於內, 知誘於外, 不能反躬, 天理滅矣', 方是惡. 故聖賢說得'惡'字煞遲."[140]

(주자가 말했다.) "'사람이 처음 태어날 때 고요한 것이 천연의 성이다.'라는 것은 선하지 않은 적이 없고, '외물에 감동하여 움직이는 것이 성性의 욕망이다.'라는 것도 선하지 않음이 없다. '사물이 이르러 마음의 인식능력이 그것을 감지한 뒤에 좋아함과 싫어함이 드러난다. 좋아함과 싫어함이 마음속에서 절도가 없고 마음의 인식능력이 바깥 사물에 유혹되는 데도 스스로 자기 몸에 돌이켜 반성하지 않으면 천리天理가 없어진다.'[141]라는 데에 이르러야 비로소 악이다. 그러므로 성현이 '악惡'이라는 글자를 말한 것은 매우 더디다."

[29-2-28]

答林擇之曰: "'靜'字乃指未感本然言. 蓋人生之初, 未感於物, 一性之眞, 湛然而已, 豈非當體本然未嘗不靜乎? 惟感於物, 是以有動. 然所感旣息, 則未有不復其常者. 故嘗以爲靜者, 性之眞也."[142]

주자가 임택지林擇之[林用中][143]에게 답하는 편지에서 말했다. "'고요함[靜]'이라는 글자는 아직 감동하지 않은 본연本然을 가리켜 말한 것이다. 사람이 처음 태어나서 아직 사물에 감동하지 않았을 때 그 성性의 참됨은 담박할 뿐이니, 어찌 체體에 해당되는 본연本然이 고요하지 않은 적이 없는 것이 아니겠는가? 오직 사물에 감동되므로 움직임이 있다. 그러나 감동되는 것이 이미 멈추면 그 항상됨을 회복하지 않음

138 『禮記』「樂記」
139 『禮記』「樂記」
140 『朱子語類』 권87, 133조목
141 『禮記』「樂記」
142 『朱文公文集』 권43 「答林擇之」
143 林用中: 자는 擇之·敬仲이고, 호는 東屛이며 학자들은 草堂先生이라 불렀다. 송대 福州古田(현 복건성 소속) 사람이다. 처음에는 林光朝에게 배우면서 『大學』의 삼강령으로 학문의 뜻을 세웠다. 주희가 建安에서 강학하고 있다는 소문을 듣고 가서 배웠다. 주희는 그의 志操를 중시하여 채원정과 함께 畏友로 손꼽았다. 乾道 3년(1167)에 주희를 따라 潭州를 여행하고 주희와 함께 嶽麓書院에서 張栻을 만나 『中庸』의 의리를 강론하였다. 또 주희와 南嶽을 유람하면서 지은 詩 149수로 『南嶽酬唱集』을 남기기도 했다. 淳熙 3년(1176)에는 주희와 함께 여조겸의 요청에 응하여 鵝湖에서 육구연 형제를 만나기도 했다. 淳熙 6년(1179)에는 주희가 南康에 부임하는 것을 수행하여 白鹿洞書院에서 강학하였다. 주희가 僞學으로 몰린 慶元黨禁 시기에도 주희를 잘 보필한 것으로 유명하다. 저술에는 『東屛集』과 『草堂集』이 있다.

이 없다. 그러므로 일찍이 고요함은 성의 참됨이라고 생각했다."

[29-2-29]

"諸儒論性不同, 非是於善惡上不明, 乃'性'字安頓不著."[144]

(주자가 말했다.) "여러 학자들이 성性에 대해 논한 것이 같지 않은 것은 선악의 문제에서 분명하지 않은 것이 아니라, '성性'이라는 글자를 잘 안배하지 못한 것이다."

[29-2-30]

"聖人只是識得性. 百家紛紛, 只是不識'性'字. 揚子鶻鶻突突, 荀子又所謂隔靴爬痒."[145]

(주자가 말했다.) "성인은 다만 성性을 알았을 뿐이다. 많은 학자들이 어지럽게 주장한 것은 다만 '성性'이라는 글자를 알지 못한 것이다. 양자揚子[揚雄][146]는 흐리멍덩하고 순자荀子[147]는 또 이른바 신발 위로 가려운 데를 긁는 것과 같다."

[29-2-31]

"韓子說'所以爲性者五, 而今之言性者, 皆雜佛老而言之, 所以不能不異', 在諸子中最爲近理. 蓋如吾儒之言, 則性之本體, 便只是仁·義·禮·智之實; 如老佛之言, 則先有箇虛空底性, 後方旋生此四者出來. 不然, 亦說性是一箇虛空底物, 裏面包得四者.

(주자가 말했다.) "한자韓子[韓愈][148]가 '성이 되는 까닭은 다섯 가지(仁·義·禮·信·智)인데 요즘 성에 대

144 『朱子語類』 권5, 18조목

145 『朱子語類』 권5, 19조목

146 揚雄(B.C.53~18) : 자는 子雲이다. 서한시대 城都(현 사천성 성도) 사람으로 成帝 때 給事黃門郎이 되고 王莽 때는 校書天祿閣으로 대부의 반열에 올랐다. 王莽이 정권을 찬탈한 뒤 새 정권을 찬미하는 문장을 썼고 그 정권에 협조하였기 때문에, 지조가 없는 사람으로 宋學 이후에는 비난의 대상이 되기도 하지만 그의 식견은 漢나라를 대표한다. 사람의 본성에 대해서는 '性善惡混說'을 주장하였다. 초기에는 형식상 司馬相如를 모방하여 『甘泉』·『河東』·『羽猎』·『長楊』 四賦를 지었으나, 후기에는 『易』을 본떠서 『太玄』을 짓고 『論語』를 본떠서 『法言』을 지었다.

147 荀子(B.C.298?~B.C.238?) : 성은 荀, 이름은 況이다. 趙나라 사람이다. 荀卿·孫卿子 등으로 존칭된다. 『史記』에 전하는 그의 전기는 정확성이 없으나, 50세(일설에는 15세) 무렵에 齊나라에 遊學하고, 秦나라와 조나라에서 遊說하였다. 제나라의 王建(재위 B.C.264~B.C.221) 때 다시 제나라로 돌아가 稷下의 學士 가운데 最長老로 존경받았다. 세 차례나 직하학궁의 祭酒를 지냈다. 뒤에 그곳을 떠나 楚나라의 재상 春申君의 천거로 蘭陵(山東省)의 수령이 되었다. 춘신군이 암살되자(B.C.238), 벼슬자리에서 물러나 그 고장에서 문인교육과 저술에 전념하며 여생을 마쳤다. 순자의 사상은 孔子·子弓을 스승으로 하고 儒家의 실천 도덕을 바탕으로 하지만, 그들보다 한층 합리적이며, 더욱이 戰國思想의 여러 유형을 지양한 체계적이고 종합적인 것이었다. 순자의 저술은 당시 이미 成文 부분이 있었으나, 또 『荀子』에는 賦 10편이 있었는데 지금은 2편으로 줄여서 수록되어 있다.

148 韓愈(768~824) : 자는 退之이고, 세칭 韓昌黎·韓吏部라고 한다. 당대 鄧州南陽(현 하남성 孟縣) 사람으로

해 말하는 자들은 불교와 노자의 주장을 섞어서 말하므로 다르지 않을 수 없다.'[149]라고 말한 것이 여러 학자들 가운데 가장 이치에 가깝다. 대개 우리 유학에서 말하는 것 같으면 성의 본체는 곧 다만 인·의·예·지의 실질일 뿐이다. 노자와 불교에서 말하는 것 같으면 먼저 공허한 성이 있은 다음에 비로소 이 네 가지가 돌아가며 생겨난다. 그렇지 않으면 또한 성은 그 속에 인·의·예·지 네 가지를 감싸고 있는 공허한 것이라고 말한다.

今人却爲不曾曉得自家道理, 只見得他說得熟, 故如此不能無疑. 又纔見說四者爲性之體, 便疑實有此四塊之物磊塊其間, 皆是錯看了也. 須知性之爲體不離此四者, 而四者又非有形象方所可撮可摩也. 但於渾然一理之中識得箇意思情狀似有界限, 而實亦非有墻壁遮欄分別處也. 然此處極難言, 故孟子亦只於發處言之, 如言'四端', 又言'乃若其情, 則可以爲善'之類, 是於發處教人識取. 不是本體中元來有此, 如何用處發得此物出來? 但本體無著摸處, 故只可於用處看, 便省力耳."[150]

요즘 사람들은 도리어 자신(유학을 가리킴)의 도리를 알지 못하고 다만 그들(노자와 불교를 가리킴)의 말을 아는 데에 익숙하므로 이와 같이 의심이 없을 수 없다. 또 네 가지가 성의 본체라고 말하는 것을 보자마자 곧 실제로 이 네 덩어리의 사물이 그 사이에 우뚝하게 있다고 의심하니 모두 잘못 본 것이다. 모름지기 성은 본체가 되어 이 네 가지를 떠나지 않으며, 이 네 가지는 또 잡아보거나 만져볼 수 있는 형상과 장소가 있는 것이 아니라는 것을 알아야 한다. 단지 혼연한 하나의 리 가운데 그 의미의 실상이 한계가 있는 것 같지만, 사실은 또한 장벽으로 가로막은 분별이 있는 것이 아니라는 것을 알아야 한다. 그러나 이 점은 말하기가 매우 어려우므로 맹자도 또한 다만 그것이 발동하는 곳에서 말했을 뿐이니, 예컨대 '사단四端'을 말하고[151] 또 '그 정情으로 말하면 선하다고 할 수 있다.'[152]라고 말한 것과 같은

792년에 진사에 급제하여 四門博士·監察御史·國子祭酒·吏部侍郎 등을 역임하였다. 고문운동을 창도하여 송명리학의 선구자가 되었으며, 「論佛骨表」를 지어 불교배척운동에도 앞장섰다. 그의 性三品論은 후대의 심성론에 영향을 끼쳤다. 문장은 당송팔대가의 으뜸으로 꼽는다. 저서는 『昌黎先生集』이 있다.

149 '성이 되는 … 없다.': 『韓昌黎集』 권11 「雜文·原性」에서 "성은 태어날 때 함께 갖추고 생겨나는 것이고, 정은 사물과 접촉하고 생겨나는 것이다. … 그것이 성이 되는 까닭은 다섯 가지이니, 仁·義·禮·信·智이다. … 요즘 성에 대해 말하는 자들이 이것과 다른 것은 무엇 때문인가? … 요즘 성에 대해 말하는 자들은 불교와 노자의 주장을 섞어서 말한다. 불교와 노자의 주장을 섞어서 말하는 자들이 어찌 그 말이 다르지 않겠는가?(性也者與生俱生也, 情也者接于物而生也. … 其所以為性者五, 曰仁曰義曰禮曰信曰智. … 今之言性者異于此何也? 曰, 今之言者雜佛老而言也. 雜佛老而言者, 奚言而不異?)"라고 하였다.

150 『朱文公文集』 권61 「答林德久」

151 '四端'을 말하고: 맹자는 「公孫丑上」에서 "惻隱之心은 仁의 단서이고, 羞惡之心은 義의 단서이며, 辭讓之心은 禮의 단서이고, 是非之心은 智의 단서이다. 사람이 이 四端을 가지고 있음은 四體를 가지고 있음과 같으니, 이 사단을 가지고 있으면서도 스스로 仁義를 행할 수 없다고 말하는 자는 자신을 해치는 자이며, 자기 군주가 仁義를 행할 수 없다고 말하는 자는 군주를 해치는 자이다.(惻隱之心, 仁之端也; 羞惡之心, 義之端也; 辭讓之心, 禮之端也; 是非之心, 智之端也. 人之有是四端也, 猶其有四體也. 有是四端而自謂不能者, 自賊者

것은 발동하는 곳에서 사람들에게 변별하도록 한 것이다. 본체 가운데에 원래 이것이 있는 것이 아니라면 어떻게 작용하는 곳에서 이것을 발동해 낼 수 있겠는가? 단지 본체는 추측할 곳이 없으므로 다만 작용하는 곳에서 볼 수 있는 것이 힘을 줄이는 것일 따름이다."

[29-2-32]

南軒張氏答胡伯逢曰: "性善之說, 詳程子之言, 謂'人生而靜以上更不容說, 才說性時便已不是性.' 繼之曰, '凡人說性, 只是說「繼之者善」也, 孟子言人性善是也.' 但請詳味此語, 意自可見. 大抵性固難言而惟善可得而名之. 此孟子之言所以爲有根柢也. 但所謂善者, 要人能明之耳. 若曰'難言'而遂不可言, 曰'不容說'而遂不可說, 却恐渺茫而無所止也."[153]

남헌 장씨南軒張氏[張栻]가 호백봉胡伯逢[胡大原][154]에게 답하는 편지에서 말했다. "성선性善에 대한 이론은 정자程子[程顥]의 말에 상세하니, '사람이 처음 태어날 때 고요한 상태 이전은 다시 말이 용납되지 않으니, 성이라고 말할 때 바로 이미 성이 아니다.'라고 하고 이어서 '무릇 사람들이 성에 대해 말하는 것은 다만 「이를 이어가는 것은 선이다.」라는 것을 말하는 것일 뿐이니, 맹자가 사람의 성이 선하다고 말한 것이 이것이다.'[155]라고 말했다. 다만 청컨대 이 말을 자세히 음미하면 그 의미를 저절로 알 수 있을 것이다. 대체로 성은 본디 말하기 어렵지만 오직 선善이라고 이름 붙일 수 있다. 이것이 맹자의 말이 근거가 있게 되는 까닭이다. 그러나 이른바 선은 사람이 그것을 밝힐 수 있어야 할 따름이다. 만약 '말하기 어렵다.'고 하여 마침내 말할 수 없다고 하고, '말로 표현할 수 없다.'고 하여 마침내 말할 수 없다고 하면, 도리어 막연하여 머무를 곳이 없게 될 것이다."

[29-2-33]

東萊呂氏曰: "'惟皇上帝, 降衷于下民', '天命之謂性'也. 若有恒性, '率性之謂道'也."

동래 여씨東萊呂氏[呂祖謙][156]가 말했다. "'위대한 상제[皇上帝]가 백성에게 충衷[중도中道]을 내려 주었다.'[157]는

也; 謂其君不能者, 賊其君者也.)"라고 하였다.

152 『孟子』「告子上」

153 張栻, 『南軒集』 권25 「答胡伯逢」

154 胡大原: 자는 伯逢이고 송대 崇安(현 복건성 소속) 사람이다. 胡寅의 아들로서 당숙인 胡宏에게 배워서 호굉의 사상을 견고하게 지켰다.

155 『河南程氏遺書』 권1

156 呂祖謙(1137~1181): 자는 伯恭이고, 세칭 東萊先生이라 한다. 송대 金華(현 절강성 소속) 사람으로 주희·張栻과 함께 '東南三賢'으로 불리었다. 直秘閣著作郞·國史院編修·實錄院檢討를 역임하였다. 『詩』·『書』·『春秋』에 대하여 많은 古義를 궁구했다. 1175년 주희와 『近思錄』을 편찬하였고, 信州(현 강서성 上饒) 鵝湖寺에 주희와 육구연을 초청하여 두 사람의 논쟁을 중재하려 하였다. 저서는 『古周易』·『東萊左氏博儀』·『東萊集』 등이 있다.

157 '위대한 上帝가 … 주었다.': 『書』「商書·湯誥」. 주희는 『朱子語類』 권79, 25조목에서 "孔安國은 '衷'을 '善'이라고 하였으니 의미가 없다. '衷'은 다만 '中'이니 곧 '백성들이 천지의 中을 받았다.'라고 한 말과 마찬가지

것은 '하늘이 명령한 것을 성이라고 한다.'는 것이다. 만약 항상된 성이 있으면 '성을 따르는 것이 도이다.'라는 것이다."

[29-2-34]

或問: "性中具仁 · 義 · 禮 · 智, 道德如何?"

潛室陳氏曰: "行是四者卽爲道, 得是四者卽爲德."[158]

어떤 사람이 물었다. "성 가운데에 인 · 의 · 예 · 지를 갖추었는데, 도덕道德과는 어떻습니까?"
잠실 진씨潛室陳氏[陳埴][159]가 말했다. "이 네 가지를 실천하는 것이 곧 도道가 되고, 이 네 가지를 얻은 것이 곧 덕德이 된다."

[29-2-35]

北溪陳氏曰: "孟子道性善, 從何而來? 孔子「繫辭」曰, '一陰一陽之謂道, 繼之者善也, 成之者性也.' 所以一陰一陽之理者爲道, 此是統說箇太極之本體. 繼此者爲善, 乃是就其間說; 造化流行, 生育賦予, 更無別物, 只是箇善而已. 此是太極之動而陽時. 所謂善者, 以實理言, 卽道之方行者也. 到成此者爲性,[160] 是說人物受得此善底道理去, 各成箇性耳, 是太極之靜而陰時.

북계 진씨北溪陳氏[陳淳]가 말했다. "맹자가 성선性善을 말한 것은 어디에서 왔는가? 공자는 『역』「계사」에서 '한 번 음이 되고 한 번 양이 되는 것을 도라고 하니, 이를 이어가는 것은 선이고 이를 이루는 것은 성이다.'라고 하였다. 한 번 음이 되고 한 번 양이 되는 근거로서의 리가 도이니, 이것은 태극의 본체를 총괄적으로 말한 것이다. 이것을 이어가는 것이 선善이 된다는 것은, 바로 그 사이에서 조화造化가 유행하여 생장시키고 부여하는 것이 다시 다른 것이 없고 다만 선善일 뿐이라는 것을 말한다. 이것은 태극이 움직여 양이 되는 때이다. 이른바 선이라는 것은 실질적인 리로써 말하는 것으로서 곧 도가 바야흐로 운행하는 것이다. 도가 이르러 이것이 이뤄지는데 이르른 것이 성性이니, 이는 사람과 만물이 이 선한 도리를 받아서 각각 성을 이루는 것을 말한 것일 뿐이니, 태극이 고요하여 음이 되는 때이다.

此'性'字與'善'字相對, 是卽所謂善而理之已定者也. '繼' · '成'字與'陰' · '陽'字相應, 是指氣而言. '性' · '善'字與'道'字相應, 是指理而言. 此夫子所謂善, 是就人物未生之前, 造化原頭處說, 善乃重字, 爲實物. 若孟子所謂性善, 則是就'成之者性'處說, 是人生以後事, 善乃輕字, 言此

이다.(孔安國以'衷'爲'善', 便無意思. '衷'只是'中', 便與'民受天地之中'一般.)"라고 하였다.

158 陳埴, 『木鐘集』 권10

159 陳埴: 자는 器之이고, 호는 木鐘이며, 세칭 潛室先生이라 하였다. 송대 永嘉(현 절강성 溫州) 사람으로 通直郎을 역임하였다. 어려서는 葉適에게 배우고 나중에는 주희에게서 배웠다. 저서는 『木鐘集』 · 『禹貢辨』 · 『洪範解』 등이 있다.

160 到成此者爲性: 陳淳의 『北溪字義』 권상 「性」에는 "道到成此者爲性"이라고 되어 있다.

性之純粹至善耳. 其實由造化原頭處有是'繼之者善', 然後'成之者性'時方能如是之善. 則孟子之所謂善, 實淵源於夫子所謂善者而來, 而非有二本也. 『易』三言, 周子『通書』及程子說已明備矣. 至明道又謂孟子所謂性善者, 只是說'繼之者善'也. 此又是借『易』語移就人分上說, 是指四端之發處言之, 而非『易』之本旨也."[161]

여기에서 '성性'이라는 글자는 '선善'이라는 글자와 서로 짝이 되니, 이것은 곧 이른바 선이면서 리가 이미 정해진 것이다. '이어간다.[繼]'와 '이룬다.[成]'라는 글자는 '음陰'과 '양陽'이라는 글자와 서로 대응하니 이것은 기氣를 가리켜 말한 것이다. 성性'과 '선善'이라는 글자는 '도道'라는 글자와 서로 대응하니 이것은 리理를 가리켜 말한 것이다. 이것은 공자의 이른바 선은 사람과 만물이 아직 생겨나기 전에 조화造化의 근원에서 말한 것이니, 선은 중요한 글자이고 실제적인 것이다. 만약 맹자의 이른바 '성선性善'은 '이를 이루는 것은 성이다.'라는 측면에서 말한 것이니, 사람이 생겨난 뒤의 일로서 선은 비중이 가벼운 글자이고 이 성이 순수하고 지극히 선善한 것임을 말하는 것일 뿐이다. 사실은 조화造化의 근원으로부터 '이를 이어가는 것으로서의 선'이 있게 되고, 그런 뒤에 '이를 이루는 것으로서의 성'이 되었을 때 비로소 이와 같은 선이 될 수 있다. 그렇다면 맹자의 이른바 선은 사실 공자의 이른바 선에서 연원한 것이지 두 개의 근본이 있는 것이 아니다. 『역』의 세 마디 말[162]에 대해서는 주자周子[周惇頤]의 『통서通書』 및 정자程子[程顥]의 설명에 이미 분명하게 갖추었다.[163] 그런데 명도明道[程顥]는 또 맹자의 이른바 '성선性善'은 다만 '이를 이어가는 것이 선이다.'라는 것을 말할 뿐이라고 말했다. 이것은 또 『역』의 말을 빌어서 사람의 입장으로 옮겨 말한 것이니, 사단四端이 발동하는 곳을 가리켜 말한 것이지 『역』의 본래 뜻이 아니다."

[29-2-36]

西山眞氏曰: "仁·義·禮·智·信之性, 古人謂之五常; 君臣·父子·夫婦·昆弟·朋友之道, 古人亦謂之五常. 以性之體而言, 則曰仁·義·禮·智·信; 以性之用而言, 則曰君臣之義, 父子之仁, 夫婦之別, 長幼之序, 朋友之信, 其實則一而已. 天下豈有性外之理哉?"[164]

161 陳淳, 『北溪字義』 권상 「性」

162 『易』의 세 … 말: 『易』「繫辭」에서 '한 번 음이 되고 한 번 양이 되는 것을 도라고 하니, 이를 이어가는 것은 선이고 이를 이루는 것은 성이다.(一陰一陽之謂道, 繼之者善也, 成之者性也.)'라고 한 말을 가리킨다.

163 『易』의 세 … 갖추었다. : 『易』「繫辭」에서 '한 번 음이 되고 한 번 양이 되는 것을 도라고 하니, 이를 이어가는 것은 선이고 이를 이루는 것은 성이다.(一陰一陽之謂道, 繼之者善也, 成之者性也.)'라고 한 말에 대해, 주돈이는 『通書』 권1 「誠上」에서 다음과 같이 설명하고 있다. "誠은 성인의 본령이다. '크도다! 乾元이여. 만물이 그것을 취하여 시작하였다.'라는 것은 誠의 근원이다. '乾道가 변화하여 각기 性과 命을 바르게 한다.'라고 했으니, 誠이 여기에서 정립된다. 순수하고 지극히 선한 것이다. 그러므로 '한 번은 음이 되고 한 번은 양이 되는 것을 도라고 하니, 이를 이어가는 것이 선이고, 이를 이루는 것은 性이다.'라고 말한다. 元과 亨은 誠의 통함이고, 利와 貞은 誠의 돌아옴이다. 크도다! 『易』이여. 性과 命의 근원이다.(誠者, 聖人之本. '大哉! 乾元. 萬物資始', 誠之源也. '乾道變化, 各正性命', 誠斯立焉. 純粹至善者也. 故曰'一陰一陽之謂道, 繼之者善也, 成之者性也.' 元·亨, 誠之通; 利·貞, 誠之復. 大哉! 『易』也. 性命之源乎.)"
또 이 구절에 대한 程顥의 설명은 본문 [29-2-32]에 실려 있다.

서산 진씨西山眞氏[眞德秀][165]가 말했다. "인·의·예·지·신의 성性을 옛 사람은 오상五常이라 하였고, 군신·부자·부부·곤제昆弟[兄弟]·붕우의 도道를 옛 사람은 역시 오상五常이라고 하였다. 성의 체體로서 말하면 인·의·예·지·신이고, 성의 용用으로서 말하면 군신간의 의義, 부자간의 인仁, 부부간의 별別(직분 구별), 장유長幼[老少]간의 서序(순서), 붕우간의 신信이니, 사실은 한 가지일 뿐이다. 천하에 어찌 성性 밖의 리가 있겠는가?"

[29-3]

人物之性 사람과 만물의 성

[29-3-1]

程子曰: "'天降之謂性,[166] 率性之謂道'者, 天降是於下, 萬物流形, 各正性命, 是所謂性也. 各正性命而不失,[167] 是所謂道也. 此亦通人物而言. 循性者, 馬則爲馬之性, 又不做牛底性; 牛則爲牛之性, 又不爲馬底性. 此所謂率性也. 人在天地之間, 與萬物同流. 天幾時分別出是人是物?"[168]

정자程子가 말했다. "'하늘이 내려준 것을 성性이라 하고, 성을 따르는 것을 도道라고 한다.'는 것은 하늘이 이것을 아래로 내려서 만물이 형체를 갖추고[169] 각각 성명性命을 바르게 하니 이것이 이른바 성이다. 각각 성명性命을 바르게 하여 잘못되지 않는 것이 이른바 도이다. 이것 또한 사람과 만물을 총괄하여 말한 것이다. 성을 따른다는 것은, 말[馬]은 말의 성性이 되지 다시 소의 성이 되지 않으며, 소는 소의 성이 되지 다시 말의 성이 되지 않는다는 것이다. 이것이 이른바 성을 따른다는 것이다. 사람은 천지 사이에서 만물과 함께 존재한다. 하늘이 언제 이것은 사람이고 이것은 만물이라고 분별해서 지어내었는가?"

164 眞德秀, 『西山讀書記』 권11

165 眞德秀(1178~1235): 자는 希元·景元·景希이고, 호는 西山이며, 시호는 文忠이다. 송대 浦城(복건성 蒲城) 사람으로 1199년에 진사에 급제하여 太學正·參知政事에 이르렀다. 어려서는 주희의 문인인 詹體仁에게 배우고, 스스로 '주희를 사숙하여 얻은 것이 있다.'라고 하였다. 특히 『대학』을 중시하여 '窮理·持敬'을 강조하였다. 저서는 『大學衍義』·『四書集編』·『讀書記』·『文章正宗』·『唐書考疑』·『西山文集』 등이 있다.

166 天降之謂性: 『河南程氏遺書』 권2上에는 "天命之謂性"으로 되어 있다.

167 各正性命而不失: 『河南程氏遺書』 권2上에는 "循其性而不失"로 되어 있다.

168 『河南程氏遺書』 권2上

169 만물이 형체를 갖추고: 『易』「乾卦·彖傳」에서 "구름이 일어나고 비가 내려 만물이 형체를 갖춘다.(雲行雨施, 品物流形.)"라고 하였다. 程頤는 『伊川易傳』에서 " '구름이 일어나고 비가 내려 만물이 형체를 갖춘다.'는 것은 亨을 말한 것이니, 천도가 운행하여 만물을 낳아 기른다는 것이다.('雲行雨施, 品物流形', 言亨也, 天道運行, 生育萬物也.)"라고 주석하였다.

[29-3-2]

“無妄, 天性也. 萬物各得其性, 一毫不加損矣.”170

(정자가 말했다.) “거짓됨이 없는 것이 천성天性이다. 만물이 각각 그 성을 얻음에 조금도 보태거나 뺄 것이 없다.”

[29-3-3]

“禽獸與人絶相似, 只是不能推. 然禽獸之性却自然, 不待學, 不待教, 如營巢養子之類, 是也. 人雖是靈, 却斲喪處極多. 只有一件, 嬰兒飲乳是自然, 非學也. 其他, 皆誘之也.”171

(정자가 말했다.) “금수禽獸는 사람과 서로 매우 비슷하지만 다만 미루어볼 수 없을 뿐이다.172 그러나 금수의 성은 저절로 그러하여 배울 필요도 없고 가르칠 필요도 없으니, 예컨대 보금자리를 짓고 새끼를 키우는 따위가 이것이다. 사람은 비록 영험하지만 도리어 성을 해치는 점이 매우 많다. 다만 갓난아이가 모유를 먹는 한 가지 일만이 저절로 그러하여 배우지 않은 것이다. 다른 것은 모두 가르쳐주어야 한다.”

[29-3-4]

“孟子言性, 當隨文看. 不以告子‘生之謂性’爲不然者, 此亦性也. 被命受生之後謂之性爾, 故不同. 繼之以‘犬之性猶牛之性, 牛之性猶人之性歟?’ 然不害爲一. 若乃孟子之言善者, 乃極本窮源之性.”173

(정자가 말했다.) “맹자가 성에 대해 말한 것은 문장에 따라서 보아야 한다. 고자告子가 ‘생겨난 그대로를 성이라고 한다.’174라고 한 것을 그렇지 않다고 여겨서는 안되니, 이것 또한 성이다. 하늘의 명령에 의해 생명을 받은 뒤를 성이라고 할 뿐이므로 같지 않다.175 이어서 맹자는 ‘개의 성이 소의 성과 같고 소의 성이 사람의 성과 같은가?’176라고 말했지만 한 가지라고 해도 문제가 되지 않는다. 만약 맹자가 선善하

170 程顥 · 程頤, 『二程粹言』 권下 「心性篇」

171 『河南程氏遺書』 권2下

172 禽獸는 사람과 … 뿐이다. : 『河南程氏遺書』 권2下에는 이 구절 앞에 “‘만물이 모두 나에게 갖추어졌다.’는 것은 사람과 만물을 통틀어 하는 말이다.(‘萬物皆備於我’, 此通人物而言.)”라는 말이 더 있다.

173 『河南程氏遺書』 권3

174 『孟子』 「告子上」

175 하늘의 명령에 … 않다. : 이 말은 이른바 氣質之性만을 성이라고 하기 때문에 맹자가 지칭하는 성 즉 ‘철저하게 근원을 추구한 성[極本窮源之性]’과는 다르다는 의미이다.

176 ‘개의 성이 … 같은가?’ : 『孟子』 「告子上」에서, “告子가 말했다. ‘생겨난 그대로를 性이라 한다.’ 맹자가 말했다. ‘생겨난 그대로를 性이라 한다는 것은 흰색을 희다고 하는 것과 같은 것인가?’ (고자가 대답했다.) ‘그렇다.’ (맹자가 말했다.) ‘그렇다면 흰 깃털의 흰색은 흰 눈의 흰색과 같고, 흰 눈의 흰색은 흰 옥[白玉]의 흰색과 같은가?’ (고자가 대답했다.) ‘그렇다.’ (맹자가 말했다.) ‘그렇다면 개의 성이 소의 성과 같고 소의 성이 사람의 성과 같은가?’(告子曰, ‘生之謂性.’ 孟子曰, ‘生之謂性也, 猶白之謂白與?’ 曰, ‘然.’ ‘白羽之白也, 猶白雪之白 ; 白雪之白, 猶白玉之白與?’ 曰, ‘然.’ ‘然則犬之性猶牛之性, 牛之性猶人之性與?’)”라고 하였다.

다고 말한 성은 곧 '철저하게 근원을 추구한 성[極本窮源之性]'[177]이다."

[29-3-5]

"鉛鐵性殊, 點化爲金, 則不辨鉛鐵之性."[178]

(정자가 말했다.) "납과 철은 성이 다르지만 변화시켜서 금金이 되면 납과 철의 성을 분별하지 않는다."

[29-3-6]

"人之於性, 猶器之受光於日, 日本不動之物."[179]

(정자가 말했다.) "사람에게 성은 그릇이 태양에서 빛을 받은 것과 같으니, 태양은 본래 움직이지 않는 것이다."

[29-3-7]

張子曰 : "天下凡謂之性者, 如言金性剛, 火性熱. 牛之性, 馬之性, 也莫非固有."[180]

장자張子[張載]가 말했다. "천하에서 무릇 성이라고 말하는 것은 예컨대 쇠의 성은 굳고[剛] 불의 성은 뜨겁다고 말하는 것과 같다. 소의 성과 말의 성도 고유함이 아님이 없다."

[29-3-8]

"凡物莫不有是性. 由通蔽開塞, 所以有人物之別 ; 由蔽有厚薄, 故有智愚之別. 塞者牢不可開. 厚者可以開, 而開之也難 ; 薄者開之也易. 開則達于天道, 與聖人一."[181]

(장자가 말했다.) "만물은 성을 가지고 있지 않음이 없다. 성이 소통됨과 가려짐, 열림과 막힘으로 말미암아 사람과 만물의 구별이 있고, 가려짐에 두터움과 엷음이 있음으로 말미암아 지혜로운 사람과 어리석은 사람의 구별이 있다. 막힌 것이 견고하면 열릴 수 없다. 가려짐이 두터운 것은 열 수 있지만 열기가 어렵고, 엷은 것은 열기 쉽다. 열면 천도天道에 도달하여 성인과 같게 된다."

177 '철저하게 근원을 … 성[極本窮源之性]' : 『河南程氏遺書』 권3에서 정자는 "맹자가 성에 대해 말한 것은 문장에 따라서 보아야 한다. 告子가 '생겨난 그대로를 성이라고 한다.'라고 한 것을 그렇지 않다고 여겨서는 안되니, 이것 또한 성이다. 하늘의 명령에 의해 생명을 받은 뒤를 성이라고 할 뿐이므로 같지 않다. 이어서 맹자는'개의 성이 소의 성과 같고 소의 성이 사람의 성과 같은가?'라고 말했지만 한 가지라고 해도 문제가 되지 않는다. 그렇지만 만약 맹자가 善하다고 말한 성은 곧 '철저하게 근원을 추구한 성[極本窮源之性]'이다. (孟子言性, 當隨文看. 不以告子'生之謂性'爲不然者, 此亦性也. 被命受生之後謂之性爾, 故不同. 繼之以'犬之性猶牛之性, 牛之性猶人之性歟?' 然不害爲一. 若乃孟子之言善者, 乃極本窮源之性.)"라고 하였다.

178 『河南程氏遺書』 권6

179 『河南程氏遺書』 권3

180 張載, 『張子全書』 권14 「性理拾遺」

181 張載, 『張子全書』 권14 「性理拾遺」

[29-3-9]

藍田呂氏曰："人受天地之中, 其生也具有天地之德. 柔强昏明之質雖異, 其心之所然者皆同. 特蔽有淺深, 故别而爲昏明；稟有多寡, 故分而爲强柔. 至於理之所同然, 雖聖愚有所不異.

남전 여씨藍田呂氏[呂大臨][182]가 말했다. "사람은 천지의 중中을 받았으니[183] 태어나면서 천지의 덕을 갖추었다. 부드럽거나 강하며 어둡거나 밝은 형질은 비록 다르지만 그 마음에 옳다고 하는 것은 모두 똑같다.[184] 다만 가려짐에 얕음과 깊음이 있기 때문에 구별되어 어둡거나 밝게 되며, 품부함에 많음과 적음이 있기 때문에 나뉘어져서 강하거나 부드럽게 된다. 리가 똑같은 바에 이르면 비록 성인이나 어리석은 사람이라 할지라도 다르지 않음이 있다.

盡己之性, 則天下之性皆然, 故能盡人之性. 蔽有淺深, 故爲昏明；蔽有開塞, 故爲人物. 稟有多寡, 故爲强柔；稟有偏正, 故爲人物. 故物之性與人異者幾希. 惟塞而不開, 故知不若人之明；偏而不正, 故才不若人之美. 然人有近物之性者, 物有近人之性者, 亦繫乎此. 於人之性開塞偏正無所不盡, 則物之性未有不能盡也. 己也, 人也, 物也, 莫不盡其性, 則天地之化成矣."[185]

자신의 성性을 다 발휘하면 천하 사람들의 성이 모두 그러하므로 남들의 성을 다 발휘하게 할 수 있다. 가려짐에 얕음과 깊음이 있기 때문에 어리석은 사람이 되거나 명철한 사람이 되며, 가려짐에 열림과 막힘이 있기 때문에 사람이 되거나 만물이 된다. 품부함에 많음과 적음이 있기 때문에 강한 사람이 되거나 부드러운 사람이 되며, 품부함에 치우침과 바름이 있기 때문에 사람이 되거나 만물이 된다. 그러

182 呂大臨(1040~1092) : 자는 與叔이고, 당시 藝閣先生으로 불리었다. 송대 藍田(현 섬서성 소속) 사람으로 『呂氏鄕約』을 쓴 呂大鈞의 동생이다. 張載가 처음으로 關中에 와서 강학할 때 형들과 함께 장재를 스승으로 모셨으나, 장재가 죽은 뒤 二程에게 배워 謝良佐 · 游酢 · 楊時와 함께 '程門四先生'이라 일컫는다. 太學博士 · 秘書省正字를 역임하였다. 저서는 『禮記傳』 · 『考古圖』 등이 있다.

183 사람은 천지의 … 받았으니 : 『春秋左傳』「成公」 13년조에 "劉子[劉康公]가 말했다. '내가 듣건대, 백성들은 천지의 中을 받아서 생겨나니 이른바 命이다. 그러므로 動作 · 禮義 · 威儀의 법칙이 있어서 명을 정했다. 재능이 있는 사람은 그 법칙을 잘 배양하여 福으로 나아갔고, 재능이 없는 사람은 그 법칙을 어그러뜨려서 禍를 취했다.(劉子曰, '吾聞之, 民受天地之中以生, 所謂命也. 是以有動作 · 禮義 · 威儀之則, 以定命也. 能者養以之福, 不能者敗以取禍.')라고 하였다.
주자는 '천지의 中'에 대해 『朱子語類』 권3, 19조목에서, "물었다. '백성들은 천지의 中을 받아서 생겨났다고 하는 데에서 中은 氣입니까?' 주자가 대답했다. '중은 리이고 리는 곧 인의예지이니, 어찌 형상이 있었겠는가! 무릇 형체가 없는 것을 리라고 하고 기라면 생겨나는 것을 말한다. 맑은 것은 氣이고 탁한 것은 形이다.'(問, '民受天地之中以生, 中是氣否?' 曰, '中是理, 理便是仁義禮智, 曷嘗有形象來! 凡無形者謂之理；若氣, 則謂之生也. 淸者是氣, 濁者是形.')"라고 하였다.

184 그 마음에 … 똑같다. : "心之所然者"는 『孟子』「告子上」의 "心之所同然者"의 줄임이고, '然'은 『集注』에서 '옳다[可]'라고 풀이하였다.

185 朱熹, 『中庸輯略』 권下에 실려 있다.

므로 만물의 성은 사람과 다른 점이 거의 드물다.[186] 오직 막혀서 열리지 않기 때문에 인지능력이 사람만큼 밝지 못하며, 치우쳐서 바르지 않기 때문에 재능이 사람만큼 아름답지 못하다. 그러나 사람 중에 만물의 성에 가까운 자가 있고 만물 가운데 사람의 성에 가까운 것이 있다는 것도 또한 여기에 달려 있다. 사람의 성에서 열리거나 막힘, 치우치거나 바름을 다 발휘하지 않음이 없으면, 만물의 성을 다 발휘하게 하지 못할 것이 없다. 자신과 남과 만물이 자신의 성을 다 발휘하지 않음이 없으면 천지의 조화造化가 이루어진 것이다."

[29-3-10]

河東侯氏曰 : "萬物資始於天, 天所賦與者爲命. 命, 天之所命也. 物受命於天者爲性. 性, 物之自有也. 草木之不齊, 飛走之異稟, 然而動者動, 植者植, 天機自完, 豈非性乎? 馬之性健而健, 牛之性順而順, 犬吠盜, 雞司晨, 不待教而知之, 豈非率性乎?"[187]

하동 후씨河東侯氏[侯仲良][188]가 말했다. "만물은 시작을 하늘에 의지하니, 하늘이 부여한 것은 명命이다. 명은 하늘이 명령한 것이다. 만물이 하늘에 명령을 받는 것이 성性이다. 성은 만물이 본래 가지고 있는 것이다. 초목이 가지런하지 않고 날짐승과 길짐승이 품부 받은 것이 다르지만, 움직이는 것은 동물이고 땅에 뿌리를 묻고 있는 것은 식물로서 하늘에서 부여받은 기틀[機]은 본래 완전하니 어찌 성性이 아니겠는가? 말의 성이 굳세기에 실제로 굳세고, 소의 성이 유순하기에 실제로 유순하며, 개가 도둑을 보면 짖고, 닭이 새벽을 알려주는 것은 가르칠 필요도 없이 그렇게 할 줄 아니 어찌 성을 따르는 것이 아니겠는가?"

[29-3-11]

朱子曰 : "天之生物也, 一物與一無妄."[189]

주자가 말했다. "하늘이 만물을 낳음에는 하나의 사물에 하나의 거짓됨이 없는 것을 부여하였다."

[29-3-12]

"天下無無性之物. 蓋有此物則有此性, 無此物則無此性."[190]

186 그러므로 만물의 … 드물다. : 『孟子』「離婁下」에서 "맹자가 말했다. '사람이 禽獸와 다른 점은 매우 드물다. 庶民들은 이것을 버리고, 군자는 이것을 보존한다.'(孟子曰, '人之所以異於禽於獸者幾希. 庶民去之, 君子存之.')라고 하였다.

187 '性, 物之自有也.' 이하는 『朱文公文集』 권51 「答萬正淳」에 侯仲良의 말로 실려 있다.

188 侯仲良 : 자는 師聖이고, 송대 華陰(현 섬서성 화음시) 사람이다. 二程의 외사촌동생으로서 어려서부터 이정과 가까이 지내면서 함께 독서했고, 학문적으로는 특히 程頤의 영향을 많이 받았다. 평생 강학에만 힘써서 문하에 胡宏을 두었다. 말년에는 전란을 피해 福建으로 내려와 羅仲素 등과 교류하기도 했다. 저서는 『論語說』과 『雅言』이 있는데, 그 가운데 『아언』은 二程의 事跡과 학설을 이해할 수 있는 중요한 저작이다. 楊時와 遊酢의 「程門立雪」 고사도 이 책에 기재되어 있다.

189 『朱子語類』 권4, 2조목

(주자가 말했다.) "천하에 성性이 없는 것이 없다. 어떤 것이 있으면 그 성이 있고, 어떤 것이 없으면 그 성이 없다."

[29-3-13]

問 : "性具仁 · 義 · 禮 · 智?"

曰 : "此猶是說'成之者性.' 上面更有'一陰一陽', '繼之者善.' 只一陰一陽之道, 未知做人做物, 已具是四者. 雖尋常昆蟲之類皆有之, 只偏而不全, 濁氣間隔."[191]

물었다. "성은 인 · 의 · 예 · 지를 갖추었습니까?"

(주자가) 대답했다. "이것은 마치 '이를 이루는 것이 성이다.'라고 말하는 것과 같다. 그 말 위에 다시 '한번은 음이 되고 한 번은 양이 된다.'는 말과 '이를 이어가는 것이 선이다.'라는 말이 있다.[192] 다만 한 번은 음이 되고 한 번은 양이 되는 도가 사람을 만들 것인지 만물을 만들 것인지는 아직 알 수 없지만 이미 이 네 가지 덕을 갖추었다.[193] 비록 평범한 곤충 따위라도 모두 성을 가지고 있지만, 다만 치우쳐서 온전하지 않으니 흐린 기가 그 사이를 막고 있어서다."

[29-3-14]

"人物之生, 其賦形偏正, 固自合下不同. 然隨其偏正之中, 又自有清濁昏明之異."[194]

(주자가 말했다.) "사람과 만물이 생겨날 때 그 부여받은 형체가 치우치거나 올발라 본디 원래부터 같지 않다. 그러나 그 치우침과 올바름을 따르는 가운데에 또 본래 맑음과 흐림, 어두움과 밝음의 다름이 있다."

[29-3-15]

"性者, 物之所受, 言物生則有性而各具是道也."[195]

(주자가 말했다.) "성은 만물이 받은 것이라고 하는 말은 만물이 생겨나면 성이 있고 각각 이 도를 갖춘다는 것을 말한다."

190 『朱子語類』 권4, 3조목

191 『朱子語類』 권4, 5조목

192 그 말 … 있다. : 『易』「繫辭上」에서, "한 번 음이 되고 한 번 양이 되는 것을 도라고 하니, 이를 이어가는 것은 선이고 이를 이루는 것은 성이다.(一陰一陽之謂道. 繼之者善也, 成之者性也.)"라고 하였다.

193 다만 한 … 갖추었다. : 이의철은 『朱子語類考文解義』에서 이 구절에 대하여, "이것은 본래 애초에 만물을 품부할 때, 우선 장래에 사람을 만들 것인지 만물을 만들 것인지 아직 알 수 없지만 먼저 이미 이 네 가지 덕을 갖추었다는 것을 말한다. '아직 알 수 없다.'라는 것은 '따질 것도 없다.'라고 말하는 것과 같다.(此謂本初賦物時, 姑未知將來做人做物, 而先已具此四德也. '未知'猶言'無論'.)"라고 풀이하였다.

194 『朱子語類』 권4, 6조목

195 胡炳文의 『周易本義通釋』 권5에 주자의 말로 실려 있다.

[29-3-16]

"物物運動蠢然, 若與人無異. 而人之仁義禮智之粹然者, 物則無也. 當時所記, 改'人之''之'字爲'性'字, 姑兩存之."[196]

(주자가 말했다.) "여러 가지 사물이 꿈틀거리며 운동하는 것은 마치 사람과 다름이 없는 것 같다. 그러나 사람의 순수한 인의예지는 사물에게는 없다. 당시에 기록한 것은 '인지人之'의 '지之'자를 '성性'자로 고쳤는데, 우선 두 가지를 모두 남겨둔다."

[29-3-17]

問: "人物之性一源, 何以有異?"

曰: "人之性論明暗, 物之性只是偏塞. 暗者可使之明, 已偏塞者不可使之通也. 橫渠言'凡物莫不有是性. 由通蔽開塞, 所以有人物之別.' 而卒謂'塞者牢不可開. 厚者可以開而開之也難, 薄者開之也易', 是也."

물었다. "사람과 만물의 성性은 근원이 하나인데 어찌 다름이 있습니까?"

(주자가) 대답했다. "사람의 성에 대해서는 밝음과 어두움을 논하지만, 만물의 성은 다만 치우친 것과 막힌 것일 뿐이다. 어두운 것은 밝게 할 수 있지만 이미 치우치거나 막힌 것은 통하게 할 수 없다. 횡거橫渠[張載]가 '만물은 성이 있지 않음이 없다. 성이 소통됨과 가려짐, 열림과 막힘으로 말미암아 사람과 만물의 구별이 있다.'라고 말하고, 또 마침내 '막힌 것이 견고하면 열릴 수 없다. 가려짐이 두터운 것은 열 수 있지만 열기가 어렵고, 엷은 것은 열기 쉽다.'라고 말한 것[197]이 이것이다."

又問: "人之習爲不善, 其溺已深者, 終不可復反矣."

曰: "勢極重者不可反, 亦在乎識之淺深與其用力之多寡耳."[198]

또 물었다. "사람이 습관적으로 불선不善을 행하는 것이 이미 깊게 빠진 자는 끝내 되 돌이킬 수 없습니다."

(주자가) 대답했다. "그 추세가 지극히 심한 자는 되돌릴 수 없지만, 그 또한 그것에 대한 인식의 깊이와 노력의 정도에 달려 있을 뿐이다."

[29-3-18]

"論萬物之一原,[199] 則理同而氣異; 觀萬物之異體, 則氣猶相近而理絶不同."

196 『朱子語類』 권4, 7조목

197 橫渠[張載]가 '만물은 … 것: 장재의 이 말은 본문[29-3-8]에 실려 있다.

198 『朱子語類』 권4, 8조목

199 論萬物之一原: 『朱子語類』 권4, 9조목에는 이 구절 앞에 "선생(주자)께서 黃商伯에게 답하는 편지에서 다음과 같이 말했다.(先生答黃商伯書有云.)"라는 말이 더 있다. "論萬物之一原, 則理同而氣異; 觀萬物之異體,

或問："'理同而氣異', 此一句是說方付與萬物之初, 以其天命流行只是一般, 故理同；以其二五之氣有淸濁純駁, 故氣異. 下句是就萬物已得之後說. 以其雖有淸濁之不同, 而同此二五之氣, 故氣相近；以其昏明開塞之甚遠, 故理絶不同. 『中庸』是論其方付之初, 『集註』是看其已得之後."

(주자가 말했다.) "만물이 근원을 하나로 한다는 점에서 논하면 리理는 같지만 기氣는 다르고, 만물이 형체를 달리한다는 점을 살펴보면 기는 오히려 서로 가까운데 리는 절대로 같지 않다."
어떤 사람이 물었다. "'리理는 같지만 기氣는 다르다.'라는 구절은 만물을 막 부여한 애초에 천명의 유행이 다만 마찬가지이기 때문에 리가 같다는 것이며, 그 음양과 오행五行의 기에 맑음과 탁함, 순수함과 잡박함이 있기 때문에 기는 다르다는 것입니다. 아래 구절은 만물이 이미 (천명을) 얻은 뒤로써 말한 것입니다. 그것이 비록 맑음과 탁함의 같지 않음이 있지만, 이 음양과 오행의 기를 같이하기 때문에 기는 서로 가까우며, 그것이 어두움과 밝음, 열림과 막힘의 차이가 너무 멀기 때문에 리는 절대로 같지 않다는 것입니다. 『중용』은 막 부여한 애초를 논한 것이고,[200] 『집주集註[孟子集註]』는 이미 얻은 뒤를 본 것입니다."[201]

則氣猶相近, 而理絶不同."까지는 『朱文公文集』 권46 「答黃商伯」에 실려 있는 말이다.

200 『中庸』은 막 … 것이고 : 여기에서 '막 부여한 애초를 논한 것'으로서의 『中庸』은 『中庸』 제1장 "하늘이 명령한 것을 성이라고 한다.(天命之謂性.)"라는 구절에 대한 주자의 주석을 가리킨다. 주자는 이 구절에 대해 "하늘이 음양과 五行으로 만물을 化生함에 氣로써 형체를 이루고 理 또한 부여하니 명령하는 것과 같다. 이에 사람과 만물이 생겨남에 각각 부여 받은 리를 얻은 것에 따라서 健順과 五常의 덕을 삼으니, 이른바 性이라는 것이다.(天以陰陽五行化生萬物, 氣以成形, 而理亦賦焉, 猶命令也. 於是人物之生, 因各得其所賦之理, 以爲健順五常之德, 所謂性也.)"라고 주석 하였다.

201 『集註[孟子集註]』는 이미 … 것입니다. : 여기에서 '이미 얻은 뒤를 본 것'으로서의 『集註[孟子集註]』는 『孟子集註』「告子上」「생겨난 그대로를 성이라고 한다.(生之謂性.)」章에 대한 주자의 주석을 가리킨다. 주자는 이 章에 대해 "내 생각에, 性은 사람이 하늘에서 얻은 理이고, 生은 사람이 하늘에서 얻은 氣이다. 성은 形而上이고 기는 形而下이다. 사람과 만물이 생겨남에 이 성을 가지고 있지 않은 것이 없으며, 또한 이 기를 가지고 있지 않은 것이 없다. 그러나 氣로써 말하면, 知覺·運動은 사람과 만물이 다르지 않은 것 같지만, 理로써 말하면, 仁義禮智의 품부는 어찌 만물이 그것을 얻어 온전히 할 수 있겠는가? 이것은 사람의 性이 善하지 않음이 없어서 만물의 영장이 되는 까닭이다. 告子는 性이 理라는 것을 알지 못하고 이른바 氣라는 것을 가지고 性에 해당시켰다. 이 때문에 '杞柳'·'湍水'의 비유와 '食色'이니, '善도 없고, 不善도 없다.'는 등의 말이 縱橫으로 틀리고 어지럽게 잘못되었는데, 이 章의 오류가 바로 그 뿌리이다. 그렇게 된 까닭은 다만 꿈틀거리며 知覺·運動하는 것은 사람과 만물이 같다는 것을 알았지만, 仁義禮智의 순수한 것은 사람과 만물이 다르다는 것을 몰랐기 때문이다. 맹자가 이것으로써 그를 꺾었으니 그 의리가 정밀하다.(愚按, 性者, 人之所得於天之理也；生者, 人之所得於天之氣也. 性, 形而上者也；氣, 形而下者也. 人物之生, 莫不有是性, 亦莫不有是氣. 然以氣言之, 則知覺運動, 人與物若不異也；以理言之, 則仁義禮智之稟, 豈物之所得而全哉? 此人之性所以無不善, 而爲萬物之靈也. 告子不知性之爲理, 而以所謂氣者當之. 是以'杞柳'·'湍水'之喩, '食色'·'無善無不善'之說, 縱橫繆戾, 紛紜舛錯, 而此章之誤乃其本根. 所以然者, 蓋徒知知覺運動之蠢然者, 人與物同；而不知仁義禮智之粹然者, 人與物異也. 孟子以是折之, 其義精矣.)"라고 총괄적인 주석을 하였다.

曰 : "氣相近, 如知寒煖, 識飢飽, 好生惡死, 趨利避害, 人與物都一般. 理不同, 如蜂蟻之君臣, 只是他義上有一點子明; 虎狼之父子, 只是他仁上有一點子明; 其他更推不去. 恰似鏡子, 其他處都暗了, 中間只有一兩點子光. 大凡物事稟得一邊重, 便占了其他底. 如慈愛底人少斷制, 斷制之人多殘忍. 蓋仁多, 便遮了義; 義多, 便遮了那仁."

(주자가) 대답했다. "기가 서로 가깝다는 것은 예컨대 추운지 더운지를 느끼고, 배고픈지 배부른지를 알며, 살기를 좋아하고 죽기를 싫어하며, 이로움을 좇고 해로움을 피하는 것과 같이 사람과 만물이 모두 한 가지이다. 리가 같지 않다는 것은 예컨대 벌과 개미의 군신관계는 다만 의義에서 조금 밝음이 있을 뿐이고, 호랑이와 이리의 부자관계는 다만 인仁에서 조금 밝음이 있을 뿐인 것과 같이 그것 이외에는 다시 미루어가지 못한다. 이것은 마치 거울과 같아서 그것 이외의 곳은 모두 어둡고 가운데에 다만 조금의 빛이 있을 뿐이다. 대체로 모든 사물은 한 쪽으로 치중해서 품부 받으면 그것 이외의 것을 차지해 버린다. 예컨대 자애로운 사람은 단호하게 결단하는 일이 적고, 단호하게 결단하는 사람은 잔인함이 많은 것과 같다. 대개 인仁이 많으면 의義를 가리고, 의가 많으면 인을 가린다."

問 : "所以婦人臨事多怕, 亦是氣偏了?"

曰 : "婦人之仁, 只流從愛上去."[202]

물었다. "그러므로 부인婦人들이 일에 임해서 두려움이 많은 것도 기가 치우쳐서입니까?"

(주자가) 대답했다. "부인들의 인仁은 다만 사랑하는 쪽으로 흘러갈 뿐이다."

[29-3-19]

問 : "人物皆稟天地之理以爲性, 皆受天地之氣以爲形. 若人品之不同, 固是氣有昏明厚薄之異. 若在物言之, 不知是所稟之理便有不全耶, 亦是緣氣稟之昏蔽故如此耶."

曰 : "惟其所受之氣只有許多, 故其理亦只有許多. 如犬馬, 他這形氣如此, 故只會得如此事."

물었다. "사람과 만물은 모두 천지의 리理를 품부 받아 성性으로 삼고, 모두 천지의 기를 품부 받아 형체로 삼습니다. 사람의 품격이 같지 않은 것은, 본디 기에 어두움과 밝음, 두터움과 엷음의 다름이 있어서입니다. 만물의 품격이 다른 것을 말한다면, 품부 받은 리에 온전하지 않음이 있는 것인지, 아니면 또한 기의 품부에 어두움과 막힘 때문에 이와 같은 것인지 모르겠습니다."

(주자가) 대답했다. "오직 그것의 품부 받은 기가 다만 이 정도의 것이기 때문에 그 리 또한 다만 이 정도의 것일 뿐이다. 예컨대 개나 말은 그들의 형기形氣가 이와 같기 때문에 다만 이와 같은 일을 할 수 있을 뿐이다."

又問 : "物物具一太極, 則是理無不全也."

202 『朱子語類』 권4, 9조목

曰："謂之全亦可，謂之偏亦可．以理言之，則無不全；以氣言之．一作'以不能推言之' 則不能無偏．故呂與叔謂物之性有近人之性者，如猫相乳之類 人之性有近物之性者．如世上昏愚人"[203]

또 물었다. "사물마다 하나의 태극을 갖추었으니[204] 이 리는 온전하지 않음이 없습니다."

(주자가) 대답했다. "온전하다고 말해도 되고 치우쳤다고 말해도 된다. 리로써 말하면 온전하지 않음이 없고, 기로써 말하면 어느 판본에는 '미루어 갈 수 없는 것으로 말하면'이라고 했다. 치우침이 없을 수 없다. 그러므로 여여숙呂與叔[呂大臨]은 만물의 성에도 사람의 성과 가까운 것이 있고 예컨대 고양이가 젖을 먹이는 따위와 같은 것이다. 사람의 성에도 만물의 성과 가까운 것이 있다고 예컨대 세상의 어둡고 어리석은 사람과 같은 것이다. 말했다."[205]

[29-3-20]

問："性爲萬物之一源."

曰："所謂性者，人物之所同得．非惟己有是，而人亦有是；非惟人有是，而物亦有是."[206]

물었다. "성性은 만물의 동일한 근원이 되는 것입니다."

(주자가) 대답했다. "이른바 성은 사람과 만물이 같이 얻은 것이다. 자신만이 이것을 가지고 있는 것이 아니라 남도 이것을 가지고 있으며, 사람만이 이것을 가지고 있는 것이 아니라 만물도 이것을 가지고 있다."

[29-3-21]

問："呂與叔云，'性，一也．流形之分有剛柔昏明者，非性也．有三人焉，皆一目而別乎色，一居乎密室，一居乎帷箔之下，一居乎廣廷之中，三人所見，昏明各異，豈目不同乎？隨其所居蔽有厚薄爾.' 竊謂此言分別得性氣甚明，若移此語以喻人物之性，亦好．頃嘗以日爲喻，以爲大明當天，萬物咸覩，亦此日耳；蔀屋之下，容光必照，亦此日耳；日之全體未嘗有小大，只爲隨其所居而小大不同耳．不知亦可如此喻人物之性否."

曰："亦善."[207]

203 『朱子語類』 권4, 10조목

204 사물마다 하나의 … 갖추었으니 : 주자는 『太極解義』에서 "남성과 여성의 측면에서 보면 남성과 여성이 각각 그 성을 하나씩 가지고 있으나 남성과 여성은 하나의 태극이다. 만물의 측면에서 보면 만물이 각각 그 성을 하나씩 가지고 있으나 만물은 하나의 태극이다. 종합해서 말하면 만물의 통체는 하나의 태극이며, 나누어서 말하면 하나의 사물마다 각각 하나의 태극을 구비하고 있다.(自男女而觀之，則男女各一其性，而男女一太極也．自萬物而觀之，則萬物各一其性，而萬物一太極也．蓋合而言之，萬物統體一太極也，分而言之，一物各具一太極也.)"라고 하였다.

205 呂與叔[呂大臨]은 만물의 … 말했다. : 본문 [29-3-9]에 여대림의 이 말이 있다.

206 『朱子語類』 권98, 30조목

207 『朱文公文集』 권51 「答董叔重」

물었다. "여여숙呂與叔[呂大臨]이 '성性은 한 가지이다. 형체를 갖추고 살아가는 과정에서 강함과 부드러움, 어두움과 밝음이 있는 것은 성이 아니다. 여기에 세 사람이 있는데 모두 눈은 동일하지만 색깔을 보는 것은 구별되니, 한 사람은 밀실에 있고, 한 사람은 휘장과 발 뒤에 있고, 한 사람은 넓은 뜰 가운데 있어서, 세 사람이 본 것에 어두움과 밝음이 각각 다른 것은 어찌 눈이 같지 않기 때문이겠는가? 그 사람이 있는 곳에 따라 가려짐에 두터움과 엷음이 있을 뿐이다.'[208]라고 했습니다. 저는 이 말이 성性과 기氣를 매우 명확하게 분별했으니, 이 말을 옮겨서 사람과 만물의 성을 비유해도 또한 좋다고 생각합니다. 근래에 태양을 비유로 삼아, 아주 밝은 것이 하늘에 있어서 만물이 모두 바라보니 이 또한 태양일 뿐 이고, 지붕 아래에도 햇빛이 반드시 비치니 이 또한 태양일 뿐 이며, 태양의 온전한 체體는 작아지거나 커진 적이 없지만 다만 태양의 빛이 있는 곳에 따라 작음과 큼이 같지 않을 뿐이라고 생각한 적이 있습니다. 또한 이와 같이 사람과 만물의 성을 비유해도 괜찮은지 모르겠습니다."
(주자가) 대답했다. "또한 훌륭하다."

[29-3-22]

問 : "氣質有昏濁不同, 則天命之性有偏全否?"

물었다. "기질에 어두움과 탁함의 같지 않음이 있으면 하늘이 명령한 성에도 치우침과 온전함이 있습니까?"

曰 : "非有偏全. 謂如日月之光, 若在露地, 則盡見之 ; 若在蔀屋之下, 有所蔽塞, 有見有不見. 昏濁者是氣昏濁了, 故自蔽塞, 如在蔀屋之下. 然在人則蔽塞有可通之理. 至於禽獸, 亦是此性, 只被他形體所拘, 生得蔽隔之甚, 無可通處. 至於虎狼之仁, 豺獺之祭, 蜂蟻之義, 却只通這些子, 譬如一隙之光. 至於獼猴, 形狀類人, 便最靈於他物, 只不會說話而已. 到得夷狄, 便在人與禽獸之間, 所以終難改."[209]

(주자가) 대답했다. "치우침과 온전함이 있지 않다. 예컨대 해와 달의 빛이 만약 가려지지 않은 노지露地(드러난 곳)에 있으면 그것을 다 볼 수 있지만, 만약 지붕 아래에 있으면 가려지고 막혀서 볼 수 있는 것도 있고 볼 수 없는 것도 있는 것과 같음을 말한다. 어두움과 탁함은 기가 어두워지거나 탁해진 것이므로 저절로 가려지고 막혀서 마치 지붕 아래에 있는 것과 같다. 그러나 사람의 경우는 가려짐과 막힘에 통할 수 있는 이치가 있다. 금수禽獸의 경우도 역시 이 성性이지만 다만 그것의 형체에 의해 얽매여서 생겨나면서 매우 가려지고 막힌 것을 얻어서 통할 수 있는 곳이 없다. 호랑이와 이리의 (부자관계에서의) 인仁과 승냥이와 수달이 (먹이를 놓고) 제사지내는 것과 벌과 개미의 (군신관계에서의) 의義는 또한 다만 이 방면만으로 조금 통하는 것이니, 비유하면 틈새로 비치는 한 줄기 빛과 같다. 원숭이의 경우는 형상이 사람과 유사하여 다른 만물보다 가장 영험하지만 다만 말을 할 수 없을 따름이다. 오랑캐의 경우는

208 '性은 한 … 뿐이다.' : 衛湜의 『禮記集說』에 여대림의 말로 실려 있다.
209 『朱子語類』 권4, 11조목

곧 사람과 금수 사이에 있으므로 끝내 (기의 가려짐과 막힘을) 고치기 어렵다."

[29-3-23]

"性如日光, 人物所受之不同, 如隙竅之受光有大小也. 人物被形質局定了, 也是難得開廣. 如螻蟻如此小, 便只知得君臣之分而已."[210]

(주자가 말했다.) "성性은 마치 햇빛과 같아서 사람과 만물이 받은 것이 같지 않은 것은 마치 틈새로 비치는 빛을 받음에 크고 작음의 차이가 있는 것과 같다. 사람과 만물은 형질에 제한되면 또한 열어서 넓히기 어렵다. 예컨대 땅강아지와 개미는 이와 같이 (틈새로 빛을 받은 것이) 작기 때문에 곧 다만 군신간의 분수만을 알 수 있을 따름이다."

[29-3-24]

或說: "人物性同."

曰: "人物性本同, 只氣稟異. 如水無有不清, 傾放白椀中是一般色, 及放黑椀中又是一般色, 放青椀中又是一般色."

어떤 사람이 말했다. "사람과 만물은 성性이 같다."

(주자가) 말했다. "사람과 만물은 성이 본래 같지만 다만 기를 품부한 것이 다르다. 예컨대 물은 맑지 않음이 없지만 흰색 사발에 담으면 똑같이 흰색이고, 검은색 사발에 담으면 또 똑같이 검은색이며, 푸른색 사발에 담으면 또 똑같이 푸른색이 되는 것과 같다."

又曰: "性最難說, 要說同亦得, 要說異亦得. 如隙中之日, 隙之長短大小自是不同, 然卻只是此日."[211]

(주자가) 또 말했다. "성은 가장 말하기 어려우니, 같다고 말할 수도 있고 다르다고 말할 수도 있다. 예컨대 틈새로 비추는 햇빛과 같으니, 틈의 길과 짧음, 큼과 작음은 본래 같지 않지만 또한 다만 이 햇빛일 뿐이다."

[29-3-25]

"人物之生, 天賦之以此理, 未嘗不同, 但人物之稟受自有異耳. 如一江水, 你將杓去取, 只得一杓; 將椀去取, 只得一椀; 至於一桶一缸, 各自隨器量不同, 故理亦隨以異."[212]

(주자가 말했다.) "사람과 만물이 생겨남에 하늘이 리理를 부여한 것은 같지 않은 적이 없지만, 다만 사람과 만물이 품부 받은 것은 본래 다름이 있을 뿐이다. 예컨대 같은 강물이지만 그대가 국자로 뜨면

210 『朱子語類』 권4, 12조목
211 『朱子語類』 권4, 13조목
212 『朱子語類』 권4, 14조목

다만 한 국자만큼 얻고, 사발로 뜨면 다만 한 사발만큼 얻으며, 한 통이나 한 항아리로 뜨는 경우에도 각자 그릇의 분량에 따라 얻는 분량이 같지 않으므로, 리도 그것에 따라서 다르다."

[29-3-26]

問: "人則能推, 物則不能推."

曰: "謂物無此理, 不得. 只是氣昏, 一似都無了."[213]

물었다. "사람이라면 미루어갈 수 있지만 만물은 미루어갈 수 없습니다."

(주자가) 대답했다. "만물은 이 리가 없다고 말할 수 없다. 다만 기가 어둡기 때문에 한결같이 모두 없는 것 같다."

[29-3-27]

或問: "人物之性, 有所謂同者, 又有所謂異者. 知其所以同, 又知其所以異, 然後可以論性矣. 夫太極動而二氣形, 二氣形而萬化生, 人與物俱本乎此, 則是其所謂同者; 而二氣五行絪緼交感, 萬變不齊, 則是其所謂異者. 同者, 其理也; 異者, 其氣也. 必得是理, 而後有以爲人物之性, 則其所謂同然者, 固不得而異也; 必得是氣, 而後有以爲人物之形, 則所謂異者, 亦不得而同也.

어떤 사람이 물었다. "사람과 만물의 성性은 이른바 같은 것도 있고 또 다른 것도 있습니다. 그것이 같은 까닭을 알고 또 그것이 다른 까닭을 안 뒤에 성을 논할 수 있습니다. 태극이 움직여 음과 양 두 기가 나타나고, 두 기가 나타나서 온갖 조화造化가 생겨나는데,[214] 사람과 만물이 모두 여기에 근본을 두니 그 이른바 같다는 것이며, 음과 양 두 기와 오행五行이 어우러지고 교감하는 가운데 온갖 변화가 가지런하지 않으니 그 이른바 다르다는 것입니다. 같은 것은 리理이고 다른 것은 기氣입니다. 반드시 이 리를 얻은 뒤에 그것을 가지고 사람과 만물의 성性으로 삼으니, 그 이른바 똑같이 옳다고 하는 것은 본디 다를 수가 없으며, 반드시 이 기를 얻은 뒤에 그것을 가지고 사람과 만물의 형체로 삼으니, 그 이른바 다르다는 것은 또한 같을 수 없습니다.

是以先生於『大學或問』因謂'以其理而言之, 則萬物一原, 固無人物貴賤之殊; 以其氣而言之, 則得其正且通者爲人, 得其偏且塞者爲物. 是以或貴或賤而有所不能齊'者, 蓋以此也. 然其氣雖有不齊, 而得之以有生者, 在人物莫不皆有理; 雖有所謂同, 而得之以爲性者, 人則獨異於

213 『朱子語類』 권4, 15조목

214 태극이 움직여 … 생겨나는데: 주돈이의 『太極圖說』에서는, "태극이 움직여 양을 낳고, 움직임이 극단에 이르면 고요하다. 고요하여 음을 낳고, 고요함이 극단에 이르면 다시 움직인다. 한 번 움직이고 한 번 고요함이 서로 뿌리가 된다. 음으로 나뉘고 양으로 나뉘어 양의가 정립된다.(太極動而生陽, 動極而靜. 靜而生陰, 靜極復動. 一動一靜, 互爲其根. 分陰分陽, 兩儀立焉.)"라고 하였다.

物. 故爲知覺爲運動者, 此氣也; 爲仁義爲禮智者, 此理也. 知覺運動, 人能之, 物亦能之, 而仁·義·禮·智則物固有之, 而豈能全之乎?

그러므로 선생께서는 『대학혹문大學或問』에서 '리로써 말하면 만물은 근원이 하나이므로 본디 사람과 만물의 귀천의 다름이 없으며, 기로써 말하면 그 기의 바르고 통하는 것을 얻은 것은 사람이 되고 치우치고 막힌 것을 얻으면 만물이 된다, 그러므로 혹은 귀하게 되고 혹은 천하게 되어 가지런할 수 없는 것이 있게 된다.'[215]라고 말한 것은 이것 때문입니다. 그러나 그 기가 비록 가지런하지 않음이 있어도 그것을 얻어서 생겨남이 있는 것은 사람과 만물에 있어서 모두 리를 가지지 않음이 없으며, 비록 이른바 같음이 있어도 그것을 얻어서 성으로 삼는 것에서 사람은 유독 만물과 다릅니다. 그러므로 지각하고 운동함이 있는 것은 이 기이며, 인의仁義가 되고 예지禮智가 되는 것은 이 리입니다. 지각하고 운동하는 것은 사람이 할 수 있고 만물도 역시 할 수 있지만, 인·의·예·지는 만물이 본디 가지고 있다고 하더라도 어찌 그것을 온전하게 할 수 있겠습니까?

告子乃欲指其氣而遺其理, 梏於其同者, 而不知其所謂異者. 此所以見闢於孟子. 而先生於『集註』則亦以爲, '以氣言之, 則知覺運動, 人物若不異; 以理言之, 則仁義禮智之稟, 非物之所能全也.' 於此, 則言氣同而理異者, 所以見人之爲貴, 非物之所能並; 於彼, 則言理同而氣異者, 所以見太極之無虧欠, 而非有我之所得私也. 以是觀之, 尚何疑哉? 有以『集註』·『或問』異同爲疑者, 答之如此, 未知是否."

고자告子는 이에 그 기를 지적하려고 하여 그 리를 잃어버렸으니, 그 같음이 있는 것에 얽매여 그 이른바 다름이 있는 것을 알지 못했습니다. 이것이 맹자에게 배척당한 까닭입니다. 그래서 선생先生[朱熹]께서는 『집주集註[孟子集註]』에서 '기氣로써 말하면, 지각知覺·운동運動은 사람과 만물이 다르지 않은 것 같지만, 리理로써 말하면, 인의예지仁義禮智의 품부는 만물이 그것을 온전히 할 수 있는 것이 아니다.'[216]라고 했습니다. 여기(『맹자집주』)에서는 기가 같지만 리가 다르다는 것을 말했으니, 그것으로써 사람의 존귀함을 만물이 나란히 할 수 있는 것이 아니라는 것을 보인 것이며, 저기(『대학혹문』)에서는 리가 같지만 기가 다르다는 것을 말했으니, 그것으로써 흠결이 없는 태극을 내가 사적私的으로 얻을 수 있는 것이 아님을 보인 것이다. 이것으로 살펴보면 또한 무엇을 의심하겠습니까? 『맹자집주』와 『대학혹문』에서 말한 같음과 다름을 의심하는 사람이 있는데, 이와 같이 대답하면 옳은지 모르겠습니다."

曰: "此論得甚分明, 且有條理."[217]

(주자가) 대답했다. "위의 말은 매우 분명하게 논한 것이고 또 조리가 있다."

215 朱熹, 『大學或問』「經一章」
216 '氣로써 말하면 … 아니다.': 본문 [29-3-18]의 각주 참조
217 『朱子語類』 권4, 17조목

[29-3-28]

“二氣五行, 交感萬變, 故人物之生, 有精粗之不同. 自一氣而言之, 則人物皆受是氣而生; 自精粗而言, 則人得其氣之正且通者, 物得其氣之偏且塞者. 惟人得其正, 故是理通而無所塞; 物得其偏, 故是理塞而無所知. 且如人, 頭圓象天, 足方象地, 平正端直, 以其受天地之正氣, 所以識道理, 有知識. 物受天地之偏氣, 所以禽獸橫生, 草木頭生向下, 尾反在上. 物之間有知者, 不過只通得一路. 如烏之知孝, 獺之知祭, 犬但能守禦, 牛但能畊而已. 人則無不知, 無不能. 人所以與物異者, 所爭者此耳.”[218]

(주자가 말했다.) “음과 양 두 기와 오행五行이 교감하여 갖가지로 변화하므로 사람과 만물이 생겨남에 정교함과 조잡함의 차이가 있다. 하나의 기氣로부터 말하면 사람과 만물이 모두 이 기를 받아 생겨나지만, 정교함과 조잡함으로부터 말하면 사람은 바르고 소통하는 기를 얻고, 만물은 치우치고 막힌 기를 얻는다. 오직 사람만이 바른 것을 얻기 때문에 리가 소통하여 막힌 것이 없다. 만물은 치우친 것을 얻기 때문에 이 리가 막혀 인지능력이 없다. 막힌 것이 없으며, 만물은 그 치우친 것을 얻었기 때문에 이 리는 막혀서 인지능력이 없다. 예컨대 사람이 머리가 둥근 것은 하늘을 닮은 것이고 발이 네모난 것은 땅을 닮은 것이며 공평하고 반듯한 것은 천지의 바른 기를 받았기 때문이니, 그 때문에 도리를 알고 지식이 있다. 만물은 천지의 치우친 기를 받았으므로 금수禽獸는 옆으로 생장하고 초목은 머리가 아래로 향해 생장하면서 꼬리는 반대로 위에 있다. 만물들 중에 인지능력이 있는 것은 불과 한 길로만 소통할 뿐이다. 예컨대 까마귀는 효를 알고, 수달은 제사를 알며, 개는 집을 지킬 줄만 알고, 소는 밭을 갈 줄만 아는 것과 같다. 사람은 알지 못하는 것이 없고 하지 못하는 일이 없다. 사람이 만물과 차이가 나는 것은 따질 만한 일이 이것뿐이다.”

[29-3-29]

問: “虎狼之父子, 蜂蟻之君臣, 豺獺之報本, 雎鳩之有別, 物雖得其一偏, 然徹頭徹尾得義理之正. 人合下具此天命之全體, 乃爲物欲·氣稟所昏, 反不能如物之能通其一處而全盡, 何也?”

曰: “物只有這一處通, 便却專. 人却事事理會得些, 便却泛泛, 所以易昏.”[219]

물었다. “호랑이나 이리의 부자관계와 벌이나 개미의 군신관계와 승냥이나 수달이 근본에 보답하는 것과 물수리가 부부의 분별이 있는 것은, 만물이 비록 한 쪽으로 치우친 것을 얻었지만 철두철미하게 의리의 바른 것을 얻은 것입니다. 사람은 원래 하늘이 명령한 온전한 체體를 갖추었지만, 바깥 사물에 대한 욕망과 품부 받은 기의 어두움 때문에, 도리어 만물이 한 쪽으로 소통하여 온통 극진히 할 수 있는 것만 못한 것은 무엇 때문입니까?”

(주자가) 대답했다. “만물은 다만 이 한 쪽으로만 소통하기 때문에 도리어 전념한다. 사람은 오히려 일마다 조금씩 이해하기 때문에 도리어 대강대강 하므로 쉽게 어두워진다.”

218 『朱子語類』 권4, 41조목

219 『朱子語類』 권4, 19조목

[29-3-30]

問 : "人與物以氣稟之偏全而不同, 不知草木如何."

曰 : "草木之氣又別, 他都無知了."[220]

물었다. "사람과 만물은 품부 받은 기가 치우치거나 온전하기 때문에 같지 않은데, 초목은 어떤지 모르겠습니다."

(주자가) 대답했다. "초목의 기는 또 다르니 그것은 모두 인지능력이 없다."

[29-3-31]

或問 : "通蔽開塞, 張橫渠 · 呂與叔說, 孰爲親切?"

曰 : "與叔倒分明, 似橫渠之說. 看來塞中也有通處, 如猿狙之性卽靈, 猪則全然蠢了, 便是通蔽不同處. '本乎天者親上, 本乎地者親下.' 如人頭向上, 所以最靈 ; 草木頭向下, 所以最無知 ; 禽獸之頭橫了, 所以無知 ; 猿狙稍靈, 爲他頭有時也似人, 故稍向得上."[221]

어떤 사람이 물었다. "(기의) 소통함과 가려짐, 열림과 막힘에 대하여 장횡거張橫渠[張載]와 여여숙呂與叔[呂大臨]의 말 가운데 어느 것이 절실합니까?"

(주자가) 대답했다. "여숙與叔[呂大臨]의 말은 비록 분명하지만 횡거橫渠[張載]의 말과 비슷하다.[222] 생각건대 막힌 것 가운데 또한 소통하는 곳이 있으니, 예컨대 원숭이의 성은 곧 영민靈敏하지만 돼지의 성은 완전히 우둔하니, 곧 소통함과 가려짐이 같지 않은 점이다. '하늘에 근본한 것은 위와 친하고 땅에 근본한 것은 아래와 친하다.'[223] 예컨대 사람의 머리는 위를 향하므로 가장 영험하고, 초목의 머리는 아래를 향하므로 가장 인지능력이 없으며, 금수禽獸의 머리는 옆으로 되어 있으므로 인지능력이 없고, 원숭이가

220 『朱子語類』 권4, 22조목

221 『朱子語類』 권98, 49조목

222 與叔[呂大臨]의 말은 … 비슷하다. : 주자는 『朱子語類』 권98, 47조목에서, "橫渠[張載]는 '모든 만물은 性이 없는 것이 없지만, (기의) 소통함과 가려짐, 열림과 막힘 때문에 사람과 만물의 구별이 있으며, 가려짐에 두터움과 엷음이 있기 때문에 지혜로운 자와 어리석은 자의 구별이 있다.'라고 말했는데, 태어날 때부터 지혜로운 성인을 빠트린 것 같다.(橫渠言, '凡物莫不有性, 由通蔽開塞, 所以有人物之別 ; 由蔽有厚薄, 故有智愚之別.' 似欠了生知之聖.)"라고 말했으며, 또 같은 책 권98, 48조목에서, "橫渠[張載]의 이 단락의 말은 呂與叔[呂大臨]이 분명하게 분별한 것 만 못하다. 여대림은 '가려짐에 얕음과 깊음이 있기 때문에 어두운 것과 밝은 것이 되며, 가려짐에 열림과 막힘이 있기 때문에 사람과 만물이 된다.'라고 하였다.(橫渠此段不如呂與叔分別得分曉. 呂曰, '蔽有淺深, 故爲昏明 ; 蔽有開塞, 故爲人物.')"라고 말했다.

223 '하늘에 근본한 … 친하다.' : 『易』「乾」에서, "九五에 말하기를 '나는 龍이 하늘에 있으니, 大人을 만나봄이 이롭다.'는 것은 무슨 말인가? 공자가 말했다. '같은 소리는 서로 응하고 같은 氣는 서로 구하여, 물은 습한 곳으로 흐르고 불은 건조한 곳으로 나아가며, 구름은 龍을 따르고 바람은 범을 따른다. 그리하여 聖人이 나옴에 만물이 우러러본다. 하늘에 근본한 것은 위와 친하고 땅에 근본한 것은 아래와 친하니, 각각 그 부류를 따른다.'(九五曰'飛龍在天, 利見大人', 何謂也? 子曰, '同聲相應, 同氣相求, 水流濕, 火就燥, 雲從龍, 風從虎. 聖人作而萬物覩. 本乎天者親上, 本乎地者親下, 則各從其類也.')"라고 하였다.

조금 영험한 것은 그것의 머리가 간혹 또한 사람과 비슷하기 때문에 조금 나을 수 있는 것이다."

[29-3-32]

問 : "程子云, '人與物共有此理, 只是氣昏推不得', 此莫只是大綱言其本同出? 若論其得此理, 莫已不同, 而曰同."[224]

曰 : "旣同, 則以分人物之性者,[225] 却是於通塞上別. 如人雖氣稟異而終可同, 物則終不可同. 然則謂之理同, 則可 ; 謂之性同, 則不可."

물었다. "정자程子는 '사람과 만물은 함께 이 리를 가지고 있지만, 다만 기가 어두워 미루어갈 수 없을 뿐이다.'[226]라고 말했는데, 이것은 그것이 본래 같이 나온다는 것을 대강 말한 것일 뿐이 아닙니까? 만약 이 리를 얻는 것을 논한다면 이미 같지 않음이 없는데, (선생께서는) 같다고 말했습니다."

(주자가) 대답했다. "이미 같다면, 그것으로서 사람과 만물의 성을 나누는 것은 소통함과 막힘에서 구별하는 것이다. 예컨대 사람은 비록 기를 품부 받은 것이 다르지만 끝내 같을 수 있으며, 만물은 끝내 같을 수 없는 것과 같다. 그렇다면 리가 같다고 하는 것은 괜찮지만 성이 같다고 하는 것은 안된다."

曰 : "固然. 但隨其光明發見處可見. 如螻蟻君臣之類, 但其稟形旣別, 則無復與人通之理. 如獼猴形與人略似, 則便有能解. 野狐能人立, 故能爲怪. 如猪則極昏. 如草木之類, 荔枝 · 牡丹乃發出許多精英, 此最難曉."[227]

(주자가) 말했다. "과연 그렇다. 그러나 그 밝은 빛이 발현하는 곳에 따라서 볼 수 있다. 예컨대 땅강아지나 개미의 군신관계 따위는 단지 그 형체를 품부 받은 것이 이미 다르니, 다시 사람과 통하는 리가 없다. 예컨대 원숭이의 형체는 사람과 대략 비슷하니, 곧 (형체를 품부 받은 제약을) 풀 수 있는 것이 있다. 여우는 사람처럼 직립할 수 있기 때문에 요괴가 될 수 있다. 예컨대 돼지라면 매우 어둡다. 예컨대 초목의 부류 중에서 여지荔枝와 목단牡丹은 오히려 많은 빼어난 특징을 드러내니, 이것이 가장 이해하기 어렵다."

---

224 而曰同. : 『朱子語類』 권97, 20조목에는 "曰, '同.'"이라고 되어 있다. 그러면 이 구절 아래의 "曰, '旣同, 則以分人物之性者, … 謂之性同, 則不可.'"는 주자의 대답이 아닌 질문자의 물음이 된다. 그러나 또 그 다음 구절에 "曰, '固然.…'"이라고 하였으니, 내용상에는 문제가 없다.

225 則以分人物之性者 : 『朱子語類』 권97, 20조목에는 "則所以分人物之性者"라고 되어 있다.

226 '사람과 만물은 … 뿐이다.' : 『河南程氏遺書』 권2上에서 "만물이 體를 하나로 한다고 하는 까닭은 모두 이 리를 가지고 있는데 그것이 한 곳에서 나오기 때문이다. '낳고 낳는 것을 역이라고 한다.'고 하니, 낳으면 일시에 낳아서 모두 이 리를 완비한다. 사람은 미루어갈 수 있지만 만물은 기가 어두워 미루어갈 수 없다고 해서, 다른 것은 리를 함께 가지고 있지 않다고 말해서는 안된다.(所以謂萬物一體者, 皆有此理, 只爲從那裏來. '生生之謂易', 生則一時生, 皆完此理. 人則能推, 物則氣昏, 推不得, 不可道他物不與有也.)"라고 하였다.

227 『朱子語類』 권97, 20조목

[29-3-33]

“一草一木, 皆天地和平之氣.”[228]

(주자가 말했다.) “한포기의 풀과 한 그루의 나무라 하더라도 모두 천지의 조화로운 기이다.”

[29-3-34]

答徐子融曰 : “程子言, ‘性卽理也’, 此一句, 自古無人敢如此道. 心則知覺之在人而具此理者也. 張子又言, ‘由太虛, 有天之名 ; 由氣化, 有道之名 ; 合虛與氣, 有性之名 ; 合性與知覺, 有心之名.’ 其名義亦甚密, 皆不易之至論也.

(주자가) 서자융徐子融[229]에게 답하는 편지에서 말했다. “정자程子[程頤]는 ‘성性이 곧 리理이다.’[230]라고 말했는데, 예로부터 감히 이와 같이 말한 사람은 없었다. 심心은 사람에게 있는 지각知覺으로 이 리를 갖춘 것이다. 장자張子[張載]는 또 ‘태허太虛로 말미암아 천天이라는 이름이 있고, 기화氣化로 말미암아 도道라는 이름이 있으며, 허虛와 기氣를 합하여 성性이라는 이름이 있고, 성과 지각을 합하여 심心이라는 이름이 있다.’[231]라고 말했다. 그 명칭과 함의가 또한 매우 면밀하니 모두 바뀔 수 없는 지극한 이론이다.

蓋天之生物, 其理固無差別, 但人物所稟形氣不同, 故其心有明暗之殊, 而性有全不全之異耳. 若所謂仁, 則是性中四德之首, 非在性外別爲一物而與性並行也. 然唯人心至靈, 故能全此四德而發爲四端. 物則氣偏駁而心昏蔽, 固有所不能全矣. 然其父子之相親, 君臣之相統, 間亦有僅存而不昧者. 然欲其克己復禮以爲仁, 善善惡惡以爲義, 則有所不能矣. 然不可謂無是性也.

하늘이 만물을 낳을 때 그 리는 본디 차별이 없지만 단지 사람과 만물이 품부 받은 형기形氣가 같지 않기 때문에, 그 마음에는 밝음과 어두움의 다름이 있고 성性에는 온전함과 온전하지 못함의 차이가 있을 뿐이다. 이른바 인仁은 성性 가운데 있는 네 가지 덕의 으뜸인 것이지, 성 밖에서 따로 어떤 것이 되어 성과 병행하는 것이 아니다. 그러나 오직 사람의 마음만이 지극히 영험하기 때문에 이 네 가지 덕을 온전하게 하여 그것을 사단四端으로 드러나게 할 수도 있다. 만물은 기氣가 치우치고 잡박하여 마음이 어둡고 가려져서 본디 온전하게 할 수 없는 것이 있다. 그러나 만물 가운데 부자간에 서로 친하고 군신간에 서로 기강이 있는 것은 그 사이에 또한 겨우 보존하여 어둡지 않은 것이 있는 것이다. 그렇지만 자신의 사욕을 극복하여 예禮로 돌아가는 것을 인仁으로 삼고[232] 선善을 좋아하고 악惡을 미워하는 것을 의義로 삼고자 하면, 그렇게 할 수 없는 것이 있다. 그렇지만 이 성性이 없다고 말할 수는 없다.

228 『朱子語類』 권4, 23조목

229 徐子融 : 鉛山(현 강서성 연산현) 사람으로 주자 문인인데, 이름과 생졸연대가 미상이다.

230 ‘性이 곧 理이다.’ : 『河南程氏遺書』 권22상

231 ‘太虛로 말미암아 … 있다.’ : 張載, 『正蒙』 권1 「太和篇」

232 자신의 사욕을 … 삼고 : 『論語』「顔淵」에서 “顔淵이 仁에 대해 묻자, 공자가 말했다. ‘자신의 사욕을 극복하여 禮를 돌아가는 것이 仁을 실천하는 것이니, 하루 동안이라도 사욕을 이겨 禮로 돌아가면 세상 사람들이 仁하다고 인정해 줄 것이다.’(顔淵問仁, 子曰, ‘克己復禮爲仁, 一日克己復禮, 天下歸仁焉.’)”라고 하였다.

若生物之無知覺者, 則又其形氣偏中之偏者, 故理之在是物者, 亦隨其形氣而自爲一物之理. 雖若不可復論仁·義·禮·智之彷彿, 然亦不可謂無是性也. 此理甚明, 無難曉者.

살아 있는 것 가운데 지각이 없는 것은 또 그 형기形氣가 치우친 것 중에서 더욱 치우친 것이기 때문에, 이것에 있는 리理도 역시 그 형기를 따라서 저절로 그것의 리가 된다. 비록 인·의·예·지와 비슷한 것을 다시 논할 수는 없지만 그것 또한 그 성이 없다고 말할 수 없다. 이런 이치는 아주 명백해서 이해하기 어려운 것이 없다.

又謂'枯槁之物, 只有氣質之性而無本然之性', 此語猶可笑. 若果如此, 則是物只有一性, 而人却有兩性矣, 此語非常醜差. 蓋由不知氣質之性, 只是此性墮在氣質之中, 故隨氣質而自爲一性, 正周子所謂'各一其性'者. 向使元無本然之性, 則此氣質之性又從何處得來耶? 況亦非獨周·程·張子之言爲然, 如孔子言'成之者性', 又言'各正性命', 何嘗分別某物是有性底, 某物是無性底? 孟子言'山之性'·'水之性', 山水何嘗有知覺耶?

또 '시들고 마른 물건은 다만 기질氣質의 성性만 있지 본연本然의 성은 없다.'고 말하는데, 이 말은 또한 가소롭다. 만약 과연 이와 같다면 이것은 만물에는 하나의 성이 있지만 사람에게는 두 개의 성이 있다는 것이니, 이 말은 아주 형편없이 틀렸다. 왜냐하면 기질의 성은 다만 이 성이 기질 가운데 떨어져 있기 때문에 기질에 따라서 저절로 하나의 성이 된 것이니, 이것이 바로 주자周子[周惇頤]의 이른바 '각각 그 성을 하나로 한다.'[233]라고 한 것을 모르기 때문이다. 만약 원래 본연의 성이 없다면 이 기질의 성은 또 어디에서 왔겠는가? 하물며 다만 주자周子[周惇頤]·정자程子(程顥·程頤)·장자張子[張載]의 말만이 그렇다고 했을 뿐만 아니라, 공자와 같은 경우도 공자는 '이를 이루는 것이 성이다.'[234]라고 하고, 또 '각각 그 성명性命을 바르게 한다.'[235]고 말했지, 어떤 것은 성이 있는 것이고 어떤 것은 성이 없는 것이라고 언제 분별한 적이 있었는가? 맹자는 '산의 성'[236]과 '물의 성'[237]을 말했는데 산과 물에 언제 지각知覺이

233 '각각 그 … 한다.' : 주돈이는 『太極圖說』에서 "오행은 하나의 음양이고 음양은 하나의 태극이며 태극은 본래 무극이니, 오행의 생성에 각각 그 성을 하나씩 가진다.(五行一陰陽也, 陰陽一太極也, 太極本無極也, 五行之生也, 各一其性.)"라고 하였다.

234 '이를 이루는 … 성이다.' : 공자는 『易』「繫辭上」에서, "한 번 음이 되고 한 번 양이 되는 것을 도라고 하니, 이를 이어가는 것은 선이고 이를 이루는 것은 성이다.(一陰一陽之謂道. 繼之者善也, 成之者性也.)라고 하였다.

235 '각각 그 … 한다.' : 공자는 『易』「乾·彖傳」에서 "乾道가 변화함에 각각 性命을 바르게 하니, 大和를 보존하여 이에 이롭고 貞하다.(乾道變化, 各正性命, 保合太和, 乃利貞.)"라고 하였다.

236 '산의 성' : 맹자는 「告子上」에서 "牛山의 나무가 일찍이 아름다웠었는데, 大國의 교외이기 때문에 큰 도끼·작은 도끼로 매일 나무를 베어가니, 아름답게 될 수 있겠는가? 그 밤낮으로 자라나고 비와 이슬로 적셔주어 싹이 나오는 것이 없지는 않지만, 소와 양이 또 따라서 방목되므로, 이 때문에 저와 같이 벌거숭이 모습이 되었다. 사람들은 그 벌거숭이 모습만 보고는 일찍이 훌륭한 재목이 있은 적이 없다고 여기니, 이것이 어찌 山의 性이겠는가?(牛山之木嘗美矣, 以其郊於大國也, 斧斤伐之, 可以爲美乎? 是其日夜之所息, 雨露之所潤, 非無萌蘖之生焉, 牛羊又從而牧之, 是以若彼濯濯也. 人見其濯濯也, 以爲未嘗有材焉, 此豈山之性也哉?)"라고 하였다.

있은 적이 있었는가?

若於此看得通透, 卽知天下無無性之物. 除是無物, 方無此性. 若有此物, 卽如來喻'木燒爲灰, 灰陰爲土.'[238] 亦有此灰土之氣. 旣有灰土之氣, 卽有灰土之性, 安得謂枯槁無性也?"[239]

만약 여기에 대해 훤하게 꿰뚫어 안다면 곧 천하에는 성性이 없는 것이 없다는 것을 알게 될 것이다. 어떤 것이 존재하지 않아야 비로소 그것의 성도 없다. 만약 어떤 것이 존재한다면 곧 그대가 보내 온 편지에서 '나무가 타면 재가 되고 사람이 죽으면 흙이 된다.'라고 한 것처럼 또한 이 재와 흙의 기가 있다. 이미 재와 흙의 기가 있으면 곧 재와 흙의 성이 있는데 어찌 시들고 마른 나무에는 성이 없다고 할 수 있겠는가?"

[29-3-35]

徐子融謂,"枯槁之中, 有性有氣, 故附子熱, 大黃寒, 此性是氣質之性."

陳才卿謂, "卽是本然之性."

曰 : "子融認知覺爲性, 故以此爲氣質之性. 性卽是理. 有性卽有氣, 是他稟得許多氣, 故亦只有許多理."

서자융徐子融은 "시들고 마른 나무 가운데도 성性이 있고 기氣가 있기 때문에, 부자附子는 성질이 뜨겁고 대황大黃은 성질이 차가우니, 이 성은 기질의 성입니다."라고 하였다.

진재경陳才卿(주자 문인)은 "이것은 곧 본연의 성입니다."라고 하였다.

(주자가) 말했다. "자융은 지각을 성으로 여겼기 때문에 이것을 기질의 성이라고 하였다.[240] 성은 곧 리이다. 성이 있으면 곧 기가 있으니, 그것들이 많은 기를 품부 받았기 때문에 또한 많은 리를 가지고

237 '물의 성' : 맹자는 「告子上」에서 "물은 진실로 東 · 西에 분별이 없지만, 上 · 下에도 분별이 없겠는가? 사람의 性의 善함은 마치 물이 아래로 내려가는 것과 같으니, 사람은 선하지 않은 사람이 없으며, 물은 아래로 내려가지 않는 것이 없다. 지금 물을 쳐서 튀어 오르게 하면 이마를 지나게 할 수 있으며, 물길을 막아 거꾸로 급하게 흘러가게 하면 산에 있게 할 수 있지만, 이것이 어찌 물의 性이겠는가? 그 형세가 그렇게 만든 것이다. 사람이 선하지 않게 되는 것은 그 性이 또한 이와 같은 것이다.(水信無分於東西. 無分於上下乎? 人性之善也, 猶水之就下也, 人無有不善, 水無有不下. 今夫水, 搏而躍之, 可使過顙 ; 激而行之, 可使在山. 是豈水之性哉? 其勢則然也. 人之可使爲不善, 其性亦猶是也.)"라고 하였다.

238 灰陰爲土 : 『朱文公文集』 권58 「答徐子融」에는 "人陰爲土"라고 되어 있다.

239 『朱文公文集』 권58 「答徐子融」

240 자융은 지각을 … 하였다. : 李宜哲의 『朱子語類古文解義』에는 이 구절을 다음과 같이 풀이하였다. "차가움과 뜨거움은 지각의 부류인 것 같다. 자융은 이것을 성으로 여겼기 때문에 일찍이 '시들고 마른 물건에는 본연의 성이 없다.'고 했다. 선생(주자)은 '만약 그렇다면 이것은 다만 하나의 성이 있고 사람은 도리어 두 개의 성이 있는 것이다. 만약 본연의 성이 없으면 기질의 성은 어디에서부터 오겠는가?'라고 하였다.(寒與熱, 似知覺之類. 子融認此爲性, 故嘗謂'枯槁之物無本然之性.' 先生謂'若然則是物只有一性, 人却有兩性矣. 若無本然之性, 則氣質之性何從而來?')"

있을 뿐이다."

才卿謂, "有性無仁."
"此說亦是. 是他元不曾稟得此道理. 惟人則得其全. 如動物, 則又近人之性矣. 故呂與叔云, '物有近人之性, 人有近物之性.' 蓋人亦有昏愚之甚者. 然動物雖有知覺, 才死, 其形骸便腐壞; 植物雖無知覺, 然其質却堅久難壞."[241]
재경은 "성은 가지고 있지만 인仁은 없습니다."라고 하였다.[242]
(주자가 말했다.) "이 말도 옳다. 그것들은 원래 이 도리仁를 품부 받은 적이 없다. 오직 사람만이 그 온전함을 얻었다. 예컨대 동물은 또 사람의 성에 가깝다. 그러므로 여여숙呂與叔[呂大臨]은 '만물 중에도 사람의 성에 가까운 것도 있고, 사람 중에도 만물의 성에 가까운 것도 있다.'[243]라고 말했다. 왜냐하면 사람 중에도 어두움과 어리석음이 심한 자가 있기 때문이다. 그러나 동물은 비록 지각이 있더라도 죽자마자 그 몸뚱이가 바로 썩어버리고, 식물은 비록 지각이 없지만 그 본바탕은 도리어 견고하여 오래되어도 잘 썩지 않는다."

[29-3-36]
問: "曾見答余方叔書, 以爲枯槁有理. 不知枯槁·瓦礫, 如何有理."
曰: "且如大黃·附子, 亦是枯槁. 然大黃不可爲附子, 附子不可爲大黃."[244]
물었다. "일찍이 (선생께서) 여방숙余方叔(주자 문인 余大猷)에게 답하는 편지를 보았는데 시들고 마른 나무에 리가 있다고 하였습니다.[245] 시들고 마른 나무나 깨진 기와에 어떻게 리가 있는지 모르겠습니다."
(주자가) 대답했다. "예컨대 대황大黃과 부자附子도 역시 시들고 마른 나무이다. 그러나 대황은 부자가 될 수 없고 부자는 대황이 될 수 없다."

[29-3-37]
問: "枯槁之物亦有性, 是如何?"
曰: "是他合下有此理, 故云天下無性外之物."

241 『朱子語類』 권4, 25조목
242 재경은 "성은 … 하였다.: 李宜哲의 『朱子語類古文解義』에는 이 구절을 다음과 같이 풀이하였다. "재경은 '미세한 사물도 역시 모두 성을 가지고 있지만, 인의예지로는 말할 수 없다.'고 하였다. 선생(주자)는 '미세한 사물의 성은 본디 그것이 인의예지가 되는 것을 볼 수 없지만, 또한 그것이 인의예지가 아니라는 것은 어떻게 알 수 있는가?'라고 하였다.(才卿謂'微細之物, 亦皆有性, 而不可以仁義禮智而言.' 先生謂'微物之性, 固無以見其爲仁義禮智, 然亦何以見其不是仁義禮智乎?')"
243 '만물 중에서도 … 있다.': 본문 [29-3-9] 참조
244 『朱子語類』 권4, 26조목
245 일찍이 余方叔… 하였습니다.: 그 내용은 본문 뒤의 [29-3-38]에 있다.

因行街, 云: "階磚便有磚之理."

因坐, 云: "竹椅便有竹椅之理. 枯槁之物, 謂之無生意則可, 謂之無生理則不可. 如朽木無所用, 止可付之爨竈, 是無生意矣. 然燒甚麼木, 則是甚麼氣, 亦各不同, 這是理元如此."[246]

물었다. "시들고 마른 물건에도 성性이 있다는 것은 무엇 때문입니까?"

(주자가) 대답했다. "이는 그것들이 원래 이 리를 가지고 있기 때문이니, 그 때문에 '천하에 성이 없는 것은 없다.'[247]라고 하였다."

거리를 걸어갈 때 (주자가) 말했다. "벽돌 계단에는 곧 벽돌 계단의 리가 있다."

앉아 있을 때 (주자가) 말했다. "대나무 의자에는 곧 대나무 의자의 리가 있다. 시들고 마른 물건에 대해 '생명력[生意]'이 없다고 할 수는 있지만, '생명의 리[生理]'가 없다고 할 수는 없다. 예컨대 썩은 나무는 쓸모가 없어서 다만 부엌의 땔감으로 사용할 뿐이니 이것은 생명력이 없다. 그렇지만 어떤 나무를 태우면 어떤 기가 되는가는 또한 각각 같지 않으니, 이것은 리가 원래 이와 같은 것이기 때문이다."

[29-3-38]

問: "竊謂仁·義·禮·智·信元是一本, 而仁爲統體, 故天下之物, 有生氣則五者自然完具, 無生氣則五者一不存焉, 只是說及本然之性. 先生以爲枯槁之物亦皆有性有氣, 此又是以氣質之性廣而備之, 使之兼體洞照而不偏耳."

물었다. "저는 다음과 같이 생각합니다. 인·의·예·지·신은 원래 근본을 하나로 하여 인仁이 총체總體가 되기 때문에, 세상의 만물은 생기生氣가 있으면 이 다섯 가지를 저절로 그러하게 완전히 갖추지만, 생기가 없으면 이 다섯 가지는 하나도 보존하지 못하니, 다만 본연의 성만 말할 수 있을 뿐입니다. 그러나 선생(주자)은 시들고 마른 물건에도 역시 성性이 있고 기氣가 있으니, 이것은 또 기질의 성으로서 확장하고 갖추어야 할 것이며, 그것을 본체와 함께 명확하게 살펴서 치우치지 않도록 해야 할 뿐이라고 여기고 있습니다."

曰: "天之生物, 有有血氣·知覺者, 人獸是也; 有無血氣·知覺而但有生氣者, 草木是也; 有生氣已絶而但有形質·臭味者, 枯槁是也. 是雖其分之殊, 而其理則未嘗不同. 但以其分之殊, 則其理之在是者不能不異. 故人爲最靈, 而備有五常之性, 禽獸則昏而不能備, 草木·枯槁則又并與其知覺者而亡焉. 但其所以爲是物之理, 則未嘗不具耳. 若如所謂'纔無生氣, 便無此理', 則是天下乃有無性之物, 而理之在天下, 乃有空闕不滿之處也, 而可乎?"[248]

(주자가) 대답했다. "하늘이 만물을 낳음에, 혈기血氣와 지각知覺이 있는 것이 있으니 사람과 짐승이 이것이고, 혈기와 지각은 없지만 생명력[生氣]이 있는 것이 있으니 초목이 이것이며, 생명력이 이미 단절되었

246 『朱子語類』 권4, 27조목

247 『二程粹言』 권下

248 『朱文公文集』 권59 「答余方叔」

지만 단지 형질形質과 냄새·맛만 가지고 있는 것이 있으니 시들고 마른 나무가 이것이다. 이것은 비록 그 나뉨이 다르지만, 그 리理는 같지 않은 적이 없다. 그러나 그 나뉨의 다름 때문에 여기에 있는 리가 차이가 나지 않을 수 없다. 그러므로 사람은 가장 영험하여 오상五常의 성을 다 갖추었으나, 금수禽獸는 어두워 다 갖추지 못했으며, 초목과 시들고 마른 나무는 또 그 지각과 함께 그 성을 잃었다. 그러나 어떤 것이 되는 까닭으로서의 리는 갖추어지지 않은 적이 없다. 만약 이른바 '생명력이 없어지면 곧 이 리도 없다.'라고 한다면, 천하에 성性이 없는 것이 있게 되고, 리는 천하에서 오히려 빈틈이 생겨 채워지지 않는 곳이 있게 되는데, 그럴 수 있겠는가?"

[29-3-39]

問："理是人物同得於天者，如物之無情者，亦有理否?"

曰："固是有理. 如舟只可行之於水，車只可行之於陸."[249]

물었다. "리는 사람과 만물이 함께 하늘에서 얻은 것인데, 예컨대 만물 가운데 정情이 없는 것도 역시 리가 있습니까?"

(주자가) 대답했다. "본디 리가 있다. 예컨대 배는 다만 물에서 다닐 수 있고 수레는 다만 육지에서 다닐 수 있는 것과 같다."

[29-3-40]

"草木都是得陰氣，走飛都是得陽氣. 各分之，草是得陰氣，木是得陽氣，木堅;[250] 走獸是得陰氣，飛鳥是得陽氣，故獸伏草而鳥棲木. 然獸又有得陽氣者，如猿猴之類，是也；鳥又有得陰氣者，如雉鵰之類，是也. 唯草木都是得陰氣，然却有陰中陽，陽中陰者."[251]

(주자가 말했다.) "초목은 모두 음기를 얻은 것이고 길짐승과 날짐승은 모두 양기를 얻은 것이다. 그것을 각각 나누면, 풀은 음기를 얻은 것이고 나무는 양기를 얻은 것이므로, 풀은 부드럽고 나무는 단단하며, 길짐승은 음기를 얻은 것이고 날짐승은 양기를 얻은 것이므로 길짐승은 풀에서 살고 새는 나무에서 산다. 그렇지만 길짐승 가운데 또 양기를 얻은 것이 있으니 예컨대 원숭이 따위가 이것이고, 새 가운데 또 음기를 얻은 것이 있으니 예컨대 꿩과 수리 따위가 이것이다. 오직 초목은 모두 음기를 얻은 것이지만, 또한 음 가운데 양이 있고 양 가운데 음이 있다."

[29-3-41]

問："動物有知，植物無知，何也?"

249 『朱子語類』 권4, 29조목

250 木堅 : 『朱子語類』 권4, 31조목에는 "그러므로 풀은 부드럽고 나무는 단단하다.(故草柔而木堅.)"라고 하여 네 글자가 더 있다. 문맥상 『朱子語類』를 따라 번역한다.

251 『朱子語類』 권4, 31조목

曰 : "動物有血氣, 故能知. 植物雖不可言知, 然一般生意亦可默見. 若戕賊之, 便枯悴不復悅懌, 池本作澤 亦似有知者. 嘗觀一般花樹, 朝日照耀之時, 欣欣向榮, 有這生意, 皮包不住, 自迸出來. 若枯枝老葉, 便覺憔悴, 蓋氣行已過也."

물었다. "동물은 인지능력이 있고 식물은 인지능력이 없는데, 무엇 때문입니까?"

(주자가) 대답했다. "동물은 혈기가 있기 때문에 인지할 수 있다. 식물은 비록 인지능력이 있다고 말할 수 없지만 일반적인 생명력은 또한 묵묵한 가운데 볼 수 있다. 만약 그것을 손상시키면 바로 시들고 초췌해져서 다시 화사해지지 않으니 『지본池本』[252]에는 '윤택하다[澤]'라고 되어 있다. 또한 인지능력이 있는 것 같다. 일찍이 평범한 꽃나무를 살펴보았는데, 아침 햇살이 눈부시게 비출 때 생기발랄하게 피어나는 모습이 생명력이 있어서 껍질이 그것을 감싸고 있을 수 없을 정도로 저절로 솟아 나왔다. 만약 시들은 가지와 오래된 잎이라면 곧 초췌하게 느껴지니 기氣의 유행이 이미 지나갔기 때문이다."

問 : "此處見得仁意否?"

曰 : "只看戕賊之便彫悴, 亦是義底意思."[253]

물었다. "이 곳에서 인仁의 뜻을 볼 수 있습니까?"

(주자가) 대답했다. "다만 그것을 손상시키면 곧 시들고 초췌해지니, 또한 의義의 의미이다."

[29-3-42]

"看茄子, 內一粒是一生性."[254]

(주자가 말했다.) "가지를 보면 속에 있는 한 알 한 알의 씨앗이 하나의 생명의 성性이다."

[29-3-43]

樂庵李氏曰 : "天地之性, 人爲貴. 宇宙之間, 一切所有之物, 皆具天地之性. 虎狼有父子之仁, 螻蟻有君臣之義, 雎鳩有夫婦之別, 鴻鴈有兄弟之序, 鶺鴒有朋友之情. 若此者, 豈非天地之性. 而人獨爲貴者, 何哉? 物得其偏, 人得其全也."[255]

낙암 이씨樂庵李氏[李衡][256]가 말했다. "천지의 성 가운데 사람이 귀하다. 우주간에 있는 모든 만물은 모두 천지의 성을 갖추었다. 호랑이와 이리는 부자간의 인仁을 가지고 있고, 땅강아지와 개미는 군신간의

252 『池本』: 현행 黎靖德 편집 『朱子語類』의 저본 가운데 하나로서, 송대 寧宗 嘉定 8년(1215)에 李道傳이 池州(현 안휘성 지주시)에서 간행한 판본이다.

253 『朱子語類』 권4, 33조목

254 『朱子語類』 권4, 36조목

255 李衡, 『樂菴語錄』 권1

256 李衡(1110~1178) : 자는 彦平이고 自號를 樂庵이라고 하였다. 송대 江都(현 강소성 揚州) 사람이다. 紹興 연간에 진사가 되어 벼슬은 吳江主簿, 侍御史, 秘閣修撰 등을 지냈다. 퇴임 후에는 昆山(현 강소성 곤산시)에 거주하면서 수 만 권의 책을 모았다고 한다. 저술에는 『周易義海撮要』·『樂菴語錄』이 있다.

의義를 가지고 있으며, 물수리는 부부간의 분별을 가지고 있고, 기러기는 형제간의 차례를 가지고 있으며, 꾀꼬리는 붕우간의 정情을 가지고 있다. 이와 같은 것이 어지 천지의 성이 아니겠는가? 그런데 사람이 유독 귀하게 된 것은 무엇 때문인가? 만물은 그 치우친 것을 얻었지만 사람은 그 온전한 것을 얻었기 때문이다."

[29-3-44]

南軒張氏曰 : "太極動而二氣形, 二氣形而萬物化生, 人與物俱本乎此者也. 原物之始, 亦豈有不善者哉? 其善者, 天地之性也. 而孟子道性善, 獨歸之人者, 何哉? 蓋人稟二氣之正, 而物則其繁氣也. 人之性善, 非被命受生之後而其性旋有是善也. 性本善, 而人稟夫氣之正, 初不隔其全然者耳. 若物則爲氣所昏, 而不能以自通也. 惟人全夫天地之性, 故有所主宰而爲人之心, 所以異乎庶物者, 獨在於此也."[257]

남헌 장씨南軒張氏[張栻]가 말했다. "태극이 움직여 음과 양 두 기가 드러나고,[258] 두 기가 드러나서 만물이 변화하여 생겨나니, 사람과 만물은 모두 이것에 근본하는 것이다. 만물이 생겨나는 최초에 또한 어찌 선善하지 않은 것이 있었겠는가? 그 선함은 천지의 성이다. 그런데 맹자가 성이 선함을 말할 때 유독 사람에게 귀결시킨 것[259]은 무엇 때문인가? 사람은 음과 양 두 기의 바른 것을 품부 받았지만, 만물은 그 번잡한 기를 품부 받았기 때문이다. 사람의 성이 선한 것은 천명에 의해 생명을 받게 된 뒤에 그 성이 움직여서 이 선함이 있게 된 것이 아니다. 성은 본래 선하고, 사람은 기의 바른 것을 품부 받았으니 애초에 그 온전한 모습이 막히지 않았을 뿐이다. 만약 만물이라면 기에 의해 어둡게 되어 그것을 스스로 소통시킬 수 없다. 오직 사람만이 천지의 성을 온전하게 가지고 있기 때문에 주재主宰하는 것이 있어서 사람의 마음이 되니, 여러 종류의 많은 사물들과 다른 까닭은 다만 여기에 있을 뿐이다."

[29-3-45]

北溪陳氏曰 : "人物之生, 不出乎陰陽五行之氣. 本只是一氣, 分來有陰陽, 陰陽又分來爲五行. 二與五則管分合運行,[260] 便有參差不齊, 有淸有濁, 有厚有薄. 且以人物合論, 同是一氣. 但人得氣之正, 物得氣之偏 ; 人得氣之通, 物得氣之塞.

북계 진씨北溪陳氏[陳淳]가 말했다. "사람과 만물이 생겨나는 것은 음양오행의 기氣를 벗어나지 않는다.

257 張栻, 『南軒集』 권11 「存齋記」

258 태극이 움직여 … 드러나고 : 주돈이 『太極圖說』의 "태극이 움직여 양을 낳고, 움직임이 극단에 이르면 고요하다. 고요하여 음을 낳고, 고요함이 극단에 이르면 다시 움직인다. 한 번 움직이고 한 번 고요함이 서로 뿌리가 된다. 음으로 나뉘고 양으로 나뉘어 양의가 정립된다.(太極動而生陽, 動極而靜. 靜而生陰, 靜極復動. 一動一靜, 互爲其根. 分陰分陽, 兩儀立焉.)" 참조

259 맹자가 성이 … 것 : 『孟子』「滕文公上」에서 "맹자가 性의 선함을 말할 때 말만하면 반드시 堯舜을 일컬었다.(孟子道性善, 言必稱堯舜.)"라고 하였다.

260 二與五則管分合運行 : 陳淳의 『北溪字義』 권상 「命」에는 "二與五只管分合運行"이라고 되어 있다.

본래는 다만 하나의 기이지만 나뉘어 음과 양이 있게 되고, 음과 양은 또 나뉘어 오행이 된다. 음과 양 두 기와 오행이 오로지 나뉘고 합쳐지면서 운행하는 것은, 곧 들쑥날쑥 가지런하지 않아 맑음과 탁함이 있고 두터움과 엷음이 있다. 또 사람과 만물을 합쳐서 논하면 동일한 하나의 기이다. 다만 사람은 기의 바른 것을 얻고 만물은 기의 치우친 것을 얻으며, 사람은 기가 소통하는 것을 얻고 만물은 기가 막힌 것을 얻는다.

且如人形骸, 却與天地相應, 頭圓居上象天, 足方居下象地. 北極爲天中央, 却在北, 故人百會穴在頂心, 却向後. 日月來往只在天之南, 故人之兩眼皆在前. 海鹹水所歸在南之下, 故人之小便亦在前下. 此所以爲得氣之正. 如物則禽獸頭橫, 植物頭向下, 枝葉却在上, 此皆得氣之偏處. 人氣通明, 物氣壅塞. 人得五行之秀, 故爲萬物之靈. 物氣塞而不通, 如火煙鬱在裏許, 所以理義皆不通."[261]

예컨대 사람의 몸뚱이는 또한 천지와 서로 대응하니, 머리가 둥글고 위에 있는 것은 하늘을 닮았고, 발이 네모나고 아래에 있는 것은 땅을 닮았다. 북극성은 하늘의 중앙이 되지만 도리어 북쪽에 있기 때문에, 사람의 백회혈百會穴은 머리 꼭대기 중앙에 있지만 도리어 뒤를 향한다. 해와 달이 왕래하는 것이 오직 하늘의 남쪽에 있기 때문에 사람의 두 눈은 모두 앞에 있다. 바다의 소금물이 돌아가는 곳이 남쪽의 아래에 있기 때문에 사람이 소변을 보는 곳은 앞의 아래에 있다. 이것은 기의 바른 것을 얻었기 때문이다. 예컨대 만물이라면 금수는 머리가 옆으로 향하며, 식물은 뿌리가 아래를 향하고 가지와 잎이 도리어 위에 있으니, 이것은 모두 기의 치우친 것을 얻은 것이다. 사람의 기는 소통해서 밝지만, 만물의 기는 옹색하다. 사람은 오행의 빼어난 것을 얻었기 때문에 만물의 영장이 되었다. 만물의 기는 막혀서 소통되지 않음이 마치 화염과 연기가 속에서 막혀 답답한 것과 같으므로, 리와 의義가 모두 소통되지 않는다."

[29-3-46]

"性 · 命只是一箇道理, 不分看則不分曉. 只管分看, 不合看, 又離了, 不相干涉. 須是就渾然一理中看得有界分, 不相亂. 所以謂之命 · 謂之性者何故? 大抵性只是理, 然人之生, 不成只空得箇理, 須有箇形骸, 方載得此理. 其實理不外乎氣, 得天地之氣成這形, 得天地之理成這性. 所以橫渠張子曰, '天地之塞吾其體, 天地之帥吾其性.' '塞'字只就孟子'浩然之氣, 塞乎天地'句摄一字來說氣, '帥'字只就孟子'志, 氣之帥'句摄一字來說理.

(북계 진씨가 말했다.) "성性과 명命은 다만 하나의 도리이니 나누어 보지 않으면 분명하게 알지 못한다. 그렇다고 오로지 나누어 보기만하고 합쳐서 보지 않으면 또 그 둘이 서로 떨어져버려 서로 관련되지 못한다. 그러므로 반드시 혼연한 하나의 리 가운데에서 경계를 지어 보아야만 서로 혼란스럽지 않다.

261 陳淳, 『北溪字義』 권상 「命」

명이라고 하며 성이라고 하는 까닭은 무엇 때문인가? 대개 성은 다만 리일 뿐이지만 사람이 생겨남에 다만 공허하게 리만을 얻었다고 하면 안되니, 반드시 몸뚱이가 있어야 비로소 이 리를 실을 수 있다. 사실 리는 기를 벗어나지 않으니, 천지의 기를 얻어서 이 형체를 이루고 천지의 리를 얻어서 이 성을 이룬다. 그러므로 횡거 장자橫渠張子[張載]는 '천지의 채워진 것[塞(氣)]은 나의 몸이 되고, 천지의 장수[帥]는 나의 성이 되었다.'라고 하였다.[262] 여기에서 '채워진 것[塞]'이라는 글자는 다만 맹자의 '호연지기浩然之氣가 천지에 채워져 있다.'[263]라는 구절에서 한 글자를 뽑아내어 기를 설명한 것이고, '장수[帥]'라는 글자는 맹자의 '의지는 기의 장수이다.'[264]에서 한 글자를 뽑아내어 리를 설명한 것이다.

人與物同得天地之氣以生, 天地之氣只一般, 因人物受去各不同. 人得五行之秀, 正而通, 所以仁·義·禮·智, 粹然都與物異.[265] 物得氣之偏, 爲形骸所拘, 所以其理閉塞而不通. 人物所以爲理只一般, 只是氣有偏正, 故理隨之而有通塞耳."[266]

사람과 만물은 동일하게 천지의 기를 얻어서 생겨나니, 천지의 기는 다만 마찬가지이지만 사람과 만물이 받아 가는 것에 따라서 각각 같지 않다. 사람은 오행의 빼어난 것을 얻어서 바르고 소통하므로 인·의·예·지를 순수하게 갖추어 모두 만물과 다르다. 만물은 기의 치우친 것을 얻어서 몸체에 구애받기 때문에 그 리가 닫히고 막혀서 소통하지 못한다. 사람과 만물에 리는 다만 마찬가지이지만 단지 기에 치우침과 바름이 있기 때문에 리도 그것에 따라서 통함과 막힘이 있을 뿐이다."

262 張載, 『張子全書』 권1 「西銘」

263 '浩然之氣가 천지에 … 있다.' : 『孟子』「公孫丑上」에서, "'감히 묻겠습니다. 무엇을 浩然之氣라 합니까?' 맹자가 대답했다. '말하기 어렵다. 그 氣됨이 지극히 크고 지극히 강하니, 정직함으로써 잘 기르고 해침이 없으면, 호연지기가 천지 사이에 채워져 있다.'('敢問何謂浩然之氣?' 曰, '難言也. 其爲氣也, 至大至剛, 以直養而無害, 則塞于天地之間.')"라고 하였다.

264 '의지는 기의 장수이다.' : 『孟子』「公孫丑上」에서, "'감히 묻겠습니다. 夫子(맹자)의 不動心과 告子의 不動心을 얻어 들을 수 있겠습니까?' 맹자가 대답했다. '告子가 「말에 대해서 이해하지 못하면 마음에 알려고 구하지 말고, 마음에 얻지 못하면 기에 도움을 구하지 말라.」라고 말했는데, 마음에 얻지 못하면 기에 도움을 구하지 말라는 것은 괜찮지만, 말에 이해하지 못하면 마음에 알려고 구하지 말라는 것은 안된다. 의지는 기의 장수이고, 기는 몸에 꽉 차 있는 것이니, 의지가 지극하고 기가 그 다음이다. 그러므로 「그 의지를 지니고도 또 그 기를 난폭하게 하지 말라.」고 말한 것이다.'(曰, '敢問夫子之不動心, 與告子之不動心, 可得聞與?' '告子曰, 「不得於言, 勿求於心 ; 不得於心, 勿求於氣.」 不得於心, 勿求於氣, 可 ; 不得於言, 勿求於心, 不可. 夫志, 氣之帥也 ; 氣, 體之充也. 夫志至焉, 氣次焉. 故曰, 「持其志, 無暴其氣.」')"라고 하였다.

265 粹然都與物異. : 陳淳의 『北溪字義』 권상 「性」에는 "粹然獨與物異"라고 되어 있다.

266 陳淳, 『北溪字義』 권상 「性」

性理二 성리 2

性理二
성리 2

[30-1]

氣質之性 기질의 성

[30-1-1]

程子曰 : "'生之謂性', 性卽氣, 氣卽性, 生之謂也. 人生氣稟, 理有善惡, 然不是性中元有此兩物相對而生也. 有自幼而善, 有自幼而惡, 后稷之克岐克嶷, 揚食我始生, 人知其必滅若敖氏之類 **是氣稟有然也. 善固性也. 然惡亦不可不謂之性也. 蓋'生之謂性', 人生而靜以上不容說, 纔說性時, 便已不是性也.**

정자程子가 말했다. "'생겨난 그대로를 성性이라고 한다.'[1]에서, 성은 곧 기氣이고 기는 곧 성이니 생겨난 그대로를 말한다. 사람이 생겨나서 기를 품부 받을 때 리理에 선과 악이 있지만 성 가운데 원래 이 선과 악 두 가지가 서로 마주해서 태어난 것은 아니다. 어려서부터 선한 사람도 있고 어려서부터 악한 사람도 있으니, 후직后稷[2]은 어려서부터 총명하고 지혜로웠으며,[3] 양사아揚食我는 처음 태어났을 때 사람들이 그가 반드시 약오씨若敖氏를 멸망시킬 줄 알았다[4]고 하는 따위이다. 이것은 기를 품부 받을 때 그러함이 있는 것이

1 『孟子』「告子上」

2 后稷 : 周나라의 전설적인 시조이다. 農耕神으로, 五穀의 신이기도 하다. 姓은 姬이고, 이름은 棄다. 『史記』「周本記」에 따르면 有邰氏의 딸로 帝嚳의 아내가 된 姜原이 거인의 발자국을 밟고 잉태하여 아들을 낳았다고 한다. 그것이 불길하다 하여 세 차례나 내다버렸지만 그때마다 구조되었다고 한다. 나중에 堯帝의 農官이 되고 邰(현 섬서성 武功縣)에 책봉되어 후직이 되었다.

3 后稷은 어려서부터 … 지혜로웠으며 : 『詩』「大雅 · 生民之什 · 生民」에서 후직의 탄생을 찬미하며 "실로 기어 다닐 때 총명하고 지혜롭더니, 스스로 밥을 먹게 되자 콩을 심으니 콩가지가 깃발처럼 펄럭이고 벼의 줄이 아름다우며 깨와 보리가 무성하고 오이가 주렁주렁 달렸다.(誕實匍匐, 克岐克嶷 ; 以就口食, 蓺之荏菽, 荏菽旆旆, 禾役穟穟, 麻麥幪幪, 瓜瓞唪唪.)"라고 하였다.

4 揚食我는 처음 … 알았다. : 『國語』 권14 「晉語」에서 "楊食我가 태어났을 때 叔向의 어머니가 소식을 듣고

다. 선은 본디 성이다. 그러나 악도 역시 성이라고 하지 않을 수 없다. '생겨난 그대로를 성性이라고 한다.'라고 하니, 사람이 처음 태어날 때 고요한 상태 이전은 말이 용납되지 않으니, 성이라고 말할 때는 바로 이미 성이 아니다.

凡人說性, 只是說'繼之者善'也. 孟子言人性善是也. 夫所謂'繼之者善'也者, 猶水流而就下也. 皆水也, 有流而至海, 終無所汚, 此何煩人力之爲也? 有流而未遠, 固已漸濁; 有出而甚遠方有所濁. 有濁之多者, 有濁之少者. 清濁雖不同, 然不可以濁者不爲水也. 如此, 則人不可以不加澄治之功. 故用力敏勇則疾清, 用力緩怠則遲清. 及其清也, 則却只是元初水也. 亦不是將清來換却濁, 亦不是取出濁來置在一隅也. 水之清, 則性善之謂也. 固不是善與惡在性中爲兩物相對, 各自出來.

무릇 사람들이 성을 말하는 것은 다만 '이를 이어가는 것이 선이다.'[5]라는 것을 말한 것일 뿐이다. 맹자가 사람의 성이 선하다고 말한 것이 이것이다. 이른바 '이를 이어가는 것이 선이다.'라는 것은 마치 물이 아래로 흘러가는 것과 같다. 모두 다 물이지만 어떤 것은 흘러가서 바다에 이르도록 끝내 더럽혀지지 않는 것이 있는데, 이것이 어찌 번거롭게 사람의 힘으로 하는 것이겠는가? 어떤 것은 그리 멀리 흘러가지 않았는데 본디 이미 점점 흐려지는 것이 있고, 어떤 것은 아주 멀리 흘러가야 비로소 흐려지는 것이 있다. 또 많이 흐린 것도 있고, 조금 흐린 것도 있다. 맑거나 흐림이 비록 같지 않지만 흐린 것을 물이 아니라고 할 수 없다. 이와 같다면 사람은 맑게 하도록 더욱 노력하지 않을 수 없다. 그러므로 열심히 노력하면 빨리 맑아지고 느긋하게 노력하면 천천히 맑아질 것이다. 그렇지만 그것이 맑아지게 되면 또한 다만 원래 애초의 물이다. 그것은 또한 맑은 물을 가져다가 흐린 물을 바꾼 것도 아니고 또한 흐린 물을 꺼내서 한 귀퉁이에 놓아둔 것도 아니다. 물의 맑음은 성이 선하다는 것을 말한다. 본디 선과 악이 성 가운데에서 두 가지로 서로 마주하여 각자 출현하는 것이 아니다.

此理, 天命也, 順而循之, 則道也. 循此而修之, 各得其分, 則教也. 自天命以至於教, 我無加損焉, 此舜有天下而不與焉者也."[6]

이 리는 하늘이 명령한 것이니, 그것(리)을 순조롭게 따르면 도道가 되고, 이것(도)을 따라서 수양하여 각각 그 분수를 얻으면 가르침[敎]이 된다. 하늘이 명령한 것으로부터 가르침에 이르기까지 우리는 보태거나 덜어낼 것이 없으니, 이것이 순임금이 천하를 소유하고도 관여하지 않았다는 것이다."[7]

가서 보려고 안채에 이르렀는데, 아이의 울음소리를 듣고 되돌아가면서 '이 울음소리는 승냥이나 이리의 울음소리와 같으니 나중에 羊舌氏 종족을 멸망시키는 것은 반드시 이 아이일 것이다.(楊食我生, 叔向之母聞之, 往, 及堂, 聞其號也, 乃還, 曰, "其聲, 豺狼之聲, 終滅羊舌氏之宗者, 必是子也.)"라고 하였다.

5 '이를 이어가는 … 선이다.' : 『易』「繫辭上」에서, "한 번 음이 되고 한 번 양이 되는 것을 도라고 하니, 이를 이어가는 것은 선이고 이를 이루는 것은 성이다.(一陰一陽之謂道. 繼之者善也, 成之者性也.)"라고 하였다.

6 程顥 · 程頤, 『河南程氏遺書』 권1

7 순임금이 천하를 … 것이다. : 『論語』「泰伯」에서 "공자가 말했다. "높고도 크도다! 舜임금과 禹임금은 천하를

[30-1-2]
問 : "'生之謂性', 與'天命之謂性'同乎?"

曰 : "'性'字不可一槩論. '生之謂性', 止訓所稟受也. '天命之謂性', 此言性之理也. 今人言天性柔緩, 天性剛急, 皆生來如此, 此訓所稟受也. 若性之理也, 則無不善, 曰天者, 自然之理也."[8]

물었다. "'생겨난 그대로를 성性이라고 한다.'는 것과 '하늘이 명령한 것을 성性이라고 한다.'는 것은 같습니까?"

(정자가 대답했다.) "'성性'이라는 글자는 하나로 개괄해서 논할 수 없다. '생겨난 그대로를 성性이라고 한다.'는 것은 다만 품부 받은 것을 해석한 것일 뿐이다. '하늘이 명령한 것을 성性이라고 한다.'는 것은 성의 리理를 말한 것이다. 요즘 사람들이 천성天性이 부드럽고 느긋하다고 하거나, 천성이 굳세고 급하다고 말하는 것은 모두 태어나면서부터 이와 같은 것이니, 이것은 품부 받은 것을 해석한 것일 뿐이다. 만약 성의 리理라면 선하지 않음이 없고, 그것을 천天이라고 말한 것은 저절로 그러한 리理여서이다."

[30-1-3]
"氣之所鍾有偏正, 故有人物之殊; 有清濁, 故有智愚之等."[9]

(정자가 말했다.) "기가 모인 곳에는 치우침과 바름이 있기 때문에 사람과 만물의 다름이 있으며, 맑음과 흐림이 있기 때문에 지혜로운 사람과 어리석은 사람의 등급이 있다."

[30-1-4]
"形易則性易. 性非易也, 氣使之然也."[10]

(정자가 말했다.) "형체가 바뀌면 성性도 바뀐다. 성은 바뀌지 않지만 기氣가 그렇게 만든다."

[30-1-5]
問 : "人性本明, 其有蔽何也?"

曰 : "性無不善. 其偏蔽者, 由氣稟清濁之不齊也."[11]

물었다. "사람의 성은 본래 밝은데 그것에 가려짐이 있는 것은 무엇 때문입니까?"

소유하고도 관여하지 않으셨으니.(子曰, '巍巍乎! 舜禹之有天下也而不與焉.)"라고 하였다.
『孟子』「滕文公上」에서, "공자가 말했다. '위대하다, 堯의 임금노릇하심이여! 오직 하늘이 위대한데 요임금이 그것을 본받았으니, 넓고도 아득하여 백성들이 그 덕을 형용할 수 없었다. 군주답다, 舜이여! 높고 커서 천하를 소유하고도 관여하지 않았다.(孔子曰, '大哉, 堯之爲君! 惟天爲大, 惟堯則之, 蕩蕩乎民無能名焉! 君哉, 舜也! 巍巍乎有天下而不與焉!')"라고 하였다.

8 程顥·程頤, 『河南程氏遺書』 권24
9 程顥·程頤, 『二程粹言』 권下「人物篇」
10 程顥·程頤, 『河南程氏遺書』 권25
11 程顥·程頤, 『二程粹言』 권下「心性篇」

(정자가) 대답했다. "성은 선하지 않음이 없지만, 그것이 치우치거나 가려지는 것은 기를 품부 받을 때 맑음과 흐림의 가지런하지 않음이 있기 때문이다."

[30-1-6]

"韓退之說, '叔向之母聞揚食我之生, 知其必滅宗', 此無足怪. 其始便稟得惡氣, 便有滅宗之理, 所以聞其聲而知之也. 使其能學以勝其氣, 復其性, 可無此患."[12]

(정자가 말했다.) "한퇴지韓退之[韓愈][13]는 '숙향叔向의 어머니는 양사아揚食我가 태어날 때 우는 소리를 듣고, 그 아이가 반드시 종족을 멸망시킬 것임을 알았다.'[14]라고 말했는데, 이것은 그리 괴이한 점이 없다. 그 처음에 악한 기를 품부 받으면 종족을 멸망시킬 수 있는 리理가 있기 때문에 그 울음소리를 듣고 그것을 알았다. 그를 가르쳐서 그 악한 기를 이기고 그 성을 회복할 수 있도록 하면 이러한 우환은 없어질 것이다."

[30-1-7]

廣平游氏曰 : "氣之所值有全有偏, 有邪有正, 有粹有駁, 有厚有薄, 然後有上智 · 下愚 · 中人之不同也. 猶之大塊噫氣, 其名爲風, 風之所出無異氣也, 而呼者, 吸者, 叫者, 號者, 其聲若是不同, 以其所託者物物殊形爾. 因其聲之不同, 而謂有異風可乎?"[15]

광평 유씨廣平游氏[游酢][16]가 말했다. "기를 만나게 되는 것에 온전함과 치우침이 있고, 잘못됨과 바름이 있으며, 순수함과 잡박함이 있고, 두터움과 엷음이 있은 다음에 '매우 지혜로운 자[上智]' · '매우 어리석은 자[下愚]'[17] · '보통 사람[中人]'의 같지 않음이 있다. 마치 '대자연의 트림[大塊噫氣]'을 바람[風]이라고 이름

12 程顥 · 程頤, 『河南程氏遺書』 권19

13 韓愈(768~824) : 자는 退之이고, 세칭 韓昌黎 · 韓吏部라고 한다. 당대 鄧州南陽(현 하남성 孟縣) 사람으로 792년에 진사에 급제하여 四門博士 · 監察御史 · 國子祭酒 · 吏部侍郎 등을 역임하였다. 고문운동을 창도하여 송명리학의 선구자가 되었으며, 「論佛骨表」를 지어 불교배척운동에도 앞장섰다. 그의 性三品論은 후대의 심성론에 영향을 끼쳤다. 문장은 당송팔대가의 으뜸으로 꼽는다. 저서는 『昌黎先生集』이 있다.

14 韓愈, 『昌黎先生集』 권11 「雜文 · 原性」

15 游酢, 『游廌山集』 권1 「論語雜解」

16 游酢(1053~1123) : 자는 定夫 · 子通이고, 호는 치山 · 廣平이며, 시호는 文肅이다. 建陽(福建省) 사람이다. 북송 때 경학가이다. 1083년에 진사가 되어 太學博士, 監察御使 등을 지냈다. 형 游醇과 함께 학문과 행실로 알려져서 당시 知扶溝縣으로 있던 程顥의 부름을 받아 學事를 맡게 되었고, 그때부터 정호 형제를 사사하였다. 謝良佐, 楊時, 呂大臨과 함께 '程門四先生'으로 일컬어졌다. '도'를 천지 만물 속에 있는 보편적 존재로 인식하여 자연의 도가 바로 인륜의 이치라고 주장하였다. 『周易』을 중시하여 그 책 속에 우주 만물의 이치가 포함되어 있다고 보았다. 만년에 禪에 몰입하여 유가가 불가를 배척할 것이 아니라 서로 보완적인 관계가 되어야 한다고 주장하여 후대 학자인 胡宏으로부터 '정자 문하의 죄인'이라고 혹평을 받기도 하였다. 저술로 『易說』, 『中庸義』, 『論語孟子雜解』, 『詩二南義』 등이 있었지만 모두 잃어버렸고, 남은 글을 모아 후세 사람이 엮은 『游廌山集』이 남아 있다.

17 '매우 지혜로운 … 자[下愚]' : 『論語』에서 "공자가 말했다. '오직 매우 지혜로운 자와 매우 어리석은 자는

붙이는 것과 같이, 그 바람이 나오는 곳은 다른 기가 없지만 '숨 들이쉬는 소리[呼]', '숨 내쉬는 소리[吸]', '울부짖는 소리[叫]', '외치는 소리[號]'는 그 소리가 이와 같이 같지 않으니, 그것이 의탁하는 것이 갖가지로 형태를 달리하기 때문이다. 그 소리가 같지 않다는 것으로 인해서 다른 바람이라고 할 수 있겠는가?"

[30-1-8]

龜山楊氏曰: "人所資稟固有不同者, 若論其本則無不善. 然而善者其常也, 亦有時而惡矣. 猶人之生也, 氣得其和則爲安樂人, 及其有疾也, 以氣不和而然也. 然氣不和非其常, 治之而使其和則反常矣. 其常者性也, 此孟子所以言性善也. 橫渠說氣質之性, 亦云人之性有剛柔·緩急·强弱·昏明而已, 非謂天地之性然也. 今夫水之淸者, 其常然也. 至於湛濁, 則沙泥渾之矣. 沙泥旣去, 其淸者自若也. 是故君子於氣質之性必有以變之, 其澄濁而求淸之義歟!"[18]

구산 양씨龜山楊氏[楊時][19]가 말했다. "사람이 태어날 때부터 품부 받은 것은 본디 같지 않음이 있지만, 그 근본을 논하면 선하지 않음이 없다. 그러나 선한 것은 그것이 정상적인 때의 것이지만 또한 때때로 악하다. 마치 사람이 태어 날 때 온화한 기를 얻으면 평안하고 즐거운 사람이 되지만, 병이 들게 되어서는 것은 기가 온화하지 못하기 때문에 그렇게 되는 것과 같다. 그러나 기가 온화하지 못한 것은 그것의 정상적인 때가 아니니, 그것을 잘 다스려서 온화하게 하면 정상으로 돌이킬 수 있다. 그 정상적인 것이 성性이니, 이것이 맹자가 성선性善을 말한 까닭이다. 횡거橫渠[張載]가 기질의 성을 말한 것도 역시 사람의 성에 굳셈과 부드러움, 느긋함과 조급함, 강함과 약함, 어두움과 밝음이 있다는 것을 말한 것일 뿐이지, 천지의 성이 그렇다고 말한 것이 아니다. 이제 물이 맑은 것은 그것이 정상적으로 그렇다는 것이다. 더러워져 흐리게 되는 것은 모래와 진흙이 그것을 흐리게 하는 것이다. 모래와 진흙이 제거되고 나면 그 맑음이 정상적인 때와 같다. 이 때문에 군자는 기질의 성을 반드시 변화시키니, 그것은 흐린 것을 맑게 해서 맑음을 추구하는 의미일 것이다!"

[30-1-9]

或問: "人有智愚之品不同, 何也?"

上蔡謝氏曰: "氣稟異耳. 聖人不忿疾于頑者, 憫其所遇氣稟偏駁, 不足疾也."

"然則可變歟?"

변화시킬 수 없다.'(子曰, '唯上知與下愚不移.')"라고 하였다.

18 楊時, 『龜山集』 권12 「語錄」 3

19 楊時(1053~1135): 자는 中立이고 호는 龜山이며 시호는 文靖이다. 북송 將樂(현 복건성 장락현) 사람이다. 관직은 高宗 때 龍圖閣直學士에 이르렀다. 程顥·程頤 형제에 師事했는데, 특히 형 정호의 신임을 받았다. 閔學의 창시자이자 정문 4대 제자 가운데 한 사람이다. 그는 오래 살면서 二程(程顥·程頤)의 도학을 전하여 洛學(이정의 학파)의 大宗이 되었으며, 그 學系에서는 朱熹·張栻·呂祖謙 등 뛰어난 학자가 많이 배출되었다. 저서에 『龜山集』·『龜山語錄』·『二程粹言』 등이 있다.

曰 : "其性本一, 安不可變之有?"[20]

어떤 사람이 물었다. "사람 가운데 지혜로운 사람과 어리석은 사람의 종류가 같지 않음이 있는데, 무엇 때문입니까?"

상채 사씨上蔡謝氏[謝良佐][21]가 대답했다. "기를 품부 받은 것이 다를 뿐이다. 성인이 완고함에 대해 분개하여 병으로 여기지 않은 것은, 그 기를 품부 받게 된 것이 치우치고 잡박함을 걱정했지 병으로 여길 만하지 않았기 때문이다."

(어떤 사람이 물었다.) "그렇다면 변화시킬 수 있습니까?"

(사량좌가) 대답했다. "그 성이 본디 하나인데 어찌 변화시키지 못할 것이 있겠는가?"

[30-1-10]

朱子曰 : "有天地之性, 有氣質之性. 天地之性, 則太極本然之妙, 萬殊之一本也; 氣質之性, 則二氣交運而生, 一本而萬殊也."[22]

주자가 말했다. "천지의 성이 있고 기질의 성이 있다. 천지의 성은 태극의 본디 그러한 오묘함으로서 온갖 가지 다른 것들이 근본을 하나로 하는 것이고, 기질의 성은 음과 양 두 기가 교착하며 운행하여 생겨나는 것으로서 근본을 하나로 하지만 온갖 가지로 다른 것이다."

[30-1-11]

"'天命之謂性.' 命, 便是誥劄之類; 性, 便是合當做底職事, 如主簿銷注, 縣尉巡捕. 心, 便是官人; 氣質, 便是官人所習尚, 或寬或猛; 情, 便是當廳處斷事.[23] 性只是仁·義·禮·智. 所謂天命之與氣質, 亦相衮同. 才有天命, 便有氣質, 不能相離. 若闕一, 便生物不得. 旣有天命, 須是有此氣, 方能承當得此理. 若無此氣, 則此理如何頓放?

주자가 말했다. "'하늘이 명령한 것을 성性이라고 한다.'[24]에서, 명령[命]은 곧 관리 임명장과 같은 것이고, 성性은 곧 마땅히 수행해야할 직무이니, 예컨대 주부主簿가 공문서를 정리하고 현위縣尉가 순찰하며 도둑을 잡는 것과 같은 것이다. 심心은 곧 관리이고, 기질은 곧 관리의 기풍이 너그럽기도 하고 맹렬하기도

20 謝良佐, 『上蔡語錄』 권1

21 謝良佐(1050~1103) : 자는 顯道이고, 시호는 文肅이며, 上蔡先生이라고 불리었다. 游酢·呂大臨·楊時와 함께 '程門四先生'이라 일컫고 상채학파의 시조가 되었다. 처음에 정호에게 배우다가 정호가 죽자 정이에게 배웠다. 송대 上蔡(현 하남성 소속) 사람으로 知應城縣·京師에 이르렀다. 그는 우주의 근원적 理法을 직관적으로 파악하여 따른다는 정호학설을 이어받아 발전시켜서 남송 陸象山 心學의 선구가 되었다. 저서는 『論語解』·『上蔡語錄』 등이 있다.

22 眞德秀의 『西山讀書記』 권2 「氣質之性」에 주자의 말로 실려 있다.

23 便是當廳處斷事. : 『朱子語類』 권4, 40조목에는 "예컨대 현위가 도둑을 잡는 것과 같다. 情은 곧 발용하는 곳이다.(如縣尉捉得賊. 情便是發用處.)"라는 구절이 더 있다.

24 『中庸』 제1장.

한 것이며, 정情은 곧 관청에서 일을 처리하는 것이다. 성은 다만 인·의·예·지이다. 이른바 하늘이 명령한 것과 기질은 또한 서로 함께 뒤섞여 있다. 하늘이 명령한 것이 있자마자 곧 기질이 있어서 서로 떨어질 수 없다. 만약 그 가운데 하나가 결핍되면 곧 만물을 생겨나게 할 수 없다. 이미 하늘이 명령한 것이 있다면 반드시 이 기가 있어야 비로소 이 리를 받아들일 수 있다. 만약 이 기가 없으면 이 리는 어떻게 자리잡을 수 있겠는가?

天命之性, 本未嘗偏, 但氣質所稟, 却有偏處. 氣有昏明厚薄之不同, 然仁·義·禮·智, 亦無闕一之理. 但若惻隱多, 便流爲姑息柔懦; 若羞惡多, 便有羞惡其所不當羞惡者. 且如言光, 必有鏡, 然後有光; 必有水, 然後有光. 光便是性, 鏡·水便是氣質. 若無鏡與水, 則光亦散矣. 謂如五色, 若頓在黑多處, 便都黑了; 入在紅多處, 便都紅了, 却看你稟得氣如何. 然此理却只是善. 旣是此理, 如何得惡? 所謂惡者, 却是氣也."[25]

하늘이 명령하는 성은 본래 치우친 적이 없지만 기질을 품부 받은 것은 도리어 치우친 곳이 있다. 기에는 어두움과 밝음, 두터움과 엷음의 같지 않음이 있지만, 인·의·예·지는 또한 그 어느 하나라도 결핍되는 경우가 없다. 그렇지만 만약 측은惻隱한 마음이 많으면 곧 지나치게 관용을 베풀거나 연약함으로 흐르게 되고, 수오羞惡의 마음이 많으면 곧 마땅히 부끄럽거나 미워해야 하지 않아야 할 곳에 부끄러워하거니 미워하게 되는 것이 있다. 예컨대 빛을 말하자면 반드시 거울이 있은 다음에 빛이 있고, 반드시 물이 있은 다음에 빛이 있다. 빛은 곧 성性이고, 거울과 물은 곧 기질이다. 만약 거울과 물이 없으면 빛은 또한 흩어질 것이다. 예컨대 오색五色은 만약 검은 색이 많은 곳에 놓아두면 곧 모두 검어지고 붉은 색이 많은 곳에 들어가면 곧 모두 붉어지니, 너희의 기를 품부 받은 것이 어떠한지를 보아야 할 뿐이다. 그러나 이 리는 다 선할 뿐이다. 이미 이 리에 어떻게 악이 될 수 있겠는가? 이른바 악은 기일 뿐이다."

[30-1-12]

"天命之性, 若無氣質, 却無安頓處. 且如一勺水, 非有物盛之, 則水無歸著. 程子云, '論性不論氣, 不備; 論氣不論性, 不明, 二之則不是.' 所以發明千古聖賢未盡之意, 甚爲有功."[26]

주자가 말했다. "하늘이 명령한 성이라도 만약 기질이 없다면 또한 머무를 곳이 없다. 예컨대 한 국자의 물이라도 그것을 담을 그릇이 없다면 물은 놓아 둘 곳이 없다. 정자程子는 '성을 논하면서 기를 논하지 않으면 갖추어지지 못하고, 기를 논하면서 성을 논하지 않으면 분명하지 않으니, 성과 기를 두 가지로 보면 옳지 않다.'[27]라고 하였다. 이것은 아주 오랫동안의 성현들이 다 발휘하지 못한 의미를 분명하게 밝혀낸 것이 매우 공로가 크다."

25 『朱子語類』 권4, 40조목
26 『朱子語類』 권4, 44조목
27 程顥·程頤, 『河南程氏遺書』 권6

[30-1-13]

問: "'天命之謂性', 只是主理言. 纔說命, 則氣亦在其間矣. 非氣, 則何以爲人物, 理何所受?"
曰: "是."28

물었다. "'하늘이 명령한 것을 성이라고 한다.'라는 것은 다만 리를 위주로 말한 것입니다. 그런데 명령[命]을 말하자마자 기는 또한 그 사이에 있습니다. 기가 아니면 어떻게 사람과 만물이 될 수 있겠으며, 리를 어떻게 받을 수 있겠습니까?"
(주자가) 대답했다. "옳다."

[30-1-14]

"人之所以生, 理與氣合而已. 天理固浩浩不窮, 然非是氣, 則雖有是理而無所湊泊. 故必二氣交感, 凝結生聚, 然後是理有所附著. 凡人之能言語動作 · 思慮營爲, 皆氣也, 而理存焉. 故發而爲孝弟忠信 · 仁義禮智, 皆理也.

주자가 말했다. "사람이 생겨난 것은 리와 기가 합쳐진 것일 뿐이다. 천리天理는 본디 넓고 커서 끝이 없지만 이 기가 아니면 비록 이 리가 있더라도 모여질 곳이 없다. 그러므로 반드시 음과 양 두 기가 교감하여 응결하며 생명이 모인 뒤에 이 리가 부착할 곳이 있다. 무릇 사람이 언어와 동작, 사려와 영위를 할 수 있는 것은 모두 기이고, 리가 거기에 존재한다. 그러므로 발현하여 효제충신孝弟忠信 · 인의예지가 되는 것은 모두 리이다.

然就人之所稟而言, 又有昏明清濁之異. 故上智 · 生知之資, 是氣清明純粹, 而無一毫昏濁, 所以生知安行, 不待學而能, 如堯舜是也. 其次則亞於生知, 必學而後知, 必行而後至. 又其次者, 資稟旣偏, 又有所蔽, 須是痛加工夫, '人一己百, 人十己千', 然後方能及亞於生知者. 及進而不已, 則成功一也."29

그러나 사람이 품부 받은 것으로 말하면 또 어두움과 밝음, 맑음과 흐림의 차이가 있다. 그러므로 매우 지혜로운 자와 태어나면서부터 아는 자의 자질은 기가 청명하고 순수하여 조금도 혼탁함이 없기 때문에, 태어나면서부터 알고 편안히 실천하는 사람으로서 배울 필요도 없이 잘 할 수 있으니, 예컨대 요임금과 순임금 같은 사람이다. 그 다음가는 사람은 태어나면서부터 아는 사람에 버금하는 자이니, 반드시 배운 뒤에 알 수 있고 실천한 뒤에 이르게 된다. 또 그 다음가는 사람은 품부 받은 자질이 이미 치우치고 또 가려짐이 있으니, 반드시 매우 열심히 공부하여 '남이 한 번하면 자신은 백 번하고, 남이 열 번하면 자신은 천 번한'30뒤에 비로소 태어나면서부터 아는 사람의 버금하는 자에까지 이를 수 있다. 향상시키

28 『朱子語類』 권4, 38조목
29 『朱子語類』 권4, 41조목
30 '남이 한 … 번한': 『中庸』 제20장에서 "배우지 않음이 있을지언정 배우면 잘 할 수 없는 것을 버려두지 않고, 묻지 않음이 있을지언정 물으면 알지 못하는 것을 버려두지 않으며, 생각하지 않음이 있을지언정 생각

기를 그치지 않으면 그 성공은 마찬가지이다."[31]

[30-1-15]

"性只是理. 然無那天地氣質, 則此理没安頓處. 但得氣之清明則不蔽固, 此理順發出來. 蔽固少者, 發出來天理勝; 蔽固多者, 則私欲勝, 便見得本原之性無有不善. 孟子所謂'性善', 周子所謂'純粹至善', 程子所謂'性之本'與夫'反本窮源之性', 是也. 只被氣質有昏濁隔了, 故'氣質之性, 君子有弗性者焉. 學以反之, 則天地之性存矣.' 故說性, 須兼氣質說方備."[32]

주자가 말했다. "성은 다만 리일 뿐이다. 그러나 저 천지의 기질이 없으면 이 리는 머무를 곳이 없다. 그러나 기의 청명한 것을 얻으면 가려지거나 막히지 않아서 이 리가 순조롭게 발현해 나온다. 가려지거나 막힘이 적은 자는 리가 발현해 나와서 천리天理가 이기고, 가려지거나 막힘이 많은 자는 사욕私欲이 이기니, 곧 본원本原의 성이 선하지 않음이 없다는 것을 알 수 있다. 맹자의 이른바 '성선性善'과 주자周子[周惇頤]가 이른바 '순수지선'과[33] 정자程子가 이른바 '성의 본원[本]'과[34] '근원을 돌이켜 추구한 성[反本窮源之性]'이[35] 이것이다. 다만 기질에 의해서 혼탁해져 막혔기 때문에 '기질의 성은 군자가 성性으로 여기지

....

하면 알지 못하는 것을 버려두지 않고, 분변하지 않음이 있을지언정 분변하면 분명하지 못하는 것을 버려두지 않으며, 행하지 않음이 있을지언정 행하면 독실하지 못한 것을 버려두지 않아서, 남이 한 번에 잘 할 수 있으면 자신은 백 번을 하며, 남이 열 번에 잘 할 수 있으면 자신은 천 번을 한다.(有弗學, 學之弗能弗措也 ; 有弗問, 問之弗知弗措也; 有弗思, 思之弗得弗措也; 有弗辨, 辨之弗明弗措也 ; 有弗行, 行之弗篤弗措也 ; 人一能之己百之, 人十能之己千之.)"라고 하였다.

31 태어나면서부터 알고 … 마찬가지이다. : 『中庸』 제20장에서 "혹은 태어나면서부터 이것[達道]을 알고, 혹은 배워서 이것을 알며, 혹은 곤란을 극복하여 이것을 아는데, 그 앎에 미쳐서는 똑같다. 혹은 편안히 이것을 실천하고, 혹은 이롭게 여겨 이것을 실천하고, 혹은 억지로 힘써 이것을 실천하는데, 그 성공함에 미쳐서는 똑같다.(或生而知之, 或學而知之, 或困而知之, 及其知之一也; 或安而行之, 或利而行之, 或勉强而行之, 及其成功一也.)"라고 하였다.

32 『朱子語類』 권4, 43조목

33 周子[周惇頤]가 이른바 '순수지선'과 : 주돈이는 『通書』 권1 「誠上」에서 "誠은 성인의 본령이다. '크도다! 乾元이여. 만물이 그것을 취하여 시작하였다.'라는 것은 誠의 근원이다. '乾道가 변화하여 각기 性과 命을 바르게 한다.'라고 했으니, 誠이 여기에서 정립된다. 순수하고 지극히 선한 것이다. 그러므로 '한 번은 음이 되고 한 번은 양이 되는 것을 도라고 하니, 이를 이어가는 것이 선이고, 이를 이루는 것은 性이다.'라고 말한다. 元과 亨은 誠의 통함이고, 利와 貞은 誠의 돌아옴이다. 크도다! 『易』이여. 性과 命의 근원일 것이다.(誠者, 聖人之本. '大哉! 乾元. 萬物資始', 誠之源也. '乾道變化, 各正性命', 誠斯立焉. 純粹至善者也. 故曰'一陰一陽之謂道, 繼之者善也, 成之者性也.' 元·亨, 誠之通; 利·貞, 誠之復. 大哉! 『易』也. 性命之源乎!)"라고 하였다.

34 程子가 이른바 '성의 본원[本]'과 : 『河南程氏遺書』 권22上에서 程頤는 "맹자가 性의 선함을 말한 것은 성의 본원[本]이다. 공자가 '性은 서로 가깝다.'라고 말한 것은 그 품부 받은 것이 서로 크게 다르지 않음을 말한다. 사람의 성은 모두 선한데, 그것이 선한 까닭은 사단의 情에서 볼 수 있다.(孟子言性之善, 是性之本. 孔子言'性相近', 謂其稟受處不相遠也. 人性皆善, 所以善者, 於四端之情可見.)"라고 하였다.

35 '근원을 돌이켜 … 성[反本窮源之性]'이 : 『河南程氏遺書』 권3에서 정자는 "맹자가 성에 대해 말한 것은 문장에 따라서 보아야 한다. 告子가 '생겨난 그대로를 성이라고 한다.'라고 한 것을 그렇지 않다고 여겨서는 안 되니,

않는 것이다. 배워서 되돌리면 천지의 성이 보존된다.'[36] 그러므로 성을 말하면 반드시 기질을 겸해서 말해야 비로소 갖추어진다."

又曰: "「皐陶謨」中所論'寬而栗'等九德, 皆是論反氣質之意, 只不曾說破氣質耳."
或問: "'寬而栗'等, '而'下一字便是工夫."
曰: "然."[37]

(주자가) 또 말했다. "『서書』「고요모皐陶謨」에서 논한 '너그러우면서도 위엄이 있는 것' 등의 아홉 가지 덕은[38] 모두 기질을 돌이킨다는 뜻을 논한 것인데, 다만 기질을 말한 적이 없을 뿐이다."
어떤 사람이 물었다. "너그러우면서도 위엄이 있는 것[寬而栗]'등에서, '면서도[而]' 아래의 한 글자[栗]가 바로 공부입니다."
(주자가) 대답했다. "그렇다."

[30-1-16]

"性非氣質, 則無所寄; 氣非天性, 則無所成."[39]

주자가 말했다. "성은 기질이 아니면 기탁할 곳이 없고, 기는 성이 아니면 이룰 곳이 없다."

[30-1-17]

問氣質之性.

이것 또한 성이다. 하늘의 명령에 의해 생명을 받은 뒤를 성이라고 할 뿐이므로 같지 않다. 이어서 맹자는 '개의 성이 소의 성과 같고 소의 성이 사람의 성과 같은가?'라고 말했지만 한 가지라고 해도 문제가 되지 않는다. 그렇지만 만약 맹자가 善하다고 말한 성은 곧 '철저하게 근원을 추구한 성[極本窮源之性]'이다.(孟子言性, 當隨文看. 不以告子'生之謂性'爲不然者, 此亦性也. 被命受生之後謂之性爾, 故不同. 繼之以'犬之性猶牛之性, 牛之性猶人之性歟?' 然不害爲一. 若乃孟子之言善者, 乃極本窮源之性.)"라고 하였다.

36 '기질의 성은 … 보존된다.': 장재는 『正蒙』 권6 「誠明篇」에서 "형체가 있은 다음에 기질의 성이 있으니 잘 되돌리면 천지의 성이 보존된다. 그러므로 기질의 성은 군자가 性으로 여기지 않는 것이다.(形而後有氣質之性, 善反之, 則天地之性存焉. 故氣質之性, 君子有弗性者焉.)"라고 하였다.

37 『朱子語類』 권4, 40조목

38 『書』「皐陶謨」에서 … 덕은: 『書』「虞書 · 皐陶謨」에서 ""皐陶가 '아! 행위에는 아홉 가지 덕이 있으니, 예컨대 어떤 사람이 덕이 있다면 곧 「어떤 일을 행했다」고 말해야 하는 것입니다.'라고 하였다. 禹가 '무엇인가?'라고 물었다. 고요가 '너그러우면서도 위엄이 있는 것, 유순하면서도 꼿꼿한 것, 삼가면서도 공손한 것, 다스리면서도 공경하는 것, 익숙하면서도 굳센 것, 곧으면서도 온화한 것, 간략하면서도 세심한 것, 굳세면서도 독실한 것, 강하면서도 義로운 것이니, 이것이 분명히 드러나고 항상됨이 있는 사람이 吉할 것입니다.'라고 하였다.(皐陶曰, '都, 亦行有九德, 亦言其人有德, 乃言曰, 載采采.' 禹曰, '何?' 皐陶曰, '寬而栗, 柔而立, 愿而恭, 亂而敬, 擾而毅, 直而溫, 簡而廉, 剛而塞, 彊而義, 彰厥有常, 吉哉.')"라고 하였다.

39 『朱子語類』 권4, 47조목

曰 : "纔說性時, 便有些氣質在裏. 若無氣質, 則這性亦無安頓處. 所以繼之者只說得善, 到成之者便是性."[40]

기질의 성에 대해 물었다.
(주자가) 대답했다. "성을 말하자마자 곧 기질이 그 속에 있다. 만약 기질이 없으면 이 성도 역시 머무를 곳이 없다. 그러므로 이를 이어가는 것은 다만 선을 말할 수 있을 뿐이고, 이를 이루는 것에 이르러야 곧 성이 된다."

[30-1-18]

"論天地之性, 則專主理言; 論氣質之性, 則以理與氣雜而言之. 未有此氣, 已有此性. 氣有不存, 而性却常在. 雖其方在氣中, 然氣自是氣, 性自是性, 亦不相夾雜. 至論其徧體於物, 無處不在, 則又不論氣之精粗, 莫不有是理."[41]

(주자가 말했다.) "천지의 성을 논하면 오로지 리를 위주로 말하는 것이고, 기질의 성을 논하면 리와 기를 섞어서 말하는 것이다. 아직 이 기가 없어도 이미 이 성은 있다. 기는 존재하지 않아도 성은 또한 늘 존재한다. 비록 리가 막 기 가운데 있을 때라도 기는 본디 기이고 성은 본디 성이니, 또한 서로 뒤섞이지 않는다. 성이 만물에 두루 체體가 되어 그 어느 곳에도 있지 않음이 없다는 것을 논하게 되면, 또 기의 정교함과 조잡함을 따질 것도 없이 이 리가 있지 않음이 없다."

[30-1-19]

"若論本原, 卽有理然後有氣;[42] 若論稟賦, 則有是氣而後理隨以具. 故有是氣則有是理; 無是氣則無是理."[43]

(주자가 말했다.) "만약 본원本原을 논하면 곧 리가 있은 뒤에 기가 있으나, 만약 품부 받은 것을 논한다면 이 기가 있은 뒤에 리가 따라가서 갖추어진다. 그 때문에 이 기가 있으면 이 리가 있고, 이 기가 없으면 이 리도 없다."

[30-1-20]

"性卽理也. 當然之理, 無有不善者, 故孟子之言性, 指性之本而言. 然必有所依而立, 故氣質之稟不能無淺深厚薄之別. 孔子曰, '性相近也', 兼氣質而言."[44]

40 『朱子語類』 권4, 42조목
41 『朱子語類』 권4, 46조목
42 卽有理然後有氣 : 『朱文公文集』 권59 「答趙致道」에는 이 구절 뒤에 "그러므로 리는 치우침과 온전함으로 논할 수 없다.(故理不可以偏全論.)"라는 말이 더 있다.
43 『朱文公文集』 권59 「答趙致道」
44 『朱子語類』 권4, 49조목

주자가 말했다. "성은 곧 리이다. 마땅히 그러해야하는 리는 선하지 않음이 없으므로, 맹자가 성을 말한 것은 성의 본원을 가리켜 말한 것이다. 그러나 반드시 의지할 곳이 있어야 확립되기 때문에 기질의 품부에는 얕음과 깊음, 두터움과 엷음의 차별이 없을 수 없다. 공자가 '성은 서로 가깝다.'라고 말한 것은[45] 기질을 겸하여 말한 것이다."

[30-1-21]

問 : "天理變易無窮, 由一陰一陽, 生生不窮. '繼之者善', 全是天理, 安得不善? 孟子言性之本體以爲善者, 是也. 二氣相軋相取, 相合相乖, 有平易處, 有傾側處, 自然有善有惡. 故稟氣形者有惡有善, 何足怪? 語其本則無不善也."

曰 : "此却無過."[46]

물었다. "천리天理는 무궁하게 변역變易(변화)하니, 한 번은 음이 되고 한 번은 양이 되는 것으로부터 낳고 낳음이 끝이 없습니다. '이를 이어가는 것이 선이다.'라는 것은 완전히 천리인데 어찌 선하지 않을 수 있겠습니까? 맹자가 성의 본체를 말하면서 선한 것으로 여긴 것이 이것입니다. 음과 양 두 기가 서로 다투거나 서로 취하고, 서로 합하거나 어긋나며, 평이한 곳도 있고 경사진 곳도 있어, 저절로 선과 악이 있습니다. 그러므로 기와 형체를 품부 받음에 선도 있고 악도 있는 것이 무엇 때문에 괴이할 만하겠습니까? 그 본원을 말하면, 선하지 않음이 없습니다."

(주자가) 대답했다. "이 말에는 잘못된 말이 없다."

[30-1-22]

問 : "人之德性本無不備, 而氣稟所賦, 鮮有不偏. 將性對'氣'字看, 性卽是此理. 理無不善者, 因墮在形氣中, 故有不同. 所謂氣質之性者, 是如此否?"

曰 : "固是. 但氣稟偏, 則理亦欠闕了."[47]

물었다. "사람의 덕성은 본래 갖추어지지 않음이 없지만 기를 품부 받은 것은 치우치지 않은 것이 드뭅니다. 성性을 '기氣'라는 글자와 마주해서 보면 성은 곧 리입니다. 리는 선하지 않음이 없는 것이지만 형기形氣 가운데에 떨어져 있기 때문에 같지 않음이 있습니다. 이른바 기질의 성이 이와 같은 것입니까?"

(주자가) 대답했다. "참으로 그렇다. 그러나 기를 품부 받은 것이 치우치면 리도 역시 결핍이 있게 된다."

[30-1-23]

"氣質之性, 生而知者, 氣極淸而理無蔽也; 學知以下, 則氣之淸濁有多寡, 而理之全闕繫焉."[48]

45 공자가 '성은 … 것은 : 『論語』「陽貨」에서 "공자가 말했다. '성은 서로 가깝고 습관은 서로 멀다.'(子曰, '性相近也, 習相遠也.')"라고 하였다.

46 『朱子語類』 권4, 53조목

47 『朱子語類』 권4, 65조목

(주자가 말했다.) "기질의 성은, 태어나면서부터 아는 자는 기가 지극히 맑아서 리가 가려짐이 없지만, 배워서 아는 자 이하는 기의 맑음과 흐림에 많거나 적음이 있어서[49] 리의 온전함과 결핍이 거기에 달려 있다."

[30-1-24]

問 : "氣質有淸濁不同."

曰 : "氣稟之殊, 其類不一, 非但'淸濁'二字而已. 今人有聰明, 事事曉者, 其氣淸矣, 而所爲未必皆中於理, 則是其氣不醇也. 有謹厚忠信者, 其氣醇矣, 而所知未必皆達於理, 則是其氣不淸也. 推此求之可見."[50]

물었다. "기질에는 맑음과 흐림의 같지 않음이 있습니다."

(주자가) 대답했다. "기를 품부 받음이 다른 것은 그 종류가 한 가지가 아니니 다만 '맑음과 흐림[淸濁]'이라는 두 가지 뿐만이 아니다. 지금 어떤 총명하여 온갖 일에 밝은 자는 그 기가 맑지만, 그의 행위가 꼭 모두 리에 적중하지 않는다면 그의 기는 순박하지 않은 것이다. 또 어떤 신중하고 후덕하며 진실되고 믿음직한 자는 그 기가 순박하지만, 그가 아는 것이 꼭 리에 통달하지 않는다면 그의 기는 맑지 않은 것이다. 이것을 미루어 추구하면 알 수 있을 것이다."

[30-1-25]

"人所稟之氣, 雖皆是天地之正氣, 但衮來衮去, 便有昏明厚薄之異. 蓋氣是有形之物. 纔是有形之物, 便自有美有惡也."[51]

(주자가 말했다.) "사람이 품부 받은 기는 비록 모두 천지의 바른 기이지만, 끊임없이 변천하면서 곧 어두움과 밝음, 두터움과 엷음의 차이가 있게 되었다. 대개 기는 형체가 있는 것이다. 형체가 있는 것이라면 곧 저절로 아름다운 것도 있고 추한 것도 있다."

[30-1-26]

問 : "所謂美惡, 恐卽『通書』所謂'剛柔善惡.' 竊疑淸濁以氣言, 剛柔美惡以氣之爲質言. 淸濁恐屬天, 剛柔美惡恐屬地. 淸濁屬知, 美惡屬才. 淸濁分智愚, 美惡分賢不肖. 上智則淸之純而無不美, 大賢則美之全而無不淸. 上智恐以淸言, 大賢恐以美言, 其實未嘗有偏. 若『中庸』稱舜智回賢是也.

물었다. "이른바 아름다움과 추함은 아마 곧 『통서通書』의 이른바 '굳셈과 부드러움, 선함과 악함'[52]인

48 朱熹, 『朱文公文集』 권56 「答鄭子上」

49 태어나면서부터 … 있어서 : 본문 [30-1-14]의 주석 참조

50 『朱子語類』 권4, 72조목

51 『朱子語類』 권4, 51조목

것 같습니다. 저는 맑음과 흐림은 기로써 말하는 것이고, 굳셈과 부드러움, 선함과 악함은 기가 질이 된 것으로써 말하는 것이라고 생각합니다. 맑음과 흐림은 아마 하늘에 속하고 굳셈과 부드러움, 선함과 악함은 아마 땅에 속하는 것 같습니다. 맑음과 흐림은 앎에 속하고 아름다움과 추함은 재질[才]에 속합니다. 맑음과 흐림은 지혜로운 자와 어리석은 자를 나눕니다. '매우 지혜로운 자[上智]'는 맑음이 순수하여 아름답지 않음이 없고, '매우 현명한 자[大賢]'는 아름다움이 온전하여 맑지 않음이 없습니다. 매우 지혜로운 자는 아마 맑음으로써 말하는 것이고 매우 현명한 자는 아마 아름다움으로써 말하는 것이지만, 사실은 치우침이 있은 적이 없습니다. 『중용』에서 순임금이 지혜롭고[53] 안회顔回[顔淵]가 현명하다고[54] 일컬은 것이 이것입니다.

下此則所謂智者, 是得淸之多而或不足於美, 所謂賢者, 是得剛柔一偏之善而或不足於淸. 於是始有賢智之偏. 故其智不得爲上智, 其賢不得爲大賢. 雖愚不肖, 恐亦自有差等. 蓋淸濁美惡, 似爲氣質中陰陽之分. 陽淸陰濁, 陽善陰惡, 故其氣錯糅萬變, 而大要不過此四者. 但分數參互不齊, 遂有萬殊."

이것 아래로는 이른바 지혜로운 자는 맑은 것을 많이 얻었지만 혹 아름다움에 부족한 자이고, 이른바 현명한 자는 굳셈과 부드러움 가운데 한쪽으로 치우친 선을 얻었지만 혹 맑음에 부족한 자입니다. 이에 비로소 현명함과 지혜로움에 치우침이 있게 되었습니다. 그러므로 그 지혜로움은 '매우 지혜로운 자[上智]'가 될 수 없고, 그 현명함은 '매우 현명한 자[大賢]'가 될 수 없습니다. 비록 어리석은 자와 못난 자라 할지라도 아마 또한 본래 차등이 있을 것입니다. 대개 맑음과 흐림, 아름다움과 추함은 기질 가운데 음과 양이 나뉘어서 그렇게 된 것 같습니다. 양은 맑고 음은 흐리며, 양은 선하고 음은 악하기 때문에,

52 『通書』의 이른바 … 악함': 주돈이는 『通書』「師」 제7에서 "어떤 사람이 물어 말했다. '어찌해야 세상이 선하게 됩니까?' 대답했다. '스승[師]이다.' 물었다. '무슨 말입니까?' 대답했다. '性은 剛善, 柔善, 剛惡, 柔惡, 中일 뿐이다.'(或問曰, '曷爲天下善.' 曰, '師.' 曰, '何謂也.' 曰, '性者, 剛柔善惡中而已矣.')"라고 하였다.

주자는 이 구절에 대해 『朱子語類』 권94, 166조목에서, "물었다. '性은 剛善, 柔善, 剛惡, 柔惡, 中일 뿐이라는 것을 묻습니다.' 주자가 대답했다. '이 성은 바로 기질의 성을 말한다. 네 가지 가운데 剛惡과 柔惡를 제거하고, 剛善과 柔善 속에서 중을 택하여 주된 것으로 삼는다.'(問, '性者剛柔善惡中而已.' 朱子曰, '此性便是言氣質之性. 四者之中, 去却剛惡柔惡, 却於剛柔二善中擇中而主焉.')"라고 하였다.

또 『朱文公文集』 권46 「答黃直卿」에서 주자는, "태극의 수는 하나부터 둘로 나누어지니 강과 유이고, 둘부터 넷으로 나누어지니 剛善, 剛惡, 柔善, 柔惡이다. 마침내 그 하나인 중을 첨가하여 5행이 된다.(太極之數, 自一而二, 剛柔也, 自一(二)而四, 剛善剛惡柔善柔惡也. 遂加其一, 中也, 以爲五行.)"라고 하였다.

53 순임금이 지혜롭고: 『中庸』 제6장에서 "공자가 말했다. '舜임금은 매우 지혜로운 분이다! 순임금은 묻기를 좋아하고, 일상적인 말을 살피기 좋아하되, 惡을 숨겨 주고 善을 드날리며, 두 끝을 잡아 그 中을 백성에게 쓰니, 그 때문에 舜임금이 된 것이다!'(子曰, '舜其大知也與! 舜好問而好察邇言, 隱惡而揚善, 執其兩端, 用其中於民, 其斯以爲舜乎!')"라고 하였다.

54 顔回[顔淵]가 현명하다고: 『中庸』 제8장에서 "공자가 말했다. '顔回의 사람됨이 中庸을 가려 한 가지 善을 얻으면 받들어 붙잡아서 가슴속에 두어 잃지 않는다.'(子曰, '回之爲人也, 擇乎中庸, 得一善, 則拳拳服膺而弗失之矣.')"라고 하였다.

그 기가 혼잡하게 뒤섞여 갖가지로 변화하는 것도 큰 요점은 이 네 가지에 지나지 않습니다. 다만 그 나뉜 수가 서로 뒤섞여 가지런하지 않아서 마침내 온갖 가지 차이가 있게 되었습니다."

曰: "陳了翁云, '天氣而地質', 前輩已有此說矣."

(주자가) 대답했다. "진료옹陳了翁[陳瓘][55]이 '하늘은 기氣이고 땅은 질質이다.'[56]라고 말했으니, 선배들에게 이미 이런 말이 있었다."

又問: "氣之始, 有清無濁, 有美無惡, 濁者清之變, 惡者美之變. 以其本清本美, 故可易之以反其本. 然則所謂變化氣質者, 似亦所以復其初也."

曰: "氣之始固無不善, 然騰倒到今日, 則其雜也久矣. 但其運行交錯, 則其善惡却各自有會處, 此上智·下愚之所以分也."[57]

또 물었다. "기는 애초에 맑은 것만 있고 흐린 것은 없었으며, 아름다운 것만 있고 추한 것은 없었는데, 흐린 것은 맑은 것이 변한 것이며, 추한 것은 아름다운 것이 변한 것입니다. 그것은 본래 맑고 본래 아름다운 것이기 때문에 바꾸어서 그 본원으로 돌이킬 수 있습니다. 그렇다면 이른바 기질을 변화시킨다는 것은 또한 그것으로 그 애초의 상태를 회복하는 것인 것 같습니다."

(주자가) 대답했다. "기는 애초에 본디 선하지 않음이 없었지만 오늘날까지 변천하였으니 그것이 잡박하게 된지 오래되었다. 그러나 그 운행이 교착하면 그 선악은 또한 각자 모이는 곳이 있으니, 이것이 '매우 지혜로운 자[上智]'와 '매우 어리석은 자[下愚]'[58]가 나뉘게 된 까닭이다."

[30-1-27]

"氣升降, 無時止息. 理只附氣. 惟氣有昏濁, 理亦隨而間隔."[59]

(주자가 말했다.) "기가 오르고 내려가는 것은 그 언제도 멈춘 적이 없다. 리는 다만 기에 붙어 있을 뿐이다. 오직 기에 어두움과 흐림이 있지만 리 또한 그것을 따라서 간격이 벌어진다."

55 陳瓘(1057~1124): 자는 瑩中이고 자호는 了翁이다. 송대 南劍州(복건성 沙縣) 사람이다. 북송 徽宗 때 左司諫으로 있으면서 직언을 한 것으로 유명하다. 젊어서는 불교를 연구하였고, 특히 화엄경을 좋아하여 자호를 華嚴居士라고 하기도 하였다. 나중에는 『易』을 깊이 연구하여 『了翁易說』 1권을 찬술하였다. 그 밖에 『了齋集』 42권과 『約論』 17권 등의 저술이 있었으나, 대부분 산실되었다.

56 '하늘은 氣이고 … 質이다.': 呂祖謙의 『宋文鑑』 권127 「雜著·責沈文昭知默姪」(陳瓘) 속에 실려 있다.

57 『朱文公文集』(續集) 권10 「答李孝述繼善問目」

58 '매우 지혜로운 … 자[下愚]': 『論語』「陽貨」에서 "공자가 말했다. '오직 매우 지혜로운 자와 매우 어리석은 자는 서로 옮겨갈 수 없다.(子曰, '唯上知與下愚不移.')

59 『朱子語類』 권4, 56조목

[30-1-28]

"人之氣稟有清濁偏正之殊, 故天命之正, 亦有淺深厚薄之異, 要亦不可不謂之性."[60]

(주자가 말했다.) "사람이 품부 받은 기에는 맑음과 흐림, 치우침과 바름의 차이가 있기 때문에 하늘이 명령한 바른 것도 역시 얕음과 깊음, 두터움과 엷음의 다름이 있으니, 요컨대 그것 또한 성이라고 하지 않을 수 없다."

[30-1-29]

問 : "氣稟在於人身, 旣復天理, 氣稟還去得否?"[61]

曰 : "天理明, 則彼如何著得?"[62]

물었다. "기를 품부 받은 것이 사람의 몸에 있지만 이미 천리天理를 회복한 다음에도 품부 받은 기를 여전히 제거해야 됩니까?"
(주자가) 대답했다. "천리가 밝아지면 저것이 어떻게 남아날 수 있겠는가?"

[30-1-30]

問 : "理無不善, 則氣稟胡爲有清濁之殊?"[63]

曰 : "纔說著氣, 便自有寒有熱, 有香有臭."[64]

물었다. "리가 선하지 않음이 없는데, 기를 품부 받은 것이 어찌 맑음과 흐림의 차이가 있게 됩니까?"
(주자가) 대답했다. "기를 말하자마자 곧 저절로 찬 것도 있고 뜨거운 것도 있으며, 향기로운 것도 있고 악취가 나는 것도 있다."

[30-1-31]

"氣質之性, 便只是天地之性. 只是這箇天地之性却從那裏過. 好底性如水, 氣質之性如著些醬與�塩,[65] 便是一般滋味."[66]

(주자가 말했다.) "기질의 성은 곧 다만 천지의 성일 뿐이다. 다만 이 천지의 성은 또한 거기를 거쳐 나올 뿐이다. 좋은 성은 물과 같고, 기질의 성은 마치 간장과 소금을 조금 친 것과 같으니, 곧 같은 맛이다."

60 『朱子語類』 권4, 48조목
61 "氣稟在於人身, … 氣稟還去得否?" : 『朱子語類』 권4, 82조목에는 "問氣稟云云."이라고 되어 있다.
62 『朱子語類』 권4, 82조목
63 則氣稟胡爲有清濁之殊? : 『朱子語類』 권4, 54조목에는 "則氣胡爲有清濁之殊?"라고 되어 있다.
64 『朱子語類』 권4, 54조목
65 氣質之性如著些醬與塩 : 『朱子語類』 권4, 52조목에는 "氣質之性如殺些醬與鹽"이라고 되어 있다.
66 『朱子語類』 권4, 52조목

[30-1-32]

"性譬之水, 本皆清也. 以淨器盛之, 則清; 以不淨器盛之, 則臭; 以汚泥之器盛之, 則濁. 本然之淸, 未嘗不在. 但旣臭濁, 猝難得便淸. 故'雖愚必明, 雖柔必强', 也煞用氣力, 然後能至."[67]

(주자가 말했다.) "성을 물에 비유하면 본래 모두 맑다. 그것을 깨끗한 그릇에 담으면 맑지만, 깨끗하지 않은 그릇에 담으면 악취가 나고, 더러운 그릇에 담으면 흐리다. 그렇지만 본래 그러한 맑음은 있지 않은 적이 없다. 다만 이미 악취가 나고 흐려졌으면 갑자기 바로 맑아지기는 어렵다. 그러므로 '비록 어리석은 사람이라도 반드시 밝아지며, 비록 유약한 사람이라도 반드시 강해질 것이다.'[68]라고 한 것도 대단히 힘을 쏟은 다음에 이를 수 있다."

[30-1-33]

"有是理而後有是氣, 有是氣則必有是理. 但氣稟之淸者, 爲聖爲賢, 如寶珠在淸冷水中; 稟氣之濁者, 爲愚爲不肖, 如珠在濁水中. 所謂'明明德'者, 是就濁水中揩拭此珠也. 物亦有是理, 又如寶珠落在至汚濁處, 然其所稟亦間有些明處, 就上面便自不昧."[69]

(주자가 말했다.) "이 리가 있은 뒤에 이 기가 있고, 이 기가 있으면 반드시 이 리가 있다. 그러나 기를 품부 받은 것이 맑은 자는 성현이 되니 마치 보배로운 구슬이 맑은 물속에 있는 것과 같고, 기를 품부 받은 것이 흐린 자는 어리석거나 못난 사람이 되니 마치 구슬이 흐린 물속이 있는 것과 같다. 이른바 '밝은 덕을 밝힌다.'는 것은 이 구슬을 흐린 물속에서 꺼내 닦는 것과 같다. 만물 또한 이 리가 있고, 이것은 또 마치 보배로운 구슬이 지극히 더럽고 흐린 곳에 떨어져 있은 것과 같지만, 그것이 품부 받은 것은 또한 간혹 조금 밝은 곳이 있으니, 그곳으로 나아가면 곧 저절로 어둡지 않다."

問: "物之塞得甚者, 雖有那珠, 如在深泥裏面, 更取不出."

曰: "也是如此."[70]

물었다. "만물 가운데 심하게 막힌 것은 비록 그 구슬이 있지만 마치 깊은 진흙 속에 있는 것과 같아,

67 『朱子語類』 권4, 66조목

68 '비록 어리석은 … 것이다.': 『中庸』 제20장에서 "배우지 않음이 있을지언정 배우면 잘 할 수 없는 것을 버려두지 않고, 묻지 않음이 있을지언정 물으면 알지 못하는 것을 버려두지 않으며, 생각하지 않음이 있을지언정 생각하면 알지 못하는 것을 버려두지 않고, 분변하지 않음이 있을지언정 분변하면 분명하지 못하는 것을 버려두지 않으며, 행하지 않음이 있을지언정 행하면 독실하지 못한 것을 버려두지 않아서, 남이 한 번에 잘 할 수 있으면 자신은 백 번을 하며, 남이 열 번에 잘 할 수 있으면 자신은 천 번을 한다. 과연 이 道를 잘 실천할 수 있으면, 비록 어리석은 사람이라도 반드시 밝아지며, 비록 유약한 사람이라도 반드시 강해질 것이다.(有弗學, 學之弗能弗措也; 有弗問, 問之弗知弗措也; 有弗思, 思之弗得弗措也; 有弗辨, 辨之弗明弗措也; 有弗行, 行之弗篤弗措也; 人一能之己百之, 人十能之己千之. 果能此道矣, 雖愚必明, 雖柔必强.)"라고 하였다.

69 『朱子語類』 권4, 68조목

70 『朱子語類』 권4, 69조목

다시 꺼낼 수 없습니다."
(주자가) 대답했다. "역시 그렇다."

[30-1-34]

問 : "性如日月, 氣濁者如雲霧."

曰 : "然."[71]

물었다. "성은 마치 해나 달과 같고, 기가 흐린 것은 마치 구름이나 안개와 같습니다."
(주자가) 대답했다. "그렇다."

[30-1-35]

"人性如一團火, 煨在灰裏, 撥開便明."[72]

(주자가 말했다.) "사람의 성은 마치 하나의 불덩이와 같으니, 불씨가 재 속에 있지만 재를 걷어내면 곧 밝아진다."

[30-1-36]

"人性雖同, 稟氣不能無偏重. 有得木氣重者, 則惻隱之心常多, 而羞惡·辭讓·是非之心爲其所塞而不發; 有得金氣重者, 則羞惡之心常多, 而惻隱·辭讓·是非之心爲其所塞而不發. 水·火亦然. 唯陰陽合德, 五性全備, 然後中正而爲聖人也."[73]

(주자가 말했다.) "사람의 성은 비록 같지만 기를 품부 받은 것은 치우침이 없을 수 없다. 목기木氣를 두텁게 얻은 자는 측은해 하는 마음이 항상 많아서 수오羞惡·사양辭讓·시비是非의 마음은 그것에 막힌 바가 되어 발동하지 않으며, 금기金氣를 두텁게 얻은 자는 수오의 마음이 항상 많아서 측은·사양·시비의 마음은 그것에 막힌 바가 되어 발동하지 않는다. 수기水氣와 화기火氣도 그렇다. 오직 음과 양이 덕을 합하고 오성이 온전히 갖추어진 뒤에 중정中正하여 성인이 된다."[74]

[30-1-37]

問 : "人有敏於外而內不敏, 又有敏於內而外不敏, 莫是稟氣强弱?"

71 『朱子語類』 권4, 80조목
72 『朱子語類』 권4, 81조목
73 『朱子語類』 권4, 73조목
74 오직 음과 … 된다. : 주돈이 『太極圖說』의 다음 구절이 참조될 만하다. "성인은 중·정인·의로 안정시키되 〈성인의 도는 인·의·중·정일 뿐이다.〉 고요함에 중심을 두어 〈욕심이 없기 때문에 고요하다.〉 사람의 표준을 정립하였다. 그러므로 성인은 '천지와 더불어 그 덕을 합하고, 일월과 더불어 그 밝음을 합하며, 사시와 더불어 그 질서를 합하고, 귀신과 더불어 그 길흉을 합한다.'(聖人定之以中正仁義 〈聖人之道, 仁義中正而已矣.〉 而主靜 〈無欲故靜〉, 立人極焉. 故'聖人與天地合其德, 日月合其明, 四時合其序, 鬼神合其吉凶.')"

曰："不然.『淮南子』云, '金水內明, 日火外明.' 氣偏於內故內明, 氣偏於外則外明."[75]

물었다. "사람들 중에 밖으로는 민첩하지만 안으로는 민첩하지 못한 사람도 있고, 안으로는 민첩하지만 밖으로는 민첩하지 못한 사람이 있는데, 이것은 기를 품부 받은 것이 강하거나 약하기 때문이 아닙니까?" (주자가) 대답했다. "그렇지 않다.『회남자』에서 '쇠와 물은 안이 밝고, 해와 불은 밖이 밝다.'[76]라고 하였다. 기가 안으로 치우치기 때문에 안이 밝고, 기가 밖으로 치우치면 밖이 밝다."

[30-1-38]

"氣稟所拘, 只通得一路, 極多樣. 或厚於此而薄於彼, 或通於彼而塞於此. 有人能盡通天下利害而不識義理, 或工於百工技藝而不解讀書, 或知孝於親而薄於他人. 如明皇友愛諸弟, 長枕大被, 終身不變, 然而爲君則殺其臣, 爲父則殺其子, 爲夫則殺其妻, 便是有所通有所蔽. 是他性中只通得一路, 故於他處皆礙. 也是氣稟, 也是利害昏了."[77]

(주자가 말했다.) "기를 품부 받은 것에 구애되어 다만 하나의 길로만 소통하는 것은 매우 다양하다. 혹은 이것에는 두텁지만 저것에는 엷으며, 혹은 저것에는 소통되지만 이것에는 막히기도 한다. 어떤 사람은 천하의 이해利害에는 모두 다 통할 수 있지만 의리義理를 알지 못하는 사람도 있고, 혹은 온갖 기술자의 기예技藝에 능숙하지만 책을 읽지 못하기도 하며, 혹은 부모에게 효도할 줄은 알지만 다른 사람에게 야박하기도 한다. 예컨대 명황明皇[당 현종玄宗]은 여러 동생들을 우애하여 긴 베개를 함께 베고 큰 이불을 함께 덮기를 죽을 때까지 변하지 않았지만,[78] 군주로서는 그의 신하를 죽였고, 아버지로서는 그의 자식을 죽였으며, 남편으로서는 그의 아내를 죽였으니, 곧 소통되는 것도 있었고 가려진 것도 있었다. 이것은 그의 성 가운데 다만 하나의 길로만 소통되었기 때문에 다른 곳에 대해서는 모두 장애가 된 것이다. 이것은 또한 기를 그렇게 품부 받은 것이고, 또한 이해利害에 어두웠던 것이다."

[30-1-39]

問："以堯爲父而有丹朱, 以鯀爲父而有禹, 如何?"

曰："這箇又是二氣五行交際運行之際有淸濁, 人適逢其會, 所以如此."[79]

물었다. "요임금을 아버지로 두고도 단주丹朱[80]가 있었으며, 곤鯀[81]을 아버지로 두고도 우禹가 있었는데,

75 『朱子語類』 권4, 75조목

76 '쇠와 물은 … 밝다.' :『淮南鴻烈解』 권3 「天文訓」에서 "밝은 것은 기를 토해내는 것이니, 이 때문에 불을 밖이 밝다고 하며, 어두운 것은 기를 머금은 것이니, 이 때문에 물을 안이 밝다고 한다.(明者吐氣者也, 是故火曰外景; 幽者含氣者也, 是故水曰內景.)"라고 하였다.

77 『朱子語類』 권4, 76조목

78 明皇(당 玄宗)은 … 않았지만 :『資治通鑑』 권211 「唐紀 27 · 玄宗至道大聖大明孝皇帝上之中」에서, "황제는 평소 우애가 깊어서 근세의 제왕 가운데 미칠 수 있는 사람이 없었다. 처음에 즉위하였을 때 긴 베개와 큰 이불을 만들어 형제들과 함께 잤다.(上素友愛, 近世帝王莫能及. 初即位, 為長枕大被, 與兄弟同寢.)"라고 하였다.

79 『朱子語類』 권4, 76조목

왜 그렇습니까?"
(주자가) 대답했다. "이것 또한 음과 양 두 기와 오행이 교류하면서 운행할 때 맑음과 흐림이 있는데, 사람이 마침 그런 기회를 만났기 때문에 이와 같이 된 것이다."

[30-1-40]

問: "天地之氣, 當其昏明駁雜之時, 則其理亦隨而昏明駁雜否?"

曰: "理却只恁地, 只是氣自如此."

물었다. "천지의 기가 어둡거나 밝으며 잡박할 때에는 그 리도 역시 따라서 어둡거나 밝으며 잡박합니까?"
(주자가) 대답했다. "리가 다만 그러하지만 다만 기가 이같을 뿐이다."

又問: "若氣如此, 理不如此, 則是理與氣相離矣."

曰: "氣雖是理之所生, 然旣生出, 則理管他不得. 如這理寓於氣了, 日用間運用都由這箇氣. 只是氣强理弱, 理管攝他不得."[82]

또 물었다. "만약 기는 이와 같은데 리는 이와 같지 않다면, 이 리와 기는 서로 분리됩니다."
(주자가) 대답했다. "기는 비록 리가 생겨나게 한 것이지만 이미 생겨나오면 리는 그것을 관리할 수 없다. 만약 이 리가 기에 붙어 있게 되면 일상적인 운용은 모두 이 기에서 말미암는다. 다만 기가 강하고 리는 약하기 때문에 리는 그것을 관장할 수 없다."

[30-1-41]

沈僩問: "或謂'性所發時, 無有不善, 雖氣稟至惡者亦然. 但方發之時, 氣一乘之, 則有善有不善耳.' 僩以爲人心初發, 有善有惡, 所謂'幾善惡'也. 初發之時本善而流入於惡者, 此固有之. 然亦有氣稟昏愚之極, 而所發皆不善者, 如子越椒之類是也. 且以中人論之, 其所發之不善者, 固亦多矣, 安得謂之無不善邪?"

심한沈僩(주자 문인)이 물었다. "어떤 사람이[83] '성이 발현될 때는 선하지 않음이 없으니 비록 기를 품부받은 것이 지극히 악한 자라고 할지라도 역시 그러하다. 다만 막 발현할 때 기가 한 번 그것을 타면

80 丹朱: 堯임금의 아들. 『史記』 권1 「五帝本紀」에서 "요임금은 아들 단주가 못나서 천하를 전해주기에는 부족하다는 것을 알고 이에 순임금에게 權道로서 전해주었다.(堯知子丹朱之不肖, 不足授天下, 於是乃權授舜.)"라고 하였다.

81 鯀: 『書』와 『史記』에는 夏나라 禹王의 아버지로 堯임금의 명령을 받고 홍수를 다스리려고 하였으나 실패하여, 마침내 舜임금에 의해 羽山으로 추방당하여 죽은 것으로 되어 있다.

82 『朱子語類』 권4, 64조목

83 어떤 사람이: 『朱子語類』 권4, 70조목에 의하면 여기에서의 '어떤 사람'은 주희의 수제자 가운데 한 사람인 李燔이다.

선함과 선하지 않음이 있을 뿐이다.'라고 말했습니다. 저는 사람의 마음이 처음 발동함에 선도 있고 악도 있으니, 이른바 '조짐은 선과 악의 갈림이다.[幾善惡]'[84]라고 생각합니다. 처음 발동할 때는 본래 선하지만 악에 흘러들어가는 자도 본디 있습니다. 그러나 또한 기를 품부 받은 것이 지극히 어둡고 어리석으며 발현하는 것이 모두 선하지 않은 자가 있으니, 예컨대 자월초子越椒[鬪椒][85]와 같은 부류가 이렇습니다. 또 보통 사람으로 말해도 그 발현한 것이 선하지 않은 자가 본디 많으니, 어찌 선하지 않음이 있다고 할 수 있겠습니까?"

曰 : "不當如此說, 如此說得不是. 此只當以人品賢愚清濁論. 有合下發得善底, 也有發得不善底, 也有發得善而爲物欲所奪, 流入於不善底, 極多般樣. 今有一樣人, 雖無事在這裏坐, 他心裏也只思量要做不好事, 如蛇虺相似, 只欲咬人, 他有甚麼發得善? 明道說水處最好. 皆水也, 有流而至海, 終無所汚; 有流而未遠, 固已漸濁; 有流而甚遠, 方有所濁. 有濁之多者, 濁之少者, 只可如此說."[86]

(주자가) 대답했다. "이와 같이 말해서는 안 되니 이와 같이 말하면 옳지 않다. 이것은 다만 인품의 현명함과 어리석음, 맑음과 흐림으로 논해야 한다. 애당초에 선을 드러내는 사람도 있고, 선하지 않은 것을 드러내는 사람도 있으며, 또한 선을 드러냈지만 물욕에 선을 빼앗기게 되어 선하지 않은 것으로 흘러 들어가는 사람도 있어서 지극히 다양하다. 지금 어떤 사람이 비록 여기에 앉아서 아무 일도 하고 있지 않지만, 그의 마음속에서는 또한 다만 좋지 않은 일을 하려고 생각하고 있다면, 마치 뱀이나 살모사가 다만 사람을 물려고 하는 것과 같으니 그에게 무슨 선을 드러내는 일이 있겠는가? 명도明道[程顥]가 물을 비유로 들어 말한 것이 가장 좋다.[87] 모두 물이지만 흘러서 바다에 이르도록 끝내 더러움이 없는 것도 있고, 흘러서 아직 멀리 가지도 않았는데 본디 이미 점점 흐려지는 것도 있으며, 흘러서 매우 멀리 가야만 비로소 흐려짐이 있는 것도 있다. 흐려짐이 많은 것도 있고 흐려짐이 적은 것도 있으니, 다만 이와 같이 말할 수 있을 뿐이다."

84 '조짐은 선과 … 갈림이다.[幾善惡]' : 주돈이, 『通書』 제3 「誠幾德」. 주자는 이 구절에 대해, "조짐은 움직임이 미세한 것으로 선과 악이 그로부터 나누어진다. 사람 마음에서 움직인 미세한 것은 천리가 참으로 마땅히 발현하지만, 인욕도 이미 그 사이에서 싹튼다. 이것이 음양의 象이다.(幾者, 動之微, 善惡之所由分也. 蓋動於人心之微, 則天理固當發見, 而人欲亦已萌乎其間矣. 此陰陽之象也.)"라고 주석하였다.

85 鬪椒(?~B.C.605) : 자는 伯棼 혹은 子越이고 세칭 鬪越椒이며, 춘추시대 楚나라 사람이다. 투초가 태어났을 때 伯父인 鬪子文은 아이가 곰과 범의 형상을 하고 승냥이와 이리의 소리를 내는 것을 보고, 반드시 죽여야지 그렇지 않으면 일족이 멸망할 것이라고 경계하였다. 그 뒤에 초나라 莊公과 권력을 다투다가 장공에게 패해 일족이 모두 죽음을 당했다.

86 『朱子語類』 권4, 70조목

87 明道[程顥]가 물을 … 좋다. : 본문 [30-1-1]에 그 내용이 있다.

[30-1-42]

"人之性皆善. 然而有生下來善底, 有生下來便惡底, 此是氣稟不同. 且如天地之運, 萬端而無窮, 其可見者, 日月淸明氣候和正之時, 人生而稟此氣, 則爲淸明渾厚之氣, 須做箇好人. 若是日月昏暗, 寒暑反常, 皆是天地之戾氣, 人若稟此氣, 則爲不好底人, 何疑?

(주자가 말했다.) "사람의 성은 모두 선하다. 그러나 태어나면서부터 선한 사람도 있고 태어나면서부터 곧 악한 사람도 있으니, 이것은 기를 품부 받은 것이 같지 않은 것이다. 예컨대 천지의 운행은 각양각색이어서 끝이 없는데, 그 볼 수 있는 것으로서, 해와 달이 맑고 밝으며 기후가 온화하고 정상적일 때 사람이 태어나서 이 기를 품부 받으면, 맑고 밝으며 질박하고 두터운 기가 되어 반드시 좋은 사람이 된다. 만약 해와 달이 흐리고 어두우며 추위와 더위가 비정상적일 때는 모두 천지의 어그러진 기이니, 사람이 만약 이 기를 품부 받으면 좋지 않은 사람이 되는 것을 어찌 의심하겠는가?

人之爲學, 却是要變化氣稟, 然極難變化. 如孟子道性善, 不言氣稟, 只言'人皆可以爲堯舜.' 若勇猛直前, 氣稟之偏自消, 功夫自成, 故不言氣稟. 看來吾性旣善, 何故不能爲聖賢, 却是被這氣稟害? 如氣稟偏於剛, 則一向剛暴; 偏於柔, 則一向柔弱之類. 人一向推托道氣稟不好, 不向前, 又不得; 一向不察氣稟之害, 只昏昏地去, 又不得. 須知氣稟之害, 要力去用功克治, 裁其勝而歸於中乃可. 濂溪云, '性者, 剛柔善惡中而已. 故聖人立教, 俾人自易其惡, 自至其中而止矣.'"[88]

사람이 배우는 것은 또한 기를 품부 받은 것을 변화시키려는 것이지만, 변화시키기가 지극히 어렵다. 예컨대 맹자는 성이 선하다는 것을 말하면서 기를 품부 받은 것을 말하지 않고, 다만 '사람은 모두 요순堯舜같은 사람이 될 수 있다.'[89]라고 말했다. 만약 용맹하게 앞으로만 곧장 나아간다면 치우치게 기를 품부 받은 것은 저절로 사라지고 공부가 저절로 이루어지기 때문에 기를 품부 받은 것을 말하지 않았다. 살펴보건대 나의 성이 이미 선한데 무엇 때문에 성현이 될 수 없고 기를 품부 받은 것에 의해 피해를 입겠는가? 예컨대 기를 품부 받은 것이 굳센 것에 치우치면 줄곧 난폭하고, 부드러운 것에 치우치면 줄곧 유약한 것과 같은 따위이다. 사람은 기를 품부 받은 것이 좋지 않다고 줄곧 핑계 삼아 말하면서 앞으로 나아가지 않아서도 안 되며, 기를 품부 받은 것의 해로움을 줄곧 자세히 살피지 않으면서 다만 흐리멍덩하게 살아가서도 안 된다. 반드시 기를 품부 받은 것의 해로움을 알고 열심히 노력하여 그것을 극복하는 데에 힘써서, 그 지나친 것을 마름질하여 '중中(치우침이 없는 상태)으로 돌아가게 해야 한다. 염계濂溪[周惇頤]는 '성性은 강선剛善, 유선柔善, 강악剛惡, 유악柔惡, 중中일 뿐이다. 그러므로 성인이 가르침을 세우는 것은 사람들에게 스스로 그 악惡을 바꾸어, 스스로 그 중中에 이르러 머무르게 하려고 한

88 『朱子語類』 권4, 59조목

89 '사람은 모두 … 있다.' : 『孟子』「告子下」에서 "曹交가 물었다. '사람은 모두 堯舜같은 사람이 될 수 있다고 하는데, 그러한 말이 있습니까?' 맹자가 말했다. '그렇다.'(曹交問曰, '人皆可以爲堯舜, 有諸?' 孟子曰, '然.')"라고 하였다.

것이다.'[90]라고 말했다."

[30-1-43]

問 : "蔡季通主張氣質太過."

曰 : "形質也是重. 且如水之氣, 如何似長江大河, 有許多洪流? 金之氣, 如何似一塊鐵恁地硬? 形質也是重. 被此生壞了後, 理終是拗不轉來."

물었다. "채계통蔡季通[蔡元定][91]이 기질氣質에 대해 주장한 것은 너무 지나칩니다."[92]

(주자가) 대답했다. "형질形質도 역시 중요하다. 예컨대 물의 기는 어째서 장강長江과 황하처럼 그렇게 크게 흐르는가? 쇠의 기는 어째서 한 덩이의 강철처럼 그렇게 단단한가? 형질도 역시 중요하다. 이런 형질에 의해 생겨나서 그르치게 된 뒤에는 리도 끝내 되돌릴 수 없다."

又曰 : "孟子言,'人所以異於禽獸者幾希', 不知人何故與禽獸異. 又言, '犬之性猶牛之性, 牛之性猶人之性與?' 不知人何故與牛犬異. 此兩處似欠中間一轉語. 須著說是形氣不同, 故性亦少異, 始得. 恐孟子見得人性同處, 自是分曉直截, 却於這些子未甚察."

(주자가) 또 말했다. "맹자는 '사람이 금수禽獸와 다른 점은 적다.'[93]라고 말했는데, 사람이 무엇 때문에 금수와 다른지 모르겠다. (맹자는) 또 '개의 성이 소의 성과 같고 소의 성이 사람의 성과 같은가?'[94]라고

90 '性은 剛善, … 것이다.' : 주돈이는 『通書』「師」 제7에서 "어떤 사람이 물어 말했다. '어찌해야 세상이 선하게 됩니까?' 대답했다. '스승[師]이다.' 물었다. '무슨 말입니까?' 대답했다. '性은 剛善, 柔善, 剛惡, 柔惡, 中일 뿐이다. … 오직 중은 어울림이고, 절도에 맞음이며, 세상의 達道(통용되는 도리)이니, 성인의 일이다. 그러므로 성인이 가르침을 세우는 것은 사람들에게 스스로 그 惡을 바꾸어, 스스로 그 中에 이르러 머무르게 하려고 한 것이다.(或問曰, '曷爲天下善.' 曰, '師.' 曰, '何謂也.' 曰, '性者, 剛柔善惡中而已矣. … 惟中也者, 和也, 中節也, 天下之達道也, 聖人之事也. 故聖人立教, 俾人自易其惡, 自至其中而止矣.')"라고 하였다.

91 蔡元定(1135~1198) : 자는 季通이고, 세칭 西山先生이라 하였다. 송대 建陽(현 복건성 건양) 사람으로 주희를 경모하여 스승으로 받들었으나, 주희가 도리어 제자가 아닌 친구로 대우하였다. 그의 학문은 신유학뿐 아니라 천문 · 지리 · 樂律 · 歷數 · 兵陣 등에 뛰어났다. 특히 象數學에 조예가 깊어 주희의 『易學啓蒙』 저술에 참여한 것으로 알려진다. 말년에 주희와 함께 慶元黨의 표적이 되어 귀양을 가서 생을 마쳤다. 저서는 『律呂新書』 · 『八陣圖說』 · 『洪範解』 등이 있다.

92 "蔡季通[蔡元定]이 氣質에 … 지나칩니다." : 李宜哲은 『朱子語類古文解義』에서 "그의 주장은 기질이 변할 수 없는 것이라고 생각하는 것이다.(其說以爲氣質不可變也.)"라고 풀이하였다.

93 '사람이 禽獸와 … 적다.' : 『孟子』「離婁下」에서 "맹자가 말했다. '사람이 禽獸와 다른 점은 적다. 庶民들은 다른 점을 버리고, 군자는 다른 점을 보존한다.'(孟子曰, '人之所以異於禽於獸者幾希. 庶民去之, 君子存之.')라고 하였다.

94 '개의 성이 … 같은가?' : 『孟子』「告子上」에서, "告子가 말했다. '생겨난 그대로를 性이라 한다.' 맹자가 말했다. '생겨난 그대로를 性이라 한다는 것은 흰색을 희다고 하는 것과 같은 것인가?' (고자가 대답했다.) '그렇다.' (맹자가 말했다.) '그렇다면 흰 깃털의 흰색은 흰 눈의 흰색과 같고, 흰 눈의 흰색은 흰 옥[白玉]의 흰색과 같은가?' (고자가 대답했다.) '그렇다.' (맹자가 말했다.) '그렇다면 개의 성이 소의 성과 같고 소의 성이 사람의

말했는데, 사람이 무엇 때문에 소나 개와 다른지 모르겠다. 이 두 구절은 중간에 그것을 풀이하는 말이 빠진 것 같다. 반드시 형기形氣가 같지 않기 때문에 성도 역시 조금 다르다고 말해야 된다. 아마 맹자가 사람의 성이 같은 점을 본 것은 원래 분명하고 단도직입적이지만 도리어 이러한 점에 대해서는 깊이 살펴보지 않은 것 같다."

又曰: "陳了翁云, '氣質之用狹, 道學之功大', 與季通說正相反. 若論其至, 不可只靠一邊. 如了翁之說, 則何故自古只有許多聖賢? 如季通之說, 則人皆委之於生質, 更不修爲. 須是看人功夫多少如何. 若功夫未到, 則氣質之性不得不重. 若功夫至, 則氣質豈得不聽命於義理? 也須著如此說, 方盡."[95]

(주자가) 또 말했다. "진료옹陳了翁[陳瓘]이 '기질의 작용은 좁고, 도학道學의 공로는 크다.'[96]라고 말했는데, 계통季通[蔡元定]의 주장과는 정반대이다. 만약 그 지극한 것을 논하면 한 쪽에만 의거해서는 안 된다. 만약 진료옹의 주장과 같다면 무슨 까닭에 예로부터 다만 몇 명의 성현만이 있었는가? 만약 계통季通[蔡元定]의 주장과 같다면 사람들은 모두 태어난 그대로의 기질에 맡겨버리고 다시 수양공부를 하지 않을 것이다. 반드시 사람의 수양공부의 정도가 어떠한 지를 보아야 한다. 만약 공부가 아직 지극한데에 이르지 않았으면, 기질의 성이 무겁지 않을 수 없다. 만약 공부가 지극한데에 이르렀으면, 기질이 어찌 의리義理에게 명령을 따르지 않을 수 있겠는가? 또한 반드시 이와 같이 말해야만 비로소 다 말하는 것이다."

[30-1-44]

"孔孟言性之異, 畧而論之, 則夫子雜乎氣質而言之, 孟子乃專言其性之理也. 雜乎氣質而言之, 故不曰'同'而曰'近', 蓋以爲不能無善惡之殊, 但未至如其所習之遠耳. 以理而言, 則上帝之降衷, 人心之秉彝, 初豈有二理哉?

(주자가 말했다.) "공자와 맹자가 성을 다르게 말한 것에 대해 대략 논해보면, 부자夫子(공자)는 기질과 뒤섞어 말했고, 맹자는 오로지 성의 리만을 말했다. (공자는 성을) 기질과 뒤섞어 말했기 때문에 '같다[同]'고 말하지 않고 '가깝다[近]'고 말했는데,[97] 이것은 사람의 성에 선악의 차이가 없을 수는 없지만 그 습관이 차이가 많은 것 만큼에는 이르지 않는다고 생각했기 때문이다. 리로써 말하면 상제가 충衷을 내려준 것[98]과 사람의 마음이 지니고 있는 떳떳한 본성[99]이 애초에 어찌 두 가지 리가 있겠는가?

성과 같은가?'(告子曰, '生之謂性.' 孟子曰, '生之謂性也, 猶白之謂白與?' 曰, '然.' '白羽之白也, 猶白雪之白; 白雪之白, 猶白玉之白與?' 曰, '然.' '然則犬之性猶牛之性, 牛之性猶人之性與?')"라고 하였다.

95 『朱子語類』 권4, 72조목

96 '기질의 작용은 … 크다.': 呂祖謙의 『宋文鑑』 권127 「雜著 · 責沈文貽知默姪」(陳瓘) 속에 실려 있다.

97 (공자는 성을) … 말했는데: 『論語』「陽貨」에서 "공자가 말했다. '성은 서로 가깝고 습관은 서로 멀다.'(子曰, '性相近也, 習相遠也.')"라고 하였다.

98 상제가 衷을 … 것: 『書』「商書 · 湯誥」에서 "왕이 말했다. '아! 너희 萬方의 무리들아. 나의 가르침을 분명히 들어라. 훌륭하신 上帝가 백성들에게 衷을 내려주었고 그것에 순응하여 불변하는 性을 가졌으니, 그 道에

但此理在人有難以指言者, 故孟子之告公都子, 但以其才與情者明之. 譬如欲觀水之必清而其源不可到, 則亦觀諸流之未遠者, 而源之必清可知矣. 此二義皆聖賢所罕言者, 而近世大儒如河南程先生, 横渠張先生, 嘗發明之, 其說甚詳."[100]

다만 사람에게 있는 이 리는 지적해서 말하기 어려운 점이 있기 때문에, 맹자는 공도자公都子에게 다만 '재才'와 '정精'으로만 밝혀주었을 뿐이다.[101] 비유컨대 물이 반드시 맑다는 것을 살펴보려고 하지만 그 물의 근원에 다다르지 못하면, 또한 근원에서 멀지 않은 물줄기를 살펴보면 물의 근원이 반드시 맑으리라는 것을 알 수 있는 것과 같다. 이 두 가지 의미는 모두 성현들이 드물게 말했던 것이지만, 근세의 큰 학자인 하남 정선생河南程先生[程顥·程頤]과 횡거 장선생橫渠張先生[張載]이 일찍이 이 의미를 드러내 밝혔으니, 그 설명이 매우 상세하다."

[30-1-45]

問: "孟子言性, 與伊川如何?"

••••••••••••••••••••

편안하게 할 수 있는 사람이 군주이다.'(王曰, '嗟! 爾萬方有衆. 明聽予一人誥. 惟皇上帝降衷于下民, 若有恒性, 克綏厥猷, 惟后.')"라고 하였다.

99 사람의 마음이 … 본성: 『詩』「大雅·蕩之什·烝民」에서, "하늘이 여러 백성을 내시니 만물이 있음에 법칙이 있다. 백성이 떳떳한 본성을 지니고 있기 때문에 이 아름다운 德을 좋아한다.(天生烝民, 有物有則. 民之秉彝, 好是懿德.)"라고 하였다.

100 『朱文公文集』 권58 「宋深之」

101 맹자는 公都子에게 … 뿐이다.: 『孟子』「告子上」에서 "公都子가 물었다. '告子는 「性은 善함도 없고 不善함도 없다.」 라고 말하고, 어떤 사람은 「성은 선할 수도 있고, 不善할 수도 있으니, 이 때문에 文王과 武王이 일어나면 백성들이 선을 좋아하고, 幽王과 厲王이 일어나면 백성들이 포악함을 좋아한다.」라고 말하며, 또 어떤 사람은 「성이 선한 사람도 있고, 성이 不善한 사람도 있다. 이 때문에 堯를 군주로 삼았는데도 象이 있었으며, 瞽瞍를 아버지로 삼았는데도 舜이 있었으며, 紂王을 兄의 아들로 삼고 또 군주로 삼았는데도 微子 啓와 王子 比干이 있었다.」라고 말합니다. 지금 (선생께서는) 성이 선하다고 말하니, 그렇다면 저들은 모두 틀린 것입니까?' 맹자가 말했다. '그 情으로 말하면 선하다고 할 수 있으니, 이것이 내가 말하는 선하다는 것이다. 그런데 不善을 하는 것으로 말하면 타고난 재질[才]의 죄가 아니다. 惻隱之心을 사람마다 다 가지고 있고, 羞惡之心을 사람마다 다 가지고 있으며, 恭敬之心을 사람마다 다 가지고 있고, 是非之心을 사람마다 다 가지고 있으니, 惻隱之心은 仁이고, 羞惡之心은 義이며, 恭敬之心은 禮이고, 是非之心은 智이다. 인·의·예·지가 밖으로부터 나에게 녹아서 들어오는 것이 아니라, 내가 본래 가지고 있는 것이지만 사람들이 생각하지 못할 뿐이다. 그러므로 「구하면 얻고, 버리면 잃는다.」라고 하니, 혹은 (선악의) 거리가 서로 倍가 되고, 다섯 배가 되어 계산 할 수 없는 것은 그 재질[才]을 다하지 못했기 때문이다.'(公都子曰, '告子曰, 「性無善無不善也.」 或曰, 「性可以爲善, 可以爲不善; 是故文武興, 則民好善; 幽厲興, 則民好暴.」 或曰, 「有性善, 有性不善; 是故以堯爲君而有象, 以瞽瞍爲父而有舜; 以紂爲兄之子且以爲君, 而有微子啓·王子比干.」 今曰「性善」, 然則彼皆非與?' 孟子曰, '乃若其情, 則可以爲善矣, 乃所謂善也. 若夫爲不善, 非才之罪也. 惻隱之心, 人皆有之; 羞惡之心, 人皆有之; 恭敬之心, 人皆有之; 是非之心, 人皆有之. 惻隱之心, 仁也; 羞惡之心, 義也; 恭敬之心, 禮也; 是非之心, 智也. 仁義禮智, 非由外鑠我也, 我固有之也, 弗思耳矣. 故曰, 「求則得之, 舍則失之.」 或相倍蓰而無算者, 不能盡其才者也.')"라고 하였다.

曰："不同. 孟子是剔出而言性之本, 伊川是兼氣質而言, 要之不可離也."[102]
물었다. "맹자가 성에 대해 말한 것은 이천伊川[程頤]과 비교하면 어떻습니까?"
(주자가) 대답했다. "같지 않다. 맹자는 (다른 것은) 발라내고 성의 본원을 말한 것이고, 이천은 기질을 겸해서 말한 것이니, 요컨대 서로 분리될 수 없다."

[30-1-46]

邵浩問曰："趙書記嘗問浩, '如何是性?' 浩對以伊川云, '孟子言性善, 是極本窮原之性; 孔子言性相近, 是氣質之性.' 趙云, '安得有兩樣? 只有『中庸』說「天命之謂性」, 自分明.'"
曰："公當初不曾問他, '旣謂之善, 固無兩般. 纔說相近, 須有兩樣.' 便自說不得."
소호邵浩(주자 문인)가 물었다. "조서기趙書記가 일찍이 저에게 '무엇이 성입니까?'라고 물었습니다. 저는 이천伊川[程頤]이 '맹자가 성이 선하다고 말한 것은 「철저하게 근원을 추구한 성[極本窮源之性]」이고,[103] 공자가 성은 서로 가깝다고 한 것은 기질의 성입니다.'[104]라고 한 말로 대답했습니다. 조서기는 '어찌 두 가지가 있을 수 있습니까? 다만 『중용』에서 「하늘이 명령한 것을 성이라고 한다.」[105]라고 한 말이 본래 분명합니다.'라고 말했습니다."
(주자가) 대답했다. "그대는 애초에 그에게 '이미 (성이) 선하다고 하면 본디 두 가지가 없지만, (성이) 서로 가깝다고 말하자마자 반드시 두 가지가 있어야 되지 않습니까?'라고 묻지 않았으니, 곧 본래 잘 말할 수 없었다."

---

102 『朱子語類』 권4, 48조목

103 맹자가 성이 … 성[極本窮源之性]」이고 : 『河南程氏遺書』 권3에서 程頤는 "맹자가 성에 대해 말한 것은 문장에 따라서 보아야 한다. 告子가 '생겨난 그대로를 성이라고 한다.'라고 한 것을 그렇지 않다고 여겨서는 안 되니, 이것 또한 성이다. 하늘의 명령에 의해 생명을 받은 뒤를 성이라고 할 뿐이므로 같지 않다. 이어서 맹자는'개의 성이 소의 성과 같고 소의 성이 사람의 성과 같은가?'라고 말했지만 한 가지라고 해도 문제가 되지 않는다. 그렇지만 맹자가 善하다고 말한 성은 곧 '철저하게 근원을 추구한 성[極本窮源之性]'이다.(孟子言性, 當隨文看. 不以告子'生之謂性'爲不然者, 此亦性也. 被命受生之後謂之性爾, 故不同. 繼之以'犬之性猶牛之性, 牛之性猶人之性歟?' 然不害爲一. 若乃孟子之言善者, 乃極本窮源之性.)"라고 하였다.

104 '맹자가 성이 … 성입니다.' : 『河南程氏遺書』 권22上에서 "棣(唐棣 정이 문인)가 물었다. '공자와 맹자가 성에 대해 말한 것이 같지 않은 것은 무엇 때문입니까?' (정이가) 대답했다. '맹자가 성이 선하다고 말한 것은 성의 본원이고, 공자가 성은 서로 가깝다고 말한 것은 기를 품부 받은 곳이 서로 멀지 않다는 것을 말한다.(棣問, '孔孟言性不同, 如何?' 曰, '孟子言性之善, 是性之本; 孔子言性相近, 謂其稟受處不相遠也.')"라고 하였다.
또 『河南程氏遺書』 권18에서 "'성은 서로 가깝고 습관은 서로 멀다.'에서, 성은 한 가지인데 어떻게 성이 서로 가깝다고 말하는가? (정자가) 대답했다. '이것은 다만 기질의 성을 말한 것이니, 예컨대 속어에서 성질이 급하다거나 성미가 느슨하다고 말하는 따위이다. 성이 어떻게 급하거나 느슨함이 있겠는가? 여기에서 말하는 성은 생겨난 그대로를 성이라고 하는 것이다.('性相近也, 習相遠也.' 性一也, 何以言相近? 曰, '此只是言氣質之性, 如俗言性急·性緩之類. 性安有緩急? 此言性者, 生之謂性也.')"라고 하였다.

105 『中庸』 제1장

因問：“‘天命之謂性’, 還是極本窮原之性, 抑氣質之性?”

曰：“是極本窮原之性. 天之所以命, 只是一般; 緣氣質不同, 遂有差殊. 孟子分明是於人身上挑出天之所命者說與人, 要見得本原皆善.”[106]

이어서 물었다. “‘하늘이 명령한 것을 성이라고 한다.’는 것은 ‘철저하게 근원을 추구한 성[極本窮源之性]’입니까? 아니면 기질의 성입니까?”

(주자가) 대답했다. “‘철저하게 근원을 추구한 성[極本窮源之性]’이다. 하늘이 명령한 것은 다만 한 가지일 뿐이지만, 기질이 같지 않기 때문에 마침내 차이가 있다. 맹자는 분명히 사람의 몸에서 하늘이 명령한 것을 끄집어내 사람들에게 말해준 것이니, (사람들이 성의) 본원이 모두 선하다는 것을 알게 하려는 것이다.”

[30-1-47]

“孟子言性, 只說得本然底, 論才亦然. 荀·揚·韓諸人, 雖是論性, 其實只說得氣. 荀子只見得不好人底性, 便說做惡. 揚子見半善半惡底人, 便說善惡混. 韓子見天下有許多般人, 所以立爲三品之說. 就三子中, 韓子說又較近. 他以仁義禮智爲性, 以喜怒哀樂爲情, 只是中間過接處少箇‘氣’字.”[107]

(주자가 말했다.) “맹자가 성을 말한 것은 다만 본래 그러한 것을 말했고, 재才를 논한 것도 그렇다. 순자荀子[108]·양웅揚雄[109]·한유韓愈[110] 등과 같은 사람들은 비록 성에 대해 논했지만 사실은 다만 기를

106 『朱子語類』 권4, 58조목

107 “孟子言性, 只說得本然底, 論才亦然.”은 『朱子語類』 권4, 62조목에 실려 있고, 그 뒤는 『朱子語類』 권4, 92조목에 실려 있다.

108 荀子(B.C.313?~B.C.238) : 자는 卿이고, 이름은 況이다. 전국시대 趙나라 사람이다. 齊·楚·秦나라 등을 주유하였으며, 제나라에서는 세 차례 祭酒를 지냈고, 초나라에서는 春申君에 의해 蘭陵(현 산동성 嶧縣)令이 되었으나, 끝내 뜻을 이루지 못하고 만년에는 저술에 종사하였다. 순자의 사상은 ‘성악설’과 ‘예론’ 등 유가에 입각하여 도가·묵가·법가·명가의 사상을 종합하려는 특징을 띠고 있다. 저서로는 『荀子』가 있는데, 현존 『荀子』 20권 32편은 한의 劉向이 당시 있었던 322편을 편집하여 『孫卿新書』 32편으로 편찬한 것을, 唐의 楊倞이 編의 순서를 바꾸고 註를 붙여 『孫卿子』라 하였고, 뒤에 간단히 『荀子』라 불리게 된 것이다. 순자의 門人의 說도 포함되어 있는 것으로 추측된다.

109 揚雄(B.C.53~18) : 자는 子雲이다. 서한시대 城都(현 사천성 성도) 사람으로 成帝 때 給事黃門郞이 되고 王莽 때는 校書天祿閣으로 大夫의 반열에 올랐다. 王莽이 정권을 찬탈한 뒤 새 정권을 찬미하는 문장을 썼고 왕망에게 협조하였기 때문에, 지조가 없는 사람으로 宋學 이후에는 비난의 대상이 되기도 하지만 그의 식견은 漢나라를 대표한다. 사람의 본성에 대해서는 ‘性善惡混說’을 주장하였다. 초기에는 형식상 司馬相如를 모방하여 『甘泉』·『河東』·『羽猎』·『長楊』 四賦를 지었으나, 후기에는 易을 본떠서 『太玄』을 짓고 논어를 본떠서 『法言』을 지었다.

110 韓愈(768~824) : 자는 退之이고, 세칭 韓昌黎·韓吏部라고 한다. 당대 鄧州南陽(현 하남성 孟縣) 사람으로 792년에 진사에 급제하여 四門博士·監察御史·國子祭酒·吏部侍郞 등을 역임하였다. 고문운동을 창도하여 송명리학의 선구자가 되었으며, 「論佛骨表」를 지어 불교배척운동에도 앞장섰다. 그의 性三品論은 후대의

말했을 뿐이다. 순자는 다만 좋지 않은 사람들의 성만을 보고 곧 성을 악하다고 말했다. 양자揚子[揚雄]는 절반은 선하고 절반은 악한 사람들을 보고 곧 성에는 선과 악이 뒤섞여 있다고 말했다.[111] 한자韓子[韓愈]는 세상에 많은 종류의 사람이 있다는 것을 보았으므로 성에 세 등급이 있다는 주장을 세웠다. 이 세 사람 가운데 한자韓子[韓愈]의 주장이 또 비교적 도道에 가까운 듯하다. 그는 인·의·예·지를 성으로 삼고 희·노·애·락을 정情으로 삼았는데,[112] 다만 그 둘 사이 연결되는 곳에 '기氣'라는 글자가 결핍되었을 뿐이다."

[30-1-48]

問: "氣質之說, 起於何人?"

曰: "此起於張·程. 某以爲極有功於聖門, 有補於後學, 讀之使人深有所感,[113] 前此未曾有人說到此. 如韓退之「原性」中說三品, 說得也是, 但不曾分明說是氣質之性耳. 性那裏有三品來? 孟子說性善, 但說得本原處, 下面却不曾說得氣質之性, 所以亦費分疏. 諸子說性惡, 與善惡混, 使張·程之說早出, 則這許多說話自不用紛爭. 故張·程之說立, 則諸子之說泯矣."

물었다. "기질을 말한 것은 누구에게서 시작하였습니까?"

심성론에 영향을 끼쳤다. 문장은 당송팔대가의 으뜸으로 꼽는다. 저서는 『昌黎先生集』이 있다.

111 揚子[揚雄]는 절반은 … 말했다.: 『揚子法言』 권2 「吾子篇」에서 "사람의 性은 선과 악이 뒤섞여 있다. 그 선한 것을 닦으면 선한 사람이 되고, 그 악한 것을 닦으면 악한 사람이 된다. 氣라는 것은 선과 악을 만나는 말[馬]이다!(人之性也善惡混. 脩其善則為善人, 脩其惡則為惡人. 氣也者, 所適善惡之馬也歟!)"라고 하였다.

112 韓子[韓愈]는 세상에 … 삼았는데: 『韓昌黎集』 권11 「雜文·原性」에서 "(한유가 말했다.) '性이라는 것은 태어남과 함께 생겨나는 것이고, 情이라는 것은 만물과 접촉하고서 생겨나는 것이다. 성의 종류는 세 가지가 있고, 그것이 성이 되는 까닭은 다섯 가지가 있다. 정의 종류는 세 가지가 있고, 그것이 정이 되는 까닭은 일곱 가지가 있다.' 물었다. '무엇 때문인가?' (한유가 대답했다.) '성의 종류에는 상·중·하의 세 종류가 있다. 상품은 선할 뿐이고, 중품은 이끌어서 상품이나 하품이 될 수 있는 것이며, 하품은 악할 뿐이다. 그것이 성이 되는 까닭 다섯 가지는 인·의·예·지·신이다. 상품은 그 다섯에 대해서 하나(仁)를 위주로 하고 나머지 넷을 행한다. 중품은 그 다섯에 대해서 하나(仁)를 적게 가지고 있지 않지만 조금 위반하여 나머지 넷에 혼란스럽다. 하품은 그 다섯에 대해서 하나(仁)에 위반하고 나머지 넷에 어그러진다. 성은 정에 대해서 그 종류가 비긴다. 정의 종류에는 상·중·하의 세 종류가 있고, 그것이 정이 되는 까닭 일곱 가지는 희·노·애·구·애·오·욕이다. 상품은 그 일곱 가지에 대해 움직이면 그 中에 처하고, 중품은 그 일곱 가지에 대해 심하기도 하고 없기도 하지만 그 中에 부합하기를 구하는 자이며, 하품은 그 일곱 가지에 대해 없고 심해서 정을 곧바로 행하는 자이다. 정은 성에 대해서 그 종류가 비긴다.'('性也者, 與生俱生也; 情也者, 接於物而生也. 性之品有三, 而其所以爲性者五; 情之品有三, 而其所以爲情者七.' 曰, '何也?' 曰, '性之品有上·中·下三. 上焉者, 善焉而已矣; 中焉者, 可導而上下也; 下焉者, 惡焉而已矣. 其所以爲性者五, 曰仁·曰禮·曰信·曰義·曰智. 上焉者之於五也, 主於一而行於四; 中焉者之於五也, 一不少有焉, 則少反焉, 其於四也混; 下焉者之於五也, 反於一而悖於四. 性之於情視其品. 情之品有上·中·下·三, 其所以爲情者七, 曰喜·曰怒·曰哀·曰懼·曰愛·曰惡·曰欲. 上焉者之於七也, 動而處其中; 中焉者之於七也, 有所甚, 有所亡, 然而求合其中者也; 下焉者之於七也, 亡與甚, 直情而行者也. 情之於性視其品.')"라고 하였다.

113 讀之使人深有所感: 『朱子語類』 권4, 64조목에는 "讀之使人深有感於張·程"이라고 되어 있다.

(주자가) 대답했다. "이것은 장재張載와 정자程子에게서 시작하였다. 나는 그것이 성인의 문하에 지극히 공로가 크고, 후학에게 도움이 크며, 그것을 읽으면 사람들에게 매우 감동하도록 하는 것이 있으니, 이전에는 이렇게까지 말한 사람이 없었다고 생각한다. 예컨대 한퇴지韓退之[韓愈]가 「원성原性」에서 성에 대해 세 가지 등급을 말했는데, 말한 것이 또한 옳지만 이 기질의 성을 분명하게 말한 적이 없다. 성에 어떻게 세 가지 등급이 있겠는가? 맹자는 성이 선하다고 말했지만 단지 본원이 되는 곳만을 말했지 그 아래에 또한 기질의 성을 말한 적이 없기 때문에 또한 해명하는 데에 힘을 소비하였다. 여러 학자들이 성이 악하다는 것과 선과 악이 뒤섞여 있다는 것을 주장하는데, 가령 장재張載와 정자程子의 학설이 일찍 나왔다면 이러한 수많은 말들은 본래 분쟁할 필요가 없었을 것이다. 그러므로 장재張載와 정자程子의 학설이 확립되니 여러 학자들의 학설이 없어졌다."

因舉橫渠, "形而後有氣質之性. 善反之, 則天地之性存焉. 故氣質之性, 君子有弗性者焉." 又舉明道云, "論性不論氣, 不備; 論氣不論性, 不明, 二之則不是."

이어서 횡거橫渠[張載]의 "형체가 있은 뒤에 기질성이 있다. 잘 돌이키면 천지의 성이 보존된다. 그러므로 기질성은 군자가 성으로 여기지 않는 것이 있다."[114]라는 말을 거론하였다.
또 명도明道[程顥]의 "성을 논하면서 기를 논하지 않으면 갖추어지지 못하고, 기를 논하면서 성을 논하지 않으면 분명하지 않으니, 성과 기를 두 가지로 보면 옳지 않다."[115]라는 말을 거론하였다.

"且如只說箇仁 · 義 · 禮 · 知是性, 世間却有生出來便無狀底, 是如何? 只是氣稟如此. 若不論那氣, 這道理便不周匝, 所以不備. 若只論氣稟, 這箇善, 這箇惡, 却不論那一原處只是這箇道理, 又却不明. 此自孔子 · 曾子 · 子思 · 孟子理會得後, 都無人說這道理."[116]

(주자가 말했다.) "만약 다만 인 · 의 · 예 · 지가 성이라고 말하면, 세간에 태어나면서부터 곧 이러한 모습이 없는 사람이 있는 것은 무엇 때문인가? 다만 기를 품부 받은 것이 이와 같을 뿐이다. 만약 그 기를 논하지 않으면 이 도리는 곧 두루 미치지 못하기 때문에 갖추어지지 못한다. 만약 다만 기를 품부 받는 것만을 논하여 이것은 선하고 이것은 악하다고 하면, 그 하나의 근원이 되는 곳이 다만 이 도리라는 것을 논하지 않게 되어 또한 분명하지 않다. 이것은 공자 · 증자 · 자사 · 맹자가 이해한 뒤로, 아무도 이 도리를 말한 사람이 없었다."

[30-1-49]

"程子云, '「生之謂性.」 性卽氣, 氣卽性, 生之謂也.' 蓋天之付與萬物者, 謂之命; 物之稟受於天者, 謂之性. 然天命流行, 必二氣五行交感凝聚, 然後能生物也. 性命, 形而上者也; 氣, 則

114 『張子全書』 권2 「正蒙 · 誠明篇」 제6
115 程顥 · 程頤, 『河南程氏遺書』 권6
116 『朱子語類』 권4, 64조목

形而下者也. 形而上者, 一理渾然, 無有不善; 形而下者, 則紛紜雜糅, 善惡有所分矣. 故人物旣生, 則卽此所稟以生之氣, 而天命之性有焉. 此程子所以發明告子'生之謂性'之說, 而以'性卽氣, 氣卽性'者言之也."[117]

(주자가 말했다.) "정자程子[程顥]는 '「태어난 그대로를 성이라고 한다.」에서 성은 곧 기이고 기는 곧 성이니, 태어난 그대로를 말한다.'[118]라고 하였다. 대개 하늘이 만물에 부여한 것을 명命이라 하고, 만물이 하늘에게서 품부 받은 것을 성性이라고 한다. 그러나 하늘의 명령이 유행하는 것은 반드시 음과 양 두 기와 오행이 교감하고 응취한 다음에 만물을 낳을 수 있다. 성性과 명命은 형이상의 것이고 기氣는 형이하의 것이다. 형이상의 것은 하나의 리理가 혼연하여 선하지 않음이 없고, 형이하의 것은 어지럽게 뒤섞여 선과 악의 나뉨이 있다. 그러므로 사람과 만물이 이미 생겨났다면, 이 품부 받아서 생겨나는 기에 나아가 하늘이 명령한 성이 존재한다. 이것이 정자程子[程顥]가 고자告子의 '태어난 그대로를 성이라고 한다.'는 말의 의미를 드러내 밝혀서 '성이 곧 기이고 기가 곧 성'이라고 말한 까닭이다."

又曰: "'生之謂性', 是生下來喚做性底, 便有氣稟夾雜, 便不是理底性了. 如椀盛水後, 人便以椀爲水, 水却本淸, 椀却有淨有不淨."[119]

(주자가) 또 말했다. "'태어난 그대로를 성이라고 한다.'라는 것은 타고난 것을 성이라고 부른 것이니, 곧 기를 품부 받은 것이 뒤섞임이 있으니 리의 성이 아니다. 예컨대 사발에 물을 채운 뒤에 사람들은 그 사발을 물이라고 하는데, 물은 또한 본래 맑으며, 사발은 또한 깨끗한 것도 있고 깨끗하지 않은 것도 있다."

問: "'生之謂性', 他這一句, 且是說稟受處否?"

曰: "是. '性卽氣, 氣卽性', 他這且是衮說; 性便是理, 氣便是氣, 是未分別說. 其實理無氣, 亦無所附."[120]

물었다. "'태어난 그대로를 성이라고 한다.'라는 구절은 또 기를 품부 받은 것을 말하는 것입니까?" (주자가) 대답했다. "그렇다. '성이 곧 기이고 기가 곧 성'이라는 것은 또한 섞어서 말한 것이고, 성은 곧 리이고 기는 곧 기라는 것은 아직 분별하지 않고 말한 것이다. 사실 리는 기가 없으면 또한 붙어 있을 곳이 없다."

又問: "'性卽氣, 氣卽性.' 此言人生性與氣混合者."

曰: "有此氣爲人, 則理具於身, 方可謂之性."

117 『朱文公文集』 권67 「雜著 · 明道論性說」
118 『河南程氏遺書』 권1
119 『朱子語類』 권95, 35조목
120 『朱子語類』 권4, 65조목

又曰 : "性者, 渾然天理而已. 纔說性時, 則已帶氣矣. 所謂'離了陰陽更無道', 此中最宜分別."[121]

또 물었다. "'성이 곧 기이고 기가 곧 성'이라는 것은 사람이 태어날 때 성과 기가 혼합된 것을 말합니다." (주자가) 대답했다. "이 기를 가져 사람이 되면 리가 몸에 갖추어지니, 그때서야 비로소 성이라고 할 수 있다."

(주자가) 또 말했다. "성은 혼연한 천리天理일 뿐이다. 그러나 성을 말하면 이미 기를 지니고 있다. 이른바 '음양을 떠나면 더 이상 도가 없다.'라고 한 말에서 분별하는 것이 가장 좋다."

[30-1-50]

"程子云, '人生氣稟, 理有善惡. 然不是性中元有此兩物相對而生也. 有自幼而善, 有自幼而惡, 是氣稟有然也. 善固性也. 然惡亦不可不謂之性也.'

(주자가 말했다.) "정자程子는 '사람이 태어나면서 기氣를 품부 받으니 마땅히[理] 선악이 있다. 그러나 성性 가운데 원래 이 두 가지가 서로 짝지어 생겨난 것은 아니다. 어릴 때부터 선한 사람도 있고 어릴 적부터 악한 사람도 있는데, 이것은 기를 품부 받은 것이 그렇게 한 것이다. 선은 본디 성이다. 그러나 악도 또한 성이라 이르지 않을 수 없다.'[122]라고 말했다.

蓋所稟之氣所以必有善惡之殊者, 亦性之理也. 氣之流行, 性爲之主, 以其氣之或純或駁而善惡分焉, 故非性中本有二物相對也. 然氣之惡者, 其性亦無不善, 故惡亦不可不謂之性也. 故先生嘗云, '善惡皆天理, 謂之惡者本非惡. 但或過或不及, 便如此.' 蓋天下無性外之物, 本皆善而流於惡耳."[123]

대개 품부 받은 기에 반드시 선악의 차이가 있는 까닭도 역시 성의 리이다. 기의 유행에는 성이 주인이 되지만 그 기가 혹은 순수하고 혹은 잡박해서 선악이 나누어지기 때문이지, 성 가운데 본래 두 가지가 서로 짝지어 있는 것이 아니다. 그러나 기의 악한 것도 그 성은 역시 선하지 않음이 없다. 그러므로 악 또한 성이라고 하지 않을 수 없다. 그러므로 선생[程顥]이 일찍이 '선과 악이 모두 천리天理이니, 악이라고 하는 것은 본래 악이 아니다. 단지 혹은 지나치고 혹은 모자라서 곧 이와 같이 된다.'[124]라고 했는데, 대개 천하에 성 밖의 사물은 없으니, 근본은 모두 선하지만 악으로 흐른 것일 뿐이다."

又曰 : "'人生氣稟, 理有善惡', 此'理'字, 不是說實理, 猶云'理當如此', 只作'合'字看."[125]

121 『朱子語類』 권95, 39조목

122 『河南程氏遺書』 권1

123 "程子云, '人生氣稟, … 然惡亦不可不謂之性也.'"까지는 『朱文公文集』 권61 「答歐陽希遜」에 실려 있고, 그 뒤는 같은 책 권67 「雜著 · 明道論性說」에 실려 있다.

124 『河南程氏遺書』 권2上

125 "猶云理當如此"까지는 『朱子語類』 권95, 36조목에 실려 있고, "只作合字看."은 같은 책 권95, 37조목에 실려 있다.

(주자가) 또 말했다. "(정자가) '사람이 태어나면서 기氣를 품부 받으니 마땅히[理] 선악이 있다.'라고 한 것에서, '마땅히[理]'라는 글자는 실제의 리理가 아니라 마치 '당연히 이와 같이 해야 된다.'라고 말하는 것과 같으니, 다만 '마땅히[合]'라는 글자로 보아야 한다."

問: "'善固性也', 固是. 若云'惡亦不可不謂之性', 則此理本善, 因氣而鶻突; 雖是鶻突, 然亦是性也."

曰: "他原頭處都是善, 因氣偏, 這性便偏了. 然此處亦是性. 如人渾身都是惻隱而無羞惡, 都羞惡而無惻隱, 這箇便是惡德. 這箇喚做性邪不是? 如墨子之心本是惻隱, 孟子推其弊, 到得'無父'處, 這箇便是'惡亦不可不謂之性也.'"[126]

물었다. "(정자가) '선은 본디 성이다.'라고 한 것은 본디 옳습니다. 그런데 (정자가) '악도 또한 성이라 이르지 않을 수 없다.'라고 말한 것은, 이 리는 본래 선하지만 기 때문에 흐리멍덩해진 것이며, 비록 흐리멍덩해졌지만 역시 성이라는 것입니다."

(주자가) 대답했다. "그 근원이 되는 곳은 모두 선이지만 기의 치우침 때문에 이 성이 곧 치우쳐졌다. 그러나 이것도 역시 성이다. 예컨대 사람이 온몸이 모두 측은해 하는 마음이고 부끄러워하고 미워함이 없거나, 온몸이 모두 부끄러워하고 미워하는 마음이고 측은해 하는 것이 없으면 이것은 곧 악덕惡德이다. 이것을 성이라고 부를 수 있겠는가? 예컨대 묵자墨子[墨翟]의 마음은 본래 측은함이지만 맹자는 그 폐단을 미루어 '아버지가 없다.'는 것에까지 이르렀으니,[127] 이것이 바로 '악도 또한 성이라 이르지 않을 수 없다.'라는 것이다."

又問: "惡是氣稟, 如何云亦不可不謂之性?"

曰: "旣是氣稟惡, 便牽引得那性不好. 蓋性只是搭附在氣稟上. 旣是氣稟不好, 便和那性壞了."[128]

또 물었다. "악은 기를 품부 받은 것인데, 어떻게 또한 성이라 하지 않을 수 없다고 말합니까?"[129]

126 『朱子語類』 권4, 65조목

127 墨子의 마음은 … 이르렀으니: 『孟子』「滕文公下」에서, "楊氏[楊朱]가 자신만을 위하는 것은 군주가 없는 것이고, 墨氏[墨翟]가 모두 똑같이 사랑하는 것은 아버지가 없는 것이다. 아버지가 없고 군주가 없으면 禽獸이다.(楊氏爲我, 是無君也; 墨氏兼愛, 是無父也. 無父無君, 是禽獸也.)"라고 하였다.

128 『朱子語類』 권95, 42조목

129 또 물었다. … 말합니까?": 『朱子語類』 권95, 39조목에 의하면 이 질문은 아래와 같은 내용을 요약한 것이다. "물었다. '「악도 또한 성이라 이르지 않을 수 없다.」라고 하였는데, 선생(주희)께서는 예전에 「明道論性說」을 지어서, 「기의 악한 것도 그 성은 역시 선하지 않음이 없다. 그러므로 악 또한 성이라고 하지 않을 수 없다. 明道[程顥]는 또 『선과 악이 모두 天理이니, 악이라고 하는 것은 본래 악이 아니다. 단지 혹은 지나치고 혹은 모자라서 곧 이와 같이 된다.'라고 했는데, 대개 천하에 성 밖의 사물은 없으니, 근본은 모두 선하지만 악으로 흐를 뿐인 것이다.』라고 하였습니다. 이와 같다면 악은 오로지 기를 품부 받은 것으로서 성의 일에

(주자가) 대답했다. "이미 기를 품부 받은 것이 악하다면 곧 그 성이 좋지 않은 쪽으로 끌어당긴다. 대개 성은 다만 기를 품부 받은 것에 얽혀있을 뿐이다. 이미 기를 품부 받은 것이 좋지 않다면 그 성마저도 나쁘게 된다."

又曰 : "性本善而今乃惡, 亦是此性爲惡所汨. 如水爲泥沙所混, 不成不喚做水."[130]

(주자가) 또 말했다. "성은 본래 선한데 이제 악하게 되었다면 또한 이 성이 악에 빠지게 된 것이다. 예컨대 물이 진흙과 모래에 섞인다고 해도 물이라고 부르지 않을 수 없는 것과 같다."

[30-1-51]

"程子云, '蓋生之謂性, 人生而靜以上不容說, 纔說性時, 便已不是性也. 凡人說性, 只是說「繼之者善」也. 孟子言人性善是也. 夫所謂「繼之者善」也者, 猶水流而就下也.' 蓋性則性而已矣, 何言語之可形容哉? 故善言性者, 不過卽其發見之端而言之, 而性之韞因可黙識矣, 如孟子之論四端是也. 觀水之流而必下, 則水之性下可知; 觀性之發而必善, 則性之韞善亦可知也."[131]

(주자가 말했다.) "정자程子는 '대개 생겨난 그대로를 성性이라고 하지만 사람이 처음 태어날 때 고요한 상태 이전은 말이 용납되지 않으니, 성이라고 말할 때는 바로 이미 성이 아니다. 무릇 사람들이 성을 말하는 것은 다만 「이를 이어가는 것이 선이다.」[132]라는 것을 말한 것일 뿐이다. 맹자가 사람의 성이 선하다고 말한 것이 이것이다. 이른바 「이를 이어가는 것이 선이다.」라는 것은 마치 물이 아래로 흘러가는 것과 같다.'[133]라고 하였다. 대개 성은 성일 뿐이니, 어떤 말로 형용할 수 있겠는가? 그러므로 성을 잘 말하는 사람은 단지 그 발현하는 단서에 직면해서 그것을 말하고, 성의 '깊은 함의[韞因]'에 대해서는 말없이 이해할 뿐이니, 예컨대 맹자가 사단을 논한 것과 같은 것이 이런 것이다. 물이 흐르면 반드시 아래로 가는 것을 살펴보면 물의 성이 아래로 흘러가는 것임을 알 수 있고, (사람의) 성이 발현해서 반드시 선한 것을 살펴보면 (사람의) 성이 함축하고 있는 것이 선한 것이라는 것도 역시 알 수 있다."

又曰 : "'人生而靜以上', 卽是人物未生時. 人物未生時, 只可謂之理, 說性未得, 此所謂'在天曰

간여하지 않는데 어떻게 「악도 또한 성이라 이르지 않을 수 없다.」라고 말할 수 있습니까?(問, '「惡亦不可不謂之性」, 先生舊做「明道論性說」云, 「氣之惡者, 其性亦無不善. 故惡亦不可不謂之性. 明道又云, 善惡皆天理, 謂之惡者, 本非惡. 但或過或不及, 便如此. 蓋天下無性外之物, 本皆善而流於惡耳.」 如此, 則惡專是氣稟, 不干性事, 如何說「惡亦不可不謂之性」?')"

130 『朱子語類』 권95, 39조목

131 『朱文公文集』 권67 「雜著 · 明道論性說」

132 「이를 이어가는 … 선이다.」 : 『易』「繫辭上」에서, "한 번 음이 되고 한 번 양이 되는 것을 도라고 하니, 이를 이어가는 것은 선이고 이를 이루는 것은 성이다.(一陰一陽之謂道. 繼之者善也, 成之者性也.)"라고 하였다.

133 『河南程氏遺書』 권1

命'也. '纔說性時, 便已不是性'者, 言纔謂之性, 便是人生以後, 此理已墮在形氣之中, 不全是性之本體矣. 故曰'便已不是性也', 此所謂'在人曰性'也. 大抵人有此形氣, 則是此理始具於形氣之中, 而謂之性. 纔是說性, 便已涉乎有生而兼乎氣質, 不得爲性之本體也. 然性之本體, 亦未嘗雜, 要人就此上面見得其本體元未嘗離, 亦未嘗雜耳."134

(주자가) 또 말했다. "'사람이 처음 태어날 때 고요한 상태 이전'은 곧 사람과 만물이 아직 생겨나지 않았을 때이다. 사람과 만물이 아직 생겨나지 않았을 때는 다만 리理라고 말할 수 있을 뿐 아직 성性을 말할 수 없기 때문에, 이것이 이른바 '하늘에 있는 것을 명命이라고 한다.'는 것이다. '성이라고 말할 때 바로 이미 성이 아니다.'라는 것은 성이라고 말하자마자 곧 사람이 태어난 뒤의 일이니, 이 리가 이미 형기形氣 가운데에 떨어져서 온전히 성의 본체가 아님을 말한다. 그러므로 '바로 이미 성이 아니다.'라고 하였으니, 이것이 이른바 '사람에 있는 것을 성性이라고 한다.'는 것이다.[135] 대체로 사람이 이 형기를 가지게 되면 이 리가 비로소 형기 가운데 갖추어져서, 그것을 성이라고 한다. 성을 말하자마자 곧 이미 생겨나는 것과 관련되어 기질을 겸하기 때문에 성의 본체가 될 수 없다. 그러나 성의 본체는 또한 섞인 적이 없으니, 사람이 여기에서 그 본체가 원래 떨어진 적이 없고 또한 섞인 적이 없다는 것을 알아야할 뿐이다."

又曰 : "性須是箇氣質, 方說得箇'性'字. 若'人生而靜以上', 只說得箇天道, 下'性'字不得. 所以子貢曰, '夫子之言性與天道, 不可得而聞也', 便是如此. 所謂'天命之謂性'者, 是就人身中指出這箇是天命之性, 不雜氣稟者而言爾. 若纔說性時, 則便是夾氣稟而言. 所以說時, 便已不是性也.'

(주자가) 또 말했다. "성은 반드시 기질이 있어야만 비로소 '성性'이라는 글자로 말할 수 있다. 만약 '사람이 처음 태어날 때 고요한 상태 이전'은 다만 천도天道를 말할 수 있을 뿐 '성性'이라는 글자는 쓸 수 없다. 그러므로 자공子貢이 '부자夫子(공자)께서 성性과 천도天道를 말하는 것은 들을 수 없다.'라고 말한 것[136]이 바로 이와 같은 것이다. 이른바 '하늘이 명령한 것을 성이라고 한다.'라는 것은, 사람의 몸에서 이것이 하늘이 명령한 성이라는 것을 지적해 내어, 기를 품부 받은 것과 섞지 않고 말한 것일 뿐이다. 만약 성을 말할 때라면 곧 기를 품부 받은 것을 뒤섞어서 말한 것이다. 그러므로 성이라고 말할 때는 곧 이미 성이 아니다.

134 『朱子語類』 권95, 45조목

135 사람과 만물이 … 것이다. : 『河南程氏文集』 권10 「與呂大臨論中書」에서 "程子[程頤]가 말했다. '하늘에 있는 것을 命이라고 하고, 사람에 있는 것을 性이라고 하며, 성을 따르는 것을 道라고 한다. 성과 명과 도는 각각 해당되는 영역이 있다.'(程子曰, '在天曰命, 在人曰性, 循性曰道. 性也, 命也, 道也, 各有所當.')"라고 하였다.

136 子貢이 '夫子(공자)께서 … 것 : 『論語』 「公冶長」에서 "자공이 말했다. '夫子(공자)의 文章은 들을 수 있으나, 부자께서 性과 天道를 말씀하시는 것은 들을 수 없다.'(子貢曰, '夫子之文章, 可得而聞也 ; 夫子之言性與天道, 不可得而聞也.')"라고 하였다.

濂溪說, '性者, 剛柔善惡中而已矣. 濂溪說性, 只是此五者. 他又自有說仁 · 義 · 禮 · 智底性時. 若論氣稟之性, 則不出此五者. 然氣稟底性, 便是那四端底性, 非別有一種性也. 然所謂'剛柔善惡中'者, 天下之性固不出此五者. 然細推之, 極多般樣. 千般萬種, 不可窮究, 但不離此五者爾."[137]

염계濂溪[周惇頤]는 '성性은 강선剛善, 유선柔善, 강악剛惡, 유악柔惡, 중中일 뿐이다.'[138]라고 말했다. 염계가 성에 대해 말한 것은 다만 이 다섯 가지뿐이지만, 그는 또 본래 인 · 의 · 예 · 지의 성을 말할 때도 있었다. 만약 기를 품부 받은 것으로서의 성을 논하면 이 다섯 가지를 벗어나지 않는다. 그렇지만 기를 품부 받은 것으로서의 성은 곧 저 사단四端의 성이지 별도로 어떤 성이 있는 것이 아니다. 그러나 이른바 '강선剛善, 유선柔善, 강악剛惡, 유악柔惡, 중中'이라는 것은, 천하의 성이 본디 이 다섯 가지를 벗어나지 못한다. 그렇지만 세밀히 미루어보면 지극히 많은 종류가 있어서, 수만 가지 종류를 끝까지 추구할 수 없지만 이 다섯 가지를 벗어나지 못한다."

問 : "'人生而靜以上不容說', '人生而靜'是說那初生時, 更說向上去, 便只是天命了."

曰 : "所以'大哉乾元! 萬物資始', 只說是'誠之源也.' 至'乾道變化, 各正性命', 方是性在. '凡人說性, 只是說繼之者善也', 便兼氣質了."

물었다. "'사람이 처음 태어날 때 고요한 상태 이전은 말이 용납되지 않는다.'라고 한 것에서, '사람이 처음 태어날 때 고요한 상태'는 처음 태어날 때이니, 다시 그 이전을 추구해 말한다면 곧 다만 하늘이 명령한 것일 뿐입니다."

(주자가) 대답했다. "그러므로 '크도다. 건원乾元이여! 만물이 그것을 취하여 시작하였다.'[139]라고 하는 것은 다만 이 '성誠의 근원'을 말한다. '건도乾道가 변화하여 각기 성性과 명命을 바르게 한다.'라는 것에 이르러야 비로소 성性이 있게 되는 것이다.[140] '무릇 사람들이 성을 말하는 것은 다만 「이를 이어가는 것이 선이다.」[141]라는 것을 말할 뿐이다.'라는 것은 곧 기질을 겸하고 있다."

137 『朱子語類』 권95, 53조목

138 周敦頤, 『通書』「師」 제7

139 『易』「乾 · 彖」

140 그러므로 '크도다. … 것이다. : 『易』「繫辭」에서 '한 번 음이 되고 한 번 양이 되는 것을 도라고 하니, 이를 이어가는 것은 선이고 이를 이루는 것은 성이다.(一陰一陽之謂道, 繼之者善也, 成之者性也.)'라고 한 말에 대해, 주돈이는 『通書』 권1 「誠上」에서 다음과 같이 설명하고 있다. "誠은 성인의 본령이다. '크도다! 乾元이여. 만물이 그것을 취하여 시작하였다.'라는 것은 誠의 근원이다. '乾道가 변화하여 각기 性과 命을 바르게 한다.'라고 했으니, 誠이 여기에서 정립된다. 순수하고 지극히 선한 것이다. 그러므로 '한 번은 음이 되고 한 번은 양이 되는 것을 도라고 하니, 이를 이어가는 것이 선이고, 이를 이루는 것은 性이다.'라고 말한다. 元과 亨은 誠의 통함이고, 利와 貞은 誠의 돌아옴이다. 크도다! 『易』이여. 性과 命의 근원이다.(誠者, 聖人之本. '大哉! 乾元. 萬物資始', 誠之源也. '乾道變化, 各正性命', 誠斯立焉. 純粹至善者也. 故曰'一陰一陽之謂道, 繼之者善也, 成之者性也.' 元 · 亨, 誠之通 ; 利 · 貞, 誠之復. 大哉! 『易』也. 性命之源乎.)"

141 「이를 이어가는 … 선이다.」 : 『易』「繫辭上」에서, "한 번 음이 되고 한 번 양이 되는 것을 도라고 하니, 이를

問 : "恐只是兼了情."

曰 : "情便兼質了. 所以孟子答告子問性, 却說'乃若其情, 則可以爲善矣'; 說仁 · 義 · 禮 · 智, 却說惻隱 · 羞惡 · 恭敬 · 是非去. 蓋性無形影, 情却有實事, 只得從情上說入去."[142]

물었다. "아마 다만 정情을 겸했을 뿐인 것 같습니다."

(주자가) 대답했다. "정情은 곧 질質을 겸했다. 그러므로 맹자는 고자告子가 성에 대해 물은 것에 대답하면서 도리어 '그 정情으로 말하면 선하다고 할 수 있다.'[143]라고 말했으며, 인 · 의 · 예 · 지를 설명하면서는 도리어 측은 · 수오 · 사양 · 시비를 말했다.[144] 대개 성性은 형체와 자취가 없지만 정情은 도리어 실제의 일이 있으니, 다만 정情에서 설명해 들어가야 했을 뿐이다."

又曰 : "'夫所謂「繼之者善也」者, 猶水流而就下也.' 此'繼之者善', 指發處而言之也. 性之在人, 猶水之在山, 其淸不可得而見也. 流出而見其淸, 然後知其本淸也. 所以孟子只就'見孺子入井, 皆有怵惕惻隱之心'處指以示人, 使知性之本善者也. 『易』所謂'繼之者善也', 在性之先; 此所引'繼之者善也', 在性之後. 蓋『易』以天道之流行者言, 此以人性之發見者言. 唯天道流行如此,[145] 所以人性發見亦如此.[146]

(주자가) 또 말했다. "'이른바 「이를 이어가는 것이 선이다.」라는 것은 마치 물이 아래로 흘러가는 것과 같다.'[147]라고 한 것에서, 이 '이를 이어가는 것이 선이다.'라는 것은 발현하는 곳을 가리켜 말한 것이다. 성이 사람에게 있는 것은 마치 물이 산에 있는 것과 같아서, 그 맑음을 볼 수 없다. 흘러 나와서 그 맑음을 본 다음에 그것이 본래 맑음 것임을 안다. 그러므로 맹자는 다만 '어린아이가 우물로 들어가려는 것을 보고는 모두 깜짝 놀라고 측은惻隱해하는 마음을 가진다.'[148]라는 것으로 사람들에게 지적해 보여서

이어가는 것은 선이고 이를 이루는 것은 성이다.(一陰一陽之謂道. 繼之者善也, 成之者性也.)"라고 하였다.

142 『朱子語類』 권95, 40조목

143 『孟子』「告子上」

144 인 · 의 · 예 · 지를 … 말했다. : 맹자는 「公孫丑上」에서 "惻隱之心은 仁의 단서이고, 羞惡之心은 義의 단서이며, 辭讓之心은 禮의 단서이고, 是非之心은 智의 단서이다. 사람이 이 四端을 가지고 있음은 四體를 가지고 있음과 같으니, 이 사단을 가지고 있으면서도 스스로 仁義를 행할 수 없다고 말하는 자는 자신을 해치는 자이며, 자기 군주가 仁義를 행할 수 없다고 말하는 자는 군주를 해치는 자이다.(惻隱之心, 仁之端也; 羞惡之心, 義之端也; 辭讓之心, 禮之端也; 是非之心, 智之端也. 人之有是四端也, 猶其有四體也. 有是四端而自謂不能者, 自賊者也; 謂其君不能者, 賊其君者也.)"라고 하였다.

145 唯天道流行如此 : 『朱子語類』 권95, 58조목에는 "明天道流行如此"라고 되어 있다.

146 여기까지는 『朱子語類』 권95, 58조목에 실려 있다.

147 『河南程氏遺書』 권1

148 '어린아이가 우물로 … 가진다.' : 『孟子』「公孫丑上」에서 "사람들이 모두 남을 차마 해치지 못하는 마음을 가지고 있다고 말하는 까닭은, 지금에 사람들이 갑자기 어린아이가 장차 우물로 들어가려는 것을 보고는 모두 깜짝 놀라고 惻隱해 하는 마음을 가지니, 이것은 어린아이의 부모와 교분을 맺으려고 해서도 아니고, 鄕黨과 朋友들에게 명예를 구해서도 아니며, (비난하는) 소문을 싫어해서 그러한 것도 아니다.(所以謂人皆

그들에게 성이 본래 선하다는 것을 알도록 했다. 『역』에서 이른바 '이를 이어가는 것이 선이다.'라는 것은 성보다 먼저 있는 것이고, 여기에서 인용한 '이를 이어가는 것이 선이다.'라는 것은 성보다 뒤에 있는 것이다. 그 까닭은 『역』은 천도天道의 유행으로서 말하고, 여기에서는 사람의 성이 발현한 것으로서 말하기 때문이다. 오직 천도의 유행이 이와 같으므로 사람의 성이 발현한 것도 이와 같을 뿐이다.

若水之就下處, 當時只是衮說了. 蓋水之就下, 便是喻性之善. 如孟子所謂過顙在山, 雖不是順水之性, 然不謂之水不得. 這便是前面'惡亦不可不謂之性'之說."[149]

물이 아래로 내려가는 것과 같은 것은 바로 그 때에 다만 섞어서 말한 것일 뿐이다. 그 까닭은, 물이 아래로 내려가는 것은 곧 성이 선함을 비유하는 것이기 때문이다. 예컨대 맹자의 이른바 '물을 쳐서 튀어 오르게 하면 이마를 지나게 할 수 있고, 물길을 막아 거꾸로 급하게 흘러가게 하면 산에 있게 할 수 있다.'[150]라는 것은, 비록 물의 성을 따르는 것이 아니지만 그것을 물이 아니라고 할 수는 없다. 이것이 바로 앞에서 '악도 역시 성이라고 하지 않을 수 없다.'[151]라는 주장이다."

[30-1-52]

"程子云, '皆水也, 有流而至海, 終無所污, 此何煩人力之爲也? 有流而未遠, 固已漸濁; 有出而甚遠, 方有所濁. 有濁之多者, 有濁之少者. 清濁雖不同, 然不可以濁者不爲水也. 如此, 則人不可以不加澄治之功. 故用力敏勇, 則疾清; 用力緩怠, 則遲清. 及其清也, 則却只是元初水也. 亦不是將清來換却濁, 亦不是取出濁來置在一隅也. 水之清, 則性善之謂也. 固不是善與惡在性中爲兩物相對各自出來.'

(주자가 말했다.) "정자程子는 '모두 물이지만, 어떤 것은 흘러가서 바다에 이르도록 끝내 더럽혀지지 않는 것이 있는데, 이것이 어찌 번거롭게 사람의 힘으로 하는 것이겠는가? 어떤 것은 그리 멀리 흘러가지 않았는데 본디 이미 점점 흐려지는 것이 있고, 어떤 것은 아주 멀리 흘러가야 비로소 흐려지는 것이 있다. 또 많이 흐린 것도 있고, 조금 흐린 것도 있다. 맑거나 흐림이 비록 같지 않지만 흐린 것을 물이 아니라고 할 수 없다. 이와 같다면 사람은 맑게 하도록 더욱 노력하지 않을 수 없다. 그러므로 열심히 노력하면 빨리 맑아지고 느긋하게 노력하면 천천히 맑아질 것이다. 그렇지만 그것이 맑아지게 되면

有不忍人之心者, 今人乍見孺子將入於井, 皆有怵惕惻隱之心, 非所以內(納)交於孺子之父母也, 非所以要譽於鄉黨朋友也, 非惡其聲而然也.)"라고 하였다.

149 『朱子語類』 권4, 65조목

150 '물을 쳐서 … 있다.': 『孟子』「告子上」에서 "지금 물을 쳐서 튀어 오르게 하면 이마를 지나게 할 수 있고, 물길을 막아 거꾸로 급하게 흘러가게 하면 산에 있게 할 수 있으니, 이것이 어찌 물의 性이겠는가? 그 형세가 그렇게 만든 것이다. 사람이 선하지 않은 일을 하도록 하는 것은 그 性이 또한 이와 같은 것이다.(今夫水, 搏而躍之, 可使過顙; 激而行之, 可使在山. 是豈水之性哉? 其勢則然也. 人之可使爲不善, 其性亦猶是也.)"라고 하였다.

151 程顥 · 程頤, 『河南程氏遺書』 권1

또한 다만 원래 애초의 물이다. 그것은 또한 맑은 물을 가져다가 흐린 물을 바꾼 것도 아니고 또한 흐린 물을 꺼내서 한 귀퉁이에 놓아둔 것도 아니다. 물의 맑음은 성이 선하다는 것을 말한다. 본디 선과 악이 성 가운데에서 두 가지로 서로 마주하여 각자 출현하는 것이 아니다.'[152]라고 말했다.

此又以水之清濁譬之. 水之清者, 性之善也. 流至海而不污者, 氣稟清明, 自幼而善, 聖人性之而全其天者也. 流未遠而已濁者, 氣稟偏駁之甚, 自幼而惡者也. 流旣遠而方濁者, 長而見異物而遷焉, 失其赤子之心者也. 濁有多少, 氣之昏明純駁有淺深也, 不可以濁者不爲水, 惡亦不可不謂之性也. 然則人雖爲氣所昏, 流於不善, 而性未嘗不在其中.

이것은 또 물의 맑음과 흐림으로 비유했다. 물이 맑은 것은 성이 선한 것이다. 흘러서 바다에 이르러도 더럽혀지지 않는 것은 기를 품부 받은 것이 맑고 밝아서 어려서부터 선한 것이니, 성인이 그것을 성으로 삼고 그 천연의 것을 온전히 한다.[153] 아직 멀리까지 흐르지 않았는데도 이미 흐려진 것은 기를 품부 받은 것이 매우 치우치고 잡박한 것이니, 어려서부터 악한 자이다. 이미 멀리까지 흘러가서야 비로소 흐려지는 것은 성장해서 다른 만물을 보고 옮겨간 것이니, 갓난아이의 순수한 마음을 잃은 것이다. 흐림에는 많고 적음이 있으며, 기의 어두움과 밝음, 순수함과 잡박함에도 깊고 얕음이 있으니, 흐린 것을 물이라고 하지 않을 수는 없고, 악도 역시 성이라고 하지 않을 수 없다. 그렇다면 사람이 비록 기에 의해 어두워지고 선하지 않은 데로 흐를지라도, 성은 그 가운데 있지 않음이 없다.

特謂之性, 則非其本然; 謂之非性, 則初不離是. 以其如此, 故人不可以不加澄治之功. 惟能學以勝氣, 則知此性渾然, 初未嘗壞, 所謂元初水也. 雖濁而清者存, 固非將清來換濁;[154] 旣清則本無濁, 固非取濁置一隅也.[155] 如此, 則其本善而已矣, 性中豈有兩物對立而並行也哉?"[156]

다만 성性이라고 말하더라도 그 본래 그러한 것이 아니며, 성이 아니라고 말하더라도 애초에 여기에서 떨어지지 않는다. 이와 같기 때문에 사람은 맑게 하도록 더욱 노력하지 않을 수 없다. 오직 배워서 기를 이길 수 있으면 이 성이 혼연해서 애초에 나쁘게 된 적이 없다는 것을 알 것이니, 이것이 이른바 원래의 물이다. 비록 흐리더라도 맑은 것이 존재하기 때문에 진실로 맑은 것을 가져다가 흐린 것을 바꾸는 것이 아니며, 이미 맑다면 본래 흐림이 없기 때문에 진실로 흐린 것을 찾아내어 한쪽 귀퉁이에 두는 것도 아니다. 이와 같다면 그것은 본래 선할 따름이니, 성 가운데 어찌 두 가지 것이 대립하고

152 程顥·程頤, 『河南程氏遺書』 권1

153 성인이 그것을 … 한다. : 『孟子』「盡心上」에서 "맹자가 말했다. '堯·舜은 그것을 性으로 삼았고, 湯·武는 그것을 몸소 실천했으며, 五覇는 그것을 빌렸다. 오래토록 빌리고도 돌아가지 않으니 어찌 그것이 실제로 가지고 있는 것이 아님을 알겠는가?'(孟子曰, '堯舜, 性之也; 湯武, 身之也; 五霸, 假之也. 久假而不歸, 惡知其非有也?')"라고 하였다.

154 固非將清來換濁 : 『朱文公文集』 권67 「雜著·明道論性說」에는 "故非將清來換濁"이라고 되어 있다.

155 固非取濁置一隅也 : 『朱文公文集』 권67 「雜著·明道論性說」에는 "故非將清來換濁"이라고 되어 있다.

156 『朱文公文集』 권67 「雜著·明道論性說」

있으면서 병행하는 것이 있겠는가?"

問:"以水喻性, 謂天道純然一理, 便是那水本來清; 陰陽五行交錯雜糅而有昏濁, 便是那水被泥污了. 昏濁可以復淸者, 只因他母子清."

曰:"然. 那下愚不移底人, 却是那臭穢底水."

물었다. "물로 성을 비유한 것은, 천도天道의 순수한 하나의 리가 곧 물이 본래 맑은 것이며, 음양오행이 교착하고 뒤섞여 어둡고 흐림이 있는 것이 곧 물이 진흙에 더렵혀진 것임을 말합니다. 어둡고 흐린 것이 맑음을 회복할 수 있는 것은 다만 그의 근원이 맑기 때문입니다."

(주자가) 대답했다. "그렇다. 저 매우 어리석어 변하지 못하는 사람은 또한 저 악취가 나고 더러운 물과 같다."

問:"也須可以澄治?"

曰:"也減得些分數."

因言:"舊時人嘗裝惠山泉去京師, 或時臭了. 京師人會洗水, 將沙石在筧中, 上面傾水, 從筧中下去. 如此十數番, 便漸如故."

물었다. "그 또한 모름지기 맑게 할 수 있습니까?

(주자가) 대답했다. "그 또한 일정 부분을 덜어낼 수 있다."

(주자가) 이어서 말했다. "옛날에 사람들이 혜산惠山에서 나는 샘물[157]을 담아서 서울에 가지고 온 적이 있었는데, 어떤 경우는 악취가 났다. 서울 사람 가운데 물을 깨끗이 할 줄 아는 사람이 있어서 모래와 돌을 물을 가져다 대나무 홈통 속에 넣고 위에서 물을 부어 대나무 홈통을 통하여 아래로 흘러가게 했다. 이와 같이 수 십 번하니 곧 물이 점점 원래의 물과 같아졌다."

問:"物如此更推不去, 却似那臭泥相似?"

曰:"是如此."[158]

물었다. "만물도 이와 같아 더 이상 미루어가지 못하면은, 또한 저 악취 나는 진흙과 서로 비슷하다."

(주자가) 대답했다. "참으로 이와 같다."

[30-1-53]

"程子云, '此理天命也, 順而循之則道也, 循此而脩之各得其分, 則教也. 自天命以至於教我無

157 惠山에서 나는 샘물: 惠山는 현재 강소성 無錫市 서쪽에 있다. 唐代에 茶道의 대가인 陸羽가 그 샘물을 직접 품평하고는 천하에서 두 번째 가는 훌륭한 물이라고 칭찬했다고 한다.

158 『朱子語類』 권95, 40조목

加損焉, 此舜有天下而不與焉者也.' 蓋'此理天命也', 該始終本末而言也. 修道雖以人事而言, 然其所以脩者, 莫非天命之本然, 非人私智所能爲也. 然非聖人有不能盡, 故以舜明之."[159]

(주자가 말했다.) "정자程子는 '이 리는 하늘이 명령한 것이니, 그것(리)을 순조롭게 따르면 도道가 되고, 이것(도)을 따라서 수양하여 각각 그 분수를 얻으면 가르침[敎]이 된다. 하늘이 명령한 것으로부터 가르침에 이르기까지 우리는 보태거나 덜어낼 것이 없으니, 이것이 순임금이 천하를 소유하고도 관여하지 않았다는 것이다.'[160]라고 하였다. 대개 '이 리는 하늘이 명령한 것이다.'라는 말은 처음과 끝, 근본과 말단을 포괄해서 말한 것이다. 도를 따라 수양하는 것은 비록 사람의 일로서 말했지만, 그 수양하는 것은 하늘이 명령한 것의 본래 그러함이 아닌 것이 없으니, 사람의 사사로운 지적 능력으로 할 수 있는 것이 아니다. 그러나 성인이 아니면 그것을 극진하게 모두 실천할 수 없기 때문에 순임금을 인용해서 밝혔다."

問: "'此理天命也.' 他這處方提起以此理說, 則是純指上面天理而言, 不雜氣說."

曰: "固是."

又曰: "理離氣不得. 而今講學用心著力, 却是用這氣去尋箇道理."[161]

물었다. "'이 리는 하늘이 명령한 것이다.'라는 것은 여기에서 비로소 이 리를 제기하여 말한 것이니, 순전히 상층의 천리天理를 가리켜서 말하고 기를 섞어서 말하지 않았습니다."

(주자가) 대답했다. "참으로 그렇다."

(주자가) 또 말했다. "리는 기를 떠날 수 없다. 이제 학문을 강론하는 데에 심혈을 기울여 노력하는 것도 또한 이 기를 통하여 도리를 찾는 것이다."

又問: "'水之淸, 則性善之謂也.' 至於'舜禹有天下而不與焉者也'一節, 是言學者去求道, 不是外面添. 聖人之敎人, 亦不是强人分外做."

曰: "'此理天命也'一句, 亦可見."[162]

또 물었다. "'물의 맑음은 성이 선하다는 것을 말한다.'라고 한 것에서부터 '순임금과 우임금이 천하를 소유하고도 관여하지 않았다.'라고 한 것에 이르는 구절은, 배우는 사람들이 도를 추구해 가는 것이

159 『朱文公文集』 권67 「雜著·明道論性說」

160 순임금이 천하를 … 것이다.: 『論語』「泰伯」에서 "공자가 말했다. '높고도 크도다! 舜임금과 禹임금은 천하를 소유하시고도 관여하지 않으셨으니.'(子曰, '巍巍乎! 舜禹之有天下也而不與焉.')"라고 하였다.
『孟子』「滕文公上」에서, "공자가 말했다. '위대하다, 堯의 임금노릇하심이여! 오직 하늘이 위대한데 요임금이 그것을 본받았으니, 넓고도 아득하여 백성들이 그 덕을 형용할 수 없었다. 군주답다, 舜이여! 높고 커서 천하를 소유하고도 관여하지 않았다.(孔子曰, '大哉, 堯之爲君! 惟天爲大, 惟堯則之, 蕩蕩乎民無能名焉! 君哉, 舜也! 巍巍乎有天下而不與焉!')"라고 하였다.

161 『朱子語類』 권4, 65조목

162 『朱子語類』 권95, 40조목

밖으로 보태가는 것이 아니라는 것을 말하는 것입니다. 성인이 사람을 가르치는 것도 역시 사람들에게 본분 밖의 일을 억지로 하도록 하는 것이 아닙니다."
(주자가) 대답했다. "'이 리는 하늘이 명령한 것이다.'라는 구절도 역시 볼 만하다."

又曰 : "程子「生之謂性」一段, 當作三節看. 其間有言天命者, 有言氣質者. '生之謂性'是一節, '水流就下'是一節, 淸濁又是一節.[163]

(주자가) 또 말했다. "정자程子의 「태어난 그대로를 성이라고 한다.」라는 문장은 세 단락으로 나누어 보아야 한다. 그 사이에는 천명天命을 말한 것도 있고 기질氣質을 말한 것도 있다. '태어난 그대로를 성이라고 한다.'라는 것이 하나의 단락이고, '물이 아래로 흘러간다.'라는 것이 하나의 단락이며, 맑음과 흐림이 또 하나의 단락이다."

橫渠云, '形而後有氣質之性. 善反之, 則天地之性存焉.' 將此兩箇'性'字分別, 自'生之謂性'以下, 凡說'性'字者, 孰是天地之性, 孰是氣質之性, 則其理自明矣."[164]

횡거橫渠[張載]는 '형체가 있은 다음에 기질의 성이 있으니 잘 되돌리면 천지의 성이 보존된다.'[165]라고 하였는데, 여기에서 두 개의 '성性'이라는 글자를 분별하면, '태어난 그대로를 성이라고 한다.'라고 한 것 이하에서 '성性'이라는 글자를 말한 것은 어느 것이 천지의 성이고 어느 것이 기질의 성인지 그 이치가 저절로 명백해질 것이다."

163 여기까지는 『朱子語類』 권95, 38조목에 실려 있다.
164 『朱文公文集』 권58 「答楊仲思」
165 '형체가 있은 … 보존된다.' : 장재는 『正蒙』 권6 「誠明篇」에서 "형체가 있은 다음에 기질의 성이 있으니 잘 되돌리면 천지의 성이 보존된다. 그러므로 기질의 성은 군자가 性이 아닌 것으로 여기는 것이다.(形而後有氣質之性, 善反之, 則天地之性存焉. 故氣質之性, 君子有弗性者焉.)"라고 하였다.

性理大全書卷之三十一

성리대전서 권31

性理三 성리 3

性理三
성리 3

[31-1]

氣質之性 命才附 기질지성 명과 재 첨부

[31-1-1]

南軒張氏曰 : "原性之理無有不善, 人物所同也. 論性之存乎氣質, 則人稟天地之精, 五行之秀, 固與禽獸草木異. 然就人之中不無淸濁厚薄之不同, 而實亦未嘗不相近也."[1]

남헌 장씨南軒張氏[張栻]가 말했다. "성性의 리理를 추구하면 선하지 않음이 없으니, 사람과 사물이 같은 것이다. 성이 기질 속에 있는 것을 논하면, 사람은 천지의 정수와 오행의 빼어난 것을 품부하니 본디 금수나 초목과는 다르다. 그러나 사람들 속에도 맑음과 흐림, 두터움과 엷음의 다름이 없지 않지만, 실은 또한 서로 가깝지 않은 적이 없다."

[31-1-2]

"學者須是變化氣質. 或偏於剛, 或偏於柔, 必反之. 如禽獸, 是其氣質之偏不能反也. 人若不知自反, 則去本性日以遠矣. 若變化得過來, 只是本性所有, 初未嘗增添. 故言性者, 須分別出氣質之性."[2]

(남헌 장씨가 말했다.) "배우는 사람은 반드시 기질을 변화시켜야 한다. 어떤 사람은 굳센 쪽으로 치우쳐 있고 어떤 사람은 유약한 쪽으로 치우쳐 있으니, 기필코 그것을 되돌려야 한다. 예컨대 금수와 같은 것은 그 기질의 치우침을 되돌릴 수 없는 것들이다. 사람이 만약 스스로 되돌릴 줄 모른다면, 본성本性에서 나날이 멀어진다. 만약 변화시키고 나면 그것은 오직 본성이 가지고 있는 것일 뿐이니 애초에 더

1 張栻, 『癸巳論語解』 권9 「陽貨篇」

2 眞德秀의 『西山讀書記』 권2 「氣質之性」에 張栻의 말로 실려 있다.

보탤 것이 없다. 그러므로 성性을 말하는 자는 모름지기 기질지성을 분별해 내어야 한다."

[31-1-3]

問: "人之性, 其氣稟有淸濁, 何也?"

曰: "二氣迭運, 參差萬端, 而萬物各正性命. 夫豈物物而與之哉? 氣稟之不同也. 雖其氣稟之不同, 而其本莫不善. 故人貴於能反也."

물었다. "사람의 성에서 그 기氣의 품부에 맑음과 흐림이 있는 것은 무엇 때문입니까?"

(남헌 장씨가) 대답했다. "음과 양이 교대로 운행하는 것은 온갖 가지로 가지런하지 않지만, 만물이 각각 성性과 명命을 바르게 갖춘다. 그렇지만 어찌 사물마다 그것에 참여할 수 있겠는가? 기의 품부는 같지 않다. 비록 기의 품부가 같지 않지만, 그 본원은 선하지 않음이 없다. 그러므로 사람은 되돌릴 수 있는 것을 귀하게 여긴다."

[31-1-4]

"太極無不善, 故性亦無不善. 人欲初無體也. 傳曰, '人生而靜, 天之性也; 感物而動, 性之欲也.' 直至物至知知, 好惡形焉, 然後有流而爲惡者, 非性所本有也."

(남헌 장씨가 말했다.) "태극이 선하지 않음이 없으므로 성도 선하지 않음이 없다.[3] 사람의 욕망은 애초에 실체가 없었다. 전傳(『예기』「악기樂記」를 가리킨다.)에서 '사람이 태어나 고요한 것은 천天의 성이고, 외물에 감촉하여 움직이는 것은 성性의 욕망이다.'라고 하였다. 다만 사물이 이르고 마음의 인식능력이 그것을 감지하게 되어 좋아함과 싫어함이 드러난 뒤에서야[4] 그것이 흘러서 악이 되는 것이 있으니, (악은) 성이 본래 가지고 있는 것이 아니다."

[31-1-5]

或問: "自孟子言性善, 而荀卿言性惡, 揚雄言善惡混, 韓文公言三品, 及至橫渠張子分爲天地之性·氣質之性, 然後諸子之說始定. 性善者, 天地之性也; 餘則所謂氣質者也. 然嘗疑之, 張

3 태극이 선하지 … 없다. : 태극과 성과의 관계에 대하여 『朱子語類』 권5, 43조목에서, 주희는 "성은 태극과 같고, 마음은 음양과 같다. 태극은 음양 가운데 있을 뿐 음양과 떨어질 수 없으나, 태극을 엄밀하게 논할 경우 태극은 태극일 뿐이고 음양은 음양일 뿐이다. 성과 마음 또한 마찬가지이다. 이른바 하나이면서 둘이고, 둘이면서 하나이다.(性猶太極也, 心猶陰陽也. 太極只在陰陽之中, 非能離陰陽也, 然至論太極, 則太極自是太極, 陰陽自是陰陽. 惟性與心亦然. 所謂一而二, 二而一也.)"라고 하였다.

4 다만 사물이 … 뒤에서야: 『禮記』「樂記」에는 "사람이 태어나 고요한 것은 天의 성이고, 외물에 감동하여 움직이는 것은 性의 욕망이다. 사물이 이르러 마음의 인식능력이 그것을 감지한 뒤에 좋아함과 싫어함이 드러난다. 좋아함과 싫어함이 마음속에서 절도가 없고 마음의 인식능력이 바깥 사물에 유혹되는 데도 스스로 자기 몸에 돌이켜 반성하지 않으면 天理가 없어진다.(人生而靜, 天之性也; 感於物而動, 性之欲也. 物至知知, 然後好惡形焉. 好惡無節於內, 知誘於外, 不能反躬, 天理滅矣.)"라고 하였다.

子所謂氣質之性形而後有，則天地之性，乃未受生以前天理之流行者．故又以爲極本窮源之性．又以爲萬物一源．如此則可以謂之命而不可以謂之性也．程子又有'人生而靜以上不容說'之語，又於「好學論」言性之本而後言形旣生矣，則疑若天地之性指命而言．命固善矣，於人性果何預乎?"

어떤 사람이 물었다. "맹자가 성선설을 말한 이래로, 순경荀卿은 성악설을 말했고, 양웅은 성선악혼설性善惡混說을 말했으며, 한문공韓文公[韓愈]은 성삼품설性三品說을 말했는데, 장횡거張橫渠[張載]가 천지지성天地之性과 기질지성氣質之性으로 나누게 된 다음에야 여러 학자들의 학설이 비로소 정해졌습니다. 성선설의 성은 천지지성이고, 나머지는 모두 이른바 기질지성입니다. 그러나 일찍이 장자張子[張載]가 말한 기질지성이 형체가 있은 다음에 있는 것이라면, 천지지성은 곧 아직 생명을 부여 받기 이전에 천리가 유행流行한 것이라고[5] 의심했었습니다. 그러므로 (정자는) 그것을 '철저하게 근원을 추구한 성[極本窮源之性]'[6]이라 하고, (주자는) 또 그것을 '만물이 근원을 하나로 하는 성[萬物一源之性]'[7]이라고 하였습니다. 이와 같다면 (천지지성은) 명命이라고 할 수 있지 성性이라고 할 수 없습니다. 정자는 또 '사람이 태어나 고요한 상태 이전은 말이 용납되지 않는다.'[8]라고 말했고, 또 「호학론好學論」(「안자소호하학론顔子所好何學論」을 가리킨다.)에서 성性의 본원을 말한 뒤에 형체가 이미 생겨났다고 말했으니,[9] 의심컨대 천지지성은 명命을 가리

5 張子[張載]가 말한 … 것이라고 : 『正蒙』 권6 「誠明篇」에서, 장재는 "형체가 있은 다음에 기질지성이 있으니 잘 돌이키면 천지지성이 보존된다. 그러므로 기질지성은 군자가 性이 아닌 것으로 여기는 것이다.(形而後有氣質之性，善反之則天地之性存焉．故氣質之性，君子有弗性者焉.)"라고 하였다.

6 '철저하게 근원을 … 성[極本窮源之性]' : 『河南程氏遺書』 권3에서, 정자는 "맹자가 성에 대해 말한 것은 문맥에 따라 보아야 한다. 告子가 '생겨난 그대로를 성이라고 한다.'라고 한 것을 그렇지 않다고 여겨서는 안 되니, 이것 또한 성이다. 하늘의 명령에 의해 생명을 부여받은 뒤를 성이라고 할 뿐이므로 같지 않다. 이어서 맹자는 '개의 성이 소의 성과 같고 소의 성이 사람의 성과 같은가?'라고 말했지만 한 가지라고 해도 문제가 되지 않는다. 그렇지만 만약 맹자가 善하다고 말한 성은 곧 '철저하게 근원을 추구한 성[極本窮源之性]'이다.(孟子言性，當隨文看．不以告子'生之謂性'爲不然者，此亦性也．被命受生之後謂之性爾，故不同．繼之以'犬之性猶牛之性，牛之性猶人之性歟?' 然不害爲一．若乃孟子之言善者，乃極本窮源之性.)"라고 하였다.

7 '만물이 근원을 … 성[萬物一源之性]' : 『朱子語類』 권98, 101조목에서, 주자는 "『西銘』에서 말한 것은 形化의 도리이고, 이것은 '만물이 근원을 하나로 하는 성[萬物一源之性]'이다. 태극은 밖으로부터 안으로 밀고 들어와 여기 극진한 곳에 이르러 더 갈 곳이 없으므로, 이른바 태극이라고 한다.(『西銘』說，是形化底道理，此萬物一源之性．太極者，自外而推入去，到此極盡，更沒去處，所以謂之太極.)"라고 하였다.

8 '사람이 태어나 … 않는다.' : 『河南程氏遺書』 권1에서, 정자는 "대개 생겨난 그대로를 性이라고 하지만 사람이 태어나 고요한 상태 이전은 말이 용납되지 않으니, 성이라고 말할 때 바로 이미 성이 아니다. 무릇 사람들이 성을 말하는 것은 다만 '이를 이어가는 것이 선이다.'라는 것을 말할 뿐이다. 맹자가 사람의 성이 선하다고 말한 것이 이것이다. 이른바 '이를 이어가는 것이 선이다.'라는 것은 마치 물이 아래로 흘러가는 것과 같다.(蓋生之謂性，人生而靜以上不容說，纔說性時，便已不是性也．凡人說性，只是說'繼之者善'也．孟子言人性善是也．夫所謂'繼之者善'也者，猶水流而就下也.)"라고 하였다.

9 性의 본원을 … 말했으니 : 『河南程氏文集』 권8 「雜著·顔子所好何學論」에서, 정자는 "천지가 精氣를 저축한 것에서 五行의 빼어난 것을 얻은 것이 사람이다. 그 본체는 참되고 고요하다. 그것이 아직 발동하기 이전의 상태에 五性을 갖추니, 仁·義·禮·智·信이라고 한다. 형체가 이미 생겨나면 외부 사물이 그 형체에 접촉하

켜 말한 것 같습니다. 명은 본디 선한데, 사람의 성과 과연 어떤 관계이겠습니까?"

勉齋黃氏曰 : "程 · 張之論, 非此之謂也. 蓋自其理而言之, 不雜乎氣質而爲言, 則是天地賦與萬物之本然者而寓乎氣質之中也. 故其言曰, '善反之, 則天地之性存焉.' 蓋謂天地之性, 未嘗離乎氣質之中也. 其以天地爲言, 特指其純粹至善, 乃天地賦予之本然也."

면재 황씨勉齋黃氏[黃榦]가 대답했다. "정자와 장재의 논의는 이것을 말하는 것이 아니다. 그 리로부터 말하면 기질을 뒤섞지 않고 말하는 것이니, 천지가 만물에 부여한 본연本然이고 기질 속에 깃들어 있는 것이다. 그러므로 '잘 돌이키면 천지지성이 보존된다.'[10]라고 하였다. 이는 천지지성이 기질을 떠난 적이 없다는 것을 말한다. 천지로써 말한 것은 다만 그것이 순수하고 지선한 것임을 가리킨 것이니, 바로 천지가 부여한 본연이다."

曰 : "'形而後有氣質之性', 其所以有善惡之不同, 何也?"

曰 : "氣有偏正, 則所受之理隨而偏正 ; 氣有昏明, 則所受之理隨而昏明. 木之氣盛, 則金之氣衰, 故仁常多而義常少. 金之氣盛, 則木之氣衰, 故義常多而仁常少. 若此者, 氣質之性有善惡也."

물었다. "'형체가 있은 다음에 기질지성이 있다.'[11]는 것에서, 선악의 다름이 있는 까닭은 무엇 때문입니까?"

(면재 황씨가) 대답했다. "기氣에 치우침과 바름이 있으니 받은 리도 그것에 따라서 치우침과 바름이 있으며, 기에 어두움과 밝음이 있으니 받은 리도 그것에 따라서 어두움과 밝음이 있다. 목木의 기가 왕성하면 금金의 기는 쇠하기 때문에 인仁이 항상 많고 의義가 항상 적다. 금의 기가 왕성하면 목의 기는 쇠하기 때문에 의가 항상 많고 인이 항상 적다. 이와 같은 것은 기질지성에 선악이 있기 때문이다."

曰 : "旣言氣質之性有善惡, 則不復有天地之性矣. 子思子又有未發之中, 何也?"

曰 : "性固爲氣質所雜矣. 然方其未發也, 此心湛然, 物欲不生, 則氣雖偏而理自正, 氣雖昏而

여 마음을 움직인다. 마음이 움직이면 七情이 나오게 되니 喜 · 怒 · 哀 · 樂 · 愛 · 惡 · 欲이라고 한다. 情이 이미 왕성해져서 더욱 제멋대로 움직이면 그 性이 손상을 입게 된다.(天地儲精, 得五行之秀者爲人. 其本也眞而靜. 其未發也五性具焉, 曰仁義禮智信. 形旣生矣, 外物觸其形而動於中矣. 其中動而七情出焉, 曰喜怒哀樂愛惡欲. 情旣熾而益蕩, 其性鑿矣.)"라고 하였다.

10 '잘 돌이키면 … 보존된다.' : 『正蒙』 권6 「誠明篇」에서, 장재는 "형체가 있은 다음에 기질지성이 있으니 잘 돌이키면 천지지성이 보존된다. 그러므로 기질지성은 군자가 性이 아닌 것으로 여기는 것이다.(形而後有氣質之性, 善反之則天地之性存焉. 故氣質之性, 君子有弗性者焉.)"라고 하였다.

11 '형체가 있은 … 있다.' : 『正蒙』 권6 「誠明篇」에서, 장재는 "형체가 있은 다음에 기질지성이 있으니 잘 돌이키면 천지지성이 보존된다. 그러므로 기질지성은 군자가 性으로 여기지 않음이 있다.(形而後有氣質之性, 善反之則天地之性存焉. 故氣質之性, 君子有弗性者焉.)"라고 하였다.

理自明, 氣雖有贏乏而理則無勝負. 及其感物而動, 則或氣動而理隨之, 或理動而氣挾之. 由是至善之理聽命於氣, 善惡由之而判矣. 此未發之前, 天地之性純粹至善, 而子思之所謂中也. 記曰, '人生而靜, 天之性也.' 程子曰, '其本也眞而靜, 其未發也五性具焉.' 則理固有寂感, 而靜則其本也, 動則有萬變之不同焉. 愚嘗以是而質之先師矣, 答曰, '未發之前氣不用事, 所以有善而無惡.' 至哉, 此言也!"

물었다. "이미 기질지성에 선악이 있다고 말했으니 더 이상 천지지성은 있지 않습니다. 자사子思가 또 '아직 발동하기 이전의 중[未發之中]'이 있다고 한 것은 어찌된 일입니까?"

(면재 황씨가) 대답했다. "성은 본디 기질에 뒤섞여 있다. 그러나 성이 아직 발동하기 이전일 때는 마음이 맑아서 물욕이 생겨나지 않으니, 기는 비록 치우쳐도 리는 스스로 바르고, 기는 비록 어두워도 리는 스스로 밝으며, 기는 비록 남거나 모자람이 있어도 리는 이기거나 짐이 없다. 성이 외물에 감촉하여 움직이게 되면, 혹은 기가 움직임에 리가 그것을 따르기도 하고, 혹은 리가 움직임에 기가 그것을 끼고 있기도 한다. 이로부터 지극히 선한 리가 기의 명령을 따르니 선·악이 그것으로부터 갈라지게 된다. 아직 발동하기 이전은 천지지성으로서 순수·지선하고 자사의 이른바 중中이다. 『기記』(『예기』「악기樂記」를 가리킨다.)에서 '사람이 태어나서 고요한 것은 천天의 성이다.'[12]라 하였고, 정자는 '그 본체는 참되고 고요하며, 그것이 아직 발동하기 이전에 오성五性이 갖추어졌다.'[13]라고 하였으니, 리는 본디 적연寂然함과 감응이 있지만,[14] 고요함이 그 근본이고, 움직이면 서로 다른 온갖 변화가 있다. 나는 일찍이 이것을 돌아가신 스승님(주희)께 물어본 적이 있었는데, 스승님께서 '성이 아직 발동하기 이전에 기가 작용하지 않으므로 선만 있고 악은 없다.'라고 대답하셨다. 이 말씀이야말로 지극하다!"

12 '사람이 태어나 … 성이다.': 『禮記』「樂記」에는 "사람이 태어나 고요한 것은 天의 성이고, 외물에 감동하여 움직이는 것은 性의 욕망이다. 사물이 이르러 마음의 인식능력이 그것을 감지한 뒤에 좋아함과 싫어함이 드러난다. 좋아함과 싫어함이 마음속에서 절도가 없고 마음의 인식능력이 바깥 사물에 유혹되는 데도 스스로 자기 몸에 돌이켜 반성하지 않으면 天理가 없어진다.(人生而靜, 天之性也; 感於物而動, 性之欲也. 物至知知, 然後好惡形焉. 好惡無節於內, 知誘於外, 不能反躬, 天理滅矣.)"라고 하였다.

13 '그 본체는 … 갖추어졌다.': 『河南程氏文集』 권8 「雜著·顔子所好何學論」에서, 정자는 "천지가 精氣를 저축한 것에서 五行의 빼어난 것을 얻은 것이 사람이다. 그 본체는 참되고 고요하다. 그것이 아직 발동하기 이전의 상태에 五性이 갖추어져 있으니, 仁·義·禮·智·信이라고 한다. 형체가 이미 생겨나면 외부 사물이 그 형체에 접촉하여 마음을 움직인다. 마음이 움직이면 七情이 나오게 되니 喜·怒·哀·樂·愛·惡·欲이라고 한다. 情이 이미 왕성해져서 더욱 제멋대로 움직이면 그 性이 손상을 입게 된다.(天地儲精, 得五行之秀者爲人. 其本也眞而靜. 其未發也五性具焉, 曰仁義禮智信. 形旣生矣, 外物觸其形而動於中矣. 其中動而七情出焉, 曰喜怒哀樂愛惡欲. 情旣熾而益蕩, 其性鑿矣.)"라고 하였다.

14 寂然함과 감응이 있지만: 『易』「繫辭上」 10에서 "易은 생각함이 없고 일삼아 하는 것이 없지만, 寂然하게 움직이지 않다가 감응하면 마침내 천하의 일을 통하여 아니, 천하의 지극히 신묘한 자가 아니면 그 누가 이에 참여하겠는가!(易, 无思也, 无爲也, 寂然不動, 感而遂通天下之故, 非天下之至神, 其孰能與於此!)"라고 하였는데, 여기에서 '寂'자와 '感'자를 따온 것으로 보인다.

[31-1-6]

"氣有淸濁, 譬如著些物蔽了發不出. 如柔弱之人見義不爲, 爲義之意却在裏面, 只是發不出. 如燈火使紙罩了, 光依舊在裏面, 只是發不出來, 折去了紙便自是光."

(면재 황씨가 말했다.) "기에 맑음과 흐림이 있는 것은 마치 어떤 것이 달라붙어 가려서 발출하지 못하는 것과 같다. 예컨대 유약한 사람이 의로운 일을 보고도 실행하지 못하는 것은 의로운 일을 하려는 생각은 마음속에 있지만 다만 발출하지 못하는 것일 뿐인 것과 같다. 예컨대 등불에 종이로 갓을 씌우면 불빛은 여전히 갓 속에 있으나 다만 빛을 발출하지 못할 뿐이니, 종이 갓을 걷어치우면 곧 본래의 불빛인 것과 같다."

[31-1-7]

"天地之間, 只是箇陰陽五行. 其理則爲健順五常, 貫徹古今, 充塞宇宙. 捨此之外別無一物, 亦無一物不是此理. 以人心言之, 未發則無不善, 已發則善惡形焉. 然原其所以爲惡者, 亦自此理而發, 非是別有箇惡與理不相干也. 若別有箇惡與理不相干, 却是有性外之物也. 『易』以陰·陽分君子·小人. 周子謂'性者, 剛柔善惡.' 君子·小人不同而不出於陰·陽, 善·惡不同而不出於剛·柔. 蓋天下未有性外之物也.

(면재 황씨가 말했다.) "천지 사이에는 음양과 오행뿐이다. 그 리理는 강건함[健]·유순함[順]과 오상五常(인·의·예·지·신)이 되어[15] 예로부터 지금까지 관통하고 우주를 가득 채우고 있다. 이것을 벗어나 달리 그 어떤 것도 없고 그 어떤 것도 이 리가 아닌 것이 없다. 사람의 마음으로 말하면, 아직 발동하기 이전은 선하지 않음이 없지만, 이미 발동하면 선악이 나타난다. 그러나 그것이 악하게 된 까닭을 추구해 보면, 또한 이 리로부터 발동한 것이지 리와 상관없는 어떤 악이 별도로 있는 것이 아니다. 만약 리와 상관없는 악이 별도로 있다면, 그것은 또한 성性 밖에 어떤 것이 있게 되는 것이다. 『역易』에서는 음과 양으로써 군자와 소인을 나누었고,[16] 주자周子[周惇頤]는 '성性은 강선剛善, 유선柔善, 강악剛惡, 유악柔惡이다.'[17]라고 말하였다. 군자와 소인이 다르지만 음과 양을 벗어나지 않고, 선과 악이 다르지만 강과 유를

15 그 理는 … 되어: 강건함[健]·유순함[順]과 五常(인·의·예·지·신)에 대하여 『朱子語類』 권11, 22조목에서, "음양·오행과 건순·오상의 性에 대해서 물었다. (주자가) 대답했다. '健은 양의 기를 품부한 것이고 順은 음의 기를 품부한 것이며, 五常은 오행의 리를 품부한 것이다. 사람과 사물은 모두 건순·오상의 性을 품부하였다. 예컨대 개 가운데 사람을 깨무는 것은 健한 성을 품부한 것이고 사람을 깨물지 않는 것은 順한 성을 품부한 것이다. 또 예컨대 초목 가운데 곧고 굳센 것은 剛한 것을 품부한 것이고, 부드럽고 약한 것은 順한 것을 품부한 것이다.'(問陰陽·五行, 健順·五常之性. 曰, '健是稟得那陽之氣, 順是稟得那陰之氣, 五常是稟得五行之理. 人物皆稟得健順·五常之性. 且如狗子, 會咬人底, 便是稟得那健底性; 不咬人底, 是稟得那順底性. 又如草木, 直底硬底, 是稟得剛底; 軟底弱底, 是稟得那順底.')"라고 하였다.

16 『易』에서는 음과 … 나누었고: 『易』「繫辭下」에서, "양괘는 음이 많고 음괘는 양이 많은데, 그 까닭은 무엇 때문인가? 양괘는 홀[奇]이고 음괘는 짝[耦]이기 때문이다. 그 덕행은 어떠한가? 양은 한 군주에 두 백성이니 군자의 도이고, 음은 두 군주에 한 백성이니 소인의 도이다.(陽卦多陰, 陰卦多陽, 其故何也? 陽卦奇, 陰卦耦, 其德行何也? 陽一君而二民, 君子之道也, 陰二君而一民, 小人之道也.)"라고 하였다.

벗어나지 않는다. 천하에는 성性 밖에 어떤 것이 있지 않기 때문이다.

人性本善. 氣質之稟一昏一明, 一偏一正, 故有善惡之不同. 其明而正者, 則發無不善; 昏而偏者, 則發有善惡. 然其所以爲惡者, 亦自此理而發也, 故曰, '惡亦不可不謂之性也.' 然人性本善. 若自一條直路而發, 則無不善. 故孟子不但言性善, 雖才與情, 亦皆只謂之善. 及其已發而有善有惡者, 氣稟不同耳. 然其所以爲惡者, 亦自此理而發, 故惡亦不可不謂之性. 孟子所謂'莫非命也', 程子所謂'思慮動作, 皆天也', 張子所謂'莫非天也, 陽明勝則德性用, 陰濁則物欲行', 亦是此意."

사람의 성은 본래 선하다. 기질을 품부함이 어떤 것은 어둡고 어떤 것은 밝으며, 어떤 것은 치우치고 어떤 것은 바르기 때문에 선과 악의 다름이 있게 되었다. 품부한 기질이 밝고 바른 것은 발동하여 선하지 않음이 없고, 어둡고 치우친 것은 발동하여 선악이 있게 된다. 그러나 그것이 악하게 된 까닭도 이 리로부터 발동하였으므로, (정자는) '악도 성이라고 하지 않을 수 없다.'[18]고 하였다. 그러나 사람의 성은 본래 선하다. 만약 한 갈래 곧은 길로 부터 발동하면 선하지 않음이 없다. 그러므로 맹자는 성이 선하다고 말했을 뿐 아니라, 재才와 정情도 모두 다만 선하다고 말했다.[19] 그것이 이미 발동하게 되어 선과 악이 있게 된 것은 기의 품부가 같지 않기 때문일 뿐이다. 그러나 그것이 악하게 되는 까닭도 이 리로부터 발동하기 때문에 악도 성이라고 하지 않을 수 없다. 맹자의 이른바 '명命 아닌 것이 없다.'[20]라는 것과 정자의 이른바 '사려하고 움직이는 것은 모두 천天이다.'[21]라고 한 것과 장자張子[張載]의 이른바 '천天이 아님이 없으니 양의 밝음이 이기면 덕성이 사용되고, 음의 흐림이 이기면 물욕이 행해진다.'[22]라고 한

17 '性은 剛善, … 柔惡이다.' : 주돈이는 『通書』「師」 제7에서, "어떤 사람이 물어 말했다. '어찌해야 세상이 선하게 됩니까?' 대답했다. '스승[師]이다.' 물었다. '무슨 말입니까?' 대답했다. '性은 剛善, 柔善, 剛惡, 柔惡, 中일 뿐이다.'(或問曰, '曷爲天下善.' 曰, '師.' 曰, '何謂也.' 曰, '性者, 剛柔善惡中而已矣.')"라고 하였다. 또 『朱子語類』 권94, 166조목에는, "물었다. '性은 剛善, 柔善, 剛惡, 柔惡, 中일 뿐입니다.' 대답했다. '이 성은 바로 기질의 성을 말한다. 네 가지 가운데 두 剛惡과 柔惡을 제거하고, 오히려 또 두 剛善과 柔善 속에서 중을 택하여 주된 것으로 삼는다.(問'性者, 剛柔善惡中而已.' 曰, '此性便是言氣質之性. 四者之中, 去卻兩件剛惡・柔惡, 卻又剛柔二善中, 擇中而主焉.')"라고 하였다.

18 '악도 성이라고 … 없다.' : 『河南程氏遺書』 권1에서, 정자는 "선은 본디 성이다. 그러나 악도 성이라고 하지 않을 수 없다.(善固性也. 然惡亦不可不謂之性也.)"라고 하였다.

19 才와 情도 … 말했다. : 『孟子』「告子上」에서, 맹자는 "그 情을 따른다면 선하다고 할 수 있으니, 바로 이른바 선하다는 것이다. 그런데 선하지 않게 되는 것은 才의 죄가 아니다.(乃若其情, 則可以爲善矣, 乃所謂善也. 若夫爲不善, 非才之罪也.)"라고 하였다.

20 '命 아닌 … 없다.' : 『孟子』「盡心上」에서, 맹자는 "命 아닌 것이 없으니, 그 바른 것을 순순히 받아야 한다.(莫非命也, 順受其正.)"라고 하였다.

21 '사려하고 움직이는 … 天이다.' : 『河南程氏遺書』 권11에서, 정자는 "보고 듣고 사려하고 움직이는 것은 모두 天이니, 사람은 다만 그 사이에서 참된 것과 그릇된 것을 알아야 할 뿐이다.(視聽思慮動作皆天也, 人但於其中要識得眞與妄爾.)"라고 하였다.

22 '天이 아님이 … 행해진다.' : 『正蒙』 권6 「誠明篇」에서, 장재는 "天이 아님이 없으니 양의 밝음이 이기면

것도 이러한 의미이다."

[31-1-8]

"'天命之謂性', 是天分付與人底謂之性. '惟皇上帝, 降衷于民', 是也. 所降之衷, 何嘗不善? 此性本無不善. 天將箇性與人, 便夾了氣與人. 氣裹這性, 性纔入氣裏面去, 便有善有惡, 有清有濁, 有偏有正. 清濁 · 偏正雖氣爲之, 然著他夾了, 則性亦如此. 譬如一泓之水本清, 流在沙石上去, 其清自若; 流在濁泥中去, 這清底也濁了. 不可以濁底爲不是水."

(면재 황씨가 말했다.) "'하늘이 명령한 것을 성이라고 한다.'[23]는 것은 하늘이 사람들에게 분부한 것을 성이라고 한다는 것이다. '위대한 상제가 백성에게 충衷을 내려 주었다.'[24]는 것이 이것이다. 내려준 충衷이 어찌 선하지 않은 적이 있겠는가? 이 성은 본래 선하지 않음이 없다. 하늘은 성을 사람들에게 줄 때에 곧 사람들에게 기氣에 끼워주었다. 기가 이 성을 감싸서 성이 기 속에 들어가자마자 선과 악, 맑음과 흐림, 치우침과 바름이 있다. 맑음과 흐림, 치우침과 바름은 비록 기가 그렇게 하는 것이지만, 기에 들러붙어 끼이면 성도 이와 같이 된다. 비유컨대 깊은 웅덩이의 물은 본래 맑은데, 모래와 돌 위로 흘러가면 그 맑음이 변함없이 그대로이지만, 흐린 진흙 속으로 흘러가면 맑은 것이 흐려지는 것과 같다. 그렇다고 흐린 것을 물이 아니라고 할 수 없다."

[31-1-9]

北溪陳氏曰 : "天所命於人以是理, 本只善而無惡. 故人所受以爲性, 亦本善而無惡. 孟子道性善, 是專就大本上說來, 說得極親切. 只是不曾發出氣稟一段, 所以啓後世紛紛之論. 蓋人之所以有萬殊不齊, 只緣氣稟不同. 這氣只是陰陽 · 五行之氣, 如陽性剛, 陰性柔, 火性燥, 水性潤, 金性寒, 木性溫, 土性遲重. 七者夾雜, 便有參差不齊. 所以人間所値,[25] 便有許多般樣.

북계 진씨北溪陳氏[陳淳][26]가 말했다. "하늘이 사람에게 명령한 것은 이 리理로써 하였으니, 본래 단지 선한 것일 뿐 악함이 없다. 그러므로 사람이 받아서 성性으로 삼은 것도 본래 선한 것이지 악한 것이 없다.

덕성이 사용되고, 음의 흐림이 이기면 물욕이 행해진다. 악을 다스려 온전히 좋게 하는 것은 반드시 배움으로 말미암을 것이다!(莫非天也, 陽明勝則德性用, 陰濁勝則物欲行. 領惡而全好者, 其必由學乎!)"라고 하였다.

23 '하늘이 명령한 … 한다.' : 『中庸』 1장

24 '위대한 상제가 … 주었다.' : 『書』「商書 · 湯誥」에서 "위대한 상제가 백성에게 衷을 내려 주었다.(惟皇上帝, 降衷于下民.)"라고 하였다. 여기에서 '衷'에 대하여 『朱子語類』 권79, 25조목에서, 주자는 "孔安國이 '衷'을 '善'이라고 하였는데 별로 의미가 없다. '衷'은 다만 '中'이니, 백성들이 천지의 中을 받았다는 것과 마찬가지이다.(孔安國以'衷'爲'善', 便無意思. '衷'只是'中', 便與'民受天地之中'一般.)"라고 하였다.

25 所以人間所値 : 陳淳의 『北溪字義』 권上 「性」에는 "所以人隨所値"라고 되어 있다.

26 陳淳(1159~1223) : 자는 安卿이고, 호는 北溪이다. 송대 龍溪(현 복건성 漳州) 사람으로 주희가 장주 지사일 때 제자가 되어, 주희에게 '남쪽에 와서 나의 도가 진순 한 사람을 얻었다.'라는 칭찬을 받았다. 시호는 文安이다. 저서는 『字義詳講』 · 『論孟學庸口義』 · 『北溪大全集』 등이 있다.

맹자가 성이 선하다고 말한 것은 오로지 큰 근본에서 말한 것으로서 그 말이 매우 절실하다. 다만 기氣의 품부에 대해 말한 적이 없었기 때문에 후세에 분분한 논의를 열어두게 되었다. 사람이 온갖 가지로 달라지며 가지런하지 않는 까닭은 다만 기의 품부가 같지 않기 때문이다. 이 기는 다만 음양·오행의 기일 뿐이니, 예컨대 양의 성질은 굳세고, 음의 성질은 부드러우며, 화火의 성질은 건조하고, 수水의 성질은 축축하며, 금金의 성질은 차갑고, 목木의 성질은 따뜻하며, 토土의 성질은 둔중하다. 이 일곱 가지가 뒤섞이면 들쑥날쑥 가지런하지 않음이 있게 된다. 그러므로 인간이 만나게 된 기는 수많은 모양이 있게 된다.

然這氣運來運去, 自有箇眞元之會. 如曆法筭到本數湊合, 所謂'日月如合壁, 五星如連珠'時相似. 聖人便是稟得這眞元之會來. 然天地間參差不齊之時多, 眞元會合之時少. 如一歲間極寒極暑陰晦之時多, 不寒不暑光風霽月之時極少. 最難得恰好時節. 人生多是值此不齊之氣, 如有一等人非常剛烈, 是值陽氣多; 有一等人極是軟弱, 是值陰氣多. 有人躁暴忿厲, 是又值陽氣之惡者; 有人狡譎姦險, 此又值陰氣之惡者. 有人性圓, 一撥便轉, 也有一等極愚拗, 雖一句善言亦說不入, 與禽獸無異. 都是氣稟如此.

그러나 이 기가 운행하여 오고 가는 사이에 본래 진원眞元이 모이는 때가 있다. 예컨대 역법曆法에서 본수本數가 모여 합쳐지는 것을 계산한 것, 이른바 '해와 달이 동시에 떠오르는 것 같고, 다섯 개의 별이 구슬을 꿰어놓은 것과 같은'[27] 때와 서로 비슷하다. 성인은 바로 이 진원이 모이는 것을 품부한 사람이다. 그러나 천지 사이에는 들쑥날쑥 가지런하지 않은 때가 많고 진원이 모여 합쳐지는 때는 적다. 예컨대 한 해 사이에도 매우 춥거나 매우 덥거나 흐린 때가 많고, 춥지 않거나 덥지 않거나 맑고 상쾌한 때는 아주 적은 것과 같다. 꼭 적절한 시기를 얻기는 매우 어렵다. 사람이 태어날 때 대부분 이 가지런하지 않은 기를 만나니, 예컨대 어떤 사람이 매우 강렬한 것은 양의 기를 만난 것이 많고, 어떤 사람이 매우 연약한 것은 음의 기를 만난 것이 많다. 어떤 사람이 성질이 조급하고 사나운 것은 이것은 또한 양기의 악한 것을 만난 것이고, 어떤 사람이 교활하고 음험한 것은 이것은 또한 음기의 악한 것을 만난 것이다. 어떤 사람은 성격이 원만하여 한번 지적해 주면 따라오고, 또 어떤 사람은 매우 삐뚤어져서 선한 말 한 마디조차도 받아들여지지 않으니 금수와 다름이 없는 것이다. 이 모두 기의 품부가 이와 같은 것이다.

陽氣中有善惡, 陰氣中亦有善惡. 如『通書』所謂'剛善·剛惡·柔善·柔惡'之類, 不是陰陽氣本惡, 只是分合轉移齊不齊中, 便自然成粹駁善惡耳. 因氣有駁粹, 便有賢愚. 氣雖不齊, 而大本則一, 雖下愚亦可變而爲善. 然工夫最難, 非百倍其功者不能. 故子思曰, '人一能之, 己百

27 '해와 달이 … 같은': 『前漢書』 권21上 「律歷志」의 말이다. 이 구절 주석에, "맹강이 말했다. '태초 上元 甲子일 夜半朔旦冬至의 때에 7개의 별(즉, 해·달·화성·수성·목성·금성·토성)이 모두 斗宿(南斗六星)와 牽牛 자리 사이에 모여서 밤이 끝나는 것이 마치 벽옥이 합쳐지고 구슬을 꿰어놓은 것과 같은 것을 말한다.'(孟康曰, '謂太初上元甲子夜半朔旦冬至時, 七曜皆會聚斗·牽牛分度, 夜盡如合璧連珠也.')"라고 하였다.

之; 人十能之, 己千之. 果能此道, 雖愚必明, 雖柔必强.' 正爲此耳.

양의 기 가운데 선과 악이 있고, 음의 기 가운데도 선과 악이 있다. 예컨대 『통서通書』에서 이른바 '강선·강악·유선·유악'과 같은 것은[28] 음·양의 기가 본래 악한 것이 아니라, 다만 나뉨과 합쳐짐과 옮겨감이 가지런하거나 가지런하지 않은 가운데 곧 저절로 순수한 것과 잡박한 것 및 선과 악이 이루어지는 것일 뿐이다. 기에 잡박함과 순수함이 있기 때문에 곧 현명한 사람과 어리석은 사람이 있다. 기는 비록 가지런하지 않지만 큰 근본은 한 가지이기 때문에 비록 가장 어리석은 사람일지라도 변화하여 선하게 될 수 있다. 그러나 공부가 가장 어려우니, 그 공부를 백배로 하는 자가 아니면 불가능하다. 그러므로 자사는 '남이 한 번에 할 수 있으면 나는 백 번을 하며, 남이 열 번에 할 수 있으면 나는 천 번을 하여야 한다. 과연 이 도를 잘 할 수 있으면 비록 어리석어도 반드시 밝아지며, 비록 유약해도 반드시 강해진다.'[29]라고 말한 것이 바로 이것 때문이다.

自孟子不說到氣稟,[30] 所以荀子便以性爲惡, 揚子便以性爲善惡混, 韓文公又以爲性有三品, 都只是說得氣. 近世東坡蘇氏又以爲性未有善惡, 五峯胡氏又以爲性無善惡, 都只含糊就人與天相接處捉摸, 說箇性是天生自然底物, 更不曾說性端的指定是甚底物. 直至二程得濂溪先生『太極圖』發端, 方始說得分明極至, 更無去處. 其言曰, '性卽理也.[31] 理則自堯舜至於塗人, 一也.' 此語最是簡切端的. 如孟子說善, 善亦只是理, 但不若指認'理'字下得較確定.

맹자가 기의 품부를 말하지 않았기 때문에 순자는 성을 악한 것으로 여겼고, 양자揚子[揚雄]는 성을 선과 악이 섞인 것으로 여겼으며, 한문공韓文公[韓愈]은 또 성에 세 가지 등급이 있다고 여겼는데, 모두 다만 기를 말했을 뿐이다. 근세에 동파 소씨東坡蘇氏[蘇軾]는 또 성에 선악이 있은 적이 없다고 여겼으며, 오봉 호씨五峯胡氏[胡宏][32]도 또 성에는 선악이 없다고 여겼는데, 모두 다만 사람과 하늘이 서로 연결되는 곳에서 모호하게 파악하여, 성을 태어날 때부터 저절로 그러한 것이라고 말했지, 성이 확실히 어떤 것을 가리키는지 더 이상 말한 적이 없다. 그 뒤 바로 이정二程[程顥·程頤]이 염계선생濂溪先生[周惇頤]의 『태극도太極圖』를 얻은 것이 발단이 되어 비로소 지극히 분명하게 설명하여 더 이상 말할 것이 없게 되었다. 정자가 '성性은 곧 리理이다. 리는 요순으로부터 길가는 사람에 이르기까지 모두 같다.'[33]라고 말했으니,

28 『通書』에서 이른바 … 것은: 주돈이는 『通書』「師」 제7에서, "어떤 사람이 물어 말했다. '어찌해야 세상이 선하게 됩니까?' 대답했다. '스승[師]이다.' 물었다. '무슨 말입니까?' 대답했다. '性은 剛善, 柔善, 剛惡, 柔惡, 中일 뿐이다.'(或問曰, '曷爲天下善.' 曰, '師.' 曰, '何謂也.' 曰, '性者, 剛柔善惡中而已矣.')"라고 하였다.

29 『中庸』 20장

30 自孟子不說到氣稟: 陳淳의 『北溪字義』 권上 「性」에는 "孟子不說到氣稟"이라고 되어 있다.

31 性卽理也.: 『河南程氏遺書』 권18에는 "性卽是理"라고 되어 있다.

32 胡宏(1105~1155): 자는 仁仲이고, 호는 五峰이다. 송대 建寧崇安(현 복건성 소속) 사람으로 胡安國의 아들이다. 어려서 楊時·侯仲良에게 배우고 마침내 부친의 학문을 닦아 張栻에게 전수하여 湖湘學派의 창시자가 되었다. 楊時 이후 남송에 낙학을 전파한 관건적인 인물이다. 저서는 『知言』·『五峰集』 등이 있다.

33 '성은 곧 … 같다.': 『河南程氏遺書』 권18에는 "性卽是理. 理則自堯舜至於塗人, 一也."라고 되어 있다.

이 말이 가장 간결하고 적절한 설명이다. 예컨대 맹자가 선을 말한 것에서[34] 선도 또한 다만 리이지만, '리理' 자를 써서 확인하고 지적하는 것만큼 확정적이지는 못하다.

胡氏看不徹, 便謂善者只是贊嘆之辭, 又誤了. 旣是贊嘆, 便是那箇是好物方贊嘆, 豈有不好物而贊嘆之邪? 程子於本性之外, 又發出氣稟一段, 方見得善惡所由來. 故其言曰, '論性不論氣不備, 論氣不論性不明, 二之則不是也.' 蓋只論大本而不及氣稟, 則所論有欠闕未備; 若只論氣稟而不及大本, 便只說得粗底, 而道理全然不明. 千萬世而下, 學者只得按他說, 更不可改易."[35]

호씨胡氏[胡安國][36]는 철저하게 보지 못하여, 바로 선은 다만 찬탄하는 말일 뿐이라고 하였으니[37] 또 잘못되었다. 이미 찬탄하는 것이라면, 그것이 좋은 것이라야 찬탄할 텐데, 어찌 좋지 않은 것을 찬탄할 수 있겠는가? 정자는 본성 이외에 또 기의 품부 측면을 드러내고서야 비로소 선악의 유래를 알게 되었다. 그러므로 그는 '성을 논하면서 기를 논하지 않으면 갖추어지지 않고, 기를 논하면서 성을 논하지 않으면

34 맹자가 선을 … 것에서 : 『孟子』「滕文公上」에서 "맹자가 성이 선하다는 것을 말하면 반드시 요순을 일컫는다.(孟子道性善, 言必稱堯舜.)"라고 하였다.

35 陳淳, 『北溪字義』 권上 「性」

36 胡安國(1074~1138) : 자는 康侯고, 시호는 文定이며, 胡淵의 아들이다. 송대 建州崇安(현 복건성 소속) 사람이다. 哲宗 紹聖 4년(1097) 진사가 되었고, 太學博士, 提擧湖南, 城都學事 등을 역임했다. 『春秋』 연구에 독실해서, 高宗 때는 侍讀으로 『春秋』를 專講하기도 했다. 謝良佐와 楊時 등에게서 학문을 배워 이른바 二程 문하의 학문을 전수하였다. 그는 스스로 양시와 사량좌는 모두 義를 겸한 스승과 벗이었다고 말하고 있다. 남송대에는 그의 아들 五峯 胡宏, 그리고 사량좌를 중심으로 한 '湖湘學派'가 유명해졌다. 王安石이 『춘추』를 폐하여 學官에 끼지 못해 『춘추』의 학문이 쇠퇴한 것을 탄식하고, 20년을 연구하여 『春秋胡氏傳』 30권을 저술했다. 그 밖의 저서에 『資治通鑑擧要補遺』 100권과 『上蔡語錄』 등이 있다.

37 胡氏[胡安國]는 철저하게 … 하였으니 : 『朱子語類』 권101, 169조목에서, 주자는 "오랫동안 胡季隨(호안국의 손자)가 여러 사람들에게 보낸 편지를 보지 못했다. 호계수는 그 가학을 주장하여 성은 선으로 말할 수 없다고 했다. 본연의 선은 본래 짝이 없으니, 선이라고 말하자마자 바로 악과 짝이 된다. 선악을 말하자마자 바로 本然之性이 아니다. 본연지성은 상층의 것으로서 그 존귀함이 비교할 것이 없다. 선은 하층의 것으로서 선을 말하면 곧바로 악과 상대가 되니 본연의 성이 아니다. '맹자가 성이 선하다고 말한 것'은 성이 선하다는 것을 말하는 것이 아니라 다만 찬탄하는 말일 뿐이니 '좋은 성이다!'라고 말하는 것이다. 예컨대 불교에서 '훌륭하다!'라고 말하는 것과 같다.〈이것은 胡文定[胡安國]의 이론이다.〉 이것은 호문정의 이론이기 때문에 그 자손들이 모두 그 이론을 주장하였고, 致堂[胡寅]과 五峰[胡宏] 이후에는 그 이론이 더욱 잘못되어서 마침내 두 가지 성이 있게 되었다. 즉 본연의 것이 하나의 성이고, 선악이 상대하는 것이 또 하나의 성이 되었다. 그는 다만 본연의 것이 성이고 선악이 상대하는 것은 성이 아니라고 말하였는데, 어찌 이러한 이치가 있겠는가?(久不得胡季隨諸人書. 季隨主其家學, 說性不可以善言. 本然之善, 本自無對; 才說善時, 便與那惡對矣. 才說善惡, 便非本然之性矣. 本然之性是上面一箇, 其尊無比. 善是下面底, 才說善時, 便與惡對, 非本然之性矣. '孟子道性善', 非是說性之善, 只是贊歎之辭, 說'好箇性'? 如佛言'善哉'? 〈此文定之說.〉 … 此文定之說, 故其子孫皆主其說, 而致堂・五峰以來, 其說益差, 遂成有兩性 : 本然者是一性, 善惡相對者又是一性. 他只說本然者是性, 善惡相對者不是性, 豈有此理?)"라고 하였다.

분명하지 않으니, 이 두 가지 방식으로 하면[38] 옳지 않다.'[39]라고 하였다. 다만 큰 근본만을 논하고 기의 품부를 언급하지 않으면 논한 것에 흠결이 있어 갖추어지지 않으며, 만약 다만 기의 품부만을 논하고 큰 근본을 언급하지 않으면 다만 조잡한 것만을 말한 것일 뿐 도리에 대해서는 전혀 분명하지 않기 때문이다. 천만년 이후에라도 배우는 사람들은 다만 그것에 의거해서 말해야지 다시는 고쳐서는 안 된다."

[31-1-10]

"氣稟之說從何而起? 夫子曰, '性相近也, 習相遠也.' '惟上智與下愚不移.' 此正是說氣質之性. 子思子所謂三知·三行, 及所謂'雖愚必明, 雖柔必强', 亦是說氣質之性. 但未分明指出氣質字爲言耳. 到二程子始分明指認說出, 甚詳備. 橫渠因之又立爲定論曰, '形而後有氣質之性, 善反之, 則天地之性存焉. 故氣質之性, 君子有弗性者焉.' 氣質之性, 是以氣稟言之; 天地之性, 是以大本言之. 其實天地之性, 亦不離氣質之中. 只是就那氣質中分別出天地之性, 不與相雜爲言耳."[40]

(북계 진씨가 말했다.) "기의 품부에 관한 이론은 어디에서부터 일어났는가? 부자夫子[孔子]께서는 '성은 서로 비슷하지만 습관은 서로 멀다.' '오직 가장 지혜로운 자[上智]와 가장 어리석은 자[下愚]는 변화시킬 수 없다.'[41]라고 말했다. 이 말은 바로 기질지성을 말한 것이다. 자사子思의 이른바 삼지三知(생지生知·학지學知·곤지困知)와 삼행三行(안행安行·이행利行·면행勉行)[42] 및 이른바 '비록 어리석지만 반드시 밝아지고, 비록 유약하지만 반드시 강해진다.'[43]라는 말도 역시 기질지성을 말한 것이다. 다만 아직 '기질'이라는 말을 분명하게 지적해서 말하지 않았을 뿐이다. 이정二程(程顥·程頤)이 처음으로 분명하게 확인하고 지적해서 말하고서야 매우 상세하게 갖추어졌다. 횡거橫渠[張載]가 그것에 따라서 또 정론定論을 세워, '형체가 있은 다음에 기질지성이 있으니 잘 돌이키면 천지지성이 보존된다. 그러므로 기질지성은 군자가 성性으로 여기지 않음이 있다.'[44]라고 말했다. 기질지성은 기의 품부로 말한 것이고, 천지지성은 큰 근본으로 말한

38 이 두 … 하면 : 『朱子語類』 권59, 52조목에서 "'이 두 가지 방식으로 하면 안 된다.'에 대해 묻습니다. 주자가 대답했다. '두 단락으로 나누어서 성은 본래 성이고 기는 본래 기라고 말하면 안 된다. 무엇 때문에 두 단락으로 나누어서 말하면 안 되는가? 그것은 그 때문에 갖추어지지 않고 분명하지 않으니, 반드시 양쪽을 모두 말해야 이치가 비로소 분명해지고 갖추어지므로 「이 두 가지 방식으로 하면 안 된다.」고 말했다. 두 가지 방식으로 한다는 것은 바로 위의 두 구절을 가리킨다.' 〈僩錄이 말했다. '성을 논하면서 기를 논하지 않거나, 기를 논하면서 성을 논하지 않는 것이 바로 두 가지 방식으로 한다는 것이다.'〉(問'二之則不是.' 曰, '不可分作兩段說, 性自是性, 氣自是氣. 如何不可分作兩段說? 他所以說不備·不明, 須是兩邊都說, 理方明備, 故云「二之則不是」. 二之者, 正指上兩句也.' 〈僩錄云, '論性不論氣, 論氣不論性', 便是二之.'〉)"라고 하였다.

39 '성을 논하면서 … 않다.' : 『河南程氏遺書』 권6

40 陳淳, 『北溪字義』 권上 「性」

41 '오직 가장 … 없다.' : 『論語』「陽貨」

42 三知와 三行 : 『中庸』 20장

43 '비록 어리석지만 … 강해진다.' : 『中庸』 20장

것이다. 그러나 사실 천지지성은 또한 기질 속을 떠나지 않는다. 다만 기질 속에서 천지지성을 구별해내어 서로 섞어서 말하지 않았을 뿐이다."

[31-1-11]

"若就人品類論, 則上天所賦皆一般, 而人隨其所値, 又各有淸濁之不齊.[45] 如聖人得氣至淸, 所以合下便能'生知'; 賦質至粹, 所以合下便能'安行'.[46] 大抵得氣之淸者, 不隔蔽那義理, 便呈露昭著, 如銀盞中滿貯淸水, 自透見盞底銀花子甚分明, 若未嘗有水然. 賢人得淸氣多而濁氣少, 淸中微有些査滓, 止未便能昏蔽得他,[47] 所以聰明也易開發. 自大賢而下, 或淸濁相半, 或淸底少濁底多, 昏蔽得厚了, 如盞底銀花子看不見, 欲見得須十分加澄治之功. 若能力學, 也解變化氣質, 轉昏爲明.

(북계 진씨가 말했다.) "사람의 부류에서 논하면, 하늘이 부여한 것은 모두 똑같지만 사람이 얻은 것에 따라 또 각각 맑음과 흐림의 차이가 있다. 예컨대 성인은 얻은 기氣가 지극히 맑기 때문에 원래 '나면서부터 알고', 받은 질質이 지극히 순수하기 때문에 원래 '편안히 실천한다.' 대개 맑은 기를 얻은 사람은 의리가 막히거나 가림이 없이 바로 환히 드러남이, 예컨대 은잔에 맑은 물을 가득 담으면 저절로 잔 바닥에 새겨진 꽃무늬가 매우 분명하게 드러나 마치 물이 없는 것처럼 보이는 것과 같다. 현인賢人은 맑은 기가 많고 탁한 기가 적어, 맑음 가운데 조금의 찌꺼기가 있어 의리를 어둡게 가릴 수 없기 때문에 총명함이 쉽게 열린다. 대현大賢 이하로는, 어떤 사람은 맑음과 탁함이 서로 반씩이고, 어떤 사람은 맑은 것이 적고 탁한 것이 많아 어둡게 가리는 것이 두터워지면, 예컨대 잔 바닥에 새겨진 꽃무늬가 보이지 않는 것과 같으니, 보려고 하면 반드시 맑게 하는 노력을 매우 많이 기울여야 한다. 만약 배우기에 힘쓸

---

44 '형체가 있은 … 있다.' : 張載, 『正蒙』 권6 「誠明篇」

45 又各有淸濁之不齊. : 陳淳의 『北溪字義』 권上 「命」에는 "又各有淸濁 · 厚薄之不齊"라고 되어 있다.

46 所以合下便能'安行'. : 陳淳의 『北溪字義』 권上 「命」에는 이 구절 다음에 "이를테면 요 · 순은 이미 지극히 맑고 순수한 것을 얻었기 때문에 총명하고 신묘하며 성스러웠다. 또 맑고도 높으며, 너그럽고도 두터운 기를 얻었기 때문에, '존귀하기로는 천자가 되었고 부유하기로는 사해를 소유하였다.' 군주로 지냈던 기간에서도 모두 백여 년이 되었으니, 이것은 또 가장 장수하는 기를 얻은 것이다. 공자의 경우에도 지극히 맑고 순수한 것을 얻어 원래 '나면서부터 알고' '편안히 실천했다.' 그러나 천지의 기가 그 때에 이르러 이미 쇠미하였기 때문에, 공자는 높지 않고 두텁지 않은 것을 품수하여 그저 바쁘게 돌아다니는 한 사람의 나그네가 되었을 뿐이다. 그리고 얻은 기는 또 그다지 장구하지 않아 겨우 보통 수명인 70세를 살았을 뿐이니, 요 · 순만큼 높지 않다. 성인보다 못한 사람은 각각 분수가 있다. 顔淵 또한 청명하고 순수함이 성인에 버금가지만, 품수한 기가 장구하지 않았기 때문에 요절하였다.(如堯舜旣得其至淸至粹, 爲聰明神聖. 又得氣之淸高而寬厚者, 所以'貴爲天子, 富有四海.' 至於享國皆百餘歲, 是又得氣之最長者. 如夫子亦得至淸至粹, 合下便生知安行. 然天地之氣到那時已衰微, 所以夫子稟得不高不厚, 止栖栖爲一旅人. 而所得之氣又不甚長, 僅得中壽七十餘歲, 不如堯舜之高. 自聖人而下, 各有分數. 顔子亦淸明純粹亞於聖人, 只緣稟氣得不長, 所以夭死.)"라는 말이 더 있다.

47 淸中微有些査滓, 止未便能昏蔽得他 : 陳淳의 『北溪字義』 권上 「命」에는 "淸中微有些査滓在, 未便能昏蔽得他"라고 되어 있다.

수 있으면, 또한 기질을 변화시킬 줄 알아서 어두운 것을 바꾸어 밝게 된다.

有一般人, 稟氣清明, 於理義上儘看得出, 而行爲不篤, 不能承載得道理, 多雜詭譎去, 是又賦質不粹. 此如井泉甚清, 貯在銀盞裏面, 亦透底清徹, 但泉脉從淤土惡木根中穿過來, 味不純甘. 以之煮白米則成赤飯, 煎白水則成赤湯, 煎茶則酸澁, 是有惡味夾雜了.

어떤 사람들은 품부한 기가 청명하여 도리는 모두 간파해 내지만, 행위가 독실하지 못해 도리를 실천할 수 없고 교활한 경우가 많으니, 이는 또 받은 질質이 순수하지 못한 것이다. 이것은 예컨대 우물물이 매우 맑아 은잔 속에 담아도 투명하게 맑지만, 다만 샘의 수맥이 충적토나 좋지 않은 나무뿌리를 따라 뚫고 나와 맛이 순수하지 않은 것과 같다. 그것으로 흰 쌀밥을 지으면 붉은 밥이 되고, 맑은 물을 끓이면 붉은 탕이 되며, 차를 달이면 시거나 떫게 되니, 이것은 나쁜 맛이 뒤섞였기 때문이다.

又有一般人, 生下來於世味一切簡淡, 所爲甚純正, 但與說到道理處, 全發不來, 是又賦質純粹而稟氣不清. 此好井泉脉味純甘絶佳,[48] 而有泥土渾濁了, 終不透瑩. 如溫公恭儉力行, 篤信好古, 是甚次第正大資質. 只緣少那至清之氣, 識見不高明. 二程屢將理義發他, 一向偏執固滯, 更發不上, 甚爲二程所不滿.

또 어떤 사람들은 태어나면서 세상일에 대해 모두 간결하고 담박하며 행동이 매우 순수하고 바르지만, 그들과 도리를 말할 때에는 전혀 표현하지 못하니, 이것은 또 받은 질은 순수하지만 품부한 기가 맑지 못한 것이다. 이것은 마치 우물물의 수맥은 맛이 매우 달고 좋지만 진흙에 의해 혼탁해져 끝내 투명하지 못한 것과 같다. 예컨대 온공溫公[司馬光][49]은 공손하고 검약하며 힘써 실천하였으며 독실하고 옛 것을 좋아하였으니, 이것은 매우 절도 있고 바르고 훌륭한 자질이다. 다만 저 지극히 맑은 기가 적었기 때문에 식견이 고명하지 못했다. 이정二程[程顥·程頤]이 여러 번 도리를 가지고 그를 열어 주었지만 줄곧 편협하고 꽉 막혀 더 이상 계발되지 못하고, 이정에게 몹시 불만을 사게 되었다.

又有一般人, 甚好說道理, 只是執拗, 自立一家意見, 是稟氣清中, 被一條戾氣來衝拗了. 如泉出來甚清, 却被一條別水橫衝破了, 及或遭巉巖石頭橫截衝激, 不帖順去, 反成險惡之流. 看來人生氣稟是有多少般樣. 或相倍蓰, 或相什百, 或相千萬, 不可以一律齊. 畢竟清明純粹恰好底極爲難得, 所以聖賢少而愚不肖者多."[50]

48 此好井泉脉味純甘絶佳: 陳淳의 『北溪字義』 권上 「命」에는 "比如井泉脉味純甘絶佳"라고 되어 있다.

49 司馬光(1019~1086): 자는 君實이고, 호는 迂夫, 迂叟이며, 시호는 文正이다. 세칭 司馬太師·溫國公·涑水先生이라 한다. 송대 夏縣 涑水鄕(현 산서성 夏縣)사람으로 翰林侍讀, 權御使中丞, 門下侍郎 등을 역임하였다. 왕안석의 신법에 반대하여 퇴출되었다가 재상으로 복직하여 신법을 폐지하였다. 저서는 『文集』과 『資治通鑑』·『稽古錄』·『易說』·『潛虛』 등이 있다.

50 陳淳, 『北溪字義』 권上 「命」

또 어떤 사람들은 도리를 매우 잘 말하지만 단지 집요해서 자신이 세운 의견을 내세우니, 이는 품부한 기가 맑은 가운데 한 가닥의 나쁜 기에 부딪혀 꺾인 것이다. 예컨대 샘물이 솟아나올 때는 매우 맑았지만, 어떤 다른 물줄기가 옆에서 들이쳐 흩어져버리거나, 간혹 준험한 바위를 만나 가로막히고 부딪혀서 솟구치면 순탄하게 흘러가지 못하고, 도리어 험악한 물줄기가 되는 것과 같다. 살펴보건대 사람들이 태어나면서 받은 기에는 여러 가지 양상이 있다. 어떤 경우에는 서로 두 배 다섯 배, 어떤 경우에는 서로 열 배 백 배, 어떤 경우에는 서로 천 배 만 배로 벌어져, 일률적으로 가지런히 할 수 없다. 결국 청명함과 순수함이 알맞은 것은 지극히 얻기 어렵기 때문에 성현이 적고 어리석은 자와 못난 사람이 많다."

[31-1-12]

潛室陳氏曰 : "性者, 人心所具之天理. 以其稟賦之不齊, 故先儒分別出來, 謂有義理之性, 有氣質之性. 仁義禮智者, 義理之性也; 知覺運動者, 氣質之性也. 有義理之性而無氣質之性, 則義理必無附著; 有氣質之性而無義理之性, 則無異於枯死之物. 故有義理以行乎血氣之中, 有血氣以受義理之體. 合虛與氣而性全.

잠실 진씨潛室陳氏[陳埴][51]가 말했다. "성性은 사람의 마음이 갖추고 있는 천리天理이다. 그 품부한 것이 가지런하지 않기 때문에 선유先儒는 그것을 분별하여, 의리지성義理之性과 기질지성氣質之性이 있다고 하였다. 인의예지는 의리지성이고 지각·운동은 기질지성이다. 의리지성만 있고 기질지성이 없으면 의리는 틀림없이 붙을 곳이 없을 것이며, 기질지성만 있고 의리지성이 없으면 말라죽은 사물과 다를 것이 없다. 그러므로 의리를 두어 혈기 가운데 행하여지게 하고, 혈기를 두어 의리의 체體를 받아들여야 한다. 허虛와 기氣가 합쳐져야 성性이 온전해진다.[52]

孟子之時, 諸子之言性, 往往皆於氣質上有見, 而遂指氣質作性, 但能知其形而下者耳. 故孟子答之, 只就義理上說, 以攻他未曉處. 氣質之性, 諸子方得於此, 孟子所以不復言之; 義理之性, 諸子未通於此, 孟子所以反覆詳說之. 程子之說, 正恐後學死執孟子義理之說, 而遺失氣質之性, 故幷二者而言之, 曰, '論性不論氣, 不備; 論氣不論性, 不明.' 程子之論, 擧其全; 孟子之論, 所以矯諸子之偏. 人能卽程子之言, 而達孟子之意, 則其不同之意, 不辯而自明矣."[53]

51 陳埴 : 자는 器之이고, 호는 木鐘이며, 세칭 潛室先生이라 하였다. 송대 永嘉(현 절강성 溫州) 사람으로 通直郞을 역임하였다. 어려서는 葉適에게 배우고 나중에는 주희에게서 배웠다. 저서는 『木鐘集』·『禹貢辨』·『洪範解』 등이 있다.

52 虛와 氣를 … 온전해진다. : 장재는 『正蒙』 제1 「太和篇」에서, "태허로부터 천이라는 이름이 있고, 기화로부터 도라는 이름이 있다. 허와 기를 합하여 性이란 이름이 있고, 성과 지각을 합하여 心이란 이름이 있다.(由太虛有天之名, 由氣化有道之名. 合虛與氣有性之名, 合性與知覺有心之名.)"라고 하였다.

53 陳埴, 『木鍾集』 권10 「近思雜問附」

맹자 시대에 여러 학자들이 성에 대해 말한 것은 흔히들 모두 기질 측면에서 이해하고는 마침내 기질을 가리켜 성으로 삼았으니, 그저 그 형이하의 측면을 알아냈을 뿐이다. 그러므로 맹자가 그들에게 대답한 것은 오직 의리 측면으로만 말하여 그들이 아직 분명하게 알지 못하는 점을 공격하였다. 기질지성에 대해서는 여러 학자들이 바로 이것에서 터득했기 때문에 맹자는 다시 언급하지 않았으며, 의리지성에 대해서는 여러 학자들이 아직 이것에 통달하지 못했기 때문에 맹자는 반복해서 자세히 설명하였다. 정자의 말은 바로 후학들이 맹자의 의리에 대한 설명을 융통성 없이 고집하여 기질지성을 잃어버릴까 염려했기 때문에 둘을 아울러서, '성을 논하면서 기를 논하지 않으면 갖추어지지 않고, 기를 논하면서 성을 논하지 않으면 분명하지 않다.'라고 말한 것이다. 정자의 논의는 그 전체를 제시하였고, 맹자의 논의는 여러 학자들이 치우친 것을 바로 잡았다. 사람들이 정자의 말에 의거해서 맹자의 뜻에 도달하면, 그 같지 않은 점을 더 따지지 않아도 저절로 분명할 것이다."

[31-1-13]

"識氣質之性, 善惡方各有著落. 不然, 則惡從何處生? 孟子專說義理之性. 專說義理, 則惡無所歸. 是論性不論氣, 孟子之說爲未備. 專說氣稟, 則善爲無別. 是論氣不論性, 諸子之論所以不明夫本也. 程子兼氣質論性"[54]

(잠실 진씨가 말했다.) "기질지성을 알아야 선악이 비로소 각자 귀결이 있다. 그렇지 않으면, 악은 어디에서 생겨날 것인가? 맹자는 오로지 의리지성만을 말했다. 오로지 의리만을 말하면 악은 귀결할 곳이 없다. 이것은 성을 논하면서 기를 논하지 않은 것이니, 맹자의 말은 아직 갖추어지지 않았다. 오로지 기의 품부만을 말하면 선은 특별함이 없게 된다. 이것은 기를 논하면서 성을 논하지 않은 것이니, 여러 학자들의 논의가 저 근본에 밝지 않은 까닭이다. 정자는 기질을 겸해서 성을 논했다."

[31-1-14]

問 : "目視耳聽, 此氣質之性也. 然視之所以明, 聽之所以聰, 抑氣質之性邪, 抑義理之性邪?"
曰 : "目視耳聽, 物也; 視明聽聰, 物之則也. 來問可施於物則, 不可施於言性. 若言性, 當云, '好聲好色, 氣質之性; 正聲正色, 義理之性.' 義理只在氣質中, 但外義理而獨徇氣質則非也."[55]

물었다. "눈으로 보고 귀로 듣는 것은 기질지성입니다. 그러나 보는 것이 밝은 까닭과 듣는 것이 밝은 까닭은 기질지성 때문입니까, 의리지성 때문입니까?"
(잠실 진씨가) 대답했다. "눈으로 보고 귀로 듣는 것은 사물의 작용이며, 보는 것의 밝음과 듣는 것의 밝음은 사물의 법칙이다. 그대가 질문한 내용은 사물의 법칙에 적용할 수 있지만 성을 말하는 데는 적용할 수 없다. 만약 성을 말하면 마땅히 '소리를 좋아하고 색을 좋아함은 기질지성이고, 소리를 바르게 듣고 색을 바르게 봄은 의리지성이다.'라고 말해야 한다. 의리는 단지 기질 속에 있는데, 의리를 제외하

54 陳埴, 『木鍾集』 권2 「孟子」
55 陳埴, 『木鍾集』 권10 「近思雜問附」

고 오직 기질만을 쫓으면 옳지 않다."

[31-1-15]

西山眞氏曰 : "人之氣質, 有至善而不可移奪者, 有善少惡多而易於移奪者, 有善多惡少而難於移奪者."

서산 진씨西山眞氏[眞德秀][56]가 말했다. "사람의 기질에는 지극히 선하여 바꿀 수 없는 것도 있고, 선은 적고 악은 많아서 쉽게 바꿀 수 있는 것도 있으며, 선은 많고 악은 적어서 바꾸기 어려운 것도 있다."

又曰 : "性之不能離乎氣, 猶水之不能離乎土也. 性雖不雜乎氣而氣汩之, 則不能不惡矣; 水雖不雜乎土而土汩之, 則不能不濁矣. 然清者其先, 而濁者其後也; 善者其先, 而惡者其後也. 先善者, 本然之性也; 後惡者, 形而後有也. 故所謂善者超然於降衷之初, 而所謂惡者雜出於有形之後. 其非相對而並出也昭昭矣."[57]

(서산 진씨가) 또 말했다. "성이 기를 떠날 수 없는 것은 마치 물이 땅을 떠날 수 없는 것과 같다. 성은 비록 기에 뒤섞이지 않지만 기가 그것을 어지럽히면 악하지 않을 수 없고, 물은 비록 흙에 뒤섞이지 않지만 흙이 그것을 어지럽히면 흐리지 않을 수 없다. 그러나 맑은 것이 먼저이고 흐린 것은 나중이며, 선한 것이 먼저이고 악한 것이 나중이다. 먼저 선한 것은 본연지성本然之性이고 나중에 악한 것은 형체가 있은 뒤에 있는 것이다. 그러므로 이른바 선한 것은 (하늘이) 충衷[中道]을 내려주는 처음의 초연超然한 것이고, 이른바 악은 형체가 있은 뒤에 뒤섞여 나오는 것이다. 그것들은 서로 짝해서 함께 나오지 않는 것은 명백하다."

[31-1-16]

平岩葉氏曰 : "論性之善而不推其氣稟之不同, 則何以有上智下愚之不移? 故曰不備. 論氣質之異而不原其性之皆善, 則是不達其本也. 故曰不明. 然性氣二者, 元不相離, 判而二之, 則亦非矣."[58]

평암 섭씨平岩葉氏[葉采][59]가 말했다. "성이 선하다는 것을 논하면서 기의 품부가 같지 않다는 것을 미루어

56 眞德秀(1178~1235) : 자는 希元 · 景元 · 景希이고, 호는 西山이며, 시호는 文忠이다. 송대 浦城(복건성 蒲城) 사람으로 1199년에 진사에 급제하여 太學正 · 參知政事에 이르렀다. 어려서는 주희의 문인인 詹體仁에게 배우고, 스스로 '주희를 사숙하여 얻은 것이 있다.'라고 하였다. 특히 『大學』을 중시하여 '窮理 · 持敬을 강조하였다. 저서는 『大學衍義』 · 『四書集編』 · 『讀書記』 · 『文章正宗』 · 『唐書考疑』 · 『西山文集』 등이 있다.

57 眞德秀, 『西山讀書記』 권2 「氣質之性」

58 張九韶의 『理學類編』 권7 「性命」에 섭채의 말로 기록되어 있다.

59 葉采 : 자는 仲圭이고 호는 平巖이다. 송대 建陽(현 복건성 소속) 사람이다. 처음에는 蔡淵에게 『易』을 배우고 陳淳을 찾아갔는데, 陳淳은 그가 높고 오묘한 것을 좋아하여 배움에 차서가 없다고 힐난했다고 한다. 이에 다시 각고의 노력을 기울여 점점 착실하게 학업에 진전이 있었다고 한다. 송대 理宗 淳祐 원년(1241)에 進士

말하지 않으면, 어떻게 '가장 지혜로운 자[上智]'와 '가장 어리석은 자[下愚]'의 변화시킬 수 없음이[60] 있겠는가? 그러므로 갖추어지지 않았다고 한다. 기질의 다름을 논하면서 성이 모두 선하다는 근원을 추구하지 않으면 그 근본에 통달하지 못한 것이다. 그러므로 분명하지 못하다고 한다. 그러나 성과 기 둘은 원래 서로 떨어져 있지 않으니, 갈라서 둘로 하면 역시 옳지 않다."

[31-1-17]

臨川吳氏曰: "人得天地之氣而成形. 有此氣, 卽有此理. 所有之理謂之性. 此理在天地, 則元·亨·利·貞, 是也; 其在人而爲性, 則仁·義·禮·智, 是也. 性卽天理, 豈有不善? 但人之生也, 受氣於父之時, 旣有或淸或濁之不同; 成質於母之時, 又有或美或惡之不同.

임천 오씨臨川吳氏[吳澄][61]가 말했다. "사람은 천지의 기氣를 얻어서 형체를 이룬다. 이 기가 있으면 곧 이 리理가 있다. 가지고 있는 리를 성性이라고 한다. 이 리는 천지에서는 원·형·이·정이 이것이고, 사람에게서는 성이 되니 인·의·예·지가 이것이다. 성은 곧 천리인데 어찌 선하지 않음이 있는가? 다만 사람이 태어남에 아버지에게 기氣를 받을 때 이미 혹은 맑은 것 혹은 흐린 것의 같지 않음이 있게 되고, 어머니에게서 질質을 이룰 때 또 혹은 아름다운 것 혹은 추한 것의 같지 않음이 있게 된다.

氣之極淸, 質之極美者爲上聖. 蓋此理在淸氣·美質之中, 本然之眞無所汚壞. 此堯·舜之性, 所以爲至善. 而孟子之道性善, 所以必稱堯·舜以實之也. 其氣之至濁, 質之至惡者爲下愚. 上聖以下, 下愚以上, 或淸或濁, 或美或惡, 分數多寡, 有萬不同. 惟其氣濁而質惡, 則理在其中者被其拘礙淪染而非復其本然矣. 此性之所以不能皆善而有萬不同也.

기 가운데 지극히 맑은 것과 질 가운데 지극히 아름다운 것은 '가장 성스러운 자[上聖]'가 된다. 이 경우는 리가 맑은 기와 아름다운 질 속에 있기 때문에, 본연의 참됨이 더럽혀져 망가짐이 없다. 이것이 요·순의 성이 지극히 선한 까닭이다. 그 때문에 맹자는 성이 선하다는 것을 말할 때 반드시 요·순을 일컬어서 그것을 실증하였다.[62] 기 가운데 지극히 흐린 것과 질 가운데 지극히 추한 것은 '가장 어리석은 자[下愚]'가 된다. '가장 성스러운 자[上聖]' 이하와 '가장 어리석은 자[下愚]'이상은 혹 맑거나 혹 흐린 것, 혹 아름답거나

가 되어 邵武尉, 景獻府教授, 秘書監, 樞密院檢討, 翰林學士兼侍講 등을 역임하였다. 저술에는 『近思錄集解』가 유명하다.

60 '가장 지혜로운 … 없음이 : 『論語』「陽貨」

61 吳澄(1249~1333) : 자는 幼淸이고, 세칭 草廬先生이라 한다. 宋元교체기 崇仁(현 강서성 소속) 사람으로 國子監司業·翰林學士를 역임하였다. 시호는 文正이다. 그의 학문은 주로 주희와 육구연의 사상을 절충하는 경향이 있으며, 특히 주희 이래의 道統을 은연중에 자임하고 있다. 저서는 『學基』·『學統』·『書·易·春秋·禮記纂言』·『吳文正公集』·『孝經章句』 등이 있고, 『皇極經世書』·『老子』·『莊子』·『太玄經』·『八陣圖』·『郭璞葬書』를 교정했다.

62 맹자는 성이 … 실증하였다. : 『孟子』「滕文公上」에서 "맹자가 성이 선하다는 것을 말하면 반드시 요순을 일컫는다.(孟子道性善, 言必稱堯舜.)"라고 하였다.

혹 추한 것의 분수分數의 많고 적음이 수만 가지로 같지 않음이 있다. 오직 그 기가 흐리고 질이 추하면, 그 속에 있는 리는 구속되고 더럽혀져서 다시 그 본연이 아니다. 이것이 바로 성이 모두 선할 수 없어서 수만 가지로 같지 않음이 있게 되는 까닭이다.

孟子道性善, 是就氣質中挑出其本然之理而言. 然不曾分別性之所以有不善者, 因氣質之有濁惡而汚壞其性也. 故雖與告子言, 而終不足以解告子之惑. 至今人讀『孟子』, 亦見其未有以折倒告子而使之心服也. 蓋孟子但論得理之無不同, 不曾論到氣之有不同處, 是其言之不備也. 不備者, 謂但說得一邊, 不曾說得一邊, 不完備也. 故曰, '論性不論氣, 不備', 此指孟子之言性而言也.

맹자가 성이 선하다고 말한 것은 기질 속에서 그 본연의 리를 끄집어내어 말한 것이다. 그러나 성에 선하지 않음이 있는 까닭이 기질에 흐림과 악함이 있어서 그 성을 더럽혀 망가뜨리기 때문인 점을 분별한 적이 없었다. 그러므로 비록 고자告子에게 말해도 끝내 고자의 의혹을 풀어주기에 충분하지 못했다. 지금까지도 사람들이 『맹자』를 읽으면, 역시 맹자가 고자를 좌절시켜서 마음으로 복종하도록 하지 못했다는 것을 알 수 있다. 이것은 맹자가 다만 리가 같지 않음이 없다는 것을 논했지, 기에 같지 않은 점이 있다는 것까지는 논한 적이 없었기 때문이니, 이것이 그 말이 갖추어지지 않은 것이다. 갖추어지지 않았다는 것은 다만 한쪽만을 말하고 다른 한쪽을 말한 적이 없어서 완비되지 않았다는 것을 말한다. 그러므로 (정자는) '성을 논하면서 기를 논하지 않으면 갖추어지지 않는다.'[63]라고 하였으니, 이것은 맹자가 성에 대해 말한 것을 가리켜서 말한 것이다.

至若荀·楊以性爲惡, 以性爲善惡混, 與夫世俗言人性寬·性褊, 性緩·性急, 皆是指氣質之不同者爲性. 而不知氣質中之理謂之性, 此其見之不明也. 不明者, 謂其不曉得'性'字. 故曰, '論氣不論性, 不明', 此指荀·楊·世俗之說性者言也.

순자가 성을 악으로 여긴 것과 양웅이 성을 선·악이 섞여있는 것으로 여긴 것 및 세속에서 사람의 성이 넓다고 하거나 좁다고 하며, 성이 느긋하다고 하거나 급하다고 하는 것은 모두 기질이 같지 않은 것을 가리켜서 성으로 여긴 것이다. 그러나 이것은 기질 속에 있는 리를 성이라고 하는 것임을 모르는 것이니, 이것은 그것에 대한 이해가 분명하지 않은 것이다. 분명하지 않다는 것은 '성'이라는 개념을 알지 못했다는 것을 말한다. 그러므로 (정자는) '기를 논하면서 성을 논하지 않으면 분명하지 않다.'[64]라고 하였으니, 이것은 순자와 양웅 및 세속에서 성에 대해 말한 것을 가리켜서 말한 것이다.

程子'性卽理也'一語, 正是鍼砭世俗錯認'性'字之非, 所以爲大有功. 張子書'形而後有氣質之

63 '성을 논하면서 … 않는다.' : 『河南程氏遺書』 권6
64 '기를 논하면서 … 않다.' : 『河南程氏遺書』 권6

性, 善反之則天地之性存焉. 故氣質之性, 君子有弗性者焉.' 此言最分曉. 而觀者不能解其言, 反爲所惑, 將謂性有兩種. 蓋天地之性, 氣質之性, 兩'性'字只是一般, 非有兩等性也. 故曰, '二之則不是.'

정자가 '성은 곧 리이다.'[65]라고 한 말은 바로 세속에서 '성'이라는 개념을 잘못 알고 있는 그릇됨을 지적해서 바로잡아주는 말이기 때문에 그 공로가 크다. 장자張子[張載]가 '형체가 있은 다음에 기질지성이 있으니 잘 돌이키면 천지지성이 보존된다. 그러므로 기질지성은 군자가 성性으로 여기지 않음이 있다.'[66]라고 기록한 것은, 그 말이 가장 분명하다. 그러나 그것을 본 사람들이 그 말을 이해할 수 없어서 도리어 의혹하게 되어 성에 두 종류가 있다고 여기게 되었다. 대개 천지지성과 기질지성에서 두 개의 '성'이라는 글자는 다만 같은 것이지 두 가지의 성이 있는 것이 아니다. 그러므로 (정자는) '그것을 둘로 하면 옳지 않다.'[67]고 하였다.

言人之性, 本是得天地之理, 因有人之形, 則所得天地之性, 局在本人氣質中, 所謂'形而後有氣質之性也.' 氣質雖有不同, 而本性之善則一. 但氣質不清不美者, 其本性不免有所汚壞. 故學者當用反之之功. 反之, 如'湯 · 武反之也'之反, 謂反之於身而學焉. 以至變化其不清不美之氣質, 則天地之性渾然全備, 具存於氣質之中. 故曰'善反之, 則天地之性存焉.' 氣質之用小, 學問之功大. 能學者, 氣質可變而不能汚壞吾天地本然之性, 而吾性非復如前汚壞於氣質者矣. 故曰, '氣質之性, 君子有弗性者焉.'"[68]

사람의 성을 말하면 본래 천지의 리를 얻은 것인데, 사람은 형체를 가지기 때문에 얻은 천지의 성이 그 사람의 기질 속에 국한되니, '형체가 있은 다음에 기질지성이 있다.'[69]고 말한다. 기질이 비록 같지 않음이 있지만 본래 성의 선함은 한 가지이다. 다만 기질이 맑지 않거나 아름답지 않은 사람은 그 본래의 성이 더렵혀져 망가지는 것을 면하지 못한다. 그러므로 배우는 사람은 마땅히 돌이키는 노력을 기울여야 한다. 돌이킨다는 것은 예컨대 '탕임금과 무왕은 돌이켰다.'[70]라고 하는 것에서의 돌이킴과 같으니, 자기 몸에 그것을 돌이켜서 배운다는 것을 말한다. 그 맑지 않거나 아름답지 않은 기질을 변화시키게 되면 천지지성은 혼연히 온전하게 갖추어져서 기질 속에 다 보존하게 된다. 그러므로 '잘 돌이키면 천지지성이 보존된다.'[71]고 하였다. 기질의 작용은 작고 학문의 공로는 크다. 잘 배우는 사람은, 기질은 변화시킬 수 있어 우리의 천지 본연의 성을 더럽혀 망가뜨릴 수 없을 것이고, 우리의 성은 다시는 예전과 같이

65 '성은 곧 리이다.' : 『河南程氏遺書』 권22상
66 '형체가 있은 … 있다.' : 張載, 『正蒙』 권6 「誠明篇」
67 '그것을 둘로 … 않다.' : 『河南程氏遺書』 권6
68 吳澄, 『吳文正集』 권2 「答人問性理」
69 '형체가 있은 … 있다.' : 張載, 『正蒙』 권6 「誠明篇」
70 '탕임금과 무왕은 돌이켰다.' : 『孟子』 「盡心下」에서 "맹자가 말했다. '요임금과 순임금은 性으로 삼았고, 탕임금과 무왕은 性을 돌이켰다.(孟子曰, '堯舜, 性者也 ; 湯武, 反之也.')"라고 하였다.
71 '잘 돌이키면 … 보존된다.' : 張載, 『正蒙』 권6 「誠明篇」

기질에 더럽혀 망가지지 않게 될 것이다. 그러므로 '기질지성은 군자가 성性으로 여기지 않음이 있다.'[72] 라고 하였다."

[31-1-18]

或問: "今世言人性善·性惡, 性緩·性急, 性昏·性明, 性剛·性柔者, 何也?"

어떤 사람이 물었다. "요즘 세상에서 사람의 성이 선하거나 악하다고 하며, 느긋하거나 급하다고 하며, 어둡거나 밝다고 하며, 굳세거나 부드럽다고 하는 것은 무엇 때문입니까?"

曰: "此氣質之性也. 蓋人之生也, 天雖賦以是理, 而人得之以爲仁義禮智之性, 然是性也, 實具於五藏內之所謂心者焉. 故必賦以是氣, 而人得之以爲五藏百骸之身, 然後所謂性者有所寓也. 是以人之生也, 稟氣有厚薄, 而形體運動有肥瘠强弱之殊; 稟氣有淸濁, 而材質知覺有愚智昏明之異. 是則告子所謂'生之謂性', 而朱子謂其指人之知覺運動爲性者, 是也. 是性也, 實氣也. 故張子謂'氣質之性, 君子有弗性者焉.' 程子亦謂'有自幼而善, 有自幼而惡, 是氣稟有然也.' 斯豈天地本然之性云乎哉? 若論天地本然之性, 則程子曰, '性卽理也', 斯言盡之."

(임천 오씨가) 대답했다. "이것은 기질지성이다. 사람이 생겨남에 하늘이 비록 이 리로써 부여하고 사람이 그것을 얻어서 인의예지의 성으로 삼지만, 이 성은 사실 오장五藏 중의 이른바 심장[心]에 갖추어진다. 그러므로 반드시 이 기를 부여하고 사람이 그것을 얻어서 오장과 백해百骸(온 몸의 뼈)가 있는 몸을 삼은 뒤에, 이른바 성이 깃들 곳이 있다. 이 때문에 사람이 생겨남에 기를 품부한 것이 두터움과 엷음이 있어 형체에는 살찜과 여윔, 운동에는 강함과 약함의 다름이 있으며, 기를 품부한 것이 맑음과 흐림이 있어 재질에는 어리석음과 지혜로움, 지각에는 어두움과 밝음의 차이가 있다. 이것이 고자告子의 이른바 '생겨난 그대로를 성이라고 한다.'[73]라는 것이고, 주자가 그것은 사람의 지각과 운동을 가리켜서 성으로 삼은 것이라고 한 것이[74] 이것이다. 이 성은 사실 기이다. 그러므로 장자張子[張載]는 '기질지성은 군자가 성性으로 여기지 않음이 있다.'[75]라고 하였다. 정자 또한 '어려서부터 선한 사람도 있고 어려서부터 악한

72 '기질지성은 군자가 … 있다.': 張載, 『正蒙』 권6 「誠明篇」

73 '생겨난 그대로를 … 한다.': 『孟子』 「告子上」

74 주자가 그것은 … 것이: 『孟子集註』 「告子上」 '생겨난 그대로를 성이라고 한다.(生之謂性)'라는 구절에 대한 주자의 주석에, "'생겨난 그대로[生]'라는 것은 사람과 사물이 지각하고 운동하는 것을 가리켜 말한 것이다.(生, 指人物之所以知覺運動者而言.)"라고 하였다. 또 주희의 『朱文公文集』 권61 「答林德久」에서, "'생겨난 그대로를 성이라고 한다.(生之謂性)'는 章에 대해 『孟子集註』에서 지각과 운동으로 말했다. 인의예지가 성이다. 예전에 불교의 주장을 보니 다만 지각과 운동을 성으로 여겼다.('生之謂性'一章, 『集注』以知覺運動者言也. 仁義禮智, 性也. 嘗觀釋氏之說, 止以知覺運動者爲性.)"라고 하였다. 그리고 『朱子語類』 권59, 5조목에서는 "蜚卿(주자문인)이 물었다. '생겨난 그대로를 성이라고 한다는 것은 다만 지각과 운동을 성으로 삼은 것이 아닙니까?' 주자가 대답했다. '바로 그렇다.'(蜚卿問, '生之謂性, 莫止是以知覺運動爲性否?' 曰, '便是.')"라고 하였다.

75 '기질지성은 군자가 … 있다.': 張載, 『正蒙』 권6 「誠明篇」

사람도 있으니, 이것은 기의 품부에 그렇게 함이 있는 것이다.'[76]라고 하였다. 이것이 어찌 천지 본연의 성을 말하는 것이겠는가? 만약 천지 본연의 성을 말하면, 정자는 '성은 곧 리이다.'[77]라고 하였으니, 이 말이 그것을 다 표현했다."

[31-1-19]

"天下之清莫如水. 先儒以水之清, 喻性之善. 人無有不善之性, 則世無有不清之水也. 然黄河之水, 渾渾而流以至于海, 竟莫能清者, 何也? 請循其初, 原者, 水之初也. 水原於天而附於地, 原之初出, 曷嘗不清也哉? 出於岩石之地者, 瑩然湛然, 得以全其本然之清; 出於泥塵之地者, 自其初出而混於其滓, 則原雖清而流不能不濁矣. 非水之濁也, 地則然也.

(임천 오씨 말했다.) "천하에 맑은 것은 물만한 것이 없다. 선유先儒들은 물의 맑음으로 성의 선함을 비유했다. 사람들 중에 선하지 않은 성을 가진 사람이 없는 것은 세상에 맑지 않은 물이 없는 것과 같다. 그러나 황하의 물은 도도하게 흘러 바다에 이르는데, 끝내 맑을 수 없는 것은 무엇 때문인가? 우선 그 시초를 거슬러 가보면 원천이 물의 처음이다. 물은 하늘에서 근원하여 땅에 붙여지는데, 그 원천이 처음 나올 때 어찌 맑지 않은 적이 있었겠는가? 암석으로 된 땅에서 나오는 것은 환하게 맑아서 그 본연의 맑음을 온전히 할 수 있지만, 진흙으로 된 땅에서 나오는 것은 처음 나올 때부터 찌꺼기에 뒤섞이니, 원천이 비록 맑더라도 흘러가는 것은 흐려지지 않을 수 없다. 물이 흐린 것이 아니라 땅이 그렇게 하는 것이다.

人之性亦猶是. 性原於天而附於人, 局於氣質之中. 人之氣質不同, 猶地之岩石 · 泥塵有不同也. 氣質之明粹者, 其性自如, 岩石之水也; 氣質之昏駁者, 性從而變, 泥塵之水也. 水之濁於泥塵者由其地, 而原之所自則清也. 故流雖濁而有清之之道. 河之水甚濁, 貯之以器, 投之以膠, 則泥沉於底而其水可食. 甚濁固可使之清也, 況其濁不如河之甚者乎?

사람의 성도 이와 같다. 성은 하늘에서 근원하여 사람에게 붙여지니, 기질 속에 국한된다. 사람의 기질이 같지 않는 것은 마치 암석으로 된 땅과 진흙으로 된 땅이 같지 않은 것과 같다. 기질이 밝고 순수한 사람은 그 성이 본래 그대로이니 암석의 물이며, 기질이 흐리고 잡박한 사람은 성이 그것을 좇아 변하니 진흙의 물이다. 물이 진흙에서 흐려진 것은 그 땅 때문이지 그것이 유래하는 원천은 맑다. 그러므로 흘러서 비록 흐려져도 그것을 맑게 하는 방법이 있다. 황하는 매우 흐리지만 그릇에 담아두고 아교를

76 '어려서부터 선한 … 것이다.' : 『河南程氏遺書』 권1에서, "'생겨난 그대로를 性이라고 한다.'라고 하였는데, 성은 곧 氣이고 기는 곧 성이니 생겨난 그대로를 말한다. 사람이 생겨나서 기를 품부 받아 理에 선과 악이 있지만 성 가운데 원래 이 선과 악 두 가지가 서로 마주하고 있는 것을 가지고 생겨난 것은 아니다. 어려서부터 선한 사람도 있고 어려서부터 악한 사람도 있으니, 이것은 기를 품부 받은 것이 그렇게 함이 있는 것이다. ('生之謂性', 性卽氣, 氣卽性, 生之謂也. 人生氣稟, 理有善惡, 然不是性中元有此兩物相對而生也. 有自幼而善, 有自幼而惡, 是氣稟有然也.)"라고 하였다.

77 '성은 곧 리이다.' : 『河南程氏遺書』 권22상

넣어두면, 진흙은 바닥에 가라앉고 그 물은 먹을 수 있다. 매우 흐린 것마저 본래 맑게 할 수 있는데, 하물며 그 흐림이 황하만큼 심하지 않은 것은 어떻겠는가?

世之學者, 非惟無以清之, 而又有以濁之. 性之汚壞, 豈專係乎有生之初哉? 有生之後, 日隨所接而增其滋穢. 外物之涵, 多於氣質之滓者, 奚翅千萬? 不復其原之清, 而反益其流之濁, 非其性之罪也. 雖然, 原之清, 天也; 流之濁, 人也. 人者克, 則天者復, 亦在乎用力以清之者, 何如爾."[78]

세상의 배우는 사람들은 비단 그것을 맑게 하지 않을 뿐 아니라 게다가 그것을 흐리게 한다. 성이 더럽혀져 망가지는 것이 어찌 오로지 태어나는 애초에 달려 있겠는가? 태어난 뒤에 나날이 접촉하는 것에 따라서 그 더러움을 증가시킨다. 바깥 사물의 혼탁함이 기질의 찌끼보다 많은 것이 어찌 수만 가지뿐이겠는가? 그러나 그 원천의 맑음을 회복하지 않고 도리어 그 흐름의 혼탁함을 보태는 것은 성性의 탓이 아니다. 비록 그렇지만 원천의 맑음은 하늘에 속하고, 흐름의 혼탁함은 사람에 속하는 것이다. 사람이 극복할 수 있으면 하늘은 회복되니, 또한 얼마나 힘써 그것을 맑게 하는지에 달려 있을 뿐이다."

[31-2-1]

程子曰 : "在天曰命, 在人曰性. 貴賤 · 壽夭, 命也 ; 仁義禮智, 亦命也."[79] 以下兼論命.

정자가 말했다. "하늘에 있어서는 명命이라 하고, 사람에 있어서는 성性이라 한다. 귀함과 천함, 장수와 요절은 명이고, 인의예지도 명이다." 이하는 명命을 함께 논한다.

[31-2-2]

"夫動靜者, 陰陽之本. 況五氣交運, 則益參差不齊矣. 賦生之類, 宜其雜揉者衆, 而精一者間或值焉. 以其間值之難, 則其數不能長,[80] **亦宜矣."**[81]

(정자가 말했다.) "움직임과 고요함은 음양의 근본이다. 게다가 다섯 가지 기가 서로 교차하면서 운동하면 더욱 들쑥날쑥 가지런하지 않다. 생명을 부여받은 것들 중에는 당연히 기가 뒤섞인 것이 많고, 정일精一한 것은 어쩌다가 만나게 된다. 어쩌다가 만나기란 어렵기 때문에 그 수명이 길지 못한 것도 당연하다."

[31-2-3]

"世之服食欲壽者, 其亦大愚矣. 夫命者受之於天, 不可增損加益, 而欲服食而壽, 悲哉!"[82]

78 吳澄, 『吳文正集』 권10 「易原以清名字說」

79 『河南程氏遺書』 권24

80 則其數不能長 : 『河南程氏文集』 권4 「程邵公墓誌」에는 "則其數或不能長"이라고 되어 있다.

81 程子, 『河南程氏文集』 권4 「程邵公墓誌」

(정자가 말했다.) "세상에 단약을 먹고 장수하려고 하는 자는 또한 매우 어리석다. 명은 하늘에서 받아서 더 늘이거나 줄일 수 없는데, 단약을 먹고 장수하려고 하니 불쌍하다!"

[31-2-4]

問 : "富貴 · 貧賤 · 壽夭, 固有分定. 君子先盡其在我者, 則富貴 · 貧賤 · 壽夭, 可以命言. 若在我者未盡, 則貧賤而夭, 理所當然, 富貴而壽, 是爲徼倖, 不可謂之命."

曰 : "雖不可謂之命, 然富貴 · 貧賤 · 壽夭, 是亦前定. 孟子曰, '求則得之, 舍則失之. 是求有益於得也, 求在我者也. 求之有道, 得之有命. 是求無益於得也, 求在外者也.' 故君子以義安命, 小人以命安義."[83]

물었다. "부귀와 빈천과 요수夭壽는 본디 분수가 정해짐이 있습니다. 군자는 먼저 자신에게 있는 것을 다하니, 부귀와 빈천과 요수를 명命으로 말할 수 있습니다. 만약 자신에게 있는 것을 다하지 않으면, 빈천하고 요절하는 것은 이치상 당연히 그러하며, 부귀하고 장수하는 것은 요행이니 명이라고 할 수 없습니다."

(정자가) 대답했다. "비록 명이라고 할 수 없지만 부귀와 빈천과 요수는 또한 미리 정해지는 것이다. 맹자는 '구하면 얻고 버리면 잃는다. 이런 경우의 구함은 얻음에 유익함이 있으니, 자신에게 있는 것을 구하기 때문이다. 구함에 도道가 있고, 얻음에 명命이 있다. 이런 경우의 구함은 얻음에 유익함이 없으니, 밖에 있는 것을 구하기 때문이다.'[84]라고 말했다. 그러므로 군자는 의義로써 명命을 편안히 여기고, 소인은 명으로써 의를 편안히 여긴다."

[31-2-5]

或問 : "命與遇異乎?"

曰 : "遇不遇, 卽命也."

曰 : "長平死者四十萬, 其命齊乎?"

曰 : "遇白起則命也. 有如四海九州之人, 同日而死也, 則亦常事爾. 世之人以爲是駭然耳, 所見少也."[85]

어떤 사람이 물었다. "명과 우연한 만남은 다릅니까?"

(정자가) 대답했다. "우연과 우연하지 않음은 곧 명이다."

물었다. "장평長平에서 죽은 자 40만 명은[86] 그 명이 같습니까?"

82 『河南程氏遺書』 권25
83 『河南程氏遺書』 권23
84 '구하면 얻고 … 때문이다.' : 『孟子』「盡心上」
85 『二程粹言』「心性篇」
86 長平에서 죽은 … 명은 : 『史記』 권73 「白起王翦列傳」에서 "(長平 (현 산서성 高平市)의 전투에서) 9월에

(정자가) 대답했다. "백기白起를 만난 것은 명이다. 예컨대 온 세상 구주九州의 사람들이 같은 날 죽는 일이 있는 것도 흔히 있는 일이다. 세상 사람들이 이것을 놀랍다고 여기는 것은 본 것이 적기 때문이다."

[31-2-6]

張子曰 : "富貴 · 貧賤者, 皆命也. 今有人均爲勤苦, 有富貴者, 有終身窮餓者. 其富貴者, 卽是幸會也. 求而有不得, 則是求無益於得也. 道義則不可言命, 是求在我者也. 人一己百, 人十己千, 如此不至者, 猶難罪性, 語氣可也. 同行報異, 猶難語命, 語遇可也. 氣與遇, 性與命, 切近矣, 猶未易言也."[87]

장자張子[張載]가 말했다. "부귀와 빈천은 모두 명命이다. 지금 사람들이 똑 같이 부지런히 노력했는데 부귀하게 된 사람도 있고 죽을 때까지 굶주린 사람도 있다. 부귀하게 된 사람은 곧 행운을 만난 것이다. 구해도 얻지 못함이 있는 것은 구함이 얻음에 유익함이 없는 것이다.[88] 도의道義는 명이라고 할 수 없으니 자신에게 있는 것을 구하기 때문이다. 다른 사람이 한 번에 하면 나는 백 번을 하고, 다른 사람이 열 번에 하면 나는 천 번을 했는데,[89] 이와 같이 하고도 이르지 못하는 사람은 오히려 성性을 탓하기 어렵고 기氣 때문이라고 말하는 것이 옳다. 똑 같이 시행했는데 결과가 다른 것은 오히려 명命 때문이라 말하기 어렵고 '우연한 만남[遇]' 때문이라고 말하는 것이 옳다. 기와 우연한 만남, 성과 명은 매우 비슷한 말이지만 여전히 쉽게 말할 수 없다."

이르자 조나라의 군사들은 밥을 먹어본 지가 46일째에 접어들어, 모두 안으로 은밀히 서로를 죽여 잡아먹기에 이르렀다. 그래서 진나라 군대를 공격해서 탈출하고자 4개의 부대를 만들어 4~5차례에 걸쳐 시도하였지만 성공하지를 못하였다. 마침내 조괄이 정예 병사들을 출병시켜 친히 싸웠지만 그 자신이 전사하고 말았다. 조괄이 죽자 그의 군대 40만 명이 武安君(白起)에게 투항하였다. 무안군은 이 상황에 이르러서 심사숙고하였다. '전에 상당을 함락시켰을 때 그곳의 사람들은 진나라의 백성이 되는 것을 원하지 않고 조나라로 귀순하였다. 지금의 조나라 사졸들도 장차 마음을 바꿀 것이니 다 죽이지 않으면 뒤에 난을 일으킬 것이다.' 이에 속임수를 써서 그들을 모두 구덩이에 매장해 버렸으며, 단지 어린아이 240명만을 돌려보냈다. 이로써 前後 합쳐 참수되고 포로가 된 사람이 무려 45만 명에 달하니 조나라 사람들은 크게 공포에 떨었다.(至九月, 趙卒不得食四十六日, 皆內陰相殺食. 來攻秦壘, 欲出. 爲四隊, 四五復之, 不能出. 其將軍趙括出銳卒自搏戰, 秦軍射殺趙括. 括軍敗, 卒四十萬人降武安君. 武安君計曰, '前秦已拔上黨, 上黨民不樂爲秦而歸趙. 趙卒反覆, 非盡殺之, 恐爲亂.' 及挾詐而盡阬殺之, 遺其小者二百四十人歸趙. 前後斬首虜四十五萬人, 趙人大震.)"라고 하였다.

87 "富貴 · 貧賤者 … 是求在我者也."는 張載의 『張子全書』 권14 「性理拾遺」에 실려 있고, "人一己百 … 猶未易言也."는 『張子全書』 권12 「語錄」에 실려 있다.

88 구해도 얻지 … 것이다. : 『孟子』「盡心上」에서 "구하면 얻고 버리면 잃는다. 이런 경우의 구함은 얻음에 유익함이 있으니, 자신에게 있는 것을 구하기 때문이다. 구함에 道가 있고, 얻음에 命이 있다. 이런 경우의 구함은 얻음에 유익함이 없으니, 밖에 있는 것을 구하기 때문이다.(求則得之, 舍則失之. 是求有益於得也, 求在我者也. 求之有道, 得之有命. 是求無益於得也, 求在外者也.)"라고 하였다.

89 다른 사람이 … 했는데 : 『中庸』 20장에서 "남이 한 번에 할 수 있으면 나는 백 번을 하고, 남이 열 번에 할 수 있으면 나는 천 번을 한다.(人一能之, 己百之; 人十能之, 己千之.)"라고 하였다.

[31-2-7]

問 : "智 · 愚之識殊, 疑於有性; 善 · 惡之報差, 疑於有命."

曰 : "性通極於無, 氣其一物爾; 命稟同於性, 遇乃適然爾."[90]

물었다. "지혜로운 자와 어리석은 자의 식견이 다른 것은 성性 때문이라고 생각되고, 선과 악의 결과가 차이가 나는 것은 명命 때문이라고 생각됩니다."

(장재가) 대답했다. "성性이 무無에 지극히 통하면 기氣는 성 가운데 한 가지 사물일 뿐이고, 명命이 성性에 똑 같이 품부되면 우연한 만남은 곧바로 때마침 그러할 뿐이다."[91]

[31-2-8]

五峯胡氏曰 : "貴賤, 命也 ; 仁義, 性也. 人固有遠跡江湖, 念絶於名利者矣, 然世或求之而不得免. 人固有置身市朝, 心屬於富貴者矣, 然世或舍之而不得進. 命之在人, 分定于天, 不可變也. 是以君子貴知命."[92]

오봉 호씨五峯胡氏[胡宏]가 말했다. "귀천貴賤은 명이고, 인의仁義는 성이다. 사람들 중에 본디 강호에서 멀리 자취를 감추어 명리名利에 대한 생각을 끊은 사람이 있지만, 세상이 간혹 그를 찾아서 벗어나지 못하기도 한다. 또 사람들 중에 본디 시장과 조정에 몸담고 부귀에 마음을 쏟는 사람도 있지만, 세상이 간혹 그를 버려서 나아가지 못하기도 한다. 사람들에게 있는 명은 하늘에서 그 몫이 정해져 변화시킬 수 없다. 이 때문에 군자는 명을 아는 것을 귀하게 여긴다."[93]

90 張載, 『張子全書』 권14 「性理拾遺」

91 "性이 無에 … 뿐이다." : 李光地는 『注解正蒙』 권下에서, "사람의 성이 無에 지극히 통하면 성이 곧 명이니, 기질지성은 다만 기라고 말할 수 있을 뿐이므로 군자는 성이라고 하지 않는다. 사람의 명이 성에 똑 같이 품부되면 명은 곧 성이니, 氣의 運數인 명은 다만 우연히 만난 것이라고 말할 수 있을 뿐이므로 군자는 명이라고 하지 않는다.(人之性通極於無, 則性卽命也, 氣質之性, 特可謂之氣耳, 君子不謂性也. 人之命稟同於性, 則命卽性也, 氣數之命, 特可謂之遇耳, 君子不謂命也.)"라고 하였다.

王植은 『正蒙初義』 권17에서, "『補訓』에 '천지지성이 원래 기질과 뒤섞이지 않는다는 것을 드러내어서 無에 지극히 통한다고 하였다. 하늘이 준 것을 명이라고 하고 사람이 얻은 것을 성이라고 하니, 원래 두 가지 이치가 아니므로 性에 똑같이 품부된다.'고 하였다.(『補訓』, '發明天地之性, 原不雜氣質, 故曰通極於無. 自天畀之爲命, 自人得之爲性, 原無二理, 故曰稟同於性.')"라고 하고, 여기에 대해 또 "'無'라고 말한 것은 또한 태허가 無形이라는 것에 근본하여 말한 것이니, 무극 · 태극의 리와는 끝내 조금 다른 것 같다. 宋銳臣(왕식의 친우)은 '無에 지극히 통한다는 것은 첫 節의 기의 성이 본래 虛하다는 말의 의미와 같다.'라고 하였다.(所云'無'者, 亦本太虛無形言之, 與無極太極之理終覺小異. 宋銳臣云, '通極於無, 猶首節氣之性本虛之意.')"라고 주석하였다.

呂柟은 『張子抄釋』 권2에서, "性이 無에 지극히 통한다는 것은 곧 소리도 없고 냄새도 없다는 의미이다. 그러나 또한 기를 떠날 수 없다. 명은 그 자체로 세워지므로 결과가 다른 것으로써 우연히 만나는 것을 말했다.(性通極於無, 卽是無聲臭之意. 然亦不能離乎氣也. 命自我立, 故以報異言遇.)"라고 하였다.

92 胡宏, 『知言』 권3

93 군자는 명을 … 여긴다. : 『論語』 「堯曰」에서 "공자께서 말했다. '命을 알지 못하면 군자가 될 수 없다.(子曰,

[31-2-9]

朱子曰："性者萬物之原，而氣稟則有淸濁，是以有聖愚之異。命者萬物之所同受，而陰陽交運參差不齊，是以五福·六極値遇不一。"[94]

주자가 말했다. "성性은 만물의 근원이지만, 기의 품부는 맑음과 흐림이 있기 때문에 성인과 어리석은 자의 다름이 있다. 명命은 만물이 똑 같이 받는 것이지만, 음양이 교차하면서 운행하는 것이 들쑥날쑥 가지런하지 않기 때문에 다섯 가지 행복과 여섯 가지 불행[95]을 만나는 것이 한결같지 않다."

[31-2-10]

問："'命'字有專以理言者，有專以氣言者。"

曰："也都相離不得。蓋天非氣無以命於人，人非氣無以受天所命。"[96]

물었다. "'명命'이라는 글자는 오로지 리로써 말하는 것이 있고, 오로지 기로써 말하는 것이 있습니다."
(주자가) 대답했다. "또한 모두 서로 분리될 수 없다. 하늘은 기가 아니면 사람에게 명령할 수 없고, 사람은 기가 아니면 하늘이 명령한 것을 받을 수 없다."

[31-2-11]

問："先生說，'命有兩種：一種是貧富·貴賤，死生·壽夭；一種是淸濁·偏正，智愚·賢不肖。一種屬氣，一種屬理。'以某觀之，[97] **兩種皆似屬氣。蓋智愚·賢不肖，淸濁·偏正，亦氣之爲也。"**

曰："固然。性則是命之理而已。"[98]

물었다. "선생님께서는 '명에는 두 가지 종류가 있다. 한 가지는 가난함과 부유함, 귀함과 천박함 및 죽음과 삶, 장수와 요절이고, 다른 한 가지는 맑음과 흐림, 치우침과 바름, 지혜로움과 어리석음, 현명함과 못남이다. 한 가지는 기에 속하고 다른 한 가지는 리에 속한다.'라고 말했는데, 제가 보기에는 두 가지가 모두 기에 속하는 것 같습니다. 지혜로움이나 어리석음과 현명함이나 못남 및 맑은 것이나 흐린 것과 치우친 것이나 바른 것도 기가 그렇게 하기 때문입니다."
(주자가) 대답했다. "참으로 그렇다. 성은 명의 리일 뿐이다."

'不知命，無以爲君子也.')"라고 하였다.

94 朱熹, 『朱子語類』 권4, 86조목

95 다섯 가지 … 불행 : 『書』「周書·洪範」에 "아홉번째, 다섯 가지 행복은 첫째 장수, 둘째 부유함, 셋째 건강하고 평안함, 넷째 덕을 좋아함, 다섯째 천수를 누림이다. 여섯 가지 불행은 첫째 요절, 둘째 질병, 셋째 근심, 넷째 가난, 다섯째 사악함, 여섯째 연약함이다.(九, 五福, 一曰壽, 二曰富, 三曰康寧, 四曰攸好德, 五曰考終命. 六極, 一曰凶短折, 二曰疾, 三曰憂, 四曰貧, 五曰惡, 六曰弱.)"라고 하였다.

96 朱熹, 『朱子語類』 권4, 87조목

97 以某觀之 : 朱熹, 『朱子語類』 권4, 88조목에는 "以僩觀之"라고 되어 있다.

98 『朱子語類』 권4, 88조목

[31-2-12]

問 : "性分 · 命分何以別?"

曰 : "性分是以理言之, 命分是兼氣言之. 命分有多寡 · 厚薄之不同, 若性分則又都一般. 此理聖愚 · 賢否皆同."[99]

물었다. "성의 분수分數와 명의 분수는 어떻게 구별됩니까?"

(주자가) 대답했다. "성의 분수는 리로써 말하는 것이고, 명의 분수는 기를 겸해서 말하는 것이다. 명의 분수는 많음과 적음, 두터움과 엷음의 같지 않음이 있지만, 성의 분수는 모두 한 가지이다. 이 이치는 성인이나 어리석은 자와 현명한 사람이나 현명하지 못한 사람이 모두 같다."

[31-2-13]

問 : "'天命謂性'之'命', 與'死生有命'之'命'不同, 何也?"

曰 : "'死生有命'之'命', 是帶氣言之. 氣便有稟得多少 · 厚薄之不同. '天命謂性'之'命', 是純乎理言之. 然天之所命, 畢竟皆不離乎氣. 但『中庸』此句, 乃是以理言之. 孟子謂'性也, 有命焉', 此'性'是兼氣稟食色言之; '命也, 有性焉', 此'命'是帶氣言之 ; '性善', 又是超出氣說."[100]

물었다. "'하늘이 명령[命]한 것을 성이라고 한다.'[101]라는 것에서의 '명命'과 '삶과 죽음에는 명命이 있다.'[102]라는 것에서의 '명命'은 같지 않은데, 왜 그렇습니까?"

(주자가) 대답했다. "'삶과 죽음에는 명이 있다.'라는 것에서의 '명命'은 기를 곁들여서 말한 것이다. 기는 곧 품부함에 많음과 적음, 두터움과 엷음의 같지 않음이 있다. '하늘이 명령한 것을 성이라고 한다.'라는 것에서의 '명命'은 순전히 리로써 말한 것이다. 그러나 하늘이 명령한 것은 결국 모두 기와 분리되지 않는다. 다만 『중용』의 이 구절만이 리로써 말한 것이다. 맹자가 '성이지만 명이 있다.'[103]라는 것에서의 '성'은 기의 품부와 식색食色을 겸해서 말한 것이고, '명이지만 성이 있다.'[104]라는 것에서의 '명'은 기를 곁들여서 말한 것이며, '성은 선하다.'[105]라고 한 것은 또 기를 초월해서 말한 것이다."

[31-2-14]

問 : "顏淵不幸短命. 伯牛死, 曰'命矣夫!' 孔子'得之不得曰有命', 如此之'命', 與'天命謂性'之'命'無分別否?"

曰 : "命之正者出於理, 命之變者出於氣質. 要之, 皆天所付予. 孟子曰, '莫之致而至者, 命也.'

99 『朱子語類』 권4, 89조목
100 『朱子語類』 권4, 91조목
101 '하늘이 명령한 … 한다.' : 『中庸』 1장의 "天命之謂性."을 가리킨다.
102 '삶과 죽음에는 … 있다.' : 『論語』「顏淵」
103 '성이지만 명이 있다.' : 『孟子』「盡心下」
104 '명이지만 성이 있다.' : 『孟子』「盡心下」
105 '성은 선하다.' : 『孟子』「滕文公上」

但當自盡其道, 則所値之命皆正命也."

물었다. "안연은 불행하게도 단명하였습니다.[106] 백우가 죽을 때, (공자는) '명이구나!'라고 말했습니다.[107] 공자는 '얻고 얻지 못함에 명이 있다.'고 하였다.[108] 이와 같은 '명'과 '하늘이 명령한 것을 성이라고 한다.'라는 것에서의 '명命'은 구별이 없습니까?"

(주자가) 대답했다. "명 중에 바른 것은 리에서 나오고, 명 중에 변한 것은 기질에서 나온다. 요컨대 모두 하늘이 부여한 것이다. 맹자는 '이르게 함이 없는데도 이르는 것은 명命이다.'[109]라고 하였다. 다만 마땅히 스스로 그 도를 다하면, 만나게 되는 명이 모두 바른 명일 것이다."[110]

因問: "如今數家之學, 如康節之說, 謂皆一定而不可易, 如何?"

曰: "也只陰陽盛衰 · 消長之理, 大數可見. 然聖賢不曾主此說. 如今人說康節之數, 謂他說一事一物皆有成敗之時, 都說得膚淺了."[111]

이어서 물었다. "지금 수리학자들의 학문에서, 예컨대 강절康節[邵雍]의 주장은 모두 한 번 정해지면 바뀔 수 없다고 하는데, 어떻습니까?"

(주자가) 대답했다. "그것도 다만 음양이 왕성하거나 쇠퇴함과 사그라지거나 불어나는 리일 뿐이니 그

---

106 안연은 불행하게도 단명하였습니다. : 『論語』「雍也」에서 "哀公이 물었다. '제자 중에 누가 학문을 좋아합니까?' 공자가 대답했다. '顔回라는 자가 학문을 좋아하여 노여움을 남에게 옮기지 않으며 잘못을 두 번 다시 저지르지 않았는데, 불행하게도 단명하여 죽었습니다. 그리하여 지금은 없으니, 아직 학문을 좋아한다는 자를 듣지 못했습니다.'(哀公問, '弟子孰爲好學?' 孔子對曰, '有顔回者好學, 不遷怒, 不貳過. 不幸短命死矣! 今也則亡, 未聞好學者也.')"라고 하였다.

107 백우가 죽을 때, … 말했습니다. : 『論語』「雍也」에서 "伯牛가 병을 앓자, 공자가 문병할 때에 남쪽 창문으로부터 그의 손을 잡고 말했다. '이런 병에 걸릴 리가 없는데, 명이구나! 이런 사람이 이런 병에 걸리다니! 이런 사람이 이런 병에 걸리다니!'(伯牛有疾, 子問之, 自牖執其手, 曰, '亡之, 命矣夫! 斯人也而有斯疾也! 斯人也而有斯疾也!')"라고 하였다.

108 공자는 '얻고 … 하였다.' : 『孟子』「萬章上」에서 "(공자가) 衛나라에 있을 때 顔讐由를 주인으로 삼았다. 彌子의 아내는 子路의 아내와 형제간이었다. 미자가 자로에게 '공자께서 나를 주인으로 삼으면 衛나라의 卿을 얻을 수 있다.'라고 말했다. 자로가 이 말을 아뢰니, 공자는 '명이 있다.'라고 말하였다. 공자는 나아갈 때에 禮로써 하고, 물러날 때에 義로써 하여, 얻고 얻지 못함에 '명이 있다.'라고 하였으니, 만일 癰疽와 侍人인 瘠環을 주인으로 삼았다면 이는 義도 없고 命도 없는 것이다.(於衛主顔讐由. 彌子之妻與子路之妻, 兄弟也. 彌子謂子路曰, '孔子主我, 衛卿可得也.' 子路以告. 孔子曰, '有命.' 孔子進以禮, 退以義, 得之不得曰'有命', 而主癰疽與侍人瘠環, 是無義無命也.)"라고 하였다.

109 '이르게 함이 … 命이다.' : 『孟子』「萬章上」에서 "그렇게 함이 없는데도 그렇게 되는 것은 天이고, 이르게 함이 없는데도 이르는 것은 命이다.(莫之爲而爲者, 天也 ; 莫之致而至者, 命也.)"라고 하였다.

110 다만 마땅히 … 것이다. : 『孟子』「盡心上」에서 "맹자가 말했다. '命 아님이 없으나, 그 바른 명[正命]을 순조롭게 받아야 한다. 이 때문에 바른 명을 아는 자는 위험한 담장 아래에 서지 않는다. 그 道를 다하고 죽는 자는 바른 명이고, 桎梏으로 죽는 자는 바른 명이 아니다.'(孟子曰, '莫非命也, 順受其正. 是故知命者, 不立乎巖牆之下. 盡其道而死者, 正命也. 桎梏死者, 非正命也.')"라고 하였다.

111 『朱子語類』 권4, 93조목

대체적인 수數를 알 수 있다. 그러나 성현은 이것을 위주로 해서 말한 적이 없다. 지금 사람들이 강절의 수數를 말하면서, 강절은 하나하나의 사물마다 모두 성공할 때와 실패할 때가 있다고 말했다고 하는데, 모두 천박한 말이다."

[31-2-15]

問: "'亡之, 命矣夫!' 此'命'字是就氣稟上說?"

曰: "死生壽夭, 固是氣之所稟. 只看孟子說'性也, 有命焉'處, 便分曉."

물었다. "'이런 병에 걸릴 리가 없는데, 명이구나!'[112]라는 것에서의 '명' 자는 기의 품부에서 말하는 것입니까?"

(주자가) 대답했다. "죽음과 삶, 장수와 요절은 본디 기의 품부에 의한 것이다. 다만 맹자가 '성이지만 명이 있다.'[113]라는 말에서 보면 분명하여 진다."

又問: "'不知命', 與'知天命'之'命', 如何?"

曰: "不同. '知天命', 謂知其理之所自來. 譬之於水, 人皆知其爲水, 聖人則知其發源處. 如'不知命'處, 却是說死生・壽夭・貧富・貴賤之命也."[114]

또 물었다. "'명命을 알지 못한다.'[115]와 '천명天命을 안다.'[116]라는 것에서의 '명'은 어떻습니까?"

(주자가) 대답했다. "같지 않다. '천명天命을 안다.'라는 것은 리의 유래를 안다는 것을 말한다. 물에 비유하면 사람들은 모두 그것이 물이라는 것을 알지만, 성인은 그 발원처를 아는 것과 같다. 예컨대 '명命을 알지 못한다.'라는 것에서의 명은 사생死生・요수壽夭・빈부・귀천의 명을 말하는 것이다."

[31-2-16]

問: "'子罕言命'. 若仁義禮智五常皆是天所命, 如貴賤・死生・壽夭之命有不同, 如何?"

曰: "都是天所命. 稟得精英之氣, 便爲聖, 爲賢, 便是得理之全, 得理之正. 稟得清明者, 便英爽; 稟得敦厚者, 便溫和. 稟得清高者, 便貴; 稟得豊厚者, 便富; 稟得長久者, 便壽; 稟得衰頹薄濁者, 便爲愚不肖, 爲貧, 爲賤, 爲夭. 天有那氣生一箇人出來, 便有許多物隨他來. 天之所命, 固是均一, 到氣稟處便有不齊. 只看其稟得來如何耳."[117]

112 '이런 병에 … 명이구나!': 『論語』「雍也」
113 '성이지만 명이 있다.': 『孟子』「盡心下」
114 朱熹, 『朱子語類』 권4, 95조목
115 '命을 알지 못한다.': 『論語』「堯曰」에서 "공자께서 말했다. '命을 알지 못하면 군자가 될 수 없다.(子曰, '不知命, 無以爲君子也.')"라고 하였다.
116 '天命을 안다.': 『論語』「爲政」에서 "50세에 천명을 알았다.(五十而知天命.)"라고 하였다.
117 『朱子語類』 권4, 92조목

물었다. "'공자께서는 명에 대해 드물게 말씀하셨다.'[118] 만약 인의예지의 오상五常이 모두 하늘이 명령한 것이라면 예컨대 귀천貴賤·사생死生·수요壽夭의 명이 같지 않은 것은 무엇 때문입니까?"
(주자가) 대답했다. "모두 하늘이 명령한 것이다. 빼어난[精英] 기를 품부한 사람은 성인이 되고 현인이 되니, 곧 리理의 온전한 것을 얻고 리의 바른 것을 얻은 것이다. 맑고 밝은 것을 품부한 사람은 시원스럽고, 돈후한 것을 품부한 사람은 온화하다. 맑고 고상한 것을 품부한 사람은 귀하고, 풍요하고 두터운 것을 품부한 사람은 부유하며, 장구한 것을 품부한 사람은 장수하는데, 쇠퇴하거나 엷거나 흐린 것을 품부한 사람은 어리석고 못나거나, 가난하거나, 천하거나, 요절하게 된다. 하늘이 그러한 기를 가지고 어떤 사람을 생겨나게 하면 많은 것들이 그를 따라서 나온다. 하늘이 명령한 것은 본디 균일한 것이지만, 기가 품부된 것에 가지런하지 않음이 있다. 다만 품부한 것이 어떠한지를 볼 뿐이다."

又問: "得清明之氣爲聖賢, 昏濁之氣爲愚不肖; 氣之厚者爲富貴, 薄者爲貧賤, 此固然也. 然聖人得天地清明中和之氣, 宜無所虧欠, 而夫子反貧賤何也? 豈時運使然也? 抑其所稟亦有不足邪?"

曰: "便是稟得來有不足. 他那清明, 也只管得做聖賢, 却管不得那富貴. 稟得那高底則貴, 稟得厚底則富, 稟得長底則壽, 貧·賤·夭者反是. 夫子雖得清明者以爲聖人, 然稟得那低底·薄底, 所以貧賤. 顔子又不如孔子, 又稟得那短底, 所以又夭."

또 물었다. "맑고 밝은 기를 얻은 사람은 성현이 되고 어둡고 흐린 기를 얻은 사람은 어리석고 못난 사람이 되며, 기가 두터운 사람은 부유하고 귀하게 되며 엷은 사람은 가난하고 비천하게 되는 것은 본디 그러합니다. 그러나 성인은 천지의 맑고 밝으며 적합하고 온전한 기를 얻었으니 마땅히 흠결이 없어야 하는데, 공자께서 도리어 가난하고 비천했던 것은 무엇 때문입니까? 시대의 운수運數가 그렇게 한 것입니까? 그렇지 않으면 품부한 것에 또한 부족함이 있어서 입니까?"
(주자가) 대답했다. "바로 품부한 것에 부족함이 있었기 때문이다. 그 맑고 밝음은 다만 성현이 되게 할 수 있었지만 부귀하게 할 수는 없었다. 고상한 것을 품부하면 귀하게 되고 두터운 것을 품부하면 부유하게 되고 긴 것을 품부하면 장수하게 되며, 가난하고 비천하고 요절하는 것은 이것과 반대이다. 공자는 비록 맑고 밝은 것을 얻어서 성인이 되었지만, 저급함과 엷음을 품부했기 때문에 가난하고 비천했다. 안자顏子[顏回]는 또 공자만도 못하여 짧음을 품부하였으므로 요절했다."

又問: "一陰一陽, 宜若停匀, 則賢不肖宜均. 何故君子常少, 而小人常多?"

曰: "自是他那物事駁雜, 如何得齊? 且以撲錢譬之, 純者常少, 不純者常多. 自是他那氣駁雜, 或前或後, 所以拗, 不能得他恰好,[119] 如何得均平? 且以一日言之, 或陰或晴, 或風或雨, 或寒

118 '선생님께서는 명에 … 말씀하셨다.': 『論語』「子罕」에서 "선생님[孔子]께서는 利와 命과 仁을 드물게 말씀하셨다.(子罕言利與命與仁.)"라고 하였다.

119 所以拗, 不能得他恰好: 『朱子語類』 권4, 96조목에는 "所以不能得他恰好"라고 되어 있다.

或熱, 或清爽, 或鶻突, 一日之間自有許多變, 便可見矣."

또 물었다. "한 번은 음이 되고 한 번은 양이 되는 것이 거의 균등하니, 현명한 사람과 못난 사람도 마땅히 균등해야 합니다. 그런데 무엇 때문에 군자는 항상 적고 소인은 항상 많습니까?"

(주자가) 대답했다. "본래 그것이 잡박한데 어찌 가지런할 수 있겠는가? 또 박전撲錢(동전을 쳐서 만듦)으로 비유하면, 순수한 것이 항상 적고 순수하지 않은 것이 항상 많다. 본래 그 기가 잡박하여 혹은 앞면이 혹은 뒷면이 뒤틀려져 있기 때문에 반듯한 것을 얻을 수 없는데 어떻게 균등할 수 있겠는가? 또 하루로 말해도 간혹 흐리고 간혹 맑으며, 간혹 바람이 불고 간혹 비가 오며, 간혹 춥고 간혹 더우며, 간혹 산뜻하고 간혹 흐릿하여 하루 사이에도 본래 많은 변화가 있다는 것을 알 수 있다."

又問: "雖是駁雜, 然畢竟不過只是一陰一陽二氣而已, 如何會恁地不齊?"

曰: "便是不如此. 若只是兩箇單底陽陰, 則無不齊. 緣是他那物事錯糅萬變, 所以不能得他恰好."

또 물었다. "비록 잡박하지만 결국은 다만 음과 양 두 가지의 기에 지나지 않은데, 어찌 그렇게 가지런하지 않을 수 있습니까?"

(주자가) 대답했다. "바로 이와 같지 않기 때문이다. 만약 다만 단순한 두 가지의 음과 양이라면 가지런하지 않을 것이 없다. 그러나 그것이 혼잡스럽게 뒤섞여 수만 가지로 변하기 때문에 그것이 꼭 알맞게 된 것을 얻을 수 없다."

又問: "如此, 則天地生聖賢, 又只是偶然, 不是有意矣."

曰: "天地那裏說我特地要生箇聖賢出來? 也只是氣數到那裏, 恰相湊著, 所以生出聖賢. 及至生出, 則若天之有意焉耳."

또 물었다. "이와 같다면 천지가 성현을 낳는 것은 또한 다만 우연일 뿐 의도가 있는 것이 아닙니다."

(주자가) 대답했다. "천지가 언제 그 자신이 특별히 성현을 낳아야겠다고 말하였는가? 다만 기氣의 운수運數가 거기에 이르러 마치 맞게 서로 모였기 때문에 성현을 생겨나게 했을 뿐이다. 생겨나게 되면 마치 하늘이 의도가 있는 것 같을 뿐이다."

又問: "康節云, '陽一而陰二, 所以君子少而小人多.' 此語是否?"

曰: "也說得來. 自是那物事好底少, 而惡底多. 且如面前事, 也自是好底事少, 惡底事多. 其理只一般."[120]

또 물었다. "강절康節[邵雍]은 '양은 하나이고 음은 둘이기 때문에 군자는 적고 소인이 많다.'[121]라고 말했

120 『朱子語類』 권4, 96조목

121 '양은 하나이고 … 많다.': 邵雍은 『皇極經世書』「觀物內篇」 권9에서 "오호라! 두 도가 대립하여 행해지는데

습니다. 이 말이 옳습니까?"
(주자가) 대답했다. "그렇게도 말할 수 있다. 본래 그 경우는 좋은 것이 적고 나쁜 것이 많다. 예컨대 눈앞의 일들도 본래 좋은 일은 적고 나쁜 일은 많다. 그 이치는 다만 마찬가지이다."

[31-2-17]

問 : "人生有壽夭, 氣也, 賢愚亦氣也.[122] 今觀盜跖極愚而壽, 顔子極賢而夭, 如是則壽夭之氣, 與賢愚之氣, 容或有異矣. 明道誌程邵公墓云, '以其間遇之難, 則其數或不能長亦宜矣. 吾兒其得氣之精一, 而數之局者歟!' 詳味此說, 氣有淸濁, 有短長. 其淸者固所以爲賢, 然雖淸而短, 故於數亦短. 其濁者固所以爲愚, 然雖濁而長, 故其數亦長. 不知果然否."

물었다. "사람이 생겨남에 장수와 요절이 있는 것은 기氣이고, 현명함과 어리석음이 있는 것도 역시 기입니다. 이제 살펴보건대, 도척盜跖은 지극히 어리석었지만 장수했고 안자顔子[顔回]는 매우 현명했지만 요절했으니, 이와 같다면 곧 장수와 요절의 기가 현명함과 어리석음의 기와는 아마 다름이 있는 것 같습니다. 명도明道[程顥]는 정소공程邵公(程端慤로서 程顥의 次子이다.)의 묘지墓誌에 '기氣의 정일精一한 것을 어쩌다 만나는 것이 어렵기 때문에, 그 수명이 혹 길지 못한 것 또한 마땅하다. 내 아들은 기의 정일精一한 것을 얻었지만 수명에 국한이 있었을 것이다!'[123]라고 했습니다. 이 말을 자세히 음미해 보면, 기氣에는 맑음과 흐림이 있고 김과 짧음이 있습니다. 기가 맑은 사람은 본디 현명한 사람이 되지만, 비록 맑더라도 짧은 까닭에 그 수명은 또한 짧습니다. 기가 흐린 사람은 본디 어리석은 사람이 되지만, 비록 흐리더라도 길기 때문에 그 수명은 또한 깁니다. 과연 그러한지 모르겠습니다."

曰 : "此說得之. 貴賤 · 貧富亦是如此. 但三代以上, 氣數醇濃, 故氣之淸者必厚必長, 而聖賢

어떤 이유로 잘 다스려진 시대가 적고 혼란한 시대가 많으며 군자가 적고 소인이 많은가? 대답했다. '어찌 양은 하나고 음은 둘인 것을 모르는가?'(噫! 二道對行, 何故治世少而亂世多邪, 君子少而小人多邪? 曰, '豈不知陽一而陰二乎?')"라고 하였다.

122 賢愚亦氣也. : 주희의 『朱文公文集』 권56 「答鄭子上」에는 이 구절 뒤에 다음과 같은 말이 더 있다. "壽夭出於氣, 故均受生而有顔子 · 盜跖之不同 ; 賢愚出於氣, 故均性善而有堯 · 桀之或異. 然竊疑天地間只是一氣, 所以爲壽夭者此氣也, 所以爲賢愚者亦此氣也.(장수와 요절이 氣로부터 나오기 때문에 균등하게 생명을 받지만 안자와 도척처럼 같지 않음이 있으며, 현명함과 어리석음이 기로부터 나오기 때문에 균등하게 선한 것을 性으로 품부하지만 요임금과 걸임금 처럼 혹 다름이 있습니다. 그러나 제 생각에, 천지 사이에는 다만 하나의 기가 있을 뿐이니, 장수와 요절이 되는 까닭도 이 기이고, 현명함과 어리석음이 되는 까닭도 또한 이 기 입니다.)"

123 '氣의 精一한 … 것인가!' : 程顥 · 程頤의 『河南程氏文集』 권4 「程邵公墓誌」에 실려 있는 글이다. 그 구절 앞에 "움직임과 고요함은 음양의 근본이다. 하물며 다섯 가지 기가 교차하면서 운행하면 더욱 들쑥날쑥 가지런하지 않다. 생명을 부여받은 부류는 마땅히 혼잡스럽게 뒤섞인 것이 많고 精一한 것은 어쩌다 만나게 된다.(夫動靜者陰陽之本. 況五氣交運, 則益參差不齊矣. 賦生之類, 宜其雜揉者衆, 而精一者間或値焉.)"라는 말이 더 있다.

皆貴, 且壽且富. 以下反是."[124]

(주자가) 대답했다. "이 말은 맞다. 귀함과 천함, 가난함과 부유함 또한 이와 같다. 다만 삼대三代(하·은·주) 이전에서는 기氣의 운수運數가 순박하고 농후했기 때문에 기가 맑은 사람은 반드시 두텁고 반드시 길었으며, 성현은 모두 귀하고 장수하고 부유했다. 삼대 이후는 이것과 반대이다."

[31-2-18]

問: "富貴有命, 如後世鄙夫小人, 當堯舜三代之世, 如何得富貴?"

曰: "當堯舜三代之世不得富貴. 在後世則得富貴, 便是命."

물었다. "부유함과 귀함에는 명이 있는데, 예컨대 후세의 비루한 사람이나 소인이 요순과 삼대의 세상을 만났더라면 어떻게 부유함과 귀함을 얻을 수 있었겠습니까?"

(주자가) 대답했다. "요순과 삼대의 세상을 만났더라면 부유함과 귀함을 얻지 못한다. 후세에 부유함과 귀함을 얻는 것이 곧 명命이다."

曰: "如此, 則氣稟不一定."

曰: "以此氣遇此時, 是他命好; 不遇此時, 便是背. 所謂'資適逢世',[125] 是也. 如長平死者四十萬, 但遇白起便如此, 只他相撞著便是命."[126]

물었다. "이와 같다면 기의 품부는 일정하지 않습니다."

(주자가) 대답했다. "이러한 기氣를 가지고 이러한 때를 만나는 것은 그 명命이 좋은 것이고, 이러한 때를 만나지 못하는 것은 곧 명이 어긋난 것이다. 이른바 '재능이 때마침 시대를 만났다.'[127]라는 것이 이것이다. 예컨대 장평長平에서 죽은 자 40만 명은 단지 백기白起를 만났기 때문에 이와 같이 된 것이니,[128] 다만 그들이 서로 마주친 것이 곧 명命이다."

124 朱熹, 『朱文公文集』 권56 「答鄭子上」

125 便是背. 所謂'資適逢世': 『朱子語類』 권4, 98조목에는 "便是有所謂'資適逢世'"라고 되어 있다.

126 『朱子語類』 권4, 98조목

127 '재능이 때마침 … 만났다.': 『史記』 권101 「袁盎·鼂錯列傳」에서 "태사공이 말했다. '袁盎은 비록 학문을 좋아하지 않았으나 시의적절하게 일을 처리하는 데 뛰어났다. 그는 어진 마음을 근본으로 삼았고, 대의를 이끌어 말할 때에는 비분강개하기도 하였다. 효문제 즉위 초 그의 재능은 시대를 만났다. 시대는 끊임없이 변화하여 오, 초가 반란을 일으켰을 때 景帝에게 건의하여 그의 건의가 받아들여져 시행되기는 하였으나 다시는 성공하지 못하였다.'(太史公曰, '袁盎雖不好學, 亦善傅會, 仁心爲質, 引義忼慨. 遭孝文初立, 資適逢世. 時以變易, 及吳楚一說, 說雖行哉, 然復不遂.')"라고 하였다. 『史記集解』에서 "張晏이 말했다. '資는 재능이다. 適은 그 시대를 만나 그 재능을 펼치는 것이다.'(張晏曰, '資, 才也. 適, 値其世得騁其才.')"라고 하였다.

128 長平에서 죽은 … 것이니: 『史記』 권73 「白起王翦列傳」

[31-2-19]

“人之稟氣, 富貴 · 貧賤 · 長短, 皆有定數寓其中. 稟得盛者, 其中有許多物事, 其來無窮, 亦無盛而短者. 若木生於山, 取之, 或貴而爲棟梁, 或賤而爲厠料, 皆其生時所稟氣數如此定了.”[129]

(주자가 말했다.) “사람이 기를 품부함에 부유함과 귀함, 가난함과 천함, 길과 짧음은 모두 정해진 운수運數가 그 가운데 깃들어 있다. 왕성한 것을 품부한 자는 그 가운데 많은 것들이 있어서 끝없이 닥쳐오니, 또한 왕성하면서 짧은 것은 없다. 예컨대 나무는 산에서 생겨나는데, 그것을 가져다가 혹은 귀하게 여겨 대들보로 삼거나, 혹은 천하게 여겨 뒷간 목재로 삼는 것은, 모두 그것이 생겨날 때 품부한 기의 운수가 이와 같이 정해진 것이다.”

[31-2-20]

或指屋柱問云 : “此理也 ; 曲直, 性也 ; 所以爲曲直, 命也. 曲直是說氣稟.”

曰 : “然.”[130]

어떤 사람이 집의 기둥을 가리키면서 물었다. “이것은 리理이고, 굽음과 곧음은 성性이며, 그것이 굽거나 곧게 한 것은 명命입니다. 굽음과 곧음은 기의 품부를 말하는 것입니다.”

(주자가) 대답했다. “그렇다.”

[31-2-21]

問 : “『遺書』論命處注云, ‘聖人非不知命, 然於人事不得不盡.’ 如何?”

曰 : “人固有命, 只是不可不‘順受其正.’ 如‘知命者, 不立乎巖墻之下’, 是也. 若謂其有命, 却去巖墻之下立, 萬一到覆壓處, 却是專言命不得. 人事盡處便是命.”[131]

물었다. “『유서遺書』에서 명命을 논한 곳을 주석하여 ‘성인이 명命을 알지 못한 것은 아니지만 사람이 할 일을 다 하지 않을 수 없다.’[132]라고 하였는데, 어떻습니까?”

129 『朱子語類』 권4, 100조목

130 『朱子語類』 권4, 84조목

131 『朱子語類』 권97, 28조목

132 ‘성인이 성을 … 없다.’ : 『河南程氏遺書』 권18에서 “공자께서는 이미 송나라 桓魋가 자기를 해칠 수 없는 것을 알았으나, 또 微服으로 송나라를 지나가셨다. 순임금은 이미 象이 자기를 죽이려 하는 것을 알았지만, 또 상이 근심하면 근심하고 상이 즐거워하면 즐거워하였다. 국운이 길고 짧음은 본래 명의 운수가 있는데, 임금이 어찌 절박하게 다스려지기를 구할 필요가 있겠는가? 우임금과 稷이 굶주린 자와 물에 빠진 자를 구원하느라 자기 집 앞을 지나가면서도 들어가지 않은 것은 굶주리거나 물에 빠져 죽은 자는 본래 명이 있다는 것을 알지 못한 것이 아니지만, 이와 같이 급박하게 구원했다. 이 몇 가지 일은 무엇 때문에 이와 같이 했겠는가? 반드시 ‘道가 함께 행하여 서로 위배되지 않는다.(『中庸』 30장)’라고 하는 구절까지 생각해 보아야 된다.(孔子旣知宋桓魋不能害己, 又却微服過宋. 舜旣見象之將殺己, 而又象憂亦憂, 象喜亦喜. 國祚長短, 自有命數, 人君何用汲汲求治? 禹 · 稷救飢溺者, 過門不入, 非不知飢溺而死者自有命, 又却救之如此其急. 數者之事, 何故如此? 須思量到‘道並行而不相悖’處可也.)”라고 한 구절의 原註에서 “이제 성인이 命을 알지

(주자가) 대답했다. "사람은 본디 명이 있으니, 그저 '그 바른 명[正命]을 순순히 받지'[133] 않을 수 없을 뿐이다. 예컨대 '명命을 아는 자는 위험한 담장 아래에 서지 않는다.'[134]는 것이 이것이다. 만약 명이 있다고 하여 도리어 넘어지려고 하는 담장 아래에로 가서 서 있다가 만에 하나라도 전복되어 압사한다면, 이러한 경우는 또한 오로지 명이라고만 말할 수 없는 것이다. 사람이 할 일을 다 하는 것이 바로 명命이다."

[31-2-22]

問伊川・橫渠命遇之說.

曰: "所謂命者, 如天子命我作甚官. 其官之閑易繁難, 甚處做得, 甚處做不得, 便都是一時命了, 自家只得去做. 故孟子只說'莫非命也', 却有箇正與不正. 所謂正命者, 蓋天之始初命我, 如事君忠, 事父孝, 便有許多條貫在裏. 至於有厚薄・淺深, 這却是氣稟了. 然不謂之命不得, 只不是正命. 如'桎梏而死', 喚做非命不得. 蓋緣他當時稟得箇乖戾之氣, 便有此, 然謂之正命不得. 故君子戰兢, 如臨深履薄, 蓋欲'順受其正'者, 而不受其不正者. 且如說當死於水火, 不成便自赴水火而死. 而今只恁地看, 不必去生枝節, 說命說遇, 說同說異也."[135]

이천伊川[程頤]과 횡거橫渠[張載]가 명命과 '우연히 만남[遇]'에 대해 말한 것을 물었다.

(주자가) 대답했다. "이른바 명命이라는 것은 예컨대 천자가 나에게 어떤 벼슬을 하라고 명령하는 것과 같다. 그 벼슬의 한가함과 번잡함, 쉬움과 어려움 및 어떤 것은 할 수 있고 어떤 것은 할 수 없는 것이 모두 일시에 명령되는 것이며, 자신은 다만 그 직무를 수행해야 할 뿐이다. 그러므로 맹자는 다만 '명命 아닌 것이 없다.'[136]라고 하였지만 도리어 바른 것과 바르지 않은 것이 있다. 이른바 '바른 명[正命]'은 하늘이 애초에 나에게 명령한 것으로서, 예컨대 임금을 섬길 때는 충성하고 부모를 섬길 때는 효도하는 것과 같이 많은 조목이 그 속에 포함되어 있다. 두터움과 엷음, 얕음과 깊음이 있게 되면 이것은 도리어

못한 것은 아니지만 사람의 일에 힘을 다하지 않을 수 없다고 말하지만, 이 말은 옳지 않다.(今且說聖人非不知命, 然於人事不得不盡, 此說未是.)"라고 하였다.

133 '그 바른 … 받지': 『孟子』「盡心上」에서 "맹자가 말했다. '命 아님이 없으나, 그 正命을 순순히 받아야 한다.'(孟子曰, '莫非命也, 順受其正.')"라고 하였다. 이 구절에 대해 주자는 "사람과 사물의 생명에 길흉과 禍福은 모두 하늘이 命한 것이다. 그러나 오직 그것을 이르게 함이 없어도 저절로 이른 것이 '바른 명[正命]'이 된다. 그러므로 군자가 몸을 닦아서 기다리는 것은 이것을 순순히 받으려고 하는 것이다.(人物之生, 吉凶・禍福, 皆天所命. 然惟莫之致而至者, 乃爲正命. 故君子修身以俟之, 所以順受乎此也.)"라고 주석하였다.

134 '命을 아는 … 않는다.': 『孟子』「盡心上」에서 "이 때문에 正命을 아는 자는 위험한 담장 아래에 서지 않는다.(是故, 知命者, 不立乎巖墻之下.)"라고 하였다. 이 구절에 대해 주자는 "命은 '바른 명[正命]'을 말한다. 巖墻은 담장이 장차 넘어지려고 하는 것이다. 바른 명을 안다면 위험한 곳에 처하여 담이 전복되어 壓死하는 화를 취하지 않을 것이다.(命, 謂正命. 巖墻, 墻之將覆者. 知正命, 則不處危地以取覆壓之禍.)"라고 주석하였다.

135 『朱子語類』 권42, 46조목

136 '命 아닌 … 없다.': 『孟子』「盡心上」에서, 맹자는 "命 아닌 것이 없으니, 그 바른 것을 순순히 받아야 한다.(莫非命也, 順受其正.)"라고 하였다.

기氣가 품부한 것이다. 그러나 그것을 명이라고 하지 않을 수 없지만 다만 '바른 명[正命]'은 아니다. 예컨대 '질곡桎梏(옛 형구인 차꼬와 수갑을 아울러 이르는 말)으로 죽는 것'[137]은 명命이 아니라고 할 수 없다. 그가 당시에 어그러지고 잘못된 기를 품부했기 때문에 곧 이런 일이 있지만 '바른 명[正命]'이라고 할 수 없다. 그러므로 군자가 전전긍긍하기를 마치 깊은 못에 임한 것 같고, 살얼음을 밟는 것 같이 하는 것은,[138] '그 바른 명[正命]을 순순히 받고'[139] 그 바르지 않은 명을 받지 않으려하기 때문이다. 예컨대 마땅히 물·불에서 죽어야 한다고 해서 스스로 물·불에 나아가 죽을 필요는 없다. 이제 다만 이렇게 보아야지, 굳이 지엽적인 말을 만들어 내 명命이라고 말하거나 '우연히 만남[遇]'이라고 말할 필요도 없고, 같다고 말하거나 다르다고 말할 필요가 없다."

[31-2-23]

潛室陳氏曰 : "有氣質之性 · 命, 有義理之性 · 命. 由德上發者爲義理, 由氣上發者爲氣質. 雖其稟賦不同, 苟能學問以充之, 謂窮理·盡性 則向之得於氣質者, 今也性皆天德, 命皆天理. 所謂'善反之, 則天地之性存焉'"[140]

잠실 진씨潛室陳氏[陳埴]가 말했다. "기질지성과 기질지명氣質之命이 있고, 의리지성과 의리지명義理之命이 있다. 덕으로부터 발생하는 것은 의리가 되고, 기로부터 발생하는 것은 기질이 된다. 비록 그 품부가 다르지만 만약 배우고 물어서 확충할 수 있으면, 궁리窮理와 진성盡性을 말한다. 이전에 기질 속에 얻은 것으로서, 성性은 이제 모두 천덕天德이 되고, 명命은 이제 모두 천리天理가 된다. 이것이 이른바 '잘 돌이키면 천지지성이 보존된다.'[141]는 것이다."

[31-2-24]

魯齋許氏曰 : "貧賤 · 富貴 · 死生 · 脩短 · 禍福, 稟於氣, 皆本乎天也, 是一定之分不可求也. 其中有正命, 有非正命者, '盡其道'而'不立乎巖墻之下,' '脩身以待之.' 然此亦有禍福 · 吉凶 · 死生 · 脩短來, 當以順受, 所謂'莫之致而至者', 皆正命也, 乃係乎天之所爲也. 非正命者, 行險徼倖, 行非禮義之事, 致於禍害 · 桎梏死者, 命亦隨焉, 人之自召也."[142]

노재 허씨魯齋許氏[許衡][143]가 말했다. "가난함과 천함, 부유함과 귀함, 삶과 죽음, 장수와 요절, 화와 복은

137 '桎梏으로 죽는 것' : 『孟子』「盡心上」에서, "桎梏으로 죽는 자는 正命이 아니다.(桎梏死者, 非正命也.)"라고 하였다.

138 전전긍긍하기를 마치 … 것은 : 『詩』「小雅 · 節南山之什 · 小旻」에서 "전전긍긍하기를 마치 깊은 못에 임한 것 같고, 살얼음을 밟는 것 같이 한다.(戰戰兢兢, 如臨深淵, 如履薄冰.)"라고 하였다.

139 '그 바른 … 받고' : 『孟子』「盡心上」

140 陳埴, 『木鍾集』 권10 「近思雜問附」

141 '잘 돌이키면 … 보존된다.' : 張載, 『正蒙』 권6 「誠明篇」

142 『魯齋遺書』 권1 「語錄上」

143 許衡(1209~1281) : 원 河內 출신. 이름은 衡. 자는 仲平. 호는 魯齋. 程朱學者로 魯齋先生이라고 불린다.

기에서 품부한 것으로 모두 하늘에 근본하니, 일정한 분수分數가 있어서 구할 수 없다. 그 가운데 '바른 명[正命]'이 있고 '바른 명이 아닌 것[非正命]'이 있으니, '그 도를 다하여'[144] '위험한 담장 아래에 서지 않으며'[145] '수신修身하여 바른 명[正命]을 기다려야 한다.'[146] 그러나 이것 가운데에도 또한 화와 복, 길함과 흉함, 삶과 죽음, 장수와 요절이 있어서 마땅히 순순히 받아야 하니, 이른바 '이르게 함이 없는데도 이르는 것은'[147] 모두 '바른 명[正命]'이라는 것이며, 이 또한 하늘이 하는 일에 속한다. '바른 명이 아닌 것[非正命]'은 위험한 것을 행하고 요행을 바라며[148] 예의가 아닌 일을 행하여 재앙이나 질곡으로 죽음에 이른 것으로서, 명命 또한 그것에 따랐으니 사람이 자초한 것이다."

[31-3-1]

程子曰 : "性無不善, 其所以不善者, 才也. 受於天之謂性, 稟於氣之謂才. 才之善不善, 由氣之有偏正也. 乃若其性, 則無不善矣. 今夫木之曲直, 其性也. 或可以爲車, 或可以爲輪, 其才也. 然而才之不善, 亦可以變之, 在養其氣以復其善爾. 故能持其志, 養其氣, 亦可以爲善. 故孟子曰, '人皆可以爲堯舜.'"[149] 以下兼論才.

정자程子가 말했다. "성性은 선하지 않음이 없는데, 그것이 선하지 않게 되는 까닭은 재才 때문이다. 하늘에서 받은 것을 성이라 하고 기에서 품부한 것을 재라고 한다. 재에 선함과 선하지 않음이 있는 것은 기에 치우침과 바름이 있는 데서 말미암는다. 이에 성을 따른다면[150] 선하지 않음이 없다. 지금 나무에 굽음과 곧음이 있는 것은 성性이다. 그 가운데 어떤 것은 수레가 될 수 있고, 어떤 것은 바퀴가 될 수 있는 것은 재才이다. 그러나 재의 선하지 않음도 변화시킬 수 있으니, 그 기를 길러서 그 선을 회복하는 데에 달려있을 뿐이다. 그러므로 의지[志]를 지키고 기氣를 기를 수 있으면[151] 또한 선하게

시호는 文正. 經學, 子史, 禮樂, 名物, 星曆, 兵刑, 食貨, 水利에 널리 통달했다. 특히 程朱의 학을 받들었다. 劉因과 함께 원의 두 大家라고 불렸다. 世祖 때 벼슬에 나아가 國子祭酒, 中書左丞을 지냈다. 阿哈馬特의 擅權을 논하고 관직을 떠났다. 가르치기를 잘하여 따라서 배우는 사람이 많았다. 저서에 『讀易私言』·『魯齋心法』·『魯齋遺書』가 있다.

144 '그 도를 다하여' : 『孟子』「盡心上」에서, "그 도를 다하고 죽는 자는 '바른 명[正命]'이다.(盡其道而死者, 正命也.)"라고 하였다. 주자는 이 구절에 대하여 "그 도를 다하면 만나는 吉·凶이 모두 그것을 이르게 함이 없어도 저절로 이르는 것이다.(盡其道, 則所値之吉凶, 皆莫之致而至者矣.)"라고 주석하였다.

145 '위험한 담장 … 않으며' : 『孟子』「盡心上」

146 '修身하여 바른 … 한다.' : 『孟子』「盡心上」에서 "요절하거나 장수함에 의심하지 않아, 修身하여 바른 명[正命]을 기다린다는 것은 命을 세우는 것이다.(殀壽不貳, 修身以俟之, 所以立命也.)"라고 하였다.

147 '이르게 함이 … 것은' : 『孟子』「萬章上」에서 "그렇게 함이 없는데도 그렇게 되는 것은 天이고, 이르게 함이 없는데도 이르는 것은 命이다.(莫之爲而爲者, 天也 ; 莫之致而至者, 命也.)"라고 하였다.

148 위험한 것을 … 바라며 : 『中庸』 14장에서 "그러므로 군자는 평이함에 처하여 천명을 기다리고, 소인은 위험한 것을 행하고 요행을 바란다.(故君子居易以俟命, 小人行險以儌幸.)"라고 하였다.

149 『河南程氏外書』 권7 「胡氏本拾遺」

150 이에 성을 따른다면 : 『河南程氏遺書』 권22上에서, 정자는 『孟子』의 '乃若其情' 구절에 대하여 "若은 따른다[順]이다.(若, 順也.)"라고 풀이하였다.

될 수 있다. 그러므로 맹자는 '사람은 모두 요순이 될 수 있다.'[152]라고 말했다." 이하는 재才를 함께 논한다.

[31-3-2]

"性出於天, 才出於氣. 氣淸則才淸, 氣濁則才濁. 譬猶木焉, 曲直者性也, 可以爲棟梁, 可以爲榱桶者, 才也. 才則有善與不善, 性則無不善. '惟上智與下愚不移', 非謂不可移也, 而有不移之理. 所以不移者, 只有兩般, 爲自暴·自棄, 不肯學也. 使其肯學, 不自暴自棄, 安不可移哉?"[153]

(정자가 말했다.) "성性은 하늘에서 나오고 재才는 기에서 나온다. 기가 맑으면 재가 맑고, 기가 흐리면 재는 흐리다. 나무에 비유하면, 굽음과 곧음은 성이고, 기둥이 되거나 서까래가 될 수 있는 것은 재이다. 재는 선함과 선하지 않음이 있고, 성은 선하지 않음이 없다. '오직 가장 지혜로운 자[上智]와 가장 어리석은 자[下愚]는 변화시킬 수 없다.'[154]라는 것은 변화시킬 수 없음을 말하는 것이 아니라 변화시킬 수 없는 이치가 있다는 것이다. 변화시킬 수 없는 까닭은 다만 두 가지이니, 스스로 해치거나 스스로 버려서[155] 배우려들지 않는 것이다. 그에게 기꺼이 배워서 스스로 해치거나 스스로 버리지 않도록 하면, 어찌 변화시킬 수 없겠는가?"

[31-3-3]

"氣淸則才善, 氣濁則才惡. 稟得至淸之氣生者爲聖人, 稟得至濁之氣生者爲愚人. 如韓愈所言, 公都子所問之人, 是也. 然此論生知之聖人. 若夫學而知之, 氣無淸濁, 皆可至於善而復性之本. 所謂'堯·舜, 性之', 是生知也; '湯·武, 反之', 是學而知也."[156]

---

151 의지[志]를 지키고 … 있으면: 『孟子』「公孫丑上」에서 "감히 묻겠습니다. '夫子의 不動心과 告子의 부동심에 대해 들을 수 있겠습니까?' 맹자가 말했다. '고자는 「말에서 이해하지 못하면 마음에 알려고 구하지 말고, 마음에서 이해하지 못하면 기에 도움을 구하지 말라.」고 하였는데, 마음에서 이해하지 못하면 기에서 도움을 구하지 말라는 것은 괜찮지만, 말에서 이해하지 못하면 마음에 알려고 구하지 말라는 것은 안 된다. 의지[志]는 氣의 將帥이고, 기는 몸에 꽉 차 있는 것이다. 의지는 지극한 것이고, 기는 그 다음이다. 그러므로 「그 意志를 지키고 그 氣를 포악하게 하지 말라.」고 하였다.'(敢問, '夫子之不動心, 與告子之不動心, 可得聞與?' '告子曰, 「不得於言, 勿求於心; 不得於心, 勿求於氣.」 不得於心, 勿求於氣, 可; 不得於言, 勿求於心, 不可. 夫志, 氣之帥也; 氣, 體之充也. 夫志至焉, 氣次焉. 故曰, 「持其志, 無暴其氣.」')"라고 하였다.

152 '사람은 모두 … 있다.': 『孟子』「告子下」

153 『河南程氏遺書』 권19

154 '오직 가장 … 없다.': 『論語』「陽貨」

155 스스로 해치거나 스스로 버려서: 『孟子』「離婁下」에서 "스스로 해치는 자는 더불어 말할 수 없고, 스스로 버리는 자는 더불어 일할 수 없다. 말할 때에 禮義를 비방하는 것을 自暴라 하고, 내 몸은 仁에 처하고 義를 따를 수 없다고 하는 것을 自棄라 한다.(自暴者, 不可與有言也; 自棄者, 不可與有爲也. 言非禮義, 謂之自暴也; 吾身不能居仁由義, 謂之自棄也.)"라고 하였다.

156 『河南程氏遺書』 권22上

(정자가 말했다.) "기가 맑으면 재가 선하고 기가 흐리면 재가 악하다. 지극히 맑은 기를 품부하여 생겨난 자는 성인이 되고, 지극히 흐린 기를 품부하여 생겨난 자는 어리석은 사람이 된다. 예컨대 한유韓愈가 말한 내용속의 사람[157]과 공도자公都子가 (맹자에게) 질문한 내용속의 사람[158]이 이것이다. 그러나 이것은 태어나면서부터 지혜로운 성인을 논한 것이다. 배워서 지혜로운 자는 기에 맑음과 흐림이 없이 모두 선에 이르러 성의 근본을 회복할 수 있다. 이른바 '요임금과 순임금은 성대로이다.'[159]라는 것은 태어나면서부터 지혜로운 것이고, '탕임금과 무왕은 그것을 돌이켰다.'[160]라는 것은 배워서 지혜로워진 것이다."

157 韓愈가 … 사람 : 『韓昌黎集』 권11 「雜文 · 原性」에서 "(한유가 말했다.) '性이라는 것은 태어남과 함께 생겨나는 것이고, 情이라는 것은 만물과 접촉하고서 생겨나는 것이다. 성의 종류는 세 가지가 있고, 그것이 성이 되는 까닭은 다섯 가지가 있다. 정의 종류는 세 가지가 있고, 그것이 정이 되는 까닭은 일곱 가지가 있다.' 물었다. '무엇 때문인가?' (한유가 대답했다.) '성의 종류에는 상 · 중 · 하의 세 종류가 있다. 상품은 선할 뿐이고, 중품은 이끌어서 상품이나 하품이 될 수 있는 것이며, 하품은 악할 뿐이다. 그것이 성이 되는 까닭 다섯 가지는 인 · 의 · 예 · 지 · 신이다. 상품은 그 다섯에 대해서 하나(仁)를 위주로 하고 나머지 넷을 행한다. 중품은 그 다섯에 대해서 하나(仁)를 적게 가지고 있지 않지만 조금 위반하여 나머지 넷에 혼란스럽다. 하품은 그 다섯에 대해서 하나(仁)에 위반하고 나머지 넷에 어그러진다. 성은 정에 대해서 그 종류가 비긴다. 정의 종류에는 상 · 중 · 하의 세 종류가 있고, 그것이 정이 되는 까닭 일곱 가지는 희 · 노 · 애 · 구 · 애 · 오 · 욕이다. 상품은 그 일곱 가지에 대해 움직이면 그 中에 처하고, 중품은 그 일곱 가지에 대해 심하기도 하고 없기도 하지만 그 中에 부합하기를 구하는 자이며, 하품은 그 일곱 가지에 대해 없고 심해서 정을 곧바로 행하는 자이다. 정은 성에 대해서 그 종류가 비긴다.'(性也者, 與生俱生也 ; 情也者, 接於物而生也. 性之品有三, 而其所以爲性者五 ; 情之品有三, 而其所以爲情者七.' 曰, '何也?' 曰, '性之品有上 · 中 · 下三. 上焉者, 善焉而已矣 ; 中焉者, 可導而上下也 ; 下焉者, 惡焉而已矣. 其所以爲性者五 : 曰仁 · 曰禮 · 曰信 · 曰義 · 曰智. 上焉者之於五也, 主於一而行於四 ; 中焉者之於五也, 一不少有焉, 則少反焉, 其於四也混 ; 下焉者之於五也, 反於一而悖於四. 性之於情視其品. 情之品有上 · 中 · 下 · 三, 其所以爲情者七 : 曰喜 · 曰怒 · 曰哀 · 曰懼 · 曰愛 · 曰惡 · 曰欲. 上焉者之於七也, 動而處其中 ; 中焉者之於七也, 有所甚, 有所亡, 然而求合其中者也 ; 下焉者之於七也, 亡與甚, 直情而行者也. 情之於性視其品.')"라고 하였다.

158 公都子가 (맹자에게) … 사람 : 『孟子』 「告子上」에서 "公都子가 (맹자에게) 물었다. '告子는 「性은 선함도 없고 선하지 않음도 없다.」라고 말했으며, 어떤 사람은 「性은 선하게 될 수도 있고, 선하지 않게 될 수도 있다. 이러므로 文王과 武王이 일어나면 백성들이 선을 좋아하고, 幽王과 厲王이 일어나면 백성들이 포악함을 좋아한다.」라고 말했으며, 어떤 사람은 「性이 선한 사람도 있고, 성이 선하지 않은 사람도 있다. 그러므로 堯를 군주로 삼았는데도 象이 있었고, 瞽瞍를 아버지로 삼았는데도 舜이 있었으며, 紂王을 兄의 아들로 삼고 또 군주로 삼았는데도 微子 啓와 王子 比干이 있었다.」라고 말합니다. 지금 (선생님(맹자)께서는) 性이 善하다고 말씀하시니, 그렇다면 저들은 모두 틀린 것입니까?(公都子曰, '告子曰, 「性無善無不善也」 ; 或曰, 「性可以爲善, 可以爲不善. 是故, 文 · 武興, 則民好善 ; 幽 · 厲興, 則民好暴」 ; 或曰, 「有性善, 有性不善. 是故, 以堯爲君而有象, 以瞽瞍爲父而有舜, 以紂爲兄之子, 且以爲君, 而有微子啓, 王子比干.」 今曰性善, 然則彼皆非與?)"라고 하였다.

159 '요임금과 순임금은 성대로이다.' : 『孟子』 「盡心上」에서 "맹자가 말했다. '요임금과 순임금은 성대로이고, 탕임금과 무왕은 그것을 몸으로 체현하였고, 오패는 그것을 빌렸다.'(孟子曰, '堯 · 舜, 性之也 ; 湯 · 武, 身之也 ; 五霸, 假之也.')"라고 하였다.

160 '탕임금과 무왕은 … 돌이켰다.' : 『孟子』 「盡心下」에서 "맹자가 말했다. '요임금과 순임금은 성 그대로 하였고, 탕임금과 무왕은 성을 회복하였다.'(孟子曰, '堯 · 舜, 性者也 ; 湯 · 武, 反之也.')"라고 하였다.

[31-3-4]

"今人說有才, 乃是言才之美者也. 才乃人資質, 循性脩之, 雖至惡可勝而爲善."[161]

(정자가 말했다.) "지금 사람들이 재주가 있다고 말하는 것은 바로 재능의 아름다움을 말하는 것이다. 재才는 사람의 자질이니 성을 좇아서 그것을 수양하면 비록 지극히 악하더라도 극복하여 선하게 될 수 있다."

[31-3-5]

"德性, 謂天賦天資, 才之美者也."[162]

(정자가 말했다.) "덕성은 하늘이 부여한 선천적인 자질로서 재才가 아름다운 것을 말한다."

[31-3-6]

"'少成若天性, 習慣成自然.' 雖聖人復出, 不易此言. 孔子曰, '性相近也, 習相遠也, 唯上智與下愚不移.' 愚非性也, 不能盡其才也."[163]

(정자가 말했다.) "'어려서 이루어 천성처럼 되면, 습관은 저절로 굳혀질 것이다.'[164] 비록 성인이 다시 나오더라도 이 말을 바꾸지 못한다. 공자는 '성은 서로 비슷하지만 습관은 서로 멀다. 오직 가장 지혜로운 자[上智]와 가장 어리석은 자[下愚]는 변화시킬 수 없다.'[165]라고 말했다. 어리석은 자는 성性이 아니니, 그 재才를 다 발휘하지 못해서이다."

[31-3-7]

問: "上智下愚不移是性否?"

曰: "此是才. 須理會得性與才所以分處."

물었다. "'가장 지혜로운 자[上智]'와 '가장 어리석은 자[下愚]'는 변화시킬 수 없다는 것은 성性입니까?" (정자가) 대답했다. "이것은 재才이다. 모름지기 성과 재가 나누어지는 근본이 되는 곳을 이해해야 된다."

又問: "'中人以上, 可以語上; 中人以下, 不可以語上', 是才否?"

曰: "固是. 然此只是大綱說, 言中人以上可以與之說近上話, 中人以下不可與之說近上話也. '生之謂性', 凡言性處, 須看立意如何. 且如言人性善, 性之本也; 生之謂性, 論其所稟也. 孔

161 『河南程氏遺書』 권22上

162 『河南程氏遺書』 권2上

163 『河南程氏遺書』 권25

164 '어려서 이루어 … 것이다.': 『前漢書』 권48 「賈誼傳」에서 가의가 공자의 말로 인용한 것이다. 『大戴禮記』 권3 「保傅」에서는 "공자가 말했다. '어려서 이루어 천성처럼 되면, 습관이 일상이 된다.'(孔子曰, '少成若天性, 習貫之為常.')"라고 하였다.

165 '성은 서로 … 없다.': 『論語』 「陽貨」

子言'性相近', 若論其本, 豈可言相近? 只論其所稟也. 告子所云, 固是. 爲孟子問他, 他說便不是也. '乃若其情, 則可以爲善. 若夫爲不善, 非才之罪.' 此言人陷溺其心者, 非關才事. 才猶言材料, 曲可以爲輪, 直可以爲梁棟. 若是毁鑿壞了, 豈關才事?"

또 물었다. "'중등 인물[中人] 이상에게는 높은 등급의 것을 말해 줄 수 있으나, 중등 인물 이하에게는 높은 등급의 것을 말해 줄 수 없다.'[166]라는 것은 재才입니까?"

(정자가) 대답했다. "참으로 그렇다. 그러나 이것은 다만 대강 말해서, 중등 인물 이상과는 더불어 높은 등급에 가까운 말을 할 수 있지만, 중등 인물 이하와는 더불어 높은 등급의 말을 할 수 없다는 것을 말하는 것일 뿐이다. '생겨난 그대로를 성性이라고 한다.'라고 하였으니, 무릇 성을 말한 곳에 대해서는 반드시 성이라는 글자를 쓴 의도가 어떠한지를 살펴보아야 한다. 예컨대 사람의 성이 선하다고 말한 것은 성의 근본이며, 생겨난 그대로를 성이라고 한다는 것은 품부 받은 것을 논한 것이다. 공자가 '성은 서로 비슷하다.'고 말했는데, 만약 성의 근본을 논했다면 어떻게 서로 비슷하다고 말할 수 있었겠는가? 다만 품부 받은 것을 논했을 뿐이다. 고자告子가 말한 것은 본디 옳다. 그러나 맹자가 그에게 물었을 때 그가 대답한 것은 곧 옳지 않다.[167] 그리고 '그 정情을 따른다면 선善하다고 할 수 있다. 그런데 불선不善을 행하는 것이라면 재才의 죄가 아니다.'[168]라고 하였으니, 이것은 사람이 그 마음을 빠트리는 것은 재才와 관련된 일이 아니라는 것을 말한다.[169] 재才는 재료材料라고 말하는 것과 같으니, 굽은 것은 바퀴

166 '중등 인물[中人] … 없다.' : 『論語』「雍也」

167 告子가 말한 … 않다. : 『孟子』「告子上」에서 고자와 맹자의 다음과 같은 대화 내용을 가리킨다. "告子가 말했다. '생겨난 그대로를 性이라고 한다.' 맹자가 물었다. '생겨난 그대로를 성이라고 하는 것은 흰색을 희다고 하는 것과 같은가?' (고자가) 대답했다. '그렇다.' (맹자가 물었다.) '그렇다면 흰 깃털의 흼이 흰 눈의 흼과 같고, 흰 눈의 흼이 白玉의 흼과 같은가?' (고자가 대답했다.) '그렇다.' (맹자가 물었다.) '그렇다면 개의 性이 소의 性과 같고, 소의 성이 사람의 性과 같다는 것인가?'(告子曰, '生之謂性.' 孟子曰, '生之謂性也, 猶白之謂白與?' 曰, '然.' '白羽之白也, 猶白雪之白; 白雪之白, 猶白玉之白與?' 曰, '然.' '然則犬之性, 猶牛之性; 牛之性, 猶人之性與?')"

168 '그 情을 … 아니다.' : 『孟子』「告子上」에서는 "그 情을 따른다면 善하다고 할 수 있으니, 이것이 내가 말하는 善하다는 것이다. 그런데 不善을 행하는 것이라면 才의 죄가 아니다.(乃若其情, 則可以爲善矣, 乃所謂善也. 若夫爲不善, 非才之罪也.)"라고 하였다.
맹자의 이 구절에 대하여 정자는 『河南程氏遺書』 권22上에서, "사람의 성은 모두 선한데 그 선함은 사단의 정에서 볼 수 있기 때문에, 맹자는 '(사람들이 그 금수 같음을 보고는 일찍이 훌륭한 才가 있지 않았다고 여기니(人見其禽獸也, 而以爲未嘗有才焉者)) 이것이 어찌 사람의 情이겠는가?'라고 하였다. 그 정을 따를 수 없어서 천리를 어그러뜨리는 데에 이르면 흘러가서 악에 이르게 되므로, 맹자는 '그 情을 따른다면 善하다고 할 수 있다.'라고 하였다. '乃若'의 '若'자는 따른다[順]는 것이다.(人性皆善, 所以善者, 於四端之情可見, 故孟子曰, '是豈人之情也哉?' 至於不能順其情而悖天理, 則流而至於惡, 故曰, '乃若其情, 則可以爲善矣.' 若, 順也.)"라고 설명하였다.

169 이것은 사람이 … 말한다. : 『孟子』「告子上」에서, "맹자가 말했다. '풍년에는 子弟들이 의뢰함이 많고, 흉년에는 자제들이 난폭함이 많으니, 天이 才를 내림이 이와 같이 다른 것이 아니라, 그 마음을 빠뜨리는 것이 그렇게 만드는 것이다.'(孟子曰, '富歲子弟多賴, 凶歲子弟多暴, 非天之降才爾殊也, 其所以陷溺其心者然也.')"라고 하였다.

가 될 수 있고 곧은 것은 동량棟梁이 될 수 있는 것이다. 만약 훼손되어 망가뜨려진다면 그것이 어찌 재才와 관련된 일이겠는가?"

或曰 : "人才有美惡, 豈可言非才之罪?"

曰 : "才有美惡者, 是擧天下之言也. 若說一人之才, 如因富歲而賴, 因凶歲而暴, 豈才質之本然耶?"[170]

어떤 사람이 물었다. "사람의 재才에 좋음과 나쁨이 있는 것을 어떻게 재才의 죄가 아니라고 말할 수 있습니까?"

(정자가) 대답했다. "재才에 좋음과 나쁨이 있는 것은 온 세상 사람들을 통틀어서 말하는 것이다. 만약 어떤 한 사람의 재才를 말한다면, 예컨대 풍년이 든 해에 의지하여 착하여지고 흉년이 든 해에는 난폭한 것이 어찌 재才의 본연이겠는가?"[171]

[31-3-8]

問 : "人性本明, 因何有蔽?"

曰 : "此須索理會也. 孟子言人性善, 是也. 雖荀 · 揚亦不知性. 孟子所以獨出諸儒者, 以能明性也. 性無不善, 而有不善者, 才也. 性卽理. 理則自堯 · 舜至于塗人, 一也. 才稟於氣, 氣有淸濁. 稟其淸者爲賢, 稟其濁者爲愚."

물었다. "사람의 성은 본래 밝은데 무엇 때문에 가려짐이 있습니까?"

(정자가) 대답했다. "이것은 확실히 이해해야 된다. 맹자가 사람의 성性이 선하다고 말한 것이 이것이다. 순자荀子나 양웅揚雄 같은 사람도 성을 알지 못했다. 맹자가 학자들 가운데서 특출한 까닭은 성을 밝힐 수 있었기 때문이다. 성은 선하지 않음이 없고, 선하지 않음이 있는 것은 재才이다. 성은 곧 리理이다. 리는 요 · 순으로부터 길거리의 사람들에 이르기까지 모두 하나이다. 재才는 기氣에서 품부 받고 기에는 맑음과 흐림이 있다. 맑은 것을 품부 받은 자는 현인이 되고, 흐린 것을 품부 받은 자는 어리석은 자가 된다."

又問 : "愚可變否?"

曰 : "可. 孔子謂上智與下愚不移, 然亦有可移之理. 惟自暴 · 自棄者, 則不移也."

또 물었다. "어리석은 자는 변화시킬 수 있습니까?"

(정자가) 대답했다. "변화시킬 수 있다. 공자가 '가장 지혜로운 자上智'와 '가장 어리석은 자下愚'는 변화시킬 수 없다고 했지만, 또한 변화시킬 수 있는 이치가 있다. 오직 자포自暴 · 자기自棄하는 자는 변화시킬 수 없다."[172]

170 『河南程氏遺書』 권18

171 풍년이 든 … 본연이겠는가? : 『孟子』「告子上」

曰："下愚所以自暴·自棄者，才乎?"

曰："固是也. 然却道他不可移不得. 性只一般，豈有不可移? 却被他自暴棄，不肯去學，故移不得. 使肯學者，亦有可移之理."[173]

물었다. "'가장 어리석은 자[下愚]'가 자포自暴·자기自棄하는 까닭은 재才 때문입니까?"
(정자가) 대답했다. "참으로 그러하다. 그러나 또한 '가장 어리석은 자[下愚]'는 변화시킬 수 없다고 말할 수 없다. 성이 다만 마찬가지인데 어찌 변화시킬 수 없는 것이 있겠는가? 도리어 그가 자포自暴·자기自棄하여 기꺼이 배우려고 하지 않기 때문에 변화시킬 수 없는 것이다. 그에게 기꺼이 배우도록 한다면 또한 변화시킬 수 있는 이치가 있다."

[31-3-9]

問："韓文公·揚雄言性如何?"

曰："其所言者，才耳."[174]

물었다. "한문공韓文公[韓愈]과 양웅揚雄이 성에 대해 말한 것은 어떻습니까?"
(정자가) 대답했다. "그들이 말한 것은 재才일 뿐이다."

[31-3-10]

朱子曰："性者心之理，情者心之動，才便是那情之會恁地者. 情與才絶相近，但情是遇物而發，路陌曲折恁地去底，才是那會如此底. 要之，千頭萬緒皆是從心上來."[175]

주자가 말했다. "성性은 마음[心]의 리理이고, 정情은 마음의 움직임이며, 재才는 곧 정이 그렇게 할 수

---

172 오직 自暴 … 없다. : 『孟子』「離婁上」에서, "맹자가 말했다. '自暴하는 자는 더불어 말할 수 없고, 自棄하는 자는 더불어 일할 수 없다. 말이 禮義에 맞지 않는 것을 自暴라 하고, 내 몸은 仁에 거처하고 義를 따를 수 없다고 하는 것을 自棄라고 한다.'(孟子曰, '自暴者, 不可與有言也 ; 自棄者, 不可與有爲也. 言非禮義, 謂之自暴也 ; 吾身不能居仁由義, 謂之自棄也.)"라고 하였다.
이 구절에 대하여 정자는 『伊川易傳』 권4에서, "사람의 性은 본래 선한데 바뀔 수 없는 자가 있는 것은 무엇 때문인가? 그 性을 말하면 모두 선하지만, 그 재질을 말하면 변할 수 없는 '가장 어리석은 자[下愚]'가 있다. 이른바 '가장 어리석은 자[下愚]'에는 두 가지가 있으니, 自暴와 自棄이다. 사람이 만약 善으로써 스스로를 다스리면 고칠 수 없는 자가 없으니, 비록 지극히 우매하더라도 모두 점점 硏磨하여 나아갈 수 있다. 오직 自暴하는 자는 거절하여 不信하고 自棄하는 자는 끊고서 하지 않는다. 비록 성인과 더불어 거처하더라도 敎化하여 들어가지 못하니, 공자가 이른바 '가장 어리석은 자[下愚]'라는 것이다.(人性本善, 有不可革者, 何也? 曰, 語其性則皆善也, 語其才則有下愚之不移. 所謂下愚有二焉, 自暴也, 自棄也. 人苟以善自治, 則无不可移者, 雖昏愚之至, 皆可漸磨而進也. 唯自暴者, 拒之以不信 ; 自棄者, 絶之以不爲. 雖聖人與居, 不能化而入也, 仲尼之所謂下愚也.)"라고 하였다.

173 『河南程氏遺書』 권18

174 『二程粹言』 권하 「心性篇」

175 『朱子語類』 권5, 93조목

있는 것이다. 정과 재才는 서로 매우 가깝지만, 정은 사물을 만나 일어나서 복잡한 과정으로 진행해 가는 것이고, 재才는 그것이 이와 같이 할 수 있는 것이다. 요컨대 수 만 가지 온갖 단서는 모두 마음으로부터 나오는 것이다."

問 : "如此則才與心之用相類?"

曰 : "才是心之力, 是有氣力去做底. 心是管攝主宰者, 此心之所以爲大也. 心, 譬水也 ; 性, 水之理也. 性所以立乎水之靜, 情所以行乎水之動, 欲則水之流而至於濫也. 才者, 水之氣力所以能流者. 然其流有急有緩, 則是才之不同. 伊川謂'性稟於天, 才稟於氣', 是也."[176]

물었다. "이와 같다면 재才와 마음의 작용은 서로 같은 부류입니까?"
(주자가) 대답했다. "재才는 마음의 힘이며, 기력을 가지고 일을 해내는 것이다. 마음은 통솔하고 주재하는 것이니, 이 점이 바로 마음이 큰 것이 되는 까닭이다. 마음을 물에 비유하면, 성은 물의 리理이다. 성은 물의 고요함을 정립하고, 정은 물의 움직임을 행하며, 욕망은 물이 흘러서 넘치게 되는 데에 이르는 것이다. 재才는 물의 기력이 흘러갈 수 있는 근거이다. 그러나 그 흐름에 급하거나 완만함이 있는 것은 재才가 같지 않기 때문이다. 이천伊川[程頤]이 '성은 천天에서 품부 받았고, 재才는 기氣에서 품부 받았다.'[177] 라고 말한 것이 이것이다."

[31-3-11]

問 : "性之所以無不善者, 以其出於天也 ; 才之所以有善不善, 以其出於氣也. 要之, 性出於天, 氣亦出於天, 何故便至於此?"

曰 : "性是形而上者, 氣是形而下者. 形而上者全是天理, 形而下者只是那查滓. 至於形, 又是查滓至濁者也."[178]

물었다. "성性이 선하지 않음이 없는 까닭은 그것이 천天에서 나왔기 때문이며, 재才가 선한 것도 있고 선하지 않은 것도 있는 까닭은 그것이 기氣에서 나왔기 때문입니다. 요컨대 성은 천天에서 나왔고 기도 천에서 나왔는데, 어찌하여 이렇게 되었습니까?"
(주자가) 대답했다. "성은 형이상의 것이고 기는 형이하의 것이다. 형이상의 것은 완전히 천리天理이지만 형이하의 것은 다만 그 찌꺼기일 뿐이다. 형체가 있는 것의 경우는 또 그 찌꺼기가 매우 흐린 것이다."

176 『朱子語類』 권5, 92조목

177 '성은 天에서 … 받았다.' : 『二程遺書』 권18에서 "대개 天에서 품부 받은 것을 성이라고 한다.(大抵稟於天曰性.)"라고 하였고, 또 같은 책 같은 권에서 "才는 氣에서 품부 받고 기에는 맑음과 흐림이 있다.(才稟於氣, 氣有淸濁.)"라고 하였다.

178 『朱子語類』 권5, 94조목

[31-3-12]

問 : "才出於氣, 德出於性?"

曰 : "不可. 才也是性中出, 德也是有是氣而後有是德. 人之有才者出來做得事業, 也是他性中有了, 便出來做得. 但溫厚篤實便是德, 剛明果敢便是才. 只爲他氣之所稟者生到那裏多, 故爲才."[179]

물었다. "재才는 기氣에서 나왔고 덕德은 성性에서 나왔습니까?"

(주자가) 대답했다. "그럴 수는 없다. 재도 성 가운데서 나온 것이며, 덕도 어떠한 기가 있은 뒤에 어떠한 덕이 있는 것이다. 사람들 중에 자질[才]이 있는 사람이 그 자질을 드러내어 큰일을 할 수 있는 것은 또한 그의 성性 가운데 그러한 자질이 있어서 바로 그것을 드러내어 큰일을 할 수 있는 것이다. 그러나 온후함과 독실함은 덕이고, 엄격 분명하거나 과감한 것은 자질[才]이다. 다만 어떤 사람이 기를 품부받은 것이 어느 한쪽으로 많게 가지고 태어나기 때문에 자질[才]이 된다."

[31-3-13]

問 : "能爲善, 便是才?"

曰 : "能爲善而本善者是才. 若云能爲善便是才, 則能爲惡亦是才也."[180]

물었다. "선을 잘 실천할 수 있는 것이 자질[才]입니까?"

(주자가) 대답했다. "선을 잘 실천할 수 있으면서 본래 선한 것이 자질[才]이다. 만약 선을 잘 실천할 수 있는 것을 자질[才]이라고 말한다면, 악을 잘 실천할 수 있는 것도 자질[才]일 것이다."

[31-3-14]

問 : "人有强弱, 由氣有剛柔, 若人有技藝之類, 如何?"

曰 : "亦是氣. 如今人看五行, 亦推測得些小."

물었다. "사람에게 강함이나 약함이 있는 것은 기氣에 굳셈이나 유약함이 있기 때문이니, 사람에게 기예技藝 따위를 지니고 있는 것은 어떠합니까?"

(주자가) 대답했다. "역시 기이다. 지금 사람들이 오행五行을 보게 되면 또한 얼마간은 미루어 헤아릴 수 있다."

又問 : "如才不足人, 明得理, 可爲否?"

曰 : "若明得盡, 豈不可爲? 所謂'克念作聖'是也, 然極難. 若只明得一二, 如何做得?"[181]

또 물었다. "예컨대 자질[才]이 부족한 사람의 경우 리理를 밝힐 수 있는 것이 가능하겠습니까?"

179 『朱子語類』 권5, 95조목

180 『朱子語類』 권5, 96조목

181 『朱子語類』 권4, 77조목

(주자가) 대답했다. "만약 다 밝힐 수 있다면 어찌 불가능하겠는가? 이른바 '잘 생각할 수 있으면 성인이 된다.'[182]라고 하는 것이 이것인데, 매우 어렵다. 만약 다만 한두 가지만 밝힐 수 있다면 어떻게 가능하겠는가?"

[31-3-15]

"孟子說才, 皆是指其資質可以爲善處. 伊川所謂'才稟於氣, 氣淸則才淸, 氣濁則才濁', 此與孟子說才小異, 而語意尤密, 不可不考. '乃若其情, 非才之罪', 以'若'訓'順'者, 未是. 猶言如論其情, 非才之罪也. 蓋謂情之發有不中節處, 不必以爲才之罪爾. 退之論才之品有三, 性之品有五, 其說勝荀揚諸公多矣. 說性之品, 便以仁·義·禮·智言之, 此尤當理. 說才之品, 若如此推究, 則有千百種之多, 姑言其大槩如此, 此正是氣質之說, 但少一箇'氣'字耳."[183]

(주자가 말했다.) "맹자가 재才를 말한 것은 모두 그 자질이 선할 수 있는 것을 가리킨 것이다. 이천伊川[程頤]이 이른바 '재才는 기氣에서 품부 받으니, 기가 맑으면 재가 맑고, 기가 흐리면 재는 흐리다.'[184]라고 한 것은 맹자가 재才를 말한 것과는 조금 다르지만, 말의 의미가 더욱 정밀하니 자세히 살피지 않을 수 없다. (맹자가) '그 정情이라면 재才의 죄가 아니다.'[185]라고 한 것에 대하여, (정이가) '내약乃若'의 '약若'자를 '따른다[順]'라고 풀이한 것은 옳지 않다.[186] 마치 만약 그 정情을 논하면[187] 재才의 죄가 아니라

182 '잘 생각할 … 된다.': 『書』「周書·多方」에서, "성인이라도 생각하지 않으면 狂人이 되고, 광인이라도 잘 생각할 수 있으면 聖人이 되니, 天이 5년 동안 자손에게 기다리고 여가를 주어 크게 백성의 군주가 되게 하였으나 생각하고 들을 만함이 없었다.(惟聖罔念作狂, 惟狂克念作聖, 天惟五年須暇之子孫, 誕作民主, 罔可念聽.)"라고 하였다.

183 『朱子語類』 권59, 42조목

184 '才는 氣에서 … 흐리다.': 『河南程氏遺書』 권18에서, "才는 氣에서 품부 받고 기에는 맑음과 흐림이 있다. 맑은 것을 품부 받은 자는 현인이 되고, 흐린 것을 품부 받은 자는 어리석은 자가 된다.(才稟於氣, 氣有淸濁. 稟其淸者爲賢, 稟其濁者爲愚.)"라고 하였고, 『河南程氏遺書』 권19에서, "性은 하늘에서 나오고 才는 기에서 나온다. 기가 맑으면 재가 맑고, 기가 흐리면 재는 흐리다.(性出於天, 才出於氣. 氣淸則才淸, 氣濁則才濁.)"라고 하였다.

185 '그 情이라면 … 아니다.': 『孟子』「告子上」에서는 "그 情이라면 善하다고 할 수 있으니, 이것이 내가 말하는 善하다는 것이다. 그런데 不善을 행하는 것이라면 才의 죄가 아니다.(乃若其情, 則可以爲善矣, 乃所謂善也. 若夫爲不善, 非才之罪也.)"라고 하였다.

186 '乃若'의 '若'자를 … 않다.: 맹자의 위 구절에 대하여 정이는 『河南程氏遺書』 권22上에서, "사람의 성은 모두 선한데 그 선함은 사단의 정에서 볼 수 있기 때문에, 맹자는 '(사람들이 그 금수 같음을 보고는 일찍이 훌륭한 才가 있지 않았다고 여기니(人見其禽獸也, 而以爲未嘗有才焉者.)) 이것이 어찌 사람의 情이겠는가?'라고 하였다. 그 정을 따를 수 없어서 천리를 어그러뜨리는 데에 이르면 흘러가서 악에 이르게 되므로, 맹자는 '그 情을 따른다면 善하다고 할 수 있다.'라고 하였다. '乃若'의 '若'자는 '따른다[順]'는 것이다.(人性皆善, 所以善者, 於四端之情可見, 故孟子曰, '是豈人之情也哉?' 至於不能順其情而悖天理, 則流而至於惡, 故曰, '乃若其情, 則可以爲善矣.' 若, 順也.)"라고 설명하였다.

187 만약 그 情을 논하면: 『孟子』「告子上」의 '乃若其情' 구절에 대하여, 주자는 『맹자집주』에서 "乃若은 發語辭이다.(乃若, 發語辭.)"라고 주석하였다.

고 말하는 것과 같다. 대개 정情의 발동 가운데 절도에 맞지 않는 것이 있는 것을 반드시 재질材質의 죄라고 여길 수는 없다는 것을 말한다.[188] 퇴지退之[韓愈]는 재才의 종류에는 3가지가 있고 성性의 종류에는 5가지가 있다고 논하였는데,[189] 그 주장이 순자나 양웅 등 여러 학자들보다 훨씬 낫다. 성의 종류를 설명할 때 인 · 의 · 예 · 지로 말한 것은 더욱 이치에 타당하다. 재才의 종류를 설명할 때 만약 이와 같이 미루어 연구하면 백 가지 천 가지로 많이 있지만 우선 그 대략이 이와 같다고 말했으니, 이것은 바로 기질氣質로 설명한 것인데 다만 '기氣'자를 쓰지 않았을 뿐이다."

[31-3-16]

問 : "伊川論才, 與孟子言才,[190] 有曰'非才之罪也', 又曰'不能盡其才者也', 又曰'非天之降才爾殊也', 又曰'以爲未嘗有才焉.' 如孟子之意, 未嘗以才爲不善. 而伊川却說才有善不善, 其言曰'氣淸則才善, 氣濁則才惡', 又曰'氣淸則才淸, 氣濁則才濁.' 意者, 以氣質爲才也. 以氣質爲才, 則才固有善不善之分矣. 而孟子却止以才爲善者, 何也?"

188 반드시 材質의 죄라고 여길 수는 없다는 것을 말한다. : 『孟子』「告子上」의 '非才之罪' 구절에 대하여, 주자는 『맹자집주』에서 "才는 材質과 같으니, 사람이 잘할 수 있는 것이다. 사람이 이 性을 가지고 있으면 이 材質을 가지고 있으니, 성이 이미 선하면 재질 또한 선하다. 사람들이 不善을 하는 것은 바로 物欲에 빠져서 그러한 것이니, 재질의 죄가 아니다.(才, 猶材質, 人之能也. 人有是性, 則有是才, 性旣善, 則才亦善. 人之爲不善, 乃物欲陷溺而然, 非其才之罪也.)"라고 주석하였다.

189 退之[韓愈]는 才의 … 논하였는데 : 『韓昌黎集』 권11 「雜文 · 原性」에서 "(한유가 말했다.) '性이라는 것은 태어남과 함께 생겨나는 것이고, 情이라는 것은 만물과 접촉하고서 생겨나는 것이다. 성의 종류는 세 가지가 있고, 그것이 성이 되는 까닭은 다섯 가지가 있다. 정의 종류는 세 가지가 있고, 그것이 정이 되는 까닭은 일곱 가지가 있다.' 물었다. '무엇 때문인가?' (한유가 대답했다.) '성의 종류에는 상 · 중 · 하의 세 종류가 있다. 상품은 선할 뿐이고, 중품은 이끌어서 상품이나 하품이 될 수 있는 것이며, 하품은 악할 뿐이다. 그것이 성이 되는 까닭 다섯 가지는 인 · 의 · 예 · 지 · 신이다. 상품은 그 다섯에 대해서 하나(仁)를 위주로 하고 나머지 넷을 행한다. 중품은 그 다섯에 대해서 하나(仁)를 적게 가지고 있지 않지만 조금 위반하여 나머지 넷에 혼란스럽다. 하품은 그 다섯에 대해서 하나(仁)에 위반하고 나머지 넷에 어그러진다. 성은 정에 대해서 그 종류가 비긴다. 정의 종류에는 상 · 중 · 하의 세 종류가 있고, 그것이 정이 되는 까닭 일곱 가지는 희 · 노 · 애 · 구 · 애 · 오 · 욕이다. 상품은 그 일곱 가지에 대해 움직이면 그 中에 처하고, 중품은 그 일곱 가지에 대해 심하기도 하고 없기도 하지만 그 中에 부합하기를 구하는 자이며, 하품은 그 일곱 가지에 대해 없고 심해서 정을 곧바로 행하는 자이다. 정은 성에 대해서 그 종류가 비긴다.'('性也者, 與生俱生也 ; 情也者, 接於物而生也. 性之品有三, 而其所以爲性者五 ; 情之品有三, 而其所以爲情者七.' 曰, '何也?' 曰, '性之品有上 · 中 · 下三. 上焉者, 善焉而已矣 ; 中焉者, 可導而上下也 ; 下焉者, 惡焉而已矣. 其所以爲性者五, 曰仁 · 曰禮 · 曰信 · 曰義 · 曰智. 上焉者之於五也, 主於一而行於四 ; 中焉者之於五也, 一不少有焉, 則少反焉, 其於四也混 ; 下焉者之於五也, 反於一而悖於四. 性之於情視其品. 情之品有上 · 中 · 下 · 三, 其所以爲情者七, 曰喜 · 曰怒 · 曰哀 · 曰懼 · 曰愛 · 曰惡 · 曰欲. 上焉者之於七也, 動而處其中 ; 中焉者之於七也, 有所甚, 有所亡, 然而求合其中者也 ; 下焉者之於七也, 亡與甚, 直情而行者也. 情之於性視其品.')"라고 하였다.

190 伊川論才, 與孟子言才 : 『朱子語類』 권59, 43조목에는 "至若伊川論才, 則與孟子立意不同. 孟子此章言才處"라고 하였다. 번역문은 『朱子語類』의 이 구절을 참조하였다.

물었다. "이천伊川[程頤]이 재才를 논한 것은 맹자가 재才를 말하여 '재才의 죄가 아니니다.'[191]라 하고, 또 '그 재才을 다하지 못한 것이다.'[192]라 하였으며, 또 '천天이 재才를 내림이 이와 같이 다른 것이 아니니다.'[193]라 하였고, 또 '일찍이 훌륭한 재才가 있지 않았다고 여긴다.'[194]라고 한 것과는 다릅니다. 예컨대 맹자의 뜻은 재才를 선하지 않은 것으로 여긴 적이 없습니다. 그러나 이천은 도리어 재才에는 선한 것도 있고 선하지 않은 것도 있다고 설명하여, '기가 맑으면 재가 선하고 기가 흐리면 재가 악하다.'[195]라 말하고, 또 '기가 맑으면 재가 맑고, 기가 흐리면 재는 흐리다.'[196]라고 말했습니다. 생각해 보면 그는 기질氣質을 재才로 여긴 것입니다. 기질氣質을 재才로 여기면, 재才는 본래 선한 것과 선하지 않은 것의 분별이 있습니다. 그런데 맹자는 도리어 재才를 단지 선한 것으로 여겼으니, 무엇 때문입니까?"

曰 : "孟子與伊川論才, 則皆是. 孟子所謂才, 止是指本性而言, 性之發用無有不善處. 如人之有才, 事事做得出來. 一性之中, 萬善完具, 發將出來便是才也. 便如惻隱 · 羞惡, 是心也 ; 能惻隱 · 羞惡者, 才也. 如伊川論才, 却是指氣質而言也. 氣質之性, 古人雖不曾與人說著, 考之經典, 却有此意. 如『書』云'人惟萬物之靈, 亶聰明作元后.', 與夫'天乃錫王勇智'之說, 皆此意也. 孔子謂'性相近也, 習相遠也', 孟子辯告子'生之謂性', 亦是說氣質之性. 近世被濂溪拈掇出來, 而橫渠 · 二程始有'氣質之性'之說. 此伊川論才, 所以云有善不善者, 蓋主此而言也."[197]

191 '才의 죄가 아니니다.' : 『孟子』「告子上」에서, 맹자는 "그 情을 따른다면 선하다고 할 수 있으니, 바로 이른바 선하다는 것이다. 그런데 선하지 않게 되는 것은 才의 죄가 아니니다.(乃若其情, 則可以爲善矣, 乃所謂善也. 若夫爲不善, 非才之罪也.)"라고 하였다.

192 '그 才을 … 것이다' : 『孟子』「告子上」에서, 맹자는 "인 · 의 · 예 · 지는 밖으로부터 나를 녹여서 들어오는 것이 아니라 내가 본래 가지고 있는 것이지만 사람들이 생각하지 못할 뿐이다. 그러므로 '구하면 얻고, 버리면 잃는다.'라고 하였다. 혹 (선악의) 거리가 서로 倍가 되고, 다섯 倍가 되어 계산 할 수 없는 것은 그 才을 다하지 못한 것이다.(仁義禮智, 非由外鑠我也, 我固有之也, 弗思耳矣. 故曰'求則得之, 舍則失之.' 或相倍蓰而無算者, 不能盡其才者也.)"라고 하였다.

193 '天이 才를 … 아니니다.' : 『孟子』「告子上」

194 '일찍이 훌륭한 … 여긴다.' : 『孟子』「告子上」에서, "비록 사람에게 보존된 것이라고 하더라도 어찌 仁義의 마음이 없겠는가? 그 良心을 놓쳐버린 것이 또한 마치 도끼와 자귀가 나무에 대해서 아침마다 베어 가는 것과 같으니, 이렇게 하고서도 아름답게 될 수 있겠는가? 그 밤낮으로 자라나는 것과 새벽녘의 맑은 기운에 그 좋아하고 미워함이 남들과 서로 가까운 것이 거의 얼마 되지 않는데, 낮에 하는 행위가 이것을 속박하여 상실하게 한다. 속박하기를 반복하면 夜氣가 충분히 보존될 수 없고, 夜氣가 충분히 보존될 수 없으면 禽獸와 거리가 멀지 않게 된다. 사람들은 그 금수 같음을 보고는 일찍이 훌륭한 才가 있지 않았다고 여기니, 이것이 어찌 사람의 實情이겠는가?(雖存乎人者, 豈無仁義之心哉? 其所以放其良心者, 亦猶斧斤之於木也, 旦旦而伐之, 可以爲美乎? 其日夜之所息, 平旦之氣, 其好惡與人相近也者幾希, 則其旦晝之所爲, 有梏亡之矣. 梏之反覆, 則其夜氣不足以存 ; 夜氣不足以存, 則其違禽獸不遠矣. 人見其禽獸也, 而以爲未嘗有才焉者, 是豈人之情也哉?)"라고 하였다.

195 '기가 맑으면 … 악하다.' : 『河南程氏遺書』 권22상

196 '기가 맑으면 재가 맑고 … 흐리다.' : 『河南程氏遺書』 권19

(주자가) 대답했다. "맹자와 이천이 재才를 논한 것이라면 모두 옳다. 맹자의 이른바 재才는 다만 본성을 가리켜 말한 것으로서, 성의 발용이 선하지 않음이 없는 것이다. 예컨대 사람이 좋은 자질을 가지고 있으면 일마다 해낼 수 있는 것과 같다. 하나의 성性 가운데 온갖 선이 모두 갖추어져 있고 그것이 발현해 나오는 것이 바로 재才이다. 곧 예컨대 측은·수오는 심心인데 측은·수오할 수 있는 것은 재才인 것과 같다. 이천이 재才를 논한 것과 같은 것은 도리어 기질氣質을 가리켜 말한 것이다. 기질의 성은 옛 사람이 비록 사람들에게 말한 적은 없지만 경전을 살펴보면 또한 이러한 의미가 있다. 예컨대 『서書』에서 '사람은 만물의 영장이니, 진실로 총명한 자가 원후元后가 된다.'[198]라고 말한 것과 '천天이 마침내 왕에게 용맹과 지혜를 내려주었다.'[199]라고 말한 것이 모두 이러한 의미이다. 공자가 '성은 서로 가깝지만 습관은 서로 멀다.'[200]라고 말한 것과 맹자가 고자의 '생겨난 그대로를 성이라고 한다.'[201]라는 말에 대해 논변한 것도 역시 기질의 성을 말한 것이다. 근세에 염계濂溪[周惇頤]에 의해 제기되고 횡거橫渠[張載]와 이정二程[程顥·程頤]에 의해 비로소 '기질의 성'이라는 말이 있게 되었다. 여기에서 이천이 재才를 논함에 선한 것과 선하지 않은 것이 있다고 말한 까닭은 이것을 위주로 하여 말했기 때문이다."

[31-3-17]

或問曰: "韓愈所謂上·中·下三品者, 乃孟子所謂才也. 才雖不同, 而所以性則一. 孟子論性善, 固極本窮源之論. 至謂'非天之降才爾殊', 豈才果不殊邪? 抑所謂才者乃所謂性也. 才是資稟, 性是所以然. 性固行乎才之中, 要不可指才便謂之性. 然孟子所以謂之不殊者, 何也?"

어떤 사람이 물었다. "한유의 이른바 상·중·하 삼품은 곧 맹자의 이른바 재才입니다. 재는 비록 같지 않지만 성性은 하나입니다. 맹자가 성선性善을 논한 것은 본디 '철저하게 근원을 추구한[極本窮源]'[202] 논의

197 朱熹, 『朱子語類』 권59, 43조목

198 '사람은 만물의 … 된다.': 『書』「周書·泰誓」에서 "천지는 만물의 부모이고, 사람은 만물의 영장이니, 진실로 총명한 자가 元后가 되고 원후는 백성의 부모가 된다.(惟天地, 萬物父母; 惟人, 萬物之靈, 亶聰明作元后, 元后作民父母.)"라고 하였다.

199 '天이 마침내 … 내려주었다.': 『書』「商書·仲虺之誥」에서 "仲虺는 마침내 다음과 같은 誥를 지었다. '아! 天이 내신 백성들이 욕심이 있으니, 군주가 없으면 마침내 혼란해진다. 天이 총명한 사람을 내심은 爭亂을 다스리려고 한 것이다. 夏나라가 악덕하여 백성들이 塗炭에 빠졌다. 天이 마침내 왕에게 용맹과 지혜를 내려주어 萬邦을 몸소 이끌어 바로잡아 禹王이 옛날 행했던 것을 잇게 하였다. 이는 그 떳떳함을 따라서 天命을 받들 듯이 해야 할 것이다.'(仲虺乃作誥. 曰, '嗚呼! 惟天生民有欲, 無主乃亂. 惟天生聰明時乂. 有夏昏德, 民墜塗炭. 天乃錫王勇智, 表正萬邦, 纘禹舊服. 玆率厥典, 奉若天命.')"라고 하였다.

200 '성은 서로 … 멀다.': 『論語』「陽貨」

201 '생겨난 그대로를 … 한다.': 『孟子』「告子上」

202 '철저하게 근원을 추구한[極本窮源]': 『河南程氏遺書』 권3에서, 정자는 "맹자가 성에 대해 말한 것은 문맥에 따라 보아야 한다. 告子가 '생겨난 그대로를 성이라고 한다.'라고 한 것을 그렇지 않다고 여겨서는 안 되니, 이것 또한 성이다. 하늘의 명령에 의해 생명을 부여받은 뒤를 성이라고 할 뿐이므로 같지 않다. 이어서 맹자는 '개의 성이 소의 성과 같고 소의 성이 사람의 성과 같은가?'라고 말했지만 한 가지라고 해도 문제가 되지 않는다. 그렇지만 만약 맹자가 善하다고 말한 성은 곧 '철저하게 근원을 추구한 성[極本窮源之性]'이다.

입니다. 또 (맹자가) '천天이 재才를 내림이 이와 같이 다른 것이 아니다.'[203]라고 한 경우는 어찌 재才가 과연 다르지 않을 수 있겠습니까? 그렇지 않다면 이른바 재才는 바로 이른바 성性입니다. 재는 자질을 품부 받은 것이고, 성은 그것이 그러한 근거입니다. 성은 본디 재 가운데에서 행하지만, 요컨대 재를 가리켜서 그것을 곧 성이라고 할 수 없습니다. 그렇다면 맹자가 (재가) 다르지 않다고 말한 까닭은 무엇입니까?"

南軒張氏曰 : "孟子之論才, 與退之上 · 中 · 下三品之說不同. 退之所分三品, 只是據氣稟而言耳. 孟子論才, 曰'非天之降才爾殊也', 又曰'若夫爲不善, 非才之罪也', 蓋善者性也, 人之可以爲善者才也. 此自不殊."[204]

남헌 장씨南軒張氏[張栻][205]가 대답했다. "맹자가 재才를 논한 것은 퇴지退之[韓愈]가 상 · 중 · 하 삼품으로 말한 것과는 같지 않다. 퇴지가 삼품으로 나눈 것은 다만 기의 품부에 의거하여 말한 것일 뿐이다. 맹자가 재才를 논하면서 '천天이 재才를 내림이 이와 같이 다른 것이 아니다.'[206]라 하고, 또 '그런데 불선不善을 행하는 것이라면 재才의 죄가 아니다.'[207]라고 한 것은, 선한 것은 성性이고 사람이 선을 행할 수 있는 것은 재才이기 때문이다. 이것은 본래 다르지 않다."

[31-3-18]

北溪陳氏曰 : "才, 是才質 · 才能. 才質, 猶言才料 · 質幹, 是以體言. 才能, 是會做事底, 同這件事, 有人會發揮得, 有人全發揮不去, 便是才不同, 是以用言. 孟子所謂'非才之罪', 及'天之降才非爾殊'等語, 皆把才做善底物. 他只是以其從性善大本上發來, 便見都一般. 要說得全

(孟子言性, 當隨文看. 不以告子'生之謂性'爲不然者, 此亦性也. 被命受生之後謂之性爾, 故不同. 繼之以'犬之性猶牛之性, 牛之性猶人之性歟?' 然不害爲一. 若乃孟子之言善者, 乃極本窮源之性.)"라고 하였다.

203 '天이 才를 … 아니다.' : 『孟子』「告子上」

204 『南軒集』 권32 「答俞秀才」

205 張栻(1133~1180) : 자는 敬夫 · 欽夫 · 樂齋이고, 호는 南軒이다. 송대 漢州 綿竹(현 사천성 廣漢縣) 사람이다. 그의 부친 張浚은 宋 高宗, 孝宗 양 조정에서 丞相을 지냈다. 知撫州 · 知嚴州 · 湖北安撫사 · 吏部侍郎兼侍講 등을 역임하였다. 주희보다 세 살 어리지만 呂祖謙과 더불어 친구로 지냈으며, 후대에 이들 셋을 '東南三賢'이라고 부른다. 장식은 스승 胡宏으로부터 이어지는 胡湘學派를 정립하였으며, 그의 察識端倪說은 주희의 中和舊說을 확립하는데 중요한 역할을 하였다. 저서는 『南軒易說』 · 『論語解』 · 『孟子說』 · 『伊川粹言』 · 『南軒集』 등이 있다.

206 '天이 才를 … 아니다.' : 『孟子』「告子上」에서, "맹자가 말했다. '풍년에는 子弟들이 의뢰함이 많고, 흉년에는 자제들이 난폭함이 많으니, 天이 才를 내림이 이와 같이 다른 것이 아니라, 그 마음을 빠뜨리는 것이 그렇게 만드는 것이다.'(孟子曰, '富歲子弟多賴, 凶歲子弟多暴, 非天之降才爾殊也, 其所以陷溺其心者然也.)"라고 하였다.

207 '그런데 不善을 … 아니다.' : 『孟子』「告子上」에서는 "그 情을 따른다면 善하다고 할 수 있으니, 이것이 내가 말하는 善하다는 것이다. 그런데 不善을 행하는 것이라면 才의 죄가 아니다.(乃若其情, 則可以爲善矣, 乃所謂善也. 若夫爲不善, 非才之罪也.)"라고 하였다.

備, 須如伊川'氣淸則才淸, 氣濁則才惡'之論, 方盡."[208]

북계 진씨北溪陳氏[陳淳]가 말했다. "재才는 재질才質·재능才能이다. 재질은 마치 재료才料나 '사물의 주체[質幹]'를 말하는 것과 같으니 본체[體]로서 말하는 것이다. 재능은 일을 해낼 수 있는 것으로서, 같은 일에 대하여 어떤 사람은 자기의 능력을 잘 발휘할 수 있고 어떤 사람은 전혀 발휘하지 못하는 것은 곧 재才가 같지 않은 것이니, 작용[用]으로서 말하는 것이다. 맹자의 이른바 '재才의 죄가 아니다.'[209]라고 한 말과 '천天이 재才를 내림이 이와 같이 다른 것이 아니다.'[210]라는 등의 말은 모두 재才를 선한 것으로 삼은 것이다. 맹자는 다만 그것이 성선性善이라는 큰 근본에서 발동하기 때문에 곧 모두 한 가지라고 본 것이다. 만약 완전하게 갖추어 말하려고 한다면, 모름지기 이천伊川[程頤]이 '기가 맑으면 재가 맑고 기가 흐리면 재가 악하다.'[211]라고 한 논의와 같아야 비로소 다 발휘한 것이다."

[31-3-19]

平岩葉氏曰: "性本乎理, 理無不善. 才本乎氣, 氣則不齊. 故或以之爲善, 或以之爲惡."[212]

평암 섭씨平岩葉氏[葉采]가 말했다. "성性은 리理에 근본하는데 리는 선하지 않음이 없다. 재才는 기氣에 근본하는데 기는 가지런하지 않다. 그러므로 어떤 경우는 그것을 선한 것으로 여기고, 어떤 경우는 그것을 악한 것으로 여긴다."

208 『北溪字義』 권上 「才」

209 '才의 죄가 아니다.': 『孟子』「告子上」

210 '天이 才를 … 아니다.': 『孟子』「告子上」

211 '기가 맑으면 … 악하다.': 『河南程氏遺書』 권19에서 "性은 하늘에서 나오고 才는 기에서 나온다. 기가 맑으면 재가 맑고, 기가 흐리면 재는 흐리다.(性出於天, 才出於氣. 氣淸則才淸, 氣濁則才濁.)"라 하였고, 『河南程氏遺書』 권22上에서 "기가 맑으면 재가 선하고 기가 흐리면 재가 악하다. 지극히 맑은 기를 품부하여 생겨난 자는 성인이 되고, 지극히 흐린 기를 품부하여 생겨난 자는 어리석은 사람이 된다.(氣淸則才善, 氣濁則才惡. 稟得至淸之氣生者爲聖人, 稟得至濁之氣生者爲愚人.)"라고 하였다.

212 張九韶의 『理學類編』 권7 「性命」에 섭채의 말로 기록되어 있다.

性理大全書卷之三十二
성리대전서 권32

性理四 성리 4

性理四
성리 4

心 마음

[32-1-1]

程子曰 : “心, 一也, 有指體而言者, 寂然不動是也, 有指用而言者, 感而遂通天下之故是也. 惟觀其所見何如耳.”[1]

정자程子가 말했다. “마음[心]은 하나인데, 체體를 가리켜 말한 경우가 있으니, 적연寂然하여 움직이지 않는 것[2]이고, 용用을 가리켜 말한 경우가 있으니, 감感하여 세상의 일[3]을 통달한 것[4]이다. 오직 그 본 것이 어떠한가를 볼 뿐이다.”[5]

1 『二程粹言』「論道篇」

2 寂然하여 움직이지 … 않는 것 : 『易』「繫辭上」에 “易은 생각이 없고, 작위함이 없어, 寂然하게 움직이지 않다가 감동하여 마침내 세상의 이치를 통하니, 세상의 지극히 神妙한 자가 아니면 그 누가 이에 참여하겠는가?(易无思也, 无爲也, 寂然不動, 感而遂通天下之故, 非天下之至神, 其孰能與於此?)”라고 하였다.

3 세상의 일 : ‘天下之故’에서 ‘故’를 공영달은 ‘事’라고 했다. “고는 사를 말한다.(故謂事)”

4 感하여 세상의 … 것 : 『易』「繫辭上」에 “易无思也, 无爲也, 寂然不動, 感而遂通天下之故.”라고 하였다.

5 오직 그 … 뿐이다. : 『朱子語類』 권62, 133조목, “물었다. ‘마음은 본래 움직이는 것이지만, 미발 이전이 온전히 적연하여 고요한 것인지 고요함 속에 움직임의 뜻이 있는지 알지 못하겠습니다.’ 대답했다. ‘고요함 속에 움직임의 뜻이 있는 것은 아니다. 周子(주돈이)가 고요함은 無이고 움직임은 有이라고 했지만, 고요함은 무가 아니라 그것이 드러나지 않은 것이 무이고, 움직임을 통해서 유가 있는 것이 아니라, 그것이 보일 수 있는 것이 유일뿐이다. 횡거가 「마음이 성과 정을 통괄한다.」고 했는데 매우 좋다. 性은 고요함이고 情은 움직임이다. 마음은 움직임과 고요함을 겸하여 말한 것이니 체를 지칭하기도 하고 용을 지칭하기도 하여 사람이 보는 바를 따른다. 그것이 고요할 때에도 움직임의 이치는 있을 뿐이다. 정이천은 「中일 때에는 귀로 들을 수 없고 눈으로 볼 수 없지만 듣고 볼 수 있는 이치는 있어서 비로소 얻고, 움직일 때는 또 단지 저 고요함이 움직인 것이다.」라고 했다.’(問, ‘心本是箇動物, 不審未發之前, 全是寂然而靜, 還是靜中有動意?’ 曰, ‘不是靜中有動意. 周子謂「靜無而動有」. 靜不是無, 以其未形而謂之無 ; 非因動而後有, 以其可見而謂之有耳. 橫渠「心統

[32-1-2]

"一人之心, 卽天地之心."[6]

(정자程子가 말했다.) "한 사람의 마음은 바로 천지의 마음이다."

[32-1-3]

問 : "仁與心何異?"

曰 : "於所主曰心, 名其德曰仁."

曰 : "謂仁者心之用乎?"

曰 : "不可."

曰 : "然則猶五穀之種, 待陽氣而生乎?"

曰 : "陽氣所發, 猶之情也. 心猶種焉, 其生之德, 是謂仁也."[7]

물었다 : "인仁과 마음[心]은 어떻게 다릅니까?"

대답했다 : "주재하는 것을 마음이라고 하고, 그 덕을 이름지어 인이라고 한다."

물었다 : "인仁을 마음의 작용이라고 합니까?"

대답했다 : "안 된다."

물었다 : "그러면 오곡의 씨앗이 양기陽氣를 기다려 싹을 틔우는 것과 같습니까?"

대답했다 : "양기가 발현되는 것은 정情과 같다. 마음은 씨앗과 같고, 그것에서 싹을 틔우게 하는 덕을 인이라고 한다."

性情」之說甚善. 性是靜, 情是動. 心則兼動靜而言, 或指體, 或指用, 隨人所看. 方其靜時, 動之理只在. 伊川謂, 「當中時, 耳無聞, 目無見, 然見聞之理在, 始得. 及動時, 又只是這靜底.」')"

6 『河南程氏遺書』 권2상 : "한 사람의 마음은 바로 천지의 마음이다. 한 사물의 이치는 바로 만물의 이치이다. 하루의 운행은 바로 1년의 운행이다.(一人之心, 即天地之心. 一物之理, 即萬物之理. 一日之運, 即一歲之運.)"

7 『二程粹言』「論道篇」. 劉安節의 질문으로 되어 있는데, 『二程遺書』 권18 「劉元承手編」에는 좀 더 자세하게 나온다. "물었다. '인과 심은 어떻게 다릅니까?' 대답했다. '마음은 주재하는 곳이고 인은 일을 가지고 말한 것이다.' 물었다. '그렇다면, 인은 심의 작용이 아닙니까?' 대답했다. '그러하다. 그러나 만약 인이 마음의 작용이라고 말한다면 옳지 않다. 마음은 비유컨대 몸과 같고, 四端은 사지와 같다. 사지는 분명 몸이 사용하는 것이니, 몸의 사지라고 말할 수 있을 뿐이다. 예컨대, 사단은 본디 마음에 갖추어져 있으나, 곧바로 마음의 작용이라고 해서는 안 된다.' 어떤 사람이 물었다. '비유하자면 오곡의 씨앗이 반드시 양기를 기다려 싹을 틔우는 것과 같습니까?' 대답했다. '옳지 않다. 양기가 발현되는 것은 도리어 정이다. 마음은 오곡의 씨앗과 같고, 싹을 틔우게 하는 性이 곧 인이다.'(問, '仁與心何異?' 曰, '心是所主處, 仁是就事言.' 曰, '若是, 則仁是心之用否?' 曰, '固是. 若說仁者心之用, 則不可. 心譬如身, 四端如四支. 四支固是身所用, 只可謂身之四支. 如四端固具於心, 然亦未可便謂之心之用.' 或曰, '譬如五穀之種, 必待陽氣而生.' 曰, '非是. 陽氣發處, 却是情也. 心譬如穀種, 生之性便是仁也.')"

[32-1-4]

"心, 生道也. 有是心, 斯具是形以生. 惻隱之心, 人之生道也. 雖桀跖不得無是以生. 但戕賊之以滅天耳. 始則不知愛物, 俄而至於忍, 安之以至於殺, 充之以至於好殺, 豈人理也哉?"[8]

(정자程子가 말했다.) "마음[心]은 생겨나게 하는 도이다.[9] 이 마음이 있어야 이 형체를 갖추어 생겨난다. 측은한 마음은 사람에게서 생겨나게 하는 도이다.[10] 걸왕과 도척일지라도 이러한 마음이 없이 생겨날 수는 없으나, 다만 그 마음을 해치고 손상을 입혀서 천리天理를 없앴을 뿐이다. 처음에 사물을 아끼는 것을 알줄 모르다가, 이윽고 잔인함에 이르러서는 그것을 편안히 여겨 살인에 이르고, 그것을 확충해나가서 살인을 좋아하는 것에 이르렀으니, 어찌 사람의 이치이겠는가?"

[32-1-5]

"理與心一, 而人不能會之爲一."[11]

(정자程子가 말했다.) "이理와 마음[心]은 하나이나 사람이 모아 하나로 할 수가 없다."

[32-1-6]

問: "心有限量乎?"

曰: "天下無性外之物. 以有限量之形氣用之, 不以其道, 安得廣大其心也? 心則性也. 在天爲命, 在人爲性, 所主爲心, 實一道也. 通乎道, 則何限量之有? 必曰有限量, 是性外有物乎!"[12]

---

8 『河南程氏遺書』 권21하 「附師說後」. 주희는 이 구절에서 뭔가 빠진 것이 있다고 의심하고 있다. "'마음은 생겨나게 하는 도이다.'라는 구절은 張思叔이 기록한 것인데 뭔가 빠진 부분이 있는 것 같다. 분명 당시에 글을 문장을 개작해서 文意를 잃었을 것이다.(心, 生道也. 此句是張思叔所記, 疑有欠闕處. 必是當時改作行文, 所以失其文意.)"(『朱子語類』 권95 「程子之書」)

9 마음은 생겨나게 … 도이다.: '生道를 '생겨나게 하는 도'라고 번역했지만 이는 '生生之謂易'이라는 生生의 의미가 있다. 『朱子語類』 권95, 99조목에 "이천이 '마음은 生道이다.'라고 했는데 方(楊方)이 말했다. '生道는 本然이고 생겨나게 하는 것입니다.' 주희가 말했다. '이것은 인간에게서 천지의 마음이 된다는 뜻이다.' 또 말했다. '生은 또한 生生의 뜻이다. 이 측은한 마음이 있으면 이 형체가 있다.' 방이 말했다. '배속에 가득 찬 것이 측은한 마음입니다.'(伊川云, 心生道也. 方云, 生道者, 是本然也, 所以生者也. 曰, 是人爲天地之心意. 又曰, 生亦是生生之意, 蓋有是惻隱心, 則有是形. 方曰, 滿腔子是惻隱之心.)"라고 하였다.

10 마음은 사람에게서 … 도이다.: 『朱子語類』 권95, 95조목에 "천지가 만물을 낳는 마음이 인이고, 사람이 품부 받아 이 천지의 인을 이어받은 후에 생겨날 수 있다. 그러므로 측은한 마음은 사람에게서 또한 생겨나게 하는 도이다.(天地生物之心是仁, 人之稟賦, 接得此天地之心, 方能有生. 故惻隱之心在人, 亦爲生道也.)"라고 하였다.

11 『河南程氏遺書』 권5 『二程粹言』 「心性篇」, "'理와 心은 하나이지만 사람이 그것들을 모아 하나로 할 수가 없다.'는 것은 자기가 있으면 자기를 사사롭게 하는 것을 기뻐하고, 자기를 사사롭게 여기게 되면 만 가지로 달라져서, 마땅히 하나로 모으기가 어렵다는 것이다.(理與心一, 而人不能會爲一者, 有己則喜自私, 私則萬殊, 宜其難一也.)"

12 『二程粹言』 권2 「心性篇」

물었다. "마음[心]에는 한계가 있습니까?"
(정자程子가) 대답했다. "세상에 성性에서 벗어난 사물은 없다.[13] 한계가 있는 형기形氣로 쓰고, 그 도道로 쓰지 않는다면, 어떻게 그 마음을 넓고 크게 할 수 있겠는가? 마음은 성性이다. 하늘에서는 명命이라 하고, 사람에서는 성이라 하고, 주재하는 것이 마음인데, 사실은 하나의 도이다. 도에 통달하면 어찌 한계가 있겠는가? 반드시 한계가 있다고 한다면 이것은 성에서 벗어난 사물이 있는 것이 될 것이다."

[32-1-7]
"耳目能視聽而不能遠者, 氣有限也. 心無遠近."[14]
(정자程子가 말했다.) "눈과 귀는 보고 들을 수 있지만 멀리 있는 것까지 보고 들을 수 없는 것은 기에 한계가 있기 때문이다. 그러나 마음[心]은 멀고 가까움의 한계가 없다."

[32-1-8]
問 : "心有善惡否?"
曰 : "在天爲命, 在義爲理, 在人爲性, 主於身爲心, 其實一也. 心本善, 發於思慮則有善有不善. 若旣發, 則可謂之情, 不可謂之心. 譬如水, 至於流而爲派, 或行於東, 或行於西, 却謂之流也."[15]
물었다. "마음[心]에 선과 악이 있습니까?"
대답했다. "하늘에서는 명命이고, 의義에서는 이理이고,[16] 사람에게서는 성性이고, 몸을 주재하는 것은 마음이나 사실은 하나이다. 마음은 본래 선한데 생각으로 발동하면 선과 불선이 있다.[17] 발동하고 나면

13 세상에 性에서 … 없다. : 『朱子語類』 권4, 27조목에 "물었다. '말라 죽은 나무에도 성이 있다고 하는 것은 어떠합니까?' 답했다. '그것은 원래 이러한 이치가 있다. 그래서 세상에 성에서 벗어난 사물은 없다고 한 것이다.' 거리를 걸으면서 말했다 '섬돌에는 섬돌의 이치가 있다.' 앉으면서 말했다. '대나무 의자에는 대나무 의자의 이치가 있다. 말라 죽은 나무에 生意가 없다고 말하는 것은 되지만, 生理가 없다고 말하는 것은 안 된다. 썩은 나무와 같은 것은 소용이 없다. 단지 아궁이의 불쏘시개로 쓸 수 있으니 생의가 없는 것이다.' ('枯槁之物亦有性, 是如何?' 曰, '是他合下有此理, 故云天下無性外之物.' 因行街, 云, '階磚便有磚之理.' 因坐, 云, '竹椅便有竹椅之理. 枯槁之物, 謂之無生意, 則可, 謂之無生理, 則不可. 如朽木無所用. 止可付之爨灶, 是無生意矣.')"라고 하였다.
14 『河南程氏遺書』 권11 「師訓」; 『二程粹言』 「心性篇」
15 『河南程氏遺書』 권18 「劉元承手編」 : "問, '心有善惡否?' 曰, '在天爲命, 在義爲理, 在人爲性, 主於身爲心, 其實一也. 心本善, 發於思慮, 則有善有不善. 若既發, 則可謂之情, 不可謂之心. 譬如水, 只謂之水, 至如流而爲派, 或行於東, 或行於西, 却謂之流也.'"
16 義에서는 理이고 : 『二程遺書』에는 "의에서는 理이라는 말은 사물에서는 理이라는 말일 것이다.(在義爲理, 疑是在物爲理.)"라고 설명되어 있다.
17 마음은 본래 … 있다. : 『朱子語類』 권95, 89조목에 "履之가 물었다. '「마음은 본래 선한데 생각으로 발동하면 선과 불선이 있다.」는 장은 어떠합니까?' 답했다. '이 단락은 조금 온당치 않은 곳이 있는 듯하다. 모든 일은 마음이 하는 것이 아닌 것이 없어서 방탕하고 치우치고 사특하고 사치스런 모든 행위도 마음이 하는 것이기

그것은 정情이라고 할 수 있지 마음이라고 할 수 없다. 물로 비유하자면 물이 흘러가서 갈래가 되어 동쪽으로 흘러가기도 하고 서쪽으로 흘러가기도 하니 (그것은 물이 아니라) 흐름이라 한다."

[32-1-9]

問: "捨則亡, 心有亡, 何也?"

曰: "否. 此只是說心無形體, 纔主著事時便在這裏, 纔過了便不見. 如'出入無時莫知其鄕', 此句亦須要人理會. 心豈有出入? 亦以操捨而言也. 放心, 謂本善而流於不善, 是放也."[18]

물었다: "'놓으면 잃는다.'[19]에서 마음이 잃음이 있다는 것은 무슨 말입니까?"

대답했다.: "그렇지 않다. 이것은 단지 마음은 형체가 없다는 것을 말하고 있을 뿐이니, 일을 주재하고 있을 때 여기에 있고,[20] 일이 지나가면 보지 못한다. '들고 나감에 때가 없고, 그 방향을 알지 못한다.'[21]고 한 말도 반드시 사람들이 이해해야 한다. 마음이 어찌 들고 나가는 것이 있겠는가? 또한 붙잡음과 놓아버림으로 말했던 것이다. '놓아버린 마음'[放心]이란 마음은 본래 선한데 그것이 불선으로 흘러간다는 말이니, 이것이 놓아버린다[放]는 것이다."

때문이다. 선과 악은 단지 손을 뒤집는 것과 같을 뿐이어서, 한번 뒤집으면 악이 되니, 단지 제대로 안착하지 못해도 불선이 된다. 예를 들어 마땅히 측은지심을 일으켜야할 때에 수오지심을 일으키고, 수오지심을 일으켜야 할 때에 측은지심을 일으키면 옳지 않다.' 또 물었다. '마음의 작용에 불선이 있더라도 마음이 아니라고 할 수 없습니까?' 답했다. '그렇다.'(履之問, '「心本善, 發於思慮, 則有善不善」章, 如何?' 曰, '疑此段微有未穩處. 蓋凡事莫非心之所爲, 雖放僻邪侈, 亦是心之爲也. 善惡但如反覆手耳, 翻一轉便是惡, 止安頓不著, 也便是不善. 如當惻隱而羞惡, 當羞惡而惻隱, 便不是.' 又問, '心之用雖有不善, 亦不可謂之非心否?' 曰, '然.') 『朱子語類』 권95, 91조목에는 "물었다. '「마음은 본래 선한데 생각에서 발현하면 선과 불선이 있다.」는 말에서 정자의 의도는 마음의 본체에는 선이 있고 악은 없는데, 그것이 발현되고 나면 선악이 없을 수가 없다는 것이다. 호오봉은 「사람에게는 不仁이 있지만 마음에는 불인이 없다.」고 했는데, 선생은 이 말에서 아래 구절에는 병통이 있다고 여겼다. 예를 들어 안자가 3개월 동안 인을 어기지 않는다고 했는데 이것이 마음의 인이고, 3개월 후에는 조금이라도 사욕이 있는 것을 면치 못했는데 마음이 불인한 것이니, 어떻게 곧장 마음에 불인이 없다고 할 수 있겠는가? 단몽(端蒙, 주자 문인) 제가 최근 선생의 뜻을 가지고 추론해보면, 호오봉은 체와 발현된 곳을 구별하지 못한 것으로 말한 것은 아닐까요?' 답했다. '그의 말이 완전하게 갖추어져 있지 못했기 때문이다. 만일 사람에게 불인이 있지만 마음은 불인이 없고, 마음에 불인이 있지만 마음의 본체에는 불인이 없다고 해야 뜻이 충족할 뿐이다.'(問, '「心本善, 發於思慮, 則有善不善.」 程子之意, 是指心之本體有善而無惡, 及其發處, 則不能無善惡也. 胡五峰云, 「人有不仁, 心無不仁.」 先生以爲下句有病. 如顏子「其心三月不違仁」, 是心之仁也, 至三月之外, 未免少有私欲, 心便不仁, 豈可直以爲心無不仁乎? 端蒙近以先生之意推之, 莫是五峰不曾分別得體與發處言之否?' 曰, '只爲他說得不備. 若云人有不仁, 心無不仁, 心有不仁, 心之本體無不仁, 則意方足耳.')"라고 하였다.

18 『河南程氏遺書』 권18 「劉元承手編」

19 '놓으면 잃는다.': 『孟子』「告子上」에 "孔子曰, '操則存, 舍則亡, 出入無時, 莫知其鄕.' 惟心之謂與?"

20 일을 주재하고 … 있고: 『河南程氏遺書』에서는 "선생은 눈으로 땅을 보았다.(先生以目視地)"라는 주가 달려 있다.

21 『孟子』「告子上」

[32-1-10]

問 : "雜說中以赤子之心爲已發, 是否?"

曰 : "已發而去道未遠也."

曰 : "大人不失赤子之心, 若何?"

曰 : "取其純一近道也."

曰 : "赤子之心與聖人之心, 若何?"

曰 : "聖人之心, 明鏡止水."[22]

물었다. "「잡설雜說」[23]에서는 갓난아이의 마음을 이발已發(이미 발현한 것)로 여겼는데 옳습니까?"
대답했다. "이발이지만 도와 멀지는 않다."
물었다. "'대인이 갓난아이의 마음을 잃지 않는다.'[24]는 것은 어떠합니까?"
대답했다. "그 순일무잡하여 도와 가깝다는 뜻을 취한 것이다."
물었다. "갓난아이의 마음과 성인의 마음은 어떠합니까?"
대답했다. "성인의 마음은 명경지수明鏡止水와 같다."

[32-1-11]

"聖人之心, 未嘗有在, 亦無不在. 蓋其道合內外, 體萬物."[25]

(정자程子가 말했다.) "성인의 마음은 있었던 적도 없고 없었던 적도 없다. 그 도는 안과 밖을 합일하여 만물에 골자가 되기[26] 때문이다."[27]

[32-1-12]

"體會必以心. 謂體會非心, 於是有心小性大之說. 聖人之心與天爲一. 或者滯心於智識之間,

22 『河南程氏遺書』 권18 「劉元承手編」

23 「雜說」 : 어느 책인지는 알 수 없으나, 이것은 소계명과의 대화 속에 나와 있으니, 정이천의 글이 아닐 수도 있다.

24 『孟子』「離婁下」

25 『河南程氏遺書』 권3 「謝顯道記憶平日語」

26 『中庸』 15장 : "視之而弗見, 聽之而弗聞, 體物而不可遺"

27 湛若水(담약수), 『格物通』 권20 「正心下」, "마음은 사물이 아니라 신이다. 신은 만물을 묘하게 하기 때문에 안과 밖을 합일하여 만물의 골자가 되어 빠뜨림이 없다. 그래서 신이라고 한다. 성인의 마음은 있었던 적도 없고 없었던 적도 없다고 한 것은 신이니, 있지도 않고 없지도 않은 사이가 내 마음의 자연스런 본체일 것이다! 그래서 배우는 사람이 조장하지 말고 잊지도 않을 때에 천리가 드러난다. 사물에 막혀서 통하지 않으면 또한 사물일 뿐이다. 어찌 이것이 마음의 神明한 본체이겠는가? 『易』에서 '신묘하여 밝히는 것은 그 사람에게 달렸다.'고 했다.(心非物也, 神也. 神妙萬物, 是故合內外, 體萬物而不遺. 是以謂之神. 聖人之心未嘗有在, 亦無不在, 神也, 無在無不在之間, 吾心自然之本體乎! 是故學者勿助勿忘之時, 而天理見矣. 滯於物而不通, 則亦物焉而已矣. 豈此心神明之本體乎? 易曰'神而明之, 存乎其人.')"

故自見其小耳."[28]

(정자程子가 말했다.) "체회體會[29]는 반드시 마음으로 한다. 체회는 마음으로 하는 것이 아니라고 해서,[30] 이에 마음은 작고 성은 크다는 학설[31]이 있게 되었다. 성인의 마음은 하늘과 하나이다. 어떤 경우는 마음을 지식智識 사이에 한정시키므로, 스스로 마음이 작다고 보았을 뿐이다."

[32-1-13]

"有主則虛, 無主則實, 必有所事."[32]

(정자程子가 말했다.) "주인이 있으면 텅 비고 주인이 없으면 꽉 차니, 반드시 일삼는 바가 있어야 한다."[33]

28 『二程粹言』 권2 「心性篇」

29 체회 : '체험으로 깨닫는다(體驗領會).'는 뜻이다.

30 체회는 마음으로 … 해서 : 『朱子語類』 권97, 106조목, "물었다. '체회는 마음으로 하는 것이 아니라고 여기는 것은 부당하다고 하는데 어떠합니까?' 답했다. '이 구절은 분명하게 알 수 없다. 그것은 원래 마음은 작고 성은 크다는 횡거의 학설을 물리친 것이다. 심과 성은 하나인데 어찌 크고 작은 것이 있겠는가? 횡거는 원래 마음이 성과 정을 통섭한다고 말했는데 어째서 이런 말을 했는지 모르겠다."(問, '「不當以體會爲非心」, 是如何?' 曰, '此句曉未得. 它本是闢橫渠'心小性大'之說. 心性則一, 豈有小大? 橫渠卻自說「心統性情」, 不知怎生卻恁地說?')" 『朱子語類』 권97, 107조목, "물었다. '체회는 마음으로 하는 것이 아니라고 여기는 것은 부당하므로, 마음은 작고 성은 크다는 학설이 있다고 했는데 어떻게 하면 체회합니까?' 답했다. '이것은 분명히 횡거의 말이지만 지금 글에는 유실되었다. 횡거는 「마음이 보고 듣는 것에 얽매여 성을 넓히지 못한다.」라고 했는데 두 가지의 말을 한 것이다. 횡거는 「사람이 도를 넓힐 수 있지 도가 사람을 넓히는 것은 아니다」라는 말에서 「심은 그 성을 단속할 수 있기 때문에 사람이 도를 넓히는 것이고, 성은 그 마음을 단속할 줄 모르기 때문에, 도가 사람을 넓히는 것은 아니다.」라고 했는데, 이 말이 좋다. 또 그가 당초에 심과 성을 어떻게 구분했는지 알 수 없다. 횡거의 말에는 착오가 있는 것이 이렇게 많다.'(問, '「不當以體會爲非心, 故有心小性大之說」, 如何是體會?' 曰, '此必是橫渠有此語, 今其書中失之矣. 橫渠云「心禦見聞, 不弘於性」, 卻做兩般說. 渠說「人能弘道, 非道弘人」處云, 「心能檢其性, 人能弘道也 ; 性不知檢其心, 非道弘人也.」 此意卻好. 又不知它當初把此心·性作如何分? 橫渠說話有差處, 多如此.')"

31 마음은 작고 … 학설 : 『朱子語類』 권99, 49조목에 "마음이 誠을 포함하고 있다는 단락에 대해서 물었다. 대답했다. '이것은 횡거의 말이니, 바로 마음은 작고 성은 크다는 것과 같은 뜻이다.'(問'心包誠'一段. 曰, '是橫渠說話, 正如'心小性大'之意.')라고 하였고, 『朱子語類』 권99, 50조목에 "횡거가 '誠으로 마음을 포함한다는 것은 마음으로 성을 포함한다는 것만 못하다.'고 했는데 이는 그가 매우 중대한 것을 본 것이므로 그에게 심은 작고 성은 크다는 학설이 있다.(橫渠云, '以誠包心, 不若以心包誠.' 是他看得忒重, 故他有"心小性大"之說.)"라고 하였다.

32 『河南程氏遺書』 권15 「入關語錄」

33 『河南程氏遺書』 권15 「入關語錄」 : "배우는 사람이 가장 먼저 힘써야 할 것은 분명 心志에 있다. 어떤 사람은 보고 듣고 사려하는 것을 막고자 한다고 하니, 이는 '聖을 끊고 지혜를 버린다.'는 것이고, 어떤 사람은 사려를 끊고자 하는데 그 혼란이 걱정된다고 하니, 이는 좌선에 빠지는 것이다. 여기 밝은 거울이 있어서 모든 것이 비추면, 이것이 거울의 常道이니, 사물을 비추지 않게 만들기 힘들다. 사람의 마음은 만물과 교감하지 않을 수가 없으니, 또한 사려하지 않게 하기 어렵다. 이것을 면하고자 한다면 오직 이 마음에 주인이 있는 것이다. 어떻게 하면 주인이 되는가? 敬할 뿐이다. 주인이 있으면 텅 비고, 텅 빈 것은 사특함이 들어올 수가 없다.

[32-1-14]

"人之身有形體, 未必能爲主. 若有人爲係虜將去, 隨其所處, 己有不得與也. 唯心, 則三軍之衆不可奪也. 若并心做主不得, 則更有甚?"[34]

(정자程子가 말했다.) "사람의 몸에는 형체가 있으니 반드시 주인이 될 수는 없다. 어떤 사람이 포로로 잡혀 가게 되면 그 처한 곳을 따라서, 자신은 간여할 수가 없다. 그러나 오직 마음[心]은 삼군三軍의 무리들도 빼앗을 수가 없다. 만약 마음마저 주인이 되지 못한다면, 다시 무엇이 있겠는가?"

[32-1-15]

或問: "多怒多驚, 何也?"

曰: "主心不定也."[35]

어떤 사람이 물었다. "많이 분노하고 많이 놀라는 것은 어째서입니까?"
대답했다. "마음을 집중함이 안정을 이루지 못했기 때문이다."[36]

주인이 없으면, 實하니, 실함은 사물이 와서 빼앗을 수 없다. 지금 항아리가 있는데 안에 물이 가득 차 있다면 강과 바다의 물이 들어올지라도 항아리에 들어갈 수 없으니, 어찌 텅 비지 않겠는가? 안에 물이 없다면 쏟아 붓는 물이 끊임없이 들어가니, 어찌 꽉 차지 않을 수 있겠는가? 사람의 마음은 두 편에서 작용하지 않으니, 한 가지 일에 마음을 쓰면, 다른 일은 들어올 수가 없는 것은 그 일이 주인이 되기 때문이다. 일이 주인이 되면 사려가 어지러워지는 근심이 없으니, 경에 집중하면 또 어떻게 이러한 근심이 있겠는가? 敬이라고 하는 것은 하나로 집중하는 것을 경이라고 한다. 하나라는 것은 어디로 가는 것이 없음을 하나라고 한다. 또한 하나로 집중하는 뜻을 함양하려고 한다면, 하나는 둘 셋이 없이 해야 한다. 敬이라고 하는 것은 성인의 말만한 것이 없다. 『易』에서 '敬으로 안을 곧게 하고 義로 밖을 바르게 한다.'고 했는데 반드시 안을 바르게 해야 하나로 집중하는 뜻이 된다. 감히 속이지 않고, 오만하지 않으며, 방 깊은 곳에서 부끄러움이 없는 것에 이르는 것이 모두 敬의 일이다. 단 이것을 보존하여 함양하되, 오래되면 저절로 天理가 밝아진다.(學者先務, 固在心志. 有謂欲屏去聞見知思, 則是'絶聖棄智'. 有欲屏去思慮, 患其紛亂, 則是須坐禪入定. 如明鑑在此, 萬物畢照, 是鑑之常, 難爲使之不照. 人心不能不交感萬物, 亦難爲使之不思慮. 若欲免此, 唯是心, 有主. 如何爲主? 敬而已矣. 有主則虛, 虛謂邪不能入. 無主則實, 實謂物來奪之. 今夫瓶罌, 有水實內, 則雖江海之浸, 無所能入, 安得不虛? 無水於內, 則停注之水, 不可勝注, 安得不實? 大凡人心, 不可二用, 用於一事, 則他事更不能入者, 事爲之主也. 事爲之主, 尙無思慮紛擾之患, 若主於敬, 又焉有此患乎? 所謂敬者, 主一之謂敬. 所謂一者, 無適之謂一. 且欲涵泳主一之義, 一則無二三矣. 言敬, 無如聖人之言. 易所謂'敬以直內, 義以方外', 須是直內, 乃是主一之義. 至於不敢欺 · 不敢慢 · 尙不愧於屋漏, 皆是敬之事也. 但存此涵養, 久之自然天理明.)"

34 『河南程氏遺書』 권15 「入關語録」

35 『二程粹言』 권2 「心性篇」

36 『河南程氏遺書』 권3 「謝顯道記憶平日語」: "도에 들어가는 데에는 敬만한 것이 없으니 격물치지할 수 있는데 敬에 있지 않는 자는 없다. 지금 사람들이 마음을 집중하여 안정을 이루지 못해 마음을 보는 것이 도적과 같아 제어하지 못하면 이는 일이 마음을 얽매이게 하는 것이 아니라 마음이 일을 얽매이게 하는 것이다.(入道莫如敬, 未有能致知而不在敬者. 今人主心不定, 視心如寇賊而不可制, 不是事累心, 乃是心累事.)"

[32-1-16]

“人心作主不定, 正如一箇翻車, 流轉動搖無須臾停. 所感萬端, 又如懸鏡空中, 無物不入其中, 有甚定形? 不學, 則却都不察. 及有所學, 便覺察得是爲害. 著一箇意思, 則與人成就得箇甚好見識? 心若不做一箇主, 怎生奈何? 張天祺昔常言, 自約數年自上著牀便不得思量事. 不思量事後, 須强把他這心來制縛, 亦須寄寓在一箇形象, 皆非自然. 司馬君實自謂吾得術矣, 只管念箇中字. 此則又爲中繫縛. 且中字亦何形象? 若愚夫不思慮, 冥然無知, 此又過與不及之分也. 有人胷中常若有兩人焉, 欲爲善, 如有惡以爲之間, 欲爲不善, 又若有羞惡之心者. 本無二人, 此正交戰之驗也. 持其志, 使氣不能亂. 此大可驗.”[37]

(정자程子가 말했다.) “사람의 마음이 주인 노릇하는 것이 안정을 이루지 못한 것은 바로 마치 물레방아가 빙빙 돌고 돌아 잠시도 멈추지 않는 것과 같다. 느끼는 온갖 단서들이[38] 또 걸려 있는 텅 빈 거울 속에 어떤 것이던 그 속으로 들어오지 않는 것이 없는 듯하니 어떤 정해진 형체가 있는가? 배우지 않으면 모두 살필 수가 없다. 배운 것이 있게 되면 이것이 해롭다는 점을 깨닫게 된다. 한 가지 생각에 집착하면, 다른 사람과 함께 어떤 좋은 견식見識을 이룰 수 있겠는가?[39] 마음이 주인 노릇하지 않는다면, 어떻게 하겠는가? 장천기張天祺[40]는 예전에 항상 ‘스스로 단속하여 수년 만에 책상에 앉으면 일을 생각하지 않게 되었다.’라고 하였다. 그러나 일을 생각하지 않게 된 후에는, 반드시 억지로 그 마음을 가지고 제어하고 속박하고, 또한 하나의 형상에 그것을 붙여야 하니, 모두 자연스러운 것이 아니다. 사마군실司馬君實(사마광)[41]은 ‘스스로 내가 방법을 터득하였으니, 오로지 중中이라는 글자를 생각할 뿐이다.’라고 했다. 이것도

37 『河南程氏遺書』 권2하 「附東見錄後」

38 느끼는 온갖 단서들이 : 『河南程氏遺書』에는 “流轉動搖無須臾停, 所感萬端. 又如懸鏡空中,”이라고 끊어 읽고 있다. 이와 같은 독법이라면 “마치 물레방아가 돌고 돌아 동요하면서 조금도 정지하지 않는 것과 같아서 느끼는 것이 여러 가지 단서이다. 또 공중에 달린 거울이 …”라고 해석할 수 있다. 맥락을 살펴보면 이러한 해석이 더 좋을 듯하지만 저본에 나온 표점에 따라서 해석하였다.

39 배운 것이 … 있겠는가? : 『河南程氏遺』에는 이렇게 주가 달려 있다. “어떤 판본에는 ‘배움에 뜻이 없으면 모두 그것을 살필 수 없지만 마음을 써서 스스로 보면 그것이 해롭다는 점을 깨닫는다. 이렇게 어지럽게 섞인 마음을 가지고 끝내 남과 어떤 견식을 이루겠는가!’라고 되어 있다.(一作‘無意於學, 則皆不之察, 暨用心自觀, 即覺其爲害. 存此紛雜, 竟與人成何見識!’)”

40 張天祺 : 張戩(장전)을 말한다. 『宋元學案』 권18 「橫渠學案」에는 “장전은 자가 天祺로서 횡거의 막내 동생이다. 그 사람됨이 돈실하고 관대하지만 엄격히 正色을 하여 기쁨과 분노가 얼굴에 드러나지 않았다. 사람을 대하는 데에 귀천친소가 없어서 안색을 그르친 적이 없었다. 남의 좋은 점을 말하기를 즐겨 해서 나쁜 점을 언급하지 않았다. 하루 종일 의를 언급하지 않는 말이 없었고 도를 힘써 실천하여 늘 도에 미치지 못한 듯이 노력하였다.(張戩, 字天祺, 橫渠先生季弟也. 其爲人篤實寬裕, 儼然正色, 喜愠不見於容. 接人無貴賤親疏, 未嘗失色. 樂道人善, 不及其惡. 終日無一言不及於義, 任道力行, 常若不及.)”라고 하였다.

41 司馬君實(사마광) : 司馬光(1019~1086)은 자는 君實이고, 호는 迂夫, 迂叟이며, 시호는 文正이다. 세칭 司馬太師 · 溫國公 · 涑水先生이라 한다. 송대 夏縣 涑水鄕(현 산서성 夏縣) 사람으로 翰林侍讀 · 權御使中丞 · 門下侍郎 등을 역임하였다. 왕안석의 신법에 반대하여 퇴출되었다가 재상으로 복직하여 신법을 폐지하였다. 저서는 『文集』과 『資治通鑑』 · 『稽古錄』 · 『易說』 · 『潛虛』 등이 있다.

중에 속박되는 것이다. 그리고 또한 중이라는 글자는 무슨 형상인가? 만약 어리석은 사람이 사려하지 않아 깜깜하게 무지하다면, 이것도 지나치고 모자람의 구분이다. 어떤 사람의 마음속에 항상 두 사람이 있는 것과 같으니, 선을 행하려고 하지만 악이 틈을 벌이는 것과 같고, 불선을 행하려고 하지만 또 부끄러우며 미워하는 마음이 있는 것과 같다. 이는 본래 두 사람이 있는 것이 아니라, 바로 마음속에서 서로 다투는 증거이다. 그 뜻을 지켜서,[42] 기가 어지럽히지 못하도록 해야 한다. 이것으로 크게 증험할 수 있다."

[32-1-17]

"心定者其言重以舒, 不定者其言輕以疾."[43]

(정자程子가 말했다.) "마음이 안정된 자는 그 말이 중후하여 느긋하고, 안정되지 못한 자는 그 말이 경박하여 빠르다."

[32-1-18]

"人心必有所止, 無止則聽於物, 惟物之聽, 何所往而不妄也?"

或曰 : "心在我, 旣已入於妄矣, 將誰使之?"

曰 : "心實使之."[44]

(정자程子가 말했다.) "사람의 마음은 반드시 멈추는 곳이 있어야만 하니, 멈추는 곳이 없으면 외물에 따르고, 오직 외물을 따르면, 어디에 간들 경망하지 않겠는가?"
어떤 사람이 물었다. "마음[心]은 나에게 있는데 경망한 데에 들어가게 되었다면, 누가 그것을 부립니까?"
대답했다. "마음이 실제로 그것을 부린다."

[32-1-19]

"人心不得有所繫."[45]

(정자程子가 말했다.) "사람의 마음은 얽매이는 곳이 있어서는 안 된다."

[32-1-20]

"人心常要活, 則周流無窮而不滯於一隅."[46]

42 『孟子』「公孫丑上」: "持其志, 無暴其氣."

43 『河南程氏外書』 권11 「拾遺」. 『朱子語類』 권96, 55조목에 "말은 마음에서 발현되니 마음이 안정되면 말하는 데에 반드시 세심하므로, 적확하고 느긋하며, 안정되지 않으면 내면이 반드시 소란스러워 사려하지 않고 내뱉으므로 가볍고 급박하다. 이것 역시 뜻이 기를 움직이는 증험이다.(言發於心, 心定則言必審, 故的確而舒遲 ; 不定則內必紛擾, 有不待思而發, 故淺易而急迫. 此亦志動氣之驗也.)"라고 하였다.

44 『二程粹言』 권2 「心性篇」

45 『河南程氏遺書』 권11 「師訓」

(정자程子가 말했다.) "사람의 마음은 항상 살아 있게 하면, 끊임없이 두루 흘러서 한 곳에 막히지 않는다."

[32-1-21]

"人必有仁義之心, 然後仁與義之氣, 睟然達於外. 故不得於心勿求於氣可也."[47]

(정자程子가 말했다.) "사람은 반드시 인의仁義의 마음이 있어야 하니, 그런 뒤에야 인과 의의 기가 밝게 밖으로 드러난다. 그러므로 '마음에서 얻지 못하면 기에서 구하지 말아야 한다는 말은 옳다.'"[48]

[32-1-22]

"嘗喻以心知天, 猶居京師往長安, 但知出西門便可到長安. 此猶是言作兩處. 若要誠實, 只在京師便是到長安. 更不可別求長安. 只心便是天, 盡之便知性, 知性便知天. 一作性便是天 **當處便認取, 更不可外求."**[49]

(정자程子가 말했다.) "(횡거는) 일찍이 마음[心]으로 하늘[天]을 아는 것을 비유하여 경사京師(장안)에 거주하면서 장안長安으로 가는 것과 같다고 했는데, 다만 서문西門으로 나가면 장안에 도달하는 것을 아는 것이다. 이것은 오히려 두 곳으로 말하는 것이다. 만약 성실誠實하려고 한다면 경사에 있는 것이 곧 장안에 가는 것일 뿐이니, 다시 장안을 별도로 구할 수 없다. 단지 마음이 곧 하늘이니 그 마음을 다했다면 성性을 아는 것이고 성性을 알았다면 하늘을 아는 것이다. 어느 본에서는 '성이 곧 천이다.'라고 되어

46 『河南程氏遺書』 권5

47 『河南程氏遺書』 권4 「游定夫所錄」

48 '마음에서 얻지 … 옳다.': 『孟子』「公孫丑上」에 "물었다. '감히 선생의 부동심과 고자의 부동심을 들을 수 있습니까?' 답했다. '고자가 「말에서 얻지 못하면 마음에서 구하지 말고, 마음에서 얻지 못하면 기에서 구하지 말라.」고 했다. 마음에서 얻지 못하면 기에서 구하지 말라는 말은 옳지만, 말에서 얻지 못하면 마음에서 구하지 말라는 말은 옳지 않다. 志는 기의 장수이고, 기는 몸에 꽉 차 있는 것이다. 지가 최고이고, 기는 그 다음이다. 그러므로 「그 志를 견지하고 그 기를 포악하게 다루지 말라.」고 한 것이다.'(曰, '敢問夫子之不動心, 與告子之不動心, 可得聞與?' '告子曰, 「不得於言, 勿求於心, 不得於心, 勿求於氣.」 不得於心, 勿求於氣, 可, 不得於言, 勿求於心, 不可. 夫志, 氣之帥也, 氣, 體之充也. 夫志至焉, 氣次焉. 故曰, 「持其志, 無暴其氣.」')" 라고 하였다.

49 『河南程氏遺書』 권2상 「元豐己未呂與叔東見二先生語」. 이 구절에 대해서 宋대의 林駉이 편찬한 『古今源流至論』 前集 권1에서는 이렇게 논평하고 있다. "물었다. '횡거는 마음으로 하늘을 아는 것은 수도에 거주하면서 장안에 가는 것과 같다고 해서 다시 둘로 나누었다. 어떤 경우는 섞어서 하나로 하고 어떤 경우는 나누어 둘로 하니, 이것은 일가의 배움이 아닌가?' 답했다. '이천은 섞어서 하나로 한 사람으로 스스로 터득한 배움이니, 이것은 誠에서부터 明한다는 뜻이다. 횡거는 나누어 둘로 한 사람으로 배우는 사람들을 위해 말했으니, 明에서부터 誠하게 된다는 뜻이다. 그 말은 다르지만 그 요지는 같으니, 어찌 이 말을 꼬투리 잡아 비평을 할 것인가?(橫渠曰, 以心知天, 猶居京師往長安, 復二之也. 或混而一之, 或岐而二之, 斯不一家自爲學乎? 曰, 伊川混而一之者, 自得之學, 此自誠而明之意也. 橫渠岐而二之者, 爲學者言之, 此自明而誠之意也. 其言異其旨同, 烏可執是, 議之哉!)"

있다. 처한 곳에서 알아내야 하니, 다시 밖에서 구하면 안 된다."

[32-1-23]

"心具天德. 心有不盡處, 便是天德處未能盡, 何緣知性知天? 盡己心, 則能盡人盡物, 與天地參, 贊化育. 贊則直養之而已."[50]

(정자程子가 말했다.) "마음에는 천덕天德이 갖추어져 있다. 그러나 마음에는 다하지 못한 곳이 있어서, 천덕을 다할 수가 없으니, 무엇을 말미암아 성性을 알고 천天을 알겠는가? 자신의 마음을 다하면 타인을 다할 수 있고 사물을 다할 수 있어서, 천지와 함께 참여하고 화육化育을 돕는다. 도우려 한다면 다만 기를 뿐이다."

[32-1-24]

"有人說無心."

曰 : "無心便不是. 只當云無私心."[51]

어떤 사람이 마음이 없어야 한다는 점을 말했다.

(정자가) 말했다. "마음이 없어야 한다는 말은 옳지 않다. 단지 사심私心이 없어야 한다고 말해야 한다."

[32-1-25]

"心要在腔子裏."[52]

(정자程子가 말했다.) "마음은 텅 빈 곳 속에 있게 해야 한다."[53]

50 『河南程氏遺書』 권5

51 『河南程氏外書』 권12 「傳聞雜記」

52 『河南程氏遺書』 권22

53 『朱子語類』 권96, 12조목에 "'마음은 텅 빈 곳에 있게 해야 한다.'고 했는데, 이는 마음에는 주재가 있어야 한다는 것이다. 지금부터 가슴 속의 혼란한 것을 끊고 敬으로 이치를 궁구한다.('心要在腔殼子裏.' 心要有主宰. 繼自今, 便截胸中膠擾, 敬以窮理.)"라고 하였고, 『朱子語類』 권96, 13조목에 "물었다. '「마음은 텅 빈 곳에 있게 해야 한다.」고 했는데 만약 상황을 사려하고 사물과 응대할 때 心은 어떻게 해야 합니까?' 답했다. '사려하고 응대할 때에도 역시 없애서는 안 된다. 다만 몸이 여기에 있으면 마음은 당연히 여기에 있다.' 물었다. '그렇다면 이제 막 사물과 응대할 때 마음은 그 상황에 있지만 그 상황이 지나가면 이 마음은 또한 그 일을 주관하지 않습니까?' 답했다. '분명 이러해야 한다.'(問, '「心要在腔子裏.」 若慮事應物時, 心當如何?' 曰, '思慮應接, 亦不可廢. 但身在此, 則心合在此.' 曰, '然則方其應接時, 則心在事上 ; 事去, 則此心亦不管著.' 曰, '固是要如此.')"라고 하였다. 『朱子語類』 권96, 15조목에 "어떤 사람이 물었다. '「마음은 텅 빈 곳에 있어야 한다.」고 했는데, 어떻게 하면 텅 빈 곳에 있게 합니까?' 답했다. '敬으로 해야 텅 빈 곳에 있게 된다.' 또 물었다. '어떻게 해야 경할 수 있습니까?' 답했다. '단지 그대로 흐르게 해야지 무엇을 하겠는가? 경을 말했으니 더 이상 말할 것이 없다.'"(或問, '「心要在腔子裏」, 如何得在腔子裏?' 曰, '敬, 便在腔子裏.' 又問, '如何得會敬?' 曰, '只管恁地滾做甚麽? 才說到敬, 便是更無可說.')"라고 하였다.

[32-1-26]

張子曰 : "虛心然後能盡心."

又曰 : "虛心則無外以爲累."[54]

장자張子[張載]가 말했다. "마음을 비운 뒤에야 마음을 다할 수 있다."
또 말했다. "마음을 비우면 외물에 의해서 얽매이지 않는다."

[32-1-27]

"心旣虛則公平. 公平則是非較然易見, 當爲不當爲之事自知."[55]

(장자張子[張載]가 말했다.) "마음[心]을 비우면 공평해진다. 공평하면 시비是非를 비교적 쉽게 보게 되고, 당연히 해야 할 일과 당연히 하지 않아야 할 일을 저절로 알게 된다."

[32-1-28]

"心大則百物皆通, 心小則百物皆病."[56]

(장자張子[張載]가 말했다.) "마음[心]이 크면 모든 것이 다 통하고, 마음이 작으면 모든 것이 다 병통이 된다."[57]

[32-1-29]

"心淸時常少, 亂時常多. 其淸時卽視明聽聰, 四體不待羈束而自然恭謹, 其亂時反是. 如此者何也? 蓋用心未熟, 客慮多而常心少也, 習俗之心未去而實心未全也. 有時如失者, 只爲心生. 若熟後自不然. 心不可勞, 當存其大者, 存之熟後, 小者可略."[58]

(장자張子[張載]가 말했다.) "마음[心]이 맑을 때는 항상 적고, 혼란할 때가 항상 많다. 그것이 맑을 때는 눈이 밝게 잘 보이고 귀가 분명하게 잘 들리며 사지가 구속하기를 기다리지 않고서도 저절로 공경하고 삼가지만, 마음이 혼란할 때는 이와 반대이다. 이러한 것은 왜 그러한가? 마음 씀이 아직 성숙되지 않아

54 『張子全書』 권12 「語錄」

55 『張子全書』 권5 「學大原上」

56 『張子全書』 권5 「氣質」

57 『朱子語類』 권98, 111조목 : "'心이 크면 모든 것이 다 통한다.'는 말에서 통한다는 말은 이 도리를 투명하게 안다는 것이고, 병통이 된다는 것은 막힌다는 말이다.('心大則百物皆通.' 通, 只是透得那道理去, 病, 則是窒礙了.)" 또 이렇게 설명한다. "居甫가 물었다. '「심이 작으면 모든 것이 병통이 된다.」고 했는데 어떤 것이 작은 것입니까?' 답했다. '이것은 마음이 협애하면 모든 일이 막혀 행해지지 않는다는 것이다. 仁을 행하려고 하다가 姑息(무원칙적인 관용)에 빠지고, 義를 행하려다가 폭력을 행하게 되니, 모두 이것을 보면서도 저것을 보지 못하는 것이다.'(居甫問, '「心小則百物皆病.」 如何是小?' 曰, '此言狹隘則事有窒礙不行. 如仁則流於姑息, 義則入於殘暴, 皆見此不見彼.')"

58 『張子全書』 권7 「學大原下」

서 떠도는 사려가 많고 항상된 마음이 적으며, 세속에 물든 마음이 제거되지 않고 실심實心이 온전하지 않기 때문이다.[59] 어떤 경우에 이를 잃는 것은 단지 마음에 의해서 일어난다. 만약 성숙된 뒤라면 그렇지 않다. 마음은 수고롭게 해서는 안 되고, 마땅히 그 큰 것을 보존하여 보존함이 성숙하게 된 뒤에 작은 것은 생략할 수 있다."

[32-1-30]

上蔡謝氏曰 : "心本一, 支離而去者乃意爾."[60]

상채 사씨上蔡謝氏[謝良佐][61]가 말했다. "마음[心]은 본래 하나이지만, 가지가 갈라져 나간 것이 곧 의意일 뿐이다."

[32-1-31]

和靖尹氏曰 : "橫渠云由知覺有心之名. 蓋由其知覺强名曰心."

又曰 : "寂然不動, 感而遂通天下之故. 若只寂然不動, 與木石等也. 只爲感而遂通, 便是知覺. 知覺卽心也. 至於搖扇得凉, 是知覺也. 譬如睡中人喚己名則矍然而起, 呼他人名則不應, 是知覺也."

화정 윤씨和靖尹氏[尹焞][62]가 말했다. "횡거가 '지각으로부터 마음[心]이라는 이름이 있다.'[63]고 했다. 그 지각으로부터 억지로 이름하여 마음이라고 했기 때문이다."

또 말했다. "적연히 움직이지 않고, 감하여 세상의 이치에 통한다. 단지 적연히 움직이지 않는다면 목석木石과 같다. 단지 감하여 통하기만 하다면 지각知覺이다. 지각이 마음이다. 부채를 흔들어 시원하게

59 마음 씀이 … 때문이다. : 『朱子語類』 권98, 118조목에 "물었다. '횡거가 말한 「떠도는 客慮가 많고 항상된 마음이 적으며, 세속에 물든 마음이 제거되지 않고 實心이 완전하지 않다.」는 말에서 떠도는 사려와 세속에 물든 마음은 구분될 수 있습니까?' 답했다. '분별할 수 있다. 떠도는 사려는 분분하게 일어나는 사려이고, 세속에 물든 마음은 원래 물들어 편협한 마음이다. 실심은 의리의 마음이다.'(問, '橫渠說, 「客慮多而常心少, 習俗之心勝而實心未完.」 所謂客慮與習俗之心, 有分別否?' 曰, '也有分別 : 客慮是泛泛思慮, 習俗之心, 便是從來習染偏勝底心. 實心是義理底心.')"라고 하였다.

60 『上蔡語錄』 권3

61 上蔡謝氏[謝良佐] : 『宋元學案』 권18 「上蔡學案」에는 이렇게 말하고 있다. "謝良佐는 字가 顯道이고 壽春 上蔡 사람이다. 明道가 知扶溝事를 지낼 때 그를 따라 수학했다. 元豊 8년에 진사에 급제하였다. 德安의 응성 현령을 지냈다."

62 和靖尹氏[尹焞] : 尹焞(1071~1142)은 송나라 河南 사람. 자는 彦明이고, 德充이라고도 한다. 尹源의 손자이다. 어릴 적부터 정이를 스승으로 섬겼다. 과거에 응시했다가 시험문제가 元祐의 여려 신하를 주살한 일을 논의하라는 것이 나와 답하지 않고 나와서 평생토록 과거시험을 보지 않았다. 欽宗 靖康 초에 서울에 불려가서 和靖處士라는 호를 받았다. 高宗 때에 숭정전설서, 예부시랑겸시강을 역임했다. 『論語解』·『和靖集』이 있다.

63 '지각으로부터 마음[心]이라는 … 있다.' : 이 구절은 『張子全書』 「正蒙·太和編」의 "태허로부터 天이라는 이름이 있고, 氣化로부터 道라는 이름이 있고, 허와 기가 합하여 성이라는 이름이 있고, 성과 지각이 합하여 心이라는 이름이 있다.(由太虛, 有天之名, 由氣化, 有道之名, 合虛與氣, 有性之名, 合性與知覺, 有心之名.)"에 보인다.

되면 지각이다. 비유하자면 잠들어 있는 사람에게 이름을 부르면 놀라서 깨고, 다른 사람의 이름을 부르면 호응하지 않는 것이 지각이다."

[32-1-32]

藍田呂氏曰 : "赤子之心, 良心也. 天之所以降衷, 民之所以受天地之中也. 寂然不動, 虛明純一, 與天地相似, 與神明爲一. 傳曰, 喜怒哀樂之未發謂之中, 其謂此歟! 此心自正, 不待人而後正. 而賢者能勿喪, 不爲物欲之所遷動. 如衡之平不加以物, 如鑑之明不蔽以垢, 乃所謂正也. 惟先立乎大者, 則小者不能奪. 如使忿懥恐懼好惡憂患一奪其良心, 則視聽食息從而失守, 欲區區脩身以正其外, 難矣."

남전 여씨藍田呂氏[呂大臨][64]가 말했다. "어린이의 마음은 양심良心이다. 하늘이 착함을 내려주었고 백성이 천지 사이에서 받은 것이다. 적연히 움직이지 않아 허명虛明하며 순일純一하여 천지와 서로 같고, 신명神明과 하나이다. 전傳에서 말하길 '희노애락이 미발未發한 것을 중中이라고 한다.'라고 하니 이것을 말하는 것이다! 이 마음은 본래 올바르니, 타인에 의해서 올바르게 되는 것이 아니다. 현명한 사람은 이 마음을 잃지 않을 수 있고, 물욕物欲에 의해서 움직이지 않을 수가 있다. 마치 물건을 올려놓지 않은 저울이 평형을 이루는 것과 같고, 먼지에 가려지지 않은 거울의 밝음과 같으니, 곧 올바름이라고 한다. 오직 그 큰 것을 먼저 세우면 작은 것이 빼앗을 수 없다. 만약 분노와 두려움, 좋음과 싫음, 근심과 걱정에 의해서 양심을 빼앗기면 보고 듣고 먹고 마시는 것이 그에 따라서 절도를 잃게 되니, 힘들여서 몸을 닦아 그 밖을 바르게 하려고 해도 어렵다."

[32-1-33]

"我心所同然, 卽天理天德. 孟子言同然者, 恐人有私意蔽之. 苟無私意, 我心卽天心."

(남전 여씨藍田呂氏[呂大臨]가 말했다.) "나의 마음에서 모든 사람과 동일하게 옳다고 여기는 것이 곧 천리天理와 천덕天德이다. 맹자가 동일하게 옳다고 말한 것[65]은 사람들이 사사로운 뜻으로 가릴까 우려했기

64 藍田呂氏[呂大臨] : 呂大臨(1040~1092)은 송대 금석학자이며 자는 與叔이다. 그 선조는 汲郡 사람으로 나중에 京兆 藍田으로 이주했다. 『宋元學案』 권18 「范呂諸儒學案」에는 "여대림은 자는 與叔으로 和叔의 동생이다. 형제는 모두 과거에 급제했는데 오직 선생만이 과거시험에 응시하지 않고 門蔭으로 관직에 들어갔다."고 하였다. 二程 형제에게 배웠으며, 謝良佐 · 游酢 · 楊時와 함께 程門四先生으로 불린다.

65 맹자가 동일하게 … 것 : 『孟子』 「告子上」에 이 부분을 소개하면 다음과 같다. "그러므로 말하기를 '입이 맛에 대하여 똑같이 즐김이 있으며, 귀가 소리에 대하여 똑같이 들음이 있으며, 눈이 색깔에 대하여 똑같이 아름답게 여김이 있다.'고 하는 것이니, 마음에 있어서만 홀로 똑같이 옳다고 하는 것이 없겠는가? 마음에 똑같이 옳다고 하는 것은 무엇인가? 理와 義를 말한다. 聖人은 우리 마음에 똑같이 옳다고 하는 것을 먼저 알았다. 그러므로 理와 義가 우리 마음을 기쁘게 하는 것은 芻豢(초식동물과 곡식 동물)이 내 입맛을 즐겁게 하는 것과 같다.(故曰, 口之於味也, 有同耆焉, 耳之於聲也, 有同聽焉, 目之於色也, 有同美焉. 至於心, 獨無所同然乎? 心之所同然者何也? 謂理也, 義也. 聖人先得我心之所同然耳. 故理義之悅我心, 猶芻豢之悅我口.)" 그리고 이 글의 「集注」에 "然은 옳다는 뜻과 같다.(然, 猶可也.)"라고 풀이하였다.

때문이다. 진실로 사사로운 뜻이 없으면 나의 마음이 곧 천심天心이다."

[32-1-34]

延平李氏曰 : "虛一而靜. 心方實則物乘之, 物乘之則動. 心方動則氣乘之, 氣乘之則惑. 惑斯不一矣, 則喜怒哀樂皆不中節矣."

연평 이씨延平李氏[李侗][66]가 말했다. "텅 비워 하나로 하고 고요히 한다. 마음에 꽉 차면 사물이 타고 사물이 타면 움직인다. 마음[心]이 움직이면 기氣가 타고 기가 타면 미혹된다. 미혹되면 하나로 하지 못하니 희노애락이 모두 절도에 맞지 못한다."

[32-1-35]

朱子曰 : "惟心無對."[67]

주자가 말했다. "오직 마음[心]만이 짝이 없다."

[32-1-36]

"心者, 氣之精爽."[68]

(주자가 말했다.) "마음[心]은 기의 정상精爽[69]이다."

[32-1-37]

"心之理是太極, 心之動靜是陰陽."[70]

(주자가 말했다.) "마음[心]의 리理는 태극太極이고, 마음의 동정動靜은 음양陰陽이다."

[32-1-38]

"趙致道謂心爲太極, 林正卿謂心具太極. 致道擧以爲問."

66 延平李氏[李侗] : 李侗(1039~1163)은 남송시대의 학자로 자는 愿中이다. 南劍 사람이다. 사람들이 延平 선생이라고 불렀다. 楊時, 羅從彦, 朱熹와 더불어 '延平四賢'이라고 한다. 나종언으로부터 학문을 시작하였고 후에 산속에 은거하며 학문을 가르쳤다. 『宋元學案』 권3 「豫章學案」에서는 "李侗은 24세에 군에 있던 羅仲素라는 사람이 河洛의 학문을 楊龜山으로부터 전해 배웠다는 말을 듣고 그에게 가서 배웠다. 나중소는 세상에서 알려지지 않았으나 선생은 홀로 깨우쳤다. 후에 물러나 은거하여 세상과 인연을 끊어 40여년 동안 가난하게 살면서 기쁘게 유유자적하였다."라고 하였다.

67 『朱子語類』 권5, 22조목

68 『朱子語類』 권5, 28조목

69 精爽 : 『朱子語類』 권68, 17조목에 "安卿이 물었다. '심의 정상은 魂魄을 말합니까?' 대답했다. '이러한 뜻일 뿐이다.'(問, 心之精爽, 是謂魂魄? 曰, 只是此意.)"라는 말이 있다. 정상이란 氣의 靈으로 혼백에 해당한다.

70 『朱子語類』 권5, 21조목

曰 : "這般處極細難說. 看來心有動靜, 其體則謂之易, 其理則謂之道, 其用則謂之神."
葉賀孫問 : "其體則謂之易, 體是如何?"
曰 : "體不是體用之體. 恰似說體質之體, 猶云其質則謂之易, 理卽是性, 這般所在當活看. 如心字各有地頭說. 如孟子云, 仁, 人心也. 仁便是人心. 這說心是合理說. 如說顏子其心三月不違仁, 是心爲主而不違乎理. 就地頭看始得."71

물었다. "조치도趙致道는 마음[心]이 태극이라고 하였고, 임정경林正卿은 마음에 태극이 구비되어 있다고 했는데, 조치도의 말을 들어서 묻고자 합니다."
답했다. "이러한 곳이 가장 세밀하여 말하기가 어렵다. 마음[心]에 동정動靜이 있다고 한 것을 보자면, 그 체體는 역易이라고 하고, 그 리理는 도道라고 하고, 그 용用은 신神이라고 한다."
섭하손葉賀孫이 물었다. "그 체는 역이라고 했는데 체體란 어떤 것입니까?"
답했다. "여기서 말하는 체란 체용體用의 체가 아니다. 체질體質의 체를 말하는 것과 같아서 그 체질은 역이라고 하는 것이고, 리理란 성性이니, 이러한 곳은 마땅히 맥락에 따라서 보아야 한다. 예를 들면 마음[心]이라는 글자는 각각 말하는 곳이 있다. 예를 들어 맹자가 '인仁이 사람의 마음이다.'라고 했는데, 인이 곧 사람의 마음이다. 여기서 말하는 마음은 리理에 부합하는 것을 말한다. 예를 들어 '안자는 그 마음이 3개월 동안 인을 어기지 않았다.'라고 했는데 이것은 마음을 위주로 하여 리理에 어긋나지 않았다는 것이다. 각각 말하는 곳에서 보아야 비로소 그 뜻을 얻는다."

[32-1-39]

問 : "五行在人爲五臟. 然心却具得五行之理, 以心虛靈之故否?"
曰 : "心屬火, 緣是箇光明發動底物, 所以具得許多道理."72

물었다. "오행五行은 사람에게서 다섯 장부臟腑에 해당합니다. 그러나 마음[心]은 오행의 리理를 갖추고 있으니, 마음이 허령虛靈하기 때문입니까?"
답했다. "마음은 화火에 속하니, 밝게 빛나고 발하여 움직이는 것이기 때문에 수많은 도리를 갖추고 있다."

[32-1-40]

問 : "人心形而上下, 如何?"
曰 : "如肺肝五臟之心, 却是實有一物. 若今學者所論操舍存亡之心, 則自是神明不測. 故五臟之心受病, 則可用藥補之. 這箇心則非菖蒲茯苓所可補也."
問 : "如此則心之理乃是形而上否?"

71 『朱子語類』 권5, 20조목
72 『朱子語類』 권5, 40조목

曰 : "心比性則微有迹, 比氣則自然又靈."[73]
물었다. "사람의 마음[心]은 형이상과 형이하 가운데 어떠한 것입니까?"
답했다. "예를 들어 폐나 간 등 다섯 가지 장부에서의 심장[心]은 분명 실제로 하나의 사물이다. 만약 지금 학자들이 논하는 잡고 놓으며 보존하고 잃는다는 마음[心]은 본래 신명神明하여 예측할 수 없는 것이다. 그러므로 다섯 가지 장부에서의 심장이 병이 들면 약을 사용하여 고칠 수 있지만, 이러한 마음은 창포菖蒲나 복령茯苓으로 고칠 수 있는 것이 아니다."
물었다. "이렇다면 마음[心]의 리理는 형이상이 아닙니까?"
답했다. "마음은 성性에 비해, 은미하여 흔적이 있지만, 기氣에 비해 본래 저절로 그러하고 또 영靈하다."

[32-1-41]
問 : "先生嘗言心不是這一塊. 某竊謂滿體皆心也, 此特其樞紐耳."
曰 : "不然. 此非心也, 乃心之神明升降之舍. 人有病心者, 乃其舍不寧也. 凡五臟皆然. 心豈無運用? 須常在軀殼之內."[74]
물었다. "선생님은 일찍이 마음[心]은 하나의 덩어리가 아니라고 했습니다. 저는 온 몸에 가득한 것이 모두 마음이라고 생각하는데, 이것은 다만 그 지도리일 뿐입니다."
답했다. "그렇지 않다. 이것은 마음이 아니다. 마음의 신명神明이 올라가고 내려오는 곳이다. 사람에게는 마음을 병들게 하는 것이 있는데, 그것은 (그 마음의 신명이 올라가고 내려오는) 곳이 편안하지 않는 것이다. 오장이 모두 그러하다. 마음에 어찌 운동하여 작용하는 것이 없겠는가? 항상 몸뚱이 안에 반드시 있다."

[32-1-42]
問 : "靈處是心抑是性?"
曰 : "靈處只是心, 不是性. 性只是理."[75]
물었다. "영靈한 곳은 마음[心]입니까 아니면 성性입니까?"
답했다. "영한 곳은 마음일 뿐이지 성이 아니다. 성은 리理일 뿐이다."

[32-1-43]
"虛靈自是心之本體, 非我所能虛也. 耳目之視聽, 所以視聽者卽其心也, 豈有形象? 然有耳目以視聽之, 則猶有形象也. 若心之虛靈, 何嘗有物?"[76]

73 『朱子語類』 권5, 41조목
74 『朱子語類』 권5, 42조목
75 『朱子語類』 권5, 23조목
76 『朱子語類』 권5, 39조목

(주자가 말했다.) "허령虛靈은 원래 마음[心]의 본래 형체이지 내가 마음을 허虛하게 만들 수 있는 것은 아니다. 귀와 눈의 보고 듣는 것에서 보고 듣게 되는 것은 그 마음에 나아간 것이니, 어찌 형체의 모습이 있겠는가? 그러나 귀와 눈으로 보고 듣는 것이 있으니 형체의 모습이 있다. 마음의 허령과 같은 것에 어찌 어찌 물건이 있었는가!"

[32-1-44]

"心官至靈, 藏往知來."77

問 : "先生前日以揮扇是氣. 某後思之, 心之所思, 耳之所聽, 目之所視, 手之持, 足之履, 似非氣之所能到. 氣之所運必有以主之者. 曰. 氣中自有箇靈底物事."78

(주자가 말했다.) "마음의 기관은 지극히 영靈하니, 지나간 것을 기억하고 다가올 것을 미리 안다."
물었다. "선생님은 이전에 부채를 흔드는 것으로 기를 설명하셨습니다. 제가 나중에 생각해보니, 마음이 사려하는 것과 귀가 듣는 것과 눈이 보는 것과 손이 잡는 것과 발이 딛는 것은 기가 할 수 있는 것이 아닌 듯합니다. 기가 움직이는 데에는 반드시 그것을 주재하는 것이 있습니다."
답했다. "기 가운데에 영靈한 것이 있다."

[32-1-45]

問 : "知覺是心之靈固如此, 抑氣之爲邪?"

曰 : "不專是氣. 是先有知覺之理. 理未知覺, 氣聚成形, 理與氣合, 便能知覺. 譬如這燭火, 是因得這脂膏, 便有許多光燄."

問 : "心之發處是氣否?"

曰 : "也只是知覺."

又曰 : "所知覺者是理. 理不離知覺, 知覺不離理."79

물었다. "지각知覺은 마음의 영靈한 것이 본래 이러한 것입니까, 아니면 기가 하는 것입니까?"
답했다. "오로지 기가 하는 것이 아니라 먼저 지각의 리理가 있는 것이다. 리理는 지각知覺하지 않아서, 기氣가 모여 형체를 이루고, 리理와 기氣가 합해야 지각할 수 있다. 비유하자면 촛불과 같아서 기름이 있어야 수많은 불빛이 있는 것과 같다."
물었다. "마음이 발현하는 곳은 기입니까?"
답했다. "그것도 지각일 뿐이다."
또 말했다. "지각하는 것은 리理이다. 리는 지각에서 벗어나지 않고, 지각은 리理에서 벗어나지 않는다."

77 『朱子語類』 권5, 29조목
78 『朱子語類』 권5, 38조목
79 『朱子語類』 권5, 24조목

[32-1-46]

問 : "心是知覺, 性是理. 心與理如何得貫通爲一?"

曰 : "不須去貫通, 本來貫通."

問 : "如何本來貫通?"

曰 : "理無心則無著處."[80]

물었다. "마음[心]은 지각이고, 성性은 리理이다. 마음과 리는 어떻게 하나로 관통합니까?"
답했다. "관통할 필요가 없이 본래 관통되어 있다."
물었다. "어떻게 본래 관통되어 있습니까?"
답했다. "리理는 마음이 없다면 붙어 있을 곳이 없다."

[32-1-47]

"所覺者心之理也, 能覺者氣之靈也."[81]

(주자가 말했다.) "지각하는 것은 마음의 리理이고, 지각할 수 있는 것은 기의 영靈이다."

[32-1-48]

"人心但以形氣所感者而言爾. 具形氣謂之人. 合義理謂之道. 有知覺謂之心."

又曰 : "知覺便是心之德."[82]

(주자가 말했다.) "사람의 마음은 형기形氣에 의해서 느껴지는 것을 말할 뿐이다. 형기가 갖추어진 것을 사람이라 하고, 의리가 합해진 것을 도道라고 하고, 지각이 있는 것을 마음이라고 한다."[83]
또 말했다. "지각은 마음의 덕德이다."

[32-1-49]

答游誠之曰 : "心一而已. 所謂覺者亦心也. 今以覺求心, 以覺用心, 紛拏迫切, 恐其爲病不但揠苗而已. 不若日用之間以敬爲主而勿忘焉, 則自然本心不昧, 隨物感通, 不待致覺而無不覺矣. 故孔子只言克己復禮而不言致覺用敬, 孟子只言操存舍亡而不言覺存昧亡. 謝先生雖喜以覺言仁, 然亦曰心有知覺而不言知覺此心也. 請推此以驗之, 所論得失自可見矣."[84]

유성지游誠之에게 답하여 말했다. "마음은 하나일 뿐입니다. 지각이라고 하는 것 역시 마음입니다. 지금 지각으로 마음을 구하고 지각으로 마음을 쓰니, 혼란하고 급박하여 그 병통이 곡식 싹을 잡아당겨 주는

80 『朱子語類』 권5, 26조목
81 『朱子語類』 권5, 27조목
82 『朱子語類』 권140, 106조목
83 『朱子語類』 권140, 99조목
84 『朱文公文集』 권45 「書 · 答游誠之」

것일 뿐만이 아닙니다. 그것은 일상생활에서 경敬을 위주로 삼되 망각하지 않으면 저절로 본심本心이 은폐되지 않고 사물에 따라서 느껴 통하니 억지로 지각하려고 하지 않아도 지각되지 않는 것이 없는 것만 못합니다. 그러므로 공자는 단지 자기를 극복하여 예를 회복하라고 말했지, 지각에 이르는데 경敬을 사용하라고 말하지는 않았고, 맹자는 잡으면 보존되고 놓으면 잃는다고 말했지, 지각을 보존하고 은폐하면 잃는다고 말하지는 않았습니다. 사선생謝先生(사상채)은 지각으로 인仁을 말하기를 좋아했지만, 또한 마음에 지각이 있다고 했지 이 마음을 지각하라고 말하지는 않았습니다. 바라건대 이것으로 추론하여 증험하면 논한바 득실得失이 저절로 드러날 수 있을 것입니다."

[32-1-50]

問 : "覺是人之本心, 不容泯沒. 故乘間發見之時, 直是昭著, 不與物雜. 於此而自識, 則本心之體卽得其眞矣. 上蔡謂人須是識其眞心, 竊恐謂此. 然此恐亦隨在而有. 蓋此心或昭著於燕間靜一之時, 如孟子言平旦之氣 或發見於事物感動之際, 如孟子言人乍見孺子將入井, 皆有怵惕惻隱之心 或求之文字而怡然有得, 如伊川先生所謂有讀論語了後, 其中得一兩句喜者 或索之講論而恍然有悟, 如夷子聞孟子極論一本之說, 遂憮然爲間而受命 凡此恐皆是覺處. 若素未有覺之前, 但以爲己有是心而求以存之, 恐昏隔在此不知實爲何物. 必至覺時, 方始識其所以爲心者. 旣嘗識之, 則恐不肯甘心以其虛明不昧之體迷溺於卑汙苟賤之中, 此所以汲汲求明益不能已, 而其心路已開, 亦自有可進步處. 與夫茫然未識指趣者大不侔矣. 故某竊疑覺爲小學大學相承之機, 不知是否?"

曰 : "所論甚精. 但覺似少渾厚之意."[85]

물었다. "지각은 사람의 본심이니 없앨 수가 없습니다. 그러므로 틈새를 타서 나타날 때 곧장 들어나 사물과 섞이지 않습니다. 이러한 때에 스스로 깨달으면 본심의 체體는 그 진심을 얻습니다. 사상채는 사람은 반드시 그 진심을 깨달아야 한다고 했는데 아마도 이것을 말할 것입니다. 그러나 이것은 아마도 때에 따라서 있습니다. 왜냐하면 이 마음은 한가로이 마음이 고요하고 전일할 때 드러나는 경우 맹자가 말한 새벽 기운[平旦之氣][86]과 같다. 가 있고, 사물에서 느껴 움직이는 마음에서 드러나는 경우 맹자가 어린아

85 『朱文公文集』 권5 「書 · 答李孝述繼善問目」

86 『孟子』「告子上」: "우산의 나무가 아름다웠었는데, 큰 나라의 교외이기 때문에 도끼들이 매일 나무를 베니, 아름답게 될 수 있겠는가? 그 밤에 자라는 것과 비와 이슬이 적셔주는 것에 그 싹이 나오는 것이 없지 않지만, 소와 양이 또 따라서 방목된다. 이 때문에 저렇게 민둥하게 되었다. 사람들은 저 민둥산이 된 것만을 보고, 일찍이 훌륭한 재목이 있은 적이 없다고 하니, 이것이 어찌 산의 본성이겠는가? 사람들에게 보존된 것일지라도 어찌 仁義의 마음이 없겠는가? 그 양심을 잃게 된 것이 또한 도끼들이 나무에 매일 베는 것과 같으니 이렇게 하고도, 아름다울 수 있겠는가? 그 밤에 자라는 것과 새벽의 맑은 기운에 좋아하고 미워함이 사람들과 서로 가까운 것이 얼마 되지 않는데, 낮에 하는 소행이 이것을 없애버리니, 없애버리기를 반복하면 그 夜氣가 보존될 수 없고, 야기가 보존될 수 없으면 금수와 거리가 멀지 않게 된다. 사람들은 그 금수와 같은 것을 보고 일찍이 훌륭한 재질이 있은 적이 없다고 하니, 이것이 어찌 사람의 실정이겠는가?(牛山之木嘗美矣, 以其

이가 우물에 빠지려고 하는 것을 볼 때 모두 두려워하며 측은한 마음이 있는 것과 같다. 가 있고, 문자에서 구하여 기쁘게 얻는 경우 이천 선생이 『논어』를 읽은 후에 그 가운데에서 한 두 구절 기쁜 것을 얻었다고 한 것과 같다. 가 있고, 강론하는 데서 생각하여 홀연히 깨닫는 경우 이자夷子가 맹자가 일본一本의 학설을 지극하게 논하는 것을 듣고 멍하게 한동안 있다가 가르침을 받았다고 한 것과 같다[87]가 있습니다. 이것들이 모두 이런 지각을 말하는 것입니다. 만약 평소 이 지각이 있지 않았을 때 자기에게 이 지각이 있다고 여기고 그 지각을 구해서 보존하면, 아마도 어두움과 간격이 여기에 있어서 실제로 어떤 것인지를 알지 못할 것입니다. 반드시 지각이 이르렀을 때에야 그러한 마음이 되는 것을 깨달을 것입니다. 그것을 깨달았다면, 허명불매虛明不昧의 본체가 저속하고 더럽고 구차하고 천한 가운데에 혼미하고 빠지게 하려고 하지 않을 것이니, 이것이 분주하게 밝음을 구하여 더욱 그칠 수 없게 되는 까닭입니다. 그 마음의 길이 열려지면, 또한 저절로 진보할 수 있는 곳이 있는 것이고, 망연하게 그 의도를 깨닫지 못한 것과 크게 다르게 되는 것입니다. 그러므로 저는 지각이 소학과 대학이 서로 이어질 수 있는 계기일 것이라고 생각하는데, 옳은지 모르겠습니다."

답했다. "논의한 바는 매우 정밀하다. 다만 지각은 조금 혼후한 뜻인 듯하다."

郊於大國也, 斧斤伐之, 可以爲美乎? 是其日夜之所息, 雨露之所潤, 非無萌蘖之生焉, 牛羊又從而牧之, 是以若彼濯濯也. 人見其濯濯也, 以爲未嘗有材焉, 此豈山之性也哉? 雖存乎人者, 豈無仁義之心哉? 其所以放其良心者, 亦猶斧斤之於木也, 旦旦而伐之, 可以爲美乎? 其日夜之所息, 平旦之氣, 其好惡與人相近也者幾希, 則其旦晝之所爲, 有梏亡之矣. 梏之反覆, 則其夜氣不足以存; 夜氣不足以存, 則其違禽獸不遠矣. 人見其禽獸也, 而以爲未嘗有才焉者, 是豈人之情也哉?)"

87 『孟子』「滕文公上」: "墨者인 夷子가 徐辟을 통해서 맹자를 보기를 요구하자, 맹자가 말했다. '내가 진실로 만나보기를 원했는데, 지금은 아직 병중에 있다. 병이 낫거든 장차 가서 만나볼 것이니, 이자는 오지 말라.' 다음 날에 또 맹자를 보기를 요구하자, 맹자가 말했다. '내가 지금 만나 볼 수 있다. 바로잡아주지 않으면 도가 나타나지 않으니, 내 바로잡아주겠다. 내가들으니 이자는 묵자라 하였는데, 묵자는 상을 치루는 데에 박장(薄葬)을 그 도로 삼는다. 이자는 이 도로써 온 천하의 풍속을 바꿀 것을 생각하니, 어찌 이것을 옳지 않다고 여기고 귀하게 여기지 않겠는가? 그런데 이자는 그 부모를 장례하기를 후하게 하였으니, 이는 천하게 여기는 것으로써 부모를 섬긴 것이다.' 서자가 이자한테 말하자 이자가 말했다. '유자의 도에 옛 사람이 어린 아이를 보호하듯이 한다고 했으니, 이 말은 무슨 말인가? 나는 사랑에는 차등이 없고 베풂은 부모로부터 시작한다고 생각한다.' 서자가 이 말을 맹자에게 말하자 맹자가 말했다. '이자는 진실로 생각하기를 사람들이 그 형의 아들을 친히 하는 것이 그 이웃집 아이를 친히 하는 것과 같다고 여기는가? 저 『尙書』의 말은 다른 뜻을 취한 것이니, 어린이가 기어서 우물에 빠져들어 가는데 어린아이의 죄가 아니라고 말한 것이다. 하늘이 만물을 낳은 것은 근본이 하나로 하게 했는데, 이자는 근본이 둘이기 때문이다.'(墨者夷之, 因徐辟而求見孟子. 孟子曰, '吾固願見, 今吾尙病, 病愈, 我且往見, 夷子不來!' 他日又求見孟子. 孟子曰, '吾今則可以見矣. 不直, 則道不見; 我且直之. 吾聞夷子墨者. 墨之治喪也, 以薄爲其道也. 夷子思以易天下, 豈以爲非是而不貴也? 然而夷子葬其親厚, 則是以所賤事親也.' 徐子以告夷子. 夷子曰, '儒者之道, 古之人「若保赤子」, 此言何謂也? 之則以爲愛無差等, 施由親始.' 徐子以告孟子. 孟子曰, '夫夷子, 信以爲人之親其兄之子爲若親其鄰之赤子乎? 彼有取爾也. 赤子匍匐將入井, 非赤子之罪也. 且天之生物也, 使之一本, 而夷子二本故也.')"

[32-1-51]

答王子合曰 : "心猶鏡也. 但無塵垢之蔽, 則本體自明, 物來能照. 今欲自識此心, 是猶欲以鏡自照而見夫鏡也. 旣無此理, 則非別以一心又識一心而何?"[88]

왕자합王子合에게 답했다. "마음은 거울과 같다. 다만 티끌과 때의 가려짐이 없다면 본체는 저절로 밝으니 사물이 와도 능히 비출 수 있다. 지금 스스로 이 마음을 깨달으려고 하면 이는 마치 거울을 직접 비추어서 거울을 보려고 하는 것이다. 이러한 이치가 없다면 따로 하나의 마음으로 또 하나의 마음을 깨달으려고 하는 것이 아니고 무엇이겠는가?"

[32-1-52]

"心字一言以蔽之, 曰生而已. 天地之大德曰生. 人受天地之氣而生, 故此心必仁, 仁則生矣."[89]

(주자가 말했다.) "마음[心]이란 글자는 한마디로 말하자면 생生일 뿐이다. '천지의 큰 덕은 생生이다.'[90] 사람이 천지의 기를 받고 태어났으므로 이 마음은 반드시 인仁하니, 인은 생이다."

[32-1-53]

"心須兼廣大流行底意看, 又須兼生意看. 且如程先生言仁者天地生物之心. 只天地便廣大, 生物便流行生生不窮."[91]

(주자가 말했다.) "마음은 반드시 넓고 크게 유행流行하는 뜻을 겸해서 보아야 하고 또 생의生意를 겸해서 봐야 한다. 또한 정선생이 인仁은 천지가 만물을 낳는 마음이라고 말한 것과 같다. 천지는 광대하고 만물을 낳는 것은 유행하여 낳고 낳아 끝이 없다."

[32-1-54]

問 : "生物之心, 我與那物同, 便會相感."

曰 : "這生物之心, 只是我底觸物便自然感. 非是因那物有此心, 我方有此心. 且赤子不入井牛不觳觫時, 此心何之? 須常粧箇赤子入井牛觳觫在面前, 方有此惻隱之心. 無那物時, 便無此心乎?"[92]

물었다. "만물을 낳는 마음은 내가 저 사물과 같아서 서로 감응할 수 있는 것입니까?"

---

88 『朱文公文集』 권4 「書 · 答王子合」

89 『朱子語類』 권5, 30조목

90 『易』「繫辭下」 : "천지의 큰 德을 生이라 하고, 성인의 큰 보배를 位라 하니, 무엇으로써 지위를 지키는가? 인이다. 무엇으로써 사람을 모으는가? 재물이다. 재물을 다스리고 말을 바르게 하며 백성들의 나쁜 행동을 금하는 것을 義라 한다.(天地之大德曰生, 聖人之大寶曰位. 何以守位? 曰仁. 何以聚人? 曰財. 理財正辭禁民爲非曰義.)"

91 『朱子語類』 권5, 31조목

92 『朱子語類』 권120, 89조목

답했다. "저 만물을 낳는 마음은 단지 내가 사물을 감촉하는 것이 저절로 느끼는 것이다. 이는 저 사물로 인하여 이 마음이 있어서 내가 이 마음이 있는 것이 아니다. 또한 어린아이가 우물에 들어가지 않았을 때와 소가 두려워 벌벌 떨지 않았을 때 이 마음은 어디로 가는가? 그러나 반드시 항상 어린아이가 우물에 들어가고 소가 두려워 벌벌 떠는 것이 눈앞에 있을 때 이 측은한 마음이 있다. 이런 것이 없을 때에는 이러한 마음이 없겠는가?"

[32-1-55]

問 : "程子云, '心生道也. 人有是心, 斯具是形以生. 惻隱之心, 生道也.' 如何?"

曰 : "天地生物之心是仁. 人之稟賦接得此天地之心, 方能有生. 故惻隱之心, 在人亦爲生道也."[93]

又曰 : "惻隱之心乃是得天之心以生. 生物便是天之心."[94]

물었다. "정자가 말하기를 '마음은 낳은 도이다. 사람에게 이러한 마음이 있으니, 이러한 형체를 구비하여 낳는다. 측은한 마음은 낳는 도이다.'[95]고 했는데 무슨 말입니까?"

답했다. "천지가 만물을 낳는 마음은 인이다. 사람이 품부받은 것이 이러한 천지의 마음을 접촉해야 비로소 낳을 수가 있다. 그러므로 측은한 마음은 사람에게 또한 낳는 도가 된다."

또 말했다. "측은한 마음은 하늘의 마음을 얻어서 낳는다. 사물을 낳는 것이 하늘의 마음이다."

[32-1-56]

問 : "'心生道也'一段. 上面'心生道', 莫是指天地生物之心? 下面'惻隱之心人之生道', 莫是指人所得天地之心以爲心? 蓋在天只有此理. 若無那形質, 則此理無安頓處. 故曰, '有是心, 斯具是形以生.' 上面猶言'繼善.' 下面猶言'成性.'"

曰 : "上面'心生道也', 全然做天底也不得. 蓋理只是一箇渾然底. 人與天地渾合無間."[96]

물었다. "'마음은 낳는 도이다.'는 한 단락에서 위 구절인 '마음은 낳는 도이다.'는 말은 천지가 만물을 낳는 마음을 가리킨 것이 아닙니까? 아래 구절인 '측은한 마음은 사람의 낳는 도이다.'는 것은 사람이 얻은 천지의 마음을 마음으로 삼는 것이 아닙니까? 왜냐하면 하늘에는 단지 이러한 이치만이 있을 뿐입

93 『朱子語類』 권95, 95조목

94 『朱子語類』 권95, 96조목

95 『河南程氏遺書』 권21下 「附師說後」 : "마음은 낳은 도이다. 사람에게 이러한 마음이 있으니, 이러한 형체를 구비하여 낳는다. 측은한 마음은 사람의 낳는 도이다. 걸왕과 도척일지라도 이 마음이 없을 수가 없으나, 단지 죽이고 해쳐서 천리를 멸했을 뿐이다. 처음에는 사물을 아낄 줄을 모르다가, 결국에는 잔인하게 되고, 그것에 편안해 하게 되어서 살인하는 데에 이르고, 확충되어 죽이는 것을 좋아하게 되니, 어찌 사람의 이치이겠는가?(心生道也, 有是心, 斯具是形以生. 惻隱之心, 人之生道也, 雖桀 · 跖不能無是以生, 但戕賊之以滅天耳. 始則不知愛物, 俄而至於忍, 安之以至於殺, 充之以至於好殺, 豈人理也哉?)"

96 『朱子語類』 권95, 97조목

니다. 만약 형질形質이 없다면 이러한 이치는 안돈할 곳이 없습니다. 그러므로 '이러한 마음이 있으니 이 형체를 구비하여 낳는다.'고 한 것입니다. 위 구절은 '선善을 잇는다.'[97]고 말한 것과 같고, 아래 구절은 '성을 이룬다.'[98]고 말한 것과 같습니다."

답했다. "위 구절인 '마음은 낳는 도이다.'는 것은 온전하게 천성을 만들어 내는 것도 아니다. 이치는 단지 하나의 혼연한 것이기 때문이다. 사람은 천지와 혼연하게 합하여 간격이 없다."

[32-1-57]

"'有是心, 斯具是形以生.' 是心乃屬天地, 未屬我在, 此乃是衆人者. 至下面各正性命, 則方是我底, 故又曰, '惻隱之心人之生道也.' 仁者天地生物之心而人物之所得以爲心. 人未得之, 此理亦未嘗不在天地之間. 只是人有是心, 便自具是理以生. 又不可道有心了却討一物來安頓放裏面. 似恁地處難看, 須自體認得."[99]

(주자가 말했다.) "'이러한 마음이 있으니, 이 형체를 구비하여 생겨난다.'는 말에서 마음은 천지에 속하지 나에게 속해 있지 않다는 것이니,[100] 이것은 중인衆人이 모두 가진 것이다. 아래 구절의 '각각 성性과 명命을 바르게 한다.'라는 말에 이르면 나에게 속하는 것이니, 그러므로 또 '측은한 마음은 사람의 낳는 도이다.'라고 했다. 인仁은 천지가 만물을 낳는 마음이고, 사람과 만물이 그것을 얻어 마음으로 삼는다. 사람이 그것을 얻지 못했더라도, 이 이치는 역시 천지 사이에 있지 않은 적이 없다. 단지 사람에게 이러한 마음이 있다면 본래 이러한 이치를 구비하여 생겨난 것이다. 또 이 마음이 있는데, 다른 것을 가져와 안에 놓아둔다고 해서는 안 된다. 이러한 점은 이해하기 어려우니 반드시 스스로 체인하여야 한다."

[32-1-58]

問："程子謂'有主則虛.' 又謂有主則實."

曰："有主於中, 外邪不能入, 便是虛. 有主於中, 理義甚實, 便是實."[101]

물었다. "정자가 '주인이 있으면 텅 빈다.'[102]고 했고, 또 '주인이 있으면 꽉 찬다.'[103]고 했다."

97 『易』「繫辭上」에 "한 번 음하고 한 번 양하는 것이 도이다. 그것을 잇는 것이 선이고 그것을 이룬 것이 성이다.(一陰一陽之謂道. 繼之者善也, 成之者性也.)"라고 하였고, 『朱子語類考文解義』에서는 '繼善'에 대해서 "천명이 유행하는 것이 곧 천지의 마음이다.(繼善, 是天命流行, 乃天地之心也.)"라고 설명하고 있다.

98 『易』「繫辭上」에 "한 번 음하고 한 번 양하는 것이 도이다. 그것을 잇는 것이 선이고 그것을 이룬 것이 성이다.(一陰一陽之謂道. 繼之者善也, 成之者性也.)"라고 하였고, 『朱子語類考文解義』에서는 '成性'에 대해서 "사람이 형질을 받아서 성을 이룬 것이다.(成性, 是人之受形成性者.)"라고 설명하고 있다.

99 『朱子語類』 권95, 98조목

100 『朱子語類考文解義』에서 "나에게 속해 있지 않다는 것이니(未屬我在)"라는 구절에 대해서 다음과 같이 설명한다. "이것은 곧 천지의 공공의 마음이니 중인이 모두 공통으로 가지고 있는 것이지, 오로지 한 사람에게 속한 것은 아니라는 말이다.(言此乃天地公共之心, 衆人通有者, 非專屬一人者也.)"

101 『朱子語類』 권96, 31조목

102 『河南程氏遺書』 권15 「入關語錄」

답했다. "마음속에 주인이 있으면 외부의 사특한 기운이 들어올 수 없으니, 이것이 텅 빈 것이다. 마음속에 주인이 있으면 이치와 의리가 매우 꽉 차니, 이것이 꽉 찬 것이다."

[32-1-59]

"'中有主則實, 實則外患不能入.' 此重在主字上, 有主則虛, 虛則外邪不能入, 重在敬字上. 言敬則自虛靜, 故邪不得而奸之也."[104]

(주자가 말했다.) "'마음속에 주인이 있으면 꽉 차고, 꽉 차면 외부의 근심이 들어올 수 없다.'고 했으니, 여기서의 중점은 주인이라는 글자에 있고, '주인이 있으면 텅 비고, 텅 비면 외부의 사특한 기운이 들어올 수 없다.'고 했으니, 중점은 경敬이라는 글자에 있다. 경을 말하면 저절로 텅 비고 고요하므로, 사특한 기운이 간사하게 할 수 없다."

[32-1-60]

問 : "'有主則實,' 又曰, '有主則虛,' 如何分別?"

曰 : "只是有主於中, 外邪不能入. 自其有主於中言之, 則謂之實. 自其外邪不入言之, 則謂之虛."

又曰 : "若無主於中, 則目之欲也從這裏入, 耳之欲也從這裏入, 鼻之欲也從這裏入. 大凡有所欲皆入這裏便滿了, 如何得虛. 一云, "皆入這裏來, 這裏面便滿了. 以手指心, 曰如何得虛." 因舉林擇之作主一銘云, 有主則虛, 神守其都. 無主則實, 鬼闞其室."

又曰 : "有主則實. 旣言有主, 便已是實了. 却似多了一實字. 看來這箇實字, 謂中有主則外物不能入矣."[105]

물었다. "'주인이 있으면 꽉 찬다.'고 했고, 또 '주인이 있으면 텅 빈다.'고 했으니 어떻게 분별해야 합니까?"

답했다. "단지 마음속에 주인이 있으면 외부의 사특한 기운이 들어올 수 없다. 마음속에 주인이 있다는 점으로부터 말하면, 꽉 찼다고 말한다. 외부의 사특한 기운이 들어오지 못한다는 것으로부터 말하면 텅 빈다고 말한다."

또 말했다. "만약 마음속에 주인이 없다면 눈의 욕망도 이곳으로부터 들어오고, 귀의 욕망도 이곳으로부터 들어오고, 코의 욕망도 이곳으로부터 들어온다. 대체로 욕망이 있는 것은 모두 이곳으로 들어와 가득 차니, 어떻게 텅 비게 하겠는가?" 어느 본本에서는 말하기를 "모두 여기로 들어오니, 이 속이 가득 차게 된다. 손으로 마음을 가리키며 말하기를 '어떻게 텅 비게 하겠는가?'"라고 했다. 이어서 임택지가 지은 『주일명主一銘』을 거론하며 말했다. "'주인이 있으면 텅 빈다.'는 것은 신이 그 도읍을 지키는 것이다. '주인이 없으면

103 『河南程氏遺書』 권1 「端伯傳師說」
104 『朱子語類』 권96, 33조목
105 『朱子語類』 권96, 34조목

꽉 찬다.'는 것은 귀신이 그 방을 내려다보는 것이다."
또 말했다. "'주인이 있으면 꽉 찬다.'고 했을 때 이미 주인이 있다고 말했으니 이미 꽉 찬 것이다. 그러나 '꽉 찬다'는 한 글자가 많은 듯하다. 이 '꽉 찬다'는 글자를 보면 마음속에 주인이 있으면 외부의 사물이 들어올 없다는 말이다."

[32-1-61]

問 : "有主則實, 謂人具此實然之理, 故實. 無主則實, 謂人心無主, 私欲爲主, 故實."

曰 : "心虛則理實. 心實則理虛. 有主則實, 此實字是好, 蓋指理而言也. 無主則實, 此實字是不好, 蓋指私欲而言也. 以理爲主, 則此心虛明, 一毫私意著不得, 譬如一泓淸水, 有少許砂土便見."[106]

물었다. "'주인이 있으면 꽉 찬다.'는 말은 사람에게 실제로 그러한 이치가 구비되었으므로, 꽉 찼다고 한 것이다. '주인이 없으면 꽉 찬다.'는 말은 사람의 마음에 주인이 없으면 사사로운 욕망이 주인이 되므로, 꽉 찬다는 것이다."
답했다. "마음이 텅 비면 이치가 꽉 차고, 마음이 꽉 차면 이치가 텅 빈다. '주인이 있으면 꽉 찬다.'는 말에서 이 '꽉 찬다'는 글자는 좋은 것이니, 이치로 말했기 때문이다. '주인이 없으면 꽉 찬다.'는 말에서 이 '꽉 찬다'는 말은 좋은 않은 것이니, 사사로운 욕망으로 말했기 때문이다. 이치로 주인을 삼으면 이 마음은 텅 비어 밝아서 털끝만한 사사로운 의도가 드러나지 않아서 마치 깊고 맑은 물에 조금의 모래도 보지 않는 것과 같다."

[32-1-62]

"人心活則周流, 無偏係卽活. 憂患樂好, 皆偏係也."[107]

(주자가 말했다.) "사람의 마음이 살아 있으면 두루두루 흐르니, 편협하게 얽매이는 것이 없는 것이 곧 살아 있는 것이다. 근심과 좋아하는 것은 모두 편협하게 얽매이는 것이다."

[32-1-63]

"心要活. 活是生活之活, 對著死說. 活是天理, 死是人欲. 一云, "天理存則活, 人欲用則死." **周流無窮, 活便能如此."**[108]

(주자가 말했다.) "마음은 살아있어야 한다. 살아 있다는 것은 생생하게 살아있다는 말의 살아 있다는 것이니 죽었다는 것과 대조해서 말한다. 살아 있는 것이 천리天理이고 죽은 것이 인욕人欲이다. 어느 본에서 말하기를 "천리가 보존되면 살아 있고, 인욕이 작용하면 죽는다."고 했다. 두루 흘러 끝이 없으니, 살아

106 『朱子語類』 권113, 25조목
107 『朱子語類』 권140, 116조목
108 『朱子語類』 권97, 55조목

있는 것이 능히 이와 같다."

[32-1-64]

問 : "人心要活, 則周流無窮而不滯於一隅. 如何是活?"

曰 : "心無私, 便可推行. 活者不死之謂."[109]

물었다. "사람의 마음은 살아 있어야 하니, 두루 흘러 끝이 없어서 한 부분에 얽매이지 않는다. 어떤 것이 살아 있는 것입니까?"

답했다. "마음에 사사로움이 없으면 추론하여 행할 수 있다. 살아 있는 것은 죽지 않은 것을 말한다."

[32-1-65]

"人心之動, 變態不一. 所謂五分天理五分人欲者, 特以其善惡交戰而言爾. 有先發於天理者, 有先發於人欲者, 蓋不可以一端盡也."[110]

(주자가 말했다.) "사람의 마음의 움직임은 그 변화의 양태가 동일하지 않다. '50퍼센트는 천리이고, 50퍼센트는 인욕이다.'라고 하는 것은 특히 그 선과 악이 서로 다투는 것으로 말했을 뿐이다. 먼저 천리에서 발현하는 것도 있고, 먼저 인욕에서 발현하는 것도 있으니 한 가지 단서로 다할 수가 없다."

[32-1-66]

與張敬夫曰 : "某謂感於物者心也, 其動者情也, 情根乎性而宰乎心, 心爲之宰, 則其動也無不中節矣, 何人欲之有? 惟心不宰而情自動, 是以流於人欲而每不得其正也. 然則天理人欲之判, 中節不中節之分, 特在乎心之宰與不宰, 而非情能病之, 亦已明矣. 蓋雖曰中節, 然是亦情也. 但其所以中節者乃心爾. 今夫乍見孺子入井, 此心之感也. 必有怵惕惻隱之心, 此情之動也. 内交 · 要譽 · 惡其聲者, 心不宰而情之失其正也. 怵惕惻隱, 乃仁之端. 又可以其情之動而遽謂之人欲乎? 大抵未感物時, 心雖爲已發, 然苗裔發見却未嘗不在動處. 凡舍是而別求, 却恐無下功處也."[111]

장경부에게 주는 편지에 말하였다. "제가 사물에게서 느끼는 것이 마음이고, 그 움직임이 정情이라 했는데, 정은 성性에 뿌리를 두고 마음에 주재를 받아서, 마음이 그것을 주재하면 그 움직임이 절도에 맞지 않음이 없으니, 어찌 인욕人欲이 있겠습니까? 오직 마음이 주재하지 않아 정이 스스로 움직이니 그래서 인욕으로 흘러 매순간 그 올바름을 얻지 못합니다. 그러면 천리와 인욕의 구별, 절도에 맞느냐 절도에 맞지 않으냐는 구분은 다만 마음이 주재하느냐 주재하지 않느냐에 달려 있어서, 정이 그것을 병들게 할 수 있는 것은 아니라는 점은 또한 분명합니다. 왜냐하면 중절이라고 말하였지만 그러나 이것도 정이

109 『朱子語類』 권96, 16조목

110 『朱子語類』 권140, 105조목

111 『朱文公文集』 권32 「書 · 問張敬夫」

기 때문입니다. 단지 그것이 절도에 맞게 되는 것이 곧 마음일 뿐입니다. 지금 어린아이가 우물에 빠지는 것을 언뜻 보았을 때 이것은 마음의 느낌입니다. 여기에는 반드시 놀라 두렵고 측은한 마음이 있는데 이것은 정의 움직임입니다. 부모와 교분을 맺으려는 것이나 명예를 구하려는 것이나 잔인하다는 악명을 싫어하는 것[112]은 마음이 주재하지 않아 정이 올바름을 잃은 것입니다. 놀라 두렵고 측은한 마음은 인仁의 단서입니다. 또 그 정의 움직임을 가지고 바로 인욕이라고 할 수 있겠습니까? 대체로 사물에게서 느끼지 않았을 때, 마음이 이미 발현했을지라도, 단서가 드러나는 것[苗裔]은 오히려 움직이는 곳에 있지 않은 적이 없습니다. 이것을 버리고 별도로 구하려 한다면 공부를 시작할 곳이 없을 것입니다."

[32-1-67]

問："心有善惡否?"

曰："心是動底物事, 自然有善惡. 且如惻隱, 是善也. 見孺子入井而無惻隱之心, 便是惡矣. 離著善, 便是惡. 然心之本體未嘗不善. 又却不可說惡全不是心. 若不是心, 是甚麼做出來. 古人學問, 便要窮理致知, 直是下工夫消磨惡去, 善自然漸次可復. 操存是後面事. 不是善惡時事."[113]

물었다. "마음에는 선과 악이 있습니까?"

답했다. "마음은 움직이는 것이니 저절로 선과 악이 있다. 측은한 마음과 같은 것은 선이다. 어린아이가 우물에 빠지려는 것을 보았는데 측은한 마음이 없다면 악이다. 선에서 벗어나면 악이다. 그러나 마음의 본체本體는 선하지 않은 적이 없다. 또 악이 온전히 마음이 아니라고 할 수도 없다. 만약 마음이 아니라면 어떻게 생겨났는가? 옛 사람의 학문은 이치를 궁구하고 앎을 극치로 하려고 하여, 다만 공부해서 악을 제거하면, 선이 저절로 점차로 회복될 수 있었다. 잡고 보존한다는 것은 나중의 일이지 석과 악이 생겨났을 때의 일이 아니다."

[32-1-68]

"心無間於已發未發, 徹頭徹尾都是, 那處截做已發未發! 如放僻邪侈, 此心亦在, 不可謂非

112 『孟子』「公孫丑上」: "사람에게는 모두 차마 해치지 못하는 마음이 있다. 선왕이 사람을 차마 해치지 못하는 마음을 두어 사람을 차마 해치지 못하는 정사를 시행했으니, 사람을 차마 해치지 못하는 마음으로 사람을 차마 해치지 못하는 정사를 행한다면, 천하를 다스림은 손바닥 위에 놓고 움직일 수 있을 것이다. 사람들이 모두 사람을 차마 해치지 못하는 마음을 가지고 있다고 말하는 까닭은 지금 사람들이 언뜻 어린 아이가 우물에 빠지려고 하는 것을 보고는 놀라 두렵고 측은한 마음이 있다. 이는 어린아이의 부모와 교분을 맺으려고 해서도 아니고, 향당과 친구들에게 명예를 구해서도 아니며, 악명을 싫어해서도 그러한 것이 아니다.(人皆有不忍人之心. 先王有不忍人之心, 斯有不忍人之政矣. 以不忍人之心, 行不忍人之政, 治天下可運之掌上. 所以謂人皆有不忍人之心者, 今人乍見孺子將入於井, 皆有怵惕惻隱之心. 非所以內交於孺子之父母也, 非所以要譽於鄉黨朋友也, 非惡其聲而然也.)"

113 『朱子語類』 권5, 34조목

心."[114]

(주자가 말했다.) "마음에는 이발已發과 미발未發 사이에 간격이 없으니, 철두철미하게 모두 이러한데,[115] 어디에서 이발과 미발을 자를 것인가![116] 그러나 제멋대로 하고 편벽되고 사특하고 사치한 것[117]과 같은 마음도 역시 있으니 마음이 아니라고 할 수는 없다."

[32-1-69]

問: "形體之動與心相關否?"

曰: "豈不相關? 自是心使他動."

曰: "喜怒哀樂未發之前, 形體亦有運動, 耳目亦有視聽, 此是心已發抑未發?"

曰: "喜怒哀樂未發, 又是一般. 然視聽行動, 亦是心向那裏. 若形體之行動, 心都不知, 便是心不在, 行動都没理會了, 說甚未發. 未發不是漠然全不省, 亦常醒在這裏, 不恁地困."[118]

물었다. "형체의 움직임과 마음은 서로 관련됩니까?"

말했다. "어찌 서로 관련되지 않겠는가? 본래 마음이 형체를 움직이게 한다."

물었다. "희노애락이 발동하기 전에도 형체는 운동하고 있고 눈과 귀도 보고 듣고 있으니, 이것은 마음이 이발已發한 것입니까, 미발未發한 것입니까?"

답했다. "희노애락이 발동하기 전에도 마찬가지이다. 그러나 보고 듣고 행하고 운동하는 것 역시 마음이 거기에 향하고 있다. 만약 형체의 행동을 마음이 전혀 모른다면 마음이 거기에 있지 않은 것이다.[119] 행동을 전혀 이해하지 못했다면 무슨 미발을 말하겠는가? 미발은 막연하게 전혀 살피지 않는 것이 아니고, 또한 항상 깨어서 거기에 있는 것이니, 이렇게 막혀 있는 것은 아니다."

[32-1-70]

問: "惻隱羞惡喜怒哀樂, 固是心之發曉然易見處. 如未惻隱羞惡喜怒哀樂之前, 便是寂然靜

114 『朱子語類』 권5, 35조목

115 철두철미하게 모두 이러한데: 『朱子語類考文解義』에서는 "모두 이 마음이다라는 말이다.(謂皆是此心)"라고 했다.

116 어디에서 이발과 … 것인가!: 『朱子語類考文解義』에서는 "이미 혼연한데 이 마음은 어디에서 이발과 미발을 잘라서 단락을 짓겠는가?(謂既是渾然, 此心, 則何處截作已發未發而段乎?)"라고 했다.

117 『孟子』「滕文公上」: "백성이 살아가는 방법은 항상된 재산이 있는 자는 항상된 마음을 갖고, 항상된 재산이 없으면 항상된 마음이 없다. 항산된 마음이 없으면 放辟함과 邪侈함을 하지 않음이 없을 것이다. 죄에 빠진 뒤에 따라서 그들을 형벌한다면 이는 백성을 그물질하는 것이니, 어찌 仁한 사람이 지위에 있고서 백성을 그물질하는 일을 할 수 있겠는가?(民之爲道也, 有恒産者有恒心, 無恒産者無恒心. 苟無恒心, 放辟邪侈, 無不爲已. 及陷乎罪, 然後從而刑之, 是罔民也. 焉有仁人在位, 罔民而可爲也?)"

118 『朱子語類』 권5, 36조목

119 『大學』: "마음이 있지 않으면 보아도 보지 못하고 들어도 듣지 못하며 먹어도 그 맛을 모르다.(心不在焉, 視而不見, 聽而不聞, 食而不知其味.)"

時. 然豈得塊然如槁木? 其耳目亦必有自然之聞見. 其手足亦必有自然之擧動. 不審此時喚作如何?"

曰: "喜怒哀樂未發, 只是這心未發耳. 其手足運動, 自是形體如此."[120]

물었다. "측은한 마음과 부끄러운 마음과 희노애락은 분명 마음이 발현하여 뚜렷하게 쉽게 볼 수 있는 것입니다. 측은한 마음과 부끄러운 마음과 희노애락이 발현되기 이전과 같은 경우는 적연하게 고요한 때입니다. 그러니 어찌 한 덩어리의 마른 나무와 같겠습니까! 그 눈과 귀는 또한 반드시 저절로 보고 들으며, 그 손과 발도 저절로 거동하니, 이 때를 무엇이라고 해야 좋을지 모르겠습니다."

답했다. "희노애락이 발현하지 않았을 때는 이 마음이 발현하지 않았을 뿐이다. 그 손과 발이 운동하는 것은 본래 형체가 이러한 것이다."

[32-1-71]

問: "人心是箇靈底物. 如日間未應接之前, 固是寂然未發. 於未發中固常恁地惺, 不恁瞑然不省. 若夜間有夢之時, 亦是此心之已動, 猶晝之有思. 如其不夢未覺正當大寐之時, 此時謂之寂然未發, 則全沉沉瞑瞑萬事不知不省, 與木石蓋無異, 與死相去亦無幾, 不可謂寂然未發. 不知此時心體何所安存? 所謂靈底何所寄寓? 聖人與常人於此時所以異者如何? 而學者工夫此時又何以爲驗也?"

曰: "寤寐者, 心之動靜也. 有思無思者, 又動中之動靜也. 有夢無夢者, 又靜中之動靜也. 但寤陽而寐陰, 寤淸而寐濁, 寤有主而寐無主, 故寂然感通之妙, 必於寤而言之."[121]

물었다. "사람의 마음은 영험한 것입니다. 낮에 사물에 접하여 반응하기 이전과 같은 경우는 분명 적연寂然하여 발현하지 않습니다. 그러나 발현하지 않는 중에도 분명 항상 그대로 깨어있지, 몽롱하게 살피지 않는 것은 아닙니다. 밤에 꿈을 꿀 때와 같은 경우도 역시 이 마음은 이미 움직이고 있어서 낮에 사려가 있는 것과 같습니다. 그러나 꿈꾸지 않으면서 지각하지 않아서 정상적으로 분명하게 잠들어 있을 때와 같은 경우는 이때를 적연하여 발현하지 않은 때라고 말할 수 있다면, 온전히 아득하고 몽롱하여 모든 일을 알지 못하고 살피지 않아서 목석木石과 차이점이 없고 죽은 것과의 차이도 별로 나지 않으나 적연하여 발현하지 않은 것이라고 말할 수 없습니다. 그래서 잘 알지 못하겠으니, 이때 마음의 본체가 어느 곳에 안존安存합니까? 영험한 것이 어느 곳에 깃드는 것입니까? 성인과 보통 사람이 이때에 차이점은 어떠합니까? 배우는 사람이 공부하는 데 이때에 또 무엇으로 증험합니까?"

답했다. "깨어나고 잠자는 것은 마음의 움직임과 고요함이다. 사려가 있고 없는 것은 또 움직임 속에서의 움직임과 고요함이다. 꿈을 꾸고 꿈을 꾸지 않는 것은 고요함 가운데 움직임과 고요함이다. 다만 깨어있는 것은 양이고 잠자는 것은 음이며, 깨어있는 것은 맑은 것이고 잠자는 것은 탁한 것이며, 깨어있는 것은 주인이 있는 것이고 잠자는 것은 주인이 없는 것이므로, 적연하여 감통感通하는 신묘함은 반드시

120 『朱子語類』 권5, 37조목

121 『朱文公文集』 권57 「書・答陳安卿」

깨어있을 때를 말한다."

又問:"竊謂人生具有陰陽之氣, 神發於陽. 魄根於陰. 心也者, 則麗陰陽而乘其氣, 無間於動靜, 卽神之所會而爲魄之主也. 晝則陰伏藏而陽用事, 陽主動, 故神運魄隨而爲寤. 夜則陽伏藏而陰用事, 陰主靜, 故魄定神蟄而爲寐. 神之運, 故虛靈知覺之體燁然呈露, 有苗裔之可尋. 如一陽復後, 萬物之有春意焉, 此心之寂感所以爲有主. 神之蟄, 故虛靈知覺之體沉然潛隱, 悄無蹤跡. 如純坤之月, 萬物之生性不可窺其朕焉, 此心之寂感所以不若寤之妙, 而於寐也爲無主. 然其中實未嘗泯而有不可測者存, 呼之則應, 驚之則覺, 則是亦未嘗無主而未嘗不妙也. 故自其大分言之, 寤陽而寐陰, 而心之所以爲動靜也. 細而言之, 寤之有思者, 又動中之動而爲陽之陽也, 無思者, 又動中之靜而爲陽之陰也. 寐之有夢者, 又靜中之動而爲陰之陽也, 無夢者, 又靜中之靜而爲陰之陰也. 又錯而言之, 則思之有善與惡者, 又動中之動, 陽明陰濁也, 無思而善, 應與妄應者, 又動中之靜, 陽明陰濁也. 夢中有正與邪者, 又靜中之動, 陽明陰濁也. 無夢而易覺與難覺者, 又靜中之靜, 陽明陰濁也. 一動一靜, 循環交錯, 聖人與衆人則同, 而所以爲陽明陰濁則異. 聖人於動靜無不一於清明純粹之主, 而衆人則雜焉而不齊. 然則人之學力所係, 於此亦可以驗矣."

曰:"得之."[122]

또 물었다. "생각해보면 사람이 생겨나 음양의 기가 구비되어, 신神은 양에서 발현되고 백魄은 음에 뿌리를 둡니다. 마음은 음양에 붙어 그 기를 타고 있어서 움직임과 고요함에 틈이 없으니, 신이 모이는 곳이고 백의 주인입니다. 낮에는 음이 잠복하고 양이 일을 하니, 양이 움직임을 주도하므로 신이 움직이고 백이 뒤따라 깨어 있습니다. 밤에는 양이 잠복하고 음이 일을 하니, 음이 고요함을 주도하므로 백이 안정되고 신은 숨어서 잠듭니다. 신神이 운행하므로, 허령지각虛靈知覺의 본체가 번쩍번쩍 드러나서, 찾을 수 있는 단서가 드러나는 것[苗裔]이 있습니다. 마치 하나의 양이 다시 회복된 후에 만물에 춘의春意가 있는 것과 같으니, 이 마음의 적연하거나 감통하는 것에 주인이 있는 것입니다. 신神이 숨으므로, 허령지각의 본체가 아득하게 잠복하여 숨어서, 종적이 전혀 없습니다. 마치 순수한 곤坤의 달(음력 10월)에 만물의 살아 있는 본성에서 그 조짐을 엿볼 수 없는 것과 같으니, 이 마음의 적연하거나 감통하는 것이 깨어있을 때의 신묘함과 같지 않고 꿈을 꾸어도 주인이 없는 것입니다. 그러나 그 가운데에는 실제로 없어진 것은 없고 추측할 수 없는 것이 보존되어 있어서, 부르면 호응하고 놀라면 지각하니, 이것도 주인이 없었던 적이 없고 신묘하지 않았던 적이 없습니다. 그러므로 크게 나누어 말하면 깨어있는 것은 양이고 잠든 것은 음이니 마음이 움직이고 고요한 것입니다. 세분하여 말하면 깨어있으면서 사려가 있는 것은 또 움직임 가운데 움직임으로 양의 양이고, (깨어있으면서) 사려가 없는 것은 또 움직임 가운

122 『朱文公文集』 권57 「書·答陳安卿」. 이 단락의 앞에는 "순이 이를 생각하니(淳思此)"라는 구절이 있으니 이 말은 陳淳의 말이다.

데 고요함으로 양의 음입니다. 잠자면서 꿈을 꾸는 것은 고요함 가운데 움직임으로 음의 양이고, (잠자면서) 꿈이 없는 것은 고요함 가운데 움직임으로 음의 음입니다. 또 섞어서 말하면 사려함에 선과 악이 있는 것은 또 움직임 가운데 움직임으로 양은 밝고 음은 탁하며, 사려하지 않으면서 잘 반응하거나 망령되이 반응하는 것은 또 움직임 가운데 고요함으로 양은 밝고 음은 탁합니다. 꿈에 올바름과 사특함이 있는 것은 또 고요함 가운데 움직임으로 양은 밝고 음은 탁합니다. 꿈꾸지 않으면서 쉽게 지각하거나 어렵게 지각하는 것은 또 고요함 가운데 고요함으로 양은 밝고 음은 탁합니다. 한편으로는 움직이고 한편으로는 고요하여 순환하고 서로 섞이지만, 성인과 보통 사람은 동일하되, 양은 밝고 음은 탁하기 때문에 다릅니다. 성인은 움직이고 고요한 데에 청명清明하고 순수한 주인이 일관되지 않음이 없지만, 보통사람은 혼잡하여 고르지 않습니다. 그러니 사람의 배움의 공력이 연관된 것을 여기에서 또 증험할 수 있습니다."
답했다. "잘 말했다."

[32-1-72]

問: "覺得間嘗心存時, 神氣淸爽, 是時視必明, 聽必聰, 言則有倫, 動則有序, 有思慮則必專一. 若身無所事, 則一身之內, 如鼻息出入之麤細緩急, 血脉流行間或凝滯者, 而有纖微疾癢之處, 無不分明, 覺得當時別是一般精神, 如醉醒寐覺. 不知可以言心存否."

曰: "理固如此, 然亦不可如此屑屑計功效也."[123]

물었다. "마음이 보존될 때 신기神氣가 맑다고 느꼈는데, 이때는 보는 것은 반드시 밝고, 듣는 것은 반드시 총명하고, 말하면 조리가 있고, 움직이면 순서가 있고, 사려하면 반드시 전일합니다. 만약 몸에 아무런 일도 없는 데에도 몸 안에서 숨이 들어오고 나가는 데에 거칠고 섬세하며 느리고 급한 것과 혈맥이 유행하는 것이 간혹 응체한 것과 미세하게 병들어 있는 곳을 분명하게 알지 않음이 없어서, 당시에 특별한 어떤 정신이 마치 술에서 깨어나고, 잠에서 깨어나는 것과 같음을 느꼈습니다. 이를 마음이 보존된 것이라고 말할 수 있는지 모르겠습니다."
대답했다. "이치가 분명 그러하지만 또한 이렇게 자질구레하게 효과를 따질 수가 없다."

[32-1-73]

問: "遺書云, 心本善, 發於思慮則有善不善, 如何?"

曰: "疑此段微有未穩處. 蓋凡事莫非心之所爲, 雖放僻邪侈, 亦是心之爲也. 善惡但如反覆手耳. 翻一轉便是惡. 止安頓不著, 也便是不善. 如當惻隱而羞惡, 當羞惡而惻隱, 便不是."

又問: "心之用雖有不善, 亦不可謂之非心否?"

曰: "然."[124]

123 『朱文公文集』 권5 「書 · 答李孝述繼善問目」
124 『朱子語類』 권95, 89조목

물었다. "『유서』에서 '마음은 본래 선한데 사려에서 발현하면 선과 불선이 있다.'[125]고 했는데 무슨 뜻입니까?"
답했다. "이 단락은 조금 온당하지 않은 곳이 있다. 왜냐하면 모든 일은 마음이 하는 것이 아닌 것이 없어서, 방탕하고 치우치고 사특하고 사치스런 행위일지라도 또한 마음이 하는 것이기 때문이다. 선과 악은 단지 손을 뒤집는 것과 같을 뿐이어서, 한번 뒤집으면 악이 된다. 제대로 안착하지 못해도 불선이 된다. 예를 들어 마땅히 측은지심을 발휘해야 하는데 수오지심을 발휘하거나 마땅히 수오지심을 일으켜야 하는데 측은지심을 일으키면 옳지 않다."
또 물었다. "마음의 작용에 불선이 있더라도 마음이 아니라고 할 수 없습니까?"
답했다. "그렇다."

[32-1-74]

問: "'心本善, 發於思慮則有善不善.' 程子之意, 是指心之本體有善而無惡, 及其發處, 則不能無善惡也. 胡五峯云, '人有不仁, 心無不仁.' 先生以爲下句有病. 如顔子其心三月不違仁, 是心之仁也. 至三月之外, 未免少有私欲, 心便不仁. 豈可直以爲心無不仁乎? 某近以先生之意推之, 莫是五峰不曾分別得體與發處言之否?"

曰: "只爲他說得不備. 若云'人有不仁, 心無不仁', 心有不仁, 心之本體無不仁, 則意方足耳."[126]

물었다. "'마음은 본래 선한데 사려에서 발현하면 선이 있고 불선이 있다.'는 정자程子의 뜻은 마음의 본체에는 선이 있지만 악은 없는데, 그것이 발현한 곳에서는 선과 악이 없을 수 없다는 말입니다. 호오봉胡五峯은 '사람은 불인함이 있지만 마음에는 불인함이 없다.'고 했는데 선생님은 아래 구절에 병통이 있다고 여기셨습니다. 예를 들어 안연은 그 마음이 3개월 동안 인仁을 어기지 않은 것은 마음의 인입니다. 3개월이 지난 후에 조금의 사욕이 있음을 면치 못했는데 마음이 불인한 것입니다. 그러니 어찌 직접 마음에는 불인이 없다고 말할 수 있겠습니까? 제가 근래 선생님의 뜻을 추론해 보면, 호오봉이 본체와 발현된 곳을 분별하여 말하지 않았던 것은 아닐까요?"
말했다. "그는 단지 완비되게 말하지 못했을 뿐이다. '사람은 불인함이 있지만 마음에는 불인함이 없다.'고 한 경우는 마음에는 불인함이 있지만 마음의 본체는 불인함이 없다고 하면 의미가 비로소 충분해질 뿐이다."

125 『河南程氏遺書』 권18 「劉元承手編」: "물었다. '마음에는 선악이 있습니까?' 답했다. '하늘에서는 命이고, 사물에서는 理이고, 사람에게서는 性이고, 몸을 주관하는 것은 心이지만, 실은 하나이다. 마음은 본래 선한데 사려에서 발현하여 선이 있고 불선이 있다. 이미 발현했다면 정(情)이라고 해야지 마음이라고 할 수 없다. 물로 예를 들면 단지 물이라고 하지만 흘러가서 물줄기가 되면 혹 동쪽으로 가고 혹 서쪽으로 가니 물줄기라고 한다.'(問, '心有善惡否?' 曰, '在天爲命, 在義爲理, 在人爲性, 主於身爲心, 其實一也. 心本善, 發於思慮, 則有善有不善. 若旣發, 則可謂之情, 不可謂之心. 譬如水, 只謂之水, 至如流而爲派, 或行於東, 或行於西, 却謂之流也.')"

126 『朱子語類』 권95, 91조목

[32-1-75]

問: "'心旣發, 則可謂之情, 不可謂之心', 如何?"

曰: "心是貫徹上下, 不可只於一處看. '旣發則可謂之情, 不可謂之心', 此句亦未穩."[127]

물었다. "'마음이 발현했다면 정情이라고 할 수 있지 마음이라고 할 수 없다.'[128]는 말은 무슨 뜻입니까"

답했다. "마음은 위와 아래가 관통되어 있어서 한 곳만으로 보아서는 안 된다. '이미 발현했다면 정이라고 할 수 있지 마음이라고 할 수 없다.'는 이 구절도 온당치가 않다."

[32-1-76]

問: "程子云, 心一也, 有指體而言者, 有指用而言者?"

曰: "此語與橫渠心統性情相似."[129]

물었다. "정자는 마음은 하나라고 했는데 이는 체體를 가리켜 말한 것입니까, 용用을 가리켜 말한 것입니까?"

답했다. "이 말은 횡거의 '마음은 성性과 정情을 통괄한다.'는 말과 유사하다."

[32-1-77]

"心主於身, 其所以爲體者性也, 所以爲用者情也, 是以貫乎動靜而無不在焉."[130]

(주자가 말했다.) "마음은 몸을 주재하는데 그것이 체體가 되는 것은 성性이고, 용用이 되는 것은 정情이니, 그래서 움직임과 고요함을 관통하여 있지 않는 곳이 없다."

[32-1-78]

"心體固本靜, 然亦不能不動, 其用固本善, 然亦能流而入於不善. 夫其動而流於不善者, 固不可謂心體之本然, 然亦不可不謂之心也, 但其誘於物而然耳. 故先聖只說'操則存, 存則靜, 而其動也無不善矣 舍則亡, 於是乎有動而流於不善者 出入無時, 莫知其鄕. 出者亡也, 入者存也. 本無一定之時, 亦無一定之處. 特係於人之操舍如何耳.' 只此四句, 說得心之體用始終眞妄邪正無所不備. 又見得此心不操卽舍, 不出卽入, 別無閑處可安頓之意."[131]

(주자가 말했다.) "마음의 본체는 분명 본래 고요하지만 또한 움직이지 않을 수가 없다. 그 작용은 분명

127 『朱子語類』 권95, 92조목

128 『河南程氏遺書』 권18 「劉元承手編」

129 『朱子語類』 권95, 3조목

130 『朱文公文集』 권40 「書·答何叔京」

131 『朱文公文集』 권45 「書·游誠之」. 이 단락에서 생략된 부분은 다음과 같다. "若如所論, 出入有時者爲心之正. 然則孔子所謂出入無時者, 乃心之病矣. 不應却以'惟心之謂與'一句直指而總結之也. 所答石吕二書寫呈, 但子約書中語尚有病, 當時不暇子細剖析, 明者擇焉可也."

본래 선하지만 흘러서 불선함에 빠질 수가 있다. 그것이 움직여 불선함에 빠지는 것은 분명 본래적인 마음의 본체라고 할 수 없으나, 또한 마음이라고 말하지 않을 수도 없으니, 단지 사물에 유혹되어 그러한 것일 뿐이다. 그러므로 이전은 성인은 '잡으면 보존되고 보존되면 고요하나 그 움직임도 선하지 않음이 없다. 놓으면 잃어서 이에 움직여서 불선함에 빠진다. 나가고 들어옴에 때가 없으니 그 지향점을 알지 못한다. 나가는 것은 잃은 것이고 들어오는 것은 보존되는 것이다. 본래 일정한 때가 없고 또 일정한 장소도 없다. 단지 사람이 잡느냐 놓느냐가 어떠하냐에 달려 있을 뿐이다.'[132]이 네 구절은 마음의 체 · 용, 시작 · 끝, 진실함 · 망령됨, 사특함 · 올바름이 갖추어지지 않음이 없음을 말한 것이다. 또 이 마음은 잡지 못하면 놓고, 나가지 않으면 들어오니, 별도로 안돈할 수 있는 거처가 없다는 뜻을 알 수 있다."

[32-1-79]

"胡文定公所謂'不起不滅心之體, 方起方滅心之用, 能常操而有, 則雖一日之間百起百滅而心固自若者.' 自是好語. 但讀者當知所謂不起不滅者, 非是塊然不動無所知覺也, 又非百起百滅之中, 別有一物不起不滅也. 但此心瑩然, 全無私意, 是則寂然不動之本體. 其順理而起, 順理而滅, 斯乃所以感而遂通天下之故者云耳."[133]

(주자가 말했다.) "호문정胡文定[胡安國][134]이 '일어나지도 않고 멸하지도 않는 것은 마음의 체體이고 일어나거나 멸하는 것은 마음의 용用이니 항상 잡아 보존하면 하루 동안 백 번 일어났다 백 번 멸하더라도 마음은 실로 그대로이다.'라고 했는데 좋은 말이다. 단지 글을 읽는 사람은 마땅히 그가 '일어나지도 않고 멸하지도 않는다.'는 말은 덩그러니 움직이지도 않고 지각하는 것이 없는 것은 아니라는 점을 알아야 하고, 또 백 번 일어나고 백 번 멸하는 가운데에 별도로 한 사물이 일어나지도 않고 멸하지도 않는 것이 있다는 점도 알아야 한다. 단지 이 마음은 분명하여 전혀 사사로운 의도가 없으니, 이것이 적연하여 움직이지 않는 본체이다. 그것이 이치를 따라서 일어나고 이치를 따라서 멸하니, 이것이 감하여 세상의 이치에 통달하는 것이라고 말할 뿐이다."

132 『孟子』「告子上」

133 『朱文公文集』 권42 「書 · 答石子重」

134 胡文定[胡安國] : 胡安國(1074~1138)은 胡淵의 아들로 程頤의 학문을 사숙하고 사량좌 · 양시 등과 교유하였다. 정이의 학문을 계승하여 송대 이학의 발전에 중요한 역할을 담당했다. 왕안석이 『春秋』를 학관에서 폐지하자 춘추학이 쇠퇴하였다고 여겨, 20여 년 간 『春秋』를 연구해 『春秋胡氏傳』을 저술했다. 『宋儒學案』 권34 「武夷學案」에 "자는 康侯이고 호는 武夷로서 崇安 사람이다. 紹聖 4년에 진사 3등으로 합격하여 荊南 教授로 제수 받고, 중앙으로 드러와 太學博士가 되었다. 遺逸인 王繪와 鄧璋을 천거하여 范純仁의 식객으로 삼았는데 蔡京이 미워하여 제명했다. 大觀 4년에 다시 복직했다. … 『春秋傳』을 써서 進覽했고 寶文閣直學士에 제수 되었다. 紹興 8년 4월 13일에 죽었으니 향년 65세이고 시호는 文定이다.(胡安國, 字康侯, 崇安人. 紹聖四年進士第三人, 除荊南教授, 入爲太學博士. 以所擧遺逸王繪鄧璋爲范純仁之客, 蔡京惡之, 除名. 大觀四年復官. … 著春秋傳進覽, 除寶文閣直學士. 紹興八年四月十三日卒, 年六十五, 謚文定.)"라고 하였다.

[32-1-80]

問 : "心該誠神, 備體用, 故能寂而感, 感而寂. 其寂然不動者誠也, 體也, 感而遂通者神也, 用也. 體用一源, 顯微無間, 唯心之謂歟?"

曰 : "此說甚善."[135]

물었다. "마음은 성誠과 신神을 아우르고, 체體와 용用을 갖추고 있으므로 적연寂然하면서도 감응하고, 감응하면서도 적연합니다. 그 적연하여 움직이지 않는 것이 성誠이고 체體이며, 감응하여 세상의 이치에 통하는 것이 신神이고 용用입니다. 체와 용은 한 가지 근원이고, 드러남과 은미함은 틈이 없으니, 오직 마음을 말하는 것이겠지요?"

답했다. "이 말이 매우 좋다."

[32-1-81]

問 : "心無私主, 有感皆通."

曰 : "無私主, 也不是憒悖沒理會, 只是公. 善則好之, 惡則惡之, 善則賞之, 惡則刑之, 此是聖人至公至神之化. 心無私主, 如天地一般, 寒則徧天下皆寒, 熱則徧天下皆熱, 便是有感皆通."

又問 : "心無私主最難."

曰 : "亦是克去己私, 心便無私主. 心有私主, 只是相契者便應, 不相契者便不應. 如好讀書人, 見書便愛, 不好讀書人, 見書便不愛."[136]

물었다. "마음에 사사로운 주인이 없으면 느끼는 것이 모두 통한다는 것이 무엇입니까?"

답했다. "사사로운 주인이 없더라도 너그러움과 성냄에 대해서 전혀 이해가 없는 것이 아니라 공정[公]한 것이다. 선하면 좋아하고 악하면 미워하며, 선하면 상을 주고 악하면 벌을 주니, 이것은 성인이 지극히 공정하고 지극히 신神한 교화이다. 마음에 사사로운 주인이 없는 것은 천지와 같아서 추우면 세상 모두 두루 춥고 더우면 세상 모두 두루 더운 것이니 바로 느끼면 모두 통하는 것이다."

또 물었다. "마음에 사사로운 주인이 없는 것이 가장 어렵습니다."

답했다. "또한 자기의 사사로움을 제거할 수 있으면 마음에 곧 사사로운 주인이 없다. 마음에 사사로운 주인이 있으면, 자신과 서로 맞으면 호응하고 서로 맞지 않으면 호응하지 않을 뿐이다. 좋은 독서인은 책을 보면 아끼지만 좋지 않은 독서인은 책을 보면 아끼지 않는 것과 같다."

[32-1-82]

問 : "大學或問中論心處, 每每言虛言靈, 或言虛明, 或言神明. 孟子盡心注云, 心, 人之神明.' 竊以爲此等專指心之本體而言. 又見孟子擧心之存亡出入, 集註以爲心之神明不測, 竊以爲此兼言心之體用而盡其始終反覆變態之全. 夫其本體之通靈如此, 而其變態之神妙又如此,

135 『朱文公文集』 권42 「書 · 答石子重」

136 『朱子語類』 권140, 127조목

則所以爲是物者, 必不囿於形體, 而非粗淺血氣之爲. 竊疑是人之一身神氣所聚, 所以謂之神舍. 人而無此, 則身與偶人相似, 必有此而後有精神知覺, 做得箇活物, 恐心又是身上精靈底物事. 不知可以如此看否?

又嘗求所以存是心者, 竊見伊川言人心作主不定, 如破屋中禦冠, 又云如一箇翻車, 每每教學者做箇主, 或云立箇心. 又云人心須要定, 使他思時方思乃是. 明道云, 人有四百四病, 皆不由自家, 則是心須教由自家. 以此似見得心雖是活物, 神明不測, 然是自家身上物事, 所主在我, 收任後放去, 放去後又復收回, 自家可以自作主宰. 但患不自做主, 若自家主張著便在, 不主張著便走去, 及纔尋求著又在, 故學者須自爲之主, 使此心常有管攝方得. 又嘗求所以爲主之實, 竊見伊川論如何爲主, 敬而已矣, 又似見得要自做主宰, 須是敬. 蓋敬便收束得來謹密, 正是著力做主處. 不敬便掉放疎散不復做主了. 某於存心工夫又粗見如此, 不知是否."

曰: "理固如此. 然須用其力, 不可只做好話說過. 又當有以培養之, 然後積漸純熟向上有進步處."137

물었다. "『대학혹문』 가운데 마음을 논한 곳에서 매번 허虛를 말하고 영靈을 말하며, 혹은 허명虛明을 말하고 신명神明을 말하였습니다. 맹자의 「진심편」의 주注에서 '마음은 사람의 신명神明이다.'라고 했습니다. 제가 생각하기로는 이러한 말은 모두 마음의 본체本體를 가리켜서 말한 것입니다. 또 맹자가 마음이 보존되고 잃으며 들어오고 나가는 것을 제기하는 곳을 보면 집주集註에서 마음이 신명하여 예측할 수 없는 것138이라고 하고 있는데, 제가 생각하기로는 이것은 마음의 체와 용을 겸해서 말했고 그것의 시작과 끝 동안 반복해서 변화하는 양태의 온전함을 다했다고 하겠습니다. 그 본체의 신통한 영묘함이 이와 같고, 그 변화의 양태의 신묘함이 또 이와 같으니 이것이 하는 것은 형체에 얽매이지 않아서 조잡하고 얕은 혈기血氣가 하는 것이 아닙니다. 제가 생각하기로는 이는 사람 몸의 신기神氣가 모인 것으로 그래서 신이 거처하는 곳이라고 하는 것입니다. 사람이면서 이것이 없으면 몸이 나무인형과 비슷해서, 반드시 이것이 있은 후에야 정신精神의 지각이 있어서 살아 있게 되니, 아마도 마음은 또 몸에서 정밀하고 영험한 것입니다. 이렇게 볼 수 있는지 알지 못하겠습니다.

또 이 마음을 보존시키는 것을 구해보았는데, 이천이 '사람의 마음에 주인을 만드는 것이 안정되지 못한 것은 마치 부서진 집에 도둑을 막는 것과 같다.'139고 했고, 또 '뒤집어진 수레와 같다'140고 한 것을

137 『朱文公文集』 권5 「書・答李孝述繼善問目」

138 集註에서 마음이 … 것 : 『孟子集註』 「告子上」에 "공자가 말하기를 '마음은 잡으면 여기에 있고, 놓으면 잃어버려서 그 들어오고 나가는 것에 정해진 때가 없으며 또한 정해진 곳이 없음이 이와 같다.'고 했다. 맹자는 이를 인용하여 마음이 신명하여 예측할 수 없어 득실이 쉽고 보존하여 지키는 것이 어려워서 잠시라도 그 배양을 잃어서는 안 되는 점을 밝혔으니, 배우는 자가 마땅히 때마다 그 힘을 쓰지 않음이 없어서 정신이 맑고 기를 안정되게 해서, 항상 平旦의 때와 같이 한다면 마음이 항상 보존되어 가는 곳마다 仁義가 아님이 없을 것이다."라고 하였다.(孔子言, '心, 操之則在此, 舍之則失去, 其出入無定時, 亦無定處如此,' 孟子引之, 以明心之神明不測, 失得之易而保守之難, 不可頃刻失其養, 學者當無時而不用其力, 使神淸氣定, 常如平旦之時, 則此心常存, 無適而非仁義矣.)

보았으니, 매번 배우는 사람에게 주인을 만드는 것을 가르치는 데에 어떤 경우는 마음을 세우라고 했습니다. 또 '사람의 마음은 반드시 안정되어야 하니, 생각해야 할 때에 생각하게 해야 옳다.'라고 하였습니다.[141] 명도가 말하기를, '사람에게 4백 4가지 병이 있는데 모두 자신으로 말미암는 것은 아니지만, 이 마음은 반드시 자신으로부터 말미암게 된다.'고 했습니다. 이것으로 마음이 비록 살아 있어 신명하고 예측하지 못할 지라도 자신의 몸에서 일어난 것이어서, 주재하는 것은 나에게 달렸으니, 수렴하여 머물게 한 후에 쫓아내고, 쫓아낸 후에 다시 수렴하여 회복시켜서, 스스로 주재할 수가 있습니다. 단지 스스로 주재하지 못할 것을 근심하니, 스스로 주재하면 곧 있고 주재하지 못하면 달아났다가, 곧 찾아 구하면 또 있게 됩니다. 그러므로 배우는 자는 반드시 스스로 주재하여 이 마음이 항상 관섭管攝하게 해야 옳습니다. 또 그 주재하는 실질을 구하여 보니, 이천이 '어떻게 주재할 수 있는가? 경敬할 뿐이다.'[142]라고 논한 것을 보니, 또 스스로 주재하려고 하면 반드시 경敬해야 된다는 점을 알 수 있을 듯합니다. 경敬하면 수렴하여 단속하는 데에 신중하고 세밀할 수 있기 때문에 이것이 바로 힘을 써야 할 주된 곳입니다. 경敬하지 않으면 방만하고 소홀히 흩어져서 다시 주재할 수 없게 됩니다. 제가 마음을 보존하는 공부에 대해 조잡한 견해가 이와 같은데, 옳은지 알지 못하겠습니다."
답했다. "이치는 분명 이렇다. 그러나 반드시 힘을 써야할 것은 좋은 말만 해서는 가능하지 않다. 또 마땅히 배양한 후에 점차로 누적하고 순수하게 성숙하여, 위로 향해 진보하는 점이 있게 된다."

[32-1-83]

問 : "心具衆理, 心雖昏蔽而所具之理未嘗不在. 但當其蔽隔之時, 心自爲心, 理自爲理, 不相贅屬. 如一物未格, 便覺此一物之理與心不相入. 似爲心外之理, 而吾心邈然無之. 及旣格之, 便覺彼物之理爲吾心素有之物. 夫理在吾心, 不以未知而無, 不以旣知而有. 然則所以若內若外者, 豈其見之異耶? 抑亦本無此事而某所見之謬耶?"
曰 : "極是."[143]

물었다. "마음에는 여러 이치가 구비되었으니 마음이 혼란하고 가려져도 구비된 이치는 없었던 적이 없습니다. 단지 가려지고 막혔을 때 마음은 마음이 되고 이치는 이치로 되어 서로 연결되지 못합니다. 만약 한 가지 사물의 이치를 아는데 이르지 못했으면, 이 한 사물의 이치가 마음과 서로 섞여들지 못했음을 지각합니다. 마치 마음 밖의 이치에 대해서는 내 마음이 막연하여 알지 못하는 것과 같습니다. 그 사물의 이치를 아는데 이르렀다면 저 사물의 이치가 나의 마음에 평소 있었던 사물임을 지각합니다. 이치는 내 마음에 있으니 알지 못했다고 해서 없는 것이 아니고, 알았다고 해서 있는 것이 아닙니다. 그러하니 안에 있는 것이건 바깥에 있는 것이건 어찌 그것을 보았다고 차이가 있겠습니까? 아니면 또한

139 『河南程氏遺書』 권1 「端伯傳師說」
140 『河南程氏遺書』 권2하 「附東見錄後」
141 『河南程氏遺書』 권18 「劉元承手編」
142 『河南程氏遺書』 권15 「入關語錄」
143 『朱文公文集』 권5 「書·答李孝述繼善問目」

본래 이러한 일이 없는데 제가 본 소견이 잘못된 것입니까?"
답했다. "매우 옳다."

[32-1-84]

"心與理一, 不是理在面前爲一物. 理便在心之中, 心包蓄不住, 隨事而發. 恰似那藏相似, 除了經函, 裏面點燈, 四方八面皆如此光明燦爛. 但今人亦少能看得如此."[144]

(주자가 말했다.) "마음은 이치와 하나이지만, 이치가 앞서서 하나의 사물이 된 것이 아니다. 이치는 마음 가운데에 있지만, 마음이 완전히 감싸서 안주시키지 못하니, 일에 따라서 발현한다. 마치 나장那藏[145]과 유사하여, 경함經函을 벗겨서 안에 점등하면 사방팔방이 모두 이와 같이 찬란하게 빛이 밝지만, 지금 사람들이 또한 이렇게 적게 볼 뿐이다."

[32-1-85]

問: "心之爲物, 衆理具足. 所發之善, 固出於心. 至所發不善, 皆氣稟物欲之私, 亦出於心否?"
曰: "固非心之本體. 然亦是出於心也."
又問: "此所謂人心否?"
曰: "是."
問: "人心亦兼善惡否?"
曰: "亦兼說."[146]

물었다. "마음이란 것은 여러 이치가 충분히 구비되었습니다. 발현한 것이 선한 것은 분명 마음에서 나온 것입니다. 발현한 것이 불선한 것에 이르러서는 모두 기품氣稟과 물욕物欲의 사사로움인데 또한 마음에서 나온 것입니까?"
답했다. "분명 마음의 본체는 아니다. 그러나 또한 마음에서 나온 것이다."
또 물었다. "이것을 사람의 마음이라고 합니까?"
답했다. "그렇다."
물었다. "사람의 마음도 선과 악을 겸하고 있습니까?

144 『朱子語類』 권5, 32조목
145 那藏: 盧舍那藏으로서 毘盧舍那佛을 말한다. 비로자나불은 모든 부처님의 眞身(육신이 아닌 진리의 모습)인 法身佛을 말한다. 毘盧舍那佛 · 노자나불 · 자나불이라고도 한다. 산스크리트어로 '태양'이라는 뜻인데, 佛智의 광대무변함을 상징하는 華嚴宗의 本尊佛이다. 無量劫海에 공덕을 쌓아 正覺을 성취하고, 蓮華藏 세계에 살면서 대광명을 발하여 法界를 두루 비춘다고 한다. 法相宗에서는 盧舍那佛 · 釋迦佛 · 受用身 · 變化身으로 쓰고, 비로자나불은 自性身이라 하여 구별하고 있다. 또 天台宗에서는 비로자나불 · 노사나불 · 석가불을 法身 · 報身 · 應身에 배치하여 설명하고 있고, 密敎에서는 『大日經』의 설을 계승하여 大日如來와 동체라고 한다.
146 『朱子語類』 권5, 33조목

답했다. "또한 겸해서 말한다."

[32-1-86]

問: "程子以心使心之說, 竊謂此二心字, 只以人心道心判之自明白. 蓋上心字卽是道心, 專以理義言之也. 下心字卽是人心, 而以形氣言之也. 以心使心, 則是道心爲一身之主而人心其聽命也. 不審是否?"

曰: "亦是如此. 然觀程先生之意, 只是說自作主宰耳."[147]

물었다. "정자程子가 마음으로 마음을 부린다[148]는 말은 생각하건대 이 두 개 마음[心]이라는 글자는 인심人心과 도심道心으로 구별하는 것이 저절로 분명합니다. 왜냐하면 앞의 마음이라는 글자는 도심으로, 오로지 이의理義로 말했고, 뒤의 마음이란 글자는 인심으로, 형기形氣로 말했기 때문입니다. 마음으로 마음을 부린다는 것은 도심이 한 몸의 주인이 되고 인심은 그 명을 따르는 것입니다. 옳은지 모르겠습니다."

답했다. "또한 이러하다. 그러나 정 선생의 뜻을 보면 스스로 주재하는 것으로 말했을 뿐이다."

[32-1-87]

"自人心而收之, 則是道心, 自道心而放之, 便是人心. 人心如卒徒, 道心如將."[149]

(주자가 말했다.) "인심으로부터 수렴하면 도심이고, 도심으로부터 멀어지면 곧 인심이다. 인심은 마치 졸병과 같고 도심은 장군과 같다."

---

147 『朱文公文集』 권57 「書 · 答陳安卿」

148 마음으로 마음을 부린다: 『河南程氏遺書』 권18 「劉元承手編」, "물었다. '사람의 마음에 얽매여 있는 일이 밤에 꿈에서 나타납니다. 얽매인 일이 좋다면, 밤에 꿈에서 나타난 것은 해롭지 않음이 없습니까?' 답했다. '좋은 일일지라도 마음은 역시 움직인다. 모든 일에는 조짐이 있고 그것이 꿈에 나타난 것은 해롭지 않지만 이것을 버리면 마음이 함부로 요동하게 된다.' 어떤 사람이 물었다. '공자는 주공을 꿈에 보았는데 어떠합니까?' 답했다. '이것은 성인이 정성이 있는 곳이다. 성인은 주공의 도를 행하고자 했으므로 꿈에서건 깨어서건 주공을 잊은 일이 없다. 그러나 쇠락하여 도가 행해질 수 없음을 알게 되었으므로 다시 주공의 꿈을 꾸지 않았다. 그러나 주공을 꿈에서 본 것이 어찌 밤마다 주공과 말을 한 것이겠는가? 사람의 마음을 안정시키려고 한다면 사려해야 할 때에 사려하게 해야 옳다. 지금 사람들은 마음으로부터 유래한다.' 말했다. '마음은 누가 부리는 것입니까?' 답했다. '마음으로 마음을 부린다고 하면 옳지만, 사람의 마음이 저절로 유래한다면 놓아버리게 된다.'(問, '人心所繫著之事, 則夜見於夢. 所著事善, 夜夢見之者, 莫不害否?' 曰, '雖是善事, 心亦是動. 凡事有朕兆入夢者, 却無害, 捨此皆是妄動.' 或曰, '孔子嘗夢見周公, 當如何?' 曰, '此聖人存誠處也. 聖人欲行周公之道, 故雖一夢寐, 不忘周公. 乃旣衰, 知道之不可行, 故不復夢見. 然所謂夢見周公, 豈是夜夜與周公語也? 人心須要定, 使佗思時方思乃是. 今人都由心.' 曰, '心誰使之?' 曰, '以心使心則可, 人心自由便放去也.')"

149 『朱子語類』 권78, 205조목에 "自人心而收之, 則是道心, 自道心而放之, 便是人心. '惟聖罔念作狂, 惟狂克念作聖', 近之."라고 하였고, 권78, 206조목에 "人心如卒徒, 道心如將."라고 하였다.

[32-1-88]

"飢欲食渴欲飮者, 人心也. 得飮食之正者, 道心也. 須是一心只在道上, 少間那人心自降伏得不見了. 人心與道心爲一, 恰似無了那人心相似. 只是要得道心純一, 道心都發見在那人心上."150

(주자가 말했다.) "배고프면 먹고 싶고 목마르면 마시고 싶은 것이 인심人心이고, 먹고 마시는 올바름을 얻은 것은 도심道心이다. 본래 하나의 마음이 길 위에 있을 뿐인데, 잠간 동안 인심이 저절로 내려와 보이지 않는 것이다. 인심이 도심과 하나가 되면 마치 이 인심이 없어져버린 것 같이 된다. 도심을 순일하게 하고자 하면, 도심은 이 인심에서 모두 발현해야 한다."

[32-1-89]

問 : "人心道心, 如飮食男女之欲出於其正, 卽道心矣. 又如何分別?"

曰 : "這箇畢竟是生於血氣."151

물었다. "인심과 도심에서 예를 들면 음식과 남녀의 욕정이 그 올바름에서 나온 것은 도심입니다. 또 어떻게 분별합니까?"

답했다. "인심은 분명 혈기血氣에서 나온다."

[32-1-90]

"心定者其言重以舒. 言發於心, 心定則言必審, 故的確而舒遲. 不定則內必紛擾, 有不待思而發, 故淺易而急迫. 此亦志動氣之驗也."152

(주자가 말했다.) "'마음이 안정된 사람은 그 말이 중후하여 느긋하다.'153고 했는데, 말은 마음에서 발설되니, 마음이 안정되면 말이 반드시 세심하므로 적확하며 느긋하고, 안정되지 않으면 안에서 반드시 어지러워서 생각하지 않고 발설하므로 천박하고 급박하다. 이것은 또한 지志가 기氣를 움직인다154는

150 『朱子語類』 권78, 199조목

151 『朱子語類』 권78, 199조목

152 『朱子語類』 권96, 55조목

153 『河南程氏外書』 권11 「時氏本拾遺」 : "心定者, 其言重以舒, 不定者, 其言輕以疾."

154 『孟子』「公孫丑上」 : "'고자가 「말에 이해되지 못하거든 마음에 알려고 구하지 말며, 마음에 이해되지 못하거든 기운에 구하지 말라.」고 한 말에서, 마음에 이해되지 못하거든 기운에 구하지 말라는 것은 옳지만, 말에 이해되지 못하거든 마음에 구하지 말라는 것은 옳지 않다. 의지[志]는 기의 장수이고, 기는 몸에 꽉 차 있는 것이니, 의지가 최고이고 기가 그 다음이다. 그러므로 말하기를 「그 의지를 잘 잡고 또 기를 포악하게 하지 말라.」고 했다.' 공손추가 말했다. '이미 의지가 최고이고 기가 그 다음이라고 하셨고, 또 의지를 잘 잡고 그 기를 포악하게 하지 말라고 하신 것은 무엇입니까?' 맹자가 말했다. '의지가 한결같으면 기를 동하고 기가 한결같으면 의지를 동하니, 지금 넘어지는 자와 달리는 자는 이것이 기이지만 도리어 그 마음을 동하게 된다.'('告子曰, 「不得於言, 勿求於心, 不得於心, 勿求於氣.」 不得於心, 勿求於氣, 可, 不得於言, 勿求於心, 不可. 夫志, 氣之帥也, 氣, 體之充也. 夫志至焉, 氣次焉. 故曰, 「持其志, 無暴其氣.」' '旣曰, 志至焉, 氣次焉,

징험이다."

[32-1-91]

"'心大則百物皆通.' 通只是透得那道理去. 病則是窒礙了."155

問 : "如何是心小則百物皆病?"

曰 : "此言狹隘則事有窒礙不行, 如仁則流於姑息, 義則入於殘暴, 皆見此不見彼."156

(주자가 말했다.) "'마음이 크면 백 가지의 것들이 모두 통한다.'157 통한다는 말은 도리를 분명하게 보는 것이다. 병이 들면 막혀버린다."

물었다. "마음이 작아지면 백 가지 것들이 모두 병든다는 것은 무엇입니까?"

답했다. "이것은 협애하게 되면 사물이 막혀 행해지지 않아서, 예들 들어 인仁이 고식姑息(무원칙적인 관용)으로 흘러가고, 의義가 잔혹하고 포악함으로 빠져버리는 것이니, 모두 이것을 보고 저것을 보지 못하는 것이다."

[32-1-92]

問 : "橫渠云, '心要洪放.' 又曰, '心大則百物皆通, 心小則百物皆病.' 孫思邈云, '膽欲大而心欲小.'竊謂橫渠之說, 是言心之體, 思邈之說, 是言心之用, 未知是否?"

曰 : "心自有合要大處, 有合要小處. 若只著題目斷了, 則便無可思量矣."158

물었다. "횡거는 '마음은 넓어야 한다.'159고 했고, 또 '마음이 크면 백 가지 것들이 모두 통하고 마음이 작으면 백 가지 것들이 모두 병든다.'고 했으며, 손사막孫思邈160은 '담膽은 커야 하고 마음은 조심해야 한다.'고 했습니다. 횡거의 말들은 마음의 본체를 말하고 손사막의 말은 마음의 작용을 말한다고 생각하는데, 옳은지 모르겠습니다."

답했다. "마음에는 본래 크게 해야 할 곳이 있고 조심해야 할 곳이 있다. 만약 단지 주제에만 합치시켜 판단한다면 사량思量할 수가 없다."

又曰, 持其志無暴其氣者, 何也? 曰, '志壹則動氣, 氣壹則動志也. 今夫蹶者趨者, 是氣也, 而反動其心.')"

155 『朱子語類』 권98, 111조목

156 『朱子語類』 권98, 112조목

157 『張子全書』 권5 「禮樂」

158 『朱文公文集』 권60 「書 · 答潘子善」

159 『張子全書』 권5 「禮樂」

160 孫思邈 : 손사막(581~682)은 당나라 때의 유명한 한의사이며 도사이다. 華原 사람이다. 일생 동안 의학을 연구했다. 『千金要方 · 千金翼方』 각 30권을 저술하여 각종 질병 수백 종에 대하여 논술하고, 질병의 예방 · 치료에 관한 처방을 거의 1만여 帖이나 수집하여 중국 최초의 임상백과전서를 만들었다.

[32-1-93]
問 : "心如何能通以道使無限量?"
曰 : "心不是橫門硬迸教大得. 須是去物欲之蔽, 則淸明而無不知. 窮事物之理, 則脫然有貫通處. 橫渠曰, '不以聞見梏其心'. '大其心, 則能體天下之物'. 所謂通之以道, 便是脫然有貫通處. 若只守聞見, 便自然狹窄了."[161]
물었다. "마음은 어떻게 해야 도道로 통하여 정해진 양이 없게 됩니까?"
답했다. "마음은 정당하지 않은 방법으로 억지로 넓혀 크게 할 수 없다. 반드시 물욕物欲의 가려짐을 제거하면 맑고 밝아서 알지 못함이 없게 되고, 사물의 이치를 궁구하면 홀연히 관통하는 곳이 있게 된다. 횡거가 '보고 듣는 지식으로 그 마음을 얽매이지 말라.'[162]하고 '그 마음을 크게 하면 세상의 모든 것을 체득할 수 있다.'[163]고 했다. '도로써 통한다'는 것은 홀연히 관통하는 곳이 있는 것이다. 만약 듣고 보는 것만을 고집한다면 저절로 좁아지게 될 것이다."

[32-1-94]
"橫渠所謂立得心, 只是作得主底意思."[164]
(주자가 말했다.) "횡거가 말한 마음을 세우라는 것은 주인을 만들라는 뜻이다."

[32-1-95]
問 : "橫渠說客慮多而常心少, 習俗之心勝而實心未完. 所謂客慮與習俗之心有分別否?"
曰 : "也有分別. 客慮是泛泛底思慮. 習俗之心便是從來習染偏勝底心. 實心是義理底心."[165]
물었다. "횡거는 '객려客慮가 많으면 상심常心이 적어지고, 습속의 마음이 이기면 실심實心이 완성되지 못한다.'[166]고 했는데, 객려와 습속의 마음이라고 하는 것은 분별이 있습니까?"
답했다. "또한 분별이 있다. 객려는 떠도는 사려이고, 습속의 마음은 옛날부터 익숙해지고 물들어 편협해진 마음이다. 실심實心은 의리義理의 마음이다."

[32-1-96]
問 : "某嘗著心說云, '「維天之命, 於穆不已.」所以爲生物之主者, 天之心也. 人受天命而生, 因全得夫天之所以生我者以爲一身之主, 渾然在中, 虛靈知覺, 常昭昭而不昧, 生生而不可已,

161 『朱子語類』 권99, 48조목
162 『張子全書』 권2 「正蒙 · 大心篇」
163 『張子全書』 권2 「正蒙 · 大心篇」
164 『朱子語類』 권99, 33조목
165 『朱子語類』 권98, 118조목
166 『張子全書』 권7 「學大原下」

是乃所謂人之心. 其體則卽所謂元亨利貞之道, 具而爲仁義禮智之性. 其用則卽所謂春夏秋冬之氣, 發而爲惻隱羞惡辭讓是非之情. 故體雖具於方寸之間, 而其所以爲體, 則實與天地同其大, 萬物[167]蓋無所不備, 而無一物出乎是理之外. 用雖發乎方寸之間, 而其所以爲用, 則實與天地相流通, 萬事蓋無所不貫, 而無一理不行乎事之中. 此心之所以爲妙, 貫動靜, 一顯微, 徹表裏, 始終無間者也.

人惟拘於陰陽五行所值之不純, 而又重以耳目口鼻四肢之欲爲之累, 於是, 此心始梏於形器之小, 不能廓然大同無我, 而其靈亦無以主於心矣[168]. 人之所以欲全體此心而常爲一身之主者, 必致知之力到而主敬之功專, 使胷中光明瑩淨, 超然於氣稟物欲之上, 而吾本然之體所與天地同大者, 皆有以周徧昭晣而無一理之不明, 本然之用與天地流通者, 皆無所隔絶間斷而無一息之不生. 是以方其物之未感也, 則此心澄然惺惺, 如鑑之虛, 如衡之平, 蓋眞對越乎上帝, 而萬理皆有定於其中矣. 及夫物之旣感也, 則姸媸高下之應, 皆因彼之自爾, 而是理固周流該貫, 莫不各止其所. 如乾道變化, 各正性命, 自無分數之差, 而亦未嘗與之俱往矣.

靜而天地之體存, 一本而萬殊, 動而天地之用達, 萬殊而一貫. 體常涵用, 用不離體, 體用渾淪, 純是天理, 日常呈露於動靜間. 夫然後向之所以全得於天者在我, 眞有以復其本,[169] 而維天於穆之命亦與之爲不已矣. 此人之所以存夫心之大略也.'[170]

所謂體與天地同其大者, 以理言之耳. 蓋通天地間, 惟一實然之理而已, 爲造化之樞紐, 古今人物之所同得. 但人爲物之靈, 極是體而全得之, 總會於吾心, 卽所謂性. 雖會在吾之心爲我之性, 而與天固未嘗間, 此心之所謂仁, 卽天之元, 此心之所謂禮, 卽天之亨, 此心之所謂義, 卽天之利, 此心之所謂智, 卽天之貞, 其實一致, 非引而譬之也. 天道無外, 此心之理亦無外, 天道無限量, 此心之理亦無限量, 天道無一物之不體, 而萬物無一之非天, 此心之理亦無一物之不體, 而萬物無一之非吾心. 那箇不是心做, 那箇道理不具於心? 天下豈有性外之物而不統於吾心是理之中也哉?

但以理言, 則爲天地公共不見其切於己. 謂之吾心之體, 則卽理之在我有統屬主宰而其端可尋也. 此心所以至靈至妙, 凡理之所至, 其思隨之, 無所不至. 大極於無際而無不通, 細入於無倫而無不貫, 前乎上古後乎萬世而無不徹, 近在跬步遠在萬里而無不同. 雖至於位天地育萬物, 亦不過充吾心體之本然而非外爲者. 此張子所謂'有外之心不足以合天心'者也.

167 萬物 : 『朱子全書』에는 '萬理'로 되어 있다.

168 主於心 : 『朱文公文集』에는 '主於身'으로 되어 있다.

169 『朱文公文集』에서는 "夫然後向之所以全得於天者, 在我眞有以復其本,"으로 되어 있다.

170 『朱文公文集』에서는 "王丞子正云, '看得儘有功, 但所謂心之體與天地同大, 而用與天地流通, 必有徵驗處, 更幸見教.'淳因復有後篇"이라는 구절이 삽입되어 있다.

所謂用與天地相流通者, 以是理之流行言之耳. 蓋是理在天地間, 流行圓轉, 無一息之停. 凡萬物萬事小大精粗, 無一非天理流行. 吾心全得是理, 而天理之在吾心, 亦本無一息不生生而不與天地相流行. 人惟欲浄情逵不隔其所流行, 然後常與天地流通耳.

且如惻隱一端, 近而發於親親之間, 親之所以當親, 是天命流行者然也. 吾但與之流行而不虧其所親者耳. 一或少有虧焉, 則天理隔絶於親親之間而不流行矣. 次而及於仁民之際, 如老者之所以當安, 少者之所以當懷, 入井者之所以當怵惕, 亦皆天命流行者然也. 吾但與之流行而不失其所懷所安所怵惕者耳. 一或少有失焉, 則天理便隔絶於仁民之際而不流行矣. 又遠而及於愛物之際, 如方長之所以不折, 胎之所以不殺, 殀之所以不夭, 亦皆天命流行者然也. 吾但與之流行而不害其所長所胎所殀者耳. 一或少有害焉, 則天理便隔絶於愛物之際而不流行矣. 凡日用間四端所應皆然. 但一事不到, 則天理便隔絶於一事之下, 一刻不貫, 則天理便隔絶於一刻之中. 惟其千條萬緒皆隨彼天則之自爾, 而心爲之周流貫帀[171]無人欲之間焉, 然後與元亨利貞流行乎天地之間者同一用矣. 此程子所以指天地變化草木蕃以形容恕心充擴得去之氣象也. 然亦必有是天地同大之體, 然後有是天地流通之用, 亦必有是天地流通之用, 然後有是天地同大之體, 則其實又非兩截事也.

或謂天命性心雖不可謂異物, 然各有界分不可誣也. 今且當論心體, 便一向與性與天衮同說去, 何往而不可? 若見得脫灑, 一言半句亦自可見. 更宜涵養體察.

某思之, 體與天地同大, 用與天地流通. 自原頭處論, 竊恐亦是如此. 然一向如此, 則又涉於過高而有不切身之弊. 不若且只就此身日用見定言'渾然在中者爲體, 感而應者爲用'爲切實也. 又覺聖賢說話如平常然."

曰: "此說甚善. 更寛著意思涵泳, 則愈見精密矣. 然又不可一向如此向無形影處追尋. 更宜於日用事物經書指意史傳得失上做工夫, 卽精粗表裏融會貫通而無一理之不盡矣."[172]

물었다. "제가 심설心說을 지어 다음과 같이 말했습니다. '「하늘의 명이여, 아! 그윽하여 끝이 없다.」라고 했으니, 만물을 낳는 주인이 되는 것은 하늘의 마음이다. 사람은 천명天命을 받아서 생겨나는데, 하늘이 나를 낳게 하는 것을 온전히 얻어서 한 몸의 주인으로 삼았기 때문에 내 속에 혼연하게 있어서, 허령지각虛靈知覺이 항상 밝게 비추어 어둡지 않아, 낳고 나아 그칠 수가 없으니, 이것이 곧 사람의 마음이다. 그 체體는 원元 · 형亨 · 정利 · 이貞의 도라고 하는 것이니, 그것이 구비되어 인仁 · 의義 · 예禮 · 지智의 성性이 된다. 그 용用은 봄 · 여름 · 가을 · 겨울의 기氣라고 하는 것이니, 그것이 발현하여 측은 · 수오 · 사양 · 시비의 정情이 된다. 그러므로 그 체가 마음속에 구비되었지만, 그것이 체가 되는 것은 실로 천지天地와 그 크기를 같이하니, 만물이 갖추어지지 않은 것이 없어서 이 이치 밖으로 벗어난 것은 없다. 그

171 周流貫帀 : 帀(잡)이 『四庫全書』에는 通으로 되어 있고, 『朱文公文集』에서는 匝으로 되어 있다.
172 『朱文公文集』 권57 「書 · 答陳安卿」

용은 마음속에서 발현되지만 그것이 용이 되는 것은 실로 천지와 함께 서로 교류하여 통하니, 모든 일에 관통되지 않은 것이 없어서, 하나의 이치가 일 속에서 행해지지 않는 것은 없다. 이 마음이 신묘한 것은 움직임과 고요함을 관통하고, 드러남과 은미함에 일관되며, 겉과 안이 통하며, 시작과 끝에 틈이 없는 것이다.

사람은 오직 음양오행이 배치된 불순함에 구애되고 또 다시 이목구비와 사지의 욕망에 얽매이니, 그래서 이 마음이 형기刑器의 작음에 붙잡혀 확연하게 무아無我와 크게 같아질 수가 없어서 그 영靈이 마음에서 주도하지 못한다. 사람이 이 마음을 온전하게 체득하여 항상 한 몸의 주인이 되게 하려는 것은 반드시 치지致知의 노력이 이르고 주경主敬의 공부가 집중되어, 가슴속의 광명光明을 밝고 맑게 해서, 기품과 물욕 위로 초연하게 뛰어넘어야, 나의 본연의 체體가 천지와 크기를 같이 하는 것이 모두 두루두루 밝게 빛나서 분명하지 않은 이치가 하나도 없고, 본연의 용用이 천지와 교류하여 통하는 것이 모두 단절과 틈이 없어 낳지 않는 순간이 하나도 없기 때문이다. 그래서 사물이 감촉하지 않았을 때에는, 이 마음이 맑게 깨어있어, 마치 거울이 텅 비고 저울이 수평을 이루는 것과 같으니, 상제에게 제사 드리듯이 마주하여 만 가지 이치가 모두 그 마음속에 정해져 있는 것이다. 사물에 감촉하였을 때에는 예쁘고 추하며 높고 낮은 반응이 모두 상대가 스스로 그러함에 기인하니, 이 이치가 두루 흘러 모든 것에 관통하여 각각 그 마땅한 장소에 멈추지 않음이 없다. 예를 들어 「건도乾道가 변화하여 각각 그 성性과 명命이 올바로 된다.」는 것이니, 저절로 분수分數의 차이가 없고 또한 그것과 함께 모두 가지 않았던 적이 없다. 고요하여 천지의 체가 보존되니 하나의 근본이지만 만 가지 다름이 있으며, 움직여 천지의 용用이 이르니, 만 가지 다름이지만 하나로 꿰뚫는다. 체는 항상 용을 포함하고, 용은 체를 떠나지 않아, 체와 용이 붙어서, 모두 천리天理이니, 일상생활의 동정動靜 사이에서 드러난다. 그러나 향후에 하늘에서 온전히 얻은 것이 나에게 있어서 진실로 그 근본을 회복시키는 것이 있으니, 하늘의 그윽한 명 역시 이와 더불어 그치지 않는다. 이것이 사람이 이 마음을 보존하는 대략이다.

이른바 체體가 천지와 그 크기를 같이 하는 것은 이치로써 말한 것뿐이다. 왜냐하면 천지 사이를 통틀어 오직 하나의 실제로 그러한 이치일 뿐이니, 조화의 지도리이고, 고금의 사람과 사물이 동일하게 얻기 때문이다. 단지 사람은 만물 가운데에서 영靈한 것이어서 이 체를 지극히 하여 온전하게 얻어, 나의 마음에서 모이니, 이른바 성性이다. 나의 마음에 모여 나의 성이 되지만 하늘과 틈이 벌어진 적이 없으니, 이 마음에서 인仁이라하는 것이 곧 하늘의 원元이고, 이 마음에서 예禮라고 하는 것이 곧 하늘의 형亨이며, 이 마음에서 의義라고 하는 것이 곧 하늘의 이利이고, 이 마음에서 지智라고 하는 것이 곧 하늘의 정貞이나, 그 실질은 한 가지 이치이어서 이끌어 비유할 것이 아니다. 천도天道는 바깥이 없으니, 이 마음의 이치도 바깥이 없고, 천도는 제한된 양이 없으니, 이 마음의 이치도 제한된 양이 없고, 천도는 몸으로 삼지 않는 것이 하나도 없어 만물 가운데 하늘이 아닌 것은 하나도 없으니, 이 마음의 이치도 몸으로 삼지 않는 것이 하나도 없어 만물 가운데 나의 마음이 아닌 것은 하나도 없다. 어느 것인들 마음이 한 것이 아니며, 어떤 도리인들 마음에 구비되지 않겠는가? 세상에 어찌 성에서 벗어난 것이 있겠으며 나의 마음의 이 이치 가운데에서 통괄되지 않겠는가?

단지 이치로 말하자면, 천지의 공공公共으로 자기에게 그 절실함이 들어나지 않는다. 나의 마음의 체라고 한 것은 이치가 나에게서 통괄하는 주재가 있어 그 단서를 찾을 수 있다. 이 마음이 지극히 영묘靈妙하여 이치가 이르는 것을 그 사려가 따라서 이르지 않는 것이 없다. 태극이 한계가 없어 통하지 않음이 없고, 세밀한 것이 비교할 것이 없어 관통되지 않음이 없으며, 앞으로는 상고시대에서 뒤로는 만대에 이르도록 통하지 않음이 없고, 가까이로는 반걸음에서 멀리로는 만 리에 이르기까지 같지 않음이 없다. 하늘과 땅이 자리 잡고 만물을 양육함에 이르러서도 또한 내 마음의 본연의 체가 확충된 것에 불과하여 밖에서 한 것이 아니다. 이것이 장자張子(장횡거)가 말하는 「밖에 있는 마음은 천심天心에 합치하기에는 부족하다.」[173]는 말이다.

이른바 용用이 천지와 서로 교류하여 통하는 것은 이 이치가 유행하는 것으로 말한 것일 뿐이다. 왜냐하면 이 이치가 천지 사이에 있어 유행하고 두루 회전하여 한 순간도 정지하지 않기 때문이다. 크고 작고 정밀하고 거친 모든 것과 모든 일에서 천리가 유행하지 않는 것은 하나도 없다. 나의 마음은 이 이치를 온전히 얻었으니, 천리가 나의 마음에 있어서 또한 낳지 않거나 천지와 서로 유행하지 않는 것은 본래 한 순간도 없다. 사람은 오직 욕망을 깨끗이 하고 모든 정에 통달하여 그 유행하는 것이 막히지 않은 후에야 항상 천지와 함께 유행할 뿐이다.

예를 들어 측은한 마음의 한 단서는 가까이로는 부모를 친애하는 사이에서 발현되는데, 친애함에 마땅히 친애해야 하는 것은 천명이 유행하는 것이 그러한 것이다. 내가 단지 그것과 함께 유행하는 데에 그 친애해야 하는 것을 어그러뜨리지 않을 뿐이다. 한 번 혹 조금이라도 어그러뜨린다면 천리가 부모를 친애하는 사이에 단절되어 유행하지 않는다. 다음은 백성을 사랑하는 때에 이르러 예를 들면 노인을 마땅히 편안하게 하고, 어린이를 마땅히 품어야 하고, 우물에 빠지려는 어린이를 보고 마땅히 두렵고 놀라야 하는 것 또한 모두 천리가 유행하는 것이 그러한 것이다. 내가 단지 그것과 유행하는 데에 그 품어야 하고 편안하게 하고 두렵고 놀라야 하는 것을 잃지 않아야 할 뿐이다. 한 번 혹 조금이라도 잃는다면 천리가 백성을 사랑하는 때에 단절되어 유행하지 않는다. 또한 멀리로는 만물을 아끼는 때에 이르러, 예를 들면 한창 자라나는 것을 꺾지 않고, 잉태된 것을 살해하지 않으며, 어린 것을 죽이지 않는 것은[174] 역시 천리가 유행하는 것이 그러한 것이다. 나는 단지 그것과 유행하는 데에 자라나는 것과 잉태된 것과 어린 것을 죽이지 않을 뿐이다. 한 번 혹 조금이라도 해친다면 천리는 만물을 아끼는 때에 단절되어 유행하지 않는다.

일상생활에서 사단四端이 반응하는 것이 모두 그러하다. 다만 한 가지 일에 이르지 않으면 천리가 한 가지 일에서 단절되고, 한 시각에 관통되지 않으면 천리는 한 시각 중에서 단절된다. 오직 그 천만가지 단서가 모두 이 하늘의 준칙의 스스로 그러함을 따를 뿐이니, 마음이 두루 흐르고 관통하여 인욕이 없는 사이가 된 후에 원·형·이·정이 천지 사이에 유행하는 것과 동일하게 작용한다. 이것이 정자程子가 천지가 변화하고 초목이 번성한 것을 가리켜서 서심恕心[175]을 확충해나가는 기상을 형용한 것이다. 그러나 또한 반드시 이 천지에 크기를 같이 하는 체體가 있은 후에야 이 천지와 교류하고 통하는 용用이

173 『張子全書』「正蒙·大心篇」

174 어린 것을 … 것은: 『禮記』「王制」의 "不殺胎, 不殀夭, 不覆巢."에서 鄭玄은 "殀, 斷殺."이라고 주해했다.

175 恕心: 恕心에 대하여 『二程粹言』에서는 "或問, '何謂忠? 何謂恕?' 子曰, 維天之命, 於穆不已, 忠也. 天地變化, 草木蕃, 恕也."라고 하여 '天地變化, 草木蕃.'으로 설명하였다.

있고, 또한 반드시 이 천지와 교류하고 통하는 용이 있은 후에야, 이 천지에 크기를 같이하는 체가 있으니, 그 실제는 또한 두 가지 일이 아니다.
어떤 사람은 「천명 · 성性 · 마음은 다른 것이라고 말할 수가 없지만 각각 경계가 있어서 속일 수가 없다고 한다. 지금 또 마음의 체를 논하자면 계속 성과 천과 섞어 동일하게 말하니, 어떤 것인들 가능하지 않겠는가? 만약 초탈할 정도로 보았다면 일언반구에도 저절로 드러날 것이다. 다시 마땅히 함양하고 체찰體察해야 한다.」[176]고 한다.
내가 생각하건대, 체는 천지와 크기를 같이 하고, 용은 천지와 교류하여 통한다. 원두처原頭處로부터 논한다면 아마도 또한 이와 같을 것이다. 그러나 한결같이 이렇게만 한다면 또 지나치게 고원한 데로 넘어가 나의 몸에 절실하지 않는 폐단이 있다. 그래서 이 몸의 일상생활에서 드러나는 「혼연히 마음속에 있는 것이 체이고 감촉하여 반응하는 것이 용이다.」라고 정해서 말하는 것을 절실한 것으로 여기는 것만 못하다. 또한 성현이 말한 것이 이와 같이 평상적인 것을 깨닫는다.'"
답했다. "이 말이 매우 좋다. 다시 의미를 넓혀 함양하면 더욱 정밀하게 볼 것이다. 그러나 또 한결같이 이처럼 형체와 그림자가 없는 곳으로 추구해서는 안 된다. 다시 마땅히 일상생활 속의 일들과 경서經書가 가리키는 뜻과 역사적인 기록들의 득실에서 공부해야만 하니, 정밀하고 거칠고 겉과 안이 융회하고 관통하여 다하지 못할 이치가 하나도 없을 것이다."

[32-1-97]

問 : "心存時也有邪處, 故有人心道心. 如佛氏所謂作用是性, 也常常心存."

曰 : "人心是箇無揀擇底心, 道心是箇有揀擇底心. 佛氏也不可謂之邪, 只是箇無揀擇底心. 到心存時已無大段不是處了."[177]

물었다. "마음이 보존될 때도 사특한 곳이 있으므로, 인심人心과 도심道心이 있습니다. 예컨대, 불교에서 말하는 작용作用이 성性이라는 것도 항상 마음이 보존됩니다."[178]
답했다. "인심은 간택揀擇하는 것이 없는 마음이고, 도심은 간택하는 것이 있는 마음이다. 불교도 사특하다고 말할 수는 없고, 단지 간택하는 것이 없는 마음이다.[179] 마음이 보존되었을 때 대부분 옳지 않은 곳은 없어진다."

176 이 구절은 王丞의 말이다. 『朱子全書』에서는 "王丞批, '此篇後截稍近.'"이라는 구절 뒤에 이어져 있다.
177 『朱子語類卷』, 권12, 157조목
178 "마음이 보존될 … 보존됩니다." : 『朱子語類考文解義』에서는 이렇게 설명한다. "작용을 성으로 삼아서 소견이 차이가 나니, 보존된 바가 역시 사특하여 올바르지 않음을 말한다.(言以作用爲性, 所見旣差, 則所存者, 亦邪而不正也.)"
179 단지 간택하는 … 마음이다. : 『朱子語類考文解義』에서는 이렇게 설명한다. "불교는 오직 그 마음이 발하는 것만을 믿고서 성찰의 노력을 가하지 않으니, 이것이 곧 작용을 성으로 삼는 학설이다. 그러나 그 마음이 보존되면 사특하다고 말할 수가 없다. 왜냐하면 마음이 보존되어 발현하지 않았다면 곧바로 그 올바르지 않음을 배척하기가 어렵기 때문이다.(釋氏惟信其心之所發而不加省察之功, 是乃作用爲性之說. 然其心旣存則不可便謂之邪. 蓋心存而未發, 則難以遽斥其不正也.)"

[32-1-98]

南軒張氏曰："人受天地之中以生，有是心也．天命之謂性，精微深奥，非言所可窮極，而妙其蘊者心也．"[180]

남헌 장씨南軒張氏[張栻][181]가 말했다. "사람은 천지의 중中을 받아서 생겨나니 이 마음이 있다. 천명을 성이라 하는데 정미精微하고 심오하여 말로 지극히 할 수가 없는 바이니, 그 온축한 것을 미묘하게 한 것이 마음이다."

[32-1-99]

象山陸氏曰："人心至靈，此理至明．人皆有是心，心皆具是理．"[182]

상산 육씨象山陸氏[陸九淵][183]가 말했다. "인심은 지극히 영묘하고 이 이치는 지극히 분명하다. 사람은 모두 이 마음을 가지고 있고 마음은 모두 이 이치를 구비하고 있다."

[32-1-100]

勉齋黃氏曰："古人以心配火，此義最精．"

면재 황씨勉齋黃氏[黃榦][184]가 말했다. "옛날 사람들은 마음을 불에 배당했으니, 이러한 의미가 가장 정밀하다."

[32-1-101]

"說虛靈知覺便是理，固不可．說虛靈知覺與理是兩項，亦不可．須當說虛靈知覺上見得許多道理．且如孩提之童知愛其親，長而知敬其兄．愛敬處，便是道理，知愛知敬，便是知覺．雖然如此說，若看不分明，又錯看成兩項，不若只將怵惕惻隱一句看爲尤切．蓋怵惕惻隱，因情以見理也．能怵惕惻隱，則知覺也．"

180 『南軒集』 권15 「序 · 送曾裘父序」

181 南軒張氏[張栻] : 張栻(1133~1180)은 四川 綿竹人으로 자는 敬夫이고 또 다른 자는 樂齋이고 호는 南軒이다. 남송 시대 유명한 유학자이고, 岳麓書院의 창시자이다. 승상 張浚의 아들이고, 어려서부터 胡宏으로부터 사사를 받고 이학을 전수받았다. 후에 長沙의 城南書院과 악록서원을 오랫동안 맡고서 주희와 여조겸과 함께 '東南三賢'이라고 칭해진다. 右文殿修撰을 지냈으며 저서에 『南軒全集』이 있다.

182 『象山集』 권22 「雜著 · 雜說」

183 象山陸氏[陸九淵] : 陸九淵(1139~1192)은 江西 金谿 사람으로 字는 子靜이고, 號는 象山이다. 兄인 陸九韶 · 陸九齡 등과 함께 '三陸子'라고 일컬어진다. '마음이 곧 이치[心卽理]'라고 주장하여 주희와는 다르다. 그의 심즉리설은 王陽明이 실천에 중점을 두는 心學, 즉 知行合一說로 계승됨으로써 陸王學派로 성립되었었다. 저서에 『陸象山全集』이 있다.

184 勉齋黃氏[黃榦] : 黃榦(1152~1221)은 자는 直卿이고, 호는 勉齋이다. 송대 福州閩縣(현 복건성 福州) 사람으로 주희의 고족제자인 동시에 사위이다. 주희의 蔭補로 漢陽軍 · 安慶府 등에서 관직을 역임하였다. 저서는 『書說』 · 『六經講義』 · 『勉齋集』 등이 있고, 『朱子行狀』을 집필했다.

(면재 황씨가 말했다.) “허령지각虛靈知覺이 곧 이치라고 말하면 옳지 않다. 허령지각과 이치는 두 가지라고 말하는 것도 옳지 않다. 반드시 허령지각 속에서 수많은 도리를 본다고 말해야 한다. 또한 어린아이가 그 부모를 사랑하는 것을 알고 자라나서 그 형제를 공경하는 것을 안다. 사랑하고 공경하는 곳이 바로 도리이고, 사랑하는 것을 알고 공경하는 것을 아는 것이 지각이다. 이렇게 말한다고 해도 보아서 분명하게 하지 않는다면 또 잘못 보아 두 가가지가 되니, 두려워하고 근심하는 마음과 측은한 마음 한 구절을 더욱 절실하게 보는 것만 못하다. 왜냐하면 두려워하고 근심하는 마음과 측은한 마음은 정情을 통해서 이치가 드러나기 때문이다. 두려워하고 근심하며 측은해 할 수 있는 것은 지각이다.”

[32-1-102]

“心之能爲性情之主宰者, 以其虛靈知覺也. 此心之理, 炯然不昧, 亦以其虛靈知覺也. 自當隨其所指各自體認, 其淺深各自不同. 心能主宰, 則如謝氏常惺惺之謂, 此只是能持敬則便能如此. 若此心之理炯然不昧, 如大學所謂明德, 須是物格知至, 方能如此, 正不須安排倂合也.”[185]

(면재 황씨가 말했다.) “마음이 성정性情의 주재가 될 수 있는 것은 허령지각하기 때문입니다. 이 마음의 이치가 밝게 어둡지 않는 것 역시 허령지각하기 때문입니다. 그것이 가리키는 것을 따라서 각자 체인한다면 그 얕고 깊은 것에 각각 다름이 있습니다. 마음이 주재할 수 있는 것은 사씨謝氏[謝上蔡]가 ‘항상 깨어있는 것[常惺惺]’이라고 한 것과 같으니, 이것은 단지 경敬을 유지할 수 있으면 이와 같을 수 있는 것입니다. 이 마음의 이치가 밝게 어둡지 않은 것과 같은 것은 『대학』에서 말하는 명덕明德과 같으니, 반드시 사물의 이치를 궁구하여 앎에 이르면 이와 같을 수 있어서, (심과 성을) 안배하고 병합할 필요가 없습니다.”[186]

[32-1-103]

“人惟有一心, 虛靈知覺者是也. 心不可無歸藏, 故有血肉之心. 血肉之心不可無歸藏, 故有此身體. 身體不可無所蔽, 故須裘葛, 不可無所寄, 故須棟宇. 其主只在心而已. 今人於屋宇身體衣服反切切求過人, 而心上却全不理會.”

(면재 황씨가 말했다.) “사람은 오직 한 마음이 있으니 허령지각이 이것이다. 마음은 귀장歸藏이 없어서는 안 되므로, 혈육血肉의 마음이 있고, 혈육의 마음은 귀장이 없어서는 안 되므로, 이 신체가 있다. 신체는 가려짐이 없어서는 안 되므로, 사시사철의 옷이 있고, 기거할 곳이 없어서는 안 되므로, 반드시 집이 있다. 그 주인은 마음에 있을 뿐이다. 지금 사람들은 집과 신체와 의복에 대해서 도리어 절실하게

185 『勉齋集』 권13 「書 · 復楊志仁書」

186 (심과 성을) … 없습니다. : 「復楊志仁書」에서 이 단락의 앞부분에 이러한 말이 있다. “예를 들어 맹자가 仁을 인심이라고 하였으니, 인은 또 마음입니다. 『大學』에서 명덕을 해석하였으니, 마음이 곧 성이고 성이 곧 심입니다. 답변하신 것의 병통은 마음과 성을 두 가지 것으로 잘못 여기고 또 안배하고 병합하려고 하셨습니다.(如孟子言仁人心也, 則仁又便是心. 大學所解明德, 則心便是性, 性便是心也. 所答之病, 旣誤以心性爲兩物, 而又欲安排倂合.)”

사람보다 많기를 구하는데, 마음에서는 오히려 전혀 이해하지 않는다."

[32-1-104]

北溪陳氏曰 : "心者, 一身之主宰也. 人之四肢運動, 手持足履, 與夫飢思食, 渴思飮, 夏思葛, 冬思裘, 皆是此心爲之主宰. 如今心恙底人, 只是此心爲邪氣所乘, 内無主宰, 所以日用飮食動作失其常度, 與平人異, 理義都喪了, 只空有箇氣往來於脈息之間未絶耳. 大抵人得天地之理爲性, 得天地之氣爲體. 理與氣合, 方成箇心. 有箇虛靈知覺, 便是身之所以爲主宰處. 然這虛靈知覺有從理而發者, 有從氣而發者, 又各不同也."[187]

북계 진씨北溪陳氏[陳淳][188]가 말했다. "마음은 한 몸의 주재이다. 사람의 사지의 운동과 손이 잡고 발이 땅을 밟는 것과 배고프면 먹을 것을 생각하고 목마르면 마실 것을 생각하는 것과 여름에 베옷을 생각하고 겨울에 가죽옷을 생각하는 것 모두는 이 마음이 주재하는 것이다. 예를 들어 지금 마음이 병든 사람은 이 마음에 사기邪氣가 올라타서, 안에 주재가 없는 것이니, 그래서 일상생활에서의 음식과 동작에 그 정상 법도를 잃어 보통사람과 다르니, 의리義理를 모두 잃어서, 공연히 단지 혈맥과 호흡 사이에서 기가 왕래하는 것이 끊이지 않을 뿐이다. 대체로 사람은 천지의 이치를 얻어 성性으로 삼고, 천지의 기氣를 얻어 체體로 삼는다. 이치와 기가 합하여 이 마음을 이룬다. 허령지각이 있으니, 이것이 곧 몸의 주재처가 된다. 그러나 이 허령지각은 이치에 따라서 발현하는 것이 있고, 기를 따라서 발현하는 것이 있어 각각 다르다."

[32-1-105]

"心只似箇器一般, 裏面貯底物便是性. 康節謂心者性之郛郭, 說雖粗而意極切. 蓋郛郭者心也. 郛郭中許多人煙便是心中所具之理相似. 所具之理便是性. 卽這所具底便是心之本體. 理具於心, 便有許多妙用. 知覺從理上發來便是仁義禮智之心, 便是道心. 若知覺從形氣上發來便是人心, 便易與理相違. 人只有一箇心, 非有兩箇知覺, 只是所以爲知覺者不同. 且如飢而思食, 渴而思飮, 此是人心. 至於食所當食, 飮所當飮, 便是道心. 如有飢餓瀕死而蹴爾嗟來等食皆不肯受, 這心從何處發來? 便是就裏面道理上發來. 然其嗟也可去, 其謝也可食, 此等處禮義又隱微難曉. 須是識見十分明徹, 方辨別得."[189]

(북계 진씨가 말했다.) "마음은 그릇과 유사하여 안에 저장해 둔 것이 성이다. 강절이 '마음은 성性의 성곽'이라고 했는데, 말한 것이 거칠지만 의미는 매우 적절하다. 왜냐하면 성곽은 마음이고, 성곽 가운데

187 『北溪字義』 卷上 「心」

188 北溪陳氏[陳淳] : 陳淳(1159~1223)의 자는 安卿이고, 호는 北溪이다. 송대 龍溪 사람으로 주희가 장주 지사일 때 제자가 되어, 주희에게 '남쪽에 와서 나의 도가 진순 한 사람을 얻었다'라는 칭찬을 받았다. 시호는 文安이다. 저서는 『字義詳講』·『論孟學庸口義』·『北溪大全集』 등이 있다.

189 『北溪字義』 卷上 「心」

에 많은 사람들이 거주한 것이 마음속에 구비된 이치와 유사하기 때문이다. 구비된 이치가 곧 성이다. 이 구비된 것이 곧 마음의 본체이다. 이치가 마음에 구비되어, 많은 미묘한 작용이 있다. 지각이 이치를 따라 발현되면, 그것은 곧 인의예지의 마음으로 도심道心이다. 지각이 형기로부터 발현되면, 그것은 곧 인심人心이니, 쉽게 이치와 서로 어긋난다. 사람은 하나의 마음이 있어서, 두 가지 지각을 가지고 있지 않으니, 지각되는 것이 다를 뿐이다. 예를 들어 배고프면 먹을 것을 생각하고, 목마르면 마실 것을 생각하는 것이 인심이다. 마땅히 먹어야할 것을 먹고 마땅히 마셔야할 것을 마시는 것이 도심道心이다. 만일 굶주려서 곧 죽을 것 같은데 발로 차고 욕을 하면서[190] 밥을 주면 모두 받으려고 하지 않으니, 이러한 마음은 어디로부터 발현되는 것인가? 이것은 곧 내면의 도리에서 발현되어 나온다. 그러나 (증자는) '욕을 하면서 주면 먹지 않고 갈 수 있지만, 사과를 하면 먹어야 했다.'[191] 이러한 경우의 예의는 또 은미하여 깨닫기가 어렵다. 반드시 식견이 충분하게 명철해야만 분별할 수 있다."

[32-1-106]

"心有體有用. 具衆理者其體, 應萬事者其用. 寂然不動者其體, 感而遂通者其用. 體卽所謂性, 以其靜者言也, 用卽所謂情, 以其動者言也. 聖賢存養工夫至到. 方其靜而未發也, 全體卓然, 如鑑之空, 如衡之平, 常定在這裏. 及其動而應物也, 大用流行, 妍媸高下, 各因物之自爾而未嘗有絲毫銖兩之差, 而所謂鑑空衡平之體亦嘗自若而未嘗與之俱往也."[192]

(북계 진씨가 말했다.)"마음에는 체體가 있고 용用이 있다. 모든 이치가 구비된 것이 그 체이고, 모든 일에 대응하는 것이 그 용이다. 적연하여 움직이지 않는 것이 그 체이고, 감응하여 통하는 것이 용이다. 체는 이른바 성性이니, 그 고요함으로 말한 것이고, 용은 이른바 정情이니, 그 움직임으로 말한 것이다. 성현聖賢이 그것을 보존하고 함양하는 공부는 매우 훌륭하다. 그 고요하여 발현하지 않을 때는 온전한 체가 드높아서 마치 거울이 텅 빈 듯하고, 저울이 평형을 이룬 것 같아서, 항상 여기에서 안정되어 있다. 그것이 움직여 사물에 응하면 큰 작용이 유행해서, 아름답고 추하거나 높고 낮은 것이 각각 사물 그 자체에 따라 털끝만한 어긋남이 있지 않아서, 이른바 텅 빈 거울과 평형을 이룬 저울과 같은 체 역시 그대로 있으면서 사물과 함께 모두 가버린 적이 없다."

190 욕을 하면서 : 『禮記』「檀弓下」, "제나라에 큰 기아가 발생하였는데, 黔敖가 길거리에서 밥을 지어 배고픈 사람을 기다려 먹여주었다. 어떤 배고픈 사람이 거죽을 둘러쓰고 신발을 끌고 힘들게 오고 있었다. 검오는 왼손에 밥을 들고 오른손에 물을 들고서, '야! 와서 먹어.'라고 하였다. 배고픈 사람은 눈을 치켜뜨고 바라보면서 '나는 그렇게 반말 지껄이면서 오만하게 와서 먹으라고 하는 밥을 먹지 않아서 이 지경이 되었다.'라고 하였다. 금오는 이에 달려가 사과를 하였지만 끝내 먹지 않고 죽었다.(齊大饑, 黔敖爲食於路, 以待餓者而食之. 有餓者蒙袂輯屨, 貿貿然來. 黔敖左奉食, 右執飮曰, '嗟! 來食.' 揚其目而視之曰, '予唯不食嗟來之食, 以至於斯也!' 從而謝焉, 終不食而死.)"

191 '욕을 하면서 … 했다.' : 위의 내용을 들은 증자의 말이다. 『禮記』「檀弓下」: "曾子聞之, 曰, '微與! 其嗟也可去, 其謝也可食.'"

192 『北溪字義』 卷上「心」

[32-1-107]

"性只是理, 全是善而無惡. 心含理與氣, 理固全是善, 氣尚含兩頭在, 未便全是善底物. 纔動便易從不善上去. 心是箇活物, 不是帖靜死定在這裏, 常愛動. 心之動是乘氣動, 故文公感興詩曰, '人心妙不測, 出入乘氣機', 正謂此也. 心之活處, 是因氣成便會活, 其靈處, 是因理與氣合便會靈. 所謂妙者, 非是言至好, 是言其不可測. 忽然出, 忽然入, 無有定時. 忽在此, 忽在彼, 亦無定處. 操之便存在此, 舍之便亡失了. 故孟子曰, '操則存, 舍則亡, 出入無時, 莫知其鄕者, 惟心之謂與!' 存便是入, 亡便是出. 然出非是裏面本體走出外去, 只是邪念感物逐他去而本然之正體遂不見了. 入非是自外面已放底牽入來, 只一念提撕警覺便在此. 人須是有操存涵養之功, 然後本體常卓然在中爲此身主宰, 而無亡失之患. 所貴於學問者爲此也. 故孟子曰, '學問之道無他, 求其放心而已矣', 此意極爲人深切."

(북계 진씨가 말했다.) "성性은 이理이니 온전히 선하고 악이 없다. 마음은 이理와 기氣를 함유하되, 이理는 이 선을 분명 보전하지만 기는 두 가지 측면을 함유하고 있어서 이 선한 것을 보전하지 못한다. 그래서 움직이면 쉽게 불선한 것을 따라 간다. 마음은 살아있는 것이라서, 여기에 가만히 고요하고 죽은 듯이 고정된 것은 아니니, 항상 움직이는 것을 좋아한다. 마음의 움직임은 기를 타고서 움직이므로, 문공文公[朱熹]이 '감흥感興'이라는 시에서 '사람의 마음은 신묘하여 예측할 수 없고, 나가고 들어옴에 기틀을 탄다.'고 했으니 이를 말한 것이다. 마음이 살아 있는 것은 기가 이루어졌기 때문에 살아 있을 수 있는 것이고, 그것이 영험한 것은 이理와 기기 합해져서 영험할 수 있는 것이다. 미묘하다고 한 것은 매우 좋다는 점을 말하는 것이 아니라, 예측할 수 없다는 점을 말한 것이다. 홀연하게 나가고, 홀연하게 들어와서 정해진 때가 없다. 홀연히 여기에 있다가, 홀연히 저기에 있어서, 또한 정해진 장소도 없다. 잡으면 곧 여기에 보존되고, 놓으면 잃는다. 그래서 맹자는 '잡으면 보존되고, 놓으면 잃으니, 나가고 들어옴에 때가 없고 그 돌아가는 곳도 알지 못하는 것은 그 마음을 말한 것이다!'라고 하였다. 보존하면 들어오고 잃으면 나간다. 그러나 나가는 것은 내면의 본체가 밖으로 나가는 것이 아니라, 사념邪念이 사물에 감응하여 그 사물을 쫓아가서 본연의 정체正體가 보이지 않게 되는 것이다. 들어오는 것은 밖에 이미 놓아둔 것을 이끌고 들어오는 것이 아니라, 일념一念이 경각심을 일으켜 여기에 있는 것이다. 사람은 반드시 잡아 보존하고 함양하는 공부가 있은 다음에 본체가 항상 드높게 마음에 들어있어서 이 몸을 주재하여, 잃어버리는 근심이 없다. 학문하는 사람들에게 귀한 것은 이것이다. 그러므로 맹자는 '학문의 도는 다른 것이 아니라 그 놓아둔 마음을 구하는 것일 뿐이다.'라고 했으니 이 뜻이 사람들에게 매우 절실하다."

[32-1-108]

"心雖不過方寸大, 然萬化皆從此出, 正是原頭處. 故子思以未發之中爲天下之大本, 已發之和爲天下之達道."[193]

193 『北溪字義』 卷上「心」

(북계 진씨가 말했다.) "마음은 조그만 크기에 불과하지만 만 가지 변화가 모두 이것에서 나오니 근원이 되는 곳이다. 그러므로 자사子思는 미발未發의 중中을 천하의 대본大本이라고 했고, 이발已發의 조화를 천하의 달도達道라고 했다."

[32-1-109]

"仁者, 心之生道也. 敬者, 心之所以生也."

(북계 진씨가 말했다.) "인仁은 마음의 생겨나게 하는 도이고, 경敬은 마음의 생겨나게 하는 까닭이다."

[32-1-110]

"此心之量極大, 萬理無所不包, 萬事無所不統, 古人每言學必欲其博. 孔子所以學不厭者, 皆所以極盡乎此心無窮之量也. 孟子所謂盡心者, 須是盡得箇極大無窮之量, 無一理一物之或遺, 方是眞能盡得心. 然孟子於諸侯之禮未之學, 豈非爵禄法制之未詳聞,[194] 畢竟是於此心無窮之量終有所欠缺未盡處."[195]

(북계 진씨가 말했다.) "이 마음의 양量은 매우 커서 만 가지 이치가 포함되지 않음이 없고, 모든 일이 통괄되지 않음이 없어, 옛 사람들은 매번 배움은 반드시 넓게 해야 한다고 말했다. 공자가 '배움에 싫증을 내지 않은 것'[196]은 모두 이 무궁한 양을 극진하게 다했기 때문이다. 맹자가 말한 '마음을 다한다.'는 것은 반드시 다하여 이 무궁한 양을 극진하게 크게 해서, 하나의 이치도 하나의 사물도 잃어버리지 않아야 비로소 마음을 다할 수 있는 것이다. 그러나 맹자는 제후의 예禮를 배우지 못했으니, 어찌 작록과 법제를 상세하게 듣지 못한 것이 아니겠는가? 필경 이 마음의 무궁한 양에서 결국 빠진 부분이 있어 다하지 못한 곳이 있다."

[32-1-111]

"心至靈至妙, 可以爲堯舜, 參天地, 格鬼神. 雖萬里之遠, 一念便到, 雖千古人情事變之秘, 一照便知. 雖金石至堅可貫, 雖物類至幽至微可通."[197]

(북계 진씨가 말했다.) "마음은 매우 영험하고 매우 신묘하니 요순堯舜이 되고, 천지에 참여하고 귀신을 부를 수 있다. 만 리나 떨어진 곳일지라도 일념一念에 이를 수 있고, 천년 옛날 사람들의 감정과 일들의 변화의 비밀일지라도 일조一照에 알 수 있다. 그리고 금석金石이 지극히 견고할지라도 꿰뚫을 수 있고, 만 가지 종류의 것들이 지극히 그윽하고 지극히 미세하더라도 통할 수 있다."

194 豈非爵禄法制之未詳聞 : 『北溪字義』 卷上 「心」에는 "豈非爵禄法制之未詳聞" 구절이 "周室班爵禄之制, 未嘗聞."으로 되어 있다.

195 『北溪字義』 卷上 「心」

196 『孟子』「公孫丑上」

197 『北溪字義』 卷上 「心」

[32-1-112]

"橫渠曰, 合虛與氣有性之名, 合性與知覺有心之名.[198] 虛是以理言. 理與氣合, 遂生人物. 受得去成這性, 於是乎方有性之名. 性從理來不離氣, 知覺從氣來不離理, 合性與知覺遂成這心, 於是乎方有心之名."[199]

(북계 진씨가 말했다.) "횡거가 '허虛와 기氣를 합하여 성性이라는 이름이 있고, 성과 지각知覺을 합하여 마음이라는 이름이 있다.'고 했다. 허虛는 이理로써 말한 것이다. 이理와 기氣가 합해야 비로소 사람과 사물을 낳고, 사람과 사물은 이를 받아서 이 성을 이루니, 이에 성이라는 이름이 있다. 성은 이理를 따르되 기氣에서 벗어나지 않고, 지각은 기를 따르되 이理에서 벗어나지 않아서, 성과 지각을 합해서 이 마음을 이루니, 이에 마음이라는 이름이 비로소 있다."

[32-1-113]

潛室陳氏曰 : "人心如鏡, 物來則應, 物去依舊自在. 不曾迎物之來, 亦不曾送物之去. 只是定而應, 應而定."[200]

잠실 진씨潛室陳氏[陳埴][201]가 말했다. "인심은 거울과 같아서 사물이 오면 응하고 사물이 가면 예전처럼 스스로 존재한다. 사물이 오는 것을 환영한 적이 없고, 또 사물이 가는 것을 전송한 적도 없다. 단지 안정되어 응하고, 응하고서 안정될 뿐이다."

[32-1-114]

問 : "明道言中有主則實, 實則外患不能入. 伊川云心有主則虛, 虛則邪不能入. 無主則實, 實則物來奪之. 所主不同何也?"

曰 : "有主則實, 謂有主人在內先實其屋, 外客不能入, 故謂之實. 有主則虛, 謂外客不能入只有主人自在, 故又謂之虛. 知惟實故虛. 蓋心旣誠敬, 則自然虛明."[202]

물었다. "명도明道는 '마음에 주인이 있으면 실實하고, 실하면 외부의 근심이 들어올 수가 없다.'[203]고 했고, 이천은 '마음에 주인이 있으면 텅 비고 텅 비면 사특한 기운이 들어올 수 없다. 주인이 없으면 실實하고 실하면 사물이 와서 빼앗지 못한다.'[204]라고 했는데 그 주인되는 바가 다른 것은 어째서입니까?"

---

198 『張子全書』 卷二 「正蒙一」

199 『北溪字義』 卷上 「心」

200 『木鍾集』 권10 「近思雜問附」

201 潛室陳氏[陳埴] : 陳埴(1176~1232)의 자는 器之이고, 호는 木鍾이다. 송대 永嘉(현 절강성 溫州) 사람이다. 어려서는 葉適에게 배우고 나중에는 주희에게서 배웠다. 송 寧宗 嘉定 7년(1214)에 진사에 급제하여 通直郎을 역임하였다. 嘉定 연간(1208~1224)에 明道書院의 講席을 주재했으며, 그를 따르는 많은 학자들이 潛室先生이라고 불렀다. 저술은 『木鍾集』·『禹貢辨』·『洪範解』 등이 있다.

202 『木鍾集』 권10 「近思雜問附」

203 『河南程氏遺書』 권1 「端伯傳師說」

답했다. "주인이 있으면 실實하다는 것은 주인이 안에서 먼저 그 집을 채우면 외부의 손님이 들어올 수 없으므로 실하다고 했다. 주인이 없으면 텅 빈다는 것은 외부의 손님이 들어올 수 없어서 단지 주인만이 스스로 존재하므로 또 텅 비었다고 한 것이다. 오직 실하기 때문에 텅 빈다는 점을 알아야 한다. 왜냐하면 마음이 성誠하고 경敬했다면 저절로 텅 비고 밝게 되기 때문이다."

[32-1-115]

問 : "伊川說心本善, 發於思慮則有善有不善. 思慮從心生. 心若善, 思慮因何有不善?"

曰 : "思慮以交物而蔽, 故有不善."[205]

물었다. "이천은 '마음은 본래 선한데, 사려에서 발현되면 선이 있고 불선이 있다.'[206]고 했습니다. 사려는 마음에서 생겨나는데 마음이 선하다면 사려는 어떤 것 때문에 불선이 있습니까?"
답했다. "사려는 사물과 교류하여 가려지므로 불선이 있다."

[32-1-116]

問 : "赤子之心與未發之中同否?"

曰 : "赤子之心, 只是眞實無僞. 然喜怒哀樂已是倚向一邊去了. 如生下時便有嗜慾, 不如其意, 便要號啼. 雖是眞實, 已是有所倚著. 若未發之中, 却渾然寂然, 喜怒哀樂都未形見, 只有一片空明鏡界, 未有倚靠, 此時只可謂之中. 要之赤子之心不用機巧, 未發之中乃存養所致, 二者實有異義."[207]

물었다. "아이의 마음과 미발未發의 중中은 같습니까?"
답했다. "아이의 마음은 단지 진실하고 거짓이 없다. 그러나 희노애락은 이미 한편으로 기울어 갔다. 예를 들어 태어날 때부터 기욕嗜慾이 있어서, 그 뜻과 같지 않으면 울고불고 한다. 그것이 진실일지라도 이미 기울어진 점이 있는 것이다. 미발의 중은 혼연하게 적연하여 희노애락이 드러나지 않아서, 다만 한 조각의 텅 빈 밝은 거울과 같은 경계가 있고 기울어지지 않았으니, 이 때를 중中이라고 할 수 있다. 요약하면 아이의 마음은 기교機巧를 사용하지 않은 것이고, 미발의 중은 보존하고 함양하여 이른 것이지만, 두 가지는 실제로 다른 뜻이 없다."

[32-1-117]

西山眞氏曰 : "北辰常不移, 故能爲列宿之宗. 人心常不動, 故能應萬物之變. 不動, 非無所運用之謂也. 順理而應, 不隨物而遷, 雖動猶靜也."[208]

204 『河南程氏遺書』 권15 「入關語錄」
205 『木鍾集』 권10 「近思雜問附」
206 『河南程氏遺書』 권18 「劉元承手編」
207 『木鍾集』 권10 「近思雜問附」

서산 진씨西山眞氏[眞德秀][209]가 말했다. "북극성은 항상 이동하지 않으므로 여러 별자리의 종주宗主가 된다. 사람의 마음은 항상 움직이지 않으므로 모든 것의 변화에 대응할 수 있다. 움직이지 않는 것은 운용運用하는 것이 없다는 말이 아니다. 이치를 따라 대응하고 사물을 따라 변천하지 않으니 움직이더라도 고요한 것과 같다."

[32-1-118]

"收之使入者, 大本之所以立, 推之使出者, 達道之所以行. 不收是謂無體, 不推是謂無用. 太極之有動靜, 人心之有寂感, 一而已矣."[210]

(서산 진씨가 말했다.) "거두어들이게 하는 것은 대본大本이 세워지는 것이고 미루어 나가도록 하는 것은 달도達道가 행해지는 것이다. 거두지 않는 것은 체體가 없음을 말하고, 미루지 않는 것은 용用이 없는 것을 말한다. 태극에는 움직임과 고요함이 있고 사람의 마음에는 적연함과 감응이 있으나 하나일 뿐이다."

[32-1-119]

"大舜十六字開萬世心學之源. 後之聖賢更相授受雖若不同, 然大抵教人守道心之正而遏人心之流耳. 孟子於仁義之心, 則欲其存而不放, 本心欲其勿喪, 赤子之心欲其不失, 凡此皆所謂守道心之正也. 易言懲忿窒慾, 孔子言克己, 大學言好樂憂患則不得其正, 孟子言寡欲, 以小體之養爲戒, 以飢渴之害爲喻, 凡此皆所謂遏人心之流也. 心一而已爾. 由義理而發無以害之, 可使與天地參, 由形氣而發無以檢之, 至於違禽獸不遠. 始也特毫毛之間, 終焉有霄壤之隔, 此精一之功所以爲理學之要歟!"

(서산 진씨가 말했다.) "대순大舜의 16글자[211]는 만세를 연 심학心學의 원류이다. 후대의 성현聖賢이 다시 서로 주고받은 것이 다르지만, 대체로 사람들에게 도심道心의 올바름을 지키고, 인심人心의 유폐를 막는 것을 가르쳤을 뿐이다. 맹자는 인의仁義의 마음에 대해서 그것을 보존하여 잃어버리지 않게 해서, 본심本心을 잃지 말도록 했고, 아이의 마음을 잃지 않도록 했으니, 이것은 도심의 올바름을 지키는 것이다. 『역』에서는 '분노를 억제하고 욕심을 막는다.'[212]고 했고, 공자는 '극기복례克己復禮'를 말했고, 『대학』에

208 『西山讀書記』 권3 「心」

209 西山眞氏[眞德秀] : 眞德秀(1178~1235)의 자는 希元 · 景元 · 景希이고, 호는 西山이다. 송대 浦城(복건성 蒲城) 사람으로 1199년에 진사에 급제하여 太學正 · 參知政事에 이르렀다. 어려서는 주희의 문인인 詹體仁에게 배우고, 스스로 '주희를 사숙하여 얻은 것이 있다.'라고 하였다. 특히 『大學』을 중시하여 '窮理持敬'을 강조하였다. 저서는 『大學衍義』 · 『四書集編』 · 『西山文集』 등이 있다.

210 『西山讀書記』 권3 「心」

211 16글자 : 『書』「虞書 · 大禹謨」의 "人心惟危, 道心惟微, 惟精惟一, 允執厥中"을 말한다.

212 '분노를 억제하고 … 막는다.' : 『易』「損卦 · 象傳」에 "산 아래에 연못이 있는 것이 손괘의 모습이니, 군자는 이것을 본받아 분노를 억제하고 욕심을 막는다.(象曰, 山下有澤, 君子以懲忿窒欲.)"라고 하였다.

서는 '좋아하고 즐거운 것이 있으면 올바름을 얻지 못하고, 근심과 걱정이 있으면 올바름을 얻지 못한다.'[213] 고 했고, 맹자는 '욕심을 줄이라.'고 했으니, 소체小體의 수양으로 경계를 삼고, 먹고 마시는 해로움으로 비유했으니, 이것은 모두 인심의 유폐를 막는다는 것이다. 마음은 하나일 뿐이다. 의리義理를 통해서 발하여 그것을 해치지 않으면 천지와 함께 참여할 수 있게 되고, 형기形氣를 통해서 발하여 검속하지 않으면, 금수와 멀지 않게 된다. 그 시작은 아주 작은 털끝만한 차이지만, 결국에는 하늘과 땅의 격차가 있으니, 이것이 정일精一의 공부가 이학理學의 요체가 되는 까닭이다!"

[32-1-120]

鶴山魏氏曰 : "人之一心, 至近而遠, 至小而大, 至微而著, 所以包括神明, 管攝性情者也."

학산 위씨鶴山魏氏[魏了翁][214]가 말했다. "사람의 일심一心은 지극히 가까우나 멀고, 지극히 작으나 크며, 지극히 미세하나 드러나니, 신명을 포괄하고 성정을 관섭管攝하는 것이다."[215]

[32-1-121]

臨川吳氏曰 : "心學之妙, 自周子程子發其秘, 學者始有所悟, 以致其存存之功. 周子云, '無欲故靜', 程子云, '有主則虛', 此二言者萬世心學之綱要也. 不爲外物所動之謂靜, 不爲外物所實之謂虛. 靜者其本, 虛者其効也."

임천 오씨臨川吳氏[吳澄][216]가 말했다. "심학心學의 미묘함은 주자周子(주렴계)와 정자程子로부터 그 신비를

213 '좋아하고 즐거운 … 못한다.' : 『大學』에 "몸을 수양하는 것이 마음을 올바르게 하는 것에 달려 있다는 것은 몸에 분노와 성냄이 있으면 올바름을 얻지 못하고, 두려움이 있으면 올바름을 얻지 못하며, 좋아하고 즐거운 것이 있으면 올바름을 얻지 못하고, 근심과 걱정이 있으면 올바름을 얻지 못한다.(所謂脩身在正其心者, 身有所忿懥, 則不得其正 ; 有所恐懼, 則不得其正 ; 有所好樂, 則不得其正 ; 有所憂患, 則不得其正.)"라고 하였다.

214 鶴山魏氏[魏了翁] : 魏了翁(1178~1237)의 자는 華父이고 호는 鶴山이며, 邛州蒲江(현 사천성 소속) 사람이다. 시호는 文靖이다. 벼슬은 知漢州 · 知眉州 등 사천성 지역에서 17년간의 지방관을 거쳐 同簽書樞密院事와 資政殿大學士에 이르렀다. 그는 소옹의 선천역학을 신봉하여 「河圖」와 「雒書」의 존재를 믿었으며 소옹이 말한 선천도도 옛날부터 있었던 것이라고 굳게 믿었다. 저술은 『周易要義』를 비롯한 『九經要義』가 있다.

215 湛若水, 『格物通』 권20 「正心下」 : "마음은 광대하여 밖이 없고, 두루 유행하여 끝이 없다. 멀고 가까움이 없고, 크고 작음이 없고, 드러나고 미세함이 없으니 그래서 가까우면서도 멀리 할 수 있고, 작으면서 크게 할 수 있고, 미세하면서도 드러낼 수가 있다. 그러므로 마음을 다하고 마음을 보존하여 세상의 이치를 다한다. 군주가 천하를 다스리는 데에 힘쓰지 않을 수 있겠는가!(臣若水通曰, 心者, 廣大而無外, 周流而無窮者也. 無遠近, 無大小, 無顯微, 是故近而能遠, 小而能大, 微而能著. 故盡心存心而天下之理盡之矣. 人君之治天下, 可不務乎!)"

216 臨川吳氏[吳澄] : 吳澄(1249~1333)의 字는 幼淸이고 만년에 伯淸으로 바꾸었다. 풀로 만든 집에 거주하면서 '草廬'라고 이름지었기 때문에 사람들은 습관적으로 그를 초려 선생이라고 불렀다. 撫州 崇仁 사람이다. 송나라와 원나라 사이의 경학자이며 이학자이다. 주자의 재전 제자인 饒魯의 문인인 程若庸에게서 배워 주희의 후학이며 요노의 재전 제자가 되었다. 저작으로는 『五經纂言 · 草廬精語 · 道德經注 · 三禮考注』 등이 있고, 『草廬吳文正公文集』이 있다.

일으켜, 배우는 사람이 비로소 깨달음이 있어서, 그 보존하고 보존하는[217] 공부에 이르렀다. 주자周子는 '욕심을 없게 하므로 고요하다.'고 했고, 정자程子는 '주인이 있으면 텅 빈다.'라고 했으니, 이 두 가지 말은 만대에 심학의 강요綱要이다. 외부의 사물에 의해서 움직이지 않는 것이 고요함이고, 외부의 사물에 의해서 꽉 차지 않는 것이 텅 빈 것이다. 고요함은 그 근본이고, 텅 빔은 그 효과이다."

217 보존하고 보존하는 : '存存'을 해석한 말이다. 보존한다는 말이다. 『易』「繫辭上」에 보인다. "天地設位, 而易行乎其中矣. 成性存存, 道義之門." 이 구절에 대해서 주자는 "成性은 본래 이루어진 성이다. 存存이란 보존하고 또 보존하여 그치지 않는다는 뜻이다.(成性, 本成之性也. 存存, 謂存而又存不已之意也.)"라고 말하고 있다.

性理大全書卷之三十三

성리대전서 권33

性理五 성리 5

性理五
성리 5

心性情 定性 情意 志氣志意 思慮附 마음 · 성 · 정 정성 · 정의 · 지기지의 · 사려를 덧붙임

[33-1-1]

程子曰 : "自性之有形者謂之心, 自性之有動者謂之情."[1]

정자程子가 말했다. "성으로부터 드러난 것을 마음이라 하고, 성으로부터 움직인 것을 정情이라 한다."[2]

[33-1-2]

問 : "喜怒出於性否?"

曰 : "固是. 纔有生識便有性, 有性便有情. 無性安得有情?"[3]

물었다. "기쁨과 분노는 성으로부터 나오는 것이 아닙니까?"

대답했다. "그렇다. 인식이 있으면 성이 있으니, 성이 있으면 정이 있다. 성이 없다면 어떻게 정이 있겠는가?"

1 『河南程氏遺書』 권25 「暢潛道本」

2 『河南程氏遺書』 권25 「暢潛道本」 : "성의 선함을 칭하여 도라 하니, 도와 성은 하나이다. 성의 선함이 이와 같으므로, 性善이라고 한다. 선의 근본을 命이라하고 성의 自然을 天이라 하며, 성으로부터 드러남이 있는 것을 마음이라 하고, 성으로부터 움직임이 있는 것을 情이라 하니, 이 여러 가지는 모두 하나이다. 성인이 이 사태에 따라서 이름을 제정하였으므로, 다른 것이 이와 같다. 후대 학자들은 문자에 따라서 뜻을 분석하여 기이한 학설을 구하는데 성인의 뜻과는 거리가 멀다.(稱性之善謂之道, 道與性一也. 以性之善如此, 故謂之性善. 性之本謂之命, 性之自然者謂之天, 自性之有形者謂之心, 自性之有動者謂之情, 凡此數者皆一也. 聖人因事以制名, 故不同若此. 而後之學者, 隨文析義, 求奇異之說, 而去聖人之意遠矣.)"

3 『河南程氏遺書』 권18 「劉元承手編」

[33-1-3]

問："喜怒出於外，如何?"

曰："非出於外，感於外而發於中也."

問："性之有喜怒，猶水之有波否?"

曰："然. 湛然平靜如鏡者，水之性也. 及遇沙石，地勢不平，便有湍激. 或風行其上，便爲波濤洶洶，此豈水之性也哉? 人性中只有四端，人豈有許多不善底事? 然無水安得波浪，無性安得情也?"[4]

물었다. "기쁨과 분노는 밖에서 나온다는 점은 어떠합니까?"
대답했다. "밖에서 나오는 것이 아니다. 외부로부터 자극을 받으면 마음속에서 발현된다."
물었다. "성에 기쁨과 분노가 있는 것은 물에 파도가 있는 것과 같지 않습니까?"
대답했다. "그렇다. 맑게 평온하고 고요한 것이 물의 성이다. 그것이 모래와 돌을 만나거나 지세地勢가 평탄하지 않으면 급류와 소용돌이가 있다. 혹은 바람이 그 위를 불게 되면 파도가 거세지니, 이것이 어찌 물의 성이겠는가? 사람의 성에는 사단四端이 있을 뿐이니, 사람이 어찌 많은 불선한 일이 있겠는가? 그러하니 물이 없다면 어떻게 파도가 일고, 성이 없다면 어떻게 정이 있겠는가?"

[33-1-4]

問："性善而情不善乎?"

曰："情者性之動也，要歸之於正而已. 亦何得以不善名之."[5]

물었다. "성은 선하고 정은 불선합니까?"
대답했다. "정은 성의 움직임이니, 올바름으로 회복시켜야할 뿐이다. 또한 어찌 불선함으로 이름 할 수 있겠는가?"

[33-1-5]

張子曰："心統性情者也."

장자張子[張載]가 말했다. "마음은 성과 정을 통괄한다."[6]

4 『河南程氏遺書』 권18 「劉元承手編」
5 『二程粹言』 권하 「天地篇」
6 『朱子語類』 권98, 39조목에 "'心統性情'에서 '통'은 '겸'과 같다.(心統性情. 統, 猶兼也.)"라고 하여, '統'을 아우른다는 '兼'이라고 설명하고 있다. 그러나 그 다음 항목에서는 "통은 주재이니, 백만 군대를 통제한다는 뜻이다. (統是主宰, 如統百萬軍.)"라고 하고 있다. 그래서 아우른다는 뜻과 통제한다는 뜻을 모두 함축한다는 의미에서 통괄한다로 해석했다.

[33-1-6]

"有形則有體, 有性則有情."[7]

(장자가 말했다.) "형形이 있으면 체體가 있고, 성性이 있으면 정情이 있다."[8]

[33-1-7]

"發于性則見于情, 發于情則見于色, 以類而應也."[9]

(장자가 말했다.) "성에서 촉발되면 정에서 드러나고, 정에서 발현되면 안색에서 드러나니, 부류로써 호응한다."[10]

[33-1-8]

龜山楊氏曰: "六經不言無心, 惟佛氏言之. 亦不言修性, 惟揚雄言之. 心不可無, 性不假修, 故易止言洗心盡性, 記言正心尊德性, 孟子言存心養性."[11]

구산양씨龜山楊氏[楊時]가 말했다. "육경六經에서는 무심無心을 말하지 않았는데, 오직 불교에서만 말하였다. 또한 육경에서는 성을 수행하라고 말하지 않았는데, 오직 양웅만이 말했다. 마음은 없을 수가 없고, 성은 수행할 필요가 없으므로, 『역易』에서는 마음을 닦고, 성을 다하라고 했고, 『예기禮記』에서는 마음을 올바로 하고 덕성을 높이라고 했으며, 맹자는 마음을 보존하고 성을 배양하라고 했다."

[33-1-9]

河東侯氏曰: "性之動便是情, 主宰處便是心."

7 『張子全書』 권14 「性理拾遺」

8 이 구절은 소강절의 『皇極經世書』「觀物外篇」에 그대로 인용되어 있는데, 왕식본 『皇極經世書解』에서는 "형이 있으면 체가 있으니, 체는 형을 쪼갠 것일 뿐이고, 성이 있으면 정이 있으니, 정은 성을 나눈 것일 뿐이다.(有形則有體, 體者, 析乎形而已, 有性則有情, 情者, 分乎性而已.)"라고 되어 있다.

9 『張子全書』 권14 「性理拾遺」

10 이 구절은 소강절의 『皇極經世書』「觀物外篇」에 그대로 인용되어 있는데, 왕식본 『皇極經世書解』에서 왕식은 이렇게 설명하고 있다. "생각건대, 주렴계가 말한 강유가 선이 되고 악이 되고 중도가 되는 것과 같은 부류는 품수받은 것이 다르지만, 그것이 발현되고 드러나는 것은 서로 호응하지 않음이 없으니, 각각 종류로써 호응한 것이다.(愚按, 此如周子所言剛柔善惡中之類, 所稟不同, 而其發其見, 無不相應, 各以其類也.)" 또 『皇極經世觀物外篇衍義(황극경세관물외편연의)』에서 장행성은 이렇게 설명하고 있다. "성에서 촉발한 것은 속마음이 일어난 것이니, 속마음이 일어나면, 혈기가 호응하므로, 정에서 드러난다. 혈기가 속에서 움직이면, 안색이 얼굴에 드러나니, 이것은 감출 수가 없다. 오직 위대한 사기꾼과 위대한 성인만이 안색을 통해 그 마음을 다 알아낼 수가 없다.(發乎性者, 內心起也, 內心起, 則血氣應之, 故見於情. 血氣動於中, 顏色見於面, 不得而隱也. 惟大姦大聖, 顏色不能盡其心.)"

11 『龜山集』 권10 「語錄 · 荊州所聞」에 나온 전문은 이러하다. "六經不言無心, 惟佛氏言之. 亦不言修性, 惟揚雄言之. 心不可無, 性不假修, 故易止言洗心盡性. 記言正心尊德性, 孟子言存心養性. 佛氏和順於道德之意. 蓋有之於理義則未也."

하동후씨河東侯氏가 말했다. “성의 움직임이 곧 정이고, 주재하는 것이 마음이다.”

[33-1-10]

五峯胡氏曰 : “探視聽言動無息之本, 可以知性, 察視聽言動不息之際, 可以會情. 視聽言動道義明著, 孰知其爲此心? 視聽言動物欲引取, 孰知其爲人欲? 是故誠, 成天下之性, 性, 立天下之有, 情, 效天下之動, 心, 妙性情之德. 性情之德, 庸人與聖人同. 聖人妙而庸人之所以不妙者, 拘滯於有形而不能通爾. 今欲通之, 非致知何適哉?”[12]

오봉 호씨五峯胡氏[胡宏][13]가 말했다. “보고 듣고 말하고 움직임에 멈춤이 없는 근본을 탐구하면 성을 알 수 있고, 보고 듣고 말하고 움직임에 멈추지 않는 때를 살피면 정을 이해할 수 있다. 보고 듣고 말하고 움직임에 도의道義가 분명하게 드러나니, 누가 그 이 마음됨을 알겠는가? 보고 듣고 말하고 움직임에 물욕物欲이 개입되니, 누가 그 인욕됨을 알겠는가? 그러므로 성誠은 천하를 이루는 본성이고, 성性은 천하를 세우는 유有이고, 정情은 천하에 드러나는 움직임이고, 마음은 성정性情을 오묘하게 하는 덕이다. 성정의 덕은 보통사람과 성인이 동일하다. 성인은 오묘한데 보통사람은 오묘하지 않은 것은 형체가 있는 것에 얽매이고 집착하여 통할 수 없기 때문일 뿐이다. 지금 통하고자 할 때 치지致知가 아니라면 어떤 것이 적합하겠는가?”

[33-1-11]

“氣之流行, 性爲之主, 性之流行, 心爲之主.”[14]

(오봉 호씨가 말했다.) “기의 유행은 성이 주도하고, 성의 유행은 마음이 주도한다.”[15]

[33-1-12]

朱子曰 : “性猶太極也, 心猶陰陽也. 太極只在陰陽之中, 非能離陰陽也. 然至論太極自是太極, 陰陽自是陰陽, 惟性與心亦然. 所謂一而二, 二而一也. 仁義禮智, 性也. 惻隱羞惡辭讓是

12 『知言』 권3

13 五峯胡氏[胡宏] : 호오봉으로 宋대 胡安國의 아들인 胡宏(1106~1161)이다. 建寧 崇安(복건성) 사람으로 자는 仲仁이고, 호는 五峰이다. 湖湘學派의 개창자로서, 어린 시절 楊時와 侯仲良에게 배웠다. 謝良佐 · 胡安國 · 호굉을 이른바 '湖湘學派'라고 한다.

14 『知言』 권3

15 이 구절은 明나라 張九韶가 편찬한 『理學類編』 권7 「性命」 조목에는 주자의 말로 인용되어 있지만, 실은 주자의 말은 아니다. 주자의 말에 이 말을 끼워 넣어서 편찬한 듯하다. “주자가 말했다. '性은 태극과 같고 마음은 陰陽과 같다. 태극은 음양 가운데 있을 뿐이지 음양을 벗어날 수 있지는 않다. 그러나 태극을 논하게 되면 태극은 그 자체로 태극이고, 음양은 그 자체로 음양이니, 성과 마음도 그러하다. 이른바 하나이면서 둘이고 둘이면서 하나인 것이다. 기의 유행은 성이 주도하고, 성의 유행은 마음이 주도한다.'(朱子曰, '性猶太極也, 心猶陰陽也. 太極只在陰陽之中, 非能離陰陽也. 然至論太極, 則太極自太極, 陰陽自陰陽, 性與心亦然. 所謂一而二, 二而一者也. 氣之流行, 性爲之主, 性之流行, 心爲之主.')”

非, 情也. 以仁愛, 以義惡, 以禮讓, 以智知者, 心也. 性者, 心之理也, 情者, 性之動也. 心者, 性情之主也."16

주자가 말했다. "성性은 태극과 같고 마음은 음양陰陽과 같다. 태극은 음양 가운데 있을 뿐이지 음양을 벗어날 수 없다. 그러나 태극을 논하게 되면 태극은 그 자체로 태극이고, 음양은 그 자체로 음양이니, 오직 성과 마음도 그러하다. 이른바 하나이면서 둘이고 둘이면서 하나인 것이다. 인의예지仁義禮智는 성이다. 측은한 마음 · 부끄러워하는 마음 · 사양하는 마음 · 시비를 따지는 마음은 정이다. 인으로 아끼고, 의로 미워하며, 예로 사양하고, 지로 아는 것은 마음이다. 성은 마음의 이치이고, 정은 성의 움직임이다. 마음은 성과 정의 주재이다."

[33-1-13]

"未動爲性. 已動爲情. 心則貫乎動靜而無不在焉."17

(주자가 말했다.) "움직이지 않는 것이 성이고, 움직인 것이 정이며, 마음은 움직임과 고요함을 관통하여 있지 않은 곳이 없다."

16 『朱子語類』 권5, 43조목

17 『朱文公文集』 권41 「書 · 答馮作肅」: "성정 등에 관한 학설은 숙경의 편지에서 보았는데 숭경과 논한 것에 대해서 지금 그 득실을 여기에서 의론하겠습니다. 숭경은 '理는 성이라서 본연지성으로 말할 수 없다.'고 했는데 이 말은 옳습니다. 그러나 그 아래에서 감응하는 데에 내외가 있다고 분별했으니 병통이 있습니다. 작숙이 비난한 것이 이것입니다. 작숙은 또 '성은 자연이고 리는 필연이니 어겨 혼란해질 수 없는 것이다.'라고 했는데 이 뜻 또한 좋습니다. 그러나 그 아래에서 '리는 성에 기대지 않은 후에 있지만 반드시 성을 바탕으로 한 후에야 드러난다.'고 했는데 이것에 큰 병통이 있습니다. 이와 같다면, 성과 理가 두 가지가 되어버리기 때문입니다. 아래에서 '성은 이치가 만나는 것이다.'라고 했는데 이 말이 좋습니다. 그러나 '리는 성이 통한 것이다.'라고 하면 또 그렇지 않습니다. 왜냐하면 理는 성이 가진 리이고, 성은 리가 만나는 곳이기 때문이므로, 숭경은 분별을 크게 하지 않은 데에 실책이 있고, 작숙도 크게 분별한 데에 실책이 있으니, 그래서 각각 한 측면만을 말했을 뿐입니다. 작숙은 '정은 성에 근본하므로 성과 짝이 된다. 마음은 이 두 가지에서 지각하는 것이 있어 그것을 통어할 수 있는 것이다. 움직이지 않았을 때 통어하지 않으면 空寂에 빠질 뿐이다. 움직였는데 통어하지 않으면 방자하게 될 뿐입니다.' 이 몇 구절은 매우 좋습니다. 단지 반드시 움직이지 않는 것을 마음으로 여기면 또 옳지 않습니다. 만약 마음이 본래 움직이지 않는 것이라면 맹자는 또 왜 하필 40세가 되어서 부동심에 이르렀겠습니까? 반드시 움직이지 않는 것이 성이고 움직인 것이 정이며, 마음은 움직임과 고요함을 관통하여 있지 않은 곳이 없다는 점을 알면 이 3가지의 학설을 아는 것입니다.(性情等說, 有已見叔京書者, 但所與嵩卿論者, 今議其得失於此. 嵩卿云, '理即性也, 不可言本.' 此言得之. 但其下分別感有內外, 則有病. 作肅非之, 是也. 作肅又云, '性者自然, 理則必然而不可悖亂者.' 此意亦近之. 但下云, '理不待性而後有, 必因性而後著.' 此則有大病. 蓋如此, 則以性與理爲二也. 下云'性者理之會.' 却好. '理者性之通.' 則又未然. 蓋理便是性之所有之理, 性便是理之所會之地, 而嵩卿失之於太無分別, 作肅又失之於太分別, 所以各人只說得一邊也. 作肅云, '情本於性, 故與性爲對. 心則於斯二者有所知覺, 而能爲之統御者也. 未動而無以統之, 則空寂而已. 已動而無以統之, 則放肆而已.' 此數句却好. 但必以不動爲心, 則又非矣. 若心本不動, 則孟子又何必四十而後不動心乎? 須知未動爲性, 已動爲情, 心則貫乎動靜而無不在焉, 則知三者之說矣.)"

[33-1-14]

"性對情言, 心對性情言. 合如此是性, 動處是情, 主宰是心. 大抵心與性似一而二, 似二而一, 此處最當體認."[18]

(주자가 말했다.) "성은 정과 짝해서 말하고, 마음은 성정과 짝해서 말한다. 원래 이러해야만 한 것이 성이고, 움직이는 것이 정이고, 주재하는 것이 마음이다. 대체로 마음과 성은 하나이면서 둘이고, 둘이면서 하나이다."

[33-1-15]

"在天爲命, 稟於人爲性, 旣發爲情. 此其脈理甚實, 仍更分明易曉. 惟心乃虛明洞徹, 統前後而爲言耳. 據性上說, 寂然不動處是心, 亦得, 據情上說, 感而遂通處是心, 亦得. 故孟子說盡其心者, 知其性也, 文義可見. 性則具仁義禮智之端, 實而易察. 知此實理, 則心無不盡. 盡, 亦只是盡曉得耳. 如云盡曉得此心者, 由知其性也."[19]

(주자가 말했다.) "하늘의 측면에서는 명命이고, 사람에게 품수한 측면에서는 성이고, 그것이 발현된 것은 정이다. 이것은 그 맥리脈理가 매우 실제적이니, 더 분명하게 깨달을 수 있다. 오직 마음이 허명虛明하고 투명하여 전후를 통섭하여 말할 뿐이다. 성의 측면에 근거해서 말하면 적연부동寂然不動한 것이 마음이라고 해도 옳고, 정의 측면에 근거해서 감하여 통하는 곳이 마음이라고 해도 옳다. 그러므로 맹자는 '그 마음을 다할 수 있는 것은 그 성을 아는 것을 통해서이다.'[20]고 했으니 문장의 의미를 알 수 있다. 성은 인의예지仁義禮智의 단서를 구비하여서 실제적이고 쉽게 관찰된다. 이러한 실제적인 리理를 알면 마음을 다하지 못함이 없다. 다한다는 것 또한 완전하게 깨달아 아는 것일 뿐이다. 그래서 맹자의 말은 이 마음을 완전하게 깨달아 아는 것은 그 성을 아는 것을 통해서이라고 말하는 것과 같다."

[33-1-16]

問 : **"心性之别."**

曰 : "這箇極難說. 且是難爲譬喻. 如伊川以水喻性, 其說本好, 却使曉不得者生病. 心大槩似箇官人. 天命便是君之命. 性便如職事一般. 此亦大槩如此, 要自理會得. 如邵子云, 性者道

18 『朱子語類』 권5, 56조목

19 『朱子語類』 권5, 59조목

20 『孟子』「盡心上」. 이 구절에 대해 주자는 이렇게 주석하고 있다. "마음은 사람의 신명으로 여러 이치가 구비되어 모든 일에 반응하는 것이다. 성은 마음에 구비된 이치이고, 하늘은 또 이치가 나오는 곳이다. 사람에게 이 마음이 있으니 온전한 體가 아님이 없으마 이치를 궁구하지 않으면 가려져서 이 마음의 용량을 다하지 못한다. 그러므로 그 마음의 온천한 체를 다할 수 있는 것은 반드시 이치를 궁구하여 알지 못하는 것이 없는 것이다.(心者, 人之神明, 所以具衆理而應萬事者也. 性則心之所具之理, 而天又理之所從以出者也. 人有是心, 莫非全體, 然不窮理, 則有所蔽而無以盡乎此心之量. 故能極其心之全體而無不盡者, 必其能窮夫理而無不知者也.)"

之形體. 蓋道只是合當如此, 性則有一箇根苗, 生出君臣之義, 父子之仁. 性雖虛, 都是實理. 心雖是一物, 却虛. 故能包含萬理. 這箇要人自體察始得."

又曰 : "性是心之道理. 心是主宰於身者. 四端便是情, 是心之發見處. 四者之萌皆出於心, 而其所以然者, 則是此性之理所在也."[21]

물었다. "마음과 성性의 구별에 대해 묻겠습니다."

답했다. "이 문제는 매우 말하기가 어렵다. 또 비유하기가 어렵다. 이천은 물을 가지고 성을 비유했는데, 그 말은 본래 좋지만, 깨닫지 못한 사람에게 병통을 만들 수가 있다. 마음은 대체로 관인官人과 유사하다. 천명은 군주의 명령이다. 성은 직분이 맡은 일이다. 이것도 대체로 이와 같으니 스스로 이해해야만 한다. 마치 소강절이 말하였듯이 '성은 도의 형체이다.' 도는 단지 이와 같이 해야만 한다는 것이고, 성에는 뿌리와 싹이 있어서 군주와 신하 사이의 의義와 아버지와 아들 사이의 인仁을 낳는다. 성은 공허한 것[虛] 같지만 모두 실제적인 이치[實理]이다. 마음은 하나의 사물이지만, 공허하다. 그래서 모든 이치를 포함할 수가 있다. 이것을 사람들은 몸소 살펴야만 알 수 있다."[22]

또 말했다. "성은 마음의 도리이다. 마음은 몸에서 주재하는 것이다. 사단은 정이고 마음이 발현하는 곳이다. 네 가지의 맹아가 마음에서 나오니 그 소이연은 이 성性의 리理가 있는 것이다."

[33-1-17]

問 : "未發之前心性之別."

曰 : "心有體用. 未發之前, 是心之體, 已發之際, 乃心之用, 如何指定說得! 蓋主宰運用底便是心, 性便是會恁地做底理. 性則一定在這裏, 到主宰運用却在心. 情只是幾箇路子, 隨這路子恁地做去底, 却又是心."[23]

물었다. "미발未發 이전에 마음과 성의 구별에 대해서 묻습니다."

---

21 『朱子語類』 권5, 45조목

22 『朱子語類』 권5, 60조목 : "경소가 마음과 성의 구별에 대해서 물었다. 답했다. '성은 마음의 도리이고 마음은 몸을 주재하는 것이다. 사단은 정이니 마음에서 발현된 것이다. 사단의 싹은 모두 마음에서 나오고, 그 소이연자는 이 성의 이치에 있는 것이다.' 도부가 물었다. '「뱃속에 가득한 것이 측인지심이다.」라고 하였는데 무슨 말입니까?' 답했다. '뱃속은 사람의 몸속이다. 상채가 명도를 만나니, 經史에 한 자라도 착오가 없다는 점을 가지고 자긍심을 가지고 있었다. 명도가 말했다. 「당신은 수많은 것들을 기억하고 계시니 玩物喪志라고 할 만 합니다.」 상대가 명도의 말을 듣고 얼굴이 붉으락 푸르락거리고 등에 땀이 났다. 명도가 말했다. 「이것이 곧 측은한 마음입니다.」 당신이 뱃속에 가득한 것을 듣고 싶다면 이 일화로 보라.' 물었다. '완물상지의 말은 어떠한 일을 주로 한 것입니까?' 답했다. '「矜」이라는 글자일 뿐이다.'(問心性之別. 曰, '性是心之道理, 心是主宰於身者. 四端便是情, 是心之發見處. 四者之萌皆出於心, 而其所以然者, 則是此性之理所在也.' 道夫問, '「滿腔子是惻隱之心」, 如何?' 曰, '腔子是人之軀殼. 上蔡見明道, 擧經史不錯一字, 頗以自矜. 明道曰, 「賢卻記得許多, 可謂玩物喪志矣?」 上蔡見明道說, 遂滿面發赤, 汗流浹背. 明道曰, 「只此便是惻隱之心.」 公要見滿腔子之說, 但以是觀之.' 問, '玩物之說主甚事?' 曰, '也只是「矜」字.')"

23 『朱子語類』 권5, 62조목

답했다. "마음에는 체體와 용用이 있다. 미발 이전은 마음의 체이고, 이발已發할 때가 곧 마음의 용이나, 어떻게 확정해서 말할 수 있겠는가! 주재하고 운용하는 것은 마음이고, 성은 그렇게 할 수 있는 이치이다. 성은 여기에 하나로 정해졌지만 주재하고 운용하는 것은 마음에 있다. 정은 몇 개의 길이니, 이 길을 따라 그대로 해나가는 것은 또 마음이다."

[33-1-18]

問 : "靜是性, 動是情."

曰 : "大抵都主於心. 性字從心從生, 情字從心從青. 性是有此理. 且如天命之謂性, 要須天命箇心了, 方是性."[24]

물었다. "고요함은 성性이고, 움직임은 정情입니다."

답했다. "대체로 모두 마음에서 주재한다. 성이라는 글자는 심心과 생生이라는 글자에서 나왔고, 정이라는 글자는 심과 청靑이라는 글자에서 나왔다. 성은 이러한 이치가 있다. 또한 '천명을 성이라 한다.'는 것과 같으니, 반드시 천명을 이 마음이 분명하게 알아야 비로소 성이다."

[33-1-19]

"人多說性方說心, 看來當先說心. 古人制字亦先制得心字, 性與情皆從心. 以人之生言之, 固是先得這道理. 然纔生, 這許多道理却都具在心裏. 且如仁義自是性, 孟子則曰仁義之心, 惻隱羞惡自是情, 孟子則曰惻隱之心羞惡之心. 蓋性卽心之理. 情卽性之用. 今先說一箇心, 便教人識得箇情性底總腦, 教人知得箇道理存著處. 若先說性, 却似性中別有一箇心. 橫渠心統性情語極好, 顚撲不破."[25]

답했다. "많은 사람들은 성을 말하고 나서 마음을 말하는데, 보건대 당연히 마음을 먼저 말해야 한다. 옛날 사람들이 글자를 창제할 때에도 먼저 심心이라는 글자를 창제했으니 성과 정이라는 글자도 모두 이 심이라는 글자에서 비롯된다. 사람의 태어남으로 말하자면, 분명 이러한 도리를 먼저 알아야 한다. 그러나 사람이 태어나면 곧 이 수많은 도리가 이 마음속에 모두 구비되어 있다. 또한 인의仁義와 같은

---

24 『朱子語類』 권5, 63조목 : "물었다. '고요함은 性이고, 움직임은 情입니다.' 답했다. '대체로 모두 마음에서 주재한다. 성이라는 글자는 心과 生이라는 글자에서 나왔고, 정이라는 글자는 심과 靑이라는 글자에서 나왔다. 성은 이러한 이치가 있다. 또한 「천명을 성이라 한다.」는 것과 같으니, 반드시 천명을 이 마음이 분명하게 알아야 비로소 성이다.' 한경이 물었다. '마음은 사물을 넣어둔 상자와 같으니 사방 팔방이 모두 밝게 빛나서, 마치 불교에서 말하듯이 여섯 창문 속에 한 마리의 원숭이가 있어서 이쪽에서 부르면 호응하고, 저쪽에서 불러도 호응하는 것과 같습니다.' 답했다. '불고가 말하는 마음은 매우 좋은 점이 있다. 그래서 선배들은 양주와 묵자보다 낫다고 했다.'(或問, 靜是性, 動是情? 曰, '大抵都主於心. 「性'字從'心」, 從生, 「情'字從'心」, 從靑. 性是有此理. 且如「天命之謂性」, 要須天命箇心了, 方是性.' 漢卿問, '心如箇藏, 四方八面都恁地光明皎潔, 如佛家所謂六窗中有一猴, 這邊叫也應, 那邊叫也應.' 曰, '佛家說心處, 儘有好處. 前輩云, 勝於楊墨.')"

25 『朱子語類』 권5, 66조목

것은 본래 성이지만, 맹자는 인의의 마음을 말했고, 측은과 수오는 본래 정이지만 맹자는 측은지심과 수오지심을 말해다. 성은 마음의 이치이고, 정은 성의 작용이다. 지금 먼저 마음을 말해서 사람들이 정과 성의 총괄적인 두뇌임을 알게 하고, 도리가 보존되는 곳임을 알게 해야 한다. 먼저 성을 말하게 되면 성 가운데 따로 하나의 마음이 있는 것과 같다. 횡거가 '마음이 성과 정을 통괄한다.'고 한 말이 매우 좋으니, 엎어놓고 쳐도 깨지지 않는 말이다."

[33-1-20]

問 : "心性情."

曰 : "孟子說惻隱之心仁之端也一段極分曉. 惻隱羞惡是非辭讓, 是情之發. 仁義禮智, 是性之體. 性中只有仁義禮智, 發之爲惻隱羞惡辭讓是非, 乃性之情也."[26]

물었다. "마음과 성性과 정情에 대해서 묻겠습니다."

답했다. "맹자가 측은지심은 인의 단서이라고 한 단락은 매우 분명하다. 측은지심 · 수오지심 · 시비지심 · 사양지심은 정이 발현된 것이고, 인 · 의 · 예 · 지는 성의 체이다. 성 가운데에는 단지 인 · 의 · 예 · 지만 있고, 그것이 촉발되어 측은지심 · 수오지심 · 시비지심 · 사양지심이 되니 성의 정이다."

[33-1-21]

問 : "性情心仁."

曰 : "性無不善. 心所發爲情, 或有不善. 說不善非是心亦不得. 却是心之本體本無不善, 其流爲不善者, 情之遷於物而然也. 性是理之總名, 仁義禮智, 皆性中一理之名. 惻隱羞惡辭讓是非, 是情之所發之名, 此情之出於性而善者也. 其端所發甚微, 皆從此心出, 故曰心統性情者也. 性不是別有一物在心裏, 心具此性情. 心失其主, 却有時不善. 如我欲仁斯仁至, 我欲不仁斯失其仁矣. 回也三月不違仁, 言不違仁, 是心有時乎違仁也. 出入無時莫知其鄉. 存養主一使之不失仁, 乃善."[27]

물었다. "성性 · 정情 · 마음 · 인仁에 대해서 묻겠습니다."

답했다. "성은 선하지 않음이 없다. 마음이 발현되어 정이 되는데, 어떤 경우에는 불선이 있다. 불선한 것은 마음이 아니라고 말하는 것도 옳지 않다. 오히려 마음의 본체는 본래 선하지 않음이 없는데, 그것이 흘러 불선한 것이 되는 것은 정이 사물에 유혹되어 옮겨가서 그러한 것이다. 성은 이치의 총명總名이고, 인 · 의 · 예 · 지는 성 가운데에서 하나의 이치의 이름이다. 측은지심 · 수오지심 · 시비지심 · 사양지심은 정이 발현된 이름이고, 이러한 정은 성에서 나와 선한 것이다. 그 단서가 촉발되는 것은 매우 미세하지만, 모두 이 마음에서 나온 것이므로 '마음이 성과 정을 통괄한다.'고 했다. 성은 별도로 마음에 한 개의 사물이 있는 것이 아니라, 마음에 이 성과 정이 구비되어 있다. 마음이 그 주인을 잃으면 어떨 때에는

26 『朱子語類』 권5, 67조목

27 『朱子語類』 권5, 68조목

불선하게 된다. 공자가 '인을 행하고자 하면 인이 이른다.'[28]고 했듯이, 내가 불인을 행하고자 하면, 그 인을 잃는다. 또 '안회는 그 마음이 3개월 동안 인仁을 어기지 않았다.'[29]고 했는데, 인을 어기지 않았다는 것은 마음이 어떨 때에는 인을 어겼다는 말이다. 또 맹자는 '나가고 들어옴에 정해진 때가 없고, 그 방향을 알 수 없다.'[30]고 했으니, 보존하고 배양하는 데에 하나로 집중하여 인을 잃지 않도록 하면 곧 선하다."

[33-1-22]

"性情心, 惟孟子橫渠說得好. 仁是性, 惻隱是情, 須從心上發出來. 心統性情者也. 性只是合如此底只是理, 非有箇物事. 若是有底物事, 則旣有善亦必有惡. 惟其無此物只是理, 故無不善."[31]

"성性·정情·마음은 오직 맹자와 횡거가 잘 말했다. 인은 성이고 측은지심은 정이니, 반드시 마음에서 발현되어 나온다. '마음이 성과 정을 통괄한다.'는 것이다. 성은 이러한 것에 합당한 것이니 이치이지, 어떤 사물이 있는 것이 아니다. 만약 이 성이 구체적으로 있는 사물이라면, 선이 있으면 또 반드시 악이 있게 된다. 오직 이러한 것이 없이 단지 이치이기 때문에 선하지 않음이 없다."

[33-1-23]

"心統性情者也, 寂然不動而仁義禮智之理具焉. 動處便是情. 有言靜處是性, 動處是心, 如此則是將一物分作兩處了. 心與性不可以動靜言. 凡物有心而其中必虛, 如鷄心猪心之屬, 切開可見. 人心亦然. 只這些虛處便包藏許多道理, 彌綸天地, 該括古今. 推廣得來. 蓋天蓋地, 莫不由此, 此所以爲人心之妙歟! 理在人心, 是之謂性. 性如心之田地, 充此中虛, 莫非是理而已. 心是神明之舍, 爲一身之主宰. 性便是許多道理得之於天而具於心者. 發於智識念慮處皆是情. 故曰心統性情者也."[32]

"'마음이 성性과 정情을 통괄한다.'는 것은 마음이 적연하게 움직이지 않아서 인·의·예·지의 이치가 구비되어 있다는 것이다. 움직이는 것이 정이다. 어떤 사람은 고요한 것이 성이고 움직이는 곳이 마음이라고 하는데, 이렇게 말하면 하나의 물건을 두 개로 나누는 것이다. 마음과 성은 움직임과 고요함으로

28 『論語』「述而」: "공자가 말했다. '仁이 멀리 있는가? 내가 인을 행하고자 하면 이 인이 이른다.'(子曰, '仁遠乎哉? 我欲仁, 斯仁至矣.')"

29 『論語』「雍也」: "공자가 말했다. '안회는 그 마음이 3개월 동안 仁을 어기지 않았고, 그 나머지 사람들은 하루나 한 달에 한 번 인에 이를 뿐이다.'(子曰, '回也, 其心三月不違仁, 其餘則日月至焉而已矣.')"

30 『孟子』「告子上」, "공자가 '잡으면 보존되고 놓으면 잃어서, 나가고 들어옴에 정해진 때가 없고, 그 방향을 알 수 없는 것은 오직 사람의 마음이구나!'라고 했다.(孔子曰, '操則存, 舍則亡, 出入無時, 莫知其鄕, 惟心之謂與!')"

31 『朱子語類』 권5, 69조목

32 『朱子語類』 권98, 43조목

나누어서 말할 수 없다. 모든 것에는 심장이 있는데, 그 가운데가 반드시 비어 있다. 예를 들어 닭의 심장과 돼지의 심장을 절개해보면 알 수 있다. 사람의 심장도 그러하다. 이렇게 빈 곳에 수많은 도리가 담겨져 있어서, 천지天地를 통괄하여 다스리며,[33] 고금古今을 모두 개괄한다. 미루어 넓혀 나가면 하늘을 덮고 땅을 덮고, 이것으로부터 연유하지 않는 것이 없으니, 이것이 사람 마음의 묘함이 되는 것이다! 이치는 사람 마음에 있으니 이를 성이라 한다. 성은 마음의 밭과 같아서, 이 빈 곳을 가득 채우니, 이 이치가 아닌 것이 없을 뿐이다. 마음은 신명이 깃드는 곳으로, 한 몸의 주재이다. 성은 수많은 도리를 하늘에서 얻어 마음에 구비한 것이다. 지식·염려에서 발현된 것이 모두 정이다. 그러므로 마음은 성과 정을 통괄한다고 했다."[34]

[33-1-24]

問:"明道云稟於天爲性, 感爲情, 動爲心. 伊川則又云, 自性之有形者謂之心, 自性之有動者謂之情. 如二程說則情與心皆自夫一性之所發. 彼問性而對以情與心, 則不可謂不切所問者, 然明道以動爲心, 伊川以動爲情, 自不相侔. 不知今以動爲心是耶, 以動爲情是耶, 或曰, 情對性言, 靜者爲性, 動者爲情, 是說固然也. 今若以動爲情是, 則明道何得却云感爲情動爲心哉. 橫渠云, 心統性情者也. 旣是心統性情, 伊川何得却云自性之有形者謂之心, 自性之有動者謂

33 『周易』「繫辭上」: "易은 天地에 비견된다. 그러므로 천지의 道를 총괄하여 다스린다.(易與天地準. 故能彌綸天地之道.)" 주희는 다음과 같이 주석하고 있다. "彌는 彌縫의 彌와 같으니, 끝마쳐서 봉합한다는 뜻이고, 綸은 선택하고 조리하는 뜻이 있다.(彌, 如彌縫之彌, 有終竟聯合之意, 綸, 有選擇條理之意.)"

34 『朱子語類』 권98, 42조목: "물었다. '심통성정에서 統이란 무슨 말입니까?' 답했다. '통이란 주재한다는 것이니, 백만 군사를 통제한다는 말이다. 마음은 혼합적인 것이고, 성은 이러한 이치가 있고 정은 움직이는 것이다.' 또 말했다. '사람이 천지의 中을 받아 이 마음이 있다. 성은 안정되어 움직이지 않고, 정은 사물에 의해서 촉발되어 감응한다. 성은 이치이고, 정은 작용이니 성은 고요하고 정은 움직인다. 또한 인의예지신과 같은 것은 성이지만 또 人心과 義心이라고 하니, 이것은 성과 마음이 통하는 것이다. 측은·수오·사손·시비라고 하는 것은 정인데, 또 측은지심·수오지심·시비지심이라고 말하니, 이것은 정도 마음과 통하는 것이다. 이것이 정과 성이 모두 마음에서 주재한다는 것이므로 그렇게 통하여 말했다.' 물었다. '意는 마음이 발현한 것인데, 정과 성과는 어떠합니까?' 답했다. '의는 정과 서로 비슷하다.' 물었다. '志는 어떠합니까?' 답했다. '지는 정과 비슷하다. 마음은 적연하여 움직이지 않지만, 촉발되어 드러나면 意라고 한다. 횡거가 「지는 公하고 의는 私하다.」고 했는데 그 말이 좋다. 지는 淸하고 의는 탁하며, 지는 강하고 의는 유하며, 지는 意思를 立作하는 것이고, 의는 의사를 潛竊하는 것이다. 공은 본래 자세히 보면 저절로 알 수 있다. 의는 많은 경우 사사로운 뜻을 말하고, 지는 「필부는 그 뜻을 빼앗을 수 없다.」는 것이다.'(問, '心統性情', 統如何?' 曰, '統是主宰, 如統百萬軍. 心是渾然底物, 性是有此理, 情是動處.' 又曰, '人受天地之中, 只有箇心. 性安然不動, 情則因物而感. 性是理, 情是用, 性靜而情動. 且如仁義禮智信是性, 然又有說仁心·義心, 這是性亦與心通; 說惻隱·羞惡·辭遜·是非是情, 然又說道'惻隱之心, 羞惡之心, 是非之心', 這是情亦與心通說. 這是情性皆主於心, 故恁地通說.' 問, '意者心之所發, 與情性如何?' 曰, '意也與情相近.' 問, '志如何?' 曰, '志也與情相近. 只是心寂然不動, 方發出, 便喚做意. 橫渠云:「志公而意私.」看這自說得好. 志便淸, 意便濁; 志便剛, 意便柔; 志便有立作意思, 意便有潛竊意思. 公自子細看, 自見得. 意, 多是說私意; 志, 便說「匹夫不可奪志.」')"

之情耶. 如伊川所云, 却是性統心情者也. 不知以心統性情爲是耶, 性統心情爲是耶. 此性情心三者未有至當之論也."

曰 : "近思錄中一段云, 心一也. 有指體而言者, 註云寂然不動是也. 有指用而言者, 註云感而遂通天下之故是也. 夫寂然不動是性, 感而遂通是情, 故橫渠云心包性情者也, 此說最爲穩當. 如前二程先生說話, 恐是記錄者誤耳. 如明道感爲情, 動爲心, 感與動如何分得. 若伊川云自性之有形者謂之心, 某直理會他說不得. 以此知是門人記錄之誤也."[35]

물었다. "명도는 '하늘로부터 품수받은 것이 성性이고, 감동한 것이 정情이고, 움직인 것이 마음이다.'라고 했습니다. 이천은 또 '성으로부터 형체가 드러난 것이 마음이고, 성으로부터 움직인 것이 정이다.'라고 했습니다. 이정 형체가 말한 것처럼, 정과 마음은 모두 한결 같이 성에서 촉발된 것입니다. 그런데 공도자公都子는 성性을 물었는데[36] 정과 마음으로 대답했으니, 질문에 적합하지 않은 것이라고 말할 수는 없지만, 명도는 움직임을 마음으로 여겼고, 이천은 움직임을 정이라고 여겼으니, 서로 어울리지 않습니다. 잘 알지 못하겠는데 지금 움직임을 마음으로 여기는 것이 옳습니까, 움직임을 정으로 여기는 것이 옳습니까? 어떤 사람이 말하기를 정을 성과 대비하여 말하자면, 고요함이 성이고, 움직임이 정이라고 하는데, 이러한 말은 분명 그러합니다. 지금 만약 움직임을 정으로 여기는 것이 옳다면 명도는 어째서 감동하는 것이 정이고 움직이는 것은 마음이라고 했습니까? 횡거는 마음이 성과 정을 통괄한다고 했습니다. 마음이 성과 정을 통괄한다면 이천은 어째서 성으로부터 형체가 드러난 것이 마음이고, 성으로부터 움직인 것이 정이라고 했습니까? 이천이 말한 것처럼, 성이 마음과 정을 통괄한다고 했습니다. 알지 못하겠지만, 마음이 성과 정을 통괄하는 것이 옳습니까, 아니면 성이 마음과 정을 통괄하는 것이 옳습니까? 이 성과 정과 마음 3가지는 지극히 합당한 논의가 아직 없습니다."

답했다. "『근사록』 가운데 한 단락에서 '마음은 하나이다.'라고 했다. 그런데 그 마음이 체體를 가리켜 말한 경우 주에서는 적연하여 움직이지 않는 것이라고 했고, 용用을 가리켜 말한 경우 주에서는 '감동하여 세상의 일에 통한다.'고 했다. 적연하여 움직이지 않는 것이 성이고, 감동하여 통하는 것이 정이므로, 횡거는 마음이 성과 정을 포함한다고 했으니, 이 말이 가장 온당하다. 앞의 이정二程 선생이 말한 것들은 아마도 기록자들이 잘못 기록한 것일 뿐이다. 명도가 감동한 것이 정이고 움직인 것이 마음이라면, 감동

35 『朱子語類』 권59, 43조목

36 『朱子語類』 권59 「孟子九 · 告子上」에는 『孟子』에서 공도자가 성을 물은 것에 대한 질문이 먼저 제기되고 있다. "김이 물었다. '공도자가 성을 물었을 때 맹자는 먼저 情으로 대답하였으니, 「그 정과 같은 것은 선이 될 수 있다.」라고 한 것이 그것이고, 그 다음에는 才로 대답했으니, 「불선한 것이 재의 죄는 아니다.」라고 한 것이 그것이고, 이어서 또 마음으로 대답했으니, 「측은한 마음과 부끄러운 마음」이 그러한 것입니다. 그리고 그 마지막에 결론지어 말하기를 「善惡의 거리가 서로 倍가 되고, 다섯 倍가 되어 계산 할 수 없는 것은 그 材質을 다하지 못했기 때문이다.」라고 했습니다. 성을 질문한 것에 대해서 그 대답은 재를 말하고 정을 말하고 마음을 말하고서 성은 한마디도 언급하지 않은 것은 어째서입니까?(金問, '公都子問性, 首以情對, 如曰「乃若其情, 則可以爲善矣」, 是也. 次又以才對, 如曰「若夫爲不善, 非才之罪」, 是也. 繼又以心對, 如曰「惻隱羞惡」之類, 是也. 其終又結之曰 ; 「或相倍蓰而無算者, 不能盡其才者也.」 所問者性, 而所對者曰才 · 曰情 · 曰心, 更無一語及性, 何也?)"

과 움직임을 어떻게 나누겠는가? 만약 이천이 성에서 형체가 드러난 것이 마음이라고 한 경우는 내가 그 말을 이해할 수가 없다. 이것으로 보건대, 문인들이 잘못 기록한 것임을 알 수 있다."

[33-1-25]

問: "人當無事時, 其中虛明不昧, 此自氣. 自然動處便是性."

曰: "虛明不昧便是心. 此理具足於中無少欠缺便是性, 感物而動便是情. 橫渠說得好, 由太虛有天之名, 由氣化有道之名, 此是總說. 合虛與氣有性之名, 合性與知覺有心之名, 是就人物上說."[37]

물었다. "사람이 아무런 일이 없을 때에 마음속이 허명불매虛明不昧하니, 이것은 원래 기입니다. 저절로 움직이는 것이 곧 성입니다."

답했다. "허명불매한 것이 마음이다. 이치가 이 속에 조금의 흠결도 없이 충족하게 구비된 것이 성이고, 사물에 감동하여 움직이는 것이 정이다. 횡거가 아주 잘 말했으니, 태허로부터 하늘이라는 이름이 있고, 기화氣化로부터 도라는 이름이 있다 했는데, 이것이 총괄적인 말이다. 태허와 기화가 합하여 성이라는 이름이 있고, 성과 지각을 합하여 마음이라는 이름이 있다 했는데, 이것은 인물人物 상에서 말한 것이다."

[33-1-26]

"看橫渠心統性情之說, 乃知此話大有功, 始尋得箇情字著落, 與孟子說一般. 孟子言惻隱之心, 仁之端也. 仁, 性也, 惻隱, 情也. 此是情上見得心."

又曰: "仁義禮智根於心, 此是性上見得心. 蓋心便是包得那性情. 性是體, 情是用."[38]

말했다. "횡거의 마음이 성과 정을 통괄한다는 말을 보면 이 말이 크게 공이 있다는 점을 알게 되는데, 비로소 정이라는 글자를 제대로 정의했으니, 맹자와 동일하게 말한다. 맹자는 측은한 마음을 인의 단서라고 했다. 인은 성이고, 측은한 마음은 정이다. 이것은 정에서 마음을 본 것이다."

또 말했다. "인仁·의義·예禮·지智는 마음에 뿌리 내리고 있으니 이것이 성에서 마음을 본 것이다. 마음은 이 성과 정을 포함하고 있기 때문이다. 성은 체體이고, 정은 용用이다."

[33-1-27]

"五峯云, 心妙性情之德. 妙是主宰運用之意. 五峯此說不是曾去研窮深體, 如何直見得恁地?"[39]

말했다. "오봉五峯[胡宏][40]이 말하기를 마음은 성과 정을 신묘하게 하는 덕이라고 했다. 묘妙는 주재하고

37 『朱子語類』 권5, 77조목

38 『朱子語類』 권5, 65조목

39 『朱子語類』 권101, 156; 157조목

40 五峯[胡宏]: 호오봉으로 宋대 胡安國의 아들인 胡宏(1106~1161)이다. 建寧 崇安(복건성) 사람으로 자는 仲仁이고, 호는 五峰이다. 湖湘學派의 개창자로서, 어린 시절 楊時와 侯仲良에게 배웠다. 謝良佐·胡安國·호굉

운용하는 뜻이다. 오봉의 이 말은 그가 연구하고 궁리하여 깊게 체득한 것이 아니니 어떻게 그대로 직접 보았겠는가?"

[33-1-28]

問: "論性有已發之性, 有未發之性."

曰: "性纔發便是情. 情有善惡, 性則全善. 心又是一箇包總性情底. 大抵言性, 便須見得是元受命於天, 其所稟賦自有本根, 非若心可以一槩言也. 却是漢儒解天命之謂性云木神仁, 金神義等語, 却有意思, 非苟言者. 學者要體會親切."

又曰: "若不用明破, 只恁涵養, 自有到處, 亦自省力."[41]

물었다. "성에는 이발의 성이 있고, 미발의 성이 있다는 것을 논하고자 합니다."
답했다. "성이 촉발되면 정이다. 정에는 선악이 있으나 성은 온전하게 선하다. 마음은 또 성과 정을 포괄하는 하나이다. 대체로 성을 말하자면 반드시 하늘로부터 원래 명을 받아서, 그 품부 받은 것이 원래 뿌리가 있으니, 마음을 일괄적으로 말할 수 있는 것이 아니라는 점을 알아야 한다. 한대 유학자들은 『중용』의 '천명을 성이라고 한다.'는 말을 해석하는 데에 목신木神이 인仁이고, 금신金神이 의義라는 등의 말을 하는데 의미가 있어서, 헛소리만은 아니다. 배우는 사람들은 직접 절실하게 체험해야 한다."
또 말했다. "명확하게 논파할 필요가 없지만 그렇게 함양한다면 저절로 이르는 곳이 있을 것이니, 또한 스스로 힘을 아껴라."

[33-1-29]

"性是未動, 情是已動, 心包得已動未動. 蓋心之未動則爲性, 已動則爲情, 所謂心統性情者也. 欲是情發出來底. 心如水, 性猶水之靜, 情則水之流, 欲則水之波瀾. 但波瀾有好底, 有不好底. 欲好底, 如我欲仁之類. 不好底, 則一向奔馳出去, 若波濤翻浪. 大段不好底欲, 則滅却天理, 如水之壅決, 無所不害. 孟子謂情可以爲善, 是說那情之正從性中流出來者, 元無不好也."[42]

말했다. "성은 움직이지 않는 것이고, 정은 움직인 것이고, 마음은 움직인 것과 움직이지 않은 것을 포함하는 것이다. 마음이 움직이지 않은 것이 성이고, 움직인 것이 정이니, 마음이 성과 정을 포괄한다는 것이다. 욕심[欲]은 정이 발현되어 나온 것이다. 마음은 물과 같아서 성은 물의 고요함이고, 정은 물의 흐름이고 욕심은 물의 물결이다. 물결에도 좋은 것과 좋지 않은 것이 있다. 욕심이 좋은 것은 '내가 인을 원한다.'[43]는 것이고, 좋지 않은 것은 계속해서 달려 나가는 것이니 파도가 일어나는 것과 같다. 대체로 좋지 않은 욕심은 천리天理를 없애니, 물이 막혔다가 터지는 것과 같아서 해롭지 않음이 없다.

을 이른바 '湖湘學派'라고 한다.

41 『朱子語類』 권5, 61조목

42 『朱子語類』 권5, 71조목

43 『論語』「述而」: "仁이 멀리 있는가? 내가 인을 원하면, 인이 이른다.(仁遠乎哉? 我欲仁, 斯仁至矣.)"

맹자가 '정情으로 말하면 선하다고 할 수가 있다.'[44]고 한 것은 이 정의 올바름은 성에서 흘러 나왔으니, 원래 좋지 않음이 없음을 말한 것이다."

[33-1-30]

"心, 主宰之謂也. 動静皆主宰, 非是静時無所用, 及至動時方有主宰也. 言主宰, 則混然體統自在其中. 心統攝性情, 非儱侗與性情爲一物而不分別也."[45]

말했다. "마음은 주재를 말한다. 움직임과 고요함 모두 주재하니, 고요할 때에는 작용하지 않다가 움직일 때에야 비로소 주재하는 것이 아니다. 주재를 말하면 전체적으로 통괄하여 그 가운데 본래 있다. 마음이 성과 정을 통섭하니, 뭉뚱그려 성정性情과 하나의 것이 되어 분별하지 않는 것이 아니다."

[33-1-31]

"心者, 主乎性而行乎情, 故喜怒哀樂未發則謂之中, 發而皆中節則謂之和, 心是做工夫處."[46]

말했다. "마음은 성에서 주도하여 정에서 행하므로, 희·노·애·락이 발현되지 않으면 중中이고, 발현되어 모두 절도에 맞으면 화和이니, 마음은 공부하는 곳이다."

[33-1-32]

"心之全體湛然虛明, 萬理具足, 無一毫私欲之間, 其流行該徧, 貫乎動静, 而妙用又無不在焉. 故以其未發而全體者言之, 則性也, 以其已發而妙用者言之, 則情也. 然心統性情, 只就渾淪一物之中指其已發未發而爲言耳. 非是性是一箇地頭, 心是一箇地頭, 情又是一箇地頭, 如此懸隔也."[47]

말했다. "마음의 전체全體(온전한 체)는 맑게 허명虛明하지만, 모든 이치가 구비되어 조금의 사심과 욕심의 간격이 없어서, 그 유행流行이 두루 가득하고, 움직임과 고요함에 관통되어, 묘용妙用(신묘한 작용)이 또 있지 않음이 없다. 그러므로 그것이 미발未發하여 전체인 것으로 말하면 성이고, 그것이 이발已發하여 묘용인 것으로 말하면 정이다. 그러나 마음이 성과 정을 통괄하니, 단지 혼돈스럽게 섞인 것 가운데에서 이발과 미발을 가리켜 말한 것일 뿐이지, 성이 한 부분이고 마음이 한 부분이고 정이 또 한 부분이라서 이렇게 갈라져 있는 것이 아니다."

44 『孟子』「告子上」: "아! 그 情으로 말하면 선하다고 할 수 있으니, 이것이 내가 말하는 선하다는 것이다.(乃若其情則可以爲善矣, 乃所謂善也.)"
45 『朱子語類』 권5, 72조목
46 『朱子語類』 권5, 75조목
47 『朱子語類』 권5, 76조목

[33-1-33]

問 : "心性情之辨."

曰 : "程子云, 心譬如穀種. 其仁具生之理是性.[48] 陽氣發生處是情. 推而論之, 物物皆然."[49]

물었다. "마음과 성과 정의 분별을 묻겠습니다."

답했다. "정자程子는 '마음은 오곡의 씨앗과 같다.'[50]고 했다. 그 인仁에 싹을 틔우는 이치가 갖추어진 것이 성이다. 양기陽氣가 발생하는 것이 정情이다. 추론하여 논해보면 모든 사물이 다 그러하다."

[33-1-34]

"性具許多道理, 昭昭然者屬性. 未發理具, 已發理應, 則屬心. 發動則情. 所以存其心則養其性. 心該備通貫, 主宰運用. 呂云未發時, 心體昭昭. 程云有指體而言者, 有指用而言者. 李先生云心者, 貫幽明, 通有無."[51]

말했다. "성에는 수많은 도리가 구비되어 있으니 밝게 빛나는 것이 성에 속한다. 미발 때에는 이치가 구비되어 있고, 이발 때에는 이치가 응하니 마음에 속한다. 발하여 움직이면 정이다. 그래서 그 마음을 보존하면 그 성을 배양하는 것이다. 마음은 두루 갖추어 관통하여 주재하고 운용한다. 여대림이 '미발 때에는 마음의 체가 밝게 빛난다.'[52]고 했고, 정자는 '체를 가리켜 말한 것이 있고, 용을 가리켜 말한 것이 있다.'[53]고 했고, 이통 선생은 '마음은 유명幽明을 관통하고 유무有無를 관통한다.'고 했다."

[33-1-35]

"心性指其寂然不動處, 情指其發動處."

48 『朱子語類』 권5, 78조목에 "其中具生之理是性"으로 되어 있는데, 여기서는 '其中'이 아니라, '其仁'으로 되어 있다.

49 『朱子語類』 권5, 78조목

50 『河南程氏遺書』 권18 「劉元承手編」: "물었다. '인과 심은 어떻게 다릅니까?' 대답했다. '마음은 주재하는 곳이고 인은 일을 가지고 말한 것이다.' 물었다. '그렇다면, 인은 심의 작용입니까?' 대답했다. '그러하다. 그러나 만약 인이 마음의 작용이라고 말한다면 옳지 않다. 마음은 비유컨대 몸과 같고, 四端은 사지와 같다. 사지는 분명 몸이 사용하는 것이니, 몸의 사지라고 말할 수 있을 뿐이다. 예컨대, 사단은 본디 마음에 갖추어져 있으나, 곧바로 마음의 작용이라고 해서는 안 된다.' 어떤 사람이 물었다. '비유하자면 오곡의 씨앗이 반드시 양기를 기다려 싹을 틔우는 것과 같습니까?' 대답했다. '안 된다. 양기가 발현되는 것은 도리어 정이다. 마음은 오곡의 씨앗과 같고, 싹을 틔우게 하는 性이 곧 인이다.'(問, '仁與心何異?' 曰, '心是所主處, 仁是就事言.' 曰, '若是, 則仁是心之用否?' 曰, '固是. 若說仁者心之用, 則不可. 心譬如身, 四端如四支. 四支固是身所用, 只可謂身之四支. 如四端固具於心, 然亦未可便謂之心之用.' 或曰, '譬如五穀之種, 必待陽氣而生.' 曰, '非是. 陽氣發處, 却是情也. 心譬如穀種, 生之性便是仁也.')"

51 『朱子語類』 권5, 80조목

52 『二程文集』「書啓・與呂大臨論中書」

53 『二程粹言』「論道篇」

말했다. "성은 적연하여 움직이지 않는 곳을 가리키고, 정은 촉발되어 움직이는 곳을 가리킨다."

[33-1-36]

"有是形則有是心. 而心之所得乎天之理則謂之性. 仁義禮智是也 性之所感於物而動則謂之情. 惻隱羞惡辭讓是非是也 是三者人皆有之, 不以聖凡爲有無也. 但聖人則氣清而心正, 故性全而情不亂耳. 學者則當存心以養性而節其情也. 今以聖人爲無心, 而遂以爲心不可以須臾有事. 然則天之所以與我者, 何爲而獨有此贅物乎?"[54]

"이 형체가 있으면 이 마음이 있습니다. 마음이 하늘의 이치를 얻은 것을 성이라고 하고, 인·의·예·지가 이것이다. 성이 사물에 의해 감동되어 움직이면 정이라고 하니, 측은·수오·사양·시비가 이것이다. 이 3가지는 사람이라면 모두 가지고 있는 것이지, 성인과 범인에 있고 없고의 차이가 있지 않습니다. 단지 성인은 기질이 맑고 마음이 바르므로 성을 온전히 하고 정을 혼란스럽게 하지 않을 뿐입니다. 배우는 자는 마땅히 마음을 보존하여 성을 길러 그 정을 절제해야 합니다. 지금 성인은 무심無心이라고 하고서, 마음은 잠시라고 일삼으려 하지 않습니다. 그러하다면 하늘이 나에게 부여해 준 것에 어찌하여 이렇게 군더더기의 것이 있겠습니까?"

[33-1-37]

"性只是理, 情是流出運用處, 心之知覺, 卽所以具此理而行此情者也. 以智言之, 所以知是非之理則智也, 性也, 所以知是非而是非之者, 情也. 具此理而覺其爲是非者, 心也. 此處分別只在毫釐之間, 精以察之乃可見耳."[55]

"성性은 단지 이치이고, 정情은 흘러 넘쳐서 운용하는 것이고, 마음의 지각은 이 이치가 구비되어 이 정을 행하는 것입니다. 지智를 예로 들어 말하자면, 시비의 이치를 아는 것이 지智이고 성이며, 시비를 알고서 그것을 시비하는 것이 정이며, 이 이치를 구비하여 시비가 됨을 깨닫는 것이 마음입니다. 여기서의 분별은 털끝만한 차이에 있으니, 정밀하게 살펴보면 알 수 있을 뿐입니다."

[33-1-38]

問: "橫渠言由太虛有天之名, 由氣化有道之名, 合虛與氣有性之名, 合性與知覺有心之名. 所謂性者, 恐兼天地之性氣質之性而言否, 所謂心者, 倂人心道心言否?"

曰: "非氣無形, 無形則性善無所賦. 故凡言性者, 皆因氣質而言. 但其中自有所賦之理耳. 人心道心亦非有兩物也."[56]

물었다. "횡거는 태허로부터 천이라는 이름이 있고, 기화로부터 도라는 이름이 있고, 태허와 기를 합하여

54 『朱文公文集』 권64 「書·答徐景光」
55 『朱文公文集』 권55 「書·答潘謙之」
56 『朱文公文集』 권61 「書·答林德久」

성이라는 이름이 있고, 성과 지각을 합하여 마음이라는 이름이 있다고 말했습니다. 성이라는 것은 천지의 성과 기질의 성을 겸하여 말한 것이고, 마음이라는 것은 인심과 도심을 합하여 말한 것입니까?" 답했다. "기가 없다면 형체가 없고, 형체가 없으면 선한 성이 부여될 곳이 없다. 성이라고 말한 것은 기질을 바탕으로 해서 말한 것이다. 그러나 그 가운데에 원래 부여된 이치가 있을 뿐이다. 인심과 도심 역시 두 가지의 것이 있는 것은 아니다."

[33-1-39]

"性是理. 心是包含該載敷施發用底."[57]

말했다. "성은 이치이다. 마음은 이 이치를 포함하고 실어서 시행하고 발용하는 곳이다."

[33-1-40]

"康節云, 性者, 道之形體, 心者, 性之郛郭, 身者, 心之區宇. 此語雖說得粗, 畢竟大槩好."[58]

"강절이 말했다. '성은 도의 형체이고, 마음은 성의 성곽이고, 몸은 마음의 집이다.' 이 말은 조금 조잡하지만, 큰 틀에서는 매우 좋다."[59]

[33-1-41]

問: "心之動, 性之動."

曰: "動處是心, 動底是性."[60]

又問: "先生謂動處是心, 動底是性. 竊推此二句只在底處兩字上. 如穀種然, 生處便是穀, 生底却是那裏面些子."

曰: "若以穀譬之, 穀便是心, 那爲粟爲菽爲禾爲稻底便是性. 康節所謂心者性之郛郭是也. 包裹底是心, 發出不同底是性."[61]

57 『朱子語類』 권5, 48조목

58 『朱子語類』 권100, 35조목

59 『朱子語類』 권100, 36조목: "선생이 물었다. '성이 어째서 도의 형체인가?' 淳이 말했다. '도는 성 가운데 이치입니다.' 선생이 물었다. '도는 크게 말한 것이고, 성은 나의 몸에서 말한 것이다. 도는 사물 사이에 있으니 어떻게 볼 수 있겠는가? 단지 여기 나의 몸에서 증험한다. 성이 있는 곳이 도가 있는 곳이다. 도는 사물에 있는 이치이고, 성은 나에게 있는 이치이다. 그러나 사물의 이치는 모두 나의 이치 가운데에 있어서, 도의 골자가 성이다.' 劉가 물었다. '서은 사물과 나에게 모두 있으니 나에게 있는 것과 사물에 있는 것을 나눌 수 없습니까?' 선생이 말했다. '도는 없는 곳이 없으니, 반드시 자신의 몸에서 증험해 본 후에 알 수 있다.'(先生問, '性如何是道之形體?' 淳曰, '道是性中之理.' 先生曰, '道是泛言, 性是就自家身上說. 道在事物之間, 如何見得? 只就這裏驗之. 性之所在, 則道之所在也. 道是在物之理, 性是在己之理. 然物之理, 都在我此理之中, 道之骨子便是性.' 劉問, '性, 物我皆有, 恐不可分在己在物否?' 曰, '道雖無所不在, 須是就己驗之而後見.')"

60 『朱子語類』 권5, 49조목

61 『朱子語類』 권5, 64조목

물었다. "마음이 움직이는 것입니까, 성이 움직이는 것입니까?"
답했다. "움직이는 곳은 마음이고, 움직이는 것은 성이다."
또 물었다. "선생님은 '움직이는 곳은 마음이고 움직이는 것은 성이다.'라고 하셨습니다. 이 두 구절을 추론하자면 '것'과 '곳' 두 글자에 있을 것입니다. 예를 들자면 곡식의 씨앗이 그러한데, 생겨나는 곳은 곡식이지만 생겨나는 것은 그 속에 있는 것입니다."
답했다. "만약 곡식으로 비유하자면, 곡식은 마음이고, 이것이 조가 되고 콩이 되고 쌀이 되고 벼가 되는 것은 성이다. 강절이 말한 마음은 성의 성곽이라는 것이 이것이다. 싸고 있는 것이 마음이고, 발현되어 나와 다른 것은 성이다."[62]

[33-1-42]

"心以性爲體, 心將性做餡子模樣. 蓋心之所以具是理者, 以有性故也."[63]

말했다. "마음은 성을 체로 삼고, 마음은 성을 떡 모양으로 만든다. 마음이 이치를 구비하고 있는 것은 성이 있기 때문이다."

[33-1-43]

"心有善惡, 性無不善. 若論氣質之性, 亦有不善."[64]

말했다. "마음에는 선과 악이 있지만, 성에는 불선이 없다. 기질의 성을 논하자면 또한 불선이 있다."[65]

[33-1-44]

"心性理拈著一箇則都貫穿. 惟觀其所指處輕重如何. 如養心莫善於寡欲, 雖有不存焉者寡矣. 存雖指理言, 然心自在其中. 操則存, 此存雖指心言, 然理自在其中."

말했다. "마음과 성과 이치는 하나로 집어 들면 모두 연결되는데, 오직 가리키는 곳에 경중이 어떠한가를 볼 뿐이다. 예를 들어 '마음을 수양하는 데에 욕심을 적게 하는 것보다 더 좋은 것이 없으니, 보존되지 못한 것이 있더라도, 적을 것이다.'[66]라고 했는데, '보존된 것'은 이치를 가리켜 말한 것이지만, 마음은

62 『朱子語類』 권5, 64조목: "마음은 생각하는 것이 없이 생겨난다. 또 예를 들면 약을 먹는 것과 같은데, 약을 먹어 병을 치료할 수 있는 것은 약의 힘이지만, 그 약이 시원한가, 차가운가, 뜨거운가는 약의 성이다. 또 그 약을 먹고서 추운 증상이 있거나 열이 나는 증상이 있는 것이 정이다.(心是箇沒思量底, 只會生. 又如喫藥, 喫得會治病是藥力, 或涼, 或寒, 或熱, 便是藥性. 至於喫了有寒證, 有熱證, 便是情.)"

63 『朱子語類』 권5, 50조목

64 『朱子語類』 권5, 51조목

65 『朱子語類』 권5, 52조목: '선생님은 앞서 성은 불선이 없고 마음에는 불선이 있다고 하셨습니다. 그렇다면 本心은 원래 불선이 없습니까?' 답했다. '분명 본심에는 불선이 없지만, 누가 너에게 지금 불선하다는 점을 가르칠 것인가! 지금 많은 사람들이 겉으로 불선을 행하면서, 나의 본심은 원래 선하다고 한다면 어떻게 할 것인가?('先生昨說性無不善, 心固有不善. 然本心則元無不善.' 曰, '固是本心元無不善, 誰教你而今卻不善了! 今人外面做許多不善, 卻只說我本心之善自在, 如何得!')"

그 가운데 저절로 있다. '붙잡으면 보존된다.'[67]고 했는데, 여기서 '보존된다.'는 것은 마음을 가리켜 말했지만, 이치는 그 가운데 저절로 있다."

[33-1-45]

問: "人之生禀乎天之理以爲性. 其氣淸則爲知覺. 而心又不可以知覺言, 當如何?"

曰: "難說. 以天命之謂性觀之, 則命是性, 天是心. 心有主宰之義, 然不可無分別, 亦不可太說開成兩箇. 當熟玩而黙識其主宰之意可也."[68]

물었다. "사람의 생명은 하늘의 이치를 품수 받아서 성으로 삼습니다. 그 기가 맑으면 지각이 됩니다. 그러나 마음은 또 지각으로 말할 수가 없으니 어떻게 해야만 합니까?"

답했다. "말하기 어렵다. 하늘이 명한 것을 성이라고 한 것으로 보자면 명이 성이고 하늘이 마음이다. 마음에는 주재의 뜻이 있으니, 분별이 없을 수 없지만, 또한 두 개를 이룬다고 말할 수가 없다. 마땅히 깊이 완미하여 그 주재의 뜻을 묵식하는 것이 좋다."

[33-1-46]

"有這性便發出這情, 因這情便見得這性. 因今日有這情, 便見得本來有這性."[69]

말했다. "성이 있으면 정이 발현되어 나오고, 정을 바탕으로 해서 성을 본다. 오늘 이 정이 있는 것을 바탕으로 해서 본래 성이 있음을 본다."

[33-1-47]

"性不可言. 所以言性善者, 只看他惻隱辭讓四端之善, 則可以見其性之善. 如見水流之淸, 則知源頭必淸矣. 四端, 情也, 性則理也. 發者, 情也, 其本則性也, 如見影知形之意."[70]

말했다. "성은 말할 수가 없다. 그래서 성이 선하다고 하는 것은 그 측은한 마음과 사양하는 마음 등 사단四端의 단서를 본 것 뿐이니, 그 성이 선함을 알 수 있다. 마치 물이 흘러가는 맑음을 보면 그 근원은 반드시 맑을 것이라는 점을 하는 것과 같다. 사단은 정이고 성은 이치이다. 발현되는 것은 정이고 그 근본은 성이니 마치 그림자를 보고 형체를 아는 뜻과 같다."

---

66 『孟子』「盡心上」: "마음을 수양하는 데에 욕심을 적게 하는 것보다 더 좋은 것이 없으니, 그 사람됨이 욕심이 적으면, 록 보존되지 못함이 있더라도, 적을 것이고, 사람됨이 욕심이 많으면, 비록 보존된 것이 있더라도, 그 보존된 것이 적을 것이다.(養心莫善於寡欲, 其爲人也寡欲, 雖有不存焉者, 寡矣, 其爲人也多欲, 雖有存焉者, 寡矣.)"

67 『孟子』「告子上」: "붙잡으면 보존되고, 놓으면 잃어서, 나가고 들어옴에 정해진 때가 없으며, 그 방향을 알 수 없는 것은 오직 사람의 마음을 말한 것이구나!(操則存, 舍則亡, 出入無時, 莫知其鄕, 惟心之謂與!)"

68 『朱子語類』 권5, 54조목

69 『朱子語類』 권5, 57조목

70 『朱子語類』 권5, 58조목

[33-1-48]

"性不可說, 情却可說. 所以告子問性, 孟子却答他情. 蓋謂情可爲善, 則性無有不善. 所謂四端者, 皆情也. 仁是性, 惻隱是情. 惻隱是仁發出來底端芽. 如一箇穀種相似, 穀之生是性, 發爲萌芽是情. 所謂性只是那仁義禮智四者而已. 四件無不善, 發出來則有不善. 何故? 殘忍便是那惻隱反底, 冒昧便是那羞惡反底."[71]

말했다. "성은 말할 수 없지만 정은 말할 수 있다. 그래서 고자가 성을 물었을 때 맹자는 그에게 정으로 답했다. 정은 선할 수 있다고 했으니, 성은 불선함이 있지 않다. 사단이라 한 것은 모두 정이다. 인仁은 성이고 측은함은 정이다. 측은함은 인에서 발현되어 나온 싹이다. 마치 한 곡식의 씨앗과 같아서 곡식의 생명이 성이고 발현되어 싹으로 된 것이 정이다. 그래서 성은 인·의·예·지 4가지일 뿐이다. 그러나 4가지에는 불선함이 없지만, 발현되어 나오면 불선함이 있는 것은 어째서인가? 잔인함이 곧 이 측은함의 반대의 것이고, 무지몽매함이 부끄럽고 미워함의 반대의 것이다."

[33-1-49]

"仁義者天理之目, 而慈愛羞惡者天理之施, 於此看得分明, 則性情之分可見."[72]

"인仁과 의義는 천리의 조목이고, 자애함과 수오의 마음은 천리의 베풂이니, 여기에서 분명하게 보면 성과 정의 나뉨을 볼 수 있습니다."

[33-1-50]

北溪陳氏曰 : "情與性相對. 情者, 性之動也. 在心裏面未發動底是性, 事物觸著便發動出來底是情. 寂然不動是性, 感而遂通是情. 這動底只是就性中發出來, 不是別物. 其大目則爲喜怒哀懼愛惡欲七者. 中庸只說喜怒哀樂四箇. 孟子又指惻隱羞惡辭讓是非四端而言. 大抵都是情. 性中有仁, 動出爲惻隱, 性中有義, 動出爲羞惡, 性中有禮智, 動出爲辭讓是非. 端是端緖. 裏面有這物, 其端緖便發從外面來. 若內無仁義禮智, 則其發也安得有許四端? 大槩心是箇物貯此性, 發出底便是情. 孟子曰, '惻隱之心, 仁之端也, 羞惡之心, 義之端也, 辭讓之心, 禮之端也, 是非之心, 智之端也.' 惻隱羞惡等以情言, 仁義等以性言. 必又言心在其中者, 所以統情性而爲之主也."[73]

북계 진씨北溪陳氏[陳淳][74]가 말했다. "정과 성은 서로 짝이 된다. 정은 성의 움직임이다. 마음속에서 촉발

71 『朱子語類』 권59, 27조목

72 『朱文公文集』 권40「書·答何叔京」

73 『北溪字義』「情」

74 北溪陳氏[陳淳] : 陳淳(1159~1223)의 자는 安卿이고, 호는 北溪이다. 송대 龍溪(현 복건성 漳州) 사람으로 주희가 장주 지사일 때 제자가 되어, 주희에게 '남쪽에 와서 나의 도가 진순 한 사람을 얻었다'라는 칭찬을 받았다. 시호는 文安이다. 저서는 『字義詳講』·『論孟學庸口義』·『北溪大全集』 등이 있다.

되어 움직이지 않은 것은 성이고, 사물과 접촉하여 촉발되어 움직여 나온 것이 정이다. 적연하여 움직이지 않는 것이 성이고, 감응하여 통한 것이 정이다. 이 움직이는 것은 단지 성에서 발현되어 나온 것이니, 다른 것이 아니다. 그 큰 조목은 기쁨 · 분노 · 슬픔 · 두려움 · 사랑 · 미움 · 욕심 7가지이다.[75] 『중용』에서는 기쁨 · 분노 · 슬픔 · 즐거움 4가지만을 말했다. 맹자는 또 측은한 마음, 부끄럽고 미워하는 마음, 사양하는 마음, 시비를 가리는 마음 4가지 단서를 가리켜 말했다. 모두 정이다. 성 속에 인仁이 있는데 움직여 나오면 측은한 마음이 되고, 성 중에 의義가 있는데 움직여 나오면 부끄러워 미워하는 마음이 되고, 성 중에 예禮와 지智가 있는데 움직여 나오면 사양하는 마음과 시비를 가리는 마음이 된다. '단端'이란 단서이다. 마음속에 이것이 있으니, 그 단서는 발현되어 밖으로 나온다. 만약 인 · 의 · 예 · 지가 없다면 그것이 발현되어 어찌 사단이 있겠는가? 대체로 마음은 이 성이 모인 것이다. 이 성은 발현되어 나오면 정이다. 맹자가 '측은한 마음은 인의 단서이고, 부끄럽고 미워하는 마음은 의의 단서이고, 사양하는 마음은 예의 단서이고, 시비를 가리는 마음은 지의 단서이다.'라고 했다. 측은한 마음과 부끄럽고 미워하는 마음은 정으로 말한 것이고, 인과 의는 성으로 말한 것이다. 반드시 또 마음이 그 가운데에 있다고 말한 것은 마음이 정과 성을 통괄하여 그것을 주재하기 때문이다."

[33-1-51]

問 : "明道云在人爲性, 主於身爲心, 心發於思慮謂之情, 如此則性乃心情之本. 而橫渠則以爲心統性情, 如何?"

潛室陳氏曰 : "心居性情之間, 向裏卽是性. 向外卽是情. 心居二者之間而統之. 所以聖賢工夫只在心裏著到, 一擧而兼得之. 橫渠此語大有功."[76]

물었다. "명도가 '사람에게서는 성性이고, 몸을 주재하는 것은 마음이고, 마음이 생각에서 발동하면 선과 불선이 있다.'[77]고 했는데, 이와 같다면, 성이 곧 마음과 정의 뿌리이다. 그런데 횡거는 마음이 성과 정을 통괄한다고 했는데 어찌된 것입니까?"

잠실 진씨潛室陳氏[陳埴][78]가 말했다. "마음은 성과 정 사이에 자리하여 안으로 향한 것은 성이고 밖으로

---

75 『禮記』「禮運」

76 『木鍾集』 권10 「近思雜問附」

77 『河南程氏遺書』 권18 「劉元承手編」: "물었다. '마음에 선과 악이 있습니까?' 대답했다. '하늘에서는 命이고, 義에서는 理이고, 사람에게서는 性이고, 몸을 주재하는 것은 마음이나, 사실은 하나이다. 마음은 본래 선한데 생각에서 발동하면 선과 불선이 있다. 생각에서 발동하면 그것은 情이라고 할 수 있지, 마음이라고 할 수 없다. 물로 비유하자면 물이 흘러가서 갈래가 되어 동쪽으로 흘러가기도 하고 서쪽으로 흘러가기도 하니 (그것은 물이 아니라) 흐름이라 한다.'(問, '心有善惡否?' 曰, '在天爲命, 在義爲理, 在人爲性, 主於身爲心, 其實一也. 心本善, 發於思慮, 則有善有不善. 若旣發, 則可謂之情, 不可謂之心. 譬如水, 只謂之水, 至如流而爲派, 或行於東, 或行於西, 却謂之流也.')"

78 潛室陳氏[陳埴] : 陳埴(1176~1232)의 자는 器之이고, 호는 木鍾이다. 송대 永嘉(현 절강성 溫州) 사람이다. 어려서는 葉適에게 배우고 나중에는 주희에게서 배웠다. 송 寧宗 嘉定 7년(1214)에 진사에 급제하여 通直郞을 역임하였다. 嘉定 연간(1208~1224)에 明道書院의 講席을 주재했으며, 그를 따르는 많은 학자들이 潛室先

향한 것은 정이다. 마음이 두 가지 사이에 자리하여 통괄한다. 그래서 성현의 공부는 마음에 붙어서 한 번에 겸하여 얻는다. 횡거의 이 말은 매우 큰 공이 있다."

[33-1-52]

西山眞氏曰 : "誠者, 眞實無妄之理. 天之命於人, 人之受於天, 性此而已. 故曰誠成天下之性. 凡天下所有之理莫不具於一性之中. 故曰性立天下之有. 情者, 性之動也, 效, 如爻者效也之效, 天下之理不能無變動, 卦之有爻所以像之, 性之有情, 亦猶是也. 未發則理具於性, 旣發則理著於情, 情之動須因乎物, 所以不能無動則理也. 故曰情效天下之動. 仁義禮智性之德. 惻隱以下情之德. 性情之德雖具, 而發揮運用則在此心而已. 故中庸論大本達道, 必以戒懼愼獨爲主, 蓋該寂感貫動靜者, 心也. 心得其正, 然後性之本然者全, 而情之發亦中節矣. 故曰心妙性情之德."[79]

서산 진씨西山眞氏[眞德秀][80]가 말했다. "성誠은 진실무망한 이치이다. 하늘이 사람에게 명하고, 사람이 하늘에게서 받은 것은 성 이것뿐이다. 그러므로 말하기를 '성誠은 세상의 성性을 이룬다.'[81]고 했다. 세상에 있는 이치는 한 사람의 성에 구비되지 않는 것이 없다. 그러므로 '성性은 세상의 있음을 세운다.'고 했다. 정이란 성의 움직임이다. 효效는 '효爻는 본뜬다.'[82]고 했을 때의 효效와 같으니, 세상의 이치는 변동이 없을 수가 없고, 괘卦에는 효가 있어서 이것을 모방하니, 성에는 정이 있는 것 또한 이와 유사하다. 아직 발현하지 않았을 때는 이치가 성에 구비되어 있고, 발현했을 때에는 이치가 정에서 드러나니, 정의 움직임은 반드시 사물을 바탕으로 해서 드러나므로, 그래서 움직임이 없을 수 없는 것이 이치이다. 그러므로 '정은 세상의 움직임을 모방한다.'[83]고 했다. 인·의·예·지는 성의 덕이고, 측은한 마음 이하는 정의 덕이다. 성과 정의 덕이 구비되어도 그것을 발휘하고 운용하는 것은 이 마음에 달려 있을 뿐이다. 그러므로 『중용』에서는 대본大本과 달덕達德을 논하는 데에, 반드시 경계하고 두려워하며 삼가 홀로 아는 것에 신중히 하는 것을 위조로 하였으니, 적연함과 감통함을 아우르고, 움직임과 고요함을 관통하

生이라고 불렀다. 저술은 『木鍾集·禹貢辨·洪範解』 등이 있다.

79 『西山讀書記』 권2 「性情心」

80 西山眞氏[眞德秀] : 眞德秀(1178~1235)의 자는 希元·景元·景希이고, 호는 西山이다. 송대 浦城(복건성 蒲城) 사람으로 1199년에 진사에 급제하여 太學正·參知政事에 이르렀다. 어려서는 주희의 문인인 詹體仁에게 배우고, 스스로 '주희를 사숙하여 얻은 것이 있다.'라고 하였다. 특히 『大學』을 중시하여 窮理持敬을 강조하였다. 저서는 『大學衍義』·『四書集編』·『西山文集』 등이 있다.

81 호굉의 『知言』 권3에 나온 말이다. "探視聽言動, 無息之本, 可以知性, 察視聽言動, 不息之際, 可以會情, 視聽言動, 道義明著, 孰知其爲此心. 視聽言動, 物欲引取, 孰知其爲人欲. 是故誠成天下之性, 性立天下之有, 情效天下之動. 心妙性情之德, 性情之德, 庸人與聖人同, 聖人妙而庸人之所以不妙者, 拘滯於有形而不能通爾, 今欲通之, 非致知, 何適哉?"

82 『周易』「繫辭下」: "爻는 이것을 본뜬다는 것이고, 象은 이것을 형상화한 것이다.(爻也者, 效此者也, 象也者, 像此者也.)"

83 『知言』 권3

는 것은 마음이기 때문이다. 마음이 그 올바름을 얻은 뒤에야 성의 본연이 온전해지고, 정의 발현 또한 절도에 맞게 된다. 그러므로 마음이 성과 정을 신묘하게 하는 덕이라고 했다."

[33-2-1]

張子問："定性未能不動猶累於外物, 何如?"

程子曰："所謂定者, 動亦定, 静亦定, 無將迎, 無内外. 苟以外物爲外, 牽己而從之, 是以己性爲有内外也. 且以性爲隨物於外, 則當其在外時, 何者爲在内? 是有意於絶外誘, 而不知性之無内外也. 旣以内外爲二本, 則又烏可遽語定哉? 夫天地之常, 以其心普萬物而無心. 聖人之常, 以其情順萬事而無情. 故君子之學, 莫若廓然而大公, 物來而順應.

易曰, '貞吉悔亡, 憧憧往來, 朋從爾思.' 苟規規於外誘之除, 將見滅於東而生於西也, 非惟日之不足, 顧其端無窮, 不可得而除也. 人之情各有所蔽, 故不能適道. 大率患在於自私而用智, 自私則不能以有爲爲應迹, 用智則不能以明覺爲自然. 今以惡外物之心而求照無物之地, 是反鑑而索照也. 易曰, '艮其背, 不獲其身, 行其庭, 不見其人.' 孟氏亦曰, '所惡於智者, 爲其鑿也.' 與其非外而是内, 不若内外之兩忘也. 兩忘, 則澄然無事矣. 無事則定, 定則明, 明則尚何應物之爲累哉?

聖人之喜以物之當喜, 聖人之怒以物之當怒, 是聖人之喜怒不繫於心而繫於物也. 是則聖人豈不應於物哉, 烏得以從外者爲非, 而更求在内者爲是也. 今以自私用智之喜怒, 而視聖人喜怒之正爲如何哉? 夫人之情易發而難制者惟怒爲甚. 第能於怒時遽忘其怒, 而觀理之是非, 亦可見外誘之不足惡, 而於道亦思過半矣." 已下論定性.

장자張子[張載]가 물었다. "성을 안정시키려고 하는데 움직이지 않을 수가 없고, 오히려 외물에 얽매이게 되니 무슨 까닭입니까"

정자程子[程明道]가 답했다. "안정이라 하는 것은 움직일 때에도 안정해야 하고, 고요할 때에도 안정해야 하니, 미래의 일이나 과거의 일에 얽매이지 않고,[84] 안과 밖도 없는 것입니다. 외물을 바깥에 있는 것이라 하여 자신을 이끌어 그것을 따라가면, 그것은 자신의 성에 안과 밖이 있는 것입니다. 또한 성을 밖에서 사물을 따라가는 것이라고 생각하면 그 성이 바깥에 있을 때, 어떤 것이 안에 있습니까? 이것은 외부의 유혹을 끊으려고 생각하면서도 성에는 안과 밖이 없다는 점을 모르는 것입니다. 안과 밖으로 두 가지 근본으로 삼았다면 또 어찌 안정을 말할 수 있겠습니까? 천지의 상도常道는 그 마음으로 만물에게 광대하게 영향을 미치면서도 무심하고, 성인의 상도는 그 감정으로 모든 일을 따르면서도 무정합니

84 미래의 일이나 … 않고: 將迎이란 지난 일을 보내고 다가올 일을 맞이하는 것이다. 즉 과거의 일이나 미래의 일을 말한다. 『莊子』「知北游」에 "안연이 공자에게 물었다. '제가 선생님께서 「보내지도 말고 맞이하지도 말라.」고 하신 말을 들었습니다. 감히 그 이유를 묻습니다.'(顏淵問乎仲尼曰, '回嘗聞諸夫子曰, 「無有所將, 無有所迎.」 回敢問其遊.')"라고 하였다.

다. 그러므로 군자의 학문은 확연하고 공명정대하여 사물이 오면 이치에 따라 반응하는 것만 한 것이 없습니다.
『역』에서 말하기를 '올바르면 길하여, 후회가 없어지니, 왕래하기를 끊임없이 하면, 친구만이 너의 생각을 따른다.'고 했습니다. 실로 외부의 유혹을 제거하는 데에 천박하게 집착해서[85] 외부의 유혹을 동쪽에서 끊었다고 생각하면 또 서쪽에서 생겨나니, 매일 매일 끊으려고 해도 힘이 부족할 뿐 아니라, 그 끝이 없는 유혹의 단서를 보자면 제거할 수 없을 것입니다. 사람의 정情은 각각 가려진 것이 있으므로 도에 이를 수 없는 것입니다. 대체로 근심은 사사로운 마음과 지혜를 쓰려는 마음에 있으니, 사사로운 마음을 가지면 자신의 행위를 가지고 흔적에 호응할 수가 없고, 지혜를 쓰려는 마음이 있으면 밝은 깨달음으로 자연스럽게 행할 수가 없습니다. 지금 외부 사물의 유혹을 미워하는 마음으로 사물이 없는 경지를 구하려 하니, 이는 거울을 돌려놓고 사물을 비추려고 하는 것입니다. 『역』에서 '그 등에 그치면 몸을 얻지 못하며, 뜰에 가면서도 사람을 보지 못한다.'고 했습니다. 맹자도 또한 '지혜로움을 미워하는 까닭은 그 천착하기 때문이다.'[86]라고 했습니다. 밖이 잘못되었고 안이 옳다고 하기보다는 안과 밖을 모두 잊는 것이 좋습니다. 모두 잊으면 분명하여 아무런 일이 없습니다. 아무런 일이 없으면 안정되고 안정되면 이치에 밝게 되고 이치에 밝게 되면, 사물에 응하는 것을 얽매이는 것이라고 어찌 생각하겠습니까? 성인은 사물이 마땅히 기뻐해야할 사물에 대해 기뻐하고, 성인은 마땅히 분노해야할 사물에 대해 분노하니, 이것이 성인의 기쁨과 분노는 사사로운 마음에 달려있지 않고 사물에 달려있다는 것입니다. 이러하니 성인이 어찌 사물에 응하지 않겠습니까? 어찌 외부의 사물을 따르는 것을 그르다하고 안에 있는 것을 구하는 것이 옳다고 하겠습니까? 지금 사사로운 마음과 지혜를 쓰려는 마음으로 기뻐하고 분노하는 것으로 성인이 기뻐하고 분노하는 올바름을 보려하니, 어떻게 하겠습니까? 사람의 감정은 쉽게 발현되지만 제어하기 힘든 것은 오직 분노가 더욱 그러합니다. 다만 분노할 때에 그 분노를 잊고서 이치의 시비를 볼 수 있다면 또한 외부의 유혹이 미워할만한 것은 아니라는 점을 알 수 있을 것이고, 도에 대해서도 대부분을 이해할 수 있을 것입니다." 이하 성을 안정시키는 것을 논한다.

[33-2-2]

問 : "定性書也難理會."

朱子曰 : "也不難. 定性字說得也詫異. 此性字是箇心字意. 明道言語甚圓轉. 初讀未曉得, 都沒理會. 子細看却成段相應. 此書在鄠時作, 年甚少."[87]

물었다. "성을 안정시키는 것을 논한 편지는 이해하기 어렵습니다."
주자가 말했다. "어렵지 않다. 성을 안정시킨다고 말하는 것도 괴이하다. 이 성이라는 말은 마음이라는 의미이다. 명도의 언어는 매우 훌륭하다. 처음 읽었을 때 이해하지 못하면, 모두 이해하지 못한다. 자세

85 천박하게 집착해서 : 規規를 해석한 말이다. 천박하게 얽매이는 모습을 말한다. 『莊子』「秋水」에 "子乃規規然而求之以察, 索之以辯, 是直用管闚天, 用錐指地也, 不亦小乎!"라고 하였다.
86 『孟子』「離婁上」
87 『朱子語類』 권95, 101조목

하게 보면 단락이 서로 호응을 이룬다. 이 편지는 호현鄠縣에 있을 때 쓴 것이니, 아주 어렸을 때이다."

[33-2-3]

"明道定性書自胷中瀉出, 如有物在後面逼逐他相似, 皆寫不辨."

黃直卿曰: "此正所謂有造道之言?"

曰: "然. 只是一篇之中都不見一箇下手處."

童蜚卿曰: "廓然而大公, 物來而順應, 這莫是下工處否?"

曰: "這是說已成處. 且如今人私欲萬端, 紛紛擾擾, 無可奈何, 如何得他大公? 所見與理皆是背馳, 如何便得他順應?"

楊道夫曰: "這便是先生前日所謂也須存得這箇在."

曰: "也不由你存. 此心紛擾, 看著甚方法, 也不能得他住. 這須是見得, 須是知得天下之理, 都著一毫私意不得方是. 所謂知止而後有定也. 不然, 只見得他如生龍活虎相似, 更把捉不得."[88]

(주자가 말했다.) "명도의 성을 안정시키는 것을 논한 편지는 마음속에서 우러나온 것이라서, 마치 뒤에 있는 것이 그것을 밀어내는 것과 같아서, 모두 쓸 수 있는 것이 아니다."

황직경黃直卿[89]이 말했다. "이것이 바로 도에 조예가 깊은 사람의 말이라는 것입니까?"

답했다. "그렇다. 이 글 한 편 가운데에서 조잡한 곳을 찾아 볼 수가 없다."

동비경童蜚卿[90]이 말했다. "확연하고 공명정대하여 사물이 오면 그에 따라 순응하는 것이라는 말이 노력을 해야 하는 곳이 아닙니까?"

답했다. "그 말은 이미 완성된 경지이다. 또한 지금 사람들처럼 사사로운 욕심이 만 가지로 흩어져 어지러이 요동해서 어찌할 바를 모르니, 어떻게 공명정대함을 이루겠는가? 자신의 소견과 이치가 모두 배치되니 어떻게 다시 이치를 따르고 순응하겠는가?"

양도부楊道夫[91]가 말했다. "이것은 선생님께서 이전에 이것이 있도록 보존해야만 한다고 말한 것입니까?"

답했다. "너로 인하여 보존되는 것도 아니다. 이 마음이 어지러이 요동하면 어떤 방법을 보더라도, 그 마음을 멈추게 할 수가 없다. 이것을 알아야 하니, 반드시 세상의 이치를 알고서 털끝만한 사사로운 의도가 조금이라도 없어야 비로소 좋다. 이것이 멈춤을 알고 난 뒤에야 안정이 있다는 말이다. 그렇지

88 『朱子語類』 권95, 102조목

89 黃直卿: 黃榦(1152~1221)을 말한다. 황간은 자는 直卿이고, 호는 勉齋이다. 송대 福州閩縣(현 복건성 福州) 사람으로 주희의 고족제자인 동시에 사위이다. 주희의 蔭補로 知漢陽軍·知安慶府 등을 역임하였다. 저서는 『書說』·『六經講義』·『勉齋集』 등이 있고, 『朱子行狀』을 집필했다.

90 童蜚卿: 童伯羽를 말한다. 송나라 建寧 甌寧 사람이다. 자는 飛卿인데 蜚卿이라고도 한다. 주희를 사사했으며 관직에 나가려고 하지 않았다. 『孝經衍義』와 『五經訓解』·『四書集成』·『性理發微』 등이 있다.

91 楊道夫: 송나라 사람이다. 자는 仲思이다. 주희의 제자이고, 『易』·『詩』·『禮』를 배웠다.(『宋元學案』 권69)

않다면 그것이 살아있는 용과 살아있는 호랑이와 같다는 점을 알고서도 잡을 수가 없다."

[33-2-4]

"定性一章明道言不惡事物, 亦不逐事物. 今人惡則全絶之, 逐則又爲物引將去. 惟不拒不流, 泛應曲當則善矣. 蓋橫渠有意於絶外物而定其內, 明道意以爲須是內外合一, 動亦定, 靜亦定, 則應物之際, 自然不累於物. 苟只靜時能定, 則動時恐却被物誘去矣."[92]

(주자가 말했다.) "성을 안정시키는 것을 논한 편지의 한 장에서 명도는 외부 사물의 자극을 싫어하지도 말고 사물을 좇지도 말라고 말했다. 지금 사람들은 외부 사물이 싫으면 완전히 끊어버리거나, 좇으면 또 사물에 의해서 휘둘려 간다. 오직 거부하지 않고 휘둘려가지 않으면서 완전히 합당하게 두루 대응하면 좋다. 횡거는 외부 사물의 유혹을 끊고서 안을 안정시키려고 했지만, 명도는 반드시 안과 밖이 합일되어야 한다고 생각해서, '움직일 때에도 안정되고, 고요할 때에도 안정된다.'고 했으니, 사물에 반응할 때에 저절로 사물에 얽매이지 않게 된다. 단지 고요할 때에만 안정을 이루면 움직일 때에는 사물의 유혹에 휘둘려 가게 된다."

[33-2-5]

問: "聖人動亦定, 靜亦定, 所謂定者是體否?"

曰: "是."

曰: "此是惡物來感時定, 抑善惡來皆定?"

曰: "惡物來不感, 這裏自不接."

曰: "善物則如何?"

曰: "當應便應. 有許多分數來, 便有許多分數應, 這裏自定."

曰: "子哭之慟而何以見其爲定?"

曰: "此是當應, 也須是'廓然而大公, 物來而順應.' 再三誦此語, 以爲說得圓."[93]

물었다. "성인은 움직일 때에도 안정되고, 고요할 때도 안정된다고 하는데 여기서 말하는 안정된 것은 체體가 아닙니까?"

답했다. "그렇다."

물었다. "이것은 싫은 것이 자극할 때 안정하는 것입니까, 아니면 좋고 싫은 것이 자극했을 때 모두 안정을 이루는 것입니까?

답했다. "싫은 것이 자극했는데 반응하지 않으면 여기에는 본래 접촉이 없는 것이다."

물었다. "좋은 것은 어떠합니까?"

92 『朱子語類』 권95, 104조목

93 『朱子語類』 권95, 105조목

답했다. "응당 반응해야할 것은 반응해야만 한다. 여러 가지 분수分殊가 오면 여러 가지 분수로 반응하는데, 여기에 원래 안정이 있다."
물었다. "공자가 과도하게 애통해 했으니[94], 여기서 어떻게 안정을 이루었다고 볼 수 있겠습니까?"
답했다. "이것은 응당 반응해야만 하는 것이다. 반드시 '확연하고 공명정대하여 사물이 오면 이치에 따라 반응한다.'는 것이다. 이 말을 두 세 번 암송하면 그 말이 훌륭하다고 여길 것이다."

[33-2-6]

問 : "聖人定處未詳."

曰 : "知止而後有定, 只看此一句便了得. 萬物各有當止之所知得, 則此心自不爲物動."

曰 : "舜號泣于旻天, 象憂亦憂, 象喜亦喜. 當此時何以見其爲定?"

曰 : "此是當應而應. 當應而應, 便是定. 若不當應而應, 便是亂了. 當應而不應, 則又是死了."[95]

물었다. "성인이 안정을 이루는 곳이 자세하지 못합니다."
답했다. "'앎이 이르러야할 곳에 이른 뒤에야 안정이 있다.'는 이 한 구절을 보면 알 수 있다. 모든 것에는 각각 알아야만 할 마땅히 이르러야 할 곳이 있으니, 이 마음은 원래 사물에 의해서 움직이지 않는다."
물었다. "순임금이 하늘을 부르며 우셨는데, 상象이 근심하면 근심했고, 상이 기뻐하면 기뻐했습니다.[96] 이때에 어떻게 순임금이 안정을 이루었는지를 알 수 있습니까?"
답했다. "이것은 응당 반응해야할 것에 반응한 것이다. 응당 반응해야할 것에 반응한 것이 안정을 이룬 것이다. 만약 응당 반응해서는 안 되는데 반응했다면 혼란한 것이고, 응당 반응해야만 하는데 반응하지 않았다면, 또 죽은 것이다."

[33-2-7]

問 : "天地之常, 以其心普萬物而無心, 聖人之常, 以其情順萬事而無情. 故君子之學莫若廓然而大公, 物來而順應. 學者卒未到此, 奈何?"

曰 : "雖未到此, 規模也是恁地廓然大公. 只是除却私意, 事物之來, 順他道理應之. 且如有一事自家見得道理是恁地, 却有箇偏曲底意思要爲那人, 便是不公, 便逆了這道理, 不能順應. 聖人自有聖人大公, 賢人自有賢人大公, 學者自有學者大公."

又問 : "聖賢大公固未敢請, 學者之心當如何?"

曰 : "也只要存得這箇在, 克去私意. 這兩句是有頭有尾說話. 大公是包說, 順應是就裏面細

94 『論語』「先進」: "안연이 죽자, 공자가 곡하기를 지나치게 애통해 했다. 시종이 말했다. '선생님께서 지나치게 애통해 하십니다.' 공자가 말했다. '지나치게 애통해 했는가? 이 사람을 위해 애통해하지 않는다면 누구를 위해 애통해 하겠는가?'(顔淵死, 子哭之慟, 從者曰, '子慟矣.' 曰, '有慟乎! 非夫人之爲慟, 而誰爲?')"
95 『朱子語類』 권95, 106조목
96 『孟子』「萬章上」

說. 公是忠, 便是維天之命於穆不已, 順應便是乾道變化各正性命."[97]

물었다. "'천지의 상도常道는 그 마음으로 만물에게 광대하게 영향을 미치면서도 무심하고, 성인의 상도는 그 감정으로 모든 일을 따르면서도 무정합니다. 그러므로 군자의 학문은 확연하고 공명정대하여 사물이 오면 이치에 따라 반응하는 것만 한 것이 없습니다.'라고 했습니다. 학자가 결국 이러한 경지에 이르지 못했다면 어떻게 해야 합니까?"

답했다. "이런 경지에 이르지 못했더라도, 규모는 그대로 확연하고 공명정대하다. 사사로운 뜻을 없애고, 사물이 오면 그 도리를 따라 반응한다. 또한 예를 들어 도리가 이러하다고 스스로 알았던 일이 있는데, 오히려 치우치고 구부러진 의도를 가지고 그 사람을 위하려고 한다면 이는 공公하지 못한 것이니, 그 도리를 거스르는 것이라서 이치를 따라 반응할 수가 없다. 성인에게는 원래 성인의 공명정대함이 있고, 현인에게는 원래 현인의 공명정대함이 있고, 배우는 사람에게는 원래 배우는 사람의 공명정대함이 있다."

또 물었다. "성인과 현인의 공명정대함은 감히 청해 묻지 못하겠지만, 배우는 사람의 마음은 응당 어떠해야 합니까?"

답했다. "이것이 있도록 보존하고 사사로운 의도를 버려야 한다. 이 두 구절이 완전하게 말한 것이다. 공명정대함이란 포괄적으로 말한 것이고, 이치에 따라 반응한다는 것은 이면에서 세세하게 말한 것이다. 공公이란 진실함[忠]이니 '아! 하늘의 명이여, 심원하여 그치지 않는구나!'[98]라는 것이고, 이치를 따라서 반응한다는 것은 '건도乾道가 변화하여 각각 성性과 명命을 바르게 한다.'[99]는 것이다."

[33-2-8]

"廓然而大公, 是寂然不動, 物來而順應, 是感而遂通."[100]

(주자가 말했다.) "확연하고 공명정대한 것은 '적연하여 움직이지 않는다.'[101]는 것이고, 사물이 와서 이치에 따라 반응한다는 것은 '감응하여 통한다.'[102]는 것이다."

[33-2-9]

問: "定性書云, 大率患在於自私而用智, 自私則不能以有爲爲應迹, 用智則不能以明覺爲自然."

曰: "此一書首尾只此兩項. 伊川文字段數分明, 明道多只恁成片說將去. 初看似無統, 子細理會, 中間自有路脈貫串將去. '君子之學莫若廓然而大公, 物來而順應.' 自後許多說話, 都只是

97 『朱子語類』 권95, 107조목
98 『中庸』 26장
99 『周易』「乾卦 · 文言傳」
100 『朱子語類』 권95, 109조목
101 『周易』「繫辭上」
102 『周易』「繫辭上」

此二句意. '艮其背, 不獲其身. 行其庭, 不見其人.' 此是說廓然而大公. 孟子曰, '所惡於智者, 爲其鑿也.' 此是說物來而順應. '第能於怒時遽忘其怒而觀理之是非.' 是應物來而順應. 這須子細去看方始得."[103]

물었다. "성을 안정시키는 것을 논한 편지에서 '대체로 근심은 사사로운 마음과 지혜를 쓰려는 마음에 있으니, 사사로운 마음을 가지면 자신의 행위를 가지고 흔적에 호응할 수가 없고, 지혜를 쓰려는 마음이 있으면 밝은 깨달음으로 자연스럽게 행할 수가 없습니다.'라고 했습니다."

답했다. "이 편지의 처음과 끝은 이 두 항목에 있을 뿐이다. 이천의 문자와 단락은 분명한데, 명도는 파편적인 채로 말해 나가는 경우가 많다. 처음 보면 계통이 없는 것 같다가, 자세히 보면 이해가 되고, 중간에는 저절로 맥락이 생겨 일관되게 나간다. '군자의 학문은 확연하여 공명정대하여 사물이 오면 이치에 따라 반응하는 것만 한 것이 없습니다.'는 말 이후로부터 많은 말들은 모두 이 구절의 뜻일 뿐이다. 『역』에서 말한 '올바르면 길하여, 후회가 없어지니, 왕래하기를 끊임없이 하면, 친구만이 너의 생각을 따른다.'는 말은 확연하여 공명정대한 것을 말한 것이다. 맹자가 '지혜로움을 미워하는 까닭은 그 천착하기 때문이다.'라고 말한 것은 사물이 오면 이치에 따라 반응하는 것을 말한다. '다만 분노할 때에 그 분노를 잊고서 이치의 시비를 볼 수 있다.'는 반응은 사물이 와서 이치에 따라 반응하는 것이다. 이것은 자세히 보아야 비로소 알 수 있다."

[33-2-10]

問: "自私則不能以有爲爲應迹, 用智則不能以明覺爲自然." 所謂'天地之常, 以其心普萬物而無心, 聖人之常, 以其情順萬事而無情.' 所謂普萬物順萬事者, 卽廓然而大公之謂. 無心無情者, 卽物來而順應之謂. 自私則不能廓然而大公, 所以不能以有爲爲應迹. 用智則不能物來而順應, 所以不能以明覺爲自然."

曰: "然."[104]

물었다. "'사사로운 마음을 가지면 자신의 행위를 가지고 흔적에 호응할 수가 없고, 지혜를 쓰려는 마음이 있으면 밝은 깨달음으로 자연스럽게 행할 수가 없습니다.'라고 한 것은 '천지의 상도常道는 그 마음으로 만물에게 광대하게 영향을 미치면서도 무심하고, 성인의 상도는 그 감정으로 모든 일을 따르면서도 무정합니다. 그러므로 군자의 학문은 확연하고 공명정대하여 사물이 오면 이치에 따라 반응하는 것만 한 것이 없습니다.'라는 것입니다. 만물에게 광대하게 영향을 미치는 것과 모든 일을 이치에 따르는 것은 확연하여 공명정대한 것을 말하고, 무심하고 무정한 것은 사물이 오면 이치에 따라 반응하는 것입니다. 사사로운 마음이 있으면 확연하여 공명정대할 수 없어서 자신의 행위를 가지고 흔적에 호응할 수 없고, 지혜를 쓰려는 마음이 있으면 사물이 와서 이치에 따라 반응할 수 없어서 밝은 깨달음으로 자연스럽게 행할 수 없습니다."

103 『朱子語類』 권95, 103조목
104 『朱子語類』 권95, 109조목

답했다. "그렇다."

[33-2-11]

"明道云, 不能以有爲爲應迹. 應迹, 謂應事物之迹, 若心則未嘗動也."105

"명도가 '자신의 행위를 가지고 흔적에 호응할 수 없다.'고 했는데 흔적에 호응할 수 없다는 것은 사물의 흔적에 반응하는 것을 말하니, 마음은 아직 움직이지 않은 것이다."

[33-2-12]

問: "定性書所論固是不可有意於除外誘, 然此地位高者之事. 在初學恐亦不得不然否?"

曰: "初學也不解如此. 外誘如何除得? 有當應者亦只得順他, 便看理如何? 理當應便應, 不當應便不應. 此篇大綱只在'廓然而大公, 物來而順應'兩句. 其他引易孟子皆是如此. 末謂'第能於怒時遽忘其怒而觀理之是非.'一篇著力緊要只在此一句. '遽忘其怒', 便是廓然大公. '觀理之是非', 便是物來順應. 明道言語渾淪, 子細看節節有條理."

曰: "內外兩忘, 是內不自私, 外應不鑿否?"

曰: "是. 大抵不可以在內者爲是而在外者爲非, 只得隨理順應."106

물었다. "성을 안정시키는 것을 논한 편지에서 주장한 것은 분명 외부의 유혹을 제거하는 데에 뜻을 두면 안 된다는 점이지만, 이런 경지는 고수가 할 일입니다. 처음 배우는 사람도 그렇게 해야 합니까?" 답했다. "처음 배우는 사람도 여기서 벗어나지 않는다. 외적인 유혹은 어떻게 제거될 수 있는가? 응당 반응해야 할 것이 있다면 또한 그것을 따라야 하지만, 이치는 어떻게 보아야 하는가? 이치상 당연히 반응해야 하면 반응하고 이치상 부당하면 반응하지 않는다. 이 편의 대강은 '확연하고 공명정대하여 사물이 오면 이치에 따라 반응한다.'는 두 구절에 있다. 그 밖에 인용한 『역』, 『맹자』는 모두 이와 같을 뿐이다. 끝부분에서 '다만 분노할 때에 그 분노를 잊고서 이치의 시비를 볼 수 있다.'라고 했는데, 이 한편에서 긴요하게 힘을 써야하는 부분은 바로 이 구절이다. '그 분노를 잊는다.'는 것은 확연하고 공명정대하다는 것이고, '이치의 시비를 볼 수 있다.'는 말은 사물이 오면 이치에 따라 반응한다는 것이다. 명도의 언어는 혼란스럽게 섞여 있지만 자세하게 보면 구구절절 조리가 있다."

말했다. "안과 밖 모두를 잊으면 안으로는 사사로운 마음이 없고 밖으로는 집착하지 않고 반응합니까?"

말했다. "그렇다. 대체로 안에 있는 것이 옳고 밖에 있는 것이 그르다고 여길 수는 없고, 이치에 따라서 반응할 뿐이다."

[33-2-13]

"'人情易發而難制者惟怒爲甚. 惟能於怒時遽忘其怒而觀理之是非.', 舊時謂觀理之是非, 纔

105 『朱子語類』 권95, 110조목

106 『朱子語類』 권95, 112조목

見己是而人非, 則其爭愈力. 後來看不如此. 如孟子所謂我必不仁也, 其自反而仁矣, 其橫逆由是也, 則曰此亦妄人而已矣."[107]

"'사람의 감정은 쉽게 발현되지만 제어하기 힘든 것은 오직 분노가 더욱 그러합니다. 다만 분노할 때에 그 분노를 잊을 수 있어서 이치의 시비를 봅니다.'라고 했는데, 옛날에는 이치의 시비를 보아야 자신이 옳고 타인이 그르다는 점을 알면, 그 싸움은 더욱 힘이 난다고 말했다. 나중에 보니 그렇지 않다. 맹자가 '내가 분명히 인하지 못했구나 라고 하여 스스로 반성해서 인하게 대했는데도, 상대가 난폭하게 대하기를 이전과 같이 한다면, 이 사람도 망령된 사람이구나라고 말한다.'[108]라고 한 것과 같다."

[33-2-14]

"人情易發而難制. 明道云, 人能於怒時遽忘其怒, 亦可見外誘之不足畏, 而於道亦思過半矣. 此語可見. 然有一說, 若知其理之曲直不必校却好. 若見其直而又怒則愈甚. 大抵理只是此理, 不在外求. 若於外復有一理時, 却難爲, 只有此理故."[109]

(주자가 말했다.) "사람의 감정은 쉽게 발현되지만 제어하기 어렵다. 명도가 '다만 분노할 때에 그 분노를 잊을 수 있으면, 또한 외부의 유혹이 두려워할 만한 것은 아니라는 점을 알 수 있을 것이고, 도에 대해서도 대부분을 이해할 수 있을 것입니다.'라고 한 말에서 알 수 있다. 그러나 만약 그 이치의 곡직曲直을 알았다면 반드시 계교하지 않아도 좋다. 그러나 만약 그 직直을 알고 또 분노했다면 더욱 좋다. 대체로 이치는 단지 이 이치라서 밖에서 구하지 않는다. 만약 밖에 다시 하나의 이치가 있을 때에는 행하기 어려우니, 이 이치가 있기 때문이다.

107 『朱子語類』 권95, 113조목

108 『孟子』「離婁下」: "군자가 보통사람과 다른 것은 그 마음을 보존하기 때문이다. 군자는 仁으로 마음을 보존하고, 예로써 마음을 보존한다. 仁한 자는 남을 사랑하고, 禮가 있는 자는 남을 공경한다. 인으로는 사람을 사랑하고, 예를 가지고서는 사람을 공경한다. 사람을 사랑하는 자는 다른 사람들이 항상 그를 사랑해주고, 사람을 공경하는 사람은 다른 사람들이 항상 그를 공경한다. 여기에 어떤 사람이 있는데, 자신을 난폭하게 대한다면, 군자는 반드시 스스로 돌이켜서, 내가 분명히 仁하지 못하며 내 반드시 禮를 갖추지 못했구나, 어떻게 이 지경에 이르렀을까? 한다. 그래서 다시 인으로 사랑하고 예를 갖추어 대했는데도 그가 예전처럼 난폭하게 대한하면 군자는 반드시 스스로를 반성하여 내가 충심으로 대하지 못했는가보다라고 한다. 스스로 반성하여 충심으로 대했는데도 그가 예전처럼 난폭하게 대한다면 군자는 이렇게 말한다. '이 사람은 망령된 사람일 뿐이다. 이와 같다면 금수와 어찌 구별되겠는가? 금수에게 또 무엇을 힐난하겠는가?'(君子所以異於人者, 以其存心也. 君子以仁存心, 以禮存心. 仁者愛人, 有禮者敬人. 愛人者人恒愛之, 敬人者人恒敬之. 有人於此, 其待我以橫逆, 則君子必自反也, 我必不仁也, 必無禮也, 此物奚宜至哉? 其自反而仁矣, 自反而有禮矣, 其橫逆由是也, 君子必自反也, 我必不忠. 自反而忠矣, 其橫逆由是也, 君子曰, '此亦妄人也已矣. 如此則與禽獸奚擇哉? 於禽獸又何難焉?')"

109 『朱子語類』 권95, 114조목

[33-2-15]

問 : "聖人恐無怒容否?"

曰 : "怎生無怒容? 合當怒時必亦形於色. 如要去治那人之罪, 自爲笑容則不可."

曰 : "如此則恐涉忿厲之氣否?"

曰 : "天之怒, 雷霆亦震. 舜誅四凶, 當其時亦須怒. 但當怒而怒便中節. 事過便消了, 更不積."[110]

물었다. "성인은 분노와 용서가 없습니까?"
답했다. "어떻게 분노와 용서가 없겠는가? 마땅히 화를 내야 할 때는 반드시 그 안색이 드러난다. 예를 들어 그 사람의 죄를 다스려야만 할 때 웃으며 용서해서는 안 된다."
말했다. "그렇다면 화를 내고 성을 내는 기세가 있지 않습니까?"
답했다. "하늘이 분노하면 우레와 벼락이 치고 또 번개가 친다. 순이 사흉四凶을 주살했으니, 그래야만 할 때에는 반드시 분노해야 한다. 그러나 분노해야만 할 때에 분노하여 절도에 맞아야한다. 일이 지나가면 분노는 사라지고 다시 마음에 쌓아 두지 않는다."

[33-2-16]

問 : "定性書是正心誠意工夫否?"

曰 : "正心誠意以後事."[111]

물었다. "성을 안정시키는 것을 논한 편지는 마음을 바르게 하고 의도를 진실하게 하는 공부가 아닙니까?"
답했다. "마음을 바르게 하고 의도를 진실하게 한 이후의 일이다."

[33-2-17]

"定性者, 存養之功至而得性之本然也. 性定則動靜如一而內外無間矣. 天地之所以爲天地, 聖人之所以爲聖人, 不以其定乎. 君子之學亦以求定而已矣. 故廓然而大公者, 仁之所以爲體也, 物來而順應者, 義之所以爲用也. 仁立義行, 則性定而天下之動一矣. 所謂貞也. 夫豈急於外誘之除而反爲是憧憧哉. 然常人之所以不定者, 非其性之本然也. 自私以賊夫仁, 用智以害夫義, 是以情有所蔽而憧憧耳. 不知自反以去其所蔽, 顧以惡外物爲心而反求照於無物之地, 亦見其用力愈勞而燭理愈昧, 益以憧憧而不自知也. 艮其背, 則不自私矣. 行無事, 則不用知矣. 內外兩忘, 非忘也, 一循於理, 不是內而非外也. 不是內而非外, 則大公而順應, 尙何事物之爲累哉. 聖人之喜怒大公而順應, 天理之極也. 衆人之喜怒自私而用知, 人欲之盛也. 忘怒則公, 觀理則順, 二者所以爲自反而去蔽之方也. 夫張子之於道, 固非後學所敢議. 然意其强

110 『朱子語類』 권95, 115조목
111 『朱子語類』 권95, 116조목

探力取之意多, 涵養之功少, 故不能無疑於此. 程子以是發之, 其旨深哉?"[112]

"성을 안정시키는 것은 보존하고 배양하는 노력이 이르러 성의 본연을 얻는 것이다. 성이 안정되면 움직임과 고요함이 하나처럼 되고 안과 밖에 차이가 없다. 천지가 천지가 되는 까닭과 성인이 성인이 되는 까닭은 그것이 안정되었기 때문이 아니겠는가? 군자의 학문 또한 안정을 구하는 것일 뿐이다. 그러므로 '확연하여 공명정대한 것'은 인仁이 그 체體가 되는 것이고, 사물이 와서 이치에 따라 반응하는 것은 의義가 용用이 되는 것이다. 인이 세워지고 의가 행해지면 성이 안정되고 세상의 움직임이 통일된다. 『역』에서 '올바르다.'[貞]라고 했으니, 어찌 밖의 유혹을 제거하기에 급급하여 도리어 왕래하기를 끊임없이 할 뿐이겠는가! 그러나 보통 사람들이 안정을 이루지 못한 것은 그 성의 본연 때문이 아니다. 사사로운 마음을 가져서 인仁을 죽이고, 지혜를 쓰려고 해서 의義를 해치니, 그래서 감정에 가려진 것이 있어 왕래하기를 끊임없이 하게 될 뿐이다. 스스로 반성하여 그 가려진 것을 제거할 줄 모르고, 오히려 외부의 사물을 싫어하는 것으로 마음을 삼고서, 반대로 사물이 없는 경지를 비추기를 구하니, 또한 힘은 더욱더 수고롭게 들이지만 이치를 비추는 데에는 더욱더 어두우니, 더욱더 왕래하기를 끊임없이 하여 스스로를 알지 못한다. 등[背(마땅히 그칠 곳)]에서 그치면[113] 스스로 사사롭게 하지 않을 것이다. 행하기를 일삼지 않으면 지혜를 쓰지 않을 것이다. 안과 밖을 모두 잊는 것은 잊는 것이 아니라 한결같이 리를 따르는 것이며, 안이 옳고 밖이 그르다고 하는 것이 아니다. 안이 옳고 밖이 그르다고 하지 않으면 크게 공변되고 순응하는 것이니, 오히려 어찌 사물이 루가 되겠는가. 성인의 기쁨과 분노는 크게 공변되고 순응하니 천리가 지극하다. 보통 사람의 기쁨과 분노는 스스로 사사롭게 하여 지혜를 쓰니 인욕이 왕성하다. 분노를 잊으면 공변되고 이치를 보면 순하니, 두 가지는 스스로 반성하여 폐해를 제거하는 방법이 된다. 장자張子의 도에 대해서 진실로 후학이 감히 논의할 바는 아니다. 그러나 억지로 탐구하고 힘써 취하려는 생각은 많고 함양하는 공은 적다고 생각하므로 여기에 의심이 없을 수 없다. 정자程子가 이에 대해 문제 제기를 하였으니 그 뜻이 깊다."

[33-2-18]

勉齋黃氏曰: "定性字當作定心看. 若以心有內外, 則不惟未可語定, 亦且不識心矣."

問: "天地之常至而順應, 是第二段, 此書大意不過此二句而已. 廓然大公, 是不絶乎物, 物來順應, 是不累乎物."

曰: "固是如此. 然自心普萬物, 情順萬事, 便是不絶乎物. 無情無心, 便是不累乎物. 只是此兩意貫了一篇."

면재 황씨勉齋黃氏가 말했다. "성을 안정시킨다는 말은 마땅히 마음을 안정시킨다는 말로 보아야 한다. 만약 마음에 안과 밖이 있으면 안정이라고 말할 수 없을 뿐만 아니라 또한 마음을 알 수가 없다."
말했다. "천지의 상도에서부터 이치에 따라 반응한다는 것까지가 두 번째 단락이다. 이 편지의 대의는

112 『朱文公文集』 권67 「雜著 · 定性說」
113 『周易』「艮卦」 卦辭 참조

이 두 구절에 지나지 않습니다. 확연하고 공명정대한 것은 사물과 단절되지 않는 것이고, 사물이 오면 이치를 따라 반응하는 것은 사물에 얽매이지 않는 것입니다."
답했다. "분명 이와 같다. 그러나 '그 마음으로 만물에게 광대하게 영향을 미치고, 그 감정으로 모든 일을 따른다.'는 측면이 사물에 얽매이지 않는 것이다. 이 두 가지 뜻이 한 편에 관통되어 있다."

又曰 : "自易曰貞吉悔亡至而除也, 是第三段. 此乃引易以結上段之意. 貞吉則虛中無我, 不絶乎物而亦不累乎物也. 憧憧, 則累乎物矣. 自人之情至索照也, 是第四段. 只是與前二段意相反. 自私便是求絶乎物, 用智是反累乎物. 不能以有爲爲應迹, 故求絶乎物, 不能以明覺爲自然, 故反累乎物.
自易曰艮其背至應物爲累哉, 是第五段. 亦引易以結上文. 艮不獲其身則無我. 無我則不自私. 用智而鑿, 則不以明覺爲自然. 故不若內外之兩忘也. 自聖人之喜至爲如何哉, 是第六段. 以聖人喜怒明其廓然大公物來順應也. 後面是第七段. 未嘗無怒而觀理是非, 則未至於聖人而於道思過半矣. 以此讀之, 則自粲然明白矣."
또 말했다. "『역』에서 말하기를 '올바르면 길하여, 후회가 없어진다'는 말에서 제거한다는 말까지가 세 번째 단락이다. 이것은 『역』을 인용하여 위 단락의 뜻을 맺은 것이다. '올바르면 길하다.'고 했으니, 이는 마음을 텅 비어 사사로운 자아가 없으면, 사물을 끊지 않으면서도 사물에 얽매이지 않는 것이다. '왕래하기를 끊임없이 한다.'고 했으니, 이는 사물에 얽매이는 것이다. '사람의 정情은 각각 가려진 것이 있으므로'에서부터 '사물을 비추려고 하는 것입니다.'까지가 네 번째 단락이다. 이는 앞의 두 단락의 의미와 서로 반대된다. 사사로운 마음은 외부의 사물을 끊으려고 하는 것이고, 지혜를 사용하는 것은 도리어 사물에 얽매이는 것이다. '자신의 행위를 가지고 흔적에 호응할 수가 없으므로' 사물을 끊으려고 하는 것이고, '밝은 깨달음으로 자연스럽게 행할 수가 없으므로' 도리어 사물에 얽매이는 것이다.
'『역』에서 그 등에 그치면'에서부터 '사물에 응하는 것을 얽매이는 것이라고 어찌 생각하겠습니까?'까지가 다섯 번째 단락입니다. 또한 『역』을 인용하여 위의 문장을 결말지었다. 간괘의 '몸을 얻지 못한다.'는 것은 사사로운 자아가 없는 것이고, 사사로운 자아가 없으니, 사사로운 마음이 없다. 사사로운 지혜를 사용하여 천착하니, 밝은 깨달음으로 자연스럽게 행할 수가 없다. 그러므로 안과 밖 모두를 잊는 것만 못하다. '성인은 사물이 마땅히 기뻐해야할 사물에 대해 기뻐하고'에서부터 '어떻게 하겠습니까?'까지가 여섯 번째 단락이다. 성인의 기쁨과 미움으로 확연하고 공명정대하여 사물이 오면 이치에 따라서 반응하는 것을 밝혔다. 그 이후는 일곱 번째 단락이다. 분노가 없이 이치의 옳고 그름을 보지 못하면, 성인에 이르러 도에 대해서도 대부분을 이해할 수 없을 것이다. 이것을 읽으면 저절로 명백해 질 것이다."

又曰 : "末一段專說順應一邊. 末一段專說順應一邊. 朱文公舊說亦兼大公順應而言. 蓋以遽忘其怒爲大公也."
또 말했다. "마지막 한 단락은 오로지 이치에 따라 반응한다는 측면을 말했다. 그러나 분노하지 않음이 없으면 그것이 공명정대함이다. 주문공은 옛날에 공명정대함과 이치에 따라 반응하는 것을 함께 말했다.

그 분노를 잊는 것이 공명정대함이기 때문이다."

[33-2-19]

西山眞氏曰 : "定性者, 理定於中而事不能惑也. 理定于中, 則當静之時固定也, 動之時亦未嘗不定也. 不隨物而往, 不先物而動, 故曰無將迎. 理自內出而周於事, 事自外來而應以理, 理卽事也, 事卽理也, 故曰無内外. 夫能定能應, 有寂有感, 皆心之妙也. 所以然者, 性也. 若以定與寂爲是而應與感爲非, 則是以性爲有内外也. 事物之來以理應之, 猶鑑懸於此而形不能遁也. 鑑未嘗隨物而照, 性其可謂隨物而在外乎? 故事物未接如鑑之本空者, 性也. 事物旣接如鑑之有形者, 亦性也. 内外曷嘗有二本哉? 如此, 則知事物不能累吾之性, 雖酬酢萬變, 未嘗不定也."[114]

서산 진씨西山眞氏가 말했다. "성을 안정시키는 것은 이치가 마음속에서 안정되어 상황에 대해서 미혹될 수 없는 것이다. 이치가 마음속에서 안정되면 고요할 때는 분명 안정되고, 움직일 때도 안정되지 않은 적이 없다. 사물에 따라 가지 않고 사물에 앞서 움직이지 않으므로, '미래의 일이나 과거의 일에 얽매이지 않는다.'고 했다. 이치가 안에서 나와 상황 속에서 두루 일어나고, 상황은 밖에서 와서 이치에 반응하니, 이치가 상황이고, 상황이 이치이므로 '안과 밖이 없다.' 안정할 수 있으면 반응할 수 있고, 적연할 수 있으면 감응할 수 있으니, 모두 마음의 신묘함이다. 그것이 그렇게 되는 것이 성이다. 만약 안정과 적연함을 옳다하면서 반응과 감응은 그르다고 한다면 성을 안과 밖이 있는 것으로 생각하는 것이다. 사물이 오면 이치로 반응하는 것은 마치 거울을 여기에 걸어놓으면 형체가 숨을 수 없는 것과 같다. 거울이 사물을 따라서 비춘 적이 없는데, 성이 사물을 따라서 밖에 있다고 할 수 있겠는가? 그러므로 사물이 접촉하지 않아 거울이 본래 텅 빈 것과 같은 것이 성이다. 그러나 사물이 접촉하여 거울에 형체가 비추는 것과 같은 것 역시 성이다. 안와 밖이 어찌 두 가지 근본이 있겠는가? 이러해서 사물은 나의 성을 얽매일 수 없으니, 수작酬酌이 여러 가지로 변하더라도 안정하지 않았던 적이 없음을 알 수 있다."

[33-2-20]

雙峯饒氏曰 : "君子之學, 惟其知性之無内外也, 故其存於中者常豁然而大公. 知應事接物各有當然之理莫非吾性之理也, 故其感於外者常因事物之來而順理以應之. 此其所以能定也. 衆人惟其不知此理, 故不能豁然大公, 而常梏於自私. 不能物來順應, 而每事常鑿智以爲用. 此其所以不能定也."

쌍봉 요씨雙峯饒氏[饒魯][115]가 말했다. "군자의 학문은 오직 성에는 안과 밖이 없음을 아는 것이므로, 그것을 마음속에 보존하여 항상 활연하여 공명정대하다. 상황에 반응하고 사물에 접촉하여 각각 당연한

114 『西山讀書記』 권2 「性情心」

115 雙峯饒氏[饒魯] : 송나라 饒州 餘幹 사람이다. 자는 伯輿이고 仲元이라고도 하며, 호는 쌍봉이다. 어릴 적에 황간으로부터 배웠다. 『宋元學案』 권83 참조

이치가 있어서 나의 성의 이치가 아님이 없음을 알기 때문에, 밖에서 감응한 것이 항상 사물이 오는 것에 따라서 이치를 따라 반응한다. 이것이 안정을 이룰 수 있는 까닭이다. 보통사람은 이러한 이치를 알지 못하므로, 활연하여 공명정대할 수 없고, 항상 사사로운 마음에 얽매인다. 사물이 와서 이치를 따라 반응할 수 없고, 매사에 항상 사사로운 지혜에 천착하여 반응한다. 이것이 안정을 이루지 못하는 까닭이다."

[33-3-1]

問 : "意是心之運用處, 是發處."

朱子曰 : "運用是發了."

問 : "情亦是發處, 何以別?"

曰 : "情是性之發. 情是發出恁地. 意是主張要恁地. 如愛那物是情. 所以去愛那物是意. 情如舟車, 意如人去使那舟車一般."[116] 已下論情意.

물었다. "의意는 마음이 운용運用하는 것입니까? 아니면 발현한 것입니까?"

주자가 답했다. "운용하는 것은 발현된 것이다."

물었다. "정情도 발현한 것인데, 어떻게 구별합니까?"

답했다. "정은 성이 발현한 것이다. 정은 그대로 발현되어 나온 것이고, 의는 그렇게 하도록 주장한 것이다. 에를 들어 저것을 사랑하는 것은 정이지만, 저것을 사랑하도록 한 것은 의이다. 정은 배와 수레에 비유할 수 있다면, 의는 사람이 그 배와 수레를 부리는 것과 같다." 이하는 정의情意에 대해서 논한다.

[33-3-2]

"心意猶有痕跡. 如性則全無兆朕, 只是許多道理在這裏."[117]

(주자가 말했다.) "마음과 의意는 흔적이 있는 것과 같다. 그러나 성性은 조짐과 같은 흔적이 전혀 없이 단지 수 많은 도리가 그 안에 있을 뿐이다."

[33-3-3]

問 : "意是心之所發, 又說有心而後有意, 則是發處依舊是心主之, 到私意盛時, 心也隨去."

曰 : "固然."[118]

물었다. "의意는 마음이 발현된 것인데, 또 마음이 있은 뒤에 뜻이 있다[119]고 하면, 발현한 것은 그대로

116 『朱子語類』 권5, 82조목

117 『朱子語類』 권5, 83조목

118 『朱子語類』 권5, 84조목

119 『河南程氏遺書』 권22상 「伊川語録」에는 이러한 말이 있다. 참고해 볼만한 내용이다. "백온이 또 물었다. '맹자가 말한 마음, 성, 천은 단지 하나의 이치가 아닙니까?' 말했다. '그렇다. 이치에서 말하자면 천이고,

마음이 주관하고, 사의私意가 성대하게 될 때는 마음도 그것을 따라갑니다."
답했다. "분명 그러하다."

[33-3-4]

問 : "情意之別."

曰 : "情是會做底, 意是去百般計較做底. 意因有是情而後用."[120]

물었다. "정情과 의意의 구별에 대해서 묻습니다."
답했다. "정은 일을 할 수 있는 것이고, 의는 여러 가지를 계교해서 하는 것이다. 의는 이 정이 있고 난 후에 작용한다."

[33-3-5]

問 : "情意如何體認?"

曰 : "性情則一. 性是不動, 情是動處, 意則有主向. 如好惡是情, 好好色, 惡惡臭, 便是意."[121]

물었다. "정과 의는 어떻게 체인합니까?"
답했다. "성과 정은 하나이다. 성은 움직이지 않고, 정은 움직인 것이고, 의는 지향이 있는 것이다. 예를 들어 좋아하고 미워하는 것은 정이고, '좋은 색을 좋아하고, 악취를 미워하는 것'은 곧 의이다."

[33-3-6]

"未動而能動者, 理也. 未動而欲動者, 意也."[122]

(주자가 말했다.) "움직이지 않지만 움직이도록 하는 것이 이치이고, 움직이지 않았으나 움직이려고 하는 것이 의이다."

품수받은 것에서 말하자면 성이고, 사람에게 보존된 것으로 말하자면 마음이다.' 또 물었다. '운용하는 것은 마음이 아닙니까?' 답했다. 그것은 '意이다.' 椺가 물었다. '의는 마음이 발현된 것이 아닙니까?' 답했다. '마음이 있고 난 뒤에 의가 있다.' 또 물었다. '맹자가 말한 마음에는 「나가고 들어옴에 때가 없다.」고 한 것은 무슨 의미입니까?' 답했다. '마음에는 본래 나가고 들어옴이 없다. 맹자는 잡고 놓는다는 것을 가지고 말했다.' 백온이 또 물었다. '사람이 사물에 미혹되어 좇아갈 경우 마음이 그것을 좇아가는 것이 아닙니까?' 답했다. '마음은 나아가고 들어옴이 없으니, 사물을 좇는 것은 욕심이다.'(伯溫又問, '孟子言心·性·天, 只是一理否?' 曰, '然. 自理言之謂之天, 自稟受言之謂之性, 自存諸人言之謂之心.' 又問, '凡運用處是心否?' 曰, '是意也.' 椺問, '意是心之所發否?' 曰, '有心而後有意.' 又問, '孟子言心「出入無時」, 如何?' 曰, '心本無出入. 孟子只據操舍言之.' 伯溫又問, '人有逐物, 是心逐之否?' 曰, '心則無出入矣, 逐物是欲.')"

120 『朱子語類』 권5, 85조목
121 『朱子語類』 권5, 86조목
122 『朱子語類』 권5, 87조목

[33-3-7]

北溪陳氏曰 : "意者, 心之所發也, 有思量運用之義. 大抵情者, 性之動, 意者, 心之發, 情是就心裏面自然發動, 改頭換面出來底, 正與性相對. 意是心上發起一念思量運用要恁地底. 情動是就全體上論, 意是就一念處論. 合數者而觀, 纔應接事物時便都呈露在面前. 且如一件事物來接著, 在內主宰者是心, 動出來或喜或怒是情, 裏面有箇物能動出來底是性, 運用商量要喜那人 要怒那人是意, 心向那所喜所怒之人是志, 喜怒之中節處又是性中道理流出來, 卽其當然之則處是理, 其所以當然之根原處是命. 一下許多物事都在面前未嘗相離, 亦粲然不相紊亂."[123]

북계 진씨北溪陳氏가 말했다. "의意는 마음이 발현한 것이며, 생각하고 운용하는 뜻이 있다. 대체로 정情은 성이 움직인 것이고, 의는 마음이 발현한 것이고, 정은 마음 안에서 저절로 발동한 것인데, 모양이 바뀌어서 드러난 것으로 성과는 서로 짝이 된다. 의는 마음에서 생각하는 일념一念이 일어나 이렇게 하려고 운용하는 것이다. 정이 움직인 것은 온전한 형체에서 말한 것이고, 의는 일념이 일어난 곳에서 논한 것이다. 그 여러 가지 것을 합하여 보면, 우리가 사물에 반응하고 접촉할 때 모두가 우리 눈앞에 드러나는 것이다. 또한 어떤 사태가 와서 접촉할 때 마음속에서 주재하는 것이 마음이고, 기쁨이나 분노로 움직여 나오는 것이 정情이고, 안에서 어떤 것을 움직여 나오게 할 수 있는 것이 성性이고, 저 사람에게 기뻐하고 싶다고 생각하거나 저 사람에게 성내고 싶다고 생각하도록 운용하는 것이 의意이고, 마음에서 기뻐하고 성내려는 사람에게 향하는 것이 지志이다. 기쁨과 성냄이 절도에 맞는 것은 또 성 가운데에서 도리가 나온 것이니, 그 당연한 준칙이 이치[理]이고, 그 당연한 근원이 명命이다. 이 눈앞의 수많은 것들은 서로 분리되어 있지 않지만 또한 찬연하게 질서가 있어서 서로 문란하지도 않다."

[33-3-8]

"以意比心, 則心大意小. 以全體言, 意是就全體上發起一念慮處."[124]

(북계 진씨가 말했다.) "의를 마음과 비교하자면, 마음은 크고 의는 작다. 온전한 형체로 말하자면 의는 온전한 형체에서 염려하는 일념이 일어난 것이다."

[33-3-9]

"毋意之意, 是就私意說. 誠意之意, 是就好底意說."[125]

(북계 진씨가 말했다.) "공자가 '의意가 없었다.'[126]고 할 때의 의는 사사로운 의도를 말하고, '뜻을 진실하

123 『北溪字義』 권상 「意」

124 『北溪字義』 권상 「意」

125 『北溪字義』 권상 「意」

126 『論語』「子罕」: "공자는 네 가지의 마음이 없었다. 사사로운 뜻이 없었고, 기필하는 마음이 없었고, 고착하는 마음이 없었고, 사사로운 자아가 없었다.(子絶四. 毋意, 毋必, 毋固, 毋我.)"

게 한다.'[127]고 할 때의 의는 좋아하는 뜻을 말한다."

[33-3-10]

"人常言意思, 去聲 思者思平聲也. 思慮念慮之類, 皆意之屬."[128]

(북계 진씨가 말했다.) "사람들은 항상 의사意思라고 말하니, 여기서 말하는 사思는 생각한다는 뜻이다. 사려나 염려라는 것은 모두 이 의사에 속한다."

[33-4-1]

程子曰: "志御氣則治, 氣役志則亂. 人忿慾勝志者有矣, 以義理勝氣者鮮矣."[129] 已下論志氣志意

정자가 말했다. "지志가 기를 제어하면 다스려지고, 기가 지를 부리면 혼란해진다.[130] 사람의 분노와 욕심이 지를 이기는 경우는 많이 있지만, 의리義理로 기를 이기는 경우는 드물다."[131] 이하에는 지기志氣와 지의志意를 논한다.

[33-4-2]

問: "人有少而勇老而怯, 少而廉老而貪, 何爲其然也."

曰: "志不立, 爲氣所使故也. 志勝氣, 則一定而不可變也. 曾子易簀之際, 其氣微可知也. 惟其志旣堅定, 則雖死生之際, 亦不爲之動也. 況老少之異乎?"[132]

問: "志意之別."

曰: "志自所存主言之, 發則意也. 發而當, 理也, 發而不當, 私也."[133]

물었다. "사람이 젊었을 때는 용기가 있지만 늙어서는 나약해지고, 젊어서는 청렴하지만 늙어서는 탐욕스러워지는데, 그렇게 되는 까닭은 무엇입니까?"

(정자가) 답했다. "지志가 세워지지 않아서 기를 부릴 수 없기 때문이다. 지가 기를 이기면 하나로 정해져서 변할 수가 없다. 증자가 죽을 때에 자리를 바꾸었는데, 그 기가 약했음을 알 수 있다. 그러나 오직 그 기가 매우 견고하게 정해져서 비록 죽을 때이지만, 그 지를 움직이지 않았다. 하물며 늙고 젊은 차이

127 『大學』

128 『北溪字義』 권상 「意」

129 『二程粹言』「心性編」

130 『孟子』「公孫丑上」: "의지가 한결같으면 氣를 움직이고, 氣가 한결같으면 의지를 움직이니, 지금 넘어지는 자와 달리는 자는 氣이지만, 도리어 그 마음을 동요하게 된다.(志壹則動氣, 氣壹則動志也, 今夫蹶者趨者, 是氣也而反動其心.)"

131 『河南程氏遺書』 권11 「師訓」에는 다음과 같은 말이 있다. "志는 기를 이길 수 있으니, 기가 이기면 혼란하다. 지금 사람들은 두려움으로 기를 이기는 경우는 많지만, 의리로써 기를 이기는 경우는 드물다.(志可克氣, 氣勝則憒亂矣. 今之人以恐懼而勝氣者, 多矣, 而以義理勝氣者, 鮮矣.)"

132 『二程粹言』「論學編」

133 『二程粹言』「心性篇」

는 어떠하겠는가?"
물었다. "지志와 의意의 구별을 묻습니다."
답했다. "지志는 보존하는 것으로 말했으니, 발현하면 의意이다. 발현하여 마땅하면 이치이고, 발현하여 마땅하지 않으면 사사로움이다."

[33-4-3]

朱子曰 : "性者, 卽天理也. 萬物稟而受之, 無一理之不具. 心者, 一身之主宰. 意者, 心之所發, 情者, 心之所動, 志者, 心之所之, 比於情意尤重. 氣者, 卽吾之血氣而充乎體者也, 比於他則有形器而較粗者也."[134]

주자가 말했다. "성性은 천리天理이다. 만물이 품수 받았지만, 구비되지 않은 이치는 하나도 없다. 마음은 한 몸의 주재이다. 의意는 마음이 촉발된 것이고, 정情은 마음이 움직인 것이고, 지志는 마음이 가는 것이나, 정과 의에 비해서 더욱 중요하다. 기氣는 나의 혈기血氣로서 몸에 가득 찬 것이니, 다른 것에 비하면, 형체가 있어서 비교적 조잡하다."[135]

[33-4-4]

"心之所之謂之志. 日之所之謂之時. 志字從之從心. 時字從之從日. 志是心之所之一直去底. 意又是志之經營往來底, 是那志底脚, 凡營爲謀度往來, 皆意也. 所以橫渠云志公而意私."[136]

(주자가 말했다.) "마음이 가는 것을 지라고 하고, 해가 가는 것을 시간이라고 한다. 지志라는 글자는 갈 지之자와 마음 심心자로부터 왔고, 시時라는 글자는 갈 지之와 날 일日자로부터 왔다. 지는 마음이 가는 것이니, 곧장 가는 것이다. 의意는 또 지가 경영하고 왕래하는 것이니, 그 지의 다리이고, 꾸려나가고, 헤아리고, 왕래하는 것은 모두 의意이다. 그래서 횡거는 '지志는 공公하고 의意는 사私하다.'[137]고 말했다."[138]

134 『朱子語類』 권5, 88조목
135 『朱子語類』에는 이 말에 이어서 다음과 같은 말이 있다. "또 말했다. '마음을 버리고서는 성을 볼 수 없고, 성을 버리고서는 마음이 드러나지 않는다.(又曰, '舍心無以見性, 舍性無以見心.')"
136 『朱子語類』 권5, 89조목
137 『正蒙』「中正」: "덕으로 인도하는 것은 매(체벌)로 가르치는 것보다 스스로를 교화하도록 한다. 그러므로 사람을 깨우치는 자는 그 뜻을 우선하고 '그 뜻을 겸손하게 하는 것'이 좋다. 志와 意의 두 말에서 志는 공적인 것이고 意는 사적인 것일 뿐이다.(道以德者, 運於物外, 使自化也. 故諭人者, 先其意而孫其志可也. 蓋志意兩言, 則志公而意私爾.)"
138 『朱子語類』 권5, 89조목에 다음과 같은 말이 이어져 있다. "물었다. '정은 의에 비하면 어떠합니까?' 답했다. '情도 意의 중요한 부분이다. 지와 의는 정에 속한다. 「情」이라는 글자는 비교적 의미가 넓고, 「性」과 「情」이라는 글자는 모두 마음 心에서 나왔으니 「마음이 성과 정을 통괄한다.」는 말이다. 마음은 체와 용을 겸하여 말한다. 성은 마음의 이치이고, 정은 마음의 작용이다.'(問, '情比意如何?' 曰, '情又是意底骨子. 志與意都屬情, 「情」字較大, 「性 · 情」字皆從「心」, 所以說「心統性情」. 心兼體用而言. 性是心之理, 情是心之用.')"

[33-4-5]

問 : "意志."

曰 : "橫渠云, 以意志兩字言, 則志公而意私, 志剛而意柔, 志陽而意陰."[139]

물었다. "의意와 지志를 묻습니다."

답했다. "횡거가 말하기를 '의와 지라는 두 글자를 말하자면, 지는 공公하고, 의意는 사私하다.'고 했으니, 지는 강하고 의는 부드러우며, 지는 양陽하고 의는 음陰하다."

[33-4-6]

"志是公然主張要做事底, 意是私地潛行間發處. 志如伐, 意如侵."[140]

(주자가 말했다.) "지는 공공연하게 주장하면서 일을 해나가려는 것이고, 의는 사사롭게 몰래 행하여 틈을 타서 발현하는 것이다. 지는 정벌과 같고, 의는 침투와 같다."

[33-4-7]

北溪陳氏曰 : "志者, 心之所之. 之, 猶向也, 謂心之正面全向那裏去. 如志於道, 是心全向於道, 志於學, 是心全向於學. 一直去求討要必得那箇物事, 便是志. 若中間有作輟, 或退轉底意, 便不得謂之志."[141]

북계 진씨北溪陳氏[陳淳][142]가 말했다. "지는 마음이 가는 것이다. 갈 지之자는 지향과 같으니, 마음의 정면이 전적으로 그곳으로 향해서 가는 것을 말한다. 예를 들어 '도에 뜻을 두었다.'는 것은 마음이 전적으로 도에 향하는 것이고, '배움에 뜻을 두었다.'는 것은 마음이 전적으로 배움에 향하는 것이다. 곧장 가서 구하여 반드시 저것을 얻으려고 하는 것이 곧 지이다. 만약 중간에 그치거나 혹은 물러나려고 하는 생각이 있다면 지라고 할 수 없다."

[33-4-8]

"志有趣向期必之意. 趣向那裏去, 期料要恁他決然必欲得之, 便是志. 人若不立志, 只泛泛地同流合汙, 便做成甚人. 須是立志以聖賢自期, 便能卓然拔出於流俗之中, 不至隨波逐浪爲碌碌庸輩之歸. 若甘心於自暴自棄, 便是不能立志."[143]

(북계 진씨가 말했다.) "지志에는 지향하고 반드시 얻기를 기대하는 생각이 있다. 저기를 지향하여 가서,

139 『朱子語類』 권5, 89조목

140 『朱子語類』 권5, 91조목

141 『北溪字義』 권상 「志」

142 北溪陳氏[陳淳] : 陳淳(1159~1223)의 자는 安卿이고, 호는 北溪이다. 송대 龍溪(현 복건성 漳州) 사람으로 주희가 장주 지사일 때 제자가 되어, 주희에게 '남쪽에 와서 나의 도가 진순 한 사람을 얻었다'라는 칭찬을 받았다. 시호는 文安이다. 저서는 『字義詳講』·『論孟學庸口義』·『北溪大全集』 등이 있다.

143 『北溪字義』 권상 「志」

이렇게 하기를 기대하고, 결단해서 반드시 그것을 얻으려고 하는 것이 지志이다. 사람이 지를 세우지 않으면 그저 대충대충 세속의 흐름에 휩쓸리고 더러운 세태에 영합하면 어떤 사람을 이루겠는가? 반드시 지志를 세워서 성현이 되기를 스스로 기대해야 하니, 그러면 세속의 흐름 속에서 탁월하게 드러나서, 파도에 따라 휩쓸려 세속적인 사람이 되지는 않는다. 만약 자포자기 하기를 달가워하면, 지志를 세울 수가 없다."

[33-4-9]

"立志須是高明正大. 人多有好資質, 純粹靜淡甚近道, 却甘心爲卑陋之歸, 不肯志於道, 只是不能立志."[144]

(북계 진씨가 말했다.) "지志를 세우는 데에는 반드시 공명정대해야만 한다. 사람들은 좋은 자질을 가진 경우가 많고, 순수하고 고요하고 담백하여 도에 매우 가까운데도, 스스로 비루한 지경에까지 이르는 것을 달가워하면서도, 도에 뜻을 두려고 하지 않으니, 지志를 세울 수가 없었기 때문일 뿐이다."

[33-4-10]

"孟子曰, 士尙志. 立志要高, 不要卑."[145]

(북계 진씨가 말했다.) "맹자가 말했다. '선비는 지志를 숭상한다.'[146]뜻을 세우는 데에는 높아야지 낮아서는 안 된다."

[33-4-11]

"論語曰, 博學而篤志, 立志要定, 不要雜. 要堅, 不要緩. 如顔了曰, '舜何人也? 予何人也? 有爲者亦若是.' 若曰, '文王我師也, 周公豈欺我哉?' 皆以聖人自期, 皆是能立志. 孟子曰, '舜爲法於天下可傳於後世, 我猶未免爲鄕人也, 是則可憂也. 憂之如何? 如舜而已矣.' 孟子以舜自期, 亦是能立志."

(북계 진씨가 말했다.) "『논어』에서 '널리 배우고 뜻을 돈독하게 하라.'고 했다. 지志를 세우는 데에 한 가지로 고정해야지, 이것저것 뒤섞여서는 안 되며, 견고해야지 느슨해서는 안 된다. 예를 들어 안자는 '순임금은 누구인가? 나는 누구인가? 힘을 써서 하는 자는 모두 이와 같이 될 수 있다.'고 했고, 공명의公

144 『北溪字義』 권상 「志」

145 『北溪字義』 권상 「志」

146 『孟子』「盡心上」: "맹자가 말했다. '뜻을 고상히 한다.' 물었다. '뜻을 고상히 하는 것은 무엇을 말합니까?' 말했다. '仁義일 뿐이다. 한 사람이라도 무죄한 사람을 죽이는 것은 仁이 아니고, 자기의 소유가 아닌데 취하는 것은 義가 아니다. 어디에 거해야 하는가? 仁에 거하는 것이다. 길은 어디에 있어야 하는가? 義가 이것이다. 仁에 거하고 義를 따른다면 大人의 일이 갖추어진 것이다.'(孟子曰, '尙志.' 曰, '何謂尙志?' 曰, '仁義而已矣. 殺一無罪 非仁也, 非其有而取之, 非義也. 居惡在? 仁是也. 路惡在? 義是也. 居仁由義, 大人之事備矣.')"

明儀는 '문왕은 나의 스승이다. 주공이 어찌 나를 속이겠는가?'[147]라고 했다. 모두 성인이 되기를 스스로 기대했으니, 모두 지志를 세울 수 있었다. 맹자가 '순임금은 세상에 모범이 되어 후세에 전해질 수 있었지만, 나는 시골 사람을 면하지 못했으니, 이것이 근심스럽다. 무엇을 걱정하는가? 순임금처럼 되고자 할 뿐이다.'[148] 맹자는 순임금이 되기를 스스로 기대했으니, 그 역시 지志를 세울 수 있었다."

[33-4-12]

西山眞氏曰 : "志者, 心之用也. 心無不正, 而其用則有正邪之分. 志者, 進德之基. 若聖若賢, 莫不發軔乎此. 志之所趨, 無遠不達, 穹山窮海不能限也. 志之所向, 無堅不入, 銳兵精甲不能禦也. 善惡二途, 惟道與利而已. 志乎道, 則理義爲之主而物欲不能移. 志乎利, 則物欲爲之主而理義不能入. 堯桀舜蹠之所繇以異也. 可不謹乎?"[149]

서산 진씨西山眞氏[眞德秀][150]가 말했다. "지志는 마음의 작용[用]이다. 마음이 올바르지 않음이 없지만, 그 작용에는 올바름과 올바르지 않음의 구분이 있다. 지志는 덕을 발전시키는 기초이다. 성인과 현자와 같은 사람은 이것으로부터 시작하지 않음이 없었다. 지志가 지향하는 것은 멀어서 도달하지 못할 곳은 없으니, 드높은 산과 머나먼 바다도 한계가 될 수 없다. 지志가 향하는 것은 뚫고 들어가지 못할 견고한 것이 없으니, 정예로운 부대일지라도 막을 수 없다. 선과 악의 두 길은 도와 이익일 뿐이다. 도에 뜻을 두면 이치[理]와 의로움[義]이 주가 되어 사물에 대한 욕심이 바꿀 수 없다. 이익에 뜻을 두면 사물에 대한 욕심이 주가 되어, 이치와 의로움이 들어갈 수가 없다. 요왕과 걸왕 그리고 순임금과 도척의 차이가 이로부터 비롯되니 삼가지 않을 수 있겠는가?"

[33-4-13]

魯齋許氏曰 "雲從龍, 風從虎, 氣從志. 龍虎所在而風雲從之. 志之所在而氣從之."[151]

147 『孟子』「滕文公上」

148 『孟子』「離婁下」: "그래서 군자는 죽을 때까지 하는 근심은 있어도, 하루아침의 걱정은 없는 것이다. 근심하는 것이란 있으니, 舜임금도 사람이며 나도 또한 사람인데, 순임금은 세상에 모범이 되어 후세에 전해질 수 있었지만, 나는 시골 사람을 면하지 못했으니, 이것이 근심스럽다. 무엇을 걱정하는가? 순임금처럼 되고자 할 뿐이다. 군자가 걱정하는 것은 없으니, 仁이 아니면 하지 않으며, 禮가 아니면 행하지 않는다. 만일 하루아침의 걱정이 있다 하더라도 군자는 걱정하지 않는다.(是故君子有終身之憂, 無一朝之患也. 乃若所憂則有之, 舜人也, 我亦人也, 舜爲法於天下, 可傳於後世, 我由未免爲鄕人也, 是則可憂也. 憂之如何? 如舜而已矣. 若夫君子所患則亡矣, 非仁無爲也, 非禮無行也. 如有一朝之患, 則君子不患矣.)"

149 『西山文集』 권33 「說 · 志道字說」

150 西山眞氏[眞德秀]: 眞德秀(1178~1235)의 자는 希元 · 景元 · 景希이고, 호는 西山이다. 송대 浦城(복건성 浦城) 사람으로 1199년에 진사에 급제하여 太學正 · 參知政事에 이르렀다. 어려서는 주희의 문인인 詹體仁에게 배우고, 스스로 '주희를 사숙하여 얻은 것이 있다.'라고 하였다. 특히 『大學』을 중시하여 窮理持敬을 강조하였다. 저서는 『大學衍義』 · 『四書集編』 · 『西山文集』 등이 있다.

151 『魯齋遺書』 권1 「語錄上」

노재 허씨魯齋許氏[許衡][152]가 말했다. "구름은 용을 따르고, 바람은 호랑이를 따르며, 기氣는 지志를 따른다. 용과 호랑이가 있는 곳에 바람과 구름이 따르듯이, 지志가 있는 곳에 기氣가 따른다."

[33-5-1]

程子曰: "思慮不得至於苦." 已下論思慮.

정자가 말했다. "사려는 고통에까지 이르러서는 안 된다."[153] 이하 사려에 대해 논한다.

[33-5-2]

"要息思慮, 便是不息思慮."[154]

(정자가 말했다.) "사려를 멈추려고 노력하면 사려를 멈출 수가 없다."

[33-5-3]

"不深思則不能造於道. 不深思而得者, 其得易失."[155]

(정자가 말했다.) "깊이 사려하지 않으면 도를 스스로 만들 수가 없다. 깊게 생각하여 얻지 않은 것은 그 얻은 것을 쉽게 잃는다."[156]

[33-5-4]

"欲知得與不得, 於心氣上驗之. 思慮有得, 中心悅豫, 沛然有裕者, 實得也. 思慮有得, 心氣勞耗者, 實未得也, 强揣度耳."[157]

(정자가 말했다.) "얻었는지 얻지 못하였는지를 알고 싶다면 심기心氣에서 증험해 보아야 한다. 사려함에 얻음이 있으면 마음속에서 기쁨이 있다. 시원하게 여유가 있는 것은 실제로 얻은 것이다. 사려함에 얻음이 있지만, 마음의 기운이 소모된 것은 실제로 얻지 못한 것이니 억지로 헤아렸을 뿐이다.[158]"[159]

152 魯齋許氏[許衡]: 許衡(1209~1281)은 원나라 懷孟 河內 사람이다. 자는 仲平이고, 호는 魯齋며, 시호는 文正이다. 憲宗 4년(1254) 忽必烈이 불러 京兆提學과 國子祭酒 등의 요직을 맡았다. 集賢殿 大學士와 領太史院事 등을 지냈다. 『讀易私言』·『魯齋心法』·『魯齋遺書』·『許文正公遺書』·『許魯齋集』 등이 있다.

153 『河南程氏外書』 권7 「胡氏本拾遺」

154 『河南程氏遺書』 권15 「入關語錄」

155 『河南程氏遺書』 권25 「暢潛道本」

156 『河南程氏遺書』 권25 「暢潛道本」에 나온 전문은 이렇다. "깊이 사려하지 않으면 도를 스스로 만들 수가 없다. 깊게 생각하여 얻지 않은 것은 그 얻은 것을 쉽게 잃는다. 그러나 배우는 사람이 사려하지 않고서 얻는 것이 있는 것은 무엇인가? 말했다. '사려하지 않는 것이 곧 깊이 사려하여 얻는 것이다. 사려하지 않는 것으로 사려하지 않는 것으로 삼아서 스스로 얻는 자는 있어 본 적이 없다.(深思則不能造於道. 不深思而得者, 其得易失. 然而學者有無思無慮而得者, 何也? 曰, 以無思無慮而得者, 乃所以深思而得之也. 以無思無慮爲不思而自以爲得者, 未之有也.)"

157 『河南程氏遺書』 권2상 「元豐己未呂與叔東見二先生語」

[33-5-5]

"人多思慮, 不能自寧, 只是做他心主不定."[160]

(정자가 말했다.) "사람이 사려를 많이 하면 스스로 편안해질 수 없다. 단지 그의 마음을 안정시킬 수가 없다."[161]

[33-5-6]

"未有不能體道而能無思者. 故坐忘則坐馳, 有忘之心, 是則思而已矣."[162]

(정자가 말했다.) "도를 체인하지 못하면서도 사려가 없을 수 있는 자는 없다. 그러므로 사려를 잊으려 하는 무아의 경지에 들려고 하면 잡스런 생각들이 일어나니, 사려를 잊으려고 하는 마음이 있는 것이 바로 사려하고 있는 것일 뿐이다."

---

158 『近思録集註』 권3 : "마음은 五臟 가운데 하나이지만 다른 곳과는 神明이 주재한다고 하여 다르다. '도를 배우는 데에 사려하여 마음이 텅 비었다.'는 것은 도를 배우려고 사려하여 마음이 텅 비게 되는 지경에 이르렀다는 것이다. 혈기가 평온하고 화평하면 질병이 없는데, 텅 비었다는 것은 부족한 병이고 꽉 찼다는 것은 과잉의 병이다. 마음의 질병이 곧 마음이 텅빈 것이고, 마음을 지나치게 사용하면 텅 비게 되고, 텅 비면 질병이 된다. 그러므로 마음의 질명이라고 했다.(心, 五臟之一也, 與他處解作神明主宰者, 不同. 學道思慮心虛者, 言因學道而思慮以至心虛也. 血氣平和, 則無疾, 虛是不足之疾, 實是有餘之疾. 心疾, 即心虛也. 心過用則虛, 虛則成疾, 故曰心疾.)"

159 『河南程氏遺書』 권2상 「元豐己未吕與叔東見二先生語」에 나온 전문은 다음과 같다. "얻었는지 얻지 못하였는지를 알고 싶다면 心氣에서 증험해 보아야 한다. 사려함에 얻음이 있으면 마음속에서 기쁨이 있다. 시원하게 여유가 있는 것은 실제로 얻은 것이다. 사려함에 얻음이 있지만, 마음의 기운이 소모된 것은 실제로 얻지 못한 것이니 억지로 헤아렸을 뿐이다. 어떤 사람이 '근래 도를 배우는 데에 사려하여 마음이 텅 비었다.'고 해서 내가 '사람의 혈기는 분명 虛實이 있어서, 질병이 오는 것을 성현도 면할 수 없지만, 자고로 성현이 학문 때문에 마음의 병이 들었다는 말을 들어본 적이 없습니다.'라고 했다.(欲知得與不得, 於心氣上驗之. 思慮有得, 中心悅豫. 沛然有裕者, 實得也. 思慮有得, 心氣勞耗者, 實未得也, 強揣度耳. 嘗有人言'比因學道, 思慮心虛'. 曰, '人之血氣, 固有虛實, 疾病之來, 聖賢所不免, 然未聞自古聖賢因學而致心疾者.')"

160 『河南程氏遺書』 권15 「入關語録」

161 『河南程氏遺書』 권15 「入關語録」에 나온 전문은 이렇다. "사람이 사려를 많이 하면 스스로 편안해질 수 없다. 단지 그의 마음을 안정시킬 수가 없다. 마음을 안정시키려고 한다면 오직 그 일에 멈추어야 하니, 군주는 仁에 멈추는 것과 같은 종류이다. 예를 들어 순임금이 四凶을 주살했는데, 사흉이 악행을 저질렀기 때문에 순이 가서 그들을 주살한 것이지, 순이 다른 무엇을 간여했겠는가? 사람이 그 일에 멈추지 못하고 단지 그 일을 끌어 안으면 사물로 하여금 사물에 각각 붙이게 할 수가 없다. 사물이 각각 사물에 붙으면 이는 사물을 부리는 것이다. 사물에 의해서 부림을 당하는 것은 사물에 의해 부름을 받는 것이다. 사물에는 반드시 법칙이 있으니, 반드시 그 일에 멈추어야 한다.(人多思慮不能自寧, 只是做他心主不定. 要作得心主定, 惟是止於事, 爲人君止於仁之類. 如舜之誅四凶, 四凶已作惡, 舜從而誅之, 舜何與焉? 人不止於事, 只是攬他事, 不能使物各付物. 物各付物, 則是役物. 爲物所役, 則是役於物. 有物必有則, 須是止於事.)"

162 『河南程氏遺書』 권3 「謝顯道記憶平日語」

[33-5-7]

"泛乎其思, 不若約之可守也. 思則來, 捨則去, 思之不熟也."[163]

(정자가 말했다.) "사려에 가득한 것보다는 지킬 수 있는 것을 집약하는 것이 낳다. 사려하면 오고 버리면 가니, 사려가 성숙하지 못한 것이다."

[33-5-8]

呂與叔嘗言, "患思慮多, 不能驅除."

曰 : "此正如破屋中禦寇. 東面一人來未逐得, 西面又一人至矣, 左右前後驅逐不暇. 蓋其四面空踈, 盜固易入, 無緣作得主定. 又如虛器入水, 水自然入. 若以一器實之以水, 置之水中, 水何能入來? 蓋中有主則實, 實則外患不能入, 自然無事."[164]

여여숙呂與叔이 일찍이 "사려가 많은 것이 근심인데 모두 몰아서 없애버릴 수가 없습니다."라고 했다. (정자가 말했다.) "이것은 분명 부서진 집 속에서 도적을 막는 것과 같다. 동쪽에서 도둑이 와서 쫓아내지도 못했는데, 서쪽에서 또 한 사람이 이르니, 좌우전후로 쫓아내기에 바쁘다. 사면이 텅 비면 도둑은 분명 쉽게 들어오니, 주인이 안정을 이루지 못합니다. 또 텅 빈 그릇에 물을 넣으면 물이 저절로 들어가는 것과 같습니다. 만약 그릇에 물을 가득 채워 넣으면 물속에 넣어두면 물이 어떻게 들어갈 수 있겠습니까? 속에 주인이 있으면 꽉 차고,[165] 꽉 차면 외부의 근심이 들어올 수 없으니 저절로 일삼을 일이 없게 됩니다."

[33-5-9]

問 : "思可去否?"

上蔡謝氏曰 "思如何去? 思曰睿, 睿作聖, 思豈可去?"

問 : "遇事出言, 每思而發, 是否?"

曰 :"雖不中不遠矣."[166]

물었다. "사려는 없앨 수 있습니까?"

상채 사씨上蔡謝氏[謝良佐][167]가 말했다. "사려를 어떻게 제거하는가? '사려는 예지이고 예지는 성인을 이룬

---

163 『河南程氏遺書』 권6

164 『河南程氏遺書』 권1 「端伯傳師說」

165 꽉 차고 : 朱子는 이렇게 설명한다. "여기서 말하는 꽉 찬다는 것은 이치를 가리켜서 말한 것이다. 이치를 주인으로 삼으면 이 마음이 虛明하여 조금의 사사로운 뜻이 없게 된다. 마치 깊고 깨끗한 물에 조금의 모래가 보이는 것과 같다.(朱子曰, 實指理而言. 蓋以理爲主, 則此心虛明, 一毫私意着不得. 如一泓清水, 有少許沙土便見.)"

166 『上蔡語錄』 권3

167 上蔡謝氏[謝良佐] : 북송 蔡州 上蔡 사람이다. 자는 顯道고, 시호는 文肅이다. 二程의 문하에서 배웠다. 游酢, 呂大臨, 楊時와 함께 '程門四先生'으로 알려졌다. 上蔡學派의 비조이며 上蔡先生으로 불렸다. 仁을 覺, 生意

다.'고 했으니, 사려를 어찌 제거하겠는가?"
물었다. "일을 당해서 말을 하고, 매번 사려하여 발언하면, 이는 옳지 않습니까?"
답했다. "적절하지 않더라도 멀지않다."

[33-5-10]
問: "程子云, 要息思慮, 便是不息思慮."
朱子曰: "思慮息不得. 只敬, 便都沒了."[168]
물었다. "정자가 '사려를 멈추려고 노력하면 사려를 멈출 수가 없다.'고 했습니다."
주자가 말했다. "사려를 멈출 수 없다. 오직 경敬하면 모두 사라진다."

[33-5-11]
問: "思慮紛擾."
曰: "公不思慮時, 不識箇心是何物. 須是思慮時, 知道這心如此紛擾. 漸漸見得, 却有下工夫處."[169]
물었다. "사려가 혼란스럽게 요란합니다."
답했다. "당신이 사려하지 않을 때, 마음이 어떤 것인지를 알지 못한다. 반드시 사려할 때 이 마음이 이렇게 혼란스럽게 요란하다는 점을 알게 된다. 점차로 알게 되면 공부할 곳이 있게 된다."

[33-5-12]
問: "知與思於人身最緊要."
曰: "然. 二者也只是一事. 知如手相似, 思是教這手去做事也. 思所以用夫知也."[170]
물었다. "앎과 사려는 사람에게서 가장 중요합니다."
답했다. "그렇다. 두 가지일지라도 한 가지이다. 앎은 손의 모습과 유사하고, 사려는 저 손으로 일을 하게 한다. 사려는 앎을 사용하는 것이다."

[33-5-13]
"人心無不思慮之理. 若當思而思, 自不當苦苦排抑, 却反成不静也."[171]

로, 誠을 實理로, 敬을 常惺惺으로, 窮理를 求是라고 주장했다. 그의 사상은 다분히 禪佛教의 내용을 포함하고 있어 주자로부터 비판을 받았다. 저서에 『上蔡語錄』과 『論語說』이 있다.

168 『朱子語類』 권97, 60조목
169 『朱子語類』 권118, 77조목
170 『朱子語類』 권5, 99조목
171 『朱子語類』 권12, 63조목

(주자가 말했다.) “사람의 마음은 사려가 없을 리가 없다. 사려해야만 하면 사려해야지, 원래 힘들게 배척하고 억제할 필요가 없어서, 도리어 고요함을 이루지 못한다.”[172]

[33-5-14]

魯齋許氏曰 : “愼思, 視之所見, 聽之所聞, 一切要箇思字. 君子有九思, 思曰睿是也. 要思無邪. 目望見山, 便謂之青, 可乎? 惟知故能思.”[173]

노재 허씨魯齋許氏[許衡][174]가 말했다. “신중한 사려, 보아서 보는 것, 들어서 듣는 것 모두는 사려라는 글자에 있다. 군자에게는 구사九思[175]가 있는데 사려는 예지라고 한다는 것이 이것이다. 사려함에 사특함이 없어야 한다. 눈이 먼 산을 보면서 푸르다고 말하면 옳은가? 오직 알기 때문에 사려할 수 있다.”

[33-5-15]

或問 : “心中思慮多, 奈何?”

曰 : “不知所思慮者何事. 果求所當知, 雖千思萬慮可也. 若人欲之萌, 卽當斬去, 在自知之耳. 人心虛靈, 無槁木死灰不思之理. 要當精於可思慮處.”[176]

어떤 사람이 물었다. “마음 속에 사려가 많으면 어떻게 합니까?”

(노재 허씨가) 말했다. “사려하는 것이 어떤 일인지 알지 못하고 있다. 당연히 알아야할 것을 구하는데 수 만 가지의 사려가 있어도 좋다. 그러나 인욕이 싹트려고 한다면 당장 제거해야만 하니, 저절로 알게 될 뿐이다. 사람의 마음은 허령虛靈하여 마른 나무나 죽은 재처럼 사려하지 않을 리가 없다. 마땅히 사려해야할 곳에 정밀해야만 한다.”

172 『朱子語類』 권12, 63조목 : “사람의 마음은 사려가 없을 리가 없다. 사려해야만 하면 사려해야지, 원래 힘들게 배척하고 억제할 필요가 없어서, 도리어 고요함을 이루지 못한다. 이단의 학문은 性을 스스로 사사롭게 하니 분명 큰 병통이다. 그러나 또 기질과 정욕의 편벽됨을 살피지 않고, 자기 멋대로 망령되게 행동하면서, 지극한 이치가 아님이 없다고 하니, 이것은 더욱 해로운 일이다. 근세 유학자들의 논의가 또한 여기로 빠지니 살피지 않을 수 없다.(人心無不思慮之理. 若當思而思, 自不當苦苦排抑, 反成不靜. 異端之學, 以性自私, 固爲大病. 然又不察氣質情欲之偏, 率意妄行, 便謂無非至理, 此尤害事. 近世儒者之論, 亦有流入此者, 不可不察.)”

173 『魯齋遺書』 권1 「語錄上」

174 魯齋許氏[許衡] : 許衡(1209~1281)은 원나라 懷孟 河內 사람이다. 자는 仲平이고, 호는 魯齋며, 시호는 文正이다. 憲宗 4년(1254) 忽必烈이 불러 京兆提學과 國子祭酒 등의 요직을 맡았다. 集賢殿 大學士와 領太史院事 등을 지냈다. 『讀易私言』·『魯齋心法』·『魯齋遺書』·『許文正公遺書』·『許魯齋集』 등이 있다.

175 九思 : 『論語』 「季氏」 : “봄에는 밝음을 생각하며, 들음에는 총명함을 생각하며, 안색은 온화함을 생각하며, 모습은 공손함을 생각하며, 말은 충직함을 생각하며, 일처리는 경건함을 생각하며, 의문에는 물음을 생각하며, 분함은 어려움을 생각하며, 얻는 것을 보면 의로움을 생각한다.(視思明, 聽思聰, 色思溫, 貌思恭, 言思忠, 事思敬, 疑思問, 忿思難, 見得思義.)”

176 『魯齋遺書』 권1 「語錄上」

[33-5-16]

臨川吳氏曰："常人非無思, 而不見其有得, 何也? 不思其則, 是謂妄思, 惡有妄思而可以有得者哉? 思必于其則而後爲思之正. 則必于其得而後爲思之成. 則也者, 帝之衷, 民之彝, 性分所固有, 事理之當然也. 稽諸夫子之言, 則無邪其綱, 九思其目也. 無邪者, 心之則. 曰明, 曰聰, 曰溫, 曰恭, 曰忠, 曰敬者, 視聽色貌言事之則也. 思之思之, 其有不得之者乎?"

임천 오씨臨川吳氏[吳澄][177]가 말했다. "보통 사람은 사려가 없지 않지만, 그들이 터득하지 못하는 것은 어째서인가? 그 법칙을 사려하지 않아 망령되이 사려한다고 할 수 있으니, 어찌 망령되이 사고하고서 터득할 수가 있겠는가? 사려하는 데에는 먼저 그 법칙을 사려한 뒤라야 사려의 올바름이 된다. 법칙은 반드시 터득한 후에 사려의 완성이 된다. 법칙이란, 제帝의 올바름이고, 백성의 떳떳함이니 성분性分에서 분명하게 가진 것이고, 사리事理의 당연함이다. 공자의 말을 살펴보면, 사특함이 없는 것이 그 강령이고, 구사九思[178]가 그 조목이다. 사특함이 없는 것이 마음의 법칙이고, 밝음과 총명함과 온화함과 공손함과 충직함과 경건함은 봄, 들음, 안색, 말, 일처리의 법칙이다. 사려하고 사려하니, 그것을 얻지 못할 자가 있겠는가?"

177 臨川吳氏[吳澄] : 吳澄(1249~1333)의 字는 幼淸이고 만년에 伯淸으로 바꾸었다. 풀로 만든 집에 거주하면서 '草廬'라고 이름지었기 때문에 사람들은 습관적으로 그를 초려 선생이라고 불렀다. 抚州 崇仁 사람이다. 송나라와 원나라 사이 유학자이며 경학자이며 이학자이다. 주자의 재전 제자인 饒魯의 문인인 程若庸에게서 배워 주희의 후학이며 요노의 제전 제자가 되었다. 저작으로는『五經纂言』·『草廬精語』·『道德經注』·『三禮考注』등이 있고,『草廬吳文正公文集』이 있다.

178 九思 :『論語』「季氏」: "봄에는 밝음을 생각하며, 들음에는 총명함을 생각하며, 안색은 온화함을 생각하며, 모습은 공손함을 생각하며, 말은 충직함을 생각하며, 일처리는 경건함을 생각하며, 의문에는 물음을 생각하며, 분함은 어려움을 생각하며, 얻는 것을 보면 의로움을 생각한다.(視思明, 聽思聰, 色思溫, 貌思恭, 言思忠, 事思敬, 疑思問, 忿思難, 見得思義.)"

性理六 성리 6

性理六
성리 6

道 도

[34-1-1]

程子曰 : “道未始有天人之別. 但在天則爲天道, 在地則爲地道. 在人則爲人道.”[1]

정자程子가 말했다. “도는 애초에 하늘과 사람의 구별이 있지 않다. 다만 하늘에서는 천도天道가 되고, 땅에서는 지도地道가 되고, 사람에게서는 인도人道가 된다.”

[34-1-2]

“天之自然謂之天道.”[2]

(정자가 말했다.) “하늘의 저절로 그러함을 천도라고 한다.”[3]

[34-1-3]

“天以生爲道. 天命, 猶天道也, 以其用言也, 則謂之命.”[4]

(정자가 말했다.) “하늘은 살리는 것[5]으로 도로 삼는다.[6] 천명天命은 천도天道와 같으니, 그 용用으로 말하면 명命이라고 한다.”[7]

1 『河南程氏遺書』 권22상 「伊川雜錄」
2 『河南程氏遺書』 권11 「師訓」
3 『河南程氏遺書』 권11 「師訓」에는 다음과 같이 되어 있다. “하늘의 저절로 그러함을 말하면 천도라고 한다. 하늘이 만물에 부여한 것을 말하면 천명이라고 한다.(言天之自然者, 謂之天道. 言天之付與萬物者, 謂之天命.)”
4 『河南程氏遺書』 권21하 「附師說後」
5 살리는 것 : 生을 번역한 말이지만, 낳는 것 · 생장 · 생성 등의 의미를 포함하고 있다.
6 『二程粹言』 권상 「論道篇」

[34-1-4]

"觀生理可以知道."[8]

(정자가 말했다.) "생리生理를 관찰하면 도를 알 수 있다."

[34-1-5]

"「繫辭」云, '形而上者謂之道, 形而下者謂之器.' 又云, '立天之道, 曰陰與陽, 立地之道, 曰柔與剛, 立人之道, 曰仁與義.' 又曰, '一陰一陽之謂道.' 陰陽, 亦形而下者也, 而曰道者, 惟此語截得上下最分明. 元來只此是道, 要在人黙而識之.[9] 或者以清虛一大爲天道, 此乃以器言而非道也."

(정자가 말했다.) "「계사전」에서 말했다. '형이상자는 도道라 하고 형이하자는 기器라 한다.' 또 말했다. '하늘의 도를 세워 음과 양이라 하고, 땅의 도를 세워 유柔와 강剛이라 하고, 사람의 도를 세워 인仁과 의義라고 한다.' 또 말했다. '한번 음하고 한번 양하는 것을 도라고 한다.' 음양은 또한 형이하자이지만, 도라고 하였으니, 이 말에서 상하上下를 구분한 것이 가장 분명하다. 원래 이것이 도이니, 요점은 사람이 묵묵히 깨닫는 것에 달려있을 뿐이다. 어떤 사람은 청허일대清虛一大[10]를 천도라고 하지만 이것은 바로 기器를 가지고 말한 것이지 도가 아니다."[11]

[34-1-6]

"道, 卽性也. 若道外尋性, 性外尋道, 便不是."[12]

(정자가 말했다.) "도가 곧 성이다. 만약 도 밖에서 성을 찾고, 성 밖에서 도를 찾으면 옳지 않다."[13]

7 『河南程氏遺書』 권21하 「附師說後」에는 이렇게 되어 있다. "理와 性과 命, 3가지는 다른 것이 있지 않다. 이치를 궁리하면 성을 다하고, 성을 다하면 천명을 안다. 천명은 천도와 같으니, 그 용으로 말하면 命이니, 명은 造化를 말한다.(理也, 性也, 命也, 三者未嘗有異. 窮理則盡性, 盡性則知天命矣. 天命猶天道也, 以其用而言之則謂之命, 命者造化之謂也.)"

8 『二程粹言』 권상 「論道篇」

9 『河南程氏遺書』 권11 「師訓」

10 淸虛一大 : 장횡거의 말이다. 『張載集』 後錄下

11 어떤 사람은 … 아니다. : 『河南程氏遺書』 권11 「師訓」에는 이렇게 되어 있다. "形而上者謂之道, 形而下者謂之器. 若如或者以淸虛一大爲天道, 則乃以器言而非道也."

12 『河南程氏遺書』 권1 「端伯傳師說」

13 이 말은 불교를 비판하기 위한 맥락에서 나온 말이다. 『河南程氏遺書』 권1 「端伯傳師說」에 나온 원문은 이러하다. "백순 선생이 한지국에게 말했다. '妄을 말하고 幻을 말하는 것은 좋지 않은 性이 되니 다른 좋은 성을 찾아서 이 좋지 않은 성을 바꾸어 주어야 한다. 도가 곧 성이다. 만약 도 밖에서 성을 찾거나 성 밖에서 도를 찾으면 옳지 않다. 성현이 天德을 논한 것은 자신이 원래 타고나면서 완전히 자족한 것을 말한다. 만약 더럽혀지거나 파괴된 것이 없으면 마땅히 곧바로 행한다. 그러나 만약 조금이라도 더럽혀지거나 파괴된 것이 있다면 敬하여 다스려서 옛날처럼 회복하도록 해야 한다. 옛날처럼 할 수 있는 까닭은 자신의 본래 바탕이 원래 완전히 자족한 것이기 때문이다. 만약 수양하여 다스려야 할 것을 수양하여 다스리면 그것이 義가 되고,

[34-1-7]

"書言天叙天秩. 天有是理, 聖人循而行之, 所謂道也."[14]

(정자가 말했다.) "『서書』에서 천서天敍와 천질天秩[15]을 말했다. 천天에는 이 리理가 있으니, 성인이 이 리理를 따라 행하는 것이 이른바 도이다."

[34-1-8]

"道之外無物, 物之外無道, 是天地之間無適而非道也. 卽父子而父子在所親, 卽君臣而君臣在所嚴, 以至爲夫婦, 爲長幼, 爲朋友, 無所爲而非道, 此道所以不可須臾離也. 故'君子之於天下也, 無適也, 無莫也, 義之與比.'若有適有莫, 則於道爲有間, 非天地之全也."[16]

(정자가 말했다.) "도 밖에는 사물이 없고, 사물 밖에는 도가 없으니, 이것이 천지 사이에 어디를 가든 도가 아님이 없는 것이다. 아버지와 아들의 경우 아버지와 아들 사이는 친함에 있고, 군주와 신하의 경우 군주와 신하 사이는 근엄함에 있는 것으로부터 남편과 아내, 어른과 아이들, 친구들 사이에 이르기까지 무엇을 하든 도가 아님이 없으니, 이것이 도가 순간이라도 떠날 수 없는 까닭이다. 그러므로 '군자는 천하天下의 일에서 반드시 그렇게 해야 한다는 것도 없고, 반드시 그렇게 하지 말아야 한다는 것도 없으니, 오직 의義를 따를 뿐이다.'[17] 반드시 그렇게 해야 하는 것이 있고 반드시 그렇게 해야 하지 말아

수양하여 다스릴 필요가 없는 것은 수양하여 다스리지 않으면 또한 그것이 義가 된다. 그러므로 항상 간단하고 명백하게 해서 행하기 쉽다. 禪學자는 모두 일을 만든다. 山河大地의 학설과 같은 그들의 산하대지의 학설은 또 너와 관계되는 것이 무엇이냐? 공자의 경우에는 도가 해와 별의 밝음과 같아서 문인들이 완전히 깨닫지 못하는 것을 근심한다. 그러므로 「나는 아무 말 하지 않으려고 한다.」고 했다. 안자와 같은 경우는 곧 묵묵히 깨달았다. 그러나 그밖에 사람들은 의문을 면하지 못하였다. 그래서 「저희들은 어떻게 서술합니까?」라고 하자, 또 「하늘이 무슨 말을 하겠는가? 사계절은 운행하고 만물은 생겨난다.」고 했으니, 명백하다고 할 수 있다. 만약 이 말에서 간파할 수가 있다면 곧 확실하게 선을 이해하는 것이다.'(伯淳先生嘗語韓持國曰, '如說妄說幻爲不好底性, 則請別尋一箇好底性來, 換了此不好底性著. 道卽性也. 若道外尋性, 性外尋道, 便不是. 聖賢論天德, 蓋謂自家元是天然完全自足之物. 若無所汚壞, 卽當直而行之. 若小有汚壞, 卽敬以治之, 使復如舊. 所以能使如舊者, 蓋爲自家本質元是完足之物. 若合修治而修治之, 是義也, 若不消修治而不修治, 亦是義也, 故常簡易明白而易行. 禪學者總是强生事. 至如山河大地之說, 是他山河大地, 又干你何事? 至如孔子, 道如日星之明, 猶患門人未能盡曉, 故曰『予欲無言』. 如顔子, 則便默識. 其他未免疑問, 故曰「小子何述」. 又曰「天何言哉? 四時行焉, 百物生焉」, 可謂明白矣. 若能於此言上看得破, 便信是會禪.')"

14 『河南程氏遺書』 권21하 「附師說後」

15 天敍와 天秩 : 『書經』「虞書 · 皐陶謨」 6장, "하늘이 차례로 펴서 법을 두시니 우리 五典을 바로잡아 다섯 가지를 후하게 하시며, 하늘이 차례하여 禮를 두시니 우리 五禮로부터 하여 다섯 가지를 떳떳하게 하소서. 君臣이 공경함을 함께 하고 공손함을 합하여 衷을 和하게 하소서. 하늘이 덕이 있는 이에게 명하시거든 다섯 가지 복식으로 다섯 가지 등급을 표창하시며, 하늘이 죄가 있는 이를 토벌하시거든 다섯 가지 형벌로 다섯 가지 등급을 써서 징계하시어 정사를 힘쓰고 힘쓰소서.(天敍有典, 勅我五典, 五, 惇哉, 天秩有禮, 自我五禮, 五, 庸哉. 同寅協恭, 和衷哉, 天命有德, 五服, 五章哉, 天討有罪, 五刑, 五用哉, 政事, 懋哉懋哉.)"

16 『河南程氏遺書』 권4 「游定夫所錄」

17 『論語』「里仁」

야 한다는 것이 있다면 도에 틈이 있는 것이니, 천지의 온전함이 아니다."[18]

[34-1-9]

"沖漠無眹, 萬象森然已具, 未應不是先, 已應不是後. 如百尺木, 自根本至枝葉皆是一貫. 不可道上面一段事無形無兆, 却待人旋要安排引入來教入塗轍. 旣是塗轍, 却只是一箇塗轍."[19]

(정자가 말했다.) "텅 비고 적막하여 조짐이 없지만 만상이 빼곡히 이미 구비되어 있어서, 아직 응하지 않은 것이 앞선 것도 아니고, 이미 응한 것이 뒤선 것도 아니다.[20] 예컨대 백 척의 나무에 뿌리부터 가지와 잎까지 모두 하나로 관통하는 것과 같다. 위단계의 일이 형체가 없고 조짐이 없어서 사람이 갑자기 안배해서 끌어들여 궤적[塗轍][21]에 넣어야 한다고 말할 수는 없다. 궤적이 되었다면 단지 하나의 궤적일 뿐이다."[22]

[34-1-10]

"今語道則須待要寂滅湛靜, 形使如槁木, 心使如死灰, 豈有眞做墻壁木石而謂之道. 所貴乎智周天地萬物而不遺, 又幾時要如死灰? 所貴乎動容周旋中禮, 又幾時要如槁木? 論心術無如孟子, 也只謂必有事焉. 今旣如槁木死灰, 則却於何處有事?"[23]

(정자가 말했다.) "지금 도를 말할 때는 반드시 적멸寂滅하고 담정湛靜하려고 하는데, 그러면 형체는 마치 마른 나무 같게 되고, 마음은 꺼진 재와 같이 되니, 어찌 직접 담벼락과 목석이 되는 것을 도라고 하는 경우가 있겠는가? 지혜가 천지 만물에 두루 통하여 빠뜨리지 않는 것[24]을 귀하게 여기니, 또 어느 때에

18 『河南程氏遺書』에서는 이 구절 뒤에 이런 말이 덧붙여 있다. "이 불교의 학문은 경건히 하여 마음을 곧게 하는 것은 있지만, 의로움으로 밖을 올바르게 하는 것은 없다. 그러므로 막혀서 고집하는 사람은 마른 나무처럼 되고, 지나치게 대충 통하는 자들은 방자함에 빠지니, 이것이 불교의 가르침이 좁은 것이다. 우리 유가의 도는 그렇지 않으니, 성을 따를 뿐이다. 이 이치는 성인이 『易』에 갖추어 말했다.(彼釋氏之學, 於敬以直內則有之矣. 義以方外則未之有也, 故滯固者入於枯槁, 疏通者歸於肆恣, 此佛之敎所以爲隘也. 吾道則不然, 率性而已. 斯理也, 聖人於易備言之.)"

19 『河南程氏遺書』 권15 「入關語錄」

20 葉采의 『近思錄集解』에서는 이 구절에 대해 이렇게 설명한다. "텅 비고 막막함이란 형체가 드러나지 않았지만 모든 이치가 완전히 구비되어 있으니, 무극이 태극이라는 말이다. 응함이 없는 것은 적연하여 움직이지 않는 때이고 응한 것은 감동하여 통한 때이다. 이미 응한 이치는 응하지 않을 때에 모두 구비되어 있으므로, 응하지 않았을 때에 선후로 구분할 수가 없다.(沖漠, 未形而萬理畢具, 即所謂無極而太極也. 未應者, 寂然不動之時也, 已應者, 感而遂通之時也. 已應之理, 悉具於未應之時, 故未應中不可以先後分也.)"

21 궤적[塗轍]: 수레의 바퀴자국을 말한다. 섭채는 『近思錄』에서 '도로길[路脈]'로 말하고 있고, 歸安 茅星來는 『近思録集註』에서 '規矩尺度'라고 말하고 있다.

22 [34-1-41]에서 이 구절을 주희가 논의하고 있다.

23 『河南程氏遺書』 권2상 「元豐己未呂與叔東見」

24 지혜가 천지 … 것: 『周易』「繫辭上」에 "(성인은) 천지와 함께 같으므로 어긋나지 않으니, 지혜가 만물에 두루 통하고, 도가 천하를 구제하기 때문에 지나치지 않으며, 사방으로 행하되 과도하게 흐르지 아니하여

꺼진 재처럼 되려고 하겠는가? 움직이는 모습과 일을 처리하는 것이 예禮에 맞는 것[25]을 귀하게 여기니, 또 어느 때에 마른 나무와 같이 되려고 하겠는가? 심술心術을 논한 것은 맹자만한 사람이 없는데, 그마저도 '반드시 일삼음이 있어야 한다.'[26]고 말했을 뿐이다. 지금 마른 나무와 죽은 재와 같아졌다면, 어느 곳에 일삼음이 있겠는가?"

[34-1-11]

"**謂張子厚曰, '道者, 天下之公也, 而學者欲立私說, 何也?' 子厚曰, '心不廣也.' 曰, '彼亦是美事, 好而爲之, 不知迺所當爲, 强私之也.'**"[27]

"(정자가) 장자후張子厚[張載]에게 말했다. '도는 천하의 공公인데 배우는 사람이 사사로운 논설을 세우려고 하는 것은 어째서입니까?' 자후가 말했다. '마음이 넓지 않기 때문입니다.' (정자가) 말했다. '이것도 아름다운 일이지만, 좋아서 하는 것이되, 마땅히 해야할 것을 모르면 억지로 사사롭게 하는 것입니다.'"

[34-1-12]

問 : "道無眞假."

曰 : "旣無眞, 則是假耳. 旣無假, 則是眞矣. 眞假皆無, 尙何有哉? 必曰是者爲眞, 非者爲假, 不亦顯然而易明乎?"[28]

물었다. "도에는 참과 거짓이 없습니다."

天理를 즐거워하고 天命을 알기 때문에 근심하지 않으며, 자리에 편안하여 仁을 돈독히 하기 때문에 사랑할 수 있는 것이다.(與天地相似, 故不違, 知周乎萬物而道濟天下, 故不過, 旁行而不流, 樂天知命, 故不憂, 安土敦乎仁, 故能愛.)"라고 하였다.

25 움직이는 모습과 … 것 : 『孟子』「盡心上」에 "움직이는 모습과 일을 처리하는 것이 禮에 맞는 것은 盛德이 지극한 것이니, 죽은 자를 哭하여 슬퍼하는 것은 산 자를 위해서가 아니고, 떳떳한 德을 지키고 간사하지 않는 것은 녹봉을 구하려고 해서가 아니며, 언어를 반드시 미덥게 하는 것은 행실을 바르게 하려고 해서가 아니다.(動容周旋, 中禮者, 盛德之至也, 哭死而哀, 非爲生者也, 經德不回, 非以干祿也, 言語必信, 非以正行也.)"라고 하였다.

26 '반드시 일삼음이 … 한다.' : 『孟子』「公孫丑上」, "반드시 일삼음이 있어야만 하되, 억지로 예상하지 말며, 마음에 잊지도 말되, 억지로 助長하지도 말아서, 宋나라 사람과 같이 하지 않아야 한다. 송나라 사람 중에 벼의 싹이 자라지 못하는 것을 안타깝게 여겨서 뽑아 올린 자가 있었다. 그는 멍청하게 돌아와서 집안사람들에게 '오늘 나는 매우 피곤하다. 내가 벼의 싹이 자라도록 도왔다.'라고 하였다. 그 아들이 달려가서 보았더니, 벼의 싹은 말라 있었다. 세상에 벼의 싹이 자라도록 억지로 助長하지 않는 자가 적다. 유익함이 없다 해서 내버려두는 자는 비유하면 벼의 싹을 김매지 않는 자이고, 억지로 助長하는 자는 벼의 싹을 뽑아놓는 자이니, 이는 비단 유익함이 없을 뿐만 아니라, 도리어 해치는 것이다.(必有事焉而勿正, 心勿忘, 勿助長也, 無若宋人然. 宋人有閔其苗之不長而揠之者. 芒芒然歸, 謂其人曰, 今日病矣, 予助苗長矣. 其子趨而往視之, 苗則槁矣. 天下之不助苗長者寡矣. 以爲無益而舍之者, 不耘苗者也, 助之長者, 揠苗者也, 非徒無益, 而又害之.)"

27 『二程粹言』 권상 「論道篇」

28 『二程粹言』 권상 「論道篇」

(정자가) 대답했다. "참이 없다면 거짓일 뿐이다. 거짓이 없다면 참일 뿐이다. 참과 거짓이 모두 없다고 한다면 무엇이 있겠는가? 반드시 옳은 것은 참이 되고, 그른 것은 거짓이 된다고 말한다면, 또한 뚜렷하여 분명하지 않겠는가?"

[34-1-13]

問 : "何謂誠, 何謂道?"

曰 : "自性言之謂之誠, 自理言之謂之道, 其實一也."

물었다. "무엇을 성이라 하고, 무엇을 도라고 합니까?"

(정자가) 대답했다. "성性으로 말하면 성誠이라고 하고, 리理로 말하면 도道라고 하지만, 그 실제는 하나이다."

[34-1-14]

張子曰 : "道所以可久可大, 以其肖天地而不雜也. 與天地不相似, 其違道也遠矣."[29]

장자張子[張載]가 말했다. "도가 장구하고 광대할 수 있는 것은 천지를 닮아서 혼잡하지 않기 때문이다. 천지와 함께 서로 비슷하지 않으면[30] 도와의 거리가 멀다."

[34-1-15]

"人知道爲自然, 而未識自然之爲體."[31]

(장자가 말했다.) "사람들은 도가 자연스러움이라는 것을 알지만 자연이 체體라는 것을 깨닫지 못한다."[32]

[34-1-16]

"天地之道, 無非以至虛爲實. 人須於虛中求出實. 聖人虛之至, 故擇善自精. 心之不能虛, 由有物榛礙. 金鐵有時而腐, 山岳有時而摧. 凡有形之物卽易壞, 惟太虛處無動搖, 故爲至實. '詩云, 德輶如毛, 毛猶有倫, 上天之載, 無聲無臭, 至矣.'"[33]

(장자가 말했다.) "천지의 도는 지극한 허虛로 실實을 삼지 않음이 없다. 사람은 반드시 허虛 속에서

29 『張子全書』 권14 「性理拾遺」

30 천지와 함께 … 않으면 : 『周易』「繫辭上」, "천지와 함께 같으므로 어기지 않으니, 지혜가 만물에 두루 통하고, 도가 천하를 구제하기 때문에 지나치지 않으며, 사방으로 행하되 과도하게 흐르지 아니하여 天理를 즐거워하고 天命을 알기 때문에 근심하지 않으며, 자리에 편안하여 仁을 돈독히 하기 때문에 사랑할 수 있는 것이다.(與天地相似, 故不違, 知周乎萬物而道濟天下, 故不過, 旁行而不流, 樂天知命, 故不憂, 安土敦乎仁, 故能愛.)"

31 『正蒙』「天道編」 : "世人知道之自然, 未始識自然之爲體爾."

32 李光地, 『注解正蒙』 : "자연이 체가 됨을 깨닫고 싶다면 나의 性分 사이에서 찾는 것만 한 것이 없으니, 그래서 소강절은 '性이 도의 形體라고 했다.(欲識自然之爲體者, 莫如求之吾性分之間, 故邵子曰, 性者, 道之形體.)"

33 『張子全書』 권13 「語錄」

실實을 구해야 한다. 성인은 허의 지극함이므로 선함을 택하여 저절로 정밀하게 된다. 마음을 비우지[虛] 못하는 것은 마음속에 장애가 있기 때문이다. 금속은 언젠가는 녹이 쓸고, 산악은 언젠가는 무너진다. 형체가 있는 것은 쉽게 무너지지만, 오직 태허는 동요가 없으므로 지극히 실實한 것이다. '『시』에서 말하기를 「덕德이 가볍기가 터럭과 같다.」[34]고 하였는데, 터럭은 오히려 비교할 만한 것이 있으나, 「상천上天의 일은 소리도 없고 냄새도 없다.」는 표현이라야 지극하다.'"[35]

[34-1-17]

"太虛者, 自然之道. 行之要在思, 故又曰'思誠.'"[36]

(장자가 말했다.) "태허는 자연스러운 도이다. 그것을 행하는 요체는 사려에 있으므로 또 '성誠하려고 생각한다.'[37]라고 했다."

[34-1-18]

"事無大小, 皆有道在其間. 能安分, 則謂之道, 不能安分, 謂之非道. 顯諸仁, 天地生萬物之功, 則人可得而見也; 所以造萬物, 則人不可得而見, 是藏諸用也."[38]

(장자가 말했다.) "일은 크든 작든 모두 그 사이에 도가 있다. 분分을 편안하게 할 수 있다면 도라고 하고, 분을 편안하게 할 수 없다면 도가 아니라고 한다. '인에서 드러난다.'는 것은 천지가 만물을 낳는 공로이니, 사람이 볼 수가 있지만, 만물을 조화造化하는 까닭은 사람이 볼 수가 없으니, 이것이 '용用에 감춘다.'[39]는 것이다."

[34-1-19]

藍田呂氏曰: "人受天地之中以生. 良心所發, 莫非道也. 在我者, 惻隱, 羞惡, 辭遜, 是非, 皆道也. 在彼者, 君臣, 父子, 夫婦, 昆弟, 朋友之交, 亦道也. 在物之分, 則有彼我之殊, 在性之分, 則合乎內外一體而已. 是皆人心所同然, 乃吾性之所固有也."[40]

---

34 『詩經』「大雅·蕩之什·烝民」: "사람들이 또한 말하되, 德이 가볍기가 털과 같으나, 사람들이 능히 덕을 행하는 이가 적다 한다.(人亦有言, 德輶如毛, 民鮮克擧之.)"

35 터럭은 오히려 … 지극하다.: 『中庸』 33장에 "『詩經』에 '德은 가볍기가 터럭과 같다.' 하였는데, 터럭은 오히려 비교할 만한 것이 있으니, '上天의 일은 소리도 없고 냄새도 없다.'는 표현이라야 지극하다.(詩云, 德輶如毛, 毛猶有倫, 上天之載, 無聲無臭, 至矣.)"라고 하였다.

36 『張子全書』 권13 「語錄」

37 '誠하려고 생각한다.': 『孟子』「離婁上」에 "是故, 誠者, 天之道也, 思誠者, 人之道也."라고 하였다.

38 『張子全書』 권14 「性理拾遺」

39 '인에서 드러난다.' … 감춘다.': 『周易』「繫辭上」에 "仁에 드러나며, 用에 감추어져, 만물을 고무하되 성인과 함께 근심하지 않으니, 성대한 德과 위대한 業이 지극하구나!(顯諸仁, 藏諸用, 鼓萬物而不與聖人同憂, 盛德大業, 至矣哉!)"라고 하였다.

40 이 구절은 송나라 衛湜이 편찬한 『禮記集說』 권123 「中庸」에서 首章인 "天命之謂性, 率性之謂道, 修道之謂

남전 여씨藍田呂氏[呂大臨][41]가 말했다. "사람은 천지의 중中을 받아서 생겨난다.[42] 양심良心이 발현하는 것은 도가 아님이 없다. 나에게서는 측은함, 부끄럽고 미워함, 사양하며 겸손해 함, 시비를 가림 모두 도이다. 타인과의 관계에서는 군주와 신하, 아버지와 아들, 남편과 아내, 형과 아우, 친구 간의 교류 역시 모두 도이다. 사물의 분分에서는 타인과 나의 차이가 있지만, 성性의 분에서는 안과 밖이 하나의 체體에 합해 있을 뿐이다. 이것이 모두 사람 마음에 똑같이 옳은 것이니, 나의 성性에 고유하게 있는 것이다."

[34-1-20]

上蔡謝氏曰："聖人之道無顯微, 無內外, 由灑掃應對進退而上達天道, 本末一以貫之."[43]

상채 사씨上蔡謝氏[謝良佐][44]가 말했다. "성인의 도는 드러남과 미세함을 막론하고, 안과 밖을 막론하고, 물 뿌리고 청소하며 응대하고 진퇴하는 것으로부터 위로 천도天道에 이르기까지 근본과 말단이 하나로 관통되어 있다."

[34-1-21]

和靜尹氏謂呂堅中曰："吾道甚平易明白, 須行到無內外無思慮方得."

화정 윤씨和靖尹氏[尹焞][45]가 여견중呂堅中에게 말했다. "우리의 도는 매우 평이하고 명백하지만, 반드시 행함이 안과 밖이 없고 사려가 없는 경지에 이르러야 비로소 된다."

敎."를 설명하는 글에 나오는 한 구절이다.

41 藍田呂氏[呂大臨]: 呂大臨(1040~1092)은 송대 금석학자이며 자는 與叔이다. 그 선조는 汲郡 사람으로 나중에 京兆 藍田으로 이주했다. 『宋元學案』 권18 「范呂諸儒學案」에는 "여대임은 자는 與叔으로 和叔의 동생이다. 형제는 모두 과거에 급제했는데 오직 선생만이 과거시험에 응시하지 않고 門蔭으로 관직에 들어갔다."고 되어 있다. 二程 형제에게 배웠으며, 謝良佐 · 游酢 · 楊時와 함께 程門四先生으로 불린다.

42 사람은 천지의 … 생겨난다.: 『河南程氏遺書』 권1 「端伯傳師說」에 "천치 사이에 유독 사람만이 지극히 영묘한 것이 아니라, 자신의 마음이 곧 초목과 새와 짐승의 마음이다. 그러나 사람은 천지의 中을 받아서 생겨날 뿐이다.(天地之間, 非獨人爲至靈, 自家心便是草木鳥獸之心也. 但人受天地之中以生爾.)"라고 하였다.

43 『上蔡語錄』 「後跋」

44 上蔡謝氏[謝良佐]: 『宋元學案』 권18 「上蔡學案」에는 이렇게 말하고 있다. "謝良佐는 字가 顯道이고 壽春 上蔡 사람이다. 明道가 知扶溝事를 지낼 때 그를 따라 수학했다. 元豐 8년에 진사에 급제하여 州縣을 역임했다. 德安의 응성 현령을 지냈다."

45 和靖尹氏[尹焞]: 尹焞(1071~1142)은 송나라 河南 사람으로 자는 彦明이고, 德充이라고도 한다. 尹源의 손자이다. 어릴 적부터 정이를 스승으로 섬겼다. 과거에 응시했다가 시험문제가 元祐의 여러 신하를 주살한 일을 논의하라는 것이 나와 답하지 않고 나와서 평생토록 과거시험을 보지 않았다. 欽宗 靖康 초에 서울에 불려가서 和靖處士라는 호를 받았다. 高宗 때에 숭정전설서, 예부시랑겸시강을 역임했다. 『論語解』 · 『和靖集』이 있다.

[34-1-22]

五峯胡氏曰："陰陽成象，而天道著矣，剛柔成質，而地道著矣，仁義成德，而人道著矣."[46]

오봉 호씨五峯胡氏[胡宏][47]가 말했다. "음과 양이 상象을 이루어서, 천도天道가 드러나고, 강剛과 유柔가 질質을 이루어서, 지도地道가 드러나고, 인仁과 의義가 덕을 이루어서, 인도仁道가 드러난다."

[34-1-23]

"道者，體用之總名. 仁其體，義其用，合體與用，斯爲道矣."[48]

(오봉 호씨가 말했다.) "도는 체體와 용用의 총명總名이다. 인仁은 그 체體이고, 의義는 그 용用이니, 체와 용을 합하면 도가 된다."

[34-1-24]

"堯舜禹湯文王仲尼之道，天地中和之至，非有取而後爲之者也. 是以周乎萬物，通乎無窮，日用而不可離也."[49]

(오봉 호씨가 말했다.) "요·순·우·탕·문왕과 공자의 도는 천지 중화中和의 지극함이니, 가져온 뒤에 그것을 사용하는 것은 아니다. 그래서 만물에 두루 퍼져있고, 무궁한 시간에 통하니, 매일 사용하여 떠날 수가 없다."

[34-1-25]

"道不能無物而自道，物不能無道而自物. 道之有物，猶風之有動，水之有流也，夫孰能間之? 故離物求道者，妄而已矣."[50]

(오봉 호씨가 말했다.) "도는 사물 없이 따로 도일 수 없고, 사물은 도 없이 따로 사물일 수 없다. 도에 사물이 있는 것은 바람에 움직임이 있고, 물에 흐름이 있는 것과 같으니, 누가 그것을 분리할 수 있겠는가? 그러므로 사물을 떠나 도를 구하는 것은 망령될 뿐이다."

[34-1-26]

延平李氏曰："道之可以治心，猶食之充飢，衣之禦寒也. 身有迫於飢寒之患者，遑遑焉爲衣食之謀，造次顚沛未始忘也. 至於心之不治，有沒世不知慮者，豈愛心不若口體哉? 弗思甚矣.

46 『知言』 권1

47 五峯胡氏[胡宏]: 호오봉으로 宋대 胡安國의 아들인 胡宏(1106~1161)이다. 建寧 崇安(복건성) 사람으로 자는 仲仁이고, 호는 五峰이다. 湖湘學派의 개창자로서, 어린 시절 楊時와 侯仲良에게 배웠다. 謝良佐·胡安國·호굉을 이른바 '湖湘學派'라고 한다.

48 『知言』 권1

49 『知言』 권1

50 『知言』 권1

然飢而思食, 不過乎菽粟之甘, 寒而求衣, 不過乎綈布之溫, 道之所可貴, 亦不過君臣父子夫婦長幼朋友之間, 行之以仁義忠信而已耳. 捨此之不務, 而必求夫誣誕譎怪可以駭人耳目者而學之, 是猶飢寒切身者, 不知菽粟綈布之爲美, 而必期乎珍異侈靡之奉焉. 求之難得, 享之難安, 終亦必亡而已矣."

연평 이씨延平李氏[李侗][51]가 말했다. "도가 마음을 다스릴 수 있는 것은 음식이 배고픔을 충족시켜주고, 옷이 추위를 막아주는 것과 같다. 몸에 배고픔과 추위라는 절박한 근심이 있는 사람은 황급하게 옷과 음식을 마련하려고 다급하고 위급한 순간에서도 잊은 적이 없다. 그러나 마음을 다스리지 않는 일에 이르러서는 죽을 때까지 생각할 줄 모르는 자가 있으니, 어찌 마음을 아끼는 것이 입과 몸만 같지 못하겠는가? 생각하지 않음이 심하다. 그러나 배고플 때 음식을 생각하는 데에 콩과 곡식의 달콤함에 불과하고, 추울 때 옷을 구하는 데에 베옷의 따뜻함에 불과하며, 도에서 귀할 수 있는 것 역시 군주와 신하, 아버지와 아들, 남편과 아내, 나이 많은 사람과 적은 사람과 친구 사이에서 인의仁義와 충신忠信을 행하는 것에 불과할 뿐이다. 이것을 버린 채 힘쓰지 않고, 반드시 사람의 눈과 귀를 놀라게 할 수 있을 황당한 거짓과 기이한 속임수를 구하여 배우려고 하니, 이것은 배고픔과 추위가 매우 절실한 사람이 콩과 곡식 그리고 베옷의 좋음을 알지 못하고, 반드시 진기하고 사치스러운 것으로 봉양하기를 기대하는 것과 같다. 그러나 구하려 해도 얻기 어렵고, 향유하려 해도 편안하기 힘드니, 결국에는 역시 반드시 망할 뿐이다."

[34-1-27]

朱子曰: "這道體浩浩無窮."[52]

주자가 말했다. "도체道體는 광대하여 끝이 없다."

[34-1-28]

"聖人之道, 如飢食渴飮."[53]

(주자가 말했다.) "성인의 도는 배고플 때 먹고, 목마를 때 물을 마시는 것과 같다."

[34-1-29]

"聖人之道, 有高遠處, 有平實處."[54]

(주자가 말했다.) "성인의 도는 고원한 곳도 있고, 평범한 곳도 있다."

51 延平李氏[李侗]: 李侗(1093~1161)은 남송 시대 학자로 남쪽 劍州 劍浦 사람이다. 字는 愿中이며 사람들은 延平先生이라고 불렀다. 程頤(1033~1107)의 再傳弟子로서 젊은 시절 楊時(1053~1135)와 羅從彦(1072~1135)을 스승으로 삼아 『春秋』·『論語』·『孟子』·『中庸』을 배웠다. 주희는 그의 문하에 공부하면서 그의 어록인 『延平答問』을 편집했다. 저서로는 『李延平集』이 있다.

52 『朱子語類』 권8, 1조목

53 『朱子語類』 권8, 3조목

54 『朱子語類』 권8, 4조목

[34-1-30]

“合內外, 平物我, 此見道之大端. 蓋道只是致一公平之理而已.”[55]

(주자가 말했다.) “‘안과 밖을 합하고, 사물과 자아를 고르게 하는 것이 도의 큰 단서를 보는 것이다.’[56] 도는 단지 하나에 이르고 공평한 리理일 뿐이기 때문이다.”

[34-1-31]

“道之常存, 初非人所能預, 只是此箇自是亘古亘今常在不滅之物. 雖被人作壞, 終殄滅他不得.”[57]

(주자가 말했다.) “도가 항상 있는 것은 애초에 사람이 간여할 수 있는 것이 아니라, 단지 이것은 원래 예나 지금이나 항상 존재하여 불멸하는 것이다. 사람에 의해서 파괴되더라도 결국에는 그것을 완전히 없앨 수 없다.”

[34-1-32]

“鳶飛魚躍, 道體隨處發見.”[58]

(주자가 말했다.) “‘솔개가 날고 물고기가 뛰어오른다.’[59]는 것은 도체道體가 곳곳에서 드러나는 것이다.”

---

55 『朱子語類』 권98, 113조목

56 이 말은 장횡거의 말이다. 『張子全書』 권6 「義理」. 葉采는 『近思錄』에서 이 구절에 대해 이렇게 설명하고 있다. “안과 밖을 합하는 것은 겉과 속이 일치하는 것이니, 자기에게 나아가 말한 것이고, 사물과 자아를 고르게 하는 것은 자아와 사물이 일체가 되는 것이니, 자신과 사람을 합하여 말한 것이다.(合內外者, 表裏一致, 就己而爲言也, 平物我者, 物我一體, 合人己而爲言也.)”

57 『朱文公文集』 권36 「書 · 答陳同甫」

58 『朱子語類』 권63, 71조목. 전체 문장은 다음과 같다. “‘솔개가 날고 물고기가 도약한다.’는 것은 道體가 곳곳에서 드러나는 것이다. 도체가 드러나는 것은 사람이 이렇게 보는 것과 같으니 솔개나 물고기는 애초에 스스로 그러한 것을 알지 못한다. 察이란 드러나는 것일 뿐이다. 천지가 밝게 드러나는 것 역시 드러나는 것이다. 군자의 도는 부부의 미세한 곳에서 단서가 만들어지지만 그것이 지극한 단계에 이르면 천지에서 드러난다. 至란 양이 매우 지극한 것이다.(鳶飛魚躍, 道體隨處發見. 謂道體發見者, 猶是人見得如此, 若鳶魚初不自知. 察, 只是著. 天地明察, 亦是著也. 君子之道, 造端乎夫婦之細微, 及其至也, 著乎天地. 至, 謂量之極至.)”

59 『中庸』 12장 : “『詩經』에서 말하기를 ‘솔개는 날아 하늘에 이르는데, 물고기는 연못에서 뛰논다.’라고 하였으니, 상하에 이치가 밝게 드러나는 것을 말한다.(詩云, 鳶飛戾天, 魚躍于淵, 言其上下察也.)” 이에 대해서 주희는 『集註』에서 다음과 같이 주석하고 있다. “子思는 이 詩를 인용하여 천지의 조화와 양육이 流行하여 上下에 밝게 드러나는 것이 이 이치의 작용이 아님이 없음을 밝혔으니, 이것이 ‘費’이다. 그러나 그것이 그렇게 되는 까닭은 보고 들을 수가 있는 것이 아니니, 이것이 ‘隱’이라는 것이다. 그러므로 程子가 ‘이 한 구절은 자사가 사람을 위해 긴요하게 말한 것이니, 活潑潑한 곳이다.’라고 하였다. 읽는 사람들은 깊이 생각해야 한다.(子思引此詩, 以明化育流行, 上下昭著, 莫非此理之用, 所謂費也. 然其所以然者, 則非見聞所及, 所謂隱也. 故程子曰, 此一節, 子思喫緊爲人處, 活潑潑地, 讀者其致思焉.)”

[34-1-33]

"天高地下, 人位乎中. 天之道不出乎陰陽, 地之道不出乎柔剛, 是則舍仁與義, 亦無以立人之道矣. 然而仁莫大於父子, 義莫大於君臣, 是謂三綱之要, 五常之本, 人倫天理之至."[60]

(주자가 말했다.) "하늘은 높고 땅은 낮고, 사람은 그 가운데 자리한다. 하늘의 도는 음양陰陽에서 벗어나지 않고, 땅의 도는 강유剛柔에서 벗어나지 않으니, 이러하므로 인仁과 의義를 버리면 또한 사람의 도를 세울 수가 없다. 그러나 인은 아버지와 아들 관계보다 더 큰 것은 없고, 의는 군주와 신하 관계보다 더 큰 것은 없으니, 이것이 삼강三綱의 대요이고, 오상五常의 근본이고, 인륜과 천리의 지극함이다."

[34-1-34]

"通天下只是一箇天機活物流行發用, 無間容息. 據其已發者而指其未發者, 則已發者人心, 而凡未發者皆其性也. 亦無一物而不備矣, 夫豈別有一物拘於一時, 限於一處而名之哉? 卽夫日用之間渾然全體, 如川流之不息, 天運之不窮耳. 此所以體用精粗, 動靜本末, 洞然無一毫之間, 而鳶飛魚躍觸處朗然也. 存者, 存此而已. 養者, 養此而已."[61]

(주자가 말했다.) "온 천하는 하나의 천기天機가 살아서 유행하며 발용發用하여 조금의 쉼이 없는 것이다. 이미 발현된 것[已發]에 근거하여 아직 발현되지 않은 것[未發]을 가리키면, 발현된 것은 인심人心이고 발현되지 않은 것은 모두 그 성性이다. 또한 어떤 사물일지라도 갖추어지지 않은 것이 없으니, 어찌 시간에 얽매이고 장소에 한정된 어떤 것이 별도로 있어서 그것을 이름 지은 것일 수 있겠는가? 바로 일상 생활 속에서 혼연히 온전한 전체全體는 쉬지 않고 흘러가는 강물과 끝없이 운행하는 하늘과 같을 뿐이다. 이것이 체와 용, 정미한 것과 조야한 것, 움직임과 고요함, 근본과 말단에 환하여 조금의 틈도 없어 솔개가 날고 물고기가 뛰어오르는 곳곳에서 분명하게 드러나는 까닭이다. 보존하는 것은 이것을 보존할 뿐이고, 배양하는 것은 이것을 배양할 뿐이다."

[34-1-35]

問: "昔有問伊川如何是道, 伊川曰, 行處是, 又問明道如何是道, 明道令於君臣父子兄弟上求. 諸先生之言不曾有高遠之說."

曰: "明道之說固如此. 然君臣父子兄弟之間, 各有當然之理, 此便是道."[62]

물었다. "예전에 어떤 사람이 이천伊川에게 '어떤 것이 도입니까?'라고 묻자, 이천은 '다니는 곳이 그것이다.'라고 했고, 또 명도明道에게 '어떤 것이 도입니까?'라고 묻자, 명도는 군주와 신하, 아버지와 아들, 형제에서 구하라[63]고 했습니다. 여러 선생의 말에는 고원한 설명이 있지 않았습니다."

60 『朱文公文集』 권13 「奏劄 · 垂拱奏劄二」
61 『朱文公文集』 권32 「書 · 答張敬夫」
62 『朱子語類』 권121, 33조목
63 『二程外書』 권12 「傳聞雜記」

(주자가) 대답했다. "명도의 말은 본래 이와 같다. 군주와 신하, 아버지와 아들, 형제에는 각각 당연한 리理가 있으니 이것이 곧 도이다."

[34-1-36]

問 : "韓持國言道上無克, 此說猶可, 至說道無眞假, 則誤甚矣."

曰 : "正緣其謂道無眞假, 所以言無克. 若知道有眞假, 則知假者在所當克也."[64]

물었다. "한지국韓持國이 '도에는 극복할 것이 없다.'[65]고 말했는데, 이 말은 오히려 괜찮지만, 도에는 참과 거짓이 없다고 말하는 데에 이르러서는 잘못이 심합니다."

(주자가) 대답했다. "도에는 참과 거짓이 없다고 말했기 때문에 그래서 극복할 것이 없다고 말했다. 만약 참과 거짓이 있다는 점을 알았다면 거짓은 마땅히 극복해야할 것이 있음을 알았을 것이다."

[34-1-37]

"道之大本, 豈別是一物? 但日用中隨事觀省, 久當自見. 然亦須是虛心游意, 積其功力, 庶幾有得."[66]

(주자가 말했다.) "도의 큰 근본이 어찌 별도로 하나의 사물이겠는가? 단지 일상생활 중에서 일마다 관찰하고 살피면, 오래되어 응당 저절로 알게 된다. 그러나 또한 반드시 마음을 비우고 깊이 생각해서 공을 들이는 노력을 쌓아야 알 수 있을 것이다."

[34-1-38]

"道是統名, 理是細目."[67]

(주자가 말했다.) "도道는 총괄적인 이름이고, 리理는 세부 조목이다."

[34-1-39]

"道訓路, 大槩說人所共由之路. 理各有條理界瓣." 因舉康節云, '夫道也者, 道也. 道無形, 行之則見於事矣. 如道路之道, 坦然使千億萬年行之人, 知其歸者也.'[68]

64 『朱子語類』 권130, 51조목

65 『朱子語類考文解義』: "『論語』「顏淵」 수장 精義에 자세하게 보인다.(詳見論語顏淵首章精義)" 『論語』「顏淵」 수장은 이러하다. "안연이 仁을 묻자, 공자가 말했다. '자신을 극복하여 禮로 돌아가는 것이 인이니, 하루 동안이라도 자신을 극복하여 예로 돌아가면 천하가 仁으로 돌아간다. 仁을 하는 것은 자기로부터 말미암는 것이지 남으로부터 말미암는 것은 아니다.(顏淵問仁, 子曰, 克己復禮爲仁, 一日克己復禮, 天下歸仁焉, 爲仁由己, 而由人乎哉?)"

66 『朱文公文集』 권58 「書 · 答黃令裕」

67 『朱子語類』 권6, 2조목

68 『朱子語類』 권6, 3조목

(주자가 말했다.) "도道는 길이라고 풀이하니, 대체로 사람들이 함께 가는 길이다. 리理는 각각 조리條理와 경계가 있다." 이어서 강절이 '도라고 하는 것은 길이다. 도는 드러난 형체가 없지만 행하면 일에서 드러난다. 마치 도로의 길이 편안히 천 억만 년 동안 다니는 사람들이 돌아가는 곳을 알게 하는 것과 같다.'[69]라고 하는 것을 거론했다.

[34-1-40]

問 : "道與理如何分?"

曰 : "道便是路. 理是那文理."

問 : "如木理相似."

曰 : "是."

問 : "如此却似一般."

曰 : "道字包得大. 理是道字裏面許多理脈."

又曰 : "道字宏大. 理字精密."[70]

물었다. "도와 리理는 어떻게 구분됩니까?"
대답했다. "도는 길이고 리는 결[文理]이다."
물었다. "나무의 결과 유사합니까?"
대답했다. "그렇다."
물었다. "이와 같다면 비슷한 것 같습니다."
대답했다. "도는 포괄하는 것이 크고, 리理는 도 속에 수많은 맥락이다."
또 말했다. "도는 폭넓고, 리理는 정밀하다."

[34-1-41]

問 : "程子云, '沖漠無眹, 萬象森然已具, 未應不是先, 已應不是後. 如百尺之木, 自根本至枝葉皆是一貫. 不可道上面事無形無兆, 却待人旋安排引入來教入途轍.' 他所謂途轍者, 莫只是

69 『皇極經世書』「觀物內篇」. 소강절의 아들인 소백온은 이 구절에 대해서 다음과 같이 설명하고 있다. "도는 형체와 행적이 없으므로 이름을 지어 도라고 하여 도로의 길과 같다고 한다. 이름을 지어 도라고 했으니 이미 형체와 행적 사이에 드러난 것이다. 그렇다면 도가 과연 어디에 있겠는가? 『易』에서 '한번 음하고 한 번 양하는 것을 도라고 한다.'고 했고 맹자는 '만물이 이로부터 비롯되지 않음이 없는 것을 도라고 한다.'고 했고 또 '도는 대로와 같다. 세상 사람들이 이것으로부터 구하도록 한 것이다.'라고 했다. 성인이 도를 말한 것은 단지 여기에 이를 수 있을 뿐이다. 배우는 사람은 이점에 대해서 마음을 깊게 집중해야 한다. 이미 도를 따르게 되었으면 돌아갈 바를 알 것이다.(道無形跡, 故名之曰道, 以謂如道路之道. 名之曰道, 則已在乎形跡之間矣. 然則道果何在乎? 易曰, '一陰一陽之謂道,' 孟子曰, '萬物莫不由之之謂道,' 又曰, '道若大路然, 使天下之人由此而求之也.' 聖人語道, 止可至此. 在學者潛心焉, 既由乎道, 則知所歸矣.)"

70 『朱子語類』 권6, 5조목

以人所當行者言之? 凡所當行之事, 皆是先有此理, 却不是臨行事時旋去尋討道理."

曰: "此言未有這事, 先有這理. 如未有君臣, 已先有君臣之理, 未有父子, 已先有父子之理. 不成元無此理, 直待有君臣父子, 却旋將道理入在裏面."

물었다. "정자程子가 '텅 비고 적막하여 조짐이 없지만 만상이 빼곡히 이미 구비되어 있으니, 아직 응하지 않은 것이 앞선 것이 아니고, 이미 응한 것이 뒤선 것이 아니다. 예컨대 백 척의 나무가 뿌리에서부터 가지와 잎까지 모두 하나로 관통하는 것과 같다. 위단계의 일이 형체가 없고 조짐이 없어서 사람이 갑자기 안배해서 끌어들여 궤적[塗轍]에 넣어야 한다고 말할 수 없다.'[71]고 했는데, 그가 말하는 궤적은 사람이 응당 가야할 것을 말한 것뿐이 아닙니까? 응당 행해야 할 일은 모두 먼저 이 리理가 있는 것이지, 그 일을 행하려고 할 때에 갑자기 도리를 찾는 것은 아닙니다."

대답했다. "이것은 이 일이 아직 있지 않았을 때, 이 리理가 먼저 있다는 것을 말하는 것이다. 예를 들어 군주와 신하가 아직 있지 않았을 때 먼저 군주와 신하의 이치가 있었고, 아버지와 아들이 아직 있지 않았을 때, 먼저 아버지와 아들의 이치가 있다. 원래 이 리理가 없었는데 군주와 신하, 아버지와 자식이 있기를 곧바로 기다려서 갑자기 도리를 가져다 그 안에 넣는다고 해서는 안 된다."

又問: "'旣是塗轍, 却只是一箇塗轍'是如何?"

曰: "是這一箇事, 便只是這一箇道理. 精粗一貫, 元無兩樣. 今人只見前面一段事無形無兆, 將謂是空蕩蕩, 却不知道沖漠無眹萬象森然已具."

又問: "未應不是先, 已應不是後, 應字是應務之應否?"

曰: "未應, 是未應此事, 已應, 是已應此事. 未應固是先, 却只是後來事, 已應固是後, 却只是未應時理."[72]

또 물었다. "'궤적이 되었다면 단지 하나의 궤적일 뿐이다.'[73]라는 말은 무슨 말입니까?"

대답했다. "이러한 일이 되었다면 이러한 도리일 뿐이다. 정밀하거나 조야한 것이 하나로 관통되어 있어서 원래 두 가지가 아니다. 지금 사람들이 위단계의 일에 형체도 없고 조짐도 없음을 보고서, 텅 비었다고 말하지만, '텅 비고 적막하여 조짐이 없지만 만상이 빼곡히 이미 구비되어 있다.'는 점을 모른다."

물었다. "'아직 응하지 않은 것이 앞선 것이 아니고, 이미 응한 것이 뒤선 것이 아니다.'라는 말에서 응한다는 글자는 일에 대응한다는 응應입니까?"

대답했다. "아직 응하지 않는 것은 이러한 일에 아직 응하지 않았다는 것이고, 이미 응한 것은 이러한 일에 이미 응한 것이다. 아직 응하지 않은 것은 본래 앞선 것이지만 단지 나중에 올 일[74]이고, 이미

71 『河南程氏遺書』 권15 「入關語錄」. [34-1-9]의 말을 참조하라.

72 『朱子語類』 권95, 85조목

73 『河南程氏遺書』 권15 「入關語錄」. [34-1-9]의 말을 참조하라.

74 나중에 올 일: 『朱子語類考文解義』에서는 이렇게 설명하고 있다. "일은 나중에 있어 아직 오지 않았지만, 그 理는 이미 여기에 갖추어져 있다.(事之在後未來, 而其理已先具於此.)"

응한 것은 분명 나중의 일이지만 이미 응하지 않았을 때의 리理가 드러난 것일 뿐이다."

[34-1-42]

問: "沖漠無眹一段."

曰: "未有事物之時, 此理已具. 少間應處, 只是此理. 所謂塗轍, 卽是所由之路. 如父之慈, 子之孝, 只是一條路從源頭下來."[75]

(정자가 말한) 텅 비고 적막하여 조짐이 없다는 구절에 대해서 묻습니다.

대답했다. "아직 사물이 있지 않았을 때에 이 리理는 이미 갖추어져 있다. 순간순간 대응하는 것은 이 리일 뿐이다. 궤적이라고 하는 것은 경유하는 길이다. 예컨대 아버지의 자애와 자식의 효도는 단지 근원에서 나오는 한 가지 길일뿐이다."

[34-1-43]

問: "未應不是先一條."

曰: "未應, 如未有此物而此理已具. 到有此物, 亦只是這箇道理. 塗轍, 是車行處. 且如未有塗轍而車行必有塗轍之理."[76]

(정자가 말한) 아직 응하지 않은 것이 앞선 것이 아니라는 한 구절에 대해서 묻습니다.

대답했다. "아직 응하지 않았다는 것은 이 사물이 있지 않았는데 이 리는 이미 갖추어져 있는 것과 같다. 이 사물이 있게 되면, 또한 이 도리일 뿐이다. 도철은 수레가 지나간 길이다. 예컨대 궤적이 있기 전에 수레가 가는 것은 반드시 궤적의 리가 있다."

[34-1-44]

答呂子約曰: "道之得名, 只是事物當然之理. 元德直以訓行, 則固不可. 當時若但以當行之路答之, 則因彼之說發吾之意, 而沖漠之云亦自通貫矣. 今且以來示所引一陰一陽, 君臣父子, 形而上下, 沖漠氣象等說, 合而析之, 則陰陽也, 君臣父子也, 皆事物也, 人之所行也, 形而下者也, 萬象紛羅者也. 是數者各有當然之理, 卽所謂道也, 當行之路也, 形而上者也, 沖漠之無眹者也. 若以形而上者言之, 則沖漠者固爲體, 而其發於事物之間者爲之用. 若以形而下者言之, 則事物又爲體, 而其理之發見者爲之用. 不可槩謂形而上者爲道之體, 天下達道爲道之用也."[77]

(주자가) 여자약呂子約[78]에게 답하여 말했다. "도라는 이름을 얻은 것은 단지 사물의 당연한 이치입니다.

75 『朱子語類』 권95, 79조목

76 『朱子語類』 권95, 80조목

77 『朱文公文集』 권48 「書 · 答呂子約」

78 여자약: 呂祖儉(?~1196)이다. 송나라 婺州 金華 사람이다. 자는 子約이고 호는 大愚이다. 여조겸의 동생이다.

원덕元德[張洽][79]이 다만 행行(가는 길)으로 풀었으니 실로 옳지 않습니다. 당시에 만약 '마땅히 가야 하는 길'로 답했다면, 그의 말에 의거해서 나의 뜻을 밝혔을 것이고, 텅 비어 적막하다고 말한 것도 저절로 통했을 것입니다.[80] 지금 또 당신의 편지에서 인용한 한 번 음하고 한 번 양하는 것, 군주와 신하 그리고 아버지와 아들, 형이상자과 형이하자, 텅 비어 적막한 기상[81] 등의 말을 합하여 분석하면 음양과 군신부자는 사물이고 사람이 행하는 것이고 형이하자이고 온갖 것들이 어지럽게 나열된 것입니다. 이 몇 가지는 각각 당연한 리理가 있으니, 도라고 하는 것이고 마땅히 가야할 길이고 형이상자이고 텅 비어 조짐이 없는 것입니다. 만약 형이상자로 말하자면 텅 빈 것은 분명 체體가 되고, 그것이 사물 사이에서 발현된 것이 그 용用이 됩니다. 만약 형이하자로 말하자면, 사물이 또 체體가 되고, 그 이치가 발현된 것이 그 용用이 됩니다. 그래서 개괄적으로 형이상자는 도의 체가 되고 천하에 통용되는 도를 도의 용이 된다고 말할 수 없습니다."

[34-1-45]

問: "伊川云, '形而上者謂之道, 形而下者謂之器, 須着如此說.'"

曰: "這是伊川見得分明. 故云須着如此說. 形而上者是理, 形而下者是物. 如此開說方見分明. 如此了方說得道不離乎器, 器不違乎道處. 如爲君須止於仁, 這是道理合如此. 爲人臣止於敬, 爲人子止於孝, 爲人父止於慈, 這是道理合如此. 今人不解恁地說, 便不索性兩邊說, 怎生說得通."[82]

물었다. "이천이 '「형이상자는 도道라 하고, 형이하자는 기器라고 하니」 반드시 이렇게 말해야 한다.'[83]고

통판태주를 역임했다. 『大愚集』이 있다.

79 元德[張洽]: 張洽(1161~1237)을 말한다. 송나라 臨江軍 淸江 사람이다. 자는 元德이고 호는 主一이다. 어려서부터 영민하여 주희로부터 배웠다. 松滋尉, 袁州司理參軍, 永新知縣, 池州通判 등을 역임했다. 『春秋集注』·『春秋集傳』·『續通鑑長編事略』이 있다.

80 『朱文公文集』 권48 「書·答呂子約」에 나온 앞 부분은 이렇다. "張元德訓道爲行, 固爲疎濶, 子約非之, 是也. 然其所說行字, 亦不爲全無來歷. 今不就此與之剖析, 而別引程子沖漠氣象者以告之. 故覺得有墮於窈冥恍惚之病.(程子所說乃因對義而言, 故自有歸著而不爲病) 而所以破其說者, 又似彼東我西, 不相領略. 此乃吾之所見自未透徹, 未免臆度籠罩而强言之, 所以支離浮汎而不能有所發明也. 若如鄙意則,"

81 텅 비어 … 기상: 『河南程氏遺書』「사훈」에 "其爲氣也, 配義與道, 道有沖漠之氣象."라고 하였다.

82 『朱子語類』 권75, 110조목

83 『河南程氏遺書』 권1 「端伯傳師說」: "충과 신이 덕을 나아가게 하니, 종일토록 힘쓴다.'고 했으니, 군자는 마땅히 종일토록 하늘과 마주해야 한다. '하늘이 하는 일은 소리도 없고 냄새도 없다.'고 했는데, 그 體는 易이라 하고, 그 이치는 道라고 하고 그 用은 神이라 하고, 사람에게 명령 내려진 것은 性이라 하고, 그 성을 따르는 것은 道라고 하고, 도를 수양하는 것을 교육이라고 한다. 맹자는 그 가운데에서 또 호연지기를 발휘해 냈으니, 완벽하게 다했다고 할 수 있다. 그러므로 神은 '마치 위에 있고, 마치 좌우에 있는 듯이 하라.'고 했느니, 크고 작은 일들을 단지 '진실함을 감출 수 없는 것이 이와 같을 뿐이다.'라고 했다. 위와 아래 모두가 이와 같을 뿐이다. 형이상의 것이 도가 되고, 형이하의 것이 기가 되니, 반드시 이렇게 말해야 한다. 器 역시 道이고, 도 역시 기이지만, 단지 도를 얻었을 때에는 지금과 나중, 자신과 타인에 얽매이지 않는다.(忠

했습니다."
(주자가) 대답했다. "이것은 이천이 분명하게 본 것이다. 그래서 반드시 이와 같이 말해야 한다고 했던 것이다. 형이상자는 리理이고, 형이하자는 사물이다. 이렇게 설명해야 분명하게 안다. 이렇게 말해야만, 비로소 도道는 기器와 분리되지 않고, 기는 도와 분리되지 않는다는 점을 말할 수 있다. 예를 들어 군주는 반드시 인仁에서 머물러야 하니, 이것은 도리가 마땅히 이와 같아야 한다. 신하는 경敬에 머무르고 자식은 효에 머무르고 아버지는 자애에 머물러야 하니, 이것은 도리가 마땅히 이와 같아야 한다. 지금 사람들은 이렇게 말할 줄 모르고 게다가 아예 양쪽으로 설명하지 못하니, 어찌 말이 통하겠는가?"

[34-1-46]

問 : "形而上下如何以形言?"

曰 : "此言最的當. 設若以有形無形言之, 便是物與理相間斷了. 所以明道謂截得分明者, 只是上下之間分別得一箇界止分明. 器亦道, 道亦器, 有分別而不相離也."[84]

물었다. "형이상과 형이하는 어째서 형形을 기준으로 말했습니까?"
(주자가) 대답했다. "이 말이 가장 적당하다. 만약 유형有形과 무형無形으로 말한다면 사물과 이치가 서로 단절되어 버린다. 그래서 명도明道[程顥]가 자른 것이 분명하다고 한 것은[85] 단지 상하 사이에 분별한 경계가 분명하다는 것일 뿐이다. 기器 역시 도道이고, 도 역시 기이니, 분별이 있지만 서로 분리되지는 않는다."

[34-1-47]

"道須是合理與氣看. 理是虛底物事, 無那氣質, 則此理無安頓處. 易說一陰一陽之謂道, 這便兼理與氣而言. 陰陽, 氣也, 一陰一陽, 則是理矣. 猶言一闔一闢謂之變. 闔闢, 非變也, 一闔一闢, 則是變也. 盖陰陽非道, 所以陰陽者道也."[86]

(주자가 말했다.) "도는 반드시 리理와 기氣를 합해서 보아야 한다. 리理는 빈 것이니 기질氣質이 없으면 리理는 안착할 곳이 없다. 『역』에서 '한 번 음이 되고 한번 양이 되는 것을 도라고 한다.'고 했는데 이것은 리理와 기氣를 겸하여 말한 것이다. 음양陰陽은 기氣이고, 한 번 음이 되고 한 번 양이 되는 것은 리理이다.

信所以進德, 「終日乾乾」, 君子當終日對越在天也. 蓋「上天之載, 無聲無臭」. 其體則謂之易, 其理則謂之道, 其用則謂之神, 其命於人則謂之性, 率性則謂之道, 修道則謂之教. 孟子在其中又發揮出浩然之氣, 可謂盡矣. 故說神, 「如在其上, 如在其左右」, 大小疑事, 而只曰「誠之不可掩.」 徹上徹下, 不過如此. 形而上爲道, 形而下爲器, 須著如此說. 器亦道, 道亦器; 但得道在, 不繫今與後, 己與人.)"

84 『朱子語類』 권75, 106조목

85 자른 것이 … 것은: 『河南程氏遺書』「사훈」에 다음과 같이 되어 있다. "繫辭曰, '形而上者謂之道, 形而下者謂之器.' 又曰, '立天之道, 曰陰與陽, 立地之道, 曰柔與剛, 立人之道, 曰仁與義.' 又曰, '一陰一陽之謂道.' 陰陽亦形而下者也, 而曰道者, 惟此語截得上下最分明, 元來只此是道, 要在人默而識之也."

86 『朱子語類』 권74, 111조목

'한 번 닫히고 한 번 열리는 것을 변화'[87]라고 말하는 것과 같다. 닫히고 열리는 것은 변화가 아니고, 한 번 닫히고 한 번 열리는 것이 변화이다. 음양은 도가 아니고 음이 되고 양이 되도록 하는 것이 도이기 때문이다."

[34-1-48]

"道是道理, 事事物物皆有箇道理. 器是形迹, 事事物物亦皆有箇形迹. 有道須有器, 有器須有道. 凡有形有象者, 皆器也. 其所以爲是器之理者, 則道也. 這箇在人看始得. 指器爲道固不得, 離器於道亦不得. 須知形而上者指理而言, 形而下者指事物而言."[88]

(주자가 말했다.) "도道는 도리道理이니, 사물마다 모두 도리가 있다. 기器는 형적形迹이니 사물마다 역시 모두 형적이 있다. 도道가 있으면 반드시 기器가 있고, 기가 있으면 반드시 도가 있다. 형체가 있고 상象이 있는 것은 모두 기器이다. 이 기器가 되도록 하는 리理가 도이다. 이것은 사람에게서 보면 비로소 알 수 있다. 기器를 가리켜 도라고 말하면 안 되고, 도에서 기를 분리해서도 안 된다. 반드시 형이상자는 리理를 가리켜 말한 것이고 형이하자는 사물을 가리켜 말한 것이라는 점을 알아야 한다."

[34-1-49]

"道卽理也. 以人所共由而言, 則謂之道, 以其各有條理而言, 則謂之理. 其目則不出乎君臣父子兄弟夫婦朋友之間, 而其實無二物也."[89]

(주자가 말했다.) "도는 리理이다. 사람이 함께 가는 것으로 말하자면 도道이고, 각각 조리가 있다는 점에서 말하면 리理이다. 세부조목은 군주와 신하, 아버지와 아들, 형과 동생, 남편과 아내, 친구 사이의 관계에서 벗어나지 않으나, 그 실제는 두 가지가 없다."

[34-1-50]

"經書中所言只是這一箇道理, 都重三疊四說在裏, 只是許多頭面出來. 如語孟所載, 也只是這許多話, 一箇聖賢出來說一番了, 一箇聖賢又出來從頭說一番. 如書中堯之所說, 也只是這箇, 舜之所說, 也只是這箇, 以至於禹湯文武所說, 也只是這箇. 又如詩中周公所贊頌文武之盛德, 亦只是這箇. 便若桀紂之所以危亡, 亦只是反了這箇. 道理若使別撰得出來, 古人須自撰了. 惟其撰不得, 所以只共這箇道理."[90]

(주자가 말했다.) "경서經書 가운데 말들은 하나의 도리일 뿐이니, 모두 여기서 3중 4중으로 중첩해서 말했지만, 여러 측면에서 말한 것일 뿐이다. 예를 들어 『논어』와 『맹자』에 기재된 것도 수많은 말일

87 『易』「繫辭上」
88 『朱子語類』 권75, 107조목 ; 109조목
89 『朱文公文集』 권49 「書 · 答王子合」
90 『朱子語類』 권118, 52조목

뿐이다. 한 성인이 나와 한 번 말했고, 한 성현이 또 나와 다시 처음부터 말한 것이다. 『서』 가운데에 요堯가 말한 것도 이것이 뿐이고, 순이 말한 것도 이것일 뿐이며, 우·탕·문·무가 말한 것도 이것일 뿐이다. 『시』에서 주공이 문왕과 무왕의 성대한 덕을 찬송한 것도 이것일 뿐이다. 걸왕과 주왕이 위태롭게 되고 망한 것 역시 단지 이 도리를 어겼기 때문이다. 도리를[91] 따로 만들어 낼 수 있다면, 옛 사람들이 반드시 스스로 만들냈을 것이다. 오직 스스로 만들어내지 못해서, 이 도리를 공유하는 것이다."

[34-1-51]

"道者古今共由之理. 如父之慈, 子之孝, 君仁, 臣忠, 是一箇公共底道理. 德便是得此道於身, 則爲君必仁, 爲臣必忠之類, 皆是自有得於己方解恁地. 堯所以修此道而成堯之德, 舜所以修此道而成舜之德. 自天地以先, 義黄以降, 都只是這一箇道理, 亘古今未嘗有異, 只是代代有一箇人出來做主. 做主, 便卽是得此道理於己, 不是堯自是一箇道理, 舜又是一箇道理, 文王周公孔子又別是一箇道理. 老子說失道而後德, 他都不識, 分做兩箇物事, 便將道做一箇空無底物事看. 吾儒說只是一箇物事. 以其古今公共是這一箇, 不着人身上說謂之道, 德卽是全得此道於己. 他說失道而後德, 失德而後仁, 失仁而後義, 若離了仁義, 便是無道理了, 又更如何是道!"[92]

(주자가 말했다.) "도는 옛날과 지금 함께 말미암는 리理이다. 예컨대 아버지가 자애하고, 자식이 효도하며, 군주는 인자하고, 신하는 충직한 것은 공공公共의 도리이다. 덕은 이 도를 몸에 얻은 것이니 군주가 되어서는 반드시 인자하고, 신하가 되어서는 반드시 충직한 것과 같은 것은 모두 스스로 자신에게 체득해야 이렇게 될 수 있다. 요堯 임금은 이 도를 닦아서 요의 덕을 이룬 것이고, 순舜 임금은 이 도를 닦아서 순의 덕을 이룬 것이다. 천지가 있기 이전에도 복희와 황제가 나온 이후에도 모두 이 도리이니, 옛날과 지금을 통틀어 다르지 않았는데, 대대로 한 사람이 나와 주관자가 되었다. 주관자가 된다는 것은 이 도리를 자신에게 체득한 것이니, 요임금이 따로 하나의 도리이고, 순임금이 또 하나의 도리이며, 문왕과 주공과 공자가 또 따로 하나의 도리인 것은 아니다. 노자가 '도를 잃은 후에 덕이 있다.'[93]고 말했으니, 그는 전혀 알지 못하고 두 개로 분리하여, 도를 하나의 공허한 것으로 본 것이다. 우리 유가는 하나를 말할 뿐이다. 옛날과 지금을 통틀어 공공公共의 것이 이 하나의 도리이기 때문에, 사람의 몸과 관련시키지 않은 것으로 말하면 도라 하고, 덕은 이 도를 자신이 온전히 얻은 것이다. 노자가 '도를 잃은 후에 덕이 있고, 덕을 잃은 후에 인仁이 있고, 인을 잃은 후에 의義가 있다.'고 했는데, 인의仁義를 떠나서 도리가 없게 되니, 또 다시 무엇이 도이겠는가!"

91 『朱子語類』에서는 "亦只是反了這箇. 道理若使 … "라고 되어 있다.
92 『朱子語類卷』 권13, 62조목
93 『道德經』 38장

[34-1-52]

“道不須別去尋討, 只是這箇道理. 非是別有一箇道, 被我忽然看見攫挐得來方是見道. 只是如日用底道理, 恁地是, 恁地不是, 事事理會得箇是處便是道.”[94]

(주자가 말했다.) “도는 따로 찾을 필요가 없으니, 다만 도리일 뿐이다. 별도로 하나의 도가 있고, 그것을 내가 홀연히 보게 되어 붙잡아야 비로소 도를 보는 것은 아니다. 일상생활의 도리와 같을 뿐이니, 이러이러한 것은 옳고 이러이러한 것은 그르다고 하는 것처럼 하나하나의 일에서 옳은 것을 이해하는 것이 도이다.”

[34-1-53]

“道者, 兼體用, 該費隱而言也.”[95]

(주자가 말했다.) “도는 체體와 용用을 겸하고, 비費와 은隱[96]을 갖추어 말한 것이다.”

[34-1-54]

“道體用雖極精微, 聖人之言則甚明白.”[97]

(주자가 말했다.) “도는 체와 용이 지극히 정밀하고 은미하지만, 성인의 말은 매우 명백하다.”

[34-1-55]

問 : “汎觀天地間, 日往月來, 寒往暑來, 四時行百物生, 這是道之流行發見處. 卽此而總言之, 其往來生化無一息間斷處, 便是道體否?”

曰 : “此體用說得是. 但總字未當. 總便成兼用說了, 只就那骨處便是體. 如水之或流, 或止, 或激成波浪是用. 卽這水骨可流, 可止, 可激成波浪處, 便是體. 如這身是體, 目視, 耳聽, 手足運動處, 便是用. 如這手是體, 指之運動提掇處, 便是用.”

因舉論語集注曰 : “往者過, 來者續, 無一息之停, 乃道體之本然也.”

曰 : “卽是此意.”[98]

물었다. “천지 사이에 해가 가고 달이 오며 추위가 가고 더위가 오며 사계절이 행해지고 만물이 생겨나는 것을 널리 보면, 이것이 도가 유행하고 발현하는 곳입니다. 이것에 나아가 총괄적으로 말하자면, 그

94 『朱子語類』 권13, 52조목

95 『朱子語類』 권6, 1조목

96 費와 隱 : 『中庸』 12장에 “군자의 道는 널리 작용하지만, 은미하다.(君子之道, 費而隱)”라고 하였다. 이에 대해서 주희는 이렇게 주석하고 있다. “費는 用이 넓은 것이고, 隱은 體가 은미한 것이다.(費, 用之廣也, 隱, 體之微也.)”라고 하였다.

97 『朱子語類』 권8, 2조목

98 『朱子語類』 권6, 20조목

감과 옴, 생겨남과 사라짐이 한 순간도 단절이 없으니 이것이 도체입니까?"
(주자가) 대답했다. "이렇게 체體와 용用을 말하는 것은 옳다. 그러나 총체적이라는 말은 온당치 못하다. 총괄적이란 말은 용用을 겸해서 말한 것이고, 다만 이 뼈가 체體이다. 예를 들면 물이 흐르거나 멈추거나 격랑을 일으켜 파도가 되는 것이 용이다. 이 물의 골자로서 흐를 수가 있고 멈출 수가 있고, 격랑을 일으켜 파도를 이룰 수 있는 것이 체이다. 예컨대 몸이 체이고, 눈이 보고, 귀가 듣고, 손과 발이 움직이는 것은 용이다. 예컨대 이 손은 체이고, 손가락이 움직이고 잡을 수 있는 것이 용이다."
이어서 『논어집주』를 거론하면서 물었다. "간 것은 지나갔고, 오는 것은 이어져서 한 순간의 정지도 없으니,[99] 도체의 본래 그러함입니다."
(주자가) 대답했다. "바로 이 뜻이다."

[34-1-56]

問 : "前說體用無定所,[100] 是隨處說如此. 若合萬事爲一大體用, 則如何?"

曰 : "體用也定. 見在底便是體, 後來生底便是用. 此身是體, 動作處便是用. 天是體, 萬物資始處便是用. 地是體, 萬物資生處便是用. 就陽言, 則陽是體, 陰是用. 就陰言, 則陰是體, 陽是用."[101]

물었다. "지난번에 체와 용은 정해진 곳이 없다고 하셨는데, 이는 모든 경우마다 이렇게 말할 수 있을 것입니다. 만약 모든 일을 다 합쳐서 큰 체와 용으로 본다면 어떻습니까?"
(주자가) 대답했다. "체와 용도 정해졌다. 지금 있는 것이 체이고, 나중에 생겨난 것이 용이다. 이 몸이 체이고, 움직이고 행동하는 것이 용이다. 하늘이 체이고, 만물이 이를 취하여 시작하는 것이 용이다. 땅이 체이고, 만물이 이를 취하여 생겨나는 것이 용이다. 양의 입장에서 말하자면, 양이 체이고, 음이 용이다. 음의 입장에서 말하자면, 음이 체이고, 양이 용이다."

[34-1-57]

"體是這箇道理, 用是他用處. 如耳聽目視, 自然如此, 是體也,[102] 開眼看物, 着耳聽聲, 便是用. 人只是合當做底便是體, 人做處便是用. 譬如此扇子有骨有柄用紙糊, 此則體也, 人搖之, 則用也. 如尺與秤相似. 上有分寸星銖, 則體也, 將去秤量物事, 則用也."[103]

99 간 것은 … 없으니 : 『論語集註』「子罕」편의 "공자가 시냇가에 있으면서 말했다. '가는 것이 이 물과 같구나. 밤낮을 그치지 않는다.'(子在川上曰 逝者如斯夫, 不舍晝夜.)"라는 말에 대해서 주자는 이렇게 주석하고 있다. "천지의 조화는 가는 것은 지나가고, 오는 것은 이어져서 한 순간의 정지도 없으니, 바로 道體의 본래 그러함이다.(天地之化, 往者過, 來者續, 無一息之停, 乃道體之本然也.)"

100 前說 : 『朱子語類』에는 '前夜說'로 되어 있다.

101 『朱子語類』 권6, 21조목

102 是體也 : 『朱子語類』에는 '是理也'로 되어 있다.

103 『朱子語類』 권6, 22조목

(주자가 말했다.) "체는 이 도리이고, 용은 이 도리가 쓰이는 것이다. 귀가 듣고 눈이 보는 것이 저절로 이와 같은 것이니 체體이고, 눈을 떠서 사물을 보고 귀를 대고 소리를 듣는 것이 용用이다. 사람이 마땅히 해야 하는 것이 체이고, 사람이 하는 것이 용이다. 비유하자면 부채에는 살이 있고 자루가 있고 종이와 풀을 쓰니 이것이 체이고, 사람이 부채를 부치는 것이 용이다. 이는 자와 저울과 유사하다. 위에 눈금[104]이 있는 것은 체이고, 사물을 재고 저울질 하는 것이 용이다."

[34-1-58]

問: "去歲聞先生曰, '只是一箇道理, 其分不同.' 所謂分者, 莫只是理一而其用不同? 如君之仁, 臣之敬, 子之孝, 父之慈, 與國人交之信之類是也."

曰: "其體已略不同. 君臣父子國人是體, 仁敬慈孝與信是用."[105]

물었다. "지난 해 선생님께서 '단지 하나의 도리이지만 그 분수는 다르다.'고 하셨습니다. 분수라고 하는 것은 리理는 하나이지만 그 용用은 다르다는 것이 아닙니까? 예를 들어 군주의 인자함과 자식의 효도, 아버지의 자애로움, 나라 사람들과의 교제에서의 신뢰와 같은 종류[106]가 그러합니다."

(주자가) 대답했다. "그 체는 대략 다르다. 군주 · 신하 · 아버지 · 아들 · 나라 사람이 체이고, 인자함 · 공경 · 자애 · 효도 · 신뢰가 용이다."[107]

[34-1-59]

樂菴李氏曰: "道非事不形, 事非道不行."[108]

낙암 이씨樂菴李氏[李衡][109]가 말했다. "도는 일이 아니면 드러나지 않고, 일은 도가 아니면 행해지지 않는다."

104 눈금: 자는 分寸이고 저울은 星銖이다.

105 『朱子語類』 권6, 25조목

106 『大學』: "『詩經』에 '穆穆하신 文王이여, 아! 계속하여 밝혀서 공경하여 그쳤다.' 하였으니, 군주가 되어서는 인자함에 멈추고, 신하는 공경에 멈추고, 자식은 효도에 멈추고, 아버지는 자애로움에 멈추고, 나라 사람들과 사귐에는 신뢰에 멈췄다.(詩云, '穆穆文王, 於緝熙敬止.' 爲人君, 止於仁, 爲人臣, 止於敬, 爲人子, 止於孝, 爲人父, 止於慈, 與國人交, 止於信.)"

107 『朱子語類』에서는 이 부분 다음에 이런 말들이 이어지고 있다. "물었다. '체와 용은 모두 다릅니까?' 대답했다. '예를 들어 널빤지와 같으니 하나의 도리이지만, 이 결은 이리로 가고 저 결은 저리 가는 것과 같다. 예를 들어 하나의 집과 같으니 하나의 도리이지만, 대청마루가 있고 집이 있다. 예를 들어 초목과 같으니 하나의 도리이지만, 복숭아나무가 있고 배나무가 있다. 저 대중들과 같으니 하나의 도리이지만 張三이 있고 李四가 있어서 이사는 장삼이 될 수 없고 장삼은 이사가 될 수 없다. 예들 들어 음양을 『西銘』에서 이일분수라고 말한 것도 이와 같다.' 또 말했다. '나누어져서 보면 볼수록 다르고 보면 볼수록 큰 이치를 볼 수 있다.' (問, '體用皆異?' 曰, '如這片板, 只是一箇道理, 這一路子恁地去, 那一路子恁地去. 如一所屋, 只是一箇道理, 有廳, 有堂. 如草木, 只是一箇道理, 有桃, 有李. 如這衆人, 只是一箇道理, 有張三, 有李四, 李四不可爲張三, 張三不可爲李四. 如陰陽, 西銘言理一分殊, 亦是如此.' 又曰, '分得愈見不同, 愈見得理大.')"

108 『樂菴語錄』 권4. 宋나라 龔昱이 편찬한 문헌이다.

109 樂菴李氏[李衡]: 李衡을 말한다. 자는 彦平이고 江都 사람이다. 호는 樂庵이다. 高宗 紹興 2년(1132)에 진사

[34-1-60]

"道一而已, 而以修身爲本. 自修身以及於治國平天下, 皆是道也."[110]

(낙암 이씨가 말했다.) "도는 하나일 뿐이지만, 몸을 닦는 것을 근본으로 한다. 몸을 닦는 것으로부터 나라를 다스리고 천하를 평정하는 것까지 모두 이 도이다."

[34-1-61]

或問 : "如何是道?"

曰 : "世所謂學道者, 往往外求, 不知向外去又那得道. 若能於父子親, 於君臣義, 於夫婦和, 於兄弟敬, 於朋友信, 只此便是道, 何必他求? 今人更不去人倫上尋討, 但曰吾學道, 亦惑矣."[111]

어떤 사람이 물었다 "어떠한 것이 도입니까?"

(낙암 이씨가) 대답했다. "세상에서 도를 배운다는 자들은 자주 밖에서 구하는데, 밖에서 또 어떻게 도를 구하는지를 모르겠다. 만약 아버지와 자식 사이에서 친애하고 군주와 신하 사이에서 의롭고 남편과 아내 사이에서 화목하고 형제와 동생 사이에서 공경하며 친구 사이에서 신뢰할 수 있다면, 이것이 곧 도이니, 하필 다른 데서 구하겠는가? 지금 사람들은 다시는 인륜人倫에서 찾으려 하지 않고, 단지 나는 도를 배운다고 하니, 또한 미혹되었다."

[34-1-62]

南軒張氏曰 : "道者天命之全體, 流行無間, 貫乎古今, 通乎萬物者也. 衆人自昧之, 而是理也何嘗有間斷? 聖人盡之, 而亦非有所增益也. 未應不是先, 已應不是後, 立則俱立, 達則俱達, 蓋公天下之理, 非有我之得私. 此仁之道所以爲大, 而命之理所以爲微也."[112]

남헌 장씨南軒張氏[張栻][113]가 말했다. "도는 천명天命의 전체全體가 유행하여 틈이 없고 고금을 관통하며 만물에 통하는 것이다. 대중들은 스스로 알지 못하지만, 이 이理가 어찌 끊어진 적이 있었겠는가? 성인은 그것을 다 발휘한다고 해서 또한 불어나는 것이 아니다. 아직 응하지 않은 것이 앞선 것도 아니고 이미 응한 것이 뒤선 것도 아니어서, 서면 모두 서고 달하면 모두 달하니,[114] 천하 공공의 리理는 내가 사사로

가 되고, 吳江主簿에 임명되었는데, 관리 가운데 백성들을 각박하게 괴롭히는 사람이 있자 탄핵한 뒤 귀향했다. 樞密院檢詳과 侍御史를 지냈다. 외척 張說이 절도사가 되어 병권을 장악하는 데 반대하다 秘書閣修撰으로 밀려났다. 벼슬을 그만둔 뒤 昆山에 은거하여 경학 연구에 몰두했다. 모은 책이 만 권을 넘었다.

110 『樂菴語錄』 권3. 宋나라 龔昱이 편찬한 문헌이다.

111 『樂菴語錄』 권1

112 『南軒集』 권25 「書 · 答胡季立」

113 南軒張氏[張栻] : 張栻(1133~1180)은 四川 綿竹人으로 자는 敬夫이고 이름은 樂齋이고 호는 南軒이다. 남송시대 유명한 유학자이고, 岳麓書院의 창시자이다. 승상 張浚의 아들이고, 어려서부터 胡宏으로부터 사사를 받고 이학을 전수받았다. 후에 長沙의 城南書院과 악록서원을 오랫동안 맡고서 주희와 여조겸과 함께 '東南三賢'이라고 칭해진다. 右文殿修撰을 지냈으며 『南軒全集』이 있다.

114 서면 모두 … 달하니 : 『論語』「雍也」에 "仁者는 자신이 서고자 하여 남도 서게 하며, 자신이 통달하고자

이 얻은 것이 아니다. 이것이 인仁의 도가 큰 것이 되고, 천명의 리理가 은미한 것이 되는 까닭이다."

[34-1-63]

"當其可卽是道. 蓋事事物物之間, 道無往而不存, 然無適而不爲中也."[115]

(남헌 장씨가 말했다.) "그 옳은 것에 해당하는 것이 도이다. 모든 사물 사이에 도는 어디에나 있지 않음이 없으나, 어디를 가든 중中이 아님이 없다."

[34-1-64]

"凡一飮食一起居之間, 莫不有其道焉. 賢者隨時而循理. 在聖人則如影之隨形, 道固不離乎聖人也."[116]

(남헌 장씨가 말했다.) "한 번 먹고 마시고, 행동하는 것 사이에도 그 도가 있지 않음이 없다. 현자는 때에 따라 리理를 따른다. 성인의 경우는 그림자가 형체를 따르듯 하니, 도는 실로 성인을 떠나지 않는다."

[34-1-65]

象山陸氏曰 : "此道充塞宇宙. 天地順此而動, 故日月不過而四時不忒. 聖人順此而動, 故刑罰清而民服. 古人所以造次必於是, 顚沛必於是也."[117]

상산 육씨象山陸氏[陸九淵][118]이 말했다. "이 도는 우주에 가득 차 있다. 천지는 이것을 따라서 움직이므로 해와 달은 그 운행이 잘못되지 않고 사 계절이 어긋나지 않다. 성인은 이 도를 따라서 움직이므로, 형벌이 분명하여 백성이 복종한다.[119] 옛 사람은 순간적인 때에도 반드시 이것으로 했고 위급할 때에도 반드시 이것으로 했다."

하여 남도 통달하게 하는 것이다.(夫仁者, 己欲立而立人, 己欲達而達人.)"라고 하였다.

115 『癸巳孟子說』 권7 「盡心上」에 "공자가 魯나라를 떠날 때에는 '더디고 더디다, 내 걸음이여!' 하셨으니, 이는 부모의 나라를 떠나는 도리이고, 제나라를 떠날 때에는 쌀을 건지고서 떠났으니, 타국을 떠날 때의 도리이다.(孔子之去魯, 曰遲遲吾行也, 去父母國之道也. 去齊接淅而行, 去他國之道也.)"라는 구절에 나온 말이다.

116 『癸巳孟子說』 권7 「盡心上」

117 『象山集』 권10 「書 · 與黃康年」

118 象山陸氏[陸九淵] : 남송 시대 撫州 金溪 사람이다. 자는 子靜이고, 호는 存齋 또는 象山翁이며, 시호는 文安이다. 陸九思의 동생이다. 孝宗 乾道 8년(1172)에 진사가 되었다. 靖安主簿와 國子正을 지냈다. 왕과 輪對하여 다섯 가지 일을 개진했지만 王信의 반박을 당하자 귀향하여 貴溪의 象山에 강당을 짓고 후학 양성에 전념했다. 주희와 서신으로 논쟁하면서 鵝湖에서 만나 변론을 벌였다. 저서에 어록과 서간, 문집을 수록한 『象山先生全集』 36권이 있다.

119 천지는 이것을 … 복종한다. : 『周易』 「豫卦」에 "천지가 이것에 따라 움직이므로 해와 달이 잘못됨이 없고 사 계절이 어긋나지 않다. 성인은 이 도를 따라서 움직이므로, 형벌이 분명하여 백성이 복종한다.(天地以順動, 故日月不過而四時不忒, 聖人以順動, 則刑罰淸而民服.)"라고 하였다.

[34-1-66]

東萊呂氏曰："夫道，非窮天以爲高，非極地以爲深，人之所性之中固有之矣．其體則純而不雜，其用則施之無方．"

동래 여씨東萊呂氏[呂祖謙][120]가 말했다. "도는 하늘 끝까지 미쳐도 높은 것이 아니고, 땅 끝까지 미치더라도 깊은 것이 아니니, 사람의 성性 가운데에 고유한 것이다. 그 체體는 순수하여 잡스럽지 않고, 그 용用은 베풀어지는 데에 고정된 것이 없다."

[34-1-67]

勉齋黃氏曰："陰陽分而五行具，人物生而萬事出，太極之妙爲之根底，而周流其間，充塞宇宙，貫徹古今，不可須臾離也．形交氣感而禀受不齊，慾動情勝而好惡無節，心以形役，志以氣移，理以慾昏，性以情鑿，鄉之不可離者梏亡茅塞，莫之存矣．

圖書出而天文始兆，聖賢生而人文始開．二儀肇分，仁義著矣，五氣順布，五事備矣．禮以天秩，典以天叙，而教行焉．因至顯之象，驗至微之理，卽人事之當然，察天命之本然，加之以操存持養，則動容周旋無適而不由於斯道之中矣．聖賢之功與天無間，凡有血氣莫不尊親，心之秉彛不可已也．"[121]

면재 황씨勉齋黃氏[黃幹][122]가 말했다. "음양이 나뉘어 오행이 갖추어지며 사람과 만물이 생겨나 모든 일이 생겨나는 데에, 태극의 오묘함이 그 뿌리가 되어 그 사이를 두루 흐르니 우주에 충만하고 고금에 관철되어 잠시도 떨어질 수 없다. 형체가 교류하고 기氣가 교감하는 데에 품수된 것은 고르지 않아, 욕심이 움직이고 정情이 이기는 데에 좋고 미움은 절도가 없으면, 마음이 형체에 부림을 당하고, 의지가 기에 의해 변해서, 리理가 욕심에 의해 어두워지고, 성性이 정에 의해서 깎여서, 이전에 잠시도 떨어질 수 없었던 것이 속박되어 잃어버리고[123] 가로 막혀서[124] 보존되지 못한다.

120 東萊呂氏[呂祖謙]: 呂祖謙(1137~1181)으로 자는 伯恭이고 사람들이 東萊先生이라고 불렀다. 婺州 金華 사람이다. 太學博士, 秘書郎, 直秘閣著作郎 겸 國史院編修官을 역임했다. 朱熹, 張栻과 더불어 명성을 떨쳤으며, 당시에 '東南三賢'으로 불렸다. 저서로는 『東萊集』·『呂氏家塾讀書記』·『東萊左傳博議』 등이 있다.

121 『勉齋集』 권2 「記二 · 鄂州州學四賢堂記」

122 勉齋黃氏[黃幹]: 黃榦(1152~1221)은 자는 直卿이고, 호는 勉齋이다. 송대 福州閩縣(현 복건성 福州) 사람으로 주희의 고족제자인 동시에 사위이다. 주희의 蔭補로 知漢陽軍 · 知安慶府 등을 역임하였다. 저서는 『書說』·『六經講義』·『勉齋集』 등이 있고, 『朱子行狀』을 집필했다.

123 속박되어 잃어버리고: 『孟子』「告子上」에 다음과 같이 되어 있다. "비록 사람에게 보존된 것이라 해도 어찌 仁義의 마음이 없겠는가? 그 양심을 잃어버린 것이 또한 도끼가 나무를 아침마다 베는 것과 같으니, 이렇게 하고서도 아름답게 될 수 있겠는가? 낮과 밤에 자라나는 것과 새벽의 맑은 기운에 그 좋아하고 미워함이 남들과 서로 가까운 것이 얼마 되지 않지만, 낮에 하는 행위가 이것을 속박하여 잃게 하니, 속박하여 잃게 하기를 반복하면 夜氣가 족히 보존될 수 없고, 夜氣가 보존될 수 없으면, 禽獸와 거리가 멀지 않게 된다. 사람들은 그 금수와 같은 행실만 보고는 일찍이 훌륭한 材質이 있지 않았다고 여기니, 이것이 어찌 사람의 實情이겠는가?(雖存乎人者，豈無仁義之心哉？其所以放其良心者，亦猶斧斤之於木也，旦旦而伐之，可以爲美

하도河圖와 낙서洛書[125]가 나와 천문天文이 비로소 드러나고, 성현이 나와 인문人文이 비로소 열렸다. 이의二儀[음양]가 비로소 나뉘니 인의仁義가 드러나며, 오기五氣가 순하게 퍼지니 오사五事[126]가 갖추어졌다. 천질天秩[127]로 예禮를 만들고, 천서天敍로 전례를 만들어서 가르침이 행해졌다. 지극히 드러난 상象을 바탕으로 해서 지극히 미묘한 리理를 증험하고, 인간사의 당연함에서 천명의 본래 그러함을 살피고, 잡아 보존하고[128] 잡아서 함양하는 것[持養]을 보태면, 행동거지가 하는 일마다 이 중도中道를 말미암지 않음이 없게 된다. 그래서 성현의 공은 하늘과 차이가 없어서, 혈기血氣를 가진 것이 존경하고 친애하지 않음이 없으니, 마음의 본성[秉彝][129]이 그칠 수 없어서이다."

[34-1-68]

"三才之植立, 萬化之流行, 自一息至於不可終窮, 自一毫至於不可限量, 所以綱維主宰者, 道而已. 道非他, 行乎天理之當然, 不雜以人欲之私而已. 自古帝王參天地, 贊化育, 更堯舜禹湯六七君, 上下數百千年, 致治之盛常如一日, 豈有出於此道之外哉? 詩書載籍之傳, 其詳可睹也. 春秋戰國以來, 異論滋熾, 其術愈工, 其說愈巧, 其效愈邈, 彼豈不知聖帝明王豐功偉績之可慕哉? 陷人欲之私而昧天理之正, 帝王體統卒以泯沒, 而民生不見隆古之盛, 千有餘年於此矣, 可勝歎哉! 循乎道者如此, 戾乎道者如彼, 然則有志於世者, 其轍迹可考也. 然道之在天

乎? 其日夜之所息, 平旦之氣, 其好惡與人相近也者, 幾希, 則其旦晝之所爲, 有梏亡之矣, 梏之反覆, 則其夜氣不足以存, 夜氣不足以存, 則其違禽獸, 不遠矣. 人見其禽獸也, 而以爲未嘗有才焉者, 是豈人之情也哉?)"

124 가로 막혀서 : 『孟子』「盡心下」에 "산길의 좁은 곳은 사람들이 갑자기 사용하면 길을 이루고, 한동안 사용하지 않으면, 풀이 자라 길을 막나니, 지금 띠풀이 그대의 마음을 꽉 막고 있구나!(山徑之蹊間, 介然用之而成路, 爲間不用, 則茅塞之矣. 今茅塞子之心矣!)"라고 하였다.

125 圖書 : 河圖와 洛書를 말한다. 『易』「繫辭上」에 "하수에서 圖가 나오고 낙수에서 書가 나오니 성인이 그것을 본받았다.(河出圖, 洛出書, 聖人則之.)"라고 했다.

126 五事 : 『書』「洪範」에 "五事란 하나는 모습이고 둘은 말이고, 셋은 봄이고, 넷은 들음이고, 다섯은 사려이다. 모습은 공손하고, 말은 도리에 맞아야 하며, 봄은 밝고, 들음은 총명하고, 사려는 슬기롭다.(五事, 一曰貌, 二曰言, 三曰視, 四曰聽, 五曰思. 貌曰恭, 言曰從, 視曰明, 聽曰聰, 思曰睿.)"라고 하였다.

127 天秩 : 하늘의 등급을 말하니, 예법을 말한다. 『書傳』「皐陶謨」에 "하늘이 차례로 펴서 법을 두시니 우리 五典을 바로잡아 다섯 가지를 후하게 하시며, 하늘이 차례 하여 禮를 두시니 우리 五禮로부터 하여 다섯 가지를 떳떳하게 하소서.(天敍有典, 勅我五典, 五, 惇哉, 天秩有禮, 自我五禮, 五, 庸哉.)"라고 하였다. 채침은 이렇게 말하고 있다. "敍는 군신, 부자, 형제, 부부, 붕우의 倫敍이고, 秩은 존비와 귀천에 대한 등급의 높고 낮은 品秩이다.(敍者, 君臣父子兄弟夫婦朋友之倫敍也, 秩者, 尊卑貴賤等級隆殺之品秩也.)"

128 『孟子』「告子上」: "공자가 '잡으면 보존되고 놓으면 잃어서, 나가고 들어옴이 정한 때가 없으며, 그 방향을 알 수 없는 것은 오직 사람의 마음을 두고 말한 것이다.'라고 했다.(孔子曰, 操則存, 舍則亡, 出入無時, 莫知其鄕, 惟心之謂與.)"

129 마음의 본성[秉彝] : 『詩經』「大雅·蕩之什·烝民」에 "하늘이 여러 백성을 내시니 사물이 있음에 法이 있다. 백성이 떳떳한 성품을 갖고 있는지라 이 아름다운 德을 좋아하도다.(天生烝民, 有物有則. 民之秉彛. 好是懿德.)"라고 한 이 구절에 대해서 "君臣有義, 父子有親之類 是也, 是乃民所執之常性."이라고 주석하고 있다.

下, 與三才並立, 萬化並行, 雖顯晦不同, 未嘗亡也. 神而明之, 其惟人乎!"130

(면재 황씨가 말했다.) "삼재三才[天地人]가 곧게 서고, 수많은 변화가 유행하는 것이 한 순간에서부터 끝날 수 없는 데에까지 미세한 것에서부터 한량이 없는 것에 이르기까지 그것을 유지하고 주재하는 것은 도일뿐이다. 도는 다른 것이 아니다. 천리天理의 당연함을 행하여 인욕의 사사로움이 섞이지 않는 것일 뿐이다. 예로부터 제왕帝王이 천지天地에 참여하여 화육化育을 돕고, 요·순·우·탕 등 6, 7명의 군주를 거쳐서 위아래로 수백 수천 년 동안 지극한 다스림의 성대함이 마치 하루와 같이 지속되었으니, 어찌 이 도에서 벗어날 수 있었겠는가? 『시』·『서』의 전적이 전해진 것에서 그 상세함을 볼 수 있다. 춘추전국 이래 이설異說들이 더욱 치솟아서 그 술수가 더욱 교묘해지고 그 학설들이 더욱 정교해지고 그 효과가 더욱 아득해지니, 저들이 어찌 성제聖帝와 명왕明王들의 풍성한 공로와 위대한 공적이 흠모할 만 것임을 몰랐겠는가? 인욕의 사사로움에 빠지고 천리의 올바름에 어두워져 제왕들의 체통體統이 결국에는 없어져서 민생들이 그 융성한 옛 시대의 성대함을 보지 못한 것이 이에 천여 년이 흘렀으니, 탄식하지 않을 수 없다! 도를 따르는 것은 이와 같고 도를 어기는 것은 저러하니, 그렇다면 세상에 뜻을 둔 자가 그들의 지나온 흔적을 고찰할 수가 있다. 그러나 천하에서 도는 삼재三才와 함께 서고, 수많은 변화와 함께 행해지니, 드러나고 드러나지 않는 것이 다르지만, 없어진 적은 없다. 그것을 신묘하고 밝게 하는 것은 오직 사람에게 달려 있다!"

[34-1-69]

或問: "某在匡山時, 聞饒師魯言道必三節看方密. 如洒掃應對是事, 必有當然之理, 又必有所以然之故. 以事對當然, 則事是粗, 當然者是精. 以當然對所以然, 則當然者是粗, 所以然者是精. 某旣疑道之難以三節分, 又疑道之不可以粗言也. 遂求質於胡文伯量, 胡文云, '朱文公嘗謂心之神靈妙衆理而宰萬事者也. 此乃精中之精, 粗中之精.' 精中之精粗中之精八字, 朱文公語也, 以此論之, 則師魯之言未爲不然. 今敢以質之先生."

曰: "昔人之言道, 惟以道對器, 體對用. 道對器, 則器可以包用, 洒掃應對卽精義入神之類是也. 體對用, 則用可以包器, 中庸之言費隱, 孟子之言仁義禮智惻隱羞惡恭敬是非之類是也. 又何嘗分三節? 道亦豈可以粗言? 今師魯之言旣不是, 伯量之舉例又不類, 二者皆失之也. 至於粗中之精精中之精八字, 往往朱文公之意亦不如此. 前一段, 恐以魂魄爲粗, 義理爲精, 後一段, 則知又能運用此理者也. 噫, 微言之絶而大義之乖, 只在目前矣, 可懼也哉!"

어떤 사람이 말했다. "내가 광산匡山에 있을 때, 요사노饒師魯131가 도는 반드시 세 단계로 보아야 비로소

130 『勉齋集』 권8 「書·與失名」

131 饒師魯: 饒魯(1193~1264)를 말한다. 魯를 師魯라고도 했다. 자는 伯輿·仲元이며 호는 雙峰이다. 饒州 餘干 사람이다. 柴元裕, 柴中行, 黃榦, 李燔으로부터 배웠다. 豫章, 東湖書院에서 배우고 귀향하여 집을 짓고 학자를 널리 모아 절차탁마했다. 石洞書院을 세워 문도를 모아 강학했다. 景定 元年(1260) 授迪功郎差饒州州學敎授로 천거 되었다. 『五經講義』·『語孟紀聞』·『西銘圖』 등을 지었다.

정밀해진다고 말하는 것을 들었습니다. 예를 들어 청소하고 사람들을 응대하는 것은 일이고, 반드시 당연한 이치가 있고, 또 그것이 그러한 까닭이 있습니다. 일로써 당연함을 대비하자면, 일은 조잡하고, 당연함은 정밀합니다. 당연함으로 그렇게 된 까닭을 대비하자면, 당연함은 조잡하고, 그렇게 된 까닭은 정밀합니다. 저는 도는 세 단계로 나누어지기 어렵다는 점을 의심했고, 또 도는 조잡함으로 말할 수 없음을 의심했습니다. 그래서 호문백량胡文伯量[132]에게 질문을 구했는데, 호문이 '주문공朱文公[朱熹]은 마음의 신령神靈함은 다양한 이치를 신묘하게 해서 모든 일을 주재한다. 이것이 곧 정밀함 가운데 정밀함이고, 조잡함 가운데 정밀함이다.'라고 했습니다. 정밀함 가운데 정밀함과 조잡함 가운데 정밀함이라는 글자는 주문공의 말이지만, 이것으로 논하자면 사노의 말이 틀리지 않는 것은 아닌 듯합니다. 지금 감히 선생님께 묻습니다."
(면재 황씨가) 대답했다. "옛날 사람들이 도를 말할 때에는 오직 도道를 기器와 대비했고, 체體를 용用과 대비했다. 도를 기와 대비하면 기는 용을 포함할 수 있으니, 청소하고 사람들을 응대하는 것은 의義를 정밀하게 하여 신神의 경지에 들어가는 종류가 이것이다. 체를 용에 대비하면 용은 기를 포함할 수 있으니, 『중용』에서 말하는 '도는 널리 작용하지만 은미하다'[133]와 『맹자』에서 인의예지仁義禮智, 측은한 마음, 부끄러워하고 미워하는 마음, 공경하는 마음, 시비를 가리는 마음과 같은 종류가 이것이다. 또 어찌 세 단계로 나누었겠는가? 도가 또한 어찌 조잡함으로 말할 수 있겠는가? 지금 사노의 말은 옳지 않고 백량이 열거한 예도 부류에 맞지 않으니, 두 사람은 모두 잘못되었다. 조잡함 가운데 정밀함과 정밀함 가운데 정밀함이라는 말에 대해서 말하자면 때때로 주문공의 뜻 역시 이와 같지 않다. 앞의 한 단락은 아마도 혼백으로써 조잡함으로 삼고, 의리義理로써 정밀함으로 삼았고, 나중의 한 단락은 지각知覺이 또 이 이치를 또 운용할 수 있는 것이다. 아, 성현聖賢의 은미한 말이 단절되고 큰 의리가 어그러지는 것이 눈앞에 있을 뿐이니, 두려워할 만하구나!"

[34-1-70]

北溪陳氏曰："道, 猶路也. 當初命此字, 是從路上起意. 人所通行, 方謂之路. 一人獨行, 不得謂之路. 道之大綱只是日用間人倫事物所當行之理, 衆人所共由底, 方謂之道. 大槩是就日用人事上說, 方見得人所通行底意親切. 若就此推原來歷, 不是就人事上劃然有箇道理如此, 其根原皆是從天來. 故橫渠謂由太虛有天之名, 由氣化有道之名. 此便是推原來歷. 天, 卽理也. 古聖賢說天, 多是就理上論. 理無形狀, 以其自然而致, 故謂之天.
若就天之形體論, 也只是箇積氣恁蒼蒼茫茫, 實有何形質? 橫渠此天字是說理, 理不成死定在這裏. 一元之氣流出來生人生物, 便有箇路脉恁地, 便是人物所通行之道. 此就造化推原其所

132 胡文伯量 : 胡伯量이다. 胡泳으로 남송 康軍 建昌 사람이다. 자는 백량이고 호는 洞源이다. 주희의 제자이다. 과거에 응시하지 않았지만 학자들은 그를 존경했다. 저서로는 『四書衍說』이 있다.
133 『中庸』 12장에 "군자의 道는 널리 작용하지만, 은미하다.(君子之道, 費而隱)"라고 하였는데, 이에 대해서 주희는 이렇게 주석하고 있다. "費는 用이 넓은 것이고, 隱은 體가 은미한 것이다.(費, 用之廣也, 隱, 體之微也.)"

從始如此. 至子思說率性之謂道, 只是就人物已受得來處說. 隨其所受之性便自然有箇當行之路, 不待人安排着. 其實道之得名, 須就人所通行處說. 只是日用人事所當然之理, 古今所共由底路. 所以名之曰道."[134]

북계 진씨北溪陳氏[陳淳][135]가 말했다. "도는 길과 같다. 당초에 이 글자를 이름 지을 때 길로부터 의미를 취했다. 사람들이 통행하는 것이라야 길이라고 한다. 한 사람이 홀로 간다면 길이라고 할 수 없다. 도의 큰 강령은 일상생활에서 인륜과 인간사 가운데 마땅히 행해야할 이치이지만, 많은 사람들이 함께 가는 것을 도라고 한다. 대체로 일상생활에서의 일에서 말해야 사람이 통행한다는 뜻이 친절함을 볼 수 있다. 만약 여기에서 그 내력을 미루어가자면, 인간사에서 이와 같은 도리가 있는 것이 아니라, 그 근원처가 모두 하늘로부터 유래한다. 그러므로 장횡거는 '태허太虛로부터 하늘의 이름이 있고, 기화氣化로부터 도의 이름이 있다.'고 했다. 이것이 내력을 미루어가는 것이다. 하늘은 곧 리理이다. 옛 성현들이 말한 하늘은 리理에서 논한 경우가 많았다. 리理는 형상이 없으니, 그것이 저절로 이르기 때문에 하늘이라고 말한다.

만약 하늘의 형체를 가지고 논하자면 또한 쌓여 누적된 기가 저렇게 푸르고 아득한 것일 뿐이니, 실제로 어떤 형질이 있겠는가? 단지 장횡거가 이 하늘이라는 글자를 리理로 설명했으니, 리理가 여기에 죽었다고 해서는 안 된다. 일원지기一元之氣가 유출되어 사람이 생겨나고 만물이 생겨날 때에, 그러한 맥락이 있으니, 그것이 사람과 사물이 통행하는 길이다. 이것은 조화造化를 취하여 그 소종래를 미루어 보면 이와 같은 것이다. 자사子思가 '성性을 따르는 것을 도라고 한다.'고 말한 것에 이르러, 사람과 사물이 품수 받은 것으로 말한 것일 뿐이다. 그 품수 받은 성을 따르면 마땅히 행하는 길이 저절로 있게 되니, 사람들이 안배하는 것이 필요 없게 된다. 그러나 실제로 도라는 이름을 얻게 된 것은 반드시 사람이 통행하는 것으로 말한 것이니, 단지 일상생활에서 당연한 리理이며, 옛날이나 지금이나 함께 가는 길일 뿐이다. 그래서 도라고 이름 지은 것이다."

[34-1-71]

"道只是人事之理耳. 形而上者謂之道, 形而下者謂之器. 自有形而上者言之, 其隱然不可見底則謂之道, 自有形而下者言之, 其顯然可見底則謂之器. 其實道不離乎器, 道只是器之理. 人事有形狀處都謂之器, 人事中之理便是道. 道無形狀可見, 所以明道曰, '道亦器也, 器亦道也. 須着如此說, 方截得上下分明.'"[136]

(북계 진씨가 말했다.) "도는 인간사의 도리일 뿐이다. 형이상자를 도道라 하고, 형이하자를 기器라 한다. 형이상자로부터 말하자면 그것은 은미하여 볼 수가 없으니 도道라 하고, 형이하자로부터 말하자면, 그것

134 『北溪字義』 권하 「道」

135 北溪陳氏[陳淳] : 陳淳(1159~1223)의 자는 安卿이고, 호는 北溪이다. 송대 龍溪(현 복건성 漳州) 사람으로 주희가 장주 지사일 때 제자가 되어, 주희에게 '남쪽에 와서 나의 도가 진순 한 사람을 얻었다'라는 칭찬을 받았다. 시호는 文安이다. 저서는 『字義詳講』·『論孟學庸口義』·『北溪大全集』 등이 있다.

136 『北溪字義』 권하 「道」

은 드러나서 볼 수가 있으니 기器라 한다. 그러나 실제로 도는 기와 떨어지지 않으니, 도는 기의 리理일 뿐이다. 인간사에서 형상이 있는 것을 모두 기器라고 하고, 인간사 가운데 리理가 곧 도이다. 도는 볼 수 있는 형상이 없어서 명도가 '도 역시 기이고 기 역시 도이다. 반드시 이렇게 말해야만 비로소 위와 아래가 분명하게 나뉜다.'라고 한 이유이다."

[34-1-72]

"道流行乎天地之間, 無所不在, 無物不有, 無一處欠缺. 子思言鳶飛魚躍上下察以證之, 有以見道無不在, 甚昭著分曉. 在上則鳶飛戾天, 在下則魚躍于淵, 皆是這箇道理. 程子謂此子思喫緊爲人處活潑潑地. 所謂喫緊云者, 只是緊切爲人說. 所謂活潑潑云者, 只是實眞見這道理在面前如活底物相似. 此正如顔子所謂卓爾, 孟子所謂躍如之意. 都是眞見得這道理分明, 故如此說."[137]

(북계 진씨가 말했다.) "도가 천지 사이를 유행하여 어느 곳이든 있지 않는 곳이 없고, 어느 것이건 가지지 않는 사물이 없고, 어느 한 곳도 빠진 것이 없다. 자사는 '「솔개는 하늘 높이 날고, 물고기는 연못에서 뛰논다.」라고 하였으니, 상하에 이치가 밝게 드러난다.'[138]고 말해서 증거하였다. 이는 도가 없는 곳이 없어 매우 분명하게 드러남을 보여 준 것이다. 위에서는 솔개가 하늘 높이 날고, 아래로 물고기가 연못에서 뛰노니, 모두 이 도리이다. 정자程子는 '이 한 구절은 자사가 사람을 위해 긴요하게 말한 것이니, 활발발活潑潑한 곳이다.'[139]라고 하였다. 긴요하다고 말한 것은 긴요하고 절실한 것으로 사람들을 위해 말했다는 것이고, 활발발하다는 것은 실제로 이 도리를 눈앞에 살아 있는 것처럼 본 것이다. 이것이 바로 안연이 '우뚝하다.'[140]는 것이고, 맹자가 '뛰쳐나갈 듯하다.'[141]는 뜻과 같다. 모두 이 도리를

137 『北溪字義』 권하 「道」

138 『中庸』 12장에 "『詩經』에서 말하기를 '솔개는 날아 하늘에 이르고, 물고기는 연못에서 뛰논다.'라고 하였으니, 상하에 이치가 밝게 드러나는 것을 말한다.(詩云, 鳶飛戾天, 魚躍于淵, 言其上下察也.)"라고 하였는데 이에 대해서 주희는 다음과 같이 주석하고 있다. "子思는 이 詩를 인용하여 천지의 조화와 양육이 流行하여 上下에 밝게 드러나는 것이 이 이치의 작용이 아님이 없음을 밝혔으니, 이것이 '費'이다. 그러나 그것이 그렇게 되는 까닭은 보고 들을 수가 있는 것이 아니니, 이것이 '隱'이라는 것이다. 그러므로 程子가 '이 한 구절은 자사가 사람을 위해 긴요하게 말한 것이니, 活潑潑한 곳이다.'라고 하였다. 읽는 사람들은 깊이 생각해야 한다.(子思引此詩, 以明化育流行, 上下昭著, 莫非此理之用, 所謂費也. 然其所以然者, 則非見聞所及, 所謂隱也. 故程子曰, 此一節, 子思喫緊爲人處, 活潑潑地, 讀者其致思焉.)"

139 『河南程氏遺書』 권3 「謝顯道記憶平日語」: "'「솔개가 하늘 높이 날고, 물고기가 연못에서 뛰논다.」라고 하였으니, 상하에 이치가 밝게 드러나는 것을 말한다.'고 했다. 이 단락은 자사가 사람들을 위해 긴요하게 말한 것이니, 맹자가 '반드시 일삼음이 있되 마음을 미리 기약해서는 안 된다.'는 뜻과 같아서 활발발한 곳이다.(鳶飛戾天, 魚躍于淵, 言其上下察也. 此一段子思喫緊爲人處, 與「必有事焉而勿正心」之意同, 活潑潑地.)"

140 『論語』 「子罕」: "그만두고자 해도 그만둘 수 없어, 나의 재주를 다해버렸는데, 내 앞에 우뚝 서있는 듯하다. 그래서 그를 따르려고 하지만, 이디로부터 시작해야 할지를 모르겠다.(欲罷不能, 旣竭吾才, 如有所立卓爾, 雖欲從之, 末由也已.)"

141 『孟子』 「盡心上」: "군자는 활을 당기되 쏘지 않지만 뛰쳐나갈 듯하여 도에 맞게 서 있거든 능한 자가 따르는

진정으로 분명하게 보았기 때문에 이렇게 말했다."

[34-1-73]

"易說一陰一陽之謂道. 陰陽, 氣也, 形而下者也, 道, 理也, 只是陰陽之理, 形而上者也. 孔子此處是就造化根原上論. 大凡字義須是隨本文看得透方可. 如志於道, 可與適道, 道在邇等類, 又是就人事上論. 聖賢與人說道, 多是就人事上說. 惟此一句, 乃是贊易時說來歷根原. 儒中竊禪學者, 又直指陰陽爲道, 便是指氣爲理了."[142]

(북계 진씨가 말했다.) "『역』에서 '한 번 음하고 한 번 양하는 것을 도라고 한다.'[143]라고 했다. 여기서 음양은 기氣이니 형이하자이며, 도는 리理이며 단지 음양의 리이니 형이상자이다. 공자의 이 말은 조화造化의 근원에서 논한 것이다. 대체로 글자의 뜻은 반드시 본문을 따라서 분명하게 보아야 좋다. 예를 들어 '도에 뜻을 둔다.'[144] '함께 도에 나갈 수 있다.'[145] '도는 가까운 데 있다.'[146] 등과 같은 말들은 또 인간사에서 논한 것이다. 성현은 사람들과 도를 말할 때, 인간사에서 말한 경우가 많다. 오직 이 한 구절만이 『역』을 찬술할 때 내력의 근원을 말한 것이다. 유학자 가운데 선불교를 훔친 자는 또 음양을 도라고 곧바로 가리키는데, 이는 기氣를 가리켜 리理라고 한 것이다."

[34-1-74]

"學者求道, 須從事物千條萬緒中磨鍊. 當來若就事事物物上看,[147] 亦各有箇當然之理. 且足容重, 足是物, 重是足當然之理. 手容恭, 手是物, 恭是手當然之理. 如視思明, 聽思聰, 明與聰, 便是視聽當然之理. 又如坐如尸, 立如齊, 如尸如齊, 便是坐立當然之理. 以類而推, 大小高下皆有箇當然恰好道理, 古今所通行而不可廢者.

道之大原自是出於天, 自未有天地之先固是先有此理. 然纔有理便有氣. 纔有氣, 此理便在乎氣之中而不離乎氣. 氣無所不在, 則理無所不通. 其盛著見於造化發育, 而其實流行乎日用人

것이다.(君子引而不發, 躍如也, 中道而立, 能者從之.)"

142 『北溪字義』 권하 「道」

143 『易』「繫辭上」

144 『論語』「述而」: "도에 뜻을 두고, 덕에 근거하며, 인에 의지하고, 예에서 노닐어야 한다.(志於道, 據於德, 依於仁, 游於藝.)"

145 『論語』「子罕」: "더불어 함께 배울 수는 있어도, 함께 道에 나아갈 수는 없으며, 함께 도에 나아갈 수는 있어도 함께 설 수는 없으며, 함께 설 수는 있어도 함께 權道를 행할 수는 없다.(可與共學, 未可與適道, 可與適道, 未可與立, 可與立, 未可與權.)"

146 『孟子』「離婁上」: "道가 가까운 곳에 있는데도 먼 곳에서 구하며, 일이 쉬운 데 있는데도 어려운 데에서 찾는다. 사람마다 각기 그 어버이를 친애하고 그 어른을 어른으로 섬기면, 천하가 평화롭게 될 것이다.(道在邇而求諸遠, 事在易而求諸難, 人人親其親, 長其長, 而天下平.)"

147 須從事物千條萬緒中磨鍊. 當來若就事事物物上看 : 『北溪字義』 판본을 살펴보면 "須從事物千條萬緒中磨鍊出來. 若就事事物物上看"으로 되어 있다. '當來'라는 글자는 잘못된 듯하다.

事, 千條萬緖. 人生天地之內, 物類之中, 全具是道, 與之俱生, 不可須臾離. 故欲求道者, 須是就人事中盡得許多千條萬緖當然之理, 然後可以全體是道而實具於我. 非可舍吾身人事, 超乎二氣之表, 只管去窮索未有天地始初之妙爲道體, 則在我此身有何干涉?"[148]

(북계 진씨가 말했다.) "배우는 사람은 도를 구할 때 수 천 수 만 가지 사물에서 연마해야 한다. 원래 사물들에서 살펴보면 또한 각각 당연한 리理가 있다. 예를 들어 '발의 모습은 진중하다.'[149]에서 발은 사물이고 진중하다는 것은 발의 당연한 리理이다. '손의 모습은 공손하다.'[150]에서 손은 사물이고, 공손한 것은 손의 당연한 리理이다. 또 '봄에는 밝음을 생각하고, 들음에는 총명함을 생각한다.'[151]에서 밝음과 총명함이 봄과 들음의 당연한 리理이다. 또 '앉아 있을 때는 시동처럼 하고, 서 있을 때는 제계할 때처럼 한다.'[152]에서 시동처럼 하고 제계하는 것처럼 하는 것은 앉는 것과 서는 것의 당연한 리理이다. 그 부류로 추론하면 크건 작건 높건 낮건 모두 당연하여 적합한 도리가 있으니 옛날이나 지금에 통용되어 폐기될 수 없는 것이 있다.

도의 큰 근원은 원래 하늘로부터 나오지만, 천지가 있기 전에 본래 먼저 이 리理가 있다. 그러나 리理가 있으면 기氣가 있게 된다. 기가 있으면 이 리理는 기 가운데 있어서 기를 떠나지 않는다. 기는 없는 곳이 없으니 리理는 통하지 않는 곳이 없다. 그 성대함은 조화하고 발육해 가는 곳에서 드러나지만, 실제로는 일상생활의 인간사의 수천 만 가지의 일에서 유행한다. 사람은 천지 안에서 태어나 사물들 가운데 이 도를 온전하게 갖추고 있고, 그것과 함께 살아가니 잠시라도 벗어날 수가 없다. 그러므로 도를 구하는 자는 반드시 인간사 가운데에서 수천 만 가지 당연한 리理를 다한 뒤에야 이 도를 온전히 체득하여 실제로 자신에게 갖출 수 있다. 나의 몸의 일들을 버리고 음양의 두 기氣 이외에서 초월할 수 있는 것이 아닌데, 오직 천지가 생겨나기 이전의 시초의 미묘한 것을 추구하여 도체道體로 삼는다면, 나 자신의 몸과 무슨 상관이 있겠는가?"

[34-1-75]

"道非是外事物有箇虛空底.[153] 其實道不離乎物, 離物則無所謂道. 且如君臣有義, 義底是道,

148 『北溪字義』 권하 「道」

149 '발의 모습은 진중하다.' : 『禮記』「玉藻」에 "발의 모습은 진중하고, 손의 모습은 공손하고, 눈의 모습은 단정하고, 입의 모습은 안정되고, 목소리는 조용하고, 머리의 모습은 꼿꼿하고, 기운의 모습은 엄숙하고, 서 있는 모습은 덕스럽고, 안색의 모습은 장중하다.(足容重, 手容恭, 目容端, 口容止, 聲容靜, 頭容直, 氣容肅, 立容德, 色容莊.)"라고 하였다.

150 '손의 모습은 공손하다.' : 『禮記』「玉藻」

151 '봄에는 밝음을 … 생각한다.' : 『論語』「季氏」, "봄에는 밝음을 생각하며, 들음에는 총명함을 생각하며, 안색은 온화함을 생각하며, 모습은 공손함을 생각하며, 말은 충직함을 생각하며, 일처리는 경건함을 생각하며, 의문에는 물음을 생각하며, 분함은 어려움을 생각하며, 얻는 것을 보면 의로움을 생각한다.(視思明, 聽思聰, 色思溫, 貌思恭, 言思忠, 事思敬, 疑思問, 忿思難, 見得思義.)"

152 '앉아 있을 … 한다.' : 『禮記』「曲禮上」

153 虛空底 : 『北溪字義』 판본에서는 '空虛底'로 되어 있다.

君臣是器. 若要看義底道理, 須就君臣上看, 不成脫了君臣之外別有所謂義. 父子有親, 親底是道, 父子是器. 若要看得親底道理, 須就父子上看, 不成脫了父子之外別有所謂親. 卽夫婦而夫婦在所別, 卽長幼而長幼在所序, 卽朋友而朋友在所信, 亦非外夫婦長幼朋友而有所謂別序與信."[154]

(북계 진씨가 말했다.) "도는 사물 바깥에서 공허한 것으로 있는 것이 아니다. 실제로 도는 사물과 분리되지 않으니, 사물과 분리되면 도라고 할 수 없다. 예를 들어 군주와 신하 사이에는 의로움이 있어야 한다는 것에서 의로운 것이 도道이고, 군주와 신하가 기器이다. 만약 의로운 도리를 보고자 한다면, 반드시 군주와 신하 사이에서 보아야만 하지, 군주와 신하 사이 밖으로 벗어나서 의로움이 따로 있다고 해서는 안 된다. 아버지와 아들 사이에는 친애함이 있어야 한다는 것에서 친애한 것이 도이고, 아버지와 자식이 기이다. 만약 친애하는 도리를 보고자 한다면, 반드시 아버지와 아들 사이에서 보아야만 하지, 아버지와 신하 사이 밖으로 벗어나서 친애함이 따로 있다고 해서는 안 된다. 남편과 아내 사이에서 남편과 아내는 구별이 있고, 어른과 아이 사이에서 어른과 아이는 순서가 있으며, 친구 사이에서 친구사이는 믿음이 있다는 것도 남편과 아내, 어른과 아이, 친구 사이를 떠나 이른바 따로 구별, 순서, 믿음이 있는 것이 아니다."

[34-1-76]

或問: "形而上者謂之道, 何以言形?"

潛室陳氏曰: "一物必有一理. 道卽器中之理. 器旣有形, 道卽因而顯, 分開不得. 先聖欲開悟後學, 不柰何指開示人. 所以俱言形者, 見本是一物. 若除了此字, 止言上者謂之道, 下者謂之器, 却成二片矣."[155]

어떤 사람이 물었다. "형이상자形而上者를 도라고 하는데 어째서 형形으로 말합니까?"

잠실 진씨潛室陳氏[陳埴][156]가 말했다. "한 사물에는 반드시 한 리理가 있다. 도는 기器 가운데의 리理이다. 기器는 형체가 있고, 도는 이것을 바탕으로 드러나니 분리할 수 없다. 이전 성인들은 후학들을 깨우쳐주기 위해서 어쩔 수 없이 가리켜서 사람들에게 보여주었다. 그래서 모두 형形이라는 글자를 말한 것은 본래 한 가지 사물이라는 점을 보여준 것이다. 만약 이 글자를 빼고서 단지 상자上者를 도道라 하고, 하자下者를 기器라 했다면, 두 쪽으로 되어버린다."

154 『北溪字義』 권하 「道」

155 『木鍾集』 권4 「易」

156 潛室陳氏[陳埴]: 陳埴(1176~1232)의 자는 器之이고, 호는 木鍾이다. 송대 永嘉(현 절강성 溫州) 사람이다. 어려서는 葉適에게 배우고 나중에는 주희에게서 배웠다. 송 寧宗 嘉定 7년(1214)에 진사에 급제하여 通直郎을 역임하였다. 嘉定 연간(1208~1224)에 明道書院의 講席을 주재했으며, 그를 따르는 많은 학자들이 潛室先生이라고 불렀다. 저술은 『木鍾集』·『禹貢辨』·『洪範解』 등이 있다.

[34-1-77]

"道只是當行底理. 天下事事物物與自家一身凡日用常行, 那件不各有當行底道理, 那曾一歇走離得? 才離得, 則物非物, 事非事, 吾身日用常行者皆非是矣. 故道卽路之謂也. 之燕之越, 無非是路, 才無路, 便是荊棘草莽. 聖人之道只是眼前當然底, 一時走離不得. 後學求道, 只就此上看, 不用窈窈冥冥, 探索深遠. 如此爲道, 皆日用而不知者也."157

(잠실 진씨가 말했다.) "도는 마땅히 행해야할 리理이다. 세상의 모든 사물들과 나의 한 몸이 일상생활에 행하는 것에 어떠한 것인들 각각 마땅히 행해야할 도리가 있지 않겠으며, 또 어찌 한 순간이라도 벗어날 수 있겠는가? 벗어났다고 하면 사물은 사물이 아니고 일은 일이 아니며 나의 몸이 일상생활에서 행하는 것은 모두 옳지 않다. 그러므로 도를 길이라고 말한다. 연나라로 가고 월나라고 가는 것도 이 길이 아님이 없으니, 그 길이 없다면 그것은 가시밭과 풀숲이다. 성인의 도는 단지 눈앞의 당연한 것이니, 한 순간도 벗어날 수가 없다. 후학들이 도를 구할 때에는 단지 여기에서 보아야 하지, 아득하고 어두운 곳에서 고원하고 심원한 것을 탐색할 필요가 없다. 이렇게 도를 행하는 것은 모두 날마다 쓰면서 알지 못하는 것이다."

[34-1-78]

西山眞氏曰 : "器者, 有形之物也, 道者, 無形之理也. 明道先生曰, '道卽器, 器卽道,'兩者未嘗相離. 蓋凡天下之物有形有象者, 皆器也, 其理便在其中. 大而天地亦形而下者, 乾坤乃形而上者. 天地以形體言, 乾坤以性情言. 乾健也, 坤順也, 卽天地之理. 日月星辰風雨霜露, 亦形而下者, 其理卽形而上者. 以身言之, 身之形體皆形而下者, 曰性, 曰心之理, 乃形而上者. 至於一物一器莫不皆然. 且如燈燭者, 器也, 其所以能照物, 形而上之理也. 且如椅卓, 器也, 而其用, 理也. 天下未嘗有無理之器, 無器之理. 卽器以求之, 則理在其中, 如卽天地則有健順之理. 卽形體則有性情之理. 精粗本末, 初不相離. 若舍器而求理, 未有不蹈於空虛之見, 非吾儒之實學也."158

서산 진씨西山眞氏[眞德秀]159가 말했다. "기器는 형체가 있는 것이고, 도道는 형체가 없는 리理이다. 명도明道 선생이 '도는 기이고 기는 도이다.'라고 했으니, 두 가지는 서로 분리된 적이 없었다. 세상의 사물들 가운데 형체가 있고 상象이 있는 것은 모두 기器이고, 그 리理는 그 가운데에 있다. 크게는 천지天地 역시 형이하자이고, 건곤乾坤은 형이상자이다. 천지는 형체로 말한 것이고, 건곤은 성정性情으로 말한

157 『木鍾集』 권8 「禮記」

158 『西山文集』 권30 「問答 · 問大學只說格物不說窮理」

159 西山眞氏[眞德秀] : 眞德秀(1178~1235)의 자는 希元 · 景元 · 景希이고, 호는 西山이다. 송대 浦城(복건성 蒲城) 사람으로 1199년에 진사에 급제하여 太學正 · 參知政事에 이르렀다. 어려서는 주희의 문인인 詹體仁에게 배우고, 스스로 '주희를 사숙하여 얻은 것이 있다.'라고 하였다. 특히 『大學』을 중시하여 窮理持敬을 강조하였다. 저서는 『大學衍義』 · 『四書集編』 · 『西山文集』 등이 있다.

것이다. 건乾은 강건함이고 곤坤은 유순함이니 천지의 리理이다. 해·달·별·별자리와 바람·비·서리·이슬 역시 형이하자이지만, 그 리理는 형이상자이다. 몸으로 말하자면 몸의 형체는 형이하자이고, 성性과 마음의 리理는 형이상자이다. 한 사물과 한 기器에 이르기까지 모두 그렇지 않은 것이 없다. 또한 등불은 기器이지만, 그것이 사물을 비출 수 있는 것은 형이상의 리理이다. 또한 의자는 기器이지만 그 쓰임은 이理이다. 세상에는 리理가 없는 기器란 없고, 기器가 없는 리理란 없으므로, 기器에서 구하면 리理는 그 가운데에 있으니, 예를 들어 천지에서 건순健順의 리理가 있고, 형체에서 성정性情의 리理가 있는 것과 같다. 정밀함과 조잡함, 근본과 말단은 애초부터 서로 분리되지 않는다. 만약 기器를 버리고 리理를 구한다면 공허한 견해에 빠지지 않는 경우가 없으니, 우리 유학의 실제적인 학문이 아니다."

[34-1-79]

雙峯饒氏曰 : "道者, 天下當然之理. 原於天之所命, 根於人之所性, 而著見於日用事物之間如大路然. 本無難知難行之事, 學者患不得其門而入耳. 苟得其門而入, 則由愚夫愚婦之可知可能, 以至於盡性至命之地, 無遠之不可到也."

쌍봉 요씨雙峯饒氏[饒魯][160]가 말했다. "도는 세상의 당연한 리理이다. 하늘이 명령한 것에 근원하고, 사람이 성으로 삼고 있는 것에 뿌리하여, 일상생활의 사물들 사이에서 드러나니, 마치 큰 길이 그러한 것과 같다. 본래 알기 어렵고 행하기 어려운 일은 없는데, 배우는 자는 그 문을 얻어 들어가지 못하는 것을 근심할 뿐이다. 만약 그 문을 얻어 들어가면, 어리석은 남자와 어리석은 여인이 알 수 있고 능히 행할 수 있는 것에서부터 성性을 다하고 명命에 이르는 경지에 이르기까지 고원하여 도달할 수 없는 곳은 없다."

理 리

[34-2-1]

程子曰 : "萬物各具一理, 而萬理同出一原, 所以可推而無不通也."

정자가 말했다. "만물은 각각 하나의 리理를 구비하고 있고, 온갖 리理는 하나의 근원에서 동일하게 나오므로 미루어 통하지 않음이 없게 된다."[161]

160 雙峯饒氏[饒魯] : 송나라 饒州 餘幹 사람이다. 자는 伯輿이고 仲元이라고도 하며, 호는 쌍봉이다. 어릴 적에 황간으로부터 배웠다. 『宋元學案』 권83 참조

161 주희는 이 구절에 대해서 이렇게 설명한다. "덕원이 물었다. '만물은 각각 하나의 리 이치를 구비하고 있는데 만 가지 理는 똑같이 하나의 근원에서 나온다는 말은 무슨 뜻입니까?' 대답했다. '만물은 모두 이 理를 가지고 理는 모두 하나의 근원에서 동일하게 나온다. 단지 있는 자리가 다르면 그 理의 작용이 일치하지 않을 뿐이다. 예를 들어 군주가 되어서는 반드시 인자해야 하고, 신하가 되어서는 반드시 공경해야 하며, 자식이 되어

[34-2-2]

"一物之理卽萬物之理."[162]

(정자가 말했다.) "한 사물의 리理는 곧 만물의 리理이다."

[34-2-3]

"物物皆有理. 如火之所以熱, 水之所以寒, 至於君臣父子間, 皆是理."[163]

(정자가 말했다.) "모든 사물들은 리理를 가지고 있다. 예를 들어 불이 뜨거운 까닭과 물이 차가운 까닭에서 군주와 신하, 아버지와 자식 사이의 관계에 이르기까지 모두 이 리理이다."[164]

[34-2-4]

"理則天下只是一箇理. 故推至四海而準, 須是質諸天地考諸三王不易之理. 故敬則只是敬此者也, 仁是仁此者也, 信是信此者也."[165]

(정자가 말했다.) "리理는 온 세상이 하나의 리理일 뿐이다. 그러므로 추론하여 사해四海에 이르러도 기준이 되니,[166] 반드시 천지에게 질정質正하고 삼왕三王에게 고구하여도 바뀔 수 없는 리理이어야 한다. 그러

서는 반드시 효도해야 하고, 아버지가 되어서는 반드시 자애해야 하는 것과 같다. 사물마다 각각 이러한 理를 구비하지만, 사물마다 각각 그 작용이 다르다. 그러나 하나의 理가 유행하는 것이 아님이 없다. 성인이 「理를 궁리하고 性을 다하여 命에 이른다.」고 하였으니, 세상의 모든 사물에 대해 그 理를 궁구하지 않음이 없어서, 그래서 각각의 사물이 그 마땅한 자리를 얻을 수 있도록 조치하여 그 마땅함을 얻지 못하는 사물이 하나도 없게 된다. 이러한 사물이 없는 경우에만 이러한 理는 없지만, 이러한 사물이 있다면 성인은 그 理를 다하지 않음이 없다. 그래서 「오직 지극한 정성만이 천지의 화육에 참여하니, 천지와 함께 셋이 될 수 있다.」고 한 것이다.'(德元問, '萬物各具一理, 而萬理同出一原.' 曰, '萬物皆有此理, 理皆同出一原. 但所居之位不同, 則其理之用不一. 如爲君須仁, 爲臣須敬, 爲子須孝, 爲父須慈. 物物各具此理, 而物物各異其用. 然莫非一理之流行也. 聖人所以「窮理盡性而至於命」, 凡世間所有之物, 莫不窮極其理, 所以處置得物物各得其所, 無一事一物不得其宜. 除是無此物, 方無此理; 旣有此物, 聖人無有不盡其理者. 所謂「惟至誠贊天地之化育, 則可與天地參者也.')"(『朱子語類』 권18, 28조목)

162 『河南程氏遺書』 권2상 「元豐己未呂與叔東見」

163 『河南程氏遺書』 권19 「楊遵道錄」

164 『河南程氏遺書』에 나온 전문은 이러하다. "물었다. '사물을 格한다는 것은 외적인 사물입니까 아니면 본성 가운데의 것입니까?' 대답했다. '얽매일 필요가 없다. 눈앞의 사물은 이 사물이 아닌 것이 없다. 모든 사물들은 理를 가지고 있다. 예를 들어 불이 뜨거운 까닭과 물이 차가운 까닭에서 군주와 신하, 아버지와 자식 사이에 이르기까지 모두 이 理이다.' 또 물었다. '단지 한 사물만 궁구하여 한 사물을 안다면, 여러 이치를 알게 됩니까?' 대답했다. '반드시 두루 구해야 한다. 안연일지라도 하나를 들어 열을 알았을 뿐이니, 나중에 가서 理에 대해서 통달한 후에는 수억 만 가지라도 통할 수 있다.'(問, '格物是外物, 是性分中物?' 曰, '不拘. 凡眼前無非是物. 物物皆有理. 如火之所以熱, 水之所以寒, 至於君臣父子閒皆是理.' 又問, '只窮一物, 見此一物, 還便見得諸理否?' 曰, '須是徧求. 雖顔子亦只能聞一知十, 若到後來達理了, 雖億萬亦可通.')"

165 『河南程氏遺書』 권2상 「元豐己未呂與叔東見二先生語」

166 기준이 되니 : 『禮記』「祭義」에 "曾子曰, '大孝置之而塞乎天地, 溥之而橫乎四海, 施諸後世而無朝夕, 推而放

므로 경敬은 단지 이 리를 경으로 삼는 것이고, 인仁은 이 리를 인으로 삼는 것이며, 신信은 이 리를 신信으로 삼는 것이다."

[34-2-5]

"理與心一, 而人不能會爲一者, 有己則喜自私, 私則萬殊, 宜其難一也."[167]

(정자가 말했다.) "리理와 마음은 하나인데 사람들이 하나로 하지 못하는 것은 사사로운 자기가 있으면 스스로 사사롭게 하는 것을 기뻐하고, 사사로우면 만 가지로 갈라지니 당연히 하나로 되기가 어렵다."

[34-2-6]

"隨時觀理而天下之理得矣."[168]

(정자가 말했다.) "때에 따라서 리理를 보면 세상의 리理를 깨닫는다."

[34-2-7]

"詩曰, '天生烝民, 有物有則. 民之秉彛, 好是懿德.' 萬物皆有理, 順之則易, 逆之則難. 各循其理, 何勞於己力哉?"[169]

(정자가 말했다.) "『시詩』에서 '하늘이 여러 백성을 낳으니, 사물이 있으면 법칙이 있다. 백성이 떳떳한 성품을 갖고 있어서, 이 아름다운 덕德을 좋아한다.'고 했다. 모든 사물은 모두 이 리理를 갖고 있으니, 그것을 따르면 쉽고, 그것을 거스르면 어렵다. 각각 그 리理를 따른다면, 나의 힘을 어찌 쓰겠는가?"

[34-2-8]

"所以謂萬物一體者, 皆有此理, 只爲從那裏來. 生生之謂易, 生則一時生, 皆完此理. 人則能推, 物則氣昏推不得, 不可道他物不與有也."[170]

(정자가 말했다.) "만물일체라고 하는 것은 모두 이 리理가 있어서 다만 거기에서 나왔다는 것이다. '낳고 낳은 것을 역易이다.'라고 하니, 낳으면 동시에 낳아서 모두 이 리理를 완비하고 있다. 사람은 이것을 미룰 수 있고, 사물은 기가 어두워서 미루지 못하지만, 그 사물은 (이 리를) 관여하여 가지지 않았다고 말할 수는 없다."

諸東海而準, 推而放諸西海而準, 推而放諸南海而準, 推而放諸北海而準.'"이라고 했다. 여기서 방각은 準을 "사람이 이것을 기준을 삼으니 어그러짐이 없다.(言人以是爲準, 而不差也.)"로 주석하고 있다.

167 『二程粹言』 下 「心性編」

168 『二程粹言』 上 「論學篇」

169 『河南程氏遺書』 권10 「師訓」

170 『河南程氏遺書』 권2상 「元豐已未呂與叔東見」

[34-2-9]
或問："太虛."
曰："亦無太虛."
遂指虛曰："皆是理, 安得謂之虛? 天下無實於理者."[171]
어떤 사람이 물었다. "태허란 무엇입니까?"
(정자가 대답했다.) "또한 태허란 없다."
이어 허공을 가리키며 말했다. "모두 이 리理인데, 어째서 텅 비었다고 할 수 있겠는가? 세상에 리理보다 실제적인 것은 없다."

[34-2-10]
"天理云者, 這一箇道理, 更有甚窮已."[172]
(정자가 말했다.) "천리天理라고 하는 것은 이 하나의 도리에 더 어떤 궁극이 있겠는가?"[173]

[34-2-11]
"寂然不動, 感而遂通者, 天理具備, 元無少欠. 不爲堯存, 不爲桀亡. 父子君臣常理不易, 是不曾動來. 因不動, 故言寂然. 雖不動, 感便通, 感非自外也."[174]
(정자가 말했다.) "고요하여 움직이지 않다가 감동하여 통하는 것은 천리가 구비되어 원래 조금의 결함도 없는 것이다. 요임금 때문에 보존되지 않고, 걸왕 때문에 망하지 않는다. 아버지와 아들, 군주와 신하는 항상 그러한 리理로 바뀌지 않으니, 이것은 움직인 적이 없다. 움직이지 않으므로 고요하다고 말했다. 움직이지 않지만 감동하면 통하니 감동하는 것은 밖에서 오는 것이 아니다."

[34-2-12]
"視聽思慮動作, 皆天也. 人但於其中要識得眞與妄尒."[175]
(정자가 말했다.) "보고 듣고 사려하고 동작하는 것은 모두 천天이다. 사람은 단지 그 가운데에서 참됨과

171 『河南程氏遺書』 권3 「謝顯道記憶平日語」
172 『河南程氏遺書』 권2상 「元豐己未呂與叔東見二先生語」
173 『河南程氏遺書』에 나온 원문은 이렇다. "天理라고 하는 것은 이 도리에는 더 어떤 궁극이 있겠는가? 요임금 때문에 보존되지 않고, 걸왕 때문에 망하지 않는다. 사람들 가운데 그것을 얻은 자가 있으므로 크게 유행하여도 더 보탤 것이 없고, 궁핍하게 있어도 뺄 것이 없다. 이 점에서 보자면, 어떻게 존재하고 망하고 보태고 뺄 것을 말할 수가 있겠는가? 이것은 원래 조금도 결함이 없어서 백 가지 이치가 구비되어 있다.(天理云者, 這一箇道理, 更有甚窮已? 不爲堯存, 不爲桀亡. 人得之者, 故大行不加, 窮居不損. 這上頭來, 更怎生說得存亡加減? 是他原無少欠, 百理俱備.)"
174 『河南程氏遺書』 권2상 「元豐己未呂與叔東見二先生語」
175 『河南程氏遺書』 권11 「師訓」

망령됨을 알아야 한다."[176]

[34-2-13]

"**天理,**[177] **自然之理也.**"[178]

(정자가 말했다.) "천리天理는 저절로 그러한 리理이다."

[34-2-14]

"**莫之爲而爲, 莫之致而致, 便是天理.**"[179]

(정자가 말했다.) "그렇게 하지 않았는데도 그렇게 된 것과 이르게 하지 않았는데도 이르는 것은[180]은 곧 천리이다."[181]

176 葉采가 주석한 『近思錄』「爲學」편에서는 이 구절에 대해 이렇게 설명하고 있다. "보고 듣고 사려하고 말하고 움직이는 것은 모두 천리의 저절로 그러함으로 그칠 수 없는 것이다. 이 천리를 따르면 참됨이고 욕심을 따르면 망령됨이다.(視聽思慮言動, 皆天理自然而不容已者. 然順理則爲眞, 從欲則爲妄.)" 주희는 이렇게 설명한다. "問, '「視聽 · 思慮 · 動作, 皆天也, 人但於中要識得眞與妄耳.」 眞 · 妄是於那發處別識得天理人欲之分. 如何?' 曰, '皆天也, 言視聽 · 思慮 · 動作皆是天理. 其順發出來, 無非當然之理, 卽所謂眞 ; 其妄者, 卻是反乎天理者也. 雖是妄, 亦無非天理, 只是發得不當地頭. 譬如一草木合在山上, 此是本分 ; 今卻移在水中. 其爲草木固無以異, 只是那地頭不是. 恰如「善固性也, 惡亦不可不謂之性」之意.'"(『朱子語類』 권95, 150조목)

177 『河南程氏遺書』에서는 '天理'가 '天者'로 되어 있다.

178 『河南程氏遺書』 권24 「鄒德久本」 : "'타고난 것을 성이라 한다.'는 말과 '하늘이 명한 것을 성이라고 한다.'는 말은 같은가? 性이라는 글자는 하나로 일괄하여 논할 수 없다. '타고난 것을 성이라 한다.'는 것은 품수받은 것을 말한다. '하늘이 명한 것을 성이라고 한다.'는 것은 성의 理를 말한다. 지금 사람들이 천성이 유순하고 느리다라고 하고, 천성이 강퍅하고 급하다고 하는 것이나, 세속에서 天成을 말하는 것은 모두 타고난 것이 이와 같다는 것이니 이는 품수받은 것을 말한다. 만약 성의 理와 같은 것은 불선함이 없으니 하늘은 저절로 그러한 理이다라고 한다.('生之謂性', 與'天命之謂性', 同乎? 性字不可一槩論. '生之謂性', 此訓所稟受也. '天命之謂性', 此言性之理也. 今人言天性柔緩, 天性剛急, 俗言天成, 皆生來如此, 此訓所稟受也. 若性之理也則無不善, 曰天者, 自然之理也.)"

179 『河南程氏遺書』 권18 「劉元承手編」

180 『孟子』「萬章上」 : "그렇게 하지 않았는데도 그렇게 된 것은 天이고, 이르게 하지 않았는데도 이르는 것은 命이다.(莫之爲而爲者, 天也, 莫之致而至者, 命也.)"

181 『河南程氏遺書』의 원문 전체는 다음과 같다. "그렇게 하지 않았는데도 그렇게 되고, 이르게 하지 않아도 이르는 것은 곧 천리이다. 사마천은 사사로운 생각을 가지고 天道를 헤아려서 백이를 논하면서 '천도는 친애함이 없으니, 항상 선한 사람과 함께 한다. 그런데 백이같은 사람은 선한 사람이 아니라고 할 수 있겠는가?'라고 하였다. 천도의 위대함을 어찌 한 사람의 연고로서 망령되게 헤아릴 수 있겠는가? 예를 들어 안연은 어째서 요절했는가? 도척은 어째서 장수하였는가? 모두 한 사람을 가리켜서 천리를 계산하는 것이니, 하늘을 아는 것이 아니다.(莫之爲而爲, 莫之致而致, 便是天理. 司馬遷以私意妄窺天道, 而論伯夷曰, 「天道無親, 常與善人. 若伯夷者, 可謂善人非邪?」 天道之大, 安可以一人之故, 妄意窺測? 如曰顔何爲而殀? 跖何爲而壽? 皆指一人計較天理, 非知天也.)"

[34-2-15]

"觀天理亦須放開意思, 開闊得心胸, 便可見."[182]

(정자가 말했다.) "천리를 볼 때에는 또한 반드시 생각을 개방하여 마음을 크게 열어야만 볼 수가 있다."

[34-2-16]

"有德者得天理而用之, 旣有諸己, 所用莫非中理."[183]

(정자가 말했다.) "덕이 있는 사람은 천리를 얻어서 쓰니, 자기에게 있게 되면 쓰는 것이 리理에 적중하지 않음이 없다."

[34-2-17]

"物有自得天理者, 如蜂蟻知衛其君, 豺獺知祭禮, 亦出於人情而已.[184]"[185]

(정자가 말했다.) "사물에는 본래 천리를 얻은 것이 있으니, 예를 들어 벌들이 그 군주를 호위할 줄 알고, 수달이 제사를 지낼 줄 아는 것과 같은 것이다. 예도 인지상정으로부터 나왔을 뿐이다."

[34-2-18]

"天地生物, 各無不足之理. 常思天下君臣父子兄弟夫婦, 有多少不盡分處."[186]

(정자가 말했다.) "천지가 사물을 낳을 때에는 각각 부족하지 않은 리理는 없다. 그러나 항상 천하의 군주와 신하, 아버지와 아들, 형과 동생, 남편과 아내를 생각함에 다소 본분을 다하지 못한 곳이 있다."[187]

[34-2-19]

"天地萬物之理, 無獨必有對. 皆自然而然, 非有安排也."[188]

(정자가 말했다.) "천지 만물의 리理는 단독으로 된 것은 없고 반드시 상대가 있다. 모두 저절로 그러하여

---

182 『河南程氏遺書』 권2상

183 『河南程氏遺書』 권2상

184 "豺獺知祭禮, 亦出於人情而已."는 『河南程氏遺書』에서는 "豺獺知祭. 禮亦出於人情而已."로 되어 있다. 번역도 이에 따라서 하였다.

185 『河南程氏遺書』 권17

186 『河南程氏遺書』 권1

187 葉采가 주석한 『近思錄』「道體」편에서는 이 구절에 대해 이렇게 설명하고 있다. "본분이란 천리의 당연한 준칙이다. 하늘이 만물은 낳을 때에는 理는 조금의 결함도 없으나 사람이 사물을 처리하는 데에 그 理를 다하지 못한다. 예를 들어 군주와 신하, 아버지와 아들, 형과 동생, 남편과 아내의 관계에서 조금이라도 그 마음을 다하지 못하고, 이치에 합당하지 않다면, 이것이 본분을 다하지 않는 것이다. 그러므로 군자는 정밀하게 살펴서 행하는 것을 귀하게 여긴다.(分者, 天理當然之則. 天之生物, 理無虧欠, 而人之處物, 每不盡理. 如君臣父子兄弟夫婦, 一毫不盡其心, 不當乎理, 是爲不盡分. 故君子貴精察而力行之也.)"

188 『河南程氏遺書』 권11 「師訓」

그러한 것이니, 안배가 있지 않다."[189]

[34-2-20]

"萬物莫不有對. 一陰一陽, 一善一惡, 陽長則陰消, 善增則惡減. 斯理也, 推之其遠乎! 人只要知此耳."[190]

(정자가 말했다.) "만물은 상대가 있지 않음이 없다. 한번 음하고 한번 양하며, 한편으로 선하고 한편으로 악하니, 양이 자라나면 음이 소멸하고, 선이 증가하면 악은 감소한다. 이 리理는 멀리까지 미루어나갈 수 있다! 사람이 그것을 알려고 할 뿐이다."

[34-2-21]

"質必有文, 自然之理也. 理必有對, 生生之本也. 有上則有下, 有此則有彼, 有質則有文, 一不獨立, 二必爲文, 非知道者, 孰能識之?"[191]

(정자가 말했다.) "바탕에는 반드시 꾸밈이 있는 것은 저절로 그러한 리理이다. 리理에는 반드시 상대가 있는 것은 낳고 낳는 근본이다. 위가 있으면 아래가 있고, 이것이 있으면 저것이 있고, 바탕이 있으면 꾸밈이 있어서, 하나로는 홀로 존립하지 못하고 둘이라야 반드시 문채를 이룬다. 도를 아는 자가 아니라면 누가 이것을 깨달을 수 있겠는가?"

[34-2-22]

張子曰 : "所謂天理也者, 能說諸心, 能通天下之志之理也."[192]

장자張子[張載]가 말했다. "이른바 천리는 마음을 기쁘게 할 수 있고,[193] 세상의 뜻에 통하게 할 수 있는

---

189 주희는 『朱子語類』에서 이 구절에 대해 다음과 같이 설명하고 있다. "물었다. '정자가 「천지 만물의 理는 단독으로 된 것은 없고 반드시 상대가 있다. 모두 저절로 그렇게 되어서 그러한 것이니, 안배가 있지 않다.」고 했는데, 짝은 사물이니, 理가 어떻게 상대가 있습니까?' 답했다. '예를 들어 높고 낮으며, 작고 크며, 맑고 탁한 것과 같은 부류가 모두 이것이다.' 물었다. '높고 낮으며, 작고 크며, 맑고 탁한 것은 또 사물인데 어떻게 그러합니까?' 답했다. '높음이 있으면 반드시 낮음이 있고, 큼이 있으면 반드시 작음이 있으니, 모두 이 理가 반드시 이와 같아야 한다. 예를 들어 하늘이 사물을 낳는데에 단지 음만으로는 불가능하니, 반드시 양이 있어야 하며, 양만으로는 불가능하니, 반드시 음이 있어야 한다. 이 모두가 상대이다. 이 상대라는 것은 理의 상대가 아니다. 그 상대가 있어야 하는 까닭이 理가 본래 그러하다는 것이다.(問, '「天地萬物之理, 無獨必有對.」 對是物也, 理安得有對?' 曰, '如高下小大清濁之類, 皆是.' 曰, '高下小大清濁, 又是物也, 如何?' 曰, '有高必有下, 有大必有小, 皆是理必當如此. 如天之生物, 不能獨陰, 必有陽 ; 不能獨陽, 必有陰 ; 皆是對. 這對處, 不是理對. 其所以有對者, 是理合當恁地.')"(『朱子語類』 권95 「程子之書一」)

190 『河南程氏遺書』 권11 「師訓」

191 『二程粹言』 上 「論道編」

192 『正蒙』「誠明篇」

193 『周易』「繫辭上」, "마음에 기쁘고 사려를 연구하여 천하의 吉凶을 정하며, 천하의 힘써야 할 일을 이룬다.(能

리理이다."[194]

[34-2-23]

上蔡謝氏曰："天, 理也, 人, 亦理也. 循理則與天爲一. 與天爲一, 我非我也, 理也, 理非理也, 天也. 唯文王有純德, 故曰'在帝左右', '帝謂文王', 帝是天之作用處."

或曰："意必固我有一焉, 則與天地不相似矣."

曰："然. 理上怎安得箇字? 易曰, '與天地相似故不違', 相似, 猶自是語."[195]

상채 사씨上蔡謝氏[謝良佐][196]가 말했다. "하늘은 리理이고, 사람 역시 리理이다. 리理를 따르면 하늘과 하나가 된다. 하늘과 하나가 되면 나는 내가 아니라 리理이며, 리理는 리理가 아니라 하늘이다. 오직 문왕이 순수한 덕을 가지고 있었으므로 '상제上帝의 좌우左右에 계시다.'라고 하고 '제가 문왕에게 말했다.'[197]고 했으니, 제帝는 하늘이 작용하는 곳이다.

어떤 이가 말했다. "의도 · 기필 · 고집 · 사사로운 자기[198] 가운데 하나라도 있으면 천지와 같지 않습니다."

說諸心, 能硏諸慮, 定天下之吉凶, 成天下之亹亹者.)"

194 『正蒙』「誠明篇」에 나온 전체 원문은 다음과 같다. "德이 氣를 이기지 못하면 性은 기의 지배를 받고, 덕이 그 기를 이기면 성과 명은 덕의 훈도를 받는다. 리를 궁구하고 성을 다하면 성은 천덕이 되고 명은 천리가 되니, 기 가운데 변할 수 없는 것은 유독 죽음과 삶, 장수와 요절일 뿐이다. 그러므로 죽음과 삶을 논할 때에 '명이 있다.'라고 말하는 것은 그 기를 말한 것이고, 부유함과 귀함을 말할 때에 '하늘에 있다.'라고 말하는 것은 그 리를 말한 것이다. 이것은 큰 도덕자가 반드시 명을 받는 것이고, 易簡의 理가 얻어져 천지 속에서 지위를 이룬 것이다. 이른바 천리는 마음에서 기뻐할 수 있고, 세상의 뜻에 통할 수 있는 이치이다. 세상 사람들로 하여금 기쁘거나 통하게 할 수 있다면 세상 사람들은 반드시 돌아올 것이고, 돌아가지 않는 자는 탄 것과 만나는 것이 다르니, 마치 공자와 대를 잇는 임금과 같다. '순과 우는 세상을 가지고 있으면서도 관여하지 않은' 자이니, 바로 천리가 길들이고 이룬 것이지, 기품의 당연함이 아니고 의지가 관여한 것이 아님을 말한다. 반드시 '순과 우를 말한다.'라고 하는 것은 나머지는 勢(세)를 타지 않고 찾는 자이기 때문이다.(德不勝氣, 性命於氣；德勝其氣, 性命於德. 窮理盡性, 則性天德, 命天理, 氣之不可變者, 獨死生壽夭而已. 故論死生則曰'有命', 以言其氣也；語富貴則曰'在天', 以言其理也. 此大德所以必受命, 易簡理得而成位乎天地之中也. 所謂天理也者, 能悅諸心, 能通天下之志之理也. 能使天下悅且通, 則天下必歸焉；不歸焉者, 所乘所遇之不同, 如仲尼與繼世之君也. '舜禹有天下而不與焉'者, 正謂天理馴致, 非氣稟當然, 非志意所與也. 必曰'舜禹云'者, 餘非乘勢則求焉者也.)"

195 『上蔡語錄』 권2

196 上蔡謝氏[謝良佐]: 謝良佐(1050~1103)는 자는 顯道이고, 시호는 文肅이며, 上蔡先生이라고 불리었다. 游酢 · 呂大臨 · 楊時와 함께 '程門四先生'이라 일컫고 상채학파의 시조가 되었다. 처음에 정호에게 배우다가 정호가 죽자 정이에게 배웠다. 송대 上蔡(현재 하남성) 사람으로 知應城縣 · 京師에 이르렀다. 저서는 『論語解』 · 『上蔡語錄』 등이 있다.

197 『詩經』「大雅 · 文王之什 · 文王」: "文王이 위에 계시어 아, 하늘에 밝게 계시니, 周나라가 비록 오래된 나라이나 天命은 새롭도다. 周나라가 드러나지 않을까 上帝의 命이 때에 맞지 않을까. 文王의 오르내리심이 上帝의 左右에 계시니라.(文王在上, 於昭于天. 周雖舊邦, 斯命維新. 有周不顯, 帝命不時. 文王陟降, 在帝左右.)"

(상채 사씨가) 말했다. "그렇다. 리理에 어떻게 그러한 글자를 놓을 수 있겠는가? 『역』에서 '천지와 서로 같으므로 어기지 않는다.'[199]라고 했는데, '서로 같다'는 것은 원래 이 말과 같다."

[34-2-24]

朱子曰 : "萬物各具一理, 萬理同出一原. 萬物皆有此理, 理皆同出一原. 但所居之位不同, 則其理之用不一. 如爲君須仁, 爲臣須敬, 爲子須孝, 爲父須慈. 物物各具此理, 而物物各異其用, 然莫非理之流行也."[200]

주자가 말했다. "만물은 모두 이 리理를 가지고 리理는 모두 하나의 근원에서 동일하게 나온다. 단지 있는 자리가 다르면 그 리理의 작용이 일치하지 않을 뿐이다. 예를 들어 군주가 되어서는 반드시 인자해야 하고, 신하가 되어서는 반드시 공경해야 하며, 자식이 되어서는 반드시 효도해야 하고, 아버지가 되어서는 반드시 자애해야 하는 것과 같다. 사물마다 각각 이러한 리理를 구비하지만, 사물마다 각각 그 작용이 다르다. 그러나 하나의 리理가 유행하는 것이 아님이 없다."

[34-2-25]

問 : "萬理粲然, 還同不同?"

曰 : "理只是這一箇. 道理則同, 其分不同. 君臣有君臣之理, 父子有父子之理."[201]

물었다. "만 가지 리理는 제 각기 또렷한데 같습니까 같지 않습니까?"

(주자가) 대답했다. "리理는 단지 하나이다. 도리는 같지만 그 분수는 다르다. 군주와 신하에게는 군주와 신하의 리理가 있고, 아버지와 자식에게는 아버지와 자식의 리理가 있다."

[34-2-26]

問 : "旣是一理, 又謂五常何也?"

曰 : "謂之一理亦可, 謂之五理亦可. 以一包之則一, 分之則五."

問 : "分爲五之序."

曰 : "渾然不可分."[202]

물었다. "이미 하나의 리理인데 또 오상五常이라고 말하는 것은 무슨 까닭입니까?"

(주자가) 대답했다. "하나의 리理라고 말해도 되고, 다섯 가지 리理라고 말해도 된다. 하나로 그것을 포괄하면 하나이고, 그것을 나누면 다섯이다."

198 『論語』「子罕」: "子絶四, 毋意, 毋必, 毋固, 毋我."
199 『周易』「繫辭上」
200 『朱子語類』 권18, 25조목
201 『朱子語類』 권6, 6조목
202 『朱子語類』 권6, 8조목

물었다. "나누면 다섯 가지 순서가 됩니까?"
(주자가) 대답했다. "혼연하여 나눌 수가 없다."

[34-2-27]

"理只是一箇理, 理擧著全無欠闕. 且如言著仁, 則都在仁上, 言著誠, 則都在誠上, 言著忠恕, 則都在忠恕上, 言著忠信, 則都在忠信上. 只爲只是這箇道理, 自然血脉貫通."[203]

(주자가 말했다.) "리理는 하나의 리理일 뿐이다. 리理를 거론하면 전혀 부족함이 없다. 예를 들어 인仁을 말했다면 모두 인에 있고, 성誠을 말했다면 모두 성에 있고, 충서忠恕를 말했다면 모두 충서에 있고, 충신忠信을 말했다면 모두 충신에 있다. 단지 이 도리일 뿐이기 때문에 저절로 혈맥이 관통되어 있다."

[34-2-28]

"理是有條理, 有文路子. 當文路子從那裏去, 自家也從那裡去, 文路子不從那裏去, 自家也不從那裏去. 須尋文路子在何處, 只挨著理了行."[204]

(주자가 말했다.) "리理에는 조리가 있고, 결이 있다. 결이 이쪽으로 나가면 자신도 이쪽으로 가고, 결이 이쪽으로 나가지 않으면 자신도 이쪽으로 가지 않는다. 반드시 결이 어느 쪽에 있는지를 찾아야, 리理를 따라서 행할 뿐이다."

[34-2-29]

"只是這箇理, 分做四段, 又分做八段, 又細碎分將去." 四段者, 意其爲仁義禮智.[205]

(주자가 말했다.) "단지 하나의 리理일 뿐인데, 나뉘어 4단이 되고 또 나뉘어 8단이 되고 또 자잘하게 나뉘어 간다." 4단은 아마 인의예지仁義禮智일 것이다.

[34-2-30]

"理如一把線相似, 有條理. 如這竹籃子相似."

指其上行篾曰: "一條子恁地去."

又別指一條曰: "一條恁地去. 又如竹木之文理相似, 直是一般理, 橫是一般理. 有心, 便存得許多理."[206]

(주자가 말했다.) "리理는 한 묶음의 선線과 같아서 조리가 있다. 예컨대 대나무 상자와 유사하다." 그 대나무 상자의 대껍질을 가리키며 말했다. "한 가닥이 이대로 간다."

203 『朱子語類』 권6, 10조목
204 『朱子語類』 권6, 11조목
205 『朱子語類』 권6, 9조목
206 『朱子語類』 권6, 12조목

또 다른 한 가닥을 가리키며 말했다. "한 가닥이 이렇게 간다. 또 대나무의 결과 유사하여 세로는 같은 결이고, 가로는 같은 결이다. 마음이 있으면 수많은 리理가 보존되어 있다."

[34-2-31]

"理便是心之所有之理,[207] 心便是理之所會之地."[208]

(주자가 말했다.) "리理는 마음이 가지고 있는 리理이고, 마음은 리理가 모여 있는 곳이다."

[34-2-32]

"至微之理, 至著之事, 一以貫之."[209]

(주자가 말했다.) "지극히 은미한 리理와 지극히 분명하게 드러난 일은 하나로 관통되어 있다."[210]

[34-2-33]

"形而上者謂之道, 形而下者謂之器. 形而上者, 指理而言, 形而下者, 指事物而言. 事事物物皆有其理, 事物可見而其理難知. 卽事卽物, 便要見得此理, 只是如此看. 但要眞實於事物上見得這箇道理, 然後於己有益. 爲人君止於仁, 爲人子止於孝, 必須就君臣父子上見得此理. 大學之道, 不曰窮理而謂之格物, 只是使人就實處窮竟. 事事物物上有許多道理, 窮之不可不盡也."[211]

(주자가 말했다.) "'형이상자를 도道라 하고, 형이하자를 기器라 한다.' 형이상자는 리理를 가리켜 말한 것이고, 형이하자는 사물을 가리켜 말한 것이다. 사물마다 모두 그 리理가 있는데, 사물은 볼 수 있지만 그 리理는 알기 어렵다. 사물에 나아가는 것은 이 리理를 보려는 것이니, 단지 이렇게 볼 뿐이다. 사물에서 실제적으로 도리를 보아야 하니, 그런 뒤에야 자신에게 유익하다. 군주가 되어서는 인자함에 멈추고, 자식이 되어서는 효도에 멈추니 반드시 군주와 신하, 아버지와 아들 상에서 이 리理를 보아야 한다. 대학大學의 도는 이치를 궁리하라고 말하지 않고 사물을 탐구하라고 말했으니, 사람들이 실제적인 곳에서 궁구하도록 한 것이다. 사물마다 수많은 도리가 있으니, 모든 것을 다 궁리하지 않을 수 없다."

[34-2-34]

"天下之理, 至虛之中有至實者存, 至無之中有至有者存. 夫理者, 寓於至有之中而不可以目擊而指數也. 然而擧天下之事莫不有理. 且臣之事君便有忠之理, 子之事父便有孝之理, 目之

207 理便是心之所有之理 : 『朱子語類』에는 '理'가 아니라 '性'으로 되어 있다.
208 『朱子語類』 권5, 47조목
209 『朱子語類』 권6, 14조목
210 정이천이 말한 '顯微無間'에 대한 해석이다.
211 『朱子語類』 권75, 109조목

視便有明之理, 耳之聽便有聰之理, 貌之動便有恭之理, 言之發便有忠之理. 只是常常恁地省察, 則理不難知也."212

(주자가 말했다.) "세상의 리理에는 지극한 허虛 가운데 지극한 실實이 있고, 지극한 무無 가운데 지극한 유有가 있다. 리理는 지극히 유有한 가운데 깃들여 있지만 눈으로 보아 지적해 헤아릴 수 없다. 그러나 모든 세상의 일들에는 리理가 있지 않음이 없다. 신하가 군주를 섬기는 데에는 충忠의 리理가 있고, 자식이 아버지를 섬기는 데에는 효孝의 리理가 있고, 눈으로 보는 데에는 눈밝음의 리理가 있고, 귀로 듣는 데에는 귀밝음의 리理가 있고, 모습의 움직임에는 공경의 리理가 있고, 말을 하는 데에는 충직한 리理가 있다. 단지 항상 이렇게 성찰하면 리理는 알기 어렵지 않다."

[34-2-35]

問: "性卽理, 如何?"

曰: "物物皆有性, 便皆有其理."

曰: "枯槁之物, 亦有理乎?"

曰: "不論枯槁, 他本來都有道理."

因指案上: "花瓶便有花瓶道理, 書燈便有書燈道理, 水之潤下, 火之炎上, 金之從革, 木之曲直, 土之稼穡, 一一都有性, 都有理. 人若用之, 又着順他理始得. 若把金來削做木用, 把木來鎔做金用, 便無此理."213

물었다. "성性은 곧 리理이라214는 말은 어떠합니까?"
대답했다. "모든 사물에는 성이 있으니 곧 모두 그 리理가 있다."
물었다. "마른 나무에도 리理가 있습니까?"
대답했다. "마른 나무를 막론하고 그것들은 본래 모두 도리가 있었다."
이어 책상 위에 화병을 가리키고 말했다. "화병에는 화병의 도리가 있고, 책을 보는 등에는 등의 도리가 있다. 물이 촉촉하고 아래로 내려가고, 불은 불타고 위로 올라가고, 쇠는 따르고 바뀌며, 나무는 굽으며 곧고, 흙은 심고 거두니,215 하나하나 모두 성이 있고 모두 리理가 있다. 사람이 그것을 사용한다면, 반드시 그 리理를 따라야 비로소 된다. 만약 쇠를 나무 깎듯이 사용하고, 나무를 가지고 쇠 녹이듯이 사용한다면, 그러한 리理는 없다."

212 『朱子語類』 권13, 65조목
213 『朱子語類』 권97, 「程子之書三」
214 정이천이 말한 '성즉리'를 말한다.
215 『書經』「洪範」에 "一五行一曰水, 二曰火, 三曰木, 四曰金, 五曰土. 水曰潤下, 火曰炎上, 木曰曲直, 金曰從革, 土曰稼穡."라고 하였다.

[34-2-36]

“天理旣渾然. 然旣謂之理, 則便是箇有條理底名字. 故其中所謂仁義禮智四者, 合下便各有一箇道理不相混雜. 以其未發, 莫見端緖, 不可以一理名, 是以謂之渾然, 非是渾然裏面都無分別. 而仁義禮智却是後來旋次生出四件有形有狀之物也. 須知天理只是仁義禮智之總名, 仁義禮智便是天理之件數.”216

(주자가 말했다.) “천리天理는 이미 혼연하다. 그러나 리理라고 했으니 곧 조리를 지닌 이름이다. 그러므로 그 가운데에 인仁·의義·예禮·지智 넷은 원래 각각 하나의 도리가 있어서 서로 섞이지 않는다. 그것이 발현하지 않았을 때는 단서를 볼 수 없어 하나의 리理로 이름 지을 수 없기 때문에 혼연하다고 한 것이지, 혼연한 것 안에서 모두 분별이 없는 것은 아니다. 그리고 인仁·의義·예禮·지智는 오히려 나중에 돌아가면서 생겨나와 4가지의 형상이 있게 된 것이다. 반드시 천리가 인의예지의 총명總名일뿐이고 인의예지는 곧 천리의 가짓수임을 알아야 한다.”

[34-2-37]

問: “理有能然, 有必然, 有當然, 有自然處. 皆須兼之, 方於理字訓義爲備否. 且擧其一二, 如惻隱者, 氣也, 其所以能是惻隱者, 理也. 蓋在中有是理, 然後能形諸外爲是事. 外不能爲是事, 則是其中無是理矣. 此能然處也.

又如赤子之入井, 見之者必惻隱. 蓋人心是箇活底. 然其感應之理必如是, 雖欲忍之, 而其中惕然自有不能以已也. 不然, 則是槁木死灰, 理爲有時而息矣. 此必然處也.

又如赤子入井, 則合當爲惻隱. 蓋人與人類其待之理當如此, 而不容不如此也. 不然, 則是爲悖天理, 而非人類矣. 此當然處也.

當然亦有二, 一就合做底事上直言其大義如此. 入井當惻隱, 與夫爲父當慈, 爲子當孝之類是也. 一泛就事中又細揀別其是是非非當做與不當做處, 如視其所當視, 而不視其所不當視, 聽其所當聽, 而不聽其所不當聽, 則得其正而爲理, 非所當視而視, 與當視而不視, 非所當聽而聽, 與當聽而不聽, 則爲非理矣. 此亦當然處也.

又如所以入井而惻隱者, 皆天理之眞, 流行發見自然而然, 非有一毫人爲預乎其間, 此自然處也. 其他又如動靜者, 氣也, 其所以能動靜者, 理也. 動則必靜, 靜必復動, 其必動必靜者, 亦理也. 事至則當動, 事過當靜者, 亦理也, 而其所以一動一靜, 又莫非天理之自然矣.

又如親親仁民愛物者事, 其所以能親親仁民愛物者理, 見其親則必親, 見其民則必仁, 見其物則必愛者, 亦理也. 在親則當親, 在民則當仁, 在物則當愛, 其當親當仁當愛者, 亦理也. 而其所以親之, 仁之, 愛之, 又無非天理之自然矣.

216 『朱文公文集』 권40 「書·答何叔京」

凡事皆然, 能然必然者, 理在事先, 當然者, 正就事而言其理, 自然, 則貫事理言之也. 四者皆不可不兼該, 而止就事言者, 必見理直截親切, 在人道爲有力. 所以大學章句或問論難處, 惟專以當然不容已者爲言亦此意. 熟則其餘自可類擧矣."

曰 "此意甚備. 大學本亦更有所以然一句. 後來看得且要見得所當然是切要處. 若果得不容已處, 卽自可默會矣."[217]

물었다. "리理에는 능연能然(능히 그러함)이 있고, 필연必然(반드시 그러함)이 있고, 당연當然(마땅히 그러함)이 있고, 자연自然(저절로 그러함)이 있으니, 이 모두 겸해야 비로소 리理라는 글자의 의미가 완비되는 것입니까? 우선 한 두 가지를 거론해 보겠습니다. 예를 들어 측은한 것은 기氣이고, 그것이 이렇게 측은할 수 있는 것은 리理입니다. 마음속에 이 리理가 있은 뒤에 밖으로 드러나 이 일이 될 수 있는 것입니다. 밖으로 이 일이 될 수 없다면, 마음속에 이 리理가 없습니다. 이것이 능연입니다.

또 어린아이가 우물에 빠질 때 그것을 보면 반드시 측은해 합니다. 왜냐하면 사람의 마음은 살아 있는 것이기 때문입니다. 그래서 그것이 감응하는 리理는 반드시 이와 같아서, 참으려고 해도 마음속에는 놀라서 저절로 그칠 수 없는 것입니다. 그렇지 않다면 마른 나무와 식은 재이니, 이치가 때때로 그치는 경우가 있습니다. 이것이 필연입니다.

또 어린아이가 우물에 빠지면 마땅히 측은해 해야 합니다. 사람끼리는 그 대하는 리理가 당연히 이와 같으니 이와 같이 하지 않을 수 없습니다. 그렇지 않다면 이는 천리天理를 어그러뜨리는 것이니 사람의 부류가 아닙니다. 이것이 당연입니다.

당연에는 또한 두 가지가 있으니, 하나는 마땅히 해야 하는 일에서 직접 대의大義가 이러하다고 말하는 것입니다. 우물에 빠진 것을 볼 때에는 마땅히 측은해야 하고 아버지가 되어서는 마땅히 자애해야 하고, 자식이 되어서는 마땅히 효도해야 하는 따위가 이것입니다. 하나는 대략적인 일에서 또 세밀하게 그 시시비비와 마땅히 해야 하고 마땅히 하지 않아야 하는 것을 분간해야 하니, 예를 들어 보아야할 것을 보고, 보아서는 안 될 것을 보지 않으며, 들어야 할 것을 듣고 들어서는 안 될 것을 듣지 않으면 그 올바름을 얻어 리理가 되고, 마땅히 보아야할 것이 아닌데도 보는 것과 마땅히 보아야 할 것인데 보지 않으며, 마땅히 들어야 할 것이 아닌데도 듣는 것과 마땅히 들어야 할 것인데 듣지 않으면 리理가 아닙니다. 이것 또한 당연입니다.

또 어린애가 우물에 빠진 것을 볼 때에 측은해하는 것은 천리의 참된 것이 유행하고 발현하여 저절로 그러한 것이지, 그 사이에 털끝만 한 인위적인 것이 있지 않으니, 이것이 자연입니다. 그밖에 또 예를 들어 움직이고 고요한 것은 기氣이고, 그것이 움직이고 고요할 수 있게 하는 것은 리理입니다. 움직이면 반드시 고요하고, 고요하면 반드시 다시 움직이니, 그 반드시 움직이고 반드시 고요한 것이 또한 리理입니다. 일이 이르면 마땅히 움직이고, 일이 지나가면 마땅히 고요한 것 역시 리理이고, 그것이 한 번 움직이고 한 번 고요하게 하는 것도 천리의 자연이 아님이 없습니다.

또 예를 들어 친족을 친애하고 백성을 사랑하며 사물을 아끼는 것은 일[事]이고, 친족을 친애하고 백성을 사랑하고 사물을 아낄 수 있게 하는 것은 리理이니, 친족을 보면 반드시 친애하고 백성을 보면 반드시

217 『朱文公文集』 권57 「書・答陳安卿」

사랑하고 사물을 보면 반드시 아끼는 것 역시 리理입니다. 친족에게서는 마땅히 친애해야 하고 백성에게서는 마땅히 사랑해야 하고 사물에게서는 마땅히 아껴야 하니, 그 마땅히 친애하고 마땅히 사랑하고 마땅히 아끼는 것 역시 리理입니다. 그리고 그 친애하고 사랑하고 아끼는 까닭 역시 천리의 자연이 아님이 없습니다.

모든 일이 그러하니, 능연과 필연은 리理가 일[事]에 앞서 있고, 당연은 일[事]에 나가가 그 리理를 말한 것이고, 자연은 일[事]과 리理를 관통하여 말한 것입니다. 4가지는 모두 겸하지 않을 수가 없지만, 일[事]에 나아가 말한 것만이 반드시 리理를 보는 것이 명쾌하고 절실해서 사람의 도리에서는 힘쓸 곳이 있습니다. 『대학장구』와 『혹문』에서 논란했던 곳에서 오로지 마땅히 그러해서 그만둘 수 없는 것[218]으로 말한 것도 이러한 뜻입니다. 이것을 숙지하면 그 나머지는 유추해낼 수 있다."

대답했다. "이 말은 뜻이 매우 잘 갖추어져 있다. 『대학혹문』에는 본래 그 '소이연'所以然[219]이라는 한 구절이 더 있다. 나중에 보건대, 우선 소당연所當然이 절실한 곳임을 알아야 된다. 만약 그만둘 수 없는 곳을 얻는다면 저절로 묵묵히 깨달을 수 있을 것이다."

[34-2-38]

問: "程子云, '視聽思慮動作, 皆天也. 人但於中要識得眞與妄耳.' 眞妄是於那發處別識得天理人欲之分, 如何?"

曰: "皆天也, 言視聽思慮動作皆是天理. 其順發出來無非當然之理, 卽所謂眞, 其妄者, 却是反乎天理者也. 雖是妄, 亦無非天理, 只是發得不當地頭. 譬如一草木合在山上, 此是本分, 今却移在水中, 其爲草木固無以異, 只是那地頭不是. 恰如'善固性也, 惡亦不可不謂之性'之意."[220]

물었다. "정자가 '보고 듣고 사려하고 동작하는 것은 모두 천天이다. 사람은 단지 그 가운데에서 참됨과 망령됨을 알아야 한다.'[221]라고 했습니다. 참됨과 망령됨은 그 발현된 곳에서 천리와 인욕의 구분을 식별하는 것이라면 어떠합니까?"

대답했다. "'모두 천이다.'라는 말은 보고 듣고, 사려하고 동작하는 것은 모두 천리天理임을 말한 것이다. 그것이 천리를 따라서 발현되어 나온 것은 당연한 리理가 아님이 없으니 이른바 참됨이고, 그 망령됨은 천리에 반하는 것이다. 그러나 망령된 것일지라도 천리가 아님이 없으니, 마땅하지 않는 곳에서 발현되었을 뿐이다. 비유하자면 하나의 초목이 마땅히 산 위에 있는 것이 본분인데, 지금은 물 가운데로 옮겨진 것과 같다. 그 초목이라는 점에서는 차이가 없지만 단지 그곳이 옳지 않을 뿐이다. 마치 '선은 성이지만 악 또한 성이라고 말하지 않을 수가 없다.'[222]는 뜻과 같다."

---

218 마땅히 그러해서 … 것: 『大學章句』에서는 '事物當然之極'이라는 표현이 나오고 『大學或問』에서는 '其所當然而不容已'라는 표현이 나온다.

219 『大學或問』에는 '其所當然而不容已'과 '其所以然而不可易者'라는 말을 함께 하고 있다.

220 『朱子語類』 권95, 150조목

221 『河南程氏遺書』 권11

222 『河南程氏遺書』 권1

[34-2-39]

問 : "天地萬物之理無獨必有對, 對是物也, 理安得有對?"

曰 : "如高下小大清濁之類皆是."

曰 : "高下小大淸濁又是物也, 如何?"

曰 : "有高必有下, 有大必有小, 皆是理必當如此. 如天之生物, 不能獨陰必有陽, 不能獨陽必有陰, 皆是對. 這對處不是理對, 其所以有對者, 是理合當恁地."[223]

물었다. "물었다. '정자가 「천지 만물의 리理는 단독으로 된 것은 없고 반드시 상대가 있다.」[224]고 했는데, 상대는 사물이니, 리理에 어떻게 상대가 있습니까?"
답했다. "예를 들어 높고 낮으며, 작고 크며, 맑고 탁한 것과 같은 부류가 모두 이것이다."
물었다. "높고 낮으며, 작고 크며, 맑고 탁한 것은 또 사물인데 무슨 말씀이십니까?"
답했다. "높음이 있으면 반드시 낮음이 있고, 큼이 있으면 반드시 작음이 있으니, 모두 이 리理가 반드시 이와 같다. 예를 들어 하늘이 사물을 낳는 데에 단지 음만으로는 불가능하니, 반드시 양이 있어야 하며, 양만으로는 불가능하니, 반드시 음이 있어야 한다. 이 모두가 상대이다. 이 상대라는 것은 리理에 상대가 있다는 것이 아니다. 그것들이 상대가 있게 된 것은 리理가 마땅히 이와 같은 것이다."

[34-2-40]

"天地萬物之理, 無獨必有對."

問 : "如何便至不知手之舞之, 足之蹈之?"

曰 : "眞箇是未有無對者. 看得破時眞箇是差異好笑. 且如一陰一陽便有對, 至於太極却對甚底."

曰 : "太極有無極對."

曰 : "此只是一句. 如金木水火土, 卽土亦似無對, 然皆有對. 太極便與陰陽相對, 此是形而上者謂之道, 形而下者謂之器, 便對過, 却是橫對了. 土便與金木水火相對. 蓋金木水火是有方所, 土却無方所, 亦對得過. 一云, 四物皆資土, 故也. 胡氏謂'善不與惡對', 惡是反善. 如仁與不仁如何不可對? 若不相對, 覺說得天下事都尖斜了沒箇是處. 一云, 湖南學者云善無對, 不知惡乃善之對, 惡者反乎善者也."[225]

(정자가) '천지 만물의 리理는 단독으로 된 것은 없고 반드시 상대가 있다.'고 했다.
물었다. "어떻게 하면 '부지불식간에 손이 저절로 춤추고 발이 저절로 뛰는 경지'[226]에 이릅니까?"

223 『朱子語類』 권95, 64조목

224 『河南程氏遺書』 권11 : "천지 만물의 理는 홀로 된 것은 없고 반드시 상대가 있다. 모두 저절로 그렇게 되어서 그러한 것이니, 안배가 있지 않다. 밤에 사려할 때에 부지불식간에 손이 저절로 춤추고 발이 저절로 뛴다.(天地萬物之理, 無獨必有對, 皆自然而然, 非有按排也. 每中夜以思, 「不知手之舞之, 足之蹈之」也.)"

225 『朱子語類』 권95, 65조목

(주자가) 대답했다. "진실로 상대가 없었던 적이 없었다. 간파했을 때 진실로 매우 좋아하게 된다. 예를 들어 한번 음하고 한번 양하는 것은 상대가 있지만 태극에 이르러서는 상대라는 것이 어떤 것인가?" 말했다. "태극에는 무극이라는 상대가 있습니다."
(주자가) 대답했다. "이 두 가지는 단지 한 구절이다. 예를 들어 금金·목木·수水·화火·토土에서 토에는 또한 상대가 없는 것 같지만 모두 상대가 있다. 태극은 음양과 서로 상대가 되니, 이것은 형이상자가 도道이고, 형이하자가 기器라는 것이 곧 상대가 되고, 대등하게 상대가 된다. 토는 금·목·수·화와 서로 상대가 된다. 금·목·수·화는 방위와 장소가 있지만, 토는 방위와 장소가 없으니 또한 상대가 된다. 한편에서는 4가지가 토를 바탕으로 삼기 때문이라고 한다. 호씨胡氏[胡宏][227]는 '선은 악과 상대가 아니'[228]라고 했는데 악은 선에 반한 것이다. 예를 들어 인仁과 불인이 어떻게 상대를 될 수 없겠는가? 만약 서로 상대가 아니라면, 세상일들이 비스듬히 기울여져서 옳은 것이 없다고 말한다는 점을 알게 된다. 어떤 사람은 호남학자들이 선에는 상대가 없다고 하는데 이는 악이 선의 상대이고, 악은 선에 반하는 것이라는 점을 모르는 것이라고 했다."

[34-2-41]

問: "天下之理無獨必有對, 有動必有靜, 有陰必有陽, 以至屈伸消長盛衰之類莫不皆然. 還是他合下便如此邪?"

曰: "自是他合下來如此. 一便對二, 形而上便對形而下. 然就一言之, 一中又自有對. 且如眼前一物, 便有背有面, 有上有下, 有內有外. 二有各自爲對.[229] 雖說無獨必有對, 然獨中又自有對. 且如棊盤路兩兩相對, 末稍中間只空一路, 若似無對. 然此一路對了三百六十路, 此所謂一對萬, 道對器也."[230]

물었다. "세상의 리理는 단독으로 된 것은 없고 반드시 상대가 있으니, 움직임이 있으면 반드시 고요함이 있고, 음이 있으면 반드시 양이 있으며, 움츠려들고 펼쳐지며, 소멸되고 자라나며, 성장하고 쇠락하는 종류에 이르기까지 모두 그러하지 않음이 없습니다. 그런데 그것은 원래 이러한 것입니까?"
(주자가) 대답했다. "그것은 원래부터 이러하다. 하나는 곧 둘과 상대이고, 형이상자는 형이하자와 상대이다. 그러나 하나를 가지고 말하자면 하나 가운데 또 원래 상대가 있다. 예컨대 눈앞의 사물에는 뒷면과

226 『二程遺書』 11권: "天地萬物之理, 無獨必有對, 皆自然而然, 非有按排也. 每中夜以思, 「不知手之舞之, 足之蹈之」也."
227 胡氏[胡宏]: 胡宏(1106~1161)은 남송 建寧 崇安 사람이다. 자는 仲仁이고, 호는 五峰이다. 胡安國의 아들이고, 남송 湖湘學派의 개창자다. 程門 4선생 중의 하나인 游酢을 비난하며 '性無善惡說'을 주장하였다. 그의 문하에서 張栻 등이 배출되었다. 그의 학문은 전체적으로 볼 때 程明道의 학맥과 관련이 있는데, 謝良佐·胡安國·호굉을 이른바 '湖湘學派'라고 한다. 저서에 『知言』과 『五峰集』 등이 있다.
228 호굉의 『知言』 부록에 이 말이 나온다.
229 『朱子語類』에는 '二有'가 '二又'로 되어 있다.
230 『朱子語類』 권95, 66조목

앞면이 있고, 위와 아래가 있으며, 안과 밖이 있다. 두 가지는 또 각각 상대가 있다. 홀로 된 것은 없고 반드시 상대가 있다고 했지만, 홀로 됨 가운데에 원래 상대가 있다. 예컨대 바둑판의 점들이 둘씩 서로 상대가 되는 것과 같으니, 가장 나중에 가운데 천원天元 한 점은 남아서 마치 상대가 없는 것처럼 보인다. 그러나 이곳은 360과 상대가 되니, 이것이 '하나는 만 개와 짝이 되고, 도道는 기器와 상대가 된다.'는 것이다."

[34-2-42]

"天下之物未嘗無對. 有陰便有陽, 有仁便有義, 有善便有惡, 有語便有嘿, 有動便有靜. 然又却只是一箇道理, 如人行出去是這脚, 行歸亦是這脚. 譬如口中之氣, 噓則爲溫, 吸則爲寒耳."[231]

(주자가 말했다.) "세상의 사물에는 상대가 없는 것이 없다. 음이 있으면 양이 있고, 인仁이 있으면 의義가 있고, 선이 있으면 악이 있고 말함이 있으면 침묵이 있고, 움직임이 있으면 고요함이 있다. 그러나 또 하나의 도리일 뿐이니, 사람이 길을 나서는 것은 이 다리이지만, 돌아오는 것 역시 이 다리인 것과 같다. 비유하자면 입속의 기를 내뱉으면 따스하고, 들이마시면 차가운 것과 같다."

[34-2-43]

蔡季通云, "理有流行, 有對待, 先有流行, 後有對待."曰, "難說先有後有." 季通擧太極說以爲道理皆然, 且執其說.[232]

채계통蔡季通[蔡元定][233]은 "리理는 유행流行이 있고, 대대對待가 있는데, 먼저 유행이 있고, 나중에 대대가 있다."라고 하였다. 주자는 "먼저 있다거나 나중에 있다고 말하기 어렵다."고 했다. 계통은 태극도설을 거론하며 도리는 모두 그러하다고 여기면서, 또 자기주장을 고집했다.

[34-2-44]

東萊呂氏曰: "天下事有萬不同. 然以理觀之, 則未嘗異. 君子須當於異中而求同, 則見天下之事本未嘗異."

동래 여씨東萊呂氏[呂祖謙][234]가 말했다. "세상일은 만 가지로 다름이 있다. 그러나 리理로 보면 다른 적이

231 『朱子語類』 권95, 67조목

232 『朱子語類』 권6, 13조목

233 蔡季通[蔡元定]: 蔡元定(1135~1198)을 말한다. 자는 季通이고, 세칭 西山先生이라 하였다. 송대 建陽(현 복건성 건양) 사람으로 주희를 경모하여 스승으로 받들었으나, 주희가 도리어 제자가 아닌 친구로 대우하였다. 그의 학문은 신유학뿐 아니라 천문·지리·樂律·歷數·兵陣 등에 뛰어났다. 특히 象數學에 조예가 깊어 주희의 『易學啓蒙』 저술에 참여한 것으로 알려진다. 말년에 주희와 함께 慶元黨禁의 표적이 되어 귀양을 가서 생을 마쳤다. 저서는 『律呂新書』·『八陣圖說』·『洪範解』 등이 있다.

234 東萊呂氏[呂祖謙]: 呂祖謙(1137~1181)을 말한다. 자가 伯恭이며 原籍은 壽州이나 婺州에서 태어났다. 세칭 東萊先生이다. 훌륭한 스승과 친구들을 만나 朱子·張南軒·陸象山 등과 더불어 講學에 힘썼다. 太學博士,

없다. 군자는 반드시 다름 가운데에서 같음을 구해야 하니, 그렇게 하면 세상일은 본래 다른 적이 없었음을 보게 된다."

[34-2-45]

勉齋黃氏曰 : "此身只是形氣神理. 理精於神, 神精於氣, 氣精於形. 形則一定, 氣能呼吸, 能冷暖, 神則有知覺, 能運用, 理則知覺運用上許多道理. 然有形則斯有氣, 有氣斯有神, 有神斯有理. 只是一物分出許多名字. 知此, 則心性情之類皆可見矣."[235]

면재 황씨勉齋黃氏[黃榦][236]가 말했다. "이 몸은 단지 형形·기氣·신神·리理일 뿐이다. 리理는 신神보다 정밀하고, 신은 기氣보다 정밀하고, 기는 형形보다 정밀하다. 형은 한 번 정해지는 것이고, 기는 내쉬고 들이쉴 수 있고, 차갑고 따뜻할 수 있고, 신은 지각知覺이 있고, 운용할 수 있고, 리理는 지각과 운용에서 수많은 도리이다. 그러나 형이 있으면 기가 있고, 기가 있으면 신이 있고, 신이 있으면 리理가 있다. 하나의 사물에서 많은 이름이 나왔을 뿐이다. 이것을 알면 심心·성性·정情과 같은 것들도 모두 알 수 있다."

[34-2-46]

或問 : "伊川有云, '在物爲理, 處物爲義', 又曰, '在義爲理,' 何如?"

潛室陳氏曰 : "理對義言, 則理爲體而義爲用. 理對道言, 則道爲體而理爲用."[237]

어떤 사람이 물었다. "이천이 '사물에 있는 것은 리理가 되고, 사물을 대처하는 것이 의義가 된다.'[238]라고 말하고서 또, '의義에 있는 것은 리理가 된다.'라고 한 적이 있는데 무슨 뜻입니까?"
잠실 진씨潛室陳氏[陳埴][239]가 말했다. "리理를 의義와 짝으로 해서 말하면, 리理는 체體가 되고 의義는 용用이 된다. 리理를 도道와 짝으로 해서 말하면, 도道가 체가 되고 리理가 용이 된다."

秘書郎, 直秘閣著作郎 겸 國史院編修官을 역임했다. 朱熹·張栻과 더불어 명성을 떨쳤으며, 당시에 '東南三賢'으로 불렸다. 주자와 육상산 두 사람의 鵝湖寺에서의 회합을 주선하기도 하였다. 그 뒤에 주자와 함께 北宋 도학자의 語錄을 편집하여 『近思錄』을 편찬하였고, 저서로는 『東萊左氏博議』·『呂氏家塾讀持記』 등이 있다.

235 『勉齋集』 권13 「書·復楊志仁書」

236 勉齋黃氏[黃榦] : 黃榦(1152~1221)은 자는 直卿이고, 호는 勉齋이다. 송대 福州閩縣(현 복건성 福州) 사람으로 주희의 고족제자인 동시에 사위이다. 주희의 蔭補로 知漢陽軍·知安慶府 등을 역임하였다. 저서는 『書說』·『六經講義』·『勉齋集』 등이 있고, 『朱子行狀』을 집필했다.

237 『木鍾集』 권10 「近思雜問附」

238 『二程粹言』 권上 「論道篇」

239 潛室陳氏[陳埴] : 陳埴(1176~1232)의 자는 器之이고, 호는 木鍾이다. 송대 永嘉(현 절강성 溫州) 사람이다. 어려서는 葉適에게 배우고 나중에는 주희에게서 배웠다. 송 寧宗 嘉定 7년(1214)에 진사에 급제하여 通直郎을 역임하였다. 嘉定 연간(1208~1224)에 明道書院의 講席을 주재했으며, 그를 따르는 많은 학자들이 潛室先生이라고 불렀다. 저술은 『木鍾集』·『禹貢辨』·『洪範解』 등이 있다.

[34-2-47]

又問 : "遺書云, '天地生物各無不足之理, 常思天下君臣父子有多少不盡分處.'旣曰無不足, 如何又有不盡分處."

曰 : "天理本無不足, 人自虧欠他底."[240]

또 물었다. "『유서遺書』에서 '천지가 사물을 생성할 때에는 각각 부족하지 않은 리理는 없다. 그러나 항상 생각해보면 천하의 군주와 신하, 아버지와 아들, 형과 동생, 남편과 아내 사이에서 다소 본분을 다하지 못한 곳이 있다.'[241]고 했으니, 이미 부족하지 않는 것이 없다고 했으면서 어째서 또 다하지 못한 본분이 있습니까?"

대답했다. "천리天理는 본래 부족하지 못함이 없지만, 사람이 스스로 그것을 모자라게 하는 것이다."

[34-2-48]

北溪陳氏曰 : "理與義對說, 則理是體, 義是用. 理是在物當然之則, 義是所以處此理者. 故程子曰, 在物爲理, 處物爲義."[242]

북계 진씨北溪陳氏[陳淳][243]가 말했다. "리理를 의義와 짝으로 해서 말하면, 리理는 체體이고 의義는 용用이다. 리理는 사물에서는 당연한 준칙이고, 의義는 리理를 조치하는 것이다. 그러므로 정자가 '사물에 있는 것은 리理가 되고, 사물에 대처하는 것이 의義가 된다.'[244]라고 했다."

[34-2-49]

"如君臣父子夫婦兄弟朋友等類, 若不是實理如此, 則便有時廢了. 惟是實理如此, 所以萬古常然. 雖更亂離變故, 終有不可得而殄滅者."[245]

(북계 진씨가 말했다.) "군주와 신하, 아버지와 아들, 남편과 아내, 형과 동생, 친구 관계 등과 같은 것은 만약 실리實理가 이와 같지 않다면, 때때로 관계가 무너져버린다. 오직 실리가 이와 같으므로 영원토록 변함이 없다. 비록 다시 난리나 변고를 겪더라도 결국에는 없어질 수 없다."

[34-2-50]

"理與性字對說, 理乃是在物之理, 性乃是在我之理. 在物底便是天地人物公共底道理. 在我

240 『木鍾集』 권10 「近思雜問附」

241 『河南程氏遺書』 권1 「端伯傳師說」

242 『北溪字義』 권下 「理」

243 北溪陳氏[陳淳] : 陳淳(1159~1223)의 자는 安卿이고, 호는 北溪이다. 송대 龍溪 사람으로 주희가 장주 지사일 때 제자가 되어, 주희에게 '남쪽에 와서 나의 도가 진순 한 사람을 얻었다'라는 칭찬을 받았다. 시호는 文安이다. 저서는 『字義詳講』·『論孟學庸口義』·『北溪大全集』등이 있다.

244 『二程粹言』 권上 「論道篇」

245 『北溪字義』 권上 「誠」

底乃是此理已具得爲我所有者."

(북계 진씨가 말했다.) "리理와 성性을 대비해서 말하자면, 리는 사물에 있는 리이고, 성性은 나에 있는 리이다. 사물에 있는 것은 천지와 사람과 사물의 공공公共의 도리이다. 나에게 있는 것은 곧 이 리를 얻어서 나의 소유가 된 것이다."

[34-2-51]

"道與理大槩只是一件物. 然拆爲二字, 亦須有分別. 道是就人所通行上立字, 與理對說, 則道字較寬, 理字較實. 理有確然不易底意. 故萬古通行者道也, 萬古不易者理也. 理無形狀, 如何見得? 只是事物上一箇當然之則便是理. 則是準則法則, 有箇確定不易底意, 只是事物上正當合做處便是當然, 無過些, 亦無不及些. 如爲君止於仁, 仁便是爲君當然之則. 爲臣止於敬, 敬便是爲臣當然之則. 爲父止於慈, 爲子止於孝, 孝慈便是父子當然之則. 又如足容重, 重便是足容當然之則. 手容恭, 恭便是手容當然之則. 如尸便是坐中當然之則. 如齊便是立中當然之則. 古人格物窮理, 要就事物上窮箇當然之則, 亦不過只是窮到那合做恰好處而已."[246]

(북계 진씨가 말했다.) "도道와 리理는 대체로 하나의 것이다. 그러나 나누어서 둘로 하였으니, 또한 반드시 분별이 있어야 한다. 도道는 사람이 길을 통행한다는 점에서 글자를 만든 것이니, 리理와 대비해서 말하자면, 도는 비교적 폭넓고, 리는 비교적 구체적이다. 리는 분명하여 바꿀 수 없다는 뜻을 가지고 있다. 그러므로 영원히 통행하는 것이 도이고, 영원히 바꿀 수 없는 것이 리이다. 리는 형상이 없는데, 어떻게 볼 수 있는가? 단지 사물 상의 당연한 준칙이 리이다. 칙則이란 준칙과 법칙이니, 확고하게 정해져서 바꿀 수 없는 뜻이지만, 사물 상에서 적절하고 해야만 하는 것으로 당연함이니,[247] 조금의 지나침도 없고 또한 조금의 모자람도 없는 것이다. 예를 들면 군주가 되어서는 인자함에서 머물러야 하니, 인자함이 군주의 당연한 준칙이다. 신하가 되어서는 공경함에서 머물러야 하니, 공경함이 신하의 당연한 준칙이다. 아버지가 되어서는 자애함에서 머물러야 하고, 자식이 되어서는 효도에서 머물러야 하니, 효도와 자애함이 아버지와 아들의 당연한 준칙이다. 또 예들 들어 '발의 모습은 진중하다.'[248]고 했는데, 진중함이 발의 모습의 당연한 준칙이다. '손의 모습은 공손하다.'고 했는데 공손함은 손의 모습의 당연한 모습이다. '시동처럼 한다'[249]는 것은 앉아 있을 때의 당연한 준칙이고, '재계할 때처럼 한다'[250]는 것은 서

246 『北溪字義』 권下 「理」

247 사물 상에서 … 당연함이니 : 원문은 "只是事物上正當合做處, 便是當然"이나 『北溪字義』에서는 "只是事物上正合當做處, 便是當然, 即这恰好"라고 되어 있다. 『北溪字義』의 뜻을 고려하여 해석하였다.

248 '발의 모습은 진중하다.' : 『禮記』「玉藻」에 "발의 모습은 진중하고, 손의 모습은 공손하고, 눈의 모습은 단정하고, 입의 모습은 안정되고, 목소리는 조용하고, 머리의 모습은 꼿꼿하고, 기운의 모습은 엄숙하고, 서 있는 모습은 덕스럽고, 안색의 모습은 장중하다.(足容重, 手容恭, 目容端, 口容止, 聲容靜, 頭容直, 氣容肅, 立容德, 色容莊.)"라고 하였다.

249 '시동처럼 한다.' : 『禮記』「曲禮上」

250 '재계할 때처럼 한다.' : 『禮記』「曲禮上」

있을 때의 당연한 준칙이다. 옛 사람들이 사물을 탐구하고, 리理를 궁구하는 것은 사물 상에서 당연한 준칙을 궁구하려는 것이니, 또한 마땅히 해야 하는 것과 딱 들어맞는 것을 궁구하는 것에 불과했다."

[34-2-52]

或問: "'心也, 性也, 天也, 一理也.' 何如?"

魯齋許氏曰: "便是一以貫之."

又問: "理出於天, 天出於理?"

曰: "天卽理也. 有則一時有, 本無先後."[251]

어떤 사람이 물었다. "'심心·성性·천天은 하나의 리理이다.'[252]라고 한 것은 어떠합니까?"
노재 허씨魯齋許氏[許衡][253]가 대답했다. "하나로 관통되어 있다."
또 물었다. "리理가 천天에서 나옵니까 아니면 천天이 리理에서 나옵니까?"
대답했다. "천天이 곧 리理이다. 있으면 동시에 있으니, 본래 선후가 없다."

[34-2-53]

"有是理而後有是物. 譬如木生, 知其誠有是理, 而後成木之一物, 表裏精粗無不到, 如成果實相似. 如水之流滿出東西南北皆可. 體立而用行. 積實於中, 發見於外, 則爲惻隱, 爲羞惡. 內無而外自不應. 凡物之生, 必得此理而後有是形, 無理則無形. 孟子所謂非人者, 無此理何異於禽獸哉?"[254]

(노재 허씨가 말했다.) "이 리理가 있은 뒤에 이 사물이 있다. 비유하자면, 나무가 생겨나는 것과 같으니, 실로 이 리理가 있고 난 뒤에 한 그루의 나무가 이루어지고 안과 밖과 정밀함과 조잡함에 이르지 않는 것이 없어서 과실果實을 이루는 것과 유사한 것을 알 수 있다. 예를 들어 물이 흘러 가득차서 동서남북으로 흘러가는 것이 모두 가능하다. 체體가 세워지면 용用이 행해진다. 마음에서 가득하면 밖으로 발현되니, 측은함이 되고, 부끄러워 미워함이 된다. 안에 없다면 밖으로 저절로 호응하지 않는다. 사물이 생겨나는 데에는 반드시 이 리理가 있은 뒤에 이러한 형체가 있으니, 리理가 없다면 형체가 없다. 맹자의 이른바 사람이 아니라고 한 것은 이 리理가 없으니, 어찌 금수와 다를 것인가?"

---

251 『魯齋遺書』 권1 「語錄上」

252 『河南程氏遺書』 22상: "伯溫又問, '孟子言心·性·天, 只是一理否?' 曰, '然. 自理言之謂之天, 自稟受言之謂之性, 自存諸人言之謂之心.'"

253 魯齋許氏[許衡]: 許衡(1209~1281)은 원나라 懷孟 河內 사람이다. 자는 仲平이고, 호는 魯齋며, 시호는 文正이다. 憲宗 4년(1254) 忽必烈이 불러 京兆提學과 國子祭酒 등의 요직을 맡았다. 集賢殿大學士와 領太史院事 등을 지냈다. 『讀易私言』·『魯齋心法』·『魯齋遺書』·『許文正公遺書』·『許魯齋集』 등이 있다.

254 『魯齋遺書』 권1 「語錄上」

[34-2-54]

"事物必有理. 未有無理之物. 兩件不可離, 無物則理何所寓? 讀史傳事實文字皆已往粗迹, 但其中亦有理在. 聖人觀轉蓬便知造車, 或觀擔夫争道而得運筆意, 亦此類也. 但不可泥於迹, 而不知變化. 雖淺近事物, 亦必有形而上者. 但學者能得聖神功用之妙, 以觀萬事萬物之理可也. 則形而下者, 事爲之間皆粗迹而不可廢."[255]

(노재 허씨가 말했다.) "사물에는 반드시 리理가 있다. 리理가 없는 사물은 없다. 두 가지는 분리될 수 없으니, 사물이 없다면 리理가 어디에 깃들 것인가? 역사서의 전기에 기록된 사실 문자를 읽는 것은 모두 이미 지나간 조잡한 흔적이지만, 그 가운데에 또한 리理가 있다. 성인은 바람에 따라 굴러다니는 쑥대[256]을 보고서 수레바퀴를 만드는 것을 알았다고 하고, 짐꾼이 길을 다투는 것을 보고 붓글씨의 운필運筆의 뜻을 알았다[257]는 것이 또한 이러한 부류이다. 그러나 흔적에 빠져서 변화를 알지 못해서는 안 된다. 비근한 일일지라도 또한 반드시 형이상자가 있다. 그러나 배우는 사람은 성신聖神의 공용功用의 미묘함을 알 수 있으니, 만사 만물의 리理를 통해서 가능하다. 그러하니 형이하자는 일을 하는 속에 모두 조잡한 흔적이지만 없앨 수는 없다."

[34-2-55]

臨川吳氏曰 : "理之在人心, 猶水之在地中. 晝夜生生而不竭, 是之謂有原. 心理之發見, 猶原泉之初出, 毋滑壞, 毋閼絶, 將混混乎其常活而常清矣.[258]"[259]

임천 오씨臨川吳氏[吳澄][260]가 말했다. "리理가 사람 마음에 있는 것은 물이 땅 속에 있는 것과 같다. 밤낮으로 생겨나서 마르지 않는 것을 원천이 있다고 한다. 마음의 리理가 발현하는 것은 원천原泉이 처음으로 흘러나오는 것과 같으니, 어지럽혀 무너뜨리지 말고 막아 끊지 말아야, 용솟음쳐 나와[261] 항상 살아

255 『魯齋遺書』 권1 「語錄上」

256 바람에 따라 … 쑥대 : 轉蓬을 말한다. 『後漢書』「輿服志」에 "上古聖人, 見轉蓬始知爲輪."라고 하였다.

257 붓글씨의 運筆의 … 알았다 : 당나라 李肇의 『國史補』에 張旭의 일화에 나온다. 짐꾼이 좁은 길에서 공주와 길을 비키지 않으려고 싸우다가 길을 피하는 것을 보고서 필법을 깨달았다는 이야기이다. 『新唐書』「列傳第一百二十七 · 文藝中」에도 나온다.

258 『吳文正集』 권4 「記 · 有原堂記」에서는 '其常活'이 '其來常活'로 되어 있다.

259 『吳文正集』 권4 「記 · 有原堂記」

260 臨川吳氏[吳澄] : 吳澄(1249~1333)의 字는 幼淸이고 만년에 伯淸으로 바꾸었다. 풀로 만든 집게 거주하면서 '草廬'라고 이름지었기 때문에 사람들은 습관적으로 그를 초려 선생이라고 불렀다. 撫州 崇仁 사람이다. 송나라와 원나라 사이 유학자이며 경학자이며 이학자이다. 주자의 재전 제자인 饒魯의 문인인 程若庸에게서 배워 주희의 후학이며 요노의 제전 제자가 되었다. 저작으로는 『五經纂言』 · 『草廬精語』 · 『道德經注』 · 『三禮考注』, 등이 있고, 『草廬吳文正公文集』이 있다.

261 용솟음쳐 나와 : '混混'이라는 말은 『孟子』에 나오는 말이다. "원천이 용솟음쳐 나와 밤낮을 그치지 아니하여 구덩이가 가득 찬 뒤에 전진하여 四海에 이르니, 학문에 근본이 있는 자가 이와 같다. 이 때문에 취한 것이다.(原泉, 混混, 不舍晝夜, 盈科而後進, 放乎四海, 有本者如是, 是之取爾.)"

있고 항상 맑게 된다."

[34-2-56]

"夫凡物必有所以然之故, 亦必有所當然之則. 所以然者, 理也, 所當然者, 義也. 程子曰, '在物爲理, 處物爲義.' 理之有義, 猶形影聲響也, 世豈有無義之理哉? 理如玉之膚也, 至微而至密, 有旁通廣取其義不一而足者. 是以聖人之學必精義而入神."[262]

(임천 오씨가 말했다.) "대저 사물에는 반드시 그렇게 되는 까닭이 있고, 또한 마땅히 그러해야 하는 준칙이 있다. 그렇게 되는 까닭은 리理이고, 마땅히 그러해야 하는 준칙은 의義이다. 정자가 '사물에 있는 것은 리理가 되고, 사물을 대처하는 것은 의義가 된다.'라고 했다. 리理에 의義가 있는 것은 형체에 그림자가 있고, 소리에 메아리가 있는 것과 같으니, 세상에 어찌 의義가 없는 리理가 있겠는가? 리理는 옥의 표면과 같아서 지극히 미세하고 지극히 촘촘하니, 두루 통하고 널리 통하면 그 의義가 아주 많다. 그래서 성인의 학문은 반드시 의義를 정밀하게 하여 신神의 경지에 이른다.

德 덕

[34-3-1]

程子曰: "德者得也, 須是實到這裏須得."[263]

정자程子가 말했다. "덕德은 얻음이니, 반드시 실제로 여기에 도달해야 얻는다."

[34-3-2]

"一德立而百善從之."[264]

(정자가 말했다.) "하나의 덕이 서면 백 가지 선이 따른다."

[34-3-3]

"存諸中爲德, 發於外爲行. 德之成, 其可見者行也."

(정자가 말했다.) "마음속에 보존된 것이 덕이고, 밖으로 발현된 것이 행위이다. 덕이 이루어지면 볼 수 있는 것은 행위이다."

262 『吳文正集』 권2 「答問 · 評鄭夾漈通志答劉教諭」
263 『河南程氏遺書』 권2上
264 『河南程氏外書』 권3

[34-3-4]

"得之於心謂之有德. 自然睟然見於面, 盎於背, 施於四體, 四體不言而喻. 豈待勉强也."[265]

(정자가 말했다.) "마음에 얻은 것을 덕이 있다고 한다. 그것이 저절로 얼굴에 윤택하게 드러나고 등에 가득하고 사지에 베풀어져서 사지가 말하지 않아도 깨달으니,[266] 어찌 힘써 노력하기를 기다리겠는가?"

[34-3-5]

"德性者, 言性之可貴, 與言性善, 其實一也. 性之德者, 言性之所有."[267]

(정자가 말했다.) "덕성德性은 성의 고귀한 것을 말하니, 성은 선하다고 말하는 것과는 실제로 하나이다. 성의 덕은 성이 가지고 있는 것을 말한다."

[34-3-6]

"有德者, 得天地而用之.[268] 旣有諸己, 所以莫非中理."[269]

(정자가 말했다.) "덕이 있는 사람은 천리天理를 얻어서 사용한다. 이미 자기에게 있기 때문에 리理에 적중하지 않음이 없다."

[34-3-7]

"心是天德.[270] 心有不盡處, 便是天德處未能盡."[271]

(정자가 말했다.) "마음은 천덕天德이다. 마음에 다하지 않는 곳이 있다는 것은 바로 천덕에 온전히 다하지 못한 것이다."

[34-3-8]

"人心莫不有知. 惟蔽於人欲, 則亡天德也."[272]

(정자가 말했다.) "사람의 마음에는 앎이 있지 않음이 없다. 오직 인욕人欲에 가려지면, 천덕을 잃는다."

---

265 『河南程氏遺書』 권15

266 『孟子』「盡心上」: "군자의 본성은 仁義禮智가 마음속에 뿌리 하여, 그 얼굴빛에 나타남이 윤택하게 얼굴에 드러나며, 등에 가득하며, 四體에 베풀어져서 사체가 말하지 않아도 저절로 깨달아 행해진다.(君子所性, 仁義禮智根於心, 其生色也, 睟然見於面, 盎於背, 施於四體, 四體不言而喩)"

267 『河南程氏遺書』 권11

268 『河南程氏遺書』에서는 '天地'가 '天理'로 되어 있다.

269 『河南程氏遺書』 권2上

270 『河南程氏遺書』에서는 '心是天德'이 '心具天德'으로 되어 있다.

271 『河南程氏遺書』 권5

272 『河南程氏遺書』 권11 「師訓」

[34-3-9]

"聖賢論天德, 蓋謂自家元是天然完全自足之物. 若無所汙壞, 卽當直而行之. 若小有汙壞, 卽敬以治之, 使復如舊."[273]

(정자가 말했다.) "성현聖賢이 천덕天德을 논한 것은 그 자체로 원래 선천적으로 완전하고 자족한 것을 말한다. 만약 더럽혀지고 파괴됨이 없으면, 마땅히 곧게 행해야 한다. 만약 조금이라도 더럽혀지고 파괴됨이 있다면, 경敬으로 다스려서 다시 옛날처럼 회복해야 한다."

[34-3-10]

張子曰 : "德主天下之善, 善原天下之一."[274]

장자張子[張載]가 말했다. "덕德은 세상의 선善을 주로 하고,[275] 선은 세상의 하나[276]에 근원한다."

[34-3-11]

"接物處皆是小德, 統會處便是大德."[277]

(장자가 말했다.) "사물을 처리하는 것이 모두 작은 덕이고, 통괄하는 것이 곧 큰 덕이다."

273 『河南程氏遺書』 권1 「端伯傳師說」

274 『正蒙』「有德」

275 장재의 이 구절은 『書經』「咸有一德」의 "德은 떳떳한 法이 없어 善을 주로 함이 法이 되며, 善은 고정된 주인이 없어 능히 세상의 하나에 합합니다.(德無常師, 主善爲師, 善無常主, 協于克一.)"라는 구절과 관련이 있는 문장이다. 왕식은 『正蒙初義』에서 『書經』「咸有一德」편과 함께 「蔡仲之命」편의 원문인 "善을 행함이 똑같지 않으나, 똑같이 다스려짐으로 돌아간다.(爲善不同, 同歸於治.)"도 전거로 제시하였다. 왕식은 계속해서, "(「咸有一德」편의) 채침의 전에는 다음과 같이 말하였다. '덕은 여러 善을 겸하였으니, 선을 주장하지 않으면 「근본은 하나이면서 만 가지로 다르게 표현되는[一本萬殊]」 이치를 얻을 수 없다. 선은 一에 근원하였으니, 一에 합하지 않으면 萬殊一本(만수일본)의 오묘함을 통달할 수 없다. 널리 「하나가 아닌[不一]」 선에 구하고, 요약하여 「지극한 하나인[至一]」 이치로 모으는 것이니, 이는 聖學에서 條理가 시작되고 끝나는 차례이다.' 덕과 선은 하나이다. 안에서 주로 하는 것은 마음이 하나[一]이고, 입에서 발출되면 말이 선한 것이다. 마음에서는 선이라고 하고, 말에서는 덕이라고 한 것은, 선과 덕을 서로 드러내는 互文일 뿐이다. … 생각건대 '하나[一]'라는 것은 만 가지 이치의 하나의 근본[一本]인 것이다. 『書經』에서 '합한다[協]'고 한 것은 만 가지 이치를 참작하여 요약된 한 가지로 모으는 것이다. 여기에서 '근원한다[原]'고 한 것은 한 이치에 근본함으로써 만 가지 이치가 돌아감을 정한 것이다. 모두 사람이 선을 구하는 것을 가지고 말한 것이다. 말은 다르지만 의미는 한 가지이다.(蔡傳, '德兼衆善, 不主於善, 則無以得一本萬殊之理. 善原於一, 不協於一, 則無以達萬殊一本之妙. 博而求之於不一之善, 約而會之於至一之理, 此聖學始終條理之序.' '德''善', 一也. 主於內爲心一, 發於口爲言善. 心云善, 言云德者, 互見之文耳. … 竊意一者, 萬理之一本者也. 『書』言'協'者, 參萬理以會一理之約 ; 此言'原'者, 本一理以定萬理之歸 ; 皆以人之求善者言. 言異而意一也.)"라고 하였다.

276 元나라 陳師凱의 『書蔡氏傳旁通』 권3에서는 이 구절에 대해 "德者, 善之總稱, 善者, 德之實行, 一者, 其本原統會者也."라고 설명하고 있다.

277 『張子全書』 권14 「性理拾遺」

[34-3-12]

"富貴之得不得, 天也. 至於道德則在己, 求之而無不得也."[278]

(장자가 말했다.) "부귀富貴를 얻느냐 얻지 못하느냐는 하늘에 달려 있다. 도덕道德의 경우에는 나에게 달려 있으니, 구하면 얻지 못함이 없다."

[34-3-13]

"循天下之理之謂道, 得天下之理之謂德. 故曰易簡之善配至德."[279]

(장자가 말했다.) "세상의 리理를 따르는 것이 도라 하고, 세상의 리理를 얻는 것을 덕이라 한다. 그러므로 '이간易簡의 선善은 지덕至德에 배합한다.'[280]고 말했다."

[34-3-14]

龜山楊氏曰: "仁義而足乎己斯謂之德."[281]

구산 양씨龜山楊氏[楊時][282]가 말했다. "인仁과 의義를 행하면서 자신에게 만족하면, 이를 덕이라고 한다."

[34-3-15]

上蔡謝氏曰: "德可以易言耶? 動容周旋中禮, 聖人之事也, 止曰盛德之至. 具天下之至善, 止曰有德. 爲天下之大惡, 止曰失德. 故禮樂皆得, 謂之有德."[283]

상채 사씨上蔡謝氏[謝良佐][284]가 말했다. "덕은 쉽게 말할 수 있는가? 행동거지가 예禮에 맞는 것은 성인의

278 『張子全書』 권6 「義理」

279 『正蒙』「至當」

280 『易』「繫辭下」: "광대함은 天地에 배합하고, 變通은 사 계절에 배합하고, 陰陽의 뜻은 日月에 배합하고, 易簡의 善은 至德에 배합한다.(廣大, 配天地, 變通, 配四時, 陰陽之義, 配日月, 易簡之善, 配至德.)"

281 『龜山集』 권17 「書二 · 答吳仲敢」

282 龜山楊氏[楊時]: 『宋元學案』 권25 「龜山學案」에서 祖望謹은 이렇게 말하고 있다. "명도는 구산을 좋아했고, 이천은 상채를 좋아했으니 그 기상이 유사했기 때문이다. 구산은 홀로 오랫동안 장수하여 남쪽으로 가서 낙학의 대종이 되었는데, 회옹 · 남헌 · 동래 등이 모두 그의 문하에서 나왔다. 그러나 구산이 이단의 학문과 섞인 것은 상채보다 못하지 않았다.(明道喜龜山, 伊川喜上蔡, 蓋其氣象相似也. 龜山獨邀耆壽, 遂爲南渡洛學大宗, 晦翁 · 南軒 · 東萊皆其所自出. 然龜山之夾雜異學, 亦不下於上蔡.)" 楊時(1053~1135)는 자가 中立으로 南劍 將樂 사람이다. 1076년 진사가 되었으나, 관직에 뽑혔을 때 부임하지 않고 潁昌에서 명도를 스승으로 섬겼다. 명도가 매우 기뻐하였다. 그가 돌아갈 때 명도는 전송하면서 '나의 도가 남쪽으로 간다.'고 했다. 명도가 죽자 또 낙양에서 이천을 만났다. 이천은 40세였는데, 이천을 더욱더 공손하게 섬겼다. 장횡거가 「西銘」을 지었을 때 그 내용이 兼愛와 유사하다고 의심하여 이천과 논쟁하였다. 紹興 5년 4월 24일 죽었으니, 83세였다. 그의 학문은 羅從彦, 李侗을 거쳐 주희에게 이어졌다. 그는 불교와 노장의 영향을 받았다. 『二程粹言』과 『龜山語錄』 등이 있다.

283 『上蔡語錄』 권1

284 上蔡謝氏[謝良佐]: 謝良佐(1050~1103)를 말한다. 사량좌는 북송 蔡州 上蔡 사람으로 자는 顯道이고, 시호는

일이지만 단지 성대한 덕의 지극함이라고 말한다. 세상의 지극한 선을 구비한 것은 단지 덕이 있다고 말한다. 세상의 큰 악이 된 것은 단지 덕을 잃었다고 말한다. 그러므로 예악禮樂을 모두 얻은 것은 덕이 있다고 말한다."

[34-3-16]

五峯胡氏曰: "德有本, 故其行不窮. 孝悌也者, 德之本歟!"[285]

오봉 호씨五峯胡氏[胡宏][286]가 말했다. "덕에는 근본이 있으므로 그 행위가 궁하지 않는다. 효도와 공경이 덕의 근본이구나!"

[34-3-17]

朱子問: "吳必大如何是德?"

曰: "只是此道理, 因講習躬行後見得是我之所固有, 故守而勿失耳."

曰: "尋常看據於德如何說?"

必大以橫渠得寸守寸, 得尺守尺對.

曰: "須先得了方可守. 如此說時, 依舊認德字未着. 今且說只是這道理, 然須長長提撕令在己者决定是做得如此. 如方獨處黙坐, 未曾事君親, 接朋友, 然在我者已渾全是一箇孝悌忠信底人. 以此做出事來, 事親則必孝, 事君則必忠, 與朋友交則必信, 不待旋安排. 蓋存於中之謂德. 見於事之謂行. 易曰, 君子以成德, 爲行, 正謂以此德而見諸事耳."[287]

주자가 물었다. "오필대는 어떤 것이 덕이라 생각하는가?"

(오필대가) 대답했다. "이 도리가 있다면, 그것을 바탕으로 강습講習하고 몸소 실천한 뒤에 내가 고유하게 가진 것이라고 알게 되므로, 지켜서 잃지 않을 뿐입니다."

(주자가) 말했다. "평소에 '덕을 지킨다.'[288]는 말을 어떻게 설명했는가?"

文肅이다. 二程의 문하에서 배웠다. 游酢 · 呂大臨 · 楊時와 함께 '程門四先生'으로 불렸다. 上蔡學派의 비조이며 上蔡先生으로 불렸다. 神宗 元豊 8년(1085) 進士가 되고, 應城縣令 등을 지냈다. 徽宗 때 西京 竹林場을 감독하다 말에 연좌되어 투옥된 뒤 평민으로 강등되었다. 그의 사상은 다분히 禪佛敎의 내용을 포함하고 있어 주자로부터 비판을 받았다. 저서에 『上蔡語錄』과 『論語說』이 있다.

285 『知言』 권2: "水有源, 故其流不窮, 木有根, 故其生不窮, 氣有性, 故其運不窮, 德有本, 故其行不窮, 孝悌也者, 德之本歟!"

286 五峯胡氏[胡宏]: 호오봉으로 宋대 胡安國의 아들인 胡宏(1106~1161)이다. 建寧 崇安(복건성) 사람으로 자는 仲仁이고, 호는 五峰이다. 湖湘學派의 개창자로서, 어린 시절 楊時와 侯仲良에게 배웠다. 謝良佐 · 胡安國 · 호굉을 이른바 '湖湘學派'라고 한다.

287 『朱子語類』 권97, 81조목

288 『論語』「述而」: "도에 뜻을 두고, 덕을 지키며, 인에 의거하고, 예에서 노닌다.(志於道, 據於德, 依於仁, 游於藝)"

오필대는 횡거의 '조금 얻으면 조금 지키고, 많이 얻으면 많이 지킨다.'[289]는 말로 대답했다.
(주자가) 말했다. "반드시 먼저 얻은 뒤에야 지킬 수 있다. 이렇게 말할 때에는 그대로 덕이라는 글자를 아는 데에 착실하지 못하다. 지금 또 단지 이 도리라고 말하고 난 뒤에 반드시 오래도록 가지고서 깨우쳐, 자신에게서 이렇게 한다고 결정해야만 한다. 예를 들어 홀로 묵묵히 정좌하고 군주나 어버이를 섬기고 친구와 관계하지 않았더라도, 나에게서는 이미 완전히 하나의 효도하고 공경하고 충직하고 신뢰가 있는 사람이다. 이것으로 일을 해나가면, 부모님을 섬기는 데에 반드시 효도하고, 군주를 섬기는 데에 반드시 충직하며, 친구와 관계하는 데에 반드시 믿음직스러워 안배할 필요가 없다. 왜냐하면 마음속에 보존된 것을 덕이라고 하고, 일에서 드러난 것을 행위라고 하기 때문이다. 『역』에서 '군자는 덕을 이룬 것을 행위로 삼는다.'[290]고 했으니, 바로 이 덕으로 일에서 드러날 뿐이다."

[34-3-18]

"存之於中謂理, 得之於心謂德. 發見於行事爲百行."[291]

(주자가 말했다.) "마음속에 보존된 것을 리理라 하고, 마음에서 얻은 것을 덕이라 하고, 행위와 일에서 드러난 것을 백 가지 행위라고 한다."

[34-3-19]

"德是得於天者. 講學而得之, 得自家本分底物事."[292]

(주자가 말했다.) "덕은 천天에서 얻은 것이다. 강학하고 얻으면 자신의 본분의 것을 얻는다."

[34-3-20]

問: "韓子道與德爲虛位, 如何?"

曰: "亦說得通. 蓋仁義禮智是實. 此道德字是通上下說, 却虛. 如有仁之道義之道, 仁之德義之德, 此道德只隨仁義上說, 是虛位. 他又自說道有君子小人, 德有凶有吉, 謂吉人則爲吉德, 凶人則爲凶德, 君子行之爲君子之道, 小人行之爲小人之道. 如道二, 仁與不仁. 君子道長, 小人道消之類. 若是志於道, 據於德, 方是好底, 方是道德之正."[293]

289 『張子全書』「張子語錄 · 語錄上」: "'도에 뜻을 둔다.'했는데 도는 무궁하여 그것에 뜻을 둘 뿐이다. '덕을 지킨다.'고 했는데, 據는 지킨다는 뜻이니 조금 얻으면 조금 지키고, 많이 얻으면 많이 지킨다. '인에 의거한다.'고 했는데, 인에 거한다는 것이다.('志於道', 道者無窮, 志之而已. '據於德', 據, 守也, 得寸守寸, 得尺守尺. '依於仁'者, 居仁也.)"

290 『易』「乾卦 · 文言傳」: "군자는 德을 이룬 것으로 행위를 삼으니, 매일 볼 수 있는 것이 행위이다. 潛이란 말은 숨어서 드러나지 않아서, 행위가 아직 이루어지지 않은 것이다. 그래서 군자는 쓰지 않는 것이다.(君子以成德爲行, 日可見之行也. 潛之爲言也, 隱而未見, 行而未成. 是以君子弗用也.)"

291 『朱子語類』 권6, 18조목

292 『朱子語類』 권6, 19조목

물었다. "한자韓子[韓愈][294]가 도道와 덕德은 허위虛位라고 한 것은 어떻습니까?"
(주자가) 대답했다. "역시 통하는 말이다. 인의예지는 실實하기 때문이다. 이 도덕이라는 글자는 위와 아래를 통해서 말하지만 텅 빈 말이다. 예를 들어 인仁의 도道와 의義의 도가 있으면 인의 덕德과 의의 덕이 있으니, 이 도덕은 인의 상에서 말하면 허위虛位이다. 그는 또 '도에는 군자와 소인이 있으며 덕에는 흉함과 길함이 있다.'고 했으니, 길한 사람은 길한 덕이 되고 흉한 사람은 흉한 덕이 되며 군자가 행하는 것이 군자의 도이고 소인이 행하는 것이 소인의 도라는 말이다. 예를 들어 도는 두 가지이니, 인과 불인이다. 군자의 도가 자라나면 소인의 도는 사라진다는 종류이다. '도에 뜻을 두고, 덕을 지킨다.'는 것과 같아야 비로소 좋으며, 비로소 도덕의 올바름이다."

[34-3-21]

"中庸分道德, 曰父子君臣以下爲天下之達道. 智仁勇爲天下之達德. 君有君之道, 臣有臣之道, 德便是箇行道底. 故爲君主於仁, 爲臣主於敬, 仁敬可喚做德, 不可喚做道."[295]

(주자가 말했다.) "『중용』은 도덕을 나누어서 '아버지와 아들, 군주와 신하 이하는 천하의 공인된 도道이고, 지智·인仁·용勇은 천하의 공인된 덕德이라고 했다. 군주에게는 군주의 도가 있고, 신하에게는 신하의 도가 있으니, 덕은 이 도를 행하는 것이다. 그러므로 군주는 인자함을 위주로 하고, 신하는 공경함을 위주로 한다. 인자함과 공경함을 덕이라고 부를 수 있지만 도라고 할 수는 없다."

[34-3-22]

東萊呂氏曰 : "至德以道爲本. 至德者, 精粹而不可名者之謂. 道體溥博淵深, 無聲無臭, 無下手處, 惟至德以道爲本則有所依據, 識得體段."[296]

동래 여씨東萊呂氏[呂祖謙][297]가 말했다. "지극한 덕은 도를 근본으로 한다. 지극한 덕은 정밀하고 순수하

293 『朱子語類』 권137, 60조목

294 韓子[韓愈] : 韓愈(768~824)는 자는 退之이며 선조가 昌黎 출신이라 한창려라 한다. 관료 집안에서 태어났으나 3세에 고아가 되어 형수의 손에서 자랐으며, 어려운 환경에서 학문에 정진하여 여러 학문을 두루 익혔다. 25세에 진사시에 합격하고 경조윤 등 여러 벼슬을 거쳐 이부시랑에 이르렀으며 57세로 생을 마쳤다. 조정에서 예부상서의 관작과 함께 文이라는 시호를 추증하여 韓文公으로 불리기도 한다.

295 『朱子語類』 권6, 16조목

296 여교년은 呂祖儉의 長子로서 그가 편집한 『麗澤論說集錄』에 수록되어 있다. 呂喬年은 자는 巽伯이고 壽州 사람이다. 그는 呂祖謙의 저작인 『東萊集』을 수집하고, 『麗澤論說集錄』을 편찬하였다.

297 東萊呂氏[呂祖謙] : 呂祖謙(1137~1181)을 말한다. 자가 伯恭이며 原籍은 壽州이나 婺州에서 태어났다. 세칭 東萊先生이다. 훌륭한 스승과 친구들을 만나 朱子·張南軒·陸象山 등과 더불어 講學에 힘썼다. 太學博士, 秘書郞, 直秘閣著作郞 겸 國史院編修官을 역임했다. 朱熹·張栻과 더불어 명성을 떨쳤으며, 당시에 '東南三賢'으로 불렸다. 주자와 육상산 두 사람의 鵝湖寺에서의 회합을 주선하기도 하였다. 그 뒤에 주자와 함께 北宋 도학자의 語錄을 편집하여 『近思錄』을 편찬하였고, 저서로는 『東萊左氏博議』·『呂氏家塾讀持記』 등이 있다.

여 이름 지을 수 없는 것을 말한다. 도의 체體는 두루두루 넓고 깊은 연못과 같고[298] 소리가 없고 냄새가 없어서 손을 쓸 곳이 없지만 지극한 덕은 도를 근본으로 하므로 의거할 바가 있으니, 체단體段을 안다."

[34-3-23]

"今人不識德字, 往往見一事之善則謂之德, 殊不知此乃行也. 實有諸己之謂德. 見諸行事之謂行. 旣實有於己矣, 須見於行事之間, 然後吾之行全進."[299]

(동래 여씨가 말했다.) "지금 사람들은 덕이라는 글자를 알지 못하고 왕왕 한 가지 일의 선함을 보고서 덕이라고 하면서 이것이 곧 행위라는 점을 알지 못한다. 실제로 나에게 있는 것을 덕이라 하고, 행위와 일에서 드러난 것을 행실이라고 한다. 실제로 나에게 있다면 반드시 행위와 일 사이에서 드러나니, 그런 연후에 나의 행위가 온전히 나아간다."

[34-3-24]

或問: "道也, 德也, 仁也, 三者所處不同."

潛室陳氏曰: "道謂事事物物當然之理. 德乃行是道實得於心. 仁謂本心之德, 愛之理, 乃諸德之總會處. 在一人身上只是一箇物事, 但一節密一節耳."

어떤 사람이 물었다. "도와 덕과 인, 3가지는 다릅니다."

잠실 진씨潛室陳氏[陳埴][300]가 말했다. "도는 모든 사물의 당연한 리理이고, 덕과 행위는 도가 실제로 마음 속에서 얻는 것이다. 인은 본심의 덕이고 사랑의 리理이니, 곧 여러 덕이 모두 만나는 곳이다. 한 사람의 몸에서는 단지 하나의 것이지만, 한 절 한 절 세밀할 뿐이다."

[34-3-25]

北溪陳氏曰: "德者得也, 不能離得一箇得字. 古經書雖是多就做工夫實有得上說, 然亦有就本原來歷上論. 如所謂明德者, 是人生所得於天本來光明之理具在吾心者, 故謂之明德. 如孩提之童無不知愛親敬兄, 此便是得於天本明處. 有所謂達德者, 是古今天下人心之所同得, 故以達言. 有所謂懿德者, 是得天理之粹美, 故以懿言之. 又有所謂德性者, 亦只是在我所得於天之正理, 故謂之德性."[301]

298 두루두루 넓고 … 같고: 『中庸章句』 31장에 "두루두루 넓고 고요하며 깊어서 때에 맞추어 나온다."(溥博淵泉, 而時出之.)"라고 하였다.

299 『麗澤論說集錄』 권4 「門人集錄周禮說」에 수록되어 있다.

300 潛室陳氏[陳埴]: 陳埴(1176~1232)의 자는 器之이고, 호는 木鍾이다. 송대 永嘉(현 절강성 溫州) 사람이다. 어려서는 葉適에게 배우고 나중에는 주희에게서 배웠다. 송 寧宗 嘉定 7년(1214)에 진사에 급제하여 通直郎을 역임하였다. 嘉定 연간(1208~1224)에 明道書院의 講席을 주재했으며, 그를 따르는 많은 학자들이 潛室先生이라고 불렀다. 저술은 『木鍾集』·『禹貢辨』·『洪範解』 등이 있다.

301 『北溪字義』「德」

북계 진씨北溪陳氏[陳淳][302]가 말했다. "덕은 얻음이니, 얻음이라는 글자와 분리할 수가 없다. 옛 경서에서는 공부하여 실제로 얻은 것으로 말한 경우가 많았지만 또한 본원本原의 내력來歷에서 논한 것도 있다. 예를 들어 명덕明德이라는 것은 삶이 태어나 하늘로부터 받은 것으로 본래 광명光明한 리理가 나의 마음에 구비된 것이니, 그래서 명덕이라고 한다. 또 2, 3세의 어린 아이는 부모를 사랑하고 형을 공경하는 것을 모르지 않으니, 이것은 하늘로부터 얻은 본래 밝은 것이다. 어떤 경우는 달덕達德이라고 말하는 경우도 있는데, 이것은 예로부터 지금까지 세상 사람들의 마음에 동일하게 얻는 것이므로 달達이라고 말했다. 어떤 경우는 의덕懿德이라고 말하는 경우도 있는데, 이는 천리天理의 순수한 아름다움을 얻은 것이므로, 의懿이라고 말했다. 또 어떤 경우에는 덕성德性이라고 말한 경우도 있는데, 이것은 내가 하늘의 정리正理를 얻은 것이므로 덕성이라고 했다."

[34-3-26]

"道是天地間本然之道, 不是因人做工夫處論. 德便是就人做工夫處論. 德是行是道而實有得於吾心者, 故謂之德. 何謂行是道而實有得於吾心? 如實能事親, 便是此心實得這孝. 實能事兄, 便是此心實得這悌. 大槩德之一字, 是就人做工夫已到處論. 乃是做工夫實有得於己了, 不是就方做工夫時說."[303]

(북계 진씨가 말했다.) "도道는 천시 사이의 본래 그러한 것이지 사람이 공부하는 것에 따라서 논하는 것이 아니다. 덕德은 사람이 공부하는 것을 가지고 논하는 것이다. 덕은 이 도를 행하여 실제로 나의 마음에 얻은 것이므로, 덕이라고 한다. 이 도를 행하여 실제로 나의 마음에 얻은 것은 무엇인가? 예를 들어 부모를 실제로 모실 수가 있다면 이 마음이 효를 얻은 것이고, 실제로 형을 모실 수 있다면 이 마음이 실제로 공경함을 얻은 것이다. 대체로 덕이라는 한 글자는 사람이 공부하여 이른 경지에서 논하는 것이니, 공부해서 자기에게 실제로 있는 것이지, 공부해 나갈 때를 말하는 것이 아니다."

[34-3-27]

"道與德不是判然二物. 道是公共的. 德是實得於身爲我所有的."[304]

(북계 진씨가 말했다.) "도와 덕은 분명하게 두 가지의 것은 아니다. 도는 공공公共의 것이고, 덕은 몸에 실제로 얻어서 내가 가지고 있는 것이다."

[34-3-28]

"所謂天德者, 自天而言, 則此理公共, 在天得之爲天德. 其道流行賦予爲物之所得, 亦謂之天

302 北溪陳氏[陳淳] : 陳淳(1159~1223)의 자는 安卿이고, 호는 北溪이다. 송대 龍溪 사람으로 주희가 장주 지사일 때 제자가 되어, 주희에게 '남쪽에 와서 나의 도가 진순 한 사람을 얻었다'라는 칭찬을 받았다. 시호는 文安이다. 저서는 『字義詳講』·『論孟學庸口義』·『北溪大全集』 등이 있다.

303 『北溪字義』「德」

304 『北溪字義』「德」

德. 若就人論, 則人得天之理以生, 亦謂之天德. 其所爲純得天理之眞, 無人僞之雜, 亦謂之天德."

(북계 진씨가 말했다.) "천덕天德은 천으로부터 말한 것이니, 이 리理는 공공公共의 것으로 하늘에서 얻었으므로 천덕이 된다. 도가 유행하여 사물에 부여해서 사물이 얻은 것이니, 또한 천덕天德이라고 했다. 사람의 측면에서 논하자면 하늘의 리理를 얻어서 생겨났으니 또한 천덕이라고 했다. 그밖에 순수하게 천리天理의 참됨을 얻어서 인위적인 잡됨이 없는 것을 또한 천덕이라고 했다."

[34-3-29]

西山眞氏曰 : "德者何? 仁義禮智是也. 此所謂體也. 德專以其本體而言. 才兼言其著於用者. 聖人之所謂才, 有與德合言之者, 才難之才, 卽所謂德也. 德全則才亦全矣. 中庸謂天下至聖爲能聰明睿知, 足以有臨也, 寬裕溫柔, 足以有容也, 發彊剛毅, 足以有執也, 齊莊中正, 足以有敬也, 文理密察, 足以有別也. 蓋惟聖人爲能兼五者之全, 非五者之全不足以言聖."[305]

서산 진씨西山眞氏[眞德秀][306]가 말했다. "덕이란 무엇인가? 인의예지仁義禮智가 그것이다. 이것은 체體를 말한다. 덕은 오로지 그 본래의 체를 가지고 말한 것이다. 재주[才]는 그것이 용用에서 드러난 것이다. 성인이 말하는 덕은 덕과 함께 말한 것이 있으니, '인재를 얻기 어렵다.'[307]고 했을 때의 재才로 덕을 말한 것이다. 덕이 온전하면 재주 역시 온전하다. 『중용』에서 '천하의 지극한 성인은 총명하고 슬기로워 천하에 충분하게 임할 수 있고, 관대하고 온유하여 충분하게 용납함이 있으며, 강직하고 굳세어 충분하게 원칙을 잡을 수 있으며, 장중하고 중정中正을 이루어 공경함이 있으며, 사물의 이치를 세밀하게 관찰하여 충분하게 분별함이 있다.'고 했다. 오직 성인만이 이 5가지의 온전함을 겸하였으니 5가지의 온전함이 아니라면 성인이라고 하기에는 부족하다."

[34-3-30]

"皐陶謨有六德三德之分, 小大不同而皆適於用."[308]

(서산 진씨가 말했다.) "「고요모」에는 6덕과 3덕의 구분[309]이 있는데 크고 작은 것의 차이는 있지만

305 『西山讀書記』 권16 「才德」

306 西山眞氏[眞德秀] : 眞德秀(1178~1235)의 자는 希元 · 景元 · 景希이고, 호는 西山이다. 송대 浦城(복건성 蒲城) 사람으로 1199년에 진사에 급제하여 太學正 · 參知政事에 이르렀다. 어려서는 주희의 문인인 詹體仁에게 배우고, 스스로 '주희를 사숙하여 얻은 것이 있다.'라고 하였다. 특히 『大學』을 중시하여 '窮理持敬'을 강조하였다. 저서는 『大學衍義』 · 『四書集編』 · 『西山文集』 등이 있다.

307 『論語』「泰伯」 : "인재 얻기가 어렵다고 한 말이 그러한 것이 아니겠는가?(才難, 不其然乎?)"

308 『西山讀書記』 권16 「才德」

309 『書經』「皐陶謨」 : "날마다 3가지 덕을 밝히되, 밤낮으로 소유한 집을 다스려 밝힐 것이며, 날마다 두려워하여 6가지 덕을 공경하되, 소유한 나라의 일을 밝힐 것이니, 모아서 받고 펴서 베풀면 9가지 덕을 가진 사람들이 모두 일하여 俊乂가 관직에 있어서 百僚가 서로 스승으로 삼으며, 百工이 때에 따라 五辰(四時)을 순히

모두 현실에 적용된다.

하여 모든 공적이 이루어질 것입니다.(日宣三德, 夙夜, 浚明有家, 日嚴祗敬六德, 亮采有邦, 翕受敷施, 九德, 咸事, 俊乂在官, 百僚師師, 百工, 惟時, 撫于五辰, 庶績, 其凝.)"

性理大全書卷之三十五
성리대전서 권35

性理七 성리 7

性理七
성리 7

仁 인

[35-1-1]

程子曰: "'天地之大德曰生', '天地絪縕, 萬物化醇', '生之謂性', 萬物之生意最可觀, 此'元者, 善之長也', 斯所謂仁也."[1]

又曰: "非仁則無以見天地."[2]

정자程子[程顥]가 말했다. "'천지의 큰 덕을 생生이라고 한다.',[3] '천지가 밀접하게 교류하여[4] 만물이 두텁게 엉긴다.',[5] '생겨난 그대로[生]를 성性이라고 한다.'[6] 등에서 만물의 생의生意를 가장 잘 볼 수 있으니, 이것이 '원元은 선善의 으뜸이다.'란 것이며, 이것이 이른바 인仁이다."
또 말했다. "인仁이 아니면 천지를 볼 수 없다."

1 『河南程氏遺書』 권11 「師訓」
2 『二程粹語』「人物」에는 "子曰, "非仁無以見天地."로 되어 있다.
3 '천지의 큰 … 한다.': 『周易』「繫辭下」 제1장
4 밀접하게 교류하여: 정이의 『伊川易傳』「損卦·六三爻」)와 「繫辭下」 제5장, 그리고 주자의 『周易本義』(「繫辭下」 제5장)에서는 絪縕을 '밀접하게 교류하는 모양(交密之狀)'으로 주해했다.
5 '천지가 밀접하게 … 엉긴다.': 『周易』「繫辭下」 제5장
6 '생겨난 그대로[生]를 … 한다.': 『孟子』「告子上」에서 고자가 한 말로 생의 본능을 가리켜 한 말이다. 그러므로 맹자는 개나 소의 性과 인간의 性이 같지 않음을 제시하며 이 말에 반박하였다. 정명도는 『河南程氏遺書』에서 '성은 기이고, 기는 성이니, 생을 말한 것이다.(性卽氣, 氣卽性, 生之謂也.)'라고 하여 만물의 보편성을 나타내는 말로서 이 말을 긍정하였고, 보편적인 性 아래에 개의 性, 소의 性이 또 있다고 설명하였다. 주자는 『朱子語類』 권4, 65조목에서 정명도의 설명에 대해 세 가지 측면으로 정리해 놓았다.

[35-1-2]

"仁者以天地萬物爲一體, 莫非我也. 如其皆我, 何所不盡? 不能有諸己, 則其與天地萬物, 豈特相去千萬而已哉?"[7]

(정자가 말했다.) "인仁한 사람은 천지 만물을 한 몸으로 삼으니, 내가 아닌 것이 없다. 만일 모두가 다 나라면, 어느 것인들 다하지 않겠는가? 그것을 나에게 두지 못한다면, 천지만물과의 거리가 천 리 만 리일 뿐이겠는가?"

[35-1-3]

"自古不曾有人解'仁'字之義. 須是道與他分別出五常, 若只是兼體, 却只有四也. 且譬一身, 仁, 頭也; 其他四端, 手足也. 至如『易』, 雖言'元者, 善之長', 然亦須通四德以言之."[8]

(정자가 말했다.) "예로부터 '인仁'자의 뜻을 제대로 풀이한 사람이 없었다. 모름지기 이 도에서 그것과 오상五常을 분별해 내야 하나, 만일 단지 체體를 겸한다면 다만 넷이 있을 뿐이다. 예컨대 한 몸에 비유하면 인仁은 머리이고, 다른 사단四端은 팔 다리이다. 『역』에서는 비록 '원元은 선善의 으뜸이다.'라고 말했지만, 모름지기 네 덕德을 관통하여 말해야 한다."

[35-1-4]

問仁.

曰: "此在諸公自思之, 將聖賢所言仁處, 類聚觀之, 體認出來. 孟子曰: 「惻隱之心仁也」, 後人遂以愛爲仁. 惻隱固是愛也, 愛自是情, 仁自是性, 豈可專以愛爲仁? 孟子言惻隱爲仁, 蓋爲前已言'惻隱之心, 仁之端也'. 旣曰仁之端, 則不可便謂之仁. 退之言'博愛之謂仁', 非也. 仁者固博愛, 然便以博愛爲仁則不可."[9]

인仁에 대해 물었다.

(이천이) 대답했다. "이는 여러분들이 스스로 생각해야 하니, 성현께서 인仁에 대해서 말한 것을, 종류별로 모아 보아, 체득해 내야 한다. 맹자는 「측은한 마음이 인仁이다」라고 했는데, 후대의 사람들이 드디어 사랑을 인仁이라고 여기게 되었다. 측은함은 진실로 사랑이지만, 사랑은 본래 정情이고 인仁은 본래 성性이니, 어찌 오로지 사랑을 인仁이라고 할 수 있겠는가? 맹자가 측은을 인仁이라고 말한 것은 아마도 앞에서 이미 '측은한 마음이 인의 단서이다.'라고 했기 때문일 것이다. 이미 인仁의 단서라고 하였으니 바로 인仁이라고 할 수 없는 것이다. 퇴지退之[韓愈][10]가 '널리 사랑함을 인仁이라고 한다.'[11]라고 말한

7 『二程粹言』「論道」

8 『河南程氏遺書』 권15 「入關語錄」에는 "自古元不曾有人解仁字之義, 須於道中與他分別出五常, 若只是兼體, 却只有四也. 且譬一身: 仁, 頭也. 其他四端, 手足也. 至如易, 雖言「元者善之長」, 然亦須通四德以言之, 至如八卦, 易之大義在乎此. 亦無人曾解來.乾健坤順之類, 亦不曾果然體認得."으로 되어 있다.

9 『河南程氏遺書』 권18 「劉元承手編」

것은 잘못이다. 인仁은 진실로 널리 사랑하는 것이지만, 널리 사랑함을 바로 인仁이라고 하면 안 된다.'"

[35-1-5]

"仁者必愛, 指愛爲仁則不可. 不仁者無所知覺, 指知覺爲仁則不可."[12]

(정자가 말했다.) "인仁한 사람은 반드시 사랑하지만, 사랑을 가리켜 인仁이라고 하면 안 된다. 불인不仁한 사람은 지각하는 것이 없지만, 지각을 가리켜 인仁이라고 하면 안 된다."

[35-1-6]

"觀物於靜中皆有春意, 切脈最可體仁."[13]

(정자가 말했다.) "고요한 때[靜]에 만물을 살펴보면 모두 봄기운[春意]이 있으니, 맥을 짚어 진찰하는 것에서 가장 잘 인仁을 체인할 수 있다."

[35-1-7]

"觀雞雛, 此可觀仁."[14]

(정자가 말했다.) "병아리를 보면, 여기서도 인仁을 볼 수 있다."

[35-1-8]

"仁之道, 要之只消道一'公'字. 公只是仁之理, 不可將公便喚做仁."[15]

(정자가 말했다.) "인仁의 도는 요컨대 다만 '공公'을 말해야 한다. 공公은 다만 인仁의 이치이지만, 공公을 곧바로 인仁이라고 할 수 없다."

[35-1-9]

"公而以人體之, 故爲仁. 只爲公則物我兼照, 故仁所以能恕, 所以能愛. 恕則仁之施, 愛則仁之用也."[16]

(정자가 말했다.) "공公을 사람이 체현하기 때문에, 인仁이 된다. 다만 공公하면 만물과 나를 함께 비추어

10 韓愈(768~824) : 자는 退之이다. 당나라 때 河内南河陽(현 河南省 孟縣) 사람이다. 당송팔대가의 한 사람으로 고문운동을 이끌었다.
11 '널리 사랑함을 … 한다.' : 『昌黎先生集』「原道」
12 『二程粹言』「論道」
13 觀物於靜中皆有春意는 『二程粹言』「人物」의 글이고, 切脈最可體仁은 『河南程氏遺書』 권3 「謝顯道記憶平日語」의 글이다.
14 『河南程氏遺書』 권3 「謝顯道記憶平日語」
15 『河南程氏遺書』 권15 「入關語録」
16 『河南程氏遺書』 권15 「入關語録」

볼 수 있으므로 인仁은 서恕할 수 있게 하는 것이고 사랑할 수 있게 하는 것이다. 서恕는 인仁의 베풂이고, 사랑은 인仁의 용用이다."

[35-1-10]

"人之一肢病不知痛癢, 謂之不仁. 人之不仁亦猶是也, 蓋不知仁道之在己也. 知仁道之在己而由之, 乃仁也."[17]

(정자가 말했다.) "사람의 사지의 하나가 병이 나서 통증이나 가려움을 느끼지 못하는 것을 불인不仁이라고 한다. 사람의 불인不仁도 또한 이와 같으니 인도仁道가 자기에게 있는 줄을 모르기 때문이다. 인도仁道가 자기에게 있음을 알고 그것을 행하는 것이 바로 인仁이다."

[35-1-11]

"視聽言動一於禮謂之仁."[18]

(정자가 말했다.) "보고 듣고 말하고 행동하는 것이 예에 한결같이 맞는 것을 인仁이라고 한다."[19]

[35-1-12]

"仁則一, 不仁則二."[20]

(정자가 말했다.) "인仁하면 하나[一]가 되고, 불인不仁하면 둘[二]이 된다."[21]

17 『河南程氏外書』 권3 「陳氏本拾遺」

18 『二程粹言』「論道」

19 보고 듣고 … 한다. : 『論語』「顔淵」에 "안연이 인을 물었다. '…그 구체적인 조목을 묻겠습니다.' 공자가 대답했다. '禮가 아니면 보지 말며, 예가 아니면 듣지 말며, 예가 아니면 말하지 말며, 예가 아니면 움직이지 말라.' (顔淵問仁. '…請問其目' 子曰, '非禮勿視, 非禮勿聽, 非禮勿言, 非禮勿動.')"라고 하였다. 이에 대해 정자는 『二程文集』 권9 「伊川文集·四箴并序」에서 "視·聽·言·動 이 네 가지는 몸의 用인데 마음[心中]으로 말미암아 밖에 응하는 것이니, 밖에 제재함은 그 마음[心中]을 기르는 것이다. 안연이 이 말씀을 종사하였으니, 이 때문에 성인에 나아간 것이다. 후세에 성인을 배우는 자들은 마땅히 이것을 가슴속에 두고 잃지 말아야 할 것이다.(四者, 身之用也, 由乎中而應乎外, 制於外, 所以養其中也. 顔淵事斯語, 所以進於聖人, 後之學聖人者, 宜服膺而勿失也.)"라고 하였다.

20 『河南程氏遺書』 권3 「謝顯道記憶平日語」

21 仁하면 하나[一]가… 된다. : 『朱子語類』 권97, 32조목에는 이에 대해 다음과 같은 문답이 있다. "치도가 물었다. '「仁하면 하나[一]가 되고, 不仁하면 둘[二]이 된다.」는 것은 무슨 뜻입니까?' (주자가) 대답했다. '인하면 公하고, 공하면 通하니, 천하가 다만 하나의 도리일 뿐이다. 불인한 것은 私意이니, 수백 가지로 이리저리 속여서 하나가 되지 않는 것이다.'(致道問, '「仁則一, 不仁則二」, 如何?' 曰, '仁則公, 公則通, 天下只是一箇道理. 不仁則是私意, 故變詐百出而不一也.')"

[35-1-13]

"**大率把捉不定, 皆是不仁. 去不仁則仁存.**"[22]

(정자가 말했다.) "대체로 마음속에 간직하고 있는 것이 굳건하지 못하면, 모두 불인不仁이다.[23] 불인不仁을 제거하면 인仁이 보존된다."

[35-1-14]

"**學者識得仁體, 實有諸己, 只要義理栽培. 如求經義, 皆栽培之意.**"[24]

(정자가 말했다.) "배우는 자들은 인仁의 체體를 알고 실제로 자신이 그것을 가지려면, 다만 의리를 배양하여야 한다. 경전의 뜻을 구하는 경우도 모두 배양하는 의미이다."

[35-1-15]

"**仁者渾然與物同體, 義禮智信皆仁也. 識得此理, 以誠敬存之而已.**"[25]

(정자가 말했다.) "인仁은 다른 사물과 혼연渾然하게 한 몸이 된 것이니, 의義 · 예禮 · 지智 · 신信도 모두 인仁이다. 이 이치를 알아서 성誠과 경敬으로 인仁을 보존할 뿐이다."

[35-1-16]

"**至仁則天地爲一身, 而天地之間品物萬形爲四肢百體. 夫人豈有視四肢百體而不愛者哉? 聖人仁之至也, 獨能體是心而已, 曷嘗支離多端而求之自外乎? 故能近取譬者, 仲尼所以示子貢以爲仁之方也. 醫書有以手足風頑謂之四體不仁, 爲其疾痛不以累其心故也. 夫手足在我而疾痛不與知焉, 非不仁而何! 世之忍心無恩者, 其自棄亦若是而已.**"[26]

(정자가 말했다.) "지극한 인仁은 천지와 한 몸이 되고, 천지 사이의 온갖 물건과 온갖 형체를 갖춘 수만 가지의 것들이 (나의) 사지와 백체가 된다. 사람들 가운데 어찌 (자신의) 사지와 백체를 보면서 아끼지 않는 사람이 있겠는가? 성인은 인仁이 지극하여 다만 이 마음을 체인할 수 있을 뿐이니, 어찌 이리저리 복잡하게 흩어지며 자신의 밖에서 그것을 구하겠는가? 그러므로 가까운 데에서 취해 비유할 수 있는 것[27]은 공자가 자공에게 인仁을 행하는 방법을 보여준 것이다. 의학서적에서 손발에 풍이 들어 마비가

22 『河南程氏外書』 권1 「朱公掞錄拾遺」

23 대체로 마음속에 … 不仁이다. : 『朱子語類』 권12, 119조목에는 "대체로 마음속에 간직하고 있는 것이 굳건하지 못하면, 모두 不仁이다. 人心은 담연하고 허정한 것으로 인의 본체이다. 간직하고 있는 것이 굳건하지 못한 것은 사욕이 그것을 빼앗아서 동요하여 어수선하고 소란스러운 것이다. 그러니 간직하고 있는 것이 굳건한 것은 오직 경을 간직함에 독실함일 것이다!(大率把捉不定, 皆是不仁. 人心湛然虛定者, 仁之本體. 把捉不定者, 私欲奪之, 而動搖紛擾矣. 然則把捉得定, 其惟篤於持敬乎!)"라고 하였다.

24 『河南程氏遺書』 권2 「元豐己未呂與叔東見二先生語」

25 『河南程氏遺書』 권2 「元豐己未呂與叔東見二先生語」

26 『河南程氏遺書』 권4 「游定夫所録」

온 것을 사체가 불인不仁하다고 하는데, 그 통증이 마음을 괴롭히지 않기 때문이다. 손과 발은 나에게 있는 것인데도 통증을 알지 못하니, 불인不仁이 아니고 무엇이겠는가! 세상에 모진 마음으로 온정이 없는 사람들이 스스로를 내버리는 것[28] 또한 이와 같은 뿐이다."

[35-1-17]

"『孟子』云, '仁也者, 人也, 合而言之道也.' 『中庸』所謂'率性之謂道', 是也. 仁者人此者也. '敬以直內, 義以方外', 仁也. 若以敬直內, 則便不直矣, 行仁義豈有直乎? '必有事焉而勿正'則直也. 夫能'敬以直內, 義以方外', 則與物同矣. 故曰'敬義立而德不孤.' 是以仁者無對, 放之東海而準, 放之西海而準, 放之南海而準, 放之北海而準. 醫家言四體不仁, 最能體仁之名也."[29]

(정자가 말했다.) "『맹자』에서 말한 '인仁은 사람이라는 뜻이니, 합하여 말하면 도道이다.'[30]라는 것은 『중용』에서 이른바 '성性을 따르는 것을 도라고 한다.'[31]가 이것이다. 인仁한 사람은 이것을 사람으로 여기는 자이다. '경敬하여 안을 곧게 하고 의義하여 밖을 바르게 함'[32]이 인仁이다. 만일 경敬으로써 안을 곧게 하려 하면 곧 곧지 않게[不直] 될텐데, 인의仁義를 행한들 어찌 곧음[直]이 있겠는가? '반드시 여기에 일삼음이 있되 미리 기대하지 않으면'[33] 곧게 될 것이다. '경敬하여 안을 곧게 하고 의義하여 밖을 바르게' 할 수 있으면 만물과 같아지게 된다. 그러므로 '경敬과 의義가 확립되면 덕이 외롭지 않다.'[34]라고 하였다. 이런 까닭에 인자仁者는 대적할 사람이 없으니 동해에서도 모범이 되고, 서해에서도 모범이 되고, 남해에서도 모범이 되고, 북해에서도 모범이 된다.[35] 의학에서 사체四體가 불인不仁하다라고 한 것이 가장 잘 인仁을 이해하는 정의이다.

[35-1-18]

張子曰: "虛者, 仁之原; 禮義者, 仁之用."[36]

장자張子[張載]가 말했다. "허虛는 인仁의 근원이고,[37] 예의禮義는 인仁의 용用이다."

27 가까운 데에서 … 것: 『論語』「雍也」에는 "能近取譬, 可謂仁之方也已"라고 되어 있다.
28 스스로를 내버리는 것: 『孟子』「離婁上」
29 『河南程氏遺書』 권11 「師訓」
30 '仁은 사람이라는 … 道이다.': 『孟子』「盡心下」
31 '性을 따르는 … 한다.': 『中庸章句』 제1장
32 '敬하여 안을 … 함': 『周易』「坤卦·文言傳」
33 '반드시 여기에 … 않으면': 『孟子』「公孫丑上」
34 '敬과 義가 … 않다.': 『周易』「坤卦·文言傳」
35 『禮記』「祭義」에서는 "推而放諸東海而准, 推而放諸西海而准, 推而放諸南海而准, 推而放諸北海而准."이라고 했다. '放'은 『禮記註疏』 권48 정현의 『注』에서 "'放'은 이른다[至]는 뜻이다(放, 猶至也.)"라고 하였고, 진호도 『禮記集說』에서 "'放'은 『孟子』에서 '사해에 이른다[放乎四海]'고 했을 때의 '放'과 같다.(方氏曰, … 放, 與『孟子』'放乎四海'之放同.)"고 하였다.
36 『張子全書』 권12 「語錄」에는 "虛者, 仁之原; 忠恕者, 與仁俱生; 禮義者, 仁之用"으로 되어 있다.

[35-1-19]

"虛則生仁. 仁在理以成之."[38]

(장재가 말했다.) "허虛는 인仁을 낳는다. 인仁은 리理에서 이루어진다.[39]

[35-1-20]

"敦厚虛靜, 仁之本 ; 敬和接物, 仁之用."[40]

(장재가 말했다.) "'텅 비고 고요함[虛靜]'을 돈후하게 하는 것이 인仁의 근본이고,[41] 경敬과 화和[42]로 만물과 접촉하는 것이 인仁의 용用이다.

[35-1-21]

龜山楊氏曰 : "『論語』言仁處, 皆仁之方也. 若正所謂仁, 則未之嘗言也. 故曰 : '子罕言利與命與仁.' 要道得親切, 惟『孟子』言'仁, 人心也'最爲親切."[43]

구산 양씨龜山楊氏[楊時]가 말했다. "『논어』에서 인仁을 말한 곳은 모두 인仁을 (행하는) 방법이다. 인仁을 정의한 것은 말한 적이 없다. 그러므로 '공자는 이로움[利]과 천명[命]과 인仁을 드물게 말하였다.'[44]라고 한 것이다. 친절하게 말하고자 한다면, 『맹자』에서 '인仁은 사람의 마음이다.'[45]라고 한 것이 가장 친절하다."

---

37 虛는 仁의 근원이고 : 『朱子語類』 권99, 36조목에 다음과 같이 되어 있다. "'虛는 仁의 근원이다'에 대해 물었다. (주자가) 대답했다. '虛는 다만 무욕일 뿐이니, 그러므로 虛이다. 虛明하고 무욕하니, 이는 인이 말미암아 생겨나는 것이다.'(問, '虛者, 仁之原.' 曰, '虛只是無欲, 故虛. 虛明無欲, 此仁之所由生也.')"

38 『張子全書』 권12 「語錄」

39 虛는 仁을 … 이루어진다 : 呂柟은 『張子抄釋』에서 "虛가 仁을 낳는다는 것을 풀이했으니, 상세히 완미할 만하다.(釋虛生仁, 可詳玩.)"라고 하였다.

40 『張子全書』 권12 「語錄」

41 텅 비고 … 근본이고 : 『張載集』 권14 「性理拾遺 · 近思録拾遺」에는 "텅 비고 고요함[虛靜]을 돈독하게 하는 것이 인의 근본이다. 가볍게 망령되지 않는 것은 돈후이며, 얽매어 꽉 막힌 것이 없는 것이 허정이다.(敦篤虛靜者仁之本. 不輕妄則是敦厚也, 無所繫閡昏塞則是虛靜也.)"라고 하였다.

42 敬과 和 : 『禮記』「樂記」에 "화로써 경한다.(敬以和)"고 하였고, 『詩經』「周頌 · 有瞽」에는 "엄숙하고 화하게 울리니(肅雍和鳴)"하였고, 『書經』「周書 · 多方」에는 "화함에 공경하다.(敬于和)"고 하는 등 일찍부터 등장하는 개념이다. 각각 禮와 樂으로 연관되기도 하는데 이 두 개념의 관계성에 관해서는 주자가 『論語集註』「學而」의 주에서 "범조우가 말했다. '禮의 體는 敬을 위주로 하고, 그 用에 이르러서는 和를 귀하게 여긴다. … 敬은 禮가 확립되는 것이고, 和는 음악[樂]이 이로부터 생겨나는 것이다. 敬이 있고 和가 없으면 예가 지나치게 되고, 和가 있고 禮가 없으면 樂이 지나치게 되니, 樂이 지나치게 되면 휩쓸려 방탕하게 되고, 禮가 지나치게 되면 소원해져 떨어져 나가게 된다.'(范曰, '凡禮之體, 主於敬, 及其用, 則以和爲貴. … 敬者, 禮之所以立也 ; 和者, 樂之所由生也. 有敬而無和則禮勝, 有和而無禮則樂勝, 樂勝則流, 禮勝則離矣.')"라고 하였다.

43 『龜山集』 권11 「語錄」2 「京師所聞」에는 "問, "『論語』言仁處, 何語最爲親切?' 曰, '皆仁之方也. 若正所謂仁, 則未之嘗言也. 故曰, 「子罕言利與命與仁.」 要道得親切, 唯『孟子』言'仁, 人心也'最爲親切.'"로 되어 있다.

44 '공자는 이로움[利]과 … 말하였다.' : 『論語』「子罕」

45 '仁은 사람의 마음이다.' : 『孟子』「告子上」

[35-1-22]

李似祖問："何以知仁?"

曰："孟子以惻隱之心爲仁之端, 平居但以此體究, 久久自見."

因問似祖尋常如何說隱.

似祖云："如有隱憂, 勤恤民隱, 皆疾痛之謂也."

曰："孺子將入井, 而人見之者必有惻隱之心, 疾痛非在己也, 而爲之疾痛, 何也?"

似祖曰："出於自然, 不可已也."

曰："安得自然如此? 若體究此理知其所從來, 則仁之道不遠矣."[46]

이사조李似祖[47]가 물었다. "무엇으로 인仁을 알 수 있습니까?"

(양시가) 말했다. "맹자는 측은지심을 인仁의 단서라고 했으니,[48] 평상시에 다만 이것으로 살피고 궁구해 보면 오랜 시간이 지난 후에 저절로 알게 될 것이다."

이어서 (양시가) 사조似祖에게 일반적으로 어떻게 측은함[隱][49]을 설명하는지에 대해 물었다.

사조가 말했다. "'아프게 여기는 근심이 있는 듯하다.'[50]라고 하였고, '부지런히 백성들의 아픔을 불쌍히 여긴다'[51]라고 했는데, 모두 매우 아파하는 것[疾痛]을 말한 것입니다."

(양시가) 말했다. "어린 아이가 우물에 빠지려고 할 때, 사람들이 그것을 보면 반드시 측은지심을 가지게 되는데, 괴롭고 아픈 것이 나에게 있는 것이 아니고 그 아이 때문에 괴롭고 아픈 것이니, 왜 그런 것인가?"

사조가 말했다. "저절로 그러함[自然]에서 나와 멈출 수 없는 것입니다."

(양시가) 말했다. "어찌 이와 같이 저절로 그러할 수 있겠는가? 만일 이 이치를 살피고 궁구하여 그 유래를 알게 된다면, 인仁의 도가 멀지 않을 것이다."

46 『龜山集』 권11 「語錄」2 「京師所聞」

47 李似祖 : 생졸년과 자 · 호 등은 알 수 없다. 『宋元學案』「龜山學案」에서는 "이사조와 조령덕은 모두 구산의 제자이다.(李似祖曹令德, 皆龜山弟子.)"라고만 나와 있는데, 황종희는 "그 이름을 모두 알 수 없다.(名皆不可知矣.)"라고 하였고, 전조망은 李郁(1085~?, 자는 光祖, 邵武 사람)의 동생일 것이라고 보았다.

48 맹자는 측은지심을 … 했으니 : 『孟子』「公孫丑上」. 주자는 『集註』에서 "惻은 서글퍼하기를 간절히 함이요, 隱은 아파하기를 깊이 하는 것이니, 이것이 곧 이른바 '사람을 차마 해치지 못하는 마음'이란 것이다.(惻, 傷之切也, 隱, 痛之深也, 此卽所謂不忍人之心也.)"라고 풀이하였다.

49 측은함[隱] : 『孟子』「梁惠王上」에 "왕이 만일 그 죄 없이 死地로 나아감을 측은히 여겼다면 소와 양을 왜 구별하셨겠습니까?(王若隱其無罪而就死地, 則牛羊何擇焉)"라고 하였고, 이에 대해 趙岐의 『孟子註』와 주자의 『孟子集註』에서 모두 "'隱'은 아파함이다.('隱', 痛也.)"라고 주석했다. 또 「公孫丑上」에 사람들이 "모두 깜짝 놀라고 측은해 하는 마음을 가진다.(皆有怵惕惻隱之心.)"라는 구절에 대해 주자는 『集註』에서 "'隱'은 매우 아파하는 것이니, 이것이 곧 이른바 '남에게 차마 하지 못하는 마음'이란 것이다.('隱', 痛之深也, 此卽所謂'不忍人之心'也.)"라고 하였다.

50 '아프게 여기는 … 듯하다.' : 『詩經』「國風 · 邶風 · 柏舟」

51 '부지런히 백성들의 … 여긴다.' : 『國語』 권1 「周語上」

[35-1-23]

上蔡謝氏曰 : "心者, 何也? 仁是已. 仁者, 何也? 活者爲仁, 死者爲不仁. 今人身體麻痺, 不知痛癢, 謂之不仁. 桃杏之核可種而生者, 謂之桃仁杏仁, 言有生之意. 推此, 仁可見矣."[52]

상채 사씨上蔡謝氏[謝良佐]가 말했다. "마음이란 무엇인가? 인仁이 이것이다. 인仁이란 무엇인가? 산 것[活]이 인仁이며, 죽은 것이 불인不仁이다. 지금 사람의 몸이 마비되어 아프고 가려움을 모르는 것을 불인不仁이라고 한다. 심어서 살아날 수 있는 복숭아나 살구의 씨앗[核]을, 도인桃仁(복숭아씨)과 행인杏仁(살구씨)이라고 하니, 생生의 의미가 있음을 말한 것이다. 이를 미루어가면 인仁을 알 수 있다."

[35-1-24]

問 : "一日靜坐, 見一切事平等皆在我和氣中. 此是仁否?"

曰 : "此只是靜中工夫, 只是心虛氣平. 也須是應事時有此氣象方好."[53]

물었다. "하루 동안 정좌를 했더니, 일체의 일들이 평등하게 모두 나의 화기和氣 속에 있는 것을 알게 되었습니다. 이것이 인仁입니까?"

(사량좌가) 말했다. "이는 다만 고요할 때[靜中]의 공부일 뿐이니, 다만 마음이 텅 비고 기운이 평안한 것이다. 또한 일에 대응할 때에도 이러한 기상氣象이 있어야 좋다."

[35-1-25]

"仁者天之理, 非杜撰也. 故'哭死而哀, 非爲生也 ; 經德不回, 非干祿也 ; 言語必信, 非正行也.' 天理當然而已矣. 當然而爲之, 是爲天之所爲也. 聖門學者大要以克己爲本. '克己復禮'無私心焉, 則天矣."[54]

(사량좌가 말했다.) "인仁은 하늘의 이치[55]이니, 근거 없이 지어낸 것이 아니다. 그러므로 '죽음에 곡하여 슬퍼하는 것은 산 자를 위해서가 아니고, 변하지 않는 덕을 지키며 간사하지 않은 것은 봉록을 요구해서가 아니며, 언어를 반드시 미덥게 하는 것은 행실을 바르게 하려고 해서가 아니다'.[56] 천리天理가 마땅히 그러한 것일 뿐이다. 마땅히 그러하여 행한 것은 하늘이 행하는 것이다. 성인의 문하에서 배우는 자들은 요지가 '자신의 사욕을 이기는 것[克己]'을 근본으로 하는 것이다. '사욕을 극복하여 예로 돌아가'[57] 사사로운 마음이 없게 되면, 바로 하늘인 것이다."

52 『上蔡語錄』 권1
53 『上蔡語錄』 권2
54 『上蔡語錄』 권1
55 仁은 하늘의 이치 : 『二程粹言』「論道」에 "仁은 천하의 바른 이치이니, 바른 이치를 잃게 되면 질서가 없어지고 화합하지 못하게 된다.(仁者, 天下之正理, 失正理, 則無序而不和.)"라고 하였다.
56 '죽음에 곡하여 … 아니다.' : 『孟子』「盡心下」
57 '사욕을 극복하여 … 돌아가' : 『論語』「顏淵」

[35-1-26]

和靖尹氏曰: "鮑某嘗問伊川, '仁者愛人便是仁乎?' 伊川云, '愛人, 仁之事耳.'
焞時侍坐歸, 因取『論語』中說仁事致思久之, 忽有所得. 遂見伊川請益曰, '某以仁惟公可盡之.'
伊川沉思久之云, '思而至此, 學者所難及也. 天心所以至仁者惟公爾. 人能至公便是仁.'"[58]

화정 윤씨和靖尹氏[尹焞]가 말했다. "포씨가 이천에게 질문한 적이 있다. '(『논어』의) 인仁은 사람을 사랑하는 것[59]이 바로 인仁입니까?' 이천께서 말씀하셨다. '사람을 사랑하는 것은 인仁의 일일 뿐이다.'
나(윤돈)는 당시 이천을 모시고 앉아 있다가 돌아와, 『논어』 속에 인仁의 일을 말한 것을 모아서 오랫동안 집중하여 생각해보다가, 홀연히 터득하는 바가 있게 되었다. 마침내 이천을 뵙고 더 가르쳐주시기를 청하여 (다음과 같이) 말했다. "저는 인仁을 오직 공公이라고 하면 충분한 것이라고 생각했습니다."
이천께선 오랫동안 깊이 생각하다가 말씀하셨다. '생각하여 여기까지 이른 것은 배우는 자들이 도달하기 어려운 곳이다. 하늘의 마음[天心]이 인仁에 이르게 되는 까닭은 오직 공公일 뿐이다. 사람이 공公에 이를 수 있으면, 이것이 인仁이다.'"

[35-1-27]

"謝收嘗問學於伊川.
伊川云: '學之大無如仁. 汝謂仁是如何?'
謝久之無入處. 一日再問: '愛人是仁否?'
伊川云: '愛人乃仁之端, 非仁也.'
謝收去. 焞因曰: '某謂仁者公而已.'
伊川云: '何謂也?'
焞曰: '能好人, 能惡人.'
伊川云: '善涵養! 不易見得到此.'"[60]

(윤돈이 말했다.) "사수謝收가 이천께 배움[學]에 대해 질문한 적이 있다.
이천께서 말씀하셨다. '배움에는 인仁보다 큰 것이 없다. 그대는 인仁이 무엇이라고 생각하는가?'
사수는 오랫동안 생각했지만 알 수가 없었다. 어느 날 다시 질문하였다. '사람을 사랑하는 것이 인仁입

58 『河南程氏外書』 권12 「傳聞雜記」에는 "先生云, 初見伊川先生, 一日有江南人鮑某, 守官西京, 見伊川問仁曰, '仁者愛人便是仁乎?' 伊川曰, '愛人, 仁之事耳.' 先生時侍坐歸, 因取『論語』中說仁事致思久之, 忽有所得. 遂見伊川請益曰, '某以仁惟公可盡之.' 伊川沈思久之曰, '思而至此, 學者所難及也. 天心所以至仁者惟公爾. 人能至公便是仁.'"이라고 되어 있다.

59 '(『論語』의) 仁은 … 것: 『論語』 「顏淵」에 "樊遲가 仁을 묻자, 공자께서 '사람을 사랑하는 것이다.'라고 하셨다.(樊遲問仁, 子曰, 愛人.)"라고 하였다.

60 『河南程氏外書』 권12 「傳聞雜記」에는 "謝收問學於伊川. 答曰, '學之大無如仁. 汝謂仁是如何?' 謝久之無入處. 一日再問曰, '愛人是仁否?' 伊川曰, '愛人乃仁之端, 非仁也.' 謝收去. 先生曰, '某謂仁者公而已.' 伊川曰, '何謂也?' 先生曰, '能好人, 能惡人.' 伊川曰, '善涵養!'"이라고 되어 있다.

니까?'
이천께서 말씀하셨다. '사람을 사랑하는 것은 인仁의 단서이지, 인仁이 아니다.'
사수가 떠났다. 내(윤돈)가 따라서 물었다. '저는 인仁이 공公일 뿐이라고 생각합니다.'
이천께서 말씀하셨다. '무슨 말인가?'
내(윤돈)가 말했다. '남을 제대로 좋아할 수 있고, 남을 제대로 미워할 수 있는 것입니다.'[61]
이천께서 말씀하셨다. '함양涵養을 잘 하였구나! 여기까지 도달한 것을 보기 쉽지 않은 것이다.'"

[35-1-28]

延平李氏答朱元晦書曰 : "仁字難說. 『論語』一部, 只是說與門弟子求仁之方. 知所以用心, 庶幾私欲沈, 天理見, 則知仁矣. 如顔子仲弓之問, 聖人所以答之之語, 皆其切要用力處也. 『孟子』曰, '仁, 人心也', 心體通有無, 貫幽明, 無不包括, 與人指示於發用處求之也. 又曰, '仁者, 人也', 人之一體便是天理, 無所不備具. 若合而言之, 人與仁之名亡, 則渾是道理也.

연평 이씨延平李氏[李侗]가 주원회朱元晦[朱熹]에게 답하는 편지에서 말했다. "'인仁'이라는 글자는 설명하기 어렵다. 『논어』는 다만 문하의 제자들에게 인仁을 구하는 방법을 말해주었을 뿐이다. 마음을 쓰는 방법을 알아서 거의 사욕이 가라앉고 천리가 드러나게 되면 인仁을 알게 될 것이다. 예를 들어 안연과 중궁의 질문에 대해 성인(공자)이 대답한 말[62]은 모두 절실하게 힘을 쏟아야할 곳이다. 『맹자』에서 '인仁은 사람의 마음이다.'[63]라고 했는데, '마음의 체[心體]'는 유有와 무無를 통하고, 유幽와 명明을 꿰뚫어서, 포괄하지 않음이 없으니, 사람들에게 '펼쳐내서 쓰는 곳[發用處]'에서 그것을 구하도록 가리켜 보여준 것이다. 또 '인仁은 사람이다.'[64]라고 했으니, 사람의 한 몸이 바로 천리天理여서 갖추지 않은 것이 없다. 만일 합해서 말하여 사람과 인仁이라는 명칭이 없어지면, 온통 도리일 뿐이다.

61 '남을 제대로 … 것입니다.' : 『論語』「里人」에 "공자가 말했다. '오직 仁者라야 남을 좋아하며, 남을 미워할 수 있다.'(子曰, '惟仁者, 能好人, 能惡人.')"라고 하였고, 이천은 『程氏經說』 권7 「論語說」에서 이 구절에 대해 "공정함을 얻었다.(得其公正也.)"라고 설명하였다.

62 안연과 중궁의 … 말 : 『論語』「顔淵」에 "顔淵이 仁에 대해 묻자, 공자가 말했다. '사욕을 극복하여 禮로 돌아가는 것이 仁이 되니, 하루 동안이라도 사욕을 극복하여 禮로 돌아가면 천하가 仁을 인정하는 것이다. 仁을 행하는 것은 자신에게 달려 있는 것이지, 남에게 달려 있는 것이겠는가? … 禮가 아니면 보지 말며, 禮가 아니면 듣지 말며, 禮가 아니면 말하지 말며, 禮가 아니면 움직이지 말라.'(顔淵問仁, 子曰, '克己復禮爲仁, 一日克己復禮, 天下歸仁焉. 爲仁由己, 而由人乎哉? … 非禮勿視, 非禮勿聽, 非禮勿言, 非禮勿動.')"라고 하였고, 「顔淵」에 "仲弓이 仁에 대해 질문하니, 공자가 말했다. '문을 나갔을 때에는 큰 손님을 대하듯이 하며, 백성을 부릴 때에는 큰 祭祀를 받들 듯이 하고, 자신이 원하지 않는 것을 남에게 베풀지 말아야 한다. 이렇게 하면 나라에서도 원망함이 없으며, 집안에서도 원망함이 없을 것이다.'(仲弓問仁. 子曰, '出門如見大賓, 使民如承大祭, 己所不欲, 勿施於人. 在邦無怨 在家無怨.')"라고 하였다.

63 '仁은 사람의 마음이다.' : 『孟子』「告子上」

64 '仁은 사람이다.' : 『孟子』「盡心下」에는 "仁은 사람이니, 합하여 말하면 道이다.(仁也者, 人也, 合而言之, 道也.)"라고 하였고, 『中庸章句』 제20장에 "仁은 사람이니 친한 이를 친애함이 크고, 義는 마땅함이니 어진 이를 높임이 큰 것이다.(仁者人也, 親親爲大 ; 義者宜也, 尊賢爲大.)"라고 하였다.

來諭以謂'仁是心之正理, 能發能用底, 一箇端緖如胎育包涵, 其中生氣無不純備, 而流動發生自然之機, 又無頃刻停息, 憤盈發洩, 觸處貫通, 體用相循, 初無間斷', 此說推擴得甚好. 但又云, '人之所以爲人而異乎禽獸者, 以是而已. 若犬之性, 牛之性, 則不得而與焉.' 若如此說, 恐有礙.

보내온 편지에서 '인仁은 마음의 올바른 이치로서, 발현할 수 있고 작용할 수 있는 것이니[65] 하나의 단서가 태胎에 싸여 있는 것 같아서, 그 속에 생기가 순수하게 갖추어지지 않은 것이 없으며, 흘러 움직여 발생하는 '자연스러운 기틀[自然之機]'은, 또 한 순간도 쉼 없이 그득하게 발산하여, 닿는 것마다 관통하여 체體와 용用이 서로 따라서 애초부터 끊어짐이 없습니다.'라고 한 이 설은 미루어 넓힌 것이 매우 좋다. 그러나 또 '사람이 사람으로 되고 금수와 다른 까닭은 이 때문입니다. 만약 개의 성이나 소의 성이라면 여기에 참여할 수 없는 것입니다'라고 했는데, 이와 같이 말한다면, 아마도 막힘이 있을 것 같다.

蓋天地中所生物, 本源則一. 雖禽獸草木, 生理亦無頃刻停息間斷者. 但人得其秀而最靈, 五常中和之氣所聚, 禽獸得其偏而已, 此其所以異也. 若謂流動發生自然之機, 與夫無頃刻停息間斷, 卽禽獸之體亦自如此. 若以爲此理唯人獨得之, 卽恐推測體認處未精, 於他處便有差也.

천지 속에서 생겨나는 사물은 본원本源이 하나이다. 금수와 초목이라 하더라도 생리生理는 또한 한 순간도 쉼이나 끊김이 없다. 다만 사람이 그 빼어난 것을 얻어 가장 영묘하니, 오상五常을 골고루 갖춘 기운이 모인 것이고, 금수는 그 가운데 치우친 것을 얻었을 뿐이니, 이것이 차이가 나게 되는 까닭이다. 만일 '움직여 발생하는 자연스러운 기틀'이라고 하거나 '한 순간도 쉼이나 끊김이 없다'고 말한다면, (이는) 금수의 체體도 본래 이와 같다. 만약 이 이치를 오직 사람만이 유독 얻어 가지고 있다고 생각한다면 아마도 추측하고 체인體認한 것이 아직 정밀하지 못하여, 다른 곳에서 바로 틀리게 될 것이다.

又云, '須體認到此純一不雜處, 方見渾然與物同體氣象', 一段語却無病. 又云, '從此推出分殊合宜處便是義. 以下數句莫不由此, 而仁一以貫之. 蓋五常百行無往而非仁也', 此說大槩是. 然細推之, 却似不曾體認得伊川所謂'理一分殊'.

또 '모름지기 이 순일하여 섞이지 않는 곳을 체인해야만, 비로소 혼연하게 만물과 한 몸이 되는 기상氣象을 알게 됩니다.'라고 한, 이 한 구절의 말은 결점이 없다. 또 '이로부터 분수分殊의 마땅한 곳을 미루어 나간 것이, 바로 의義입니다.[66] 다음의 몇 구절도 여기에서 말미암지 않은 것이 없으니, 인仁이 하나로

65 발현할 수 … 것이니 : 『退溪先生文集攷證』 권5 「第二十五卷書」에는 "發할 수 있는 것은 感하면 곧 발동할 수 있는 것이고, 用할 수 있는 것은 만 가지 변화로 응대하여 그 쓰임[用]이 무궁한 것이니, 마음의 온전한 體가 이와 같을 뿐이다. 그런데 이와 같게 만드는 것은 바로 仁이다.(能發者, 才感便能發動; 能用者, 酬酢萬變, 其用不窮, 心之全體, 不過如此. 而所以使之如此者, 卽是仁也.)"라고 하였다.

66 '이로부터 分殊의 … 義입니다. : 이후에 주자가 다시 보낸 편지가 『延平答問』에 실려 있는데, "전에 이로부터 分殊의 마땅함을 추출해 내는 것이 義라고 한 것은 매우 잘못되었습니다.(前此乃以從此推出分殊合宜處爲義,

관통하고 있습니다. 오상五常과 모든 행실은 어떤 경우라도 인仁이 아닌 것이 없습니다.'라고 했는데, 이 설은 대체로 옳다. 그러나 세밀하게 미루어 나가면, 이천이 말한 리일분수理一分殊(리理는 하나이나 나뉜 곳의 리理는 다르다.)를 체인한 적이 없는 것 같다.

龜山云'知其理一, 所以爲仁, 知其分殊, 所以爲義'之意, 蓋全在'知'字上用着力也. 『謝上蔡語錄』云, '不仁便是死漢, 不識痛癢了.' '仁'字只是有知覺了了之體段. 若於此不下工夫令透徹, 卽何緣見得本源毫髮之分殊哉? 若於此不了了, 卽體用不能兼擧矣. 此正是本源體用兼擧處, 人道之立, 正在於此.

구산龜山[楊時]이 말한 '그 리일理一을 아는 것이 인仁이 되는 것이고, 그 분수分殊를 아는 것이 의義가 되는 것이다.'[67]라는 뜻은, 전적으로 '앎[知]'의 문제에 힘을 쓰고 있는 것이다. 『사상채어록』에는 '인仁하지 않으면 죽은 사람이니 아픔과 가려움을 알지 못한다.'[68]라고 하였다. (여기에서) '인仁'이라는 글자는 다만 지각이 분명한 모습[體段][69]이 있는 것이다. 만약 여기에서 공부를 투철하게 하지 않으면, 무엇에 근거하여 본원의 매우 자잘한 분수分殊를 알겠는가? 만약 이에 대해 분명하지 않다면, 체體와 용用을 함께 거론할 수 없을 것이다. 이것은 바로 본원의 체용體用을 함께 거론하는 곳이니, 인도人道의 확립이 바로 여기에 달려 있다.

'仁'之一字, 正如四德之元. 而'仁義'二字, 正如立天道之陰陽, 立地道之柔剛, 皆包攝在此二字爾. 大抵學者多爲私欲所昏[70], 故用力不精, 不見其效. 若欲於此進步, 須把斷諸路頭, 靜坐黙識, 使之泥滓漸漸消去方可. 不然, 亦只是說也. 更熟思之."[71]

失之遠矣.)"라고 하였다.

67 '그 理一을 … 것이다.' : 『龜山集』 권11에 "「西銘」을 논하면서 말했다. '이정은 리일분수[理一而分殊]를 말하였는데, 그 理一을 아는 것이 仁이 되는 것이고, 그 分殊를 아는 것이 義가 되는 것이다. 이른바 分殊는 『孟子』가 (「盡心上」에서) 친족을 친애하고서 남을 사랑하고, 남을 사랑하고서 사물을 아끼는 것」이라고 한 것과 같으니, 그 나뉨이 같지 않으므로 베풀어지는 바에 차등이 없을 수 없다.'(論「西銘」曰, '河南先生言理一而分殊, 知其理一, 所以爲仁; 知其分殊, 所以爲義. 所謂分殊, 猶『孟子』言「親親而仁民 仁民而愛物」, 其分不同, 故所施不能無差等.')"라고 하였다.

68 '仁하지 않으면 … 못한다.' : 『上蔡語錄』 권1에는 "옛 사람이 (『大學』에) 말하길 '마음이 거기에 있지 않으면 보아도 보지 못하며, 들어도 듣지 못하며, 먹어도 그 맛을 알지 못한다.'라고 했는데 '보지 못하는 것', '듣지 못하는 것', '맛을 알지 못하는 것'은 바로 不仁한 죽은 사람이 통증이나 가려움증을 느끼지 못하게 된 것이다. (古人曰, '心不在焉, 視而不見, 聽而不聞, 食而不知其味', '不見''不聞''不知味', 便是不仁死漢不識痛癢了.)"라고 되어 있다.

69 모습[體段] : 體段에는 형태나 형상이라는 의미가 있다. 주자는 『朱子語類』 권24, 17조목에서 "물었다. '이선생은 안연이 「성인의 형상을 이미 갖추었다.」고 말했습니다.'(問, '李先生謂顏子「聖人體段已具.」')"라고 하였고, 『朱子大全箚疑輯補』 권41 「書·答馮作肅 4」에는 "형상을 말한다.(謂形狀也.)"라고 하였다.

70 『朱子全書』(상해고적출판사, 2002)에는 昏이 分으로 되어 있다.

'인仁'이라는 글자는 바로 사덕四德(元, 亨, 利, 貞)의 원元과 같다.[72] 그리고 '인의仁義'라는 두 글자는 천도天道를 세울 때의 음양陰陽과 같고, 지도地道를 세울 때의 강유柔剛와 같으니, 모두 이 두 글자에 포섭되어 있을 뿐이다. 배우는 자들은 대부분 사욕에 어두워지기 때문에 노력이 정교하지 못하여 그 효과를 보지 못한다. 만일 여기에서 진보하고자 한다면, 반드시 여러 갈래의 길을 끊어버리고, 고요하게 앉아 말없이 깨달아, (마음속의) 찌꺼기들이 점점 없어지도록 해야 될 것이다. 그렇지 않으면 또한 말에 불과할 뿐이다. 좀 더 충분히 생각해야 할 것이다."

[35-1-29]

朱子曰 : "天地以生物爲心者也, 而人物之生, 又各得夫天地之心以爲心者也. 故語心之德, 雖其總攝貫通無所不備, 然一言以蔽之, 則曰仁而已矣.[73]

주자가 말했다. "천지는 만물을 생겨나게 함으로 마음을 삼고, 사람과 사물이 생겨날 때에 또 각기 저 천지의 마음을 얻어서 마음으로 삼는다. 그러므로 마음의 덕을 말하면 비록 그것이 총괄하고 관통하여 갖추어지지 않은 것이 없지만, 한 마디로 포괄하면 인仁일 뿐이다.

蓋天地之心, 其德有四, 曰元亨利貞, 而元無不統. 其運行焉, 則爲春夏秋冬之序, 而春生之氣無所不通. 故人之爲心, 其德亦有四, 曰仁義禮智, 而仁無不包. 其發用焉, 則爲愛恭宜別之情, 而惻隱之心無所不貫. 故論天地之心者, 則曰乾元坤元, 則四德之體用不待悉數而足. 論人心之妙者, 則曰'仁, 人心也', 則四德之體用亦不待遍擧而該.

천지의 마음은 그 덕에 네 가지가 있으니, 원元·형亨·이利·정貞인데, 원元이 통괄하지 않음이 없다. 그 운행에 있어서는 봄·여름·가을·겨울의 순서가 되는데, 봄에 생겨나게 하는 기운이 통하지 않음이 없다. 그러므로 사람의 마음도, 그 덕에 또한 네 가지가 있으니, 인仁·의義·예禮·지智이고, 인仁이 포괄하지 않음이 없다. 그 '발현하고 작용하게[發用]' 함에 있어서는 사랑함·공손함·마땅함·분별함의 정情이 되지만, 측은지심이 관통하지 않음이 없다. 그러므로 천지의 마음을 논할 때는 건원乾元이나 곤원坤元이라고 말하면, 사덕四德의 체용體用을 일일이 열거할 것이 없이 충족된다. 인심人心의 묘함을 논할 때는 '인仁은 사람의 마음이다.'[74]라고 말하면, 사덕四德의 체용體用이 또한 두루 거론할 것 없이 갖추어진다.

蓋仁之爲道, 乃天地生物之心, 卽物而在. 情之未發而此體已具 ; 情之旣發而其用不窮. 誠能

71 『延平答問』

72 '仁'이라는 글자는 … 같다 : 『伊川易傳』「乾卦 · 彖傳」에 "四德의 元은 五常(仁, 義, 禮, 智, 信)의 仁과 같으니, 한쪽으로 말하면 한 가지 일이요, 오로지 말하면 네 가지를 모두 포함한다.(四德之元, 猶五常之仁, 偏言則一事, 專言則包四者.)"라고 하였다.

73 則曰'仁'而已矣. : 『朱文公文集』 권67 「仁說」에서는 이 다음에 '請試詳之'가 있다.

74 '仁은 사람의 마음이다.' : 『孟子』「告子上」

體而存之, 則衆善之源, 百行之本, 莫不在是. 此孔門之教所以必使學者汲汲於求仁也.

인仁의 도는 천지가 만물을 생生하는 마음이니, 만물 속에 존재하는 것이다. 정情이 아직 발發하지 않았을 때 이 (인의) 체體는 이미 갖추어져 있고, 정情이 이미 발發하였을 때 이 (인의) 용用은 다함이 없다. 진실로 그것을 체득하여 보존할 수 있으면 모든 선善의 근원과 모든 행실의 근본이 여기에 있지 않음이 없다. 이것이 공자 문하의 가르침에서 반드시 배우는 사람들에게 인仁을 구하는 데 급급하도록 한 까닭이다.

其言有曰, '克己復禮爲仁', 言能克去己私復乎天理, 則此心之體無不在, 而此心之用無不行也. 又曰, '居處恭, 執事敬, 與人忠', 則亦所以存此心也. 又曰, '事親孝, 事兄弟', '及物恕', 則亦所以行此心也. 又曰, '求仁得仁', 則以讓國而逃, 諫伐而餓, 爲能不失乎此心也. 又曰, '殺身成仁', 則以欲甚於生, 惡甚於死, 爲能不害乎此心也. 此心何心也? 在天地則坱然生物之心, 在人則溫然愛人利物之心, 包四德而貫四端者也.

그 말씀에 '자기의 사욕私欲을 극복하여 예禮에 돌아감이 인仁이 된다.'[75]라고 한 것은, 자신의 사사로움을 이겨내어 천리天理로 돌아갈 수 있게 되면, 이 마음의 체體가 있지 않은 곳이 없으며, 이 마음의 용用이 행해지지 않는 것이 없음을 말한 것이다. 또 '생활할 때에는 공손히 하며, 일을 집행할 때에는 경건하며, 다른 사람을 대할 때에는 충심으로 해야 한다.'[76]고 한 것은, 또한 이 마음을 보존하는 것이다. 또 '어버이를 섬길 때에는 효도로 하고 형을 받들 때에는 공경으로 하며'[77] '남들에 대할 때에는 서恕로 한다'[78]고 한 것은, 또한 이 마음을 행하는 것이다. 또 '인仁을 구하여 인仁을 얻었다'[79]고 한 것은, 나라의 임금 자리를 사양하고 도피하고, 정벌을 간諫하고 굶어죽은 것[80]에 대해 이 마음을 잃어버리지 않을 수 있었던 것이라고 여긴 것이다. 또 '목숨을 바쳐서 인仁을 이룬다.'[81]고 한 것은, 바라는 것이 삶보다 심하고 싫어하는

75 '자기의 私欲을 … 된다.' : 『論語』「顔淵」

76 '생활할 때에는 … 한다.' : 『論語』「子路」

77 '어버이를 섬길 … 하며' : 『孝經』 제14장에 "군자가 어버이를 섬길 때 효도로 하므로 충성이 군주에게 옮겨갈 수 있고, 형을 받들 때 공경으로 하므로 순함이 연장자에게 옮겨갈 수 있다.(君子之事親孝, 故忠可移於君, 事兄悌, 故順可移於長.)"라고 하였다.

78 '남들에 대할 … 한다.' : 『河南程氏遺書』 권11 「師訓」과 『二程粹言』 권하 「論學」에 "자기 마음을 미루어서 남에게 미침은 恕이다.(推己及物, 恕也.)"라고 하였다.

79 '仁을 구하여 … 얻었다.' : 『論語』「述而」에 冉有가 伯夷와 叔齊에 대해 질문했을 때, 공자는 "仁을 구하여 仁을 얻었다.(求仁而得仁)"라고 하였다.

80 나라의 임금 … 것 : 伯夷와 叔齊의 고사를 말함. 백이와 숙제는 孤竹 나라 임금의 두 아들로서 아버지가 죽자 두 형제는 서로 임금이 되기를 사양하고 도망쳤다[遜國全仁]. 백이 · 숙제는 또 周武王이 商을 정벌하자 말머리를 잡고 간했다. 끝내 무왕이 상을 이기고 천자가 되자 周나라 곡식을 먹지 않겠다 하고 首陽山에 숨어 고사리를 캐어 먹고 살다 죽었다. 『史記』「伯夷列傳」 참조

81 '목숨을 바쳐서 … 이룬다.' : 『論語』「衛靈公」에 "뜻 있는 선비와 仁한 사람은 살기 위해서 仁을 해치는 경우는 없고, 자신의 목숨을 바쳐서 인을 이루는 경우는 있다.(志士仁人, 無求生以害仁, 有殺身以成仁.)"라고 하였다.

것이 죽음보다 심한 것[82]에 대해 이 마음을 해치지 않을 수 있는 것으로 여긴 것이다. 이 마음이란 어떤 마음인가? 천지에서는 충만하게 만물을 생生하는 마음이고, 사람에서는 따뜻하게 남을 사랑하고 사물을 이롭게 하는 마음으로, 사덕四德을 포괄하고 사단四端을 관통하는 것이다.

或曰, '若子之言, 則程子所謂「愛, 情; 仁, 性; 不可以愛爲仁」者, 非歟?' 曰, '不然. 程子之所謂,[83] 以愛之發而名仁者也; 吾之所論, 以愛之理而名仁者也. 蓋所謂情性者, 雖其分域之不同, 然其脉絡之通, 各有攸屬者, 則曷嘗判然離絶而不相管哉! 吾方病夫學者誦程子之言而不求其意, 遂至於判然離愛而言仁. 故特論此以發明其遺意, 而子顧以爲異乎程子之說, 不亦誤哉!'

어떤 사람이 말했다. '그대의 말과 같다면 정자가 말한 「사랑은 정情이고 인仁은 성性이니, 사랑을 인仁이라고 할 수 없다.」[84]는 것은 잘못인가?' (내가) 말했다. '그렇지 않다. 정자가 말한 것은 사랑이 발하는 것을 가지고 인仁이라고 한 것이고, 내가 말한 것은 '사랑의 리[愛之理]'를 가지고 인仁이라고 한 것이다. 이른바 정情과 성性이란 것은 비록 그 구분된 영역이 다르지만 그러나 그 맥락의 흐름에는 각각 서로 연결되는 점이 있는 것이니, (정情과 성性이) 어찌 판연하게 동떨어져서 서로 상관[管攝]이 없는 것이겠는가![85] 나는 배우는 사람들이 정자의 말을 외우면서도 그 뜻을 (제대로) 추구하지 않아서, 마침내 판연하게 사랑을 떠나서 인仁을 말하는 데까지 이른 것을 병폐로 생각한다. 그러므로 특히 이 점을 논하여 그 남겨진 뜻을 드러내 밝히는 것인데, 그대는 도리어 정자의 설과 다른 것으로 간주하니 또한 잘못이 아니겠는가!'

或曰, '程氏之徒, 言仁多矣. 蓋有謂愛非仁, 而以萬物與我爲一爲仁之體者矣, 陳淵問楊龜山曰 : "萬物與我爲一, 其仁之體乎? 曰 : 然."[86] **亦有謂愛非仁, 而以心有知覺, 釋仁之名者矣,** 上蔡謝氏曰 :

82 바라는 것이 … 것 : 『孟子』「告子上」에 "삶도 내가 바라는 바이지만, 바라는 바가 삶보다 심한 것이 있다. 그러므로 (삶을) 구차히 얻으려고 하지 않는 것이며, 죽음도 내가 싫어하는 바이지만, 싫어하는 바가 죽음보다 심한 것이 있다. 그러므로 患難을 피하지 않는 것이 있다.(生亦我所欲, 所欲有甚於生者, 故不爲苟得也 ; 死亦我所惡, 所惡有甚於死者, 故患有所不辟也.)"라고 하였다.

83 所謂 : 『晦庵集』 권67 「仁說」에는 謂가 訶로 되어 있다.

84 「사랑은 情이고 … 없다.」 : 『河南程氏遺書』 권18 「伊川先生語」에 『孟子』의 '측은지심이 仁의 단서이다.'라는 말을 예로 들면서, 사랑은 情이고 仁은 性이라고 구분하고 있다. [35-1-4]를 참조

85 이른바 情과 … 것이겠는가! : 『四書或問』 권9 「論語 · 里仁」에 "謝氏(謝良佐)의 병통이 많다. … 아마도 性과 情이 서로 상관하지[管攝] 않는 뜻이 있어서 노자나 불가의 폐단에 빠지게 될 것이다.(謝氏之病爲多. … 似有性情不相管攝之意, 而流於老佛之弊.)"라고 하였고, 『朱文公文集』 권32 「又論仁說」에 "한나라 이래 사랑을 가지고 仁이라고 말하는 폐단은 바로 性과 情의 분별을 살펴보지 못했기 때문에 마침내 情을 性으로 여기게 된 것이다. 지금 그 폐단을 바로잡고자 하지만 도리어 '仁'자를 범범하게 돌아갈 곳이 없도록 하여, 性과 情이 마침내 서로 상관하지[管攝] 않는 데에 이르게 되어 버렸으니, 굽은 것을 바로잡는 것이 곧은 정도를 지나쳤다고 말할 수 있으며 이 또한 굽은 것일 뿐이다.(由漢以來, 以愛言仁之弊, 正爲不察性情之辨而遂以情爲性爾. 今欲矯其弊, 反使仁字泛然無所歸宿, 而性情遂至于不相管, 可謂矯枉過直, 是亦枉而已矣.)"라고 하였다.

"心有所覺謂之仁. 仁則心與事爲一. 草木五穀之實謂之仁, 取名於生也. 生則有所覺矣. 四體之偏痺謂之不仁, 取名於不知覺也. 不知覺則死矣. 事有感而隨之以喜怒哀樂, 應之以酬酢萬變者, 非知覺不能也. 身與事接而心漠然不省者, 與四體不仁無異也. 然則不仁者, 雖生無以異於死, 雖有心亦鄰於無心, 雖有四體亦弗爲吾用也. 故視而弗見, 聽而弗聞, 食而不知其味, 此善學者所以急急於求仁也."[87] **今子之言若是, 然則彼皆非歟?'**
어떤 사람이 물었다. '정씨의 문도들은 인仁에 대해 많이 말했다. 사랑은 인仁이 아니고 만물과 내가 하나가 되는 것이 인의 본체라고 말한 사람이 있고, 진연陳淵[88]이 양구산楊龜山(楊時)에게 물었다. "만물과 내가 하나인 것이 인仁의 본체입니까?" (양시가) 대답했다. "그렇다." 또 사랑은 인이 아니며, 마음에 지각이 있는 것이 인이라고 한 사람이 있는데, 상채사씨上蔡謝氏(謝良佐)가 말했다. "마음에 지각한(覺) 것이 있는 것을 인仁이라고 한다. 인하면 마음과 일(事)이 하나가 된다. 초목과 오곡의 씨를 인이라고 하니, 살아있음에서 이름을 취한 것이다. 살아있으면 지각한(覺) 것이 있다. 사지에서 한쪽이 마비된 것을 불인不仁이라고 하니, 지각하지 못하는 것에서 이름을 취했다. 지각하지 못하면 죽음이다. 일을 감지하여, 희노애락으로 수반하고, 온갖 변화로 대응하는 것은, 지각이 아니면 할 수 없다. 몸이 일과 접촉하는데, 마음이 멍하여 그 일을 살피지 않는 것은 사지가 불인不仁한 것과 다름이 없다. 그렇다면 불인不仁한 것은 비록 살아 있더라도 죽은 것과 다를 바가 없고, 비록 마음이 있더라도 또한 마음이 없는 것에 가깝고, 비록 사지가 있더라도 또한 나에게 쓸모가 없다. 그러므로 보아도 보지 못하고 들어도 듣지 못하며 먹어도 그 맛을 모르니,[89] 이것이 잘 배우는 자가 인仁을 구하는 데에 급급한 까닭이다." 지금 그대의 말씀이 이와 같으니, 그렇다면 저들의 말은 모두 잘못된 것인가?'

曰, '彼謂物我爲一者, 可以見仁之無不愛矣, 而非仁之所以爲體之眞也. 彼謂心有知覺者, 可以見仁之包乎智矣, 而非仁之所以得名之實也. 觀孔子答子貢博施濟衆之問, 與程子所謂覺不可以訓仁者, 則可見矣. 予尚安得復以此而論仁哉![90]
(내가) 대답했다. '저들이 만물과 내가 하나가 되는 것이라고 말한 것에서 인仁이 사랑이 아님이 없다는 것을 볼 수 있지만, 인仁이 체體가 되는 참모습은 아니다. 저들이 마음에 지각이 있다고 말한 것에서 인이 지智를 포괄함을 볼 수 있지만, 인이 그 명칭을 얻게 된 실상은 아니다. 자공이 '널리 은혜를 베풀고 구제함이 많은 것'이라고 질문한 것에 대한 공자의 대답[91]과 정이가 '지각(覺)으로 인을 풀이할 수 없다.'[92]

86 『龜山集』 권11 「語録 2 · 京師所聞」
87 이 문장은 주자의 『論語精義』 권6下, 「顏淵」 주에 인용되어 있다.
88 陳淵(?~1145) : 송 南劍沙縣사람이다. 字는 知默 · 幾叟이고, 이정과 양시에게 배웠다.
89 보아도 보지 … 모르니 : 『大學章句』 제7장에 "마음이 있지 않으면 보아도 보지 못하고, 들어도 듣지 못하며, 먹어도 그 맛을 알지 못한다.(心不在焉, 視而不見, 聽而不聞, 食而不知其味.)"라고 하였다.
90 予尚安得復以此而論仁哉! : '予'는 『朱子大全』에는 子로 되어 있다. 이에 따라 해석했다.
91 널리 은혜를 … 대답 : 『論語』「雍也」에 "자공이 말하였다. '만일 백성에게 널리 은혜를 베풀고 구제함이 많다면 어떻겠습니까? 仁하다고 할 만합니까?' 공자가 말했다. '어찌 仁에만 해당된 일이겠느냐? 반드시 성인일 것이다. 堯舜도 그렇게 하지 못하는 것을 근심으로 여기셨을 것이다. 仁者는 자신이 서고자 함에 남도 서게 하며, 자신이 통달하고자 함에 남도 통달하게 하는 것이다. 가까이 자신에게서 취하여 미루어 남이 원하는 바에 미치는 것이 仁을 행하는 방법이라고 할 만 하다.(子貢曰, '如有博施於民而能濟衆何如? 可謂仁乎?' 子曰, '何事於仁? 必也聖乎. 堯舜其猶病諸. 夫仁者, 己欲立而立人, 己欲達而達人. 能近取譬, 可謂仁之方也已.')"라고

라고 말한 것을 살펴보면 알 수 있다. 그대는 오히려 어찌 다시 이런 것들로 인을 논할 수 있겠는가!

抑泛言同體者, 使人含糊昏緩而無警切之功,[93] 其弊或至於認物爲己者有之矣. 專言知覺者, 使人張皇迫躁而無沉潛之味, 其弊或至於認欲爲理者有之矣. 一忘一助, 二者蓋胥失之, 而知覺之云者, 於聖門所云樂山能守之氣象, 尤不相似. 予尚安得復以此而論仁哉!'[94]
因并記其語, 作仁說."[95]

또한 (인仁을 만물과 내가) 한 몸[同體]이라고 범범하게 말하는 것은 사람들을 모호하고 혼란스럽게 하여, 절실히 경계하는 효과가 없도록 하는 것이니, 그 폐단은 혹 외물外物을 자신이라고 아는 데에 이르게

하였다.

92 '지각[覺]으로 인을 … 없다.' : 『河南程氏遺書』 권24 「伊川先生語 10」에 "義를 마땅함[宜]으로 풀이하고 禮를 구별[別]로 풀이하고 智를 앎[知]으로 풀이한다. 仁은 어떻게 풀이해야 하는가? 말하는 자들은 지각[覺]으로 풀이하거나 사람[人]으로 풀이하는 데, 모두 틀렸다. 마땅히 공자와 맹자가 인을 말한 곳에 부합해서 대강을 연구해야 한다.(義訓宜, 禮訓別, 智訓知. 仁當何訓? 說者謂訓覺·訓人, 皆非也. 當合孔·孟言仁處, 大概硏窮之.)"라고 하였다. 또 『二程粹語』 권1 「論道」에 "정자가 말했다. 仁한 사람은 반드시 사랑하지만, 사랑을 가리켜 인이라고 하면 안 된다. 인하지 않은 사람은 지각하는 바가 없지만, 지각을 가리켜 인이라고 하면 안 된다.(子曰, 仁者必愛, 指愛爲仁則不可. 不仁者無所知覺, 指知覺爲仁則不可.)"라고 하였다. 주자의 「인설」 외에 장식의 『南軒集』 권29 「答胡伯逢」에 다음과 같이 이천의 말로 인용되어 있다. "마음에 지각[知覺]이 있는 것을 仁이라고 하는 것, 이것은 上蔡謝子(謝良佐)의 말이다. 이 말에는 진실로 병통이 있으니, 마음에 인식[知覺]이 있는 것을 仁이라고 절실하게 말한 것인데, 이 한 마디의 말은 사선생이 道의 단서가 되는 말을 전하여 배우는 자들을 일깨우는 것이다. 어쩌면 병통이 있다고 말할 수는 없을 것이다. 知覺에는 또한 깊고 얕음이 있다. 일반 사람들은 추운 것을 알고, 더운 것을 인식하며, 배고픈 것을 알고, 배부른 것을 인식하지만, 이천은 또한 '지각[覺]을 仁이라고 풀이할 수 없다'라고 했는데, 그 의미는 또한 사람들이 오로지 '지각[覺]'이라는 한 글자만 지킬까 두려워한 것일 뿐이다. 사선생의 의미라면 본래 정신이 있으니 그 정신을 얻게 되면 천지의 用이 나의 用인 것이니, 무슨 병통이 있겠는가? 사상채의 말은 진실로 그 발현하는 것을 가리켜서 배우는 자들에게 일깨우려고 한 것이지만, 곧바로 인식[知覺]을 仁이라고 판단해버렸으므로 절실함에 병통이 있게 됨은 면하지 못했다. 이천선생이 말한 '알아차림[覺]을 仁이라고 풀이할 수 없다'는 것은 바로 仁者는 반드시 (그 마음을) 알아차리게 되지만, 알아차림[覺]은 仁이라고 풀이할 수 없다는 것이니, 후사성(侯子師聖)도 이것을 언급한 적이 있다. 지금의 배우는 자들이 야단스럽게 스스로 내가 그것을 알았도다라고 하는 것들은 다만 정신과 혼을 실없이 놀린 것일 뿐이지 어찌 진실된 자리에 나아갈 수 있는 것이겠는가? 이는 또한 상채의 죄인이다.(曰心有知覺之謂仁, 此上蔡謝子之言也. 此言固有病, 切謂心有知覺謂之仁, 此一語是謝先生傳道端的之語以提省學者也. 恐不可謂有病夫. 知覺亦有深淺. 常人莫不知寒識暖知饑識飽, 若認此知覺爲極至, 則豈特有病而已? 伊川亦曰,'覺不可以訓仁', 意亦猶是恐人專守著一箇覺字耳. 若夫謝子之意, 自有精神, 若得其精神, 則天地之用, 即我之用也, 何病之有? 謝上蔡之言, 固是要指其發見以省學者, 然便斷殺知覺爲仁, 故切以爲未免有病. 伊川先生所謂'覺不可訓仁'者, 正謂仁者必覺而覺不可以訓仁, 侯子師聖亦嘗及此矣. 若夫今之學者囂囂然自以爲我知之者, 只是弄精魂耳, 烏能進乎實地哉? 此又上蔡之罪人也.)"

93 使人含糊昏緩而無警切之功 : '昏'은 『朱文公文集』에는 昏으로 되어 있다.

94 予尙安得復以此而論仁哉! : '予'는 『朱文公文集』과 『御纂性理精義』에는 子로 되어 있다. 이에 따라 해석했다.

95 『朱文公文集』 권67 「仁說」

되는 경우도 있다. 오로지 지각知覺이라고 말하는 것은, 사람들을 당황스럽게 하고 다그쳐 조급하도록 하여, 고요히 침잠하여 깊이 생각하는 뜻이 없도록 하는 것이니, 그 폐단은 혹 인욕人欲을 천리天理로 아는 데에 이르는 경우도 있다. 하나는 잊어버리고 다른 하나는 조장助長하니[96] 둘 다 모두 잘못을 저지르고 있으며, (인을) 지각이라고 말하는 것은 성인의 문하에서 말한 '산을 좋아하고'[97] '지켜낼 수 있는'[98] 기상과는 더더욱 유사하지 않다. 그대는 오히려 어찌 다시 이런 것들로 인을 논하는가!'
이어서 그 말을 함께 기록하여 인설仁說을 짓는다."

96 하나는 잊어버리고 … 助長하니 : 『孟子』「公孫丑上」에 "반드시 이것(호연지기를 기르는 일)을 일삼아 하고 효과를 미리 기대하지 말아서, 마음에 잊지도 말며 억지로 助長하지도 말아서, 宋나라 사람과 같이 하지 말아야 한다.(必有事焉而勿正, 心勿忘, 勿助長也, 無若宋人然.)"라고 하였다.

97 산을 좋아하고 : 『論語』「雍也」에 "智者는 물을 좋아하고 仁者는 山을 좋아한다.(知者樂水, 仁者樂山.)"라고 하였다.

98 지켜낼 수 있는 : 『論語』「衛靈公」에 "지혜가 거기에 미치더라도 仁이 그것을 지켜낼 수 없으면 비록 얻더라도 반드시 잃는다.(知及之, 仁不能守之, 雖得之, 必失之.)"라고 하였다.

仁說圖

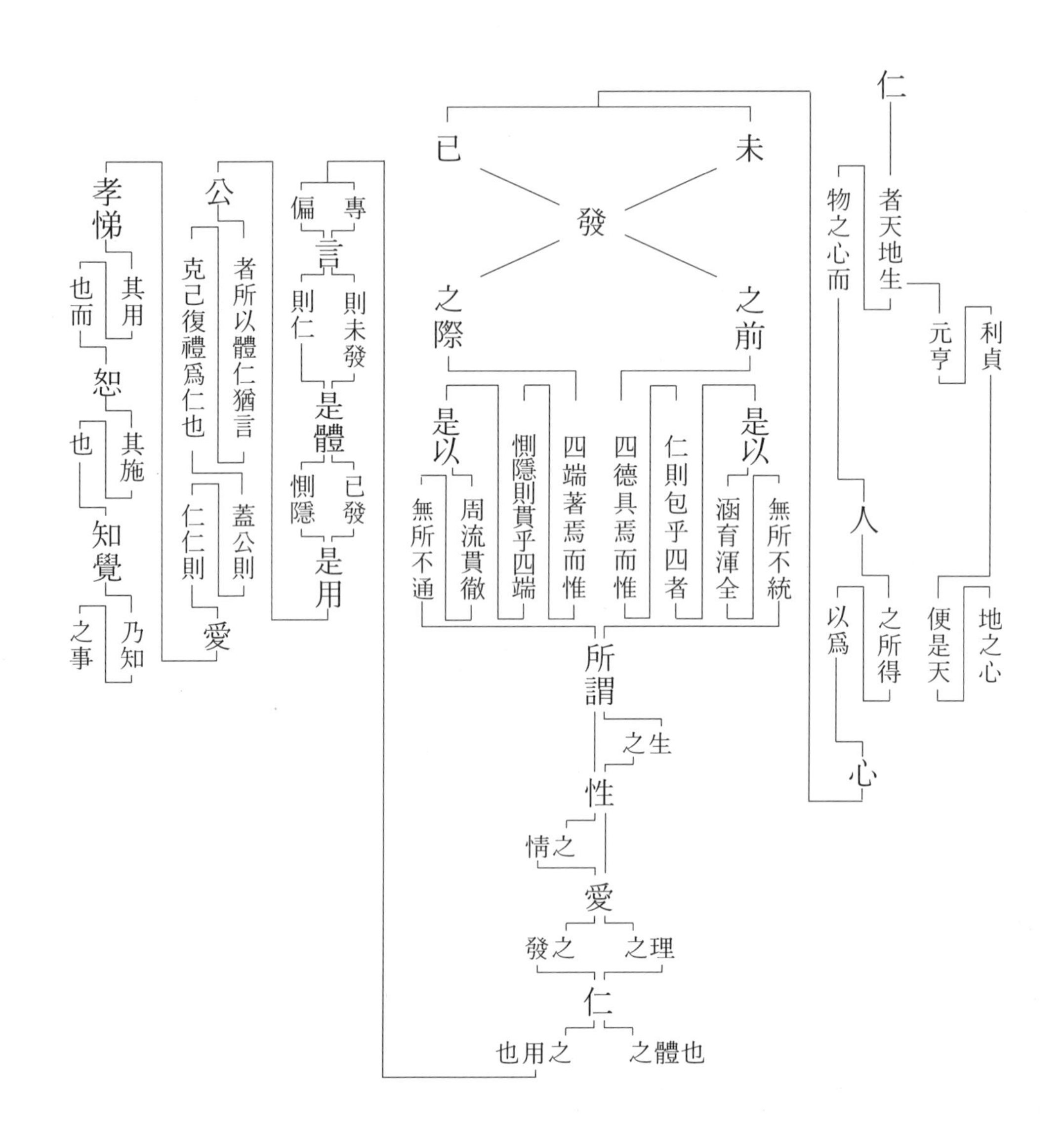

仁
者天地生
物之心而
元亨
利貞
人
之所得
以爲
心
便是天
地之心
未
之前
已
之際
發
是以
無所不統
涵育渾全
仁則包乎四者
四德具焉而惟
四端著焉而惟
惻隱則貫乎四端
周流貫徹
無所不通
是以
所謂
之生
性
情之
愛
之理
發之
仁
之體也
也用之
專
偏
言
則未發
則仁
是體
已發
惻隱
是用
公
者所以體仁猶言
克己復禮爲仁也
蓋公則
仁仁則
愛
孝悌
其用
也而
恕
其施
也
知覺
乃知
之事

인 설 도

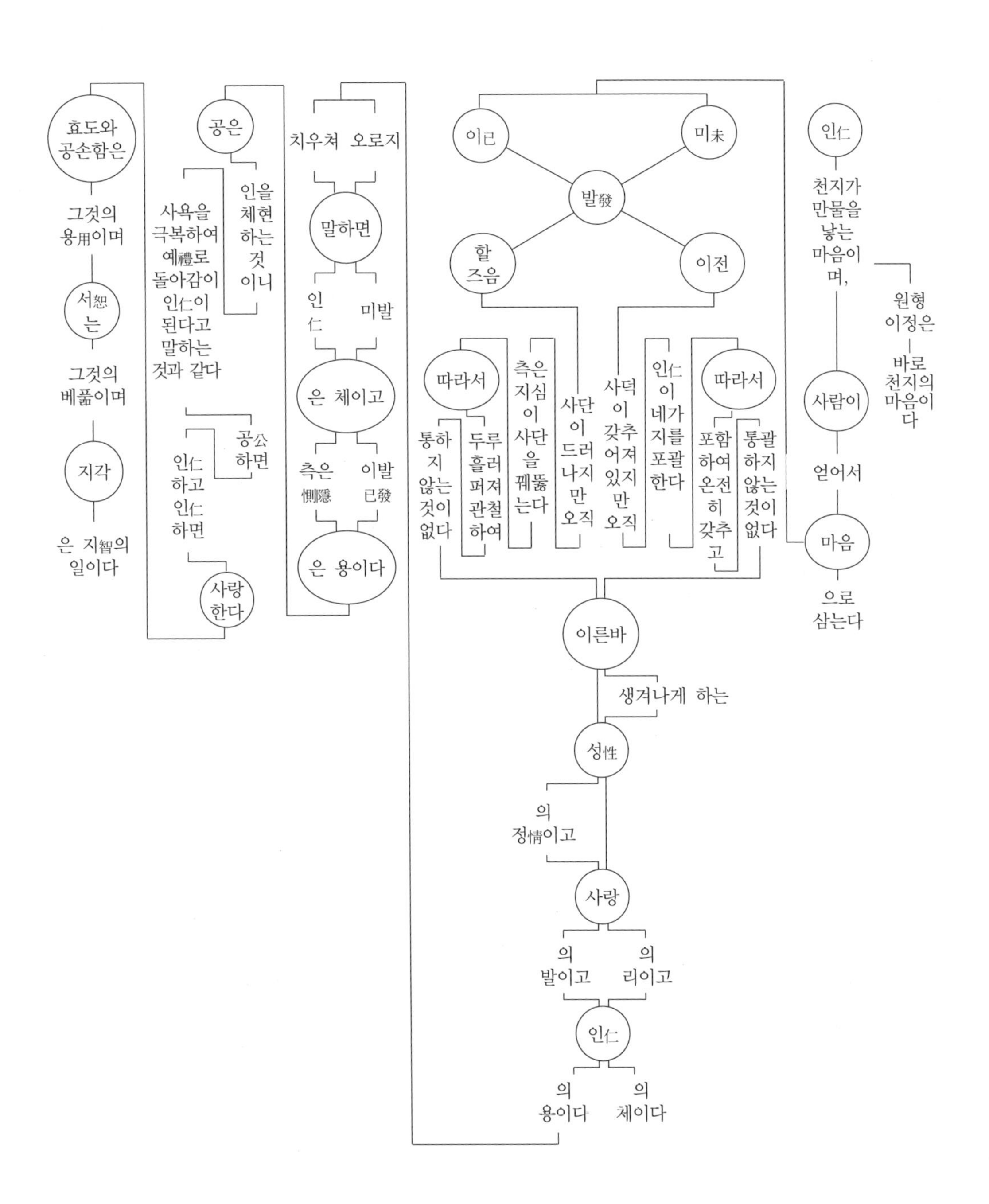

효도와 공손함은
그것의 용用이며
서恕는
그것의 베풂이며
지각
은 지智의 일이다
공은
인을 체현하는 것이니
사욕을 극복하여 예禮로 돌아감이 인仁이 된다고 말하는 것과 같다
공公하면
인仁하고 인仁하면
사랑한다
치우쳐 오로지
말하면
인仁
미발
은 체이고
측은惻隱
이발已發
은 용이다
이已
미未
발發
할 즈음
이전
따라서
통하지 않는 것이 없다
두루 흘러 퍼져 관철하여
측은지심이 사단을 꿰뚫는다
사단이 드러나지만 오직
사덕이 갖추어져 있지만 오직
인仁이 네가지를 포괄한다
따라서
포함하여 온전히 갖추고
통괄하지 않는 것이 없다
이른바
생겨나게 하는
성性
의 정情이고
사랑
의 발이고
의 리이고
인仁
의 용이다
의 체이다
인仁
천지가 만물을 낳는 마음이며,
원형이정은
바로 천지의 마음이다
사람이
얻어서
마음
으로 삼는다

[35-1-30]

問: "仁者天地生物之心."

曰: "天地之心, 只是箇生. 凡物皆是生, 方有此物. 如草木之萌芽枝葉條幹, 皆是生方有之. 人物所以生生不窮者, 以其生也. 才不生, 便乾枯死了.[99] 這箇是統論一箇仁之體."[100]

"인仁은 천지가 만물을 생겨나게 하는 마음이다."[101]라는 것에 대해 물었다.

(주자가) 말했다. "천지의 마음은 다만 생겨나게 함[生]일 뿐이다. 만물은 모두 생겨나야 비로소 그 사물이 있게 된다. 예를 들어 초목의 싹·가지·잎사귀·줄기 등은 모두 생겨나야 비로소 있게 된다. 사람과 사물이 생겨나고 생겨나 끝이 없는 것은 생겨나게 함 때문이다. 생겨나지 않는다면 곧 말라 죽는다. 이것은 인仁의 체體를 통괄하여 논한 것이다."

[35-1-31]

"仁也者, 天地所以生物之心, 而人物之所得以爲心者也. 惟其得夫天地生物之心以爲心, 是以未發之前四德具焉, 曰仁義禮智, 而仁無不統; 已發之際四端著焉, 曰惻隱羞惡辭遜是非,[102] 而惻隱之心無所不通. 此仁之體用所以涵育渾全, 周流貫徹, 專一心之妙, 而爲衆善之長也."[103]

(주자가 말했다.) "인仁은 천지가 만물을 생겨나게 하는 마음이며, 사람과 사물이 얻어서 마음으로 삼은 것이다. 오직 천지가 만물을 생겨나게 하는 마음을 얻어 마음으로 삼기 때문에, 미발未發일 때에는 사덕四德이 갖추어져, 인·의·예·지라고 하는데 인仁이 통괄하지 않음이 없고, 이발已發일 때에는 사단四端이 드러나, 측은·수오·사손辭遜·시비라고 하는데 측은지심이 통하지 않는 것이 없다. 이는 인仁의 체體와 용用이 포함하여 온전히 갖추고,[104] 두루 흘러 관철하여, 한 마음의 묘함을 오로지 하며 모든 선善의 우두머리가 되는 것이다."

[35-1-32]

問: "四德之元, 猶五常之仁, 偏言則一事, 專言則包四者."

曰: "須先識得元與仁是箇甚物事, 更就自家身上看甚麽是仁, 甚麽是義·禮·智. 旣識得這

99 便乾枯死了: '死'는 『朱子語類』 권105, 44조목에는 '殺'로 되어 있다.

100 『朱子語類』 권105, 44조목

101 仁은 천지가 … 마음이다: 『朱子語類』 권5, 31조목에는 程子의 말로 인용되었다. 『伊川易傳』 권2 「復卦」에서는 "한 陽이 아래에서 회복함은 바로 천지가 만물을 생겨나게 하는 마음이다.(一陽復於下, 乃天地生物之心也.)"라고 했다.

102 曰惻隱羞惡辭遜是非: '辭遜'은 『朱文公文集』에는 '辭讓'으로 되어 있다.

103 『朱文公文集』 권77 「克齋記」

104 포함하여 온전히 갖추고: 熊剛大는 『性理群書句解』에서 "인은 사덕을 포함하고 측은은 또한 사단을 포함하니, 포함하여 온전히 갖춘다.(仁包四德, 惻隱亦包四端, 包涵全備.)"라고 하였다.

箇, 便見得這一箇能包得那數箇.[105] 元只是初底便是, 如木之萌, 如草之芽, 其在人, 如惻然有隱, 初來底意思便是. 所以程子謂'看雞雛可以觀仁', 爲是那嫩小底便是仁底意思在."

楊道夫曰: "如先生之言, 正是程子說'復其見天地之心.' 復之初爻, 便是天地生物之心也."

曰: "今只將公所見看, 所謂'心, 譬如穀種, 生之性便是仁, 陽氣發處乃情也', 觀之便見."[106]

"사덕四德의 원元은 오상五常(仁·義·禮·智·信)의 인仁과 같으니, 편언偏言하면 한 가지 일이요, 전언專言하면 네 가지를 모두 포함한다."[107]는 것에 관해 물었다.

(주자가) 대답했다. "반드시 먼저 원元과 인仁이 어떤 것인지 알아야 하고, 나아가 스스로에게서 무엇이 인이고, 무엇이 의義·예禮·지智인지 알아야 한다. 이것을 알고 나면 이 하나[仁]가 저 몇 개를 포괄할 수 있음을 알 수 있다. 원元은 다만 처음에 생기는 것이 바로 그것이니, 예컨대 나무의 움이나 풀의 싹과 같은 것이고, 사람에게 있어서는 예컨대 가여워 아파할 때, 처음에 일어나는 생각이 바로 그것이다. 그래서 정자程子께서 '병아리를 보면 인을 볼 수 있다.'[108]고 하였으니, 그 어리고 작다고 여기는 것에 바로 인의 의미가 있기 때문이다."

양도부楊道夫[109]가 물었다. "선생님의 말씀과 같은 것은 바로 정자가 '복復에서 천지의 마음을 볼 수 있다.'[110]에 대해 설명한 것[111]입니다. 복괘의 초효는 바로 천지가 만물을 생겨나게 하는 마음입니다."

(주자가) 대답했다. "지금 다만 그대가 이해한 것은, (정자의) 이른바 '마음은 비유하자면 씨앗과 같은 것이고, 「싹을 틔워내는 성[生之性]」[112]이 바로 인仁이고, 양기陽氣가 발發하는 것이 바로 정情이다.'[113]는

105 『朱子語類』 권95, 11조목에는 이 다음에 다음과 같은 문장이 더 있다. "若有人問自家: '如何一箇便包得數箇?' 只答云: '只爲是一箇.'" 問直卿曰, "公於此處見得分明否?" 曰, "向來看康節詩, 見得這意思. 如謂'天根月窟閑來往, 三十六宮都是春', 正與程子所謂'靜後見萬物皆有春意'同. 且如這箇棹子, 安頓得恰好時, 便是仁. 蓋無乖戾, 便是生意. 窮天地亘古今, 只是一箇生意, 故曰'仁者與物無對'. 以其無往非仁, 此所以仁包四德也." 曰, "如此體仁, 便不是, 便不是生底意思. 棹子安頓得恰好, 只可言中, 不可謂之仁."

106 『朱子語類』 권95, 11조목

107 "四德의 元은 … 포함한다.": 『伊川易傳』「乾卦·彖傳」

108 '병아리를 보면 … 있다.': 『河南程氏遺書』 권3 「謝顯道記憶平日語」에는 "병아리를 보면, 여기서도 仁을 볼 수 있다.(觀雞雛, 此可觀仁.)"라고 되어 있다.

109 楊道夫(?~?): 남송 崇安사람이고 자는 仲思로, 주자의 제자로서 『易』·『詩』·『禮』를 배웠다.

110 '復에서 천지의 … 있다.': 『周易』「復卦·彖傳」

111 정자가 '復에서 … 것: 『伊川易傳』 권2에 "하나의 陽이 아래에서 회복함은 바로 천지가 만물을 생겨나게 하는 마음이다. 先儒들은 모두 靜에서 천지의 마음을 볼 수 있다고 여겼으니, 動의 단서가 바로 천지의 마음임을 알지 못한 것이다. 道를 아는 자가 아니면 누가 이것을 알겠는가?(一陽復於下, 乃天地生物之心也. 先儒皆以靜爲見天地之心, 蓋不知動之端, 乃天地之心也. 非知道者, 孰能識之?)"라고 하였고, 『河南程氏外書』 제3 「陳氏本拾遺」에는 "'復에서 천지의 마음을 볼 수 있다.'는 것은 한 마디로 개괄하면 천지는 만물을 생겨나게 하는 것을 마음으로 삼는다는 것이다.('復其見天地之心', 一言以蔽之, 天地以生物爲心.)"라고 하였다.

112 「싹을 틔워내는 성[生之性]」: 『朱子大全箚疑輯補』 권4, 권32에는 "사람과 사물이 품수받아 生하는 성(人物禀生之性)"이라고 하였다.

113 「싹을 틔워내는 … 情이다.': 『河南程氏遺書』 권18 「伊川先生語」에는 "물었다. '仁과 마음은 어떻게 다릅니까?' (정이가) 대답했다. '마음은 주관하는 곳이고, 仁은 일에 나아가 말한 것이다.' … 어떤 사람이 말했다.

것에서, 살펴보면 바로 알 수 있다."

[35-1-33]

問: "仁者, 心之德, 愛之理."

曰: "'仁者, 心之德', 猶言潤者水之德, 燥者火之德. '愛之理', 猶言木之根, 水之源. 試以此意思之."114

"인仁은 마음의 덕이고 사랑의 리이다."115라는 것에 대해 물었다.

(주자가) 대답했다. "'인은 마음의 덕'이란 젖음은 물[水]의 덕이고, 건조함은 불[火]의 덕이라고 말하는 것과 같다. '(인은) 사랑의 리'란 말은 나무[木]의 뿌리이고 물[水]의 원천이라고 하는 것과 같다. 이러한 의미로써 한번 생각해보시게."

[35-1-34]

"'仁者, 愛之理', 理是根, 愛是苗. 仁之愛, 如糖之甜, 醋之酸, 愛是那滋味."116

(주자가 말했다.) "'인仁은 사랑의 리이다.'에서 리는 뿌리이고 사랑은 싹이다. 인仁의 사랑은 사탕의 달콤함이나 식초의 시큼함과 같으니, 사랑은 그것의 맛이다."

[35-1-35]

"仁是根, 愛是苗, 不可便喚苗做根. 然而這箇苗, 却定是從那根上來."117

(주자가 말했다.) "인仁은 뿌리이고, 사랑은 싹이니, 싹을 바로 뿌리라고 할 수 없다. 그러나 이 싹은 틀림없이 뿌리로부터 나온 것이다."

[35-1-36]

"愛是惻隱, 惻隱是情, 其理則謂之仁. 心之德, 德又只是愛. 謂之心之德, 却是愛之本柄."118

'비유하자면 오곡의 씨앗이 반드시 양기를 기다려 생겨나는 것과 같습니다.' (정이가) 말했다. '옳지 않다. 양기가 발하는 곳은 情이다. 마음은 비유하자면 씨앗과 같은 것이니, 「생하는 성[生之性]」이 바로 仁이다.' (問, '仁與心何異?' 曰, '心是所主處, 仁是就事言.' … 或曰, '譬如五穀之種, 必待陽氣而生.' 曰, '非是. 陽氣發處, 却是情也. 心譬如穀種, 生之性便是仁也.')"라고 되어 있다.

114 『朱文公文集』 권60 「答曾擇之」

115 仁은 마음의 … 리이다.: 『論語』「學而」에서의 "효와 제는 그 仁을 행하는 근본일 것이다.(孝弟也者, 其爲仁之本與.)"의 집주와 『孟子』「梁惠王上」에서의 "맹자가 대답했다. '왕은 하필 利를 말씀하십니까? 또한 仁義가 있을 뿐입니다.'(孟子對曰, '王何必曰利, 亦有仁義而已矣.')"의 집주에 보인다.

116 『朱子語類』 권20, 87조목

117 『朱子語類』 권20, 88조목

118 『朱子語類』 권6, 78조목

(주자가 말했다.) "사랑은 측은이고, 측은은 정情이며, 그 리理는 인仁이라고 한다. 마음의 덕에서 덕은 또 다만 사랑이다. 마음의 덕이라고 하면 도리어 사랑의 근본이다."

[35-1-37]

"'心之德'是統言, '愛之理'是就仁義禮智上分說. 如義便是宜之理, 禮便是別之理, 智便是知之理. 但理會得愛之理, 便理會得心之德."

又曰 : "愛雖是情, 愛之理是仁也. 仁者, 愛之理 ; 愛者, 仁之事. 仁者, 愛之體 ; 愛者, 仁之用.[119] 愛是箇動物事, 理是箇靜物事.[120] 理便是性, 緣裏面有這愛之理, 所以發出來無不愛. 程子曰, '心, 如穀種, 其生之性, 乃仁也.'[121] 生之性便是愛之理."[122]

(주자가 말했다.) "'마음의 덕'은 통괄해서 말한 것이고, '사랑의 리'는 인·의·예·지에 나아가 나누어 말한 것이다. 의는 바로 마땅함의 리理이고, 예는 바로 구별의 리이며, 지智는 바로 앎知의 리인 것과 같다. 다만 사랑의 리를 이해할 수 있으면 바로 마음의 덕을 이해할 수 있다."

(주자가) 또 말했다. "사랑은 비록 정情이지만 사랑의 리는 인仁이다. 인은 사랑의 리이고, 사랑은 인의 일이다. 인은 사랑의 체體이고, 사랑은 인의 용用이다. 사랑은 움직이는 것이고, 리는 고요한 것이다. 리는 성性이니, 내면에 이 사랑의 리가 있기 때문에, 우러나오는 것은 사랑하지 않음이 없는 것이다. 정자가 '마음은 씨앗과 같은 것이니, 「싹을 틔워내는 성[生之性]」이 바로 인이다.'라고 했으니, 싹을 틔워내는 성이 바로 사랑의 리이다."

[35-1-38]

問 : "渾然無私, 便是'愛之理' ; 行仁而有得於己, 便是'心之德'否?"

曰 : "如此解釋文義亦可, 但恐本領上未透徹爾."[123]

물었다. "전혀 사사로움이 없는 것이 '사랑의 리'이며, 인仁을 행하여 자신에게 얻어진 것이 '마음의 덕'입니까?"

(주자가) 대답했다. "이와 같이 해석하면 글의 뜻에는 또한 괜찮지만, 본래의 뜻[本領]에는 아직 잘 맞지 않은 것 같다."

119 '心之德'是統言, … 愛者, 仁之用 : 『朱子語類』 권20, 100조목

120 愛是箇動物事. 理是箇靜物事. : 『朱子語類』 권20, 제98조목에는 이 앞에 "問 '心之德, 愛之理.' 曰"이 있다.

121 心, 如穀種, 其生之性, 乃仁也. : 『河南程氏遺書』 권18 「伊川先生語」에는 '心譬如穀種, 生之性便是仁也.'라고 되어 있다.

122 『朱子語類』 권20, 110조목에는 "問 '愛之理, 心之德.' 曰, '理便是性. 緣裏面有這愛之理, 所以發出來無不愛. 程子曰, 「心如穀種, 其生之性, 乃仁也.」 生之性, 便是「愛之理」也.'"로 되어 있다.

123 『朱子語類』 권20, 111조목

[35-1-39]

又問[124]: "一性禀於天, 而萬善皆具. 仁義禮智, 所以分統萬善而合爲一性者也. 方'寂然不動', 此理完然, 是爲性之本體. 及因事感發而見於中節之時, 則一事所形, 一理隨著, 一理之當, 一善之所由得. 仁固性也, 而見於事親從兄之際, 莫非仁之發也. 有子謂孝弟行仁之本, 說者於是以愛言仁, 而愛不足以盡之. 以心喻仁, 而心實宰之. 必曰'仁者愛之理', 然後仁之體明; 曰'仁者心之德', 然後仁之用顯. 學者識是'愛之理', 而後可以全此'心之德', 如何?"

曰: "大意固如此, 然說得未明. 只看文字意脉不接續處, 便是見得未親切."

曰: "莫是不合分體用言之否?"

曰: "然. 只是一箇心, 便自具了仁之體用. 喜怒哀樂未發處是體, 發於惻隱處便却是情."

또 물었다. "하나의 성性은 하늘에서 품부 받아, 만 가지 선善을 모두 갖추고 있습니다. 인·의·예·지는 만 가지 선을 나누어 통괄하며, 합하여 하나의 성性이 되는 것입니다. '고요히 움직이지 않을[寂然不動]'[125] 때에 이 리理가 완전하여 성性의 본체가 됩니다. 일에 따라 감발感發하여 절도에 맞게 드러날 때에 한 가지 일이 생겨나면 '하나의 리[一理]'가 따라서 나타나니, '하나의 리[一理]'의 마땅함에서, 하나의 선善이 그로부터 얻어지게 되는 것입니다. 인仁은 진실로 성性이지만, 어버이를 섬기고 형을 따를 때에 드러나는 것은 인의 발현이 아닌 것이 없습니다. 유자有子가 효와 공손함을 인을 행하는 근본[126]이라고 말했는데, (뒤에) 이야기하는 자들이 여기에 근거하여 사랑을 인이라고 말하였지만, 사랑은 (인의 의미를) 다하기에 충분하지 않습니다. 마음으로써 인을 설명하는데, 마음이 실제로 그것을 주재하는 것입니다. 반드시 '인은 사랑의 리이다'라고 말해야 하니, 그런 후에야 인의 체體가 밝혀지고, '인은 마음의 덕이다'라고 말해야 하니, 그런 후에야 인의 용用이 드러납니다. 배우는 자들은 '사랑의 리'를 알고 난 후에 이 '마음의 덕'을 온전히 할 수 있는 것이니, (이와 같이 설명하면) 어떠합니까?"

(주자가) 대답했다. "대의는 진실로 이와 같지만, 설명이 아직 분명하지 않다. 문장의 의미 맥락이 이어지지 않은 곳을 보니, 아직 매끄럽지 못한 것을 알 수 있다."

물었다. "체體와 용用을 나누어 말한 것이 합당치 못한 것 아닙니까?"

(주자가) 대답했다. "그러하다. 다만 하나의 마음에 본래 인의 체와 용을 갖추었다. 희노애락이 미발未發한 곳이 체이고, 측은함으로 발현된 것이 정情이다."

124 又問: 『朱子語類』 권20, 111조목에는 '謨退而講曰'로 되어 있다. 여기에 따르면 질문자는 周謨(1141~1202)로 남송 會稽 사람이며 자는 舜臣이다.

125 '고요히 움직이지 않을[寂然不動]': 『周易』「繫辭上」 10장

126 有子가 효와 … 근본: 『論語』「學而」에 "有子가 말하였다. '그 사람됨이 효성스럽고 공손하면서 윗사람을 범하기를 좋아하는 자는 드무니, 윗사람을 범하기를 좋아하지 않고서 亂을 일으키기를 좋아하는 자는 있지 않다. 군자는 근본에 힘쓰니, 근본이 확립되면 道가 생겨나는 것이다. 孝와 공손함[弟; 悌]은 인을 행하는 근본일 것이다.'(有子曰, '其爲人也孝弟, 而好犯上者鮮矣, 不好犯上, 而好作亂者未之有也. 君子務本, 本立而道生. 孝弟也者, 其爲仁之本與.')"라고 하였다.

因擧天地萬物同體之意, 極問其理.

曰 : "須是近裏著身推究, 未干天地萬物事也. 須知所謂'心之德'者, 卽程先生穀種之說, 所謂'愛之理'者, 則正謂仁是未發之愛, 愛是已發之仁爾. 只以此意推之, 不須外邊添入道理. 若於此處認得'仁'字, 卽不妨與天地萬物同體. 若不會得, 便將天地萬物同體爲仁, 却轉無交涉矣.[127] 孔門之敎, 說許多仁, 却未曾正定說出. 蓋此理直是難言, 若立下一箇定說, 便該括不盡. 且只於自家身分上體究, 久之自然通達. 程子謂'四德之元, 猶五常之仁, 偏言則一事, 專言則包四者', 須是統看仁如何却包得數者, 又却分看義禮智信如何亦謂之仁. 大抵於仁上見得盡. 須知發於剛果處亦是仁, 發於辭遜是非亦是仁, 且欵曲硏究, 識盡全體. 正猶觀山所謂'橫看成嶺, 直看成峯', 若自家見他不盡, 初謂只是一嶺, 及少時又見一峯出來, 便是未曾盡見全山, 到底無定據也."[128]

이어서 천지만물이 한 몸[同體]이라는 의미를 거론하면서, 그 이치를 끝까지 물었다.

(주자가) 대답했다. "(인을) 가까이 내 몸에서 추구해야 하는 것이지, 아직은 천지만물의 일에 관련지을 것이 아니다. 이른바 '마음의 덕'은 정선생程先生[程頤]의 씨앗[穀種]에 관한 설[129]이고, 이른바 '사랑의 리'는 인仁이 미발未發한 사랑이며 사랑은 이발已發한 인이라고 말한 것을 반드시 알아야 한다. 다만 이런 의미로 미루어나가면, 바깥에서 도리를 더 보태어 넣을 필요가 없다. 만일 여기에서 '인'을 안다면, 천지만물과 한 몸[同體]이라고 말하는 것이 무방하다. 만일 이해하지 못한다면 천지만물이 한 몸[同體]임을 인이라고 해도 도리어 아무런 관련이 없게 된다. 공자 문하의 가르침에서 인을 말한 것이 많지만 곧바로 (인을) 단정하여 말한 적이 없었다. 아마도 이 이치는 곧바로 말하기 어렵기 때문일 것이니, 만일 하나의 정의를 내린다면 곧 다 포괄하지 못하게 된다. 또 다만 자신의 몸에서 몸소 궁구하면 오래 지나서 저절로 통달하게 된다. 정자程子[程頤]가 '사덕四德의 원元은 오상五常(仁·義·禮·智·信)의 인仁과 같으니, 편언偏言하면 한 가지 일이고, 전언專言하면 네 가지를 모두 포함한다.'[130]고 말했으니, 반드시 인이 어떻게 여러 가지 것들을 포괄할 수 있는 지 총괄하여 보아야 하고, 또 의·예·지·신이 어떻게 또한 인이라고 하는지 나누어 보아야 한다. 대체로 인에서 다 볼 수 있다. 굳세고 과단성 있음으로 발현하는 것 또한 인임을 알아야 하고, 사양함과 시비를 분별함으로 발현하는 것 또한 인임을 알아야 하며, 또 두루 자세히 연구하여 전체를 다 알아야 한다. 바로 (소식이) 산을 바라보면서 이른바 '가로로 보면 산줄기가 되고 세로로 보면 봉우리가 된다.'[131]는 것과 같은 것인데, 스스로 산을 다 보지 못하면 처음에는 다만 하나의 산줄기

127 須知所謂'心之德'者, … 却轉無交涉矣. : 『朱文公文集』 권50 「答周舜弼 5」에도 비슷한 내용이 실려 있다.

128 『朱子語類』 권20, 111조목

129 씨앗[穀種]에 관한 설 : 『河南程氏遺書』 권18 「伊川先生語」에는 "마음은 비유하자면 씨앗과 같은 것이니, '생하는 성[生之性]'이 바로 仁이다.(心譬如穀種, 生之性便是仁也.)"라고 하였다. [35-1-33]과 [35-1-37]을 참고할 것

130 '四德의 元은 … 포함한다.' : 『伊川易傳』 「乾卦 · 彖傳」

131 '가로로 보면 … 된다.' : 소동파의 시 「題西林壁」으로, 『東坡全集』 권13에 보인다. "가로로 보면 산줄기가 되고 곁에서는 봉우리가 되니, 멀고 가깝고 높고 가까워 하나도 같은 것이 없구나, 여산의 본래 모습을

일 뿐이라고 하다가, 조금 지나 또 한 봉우리를 보게 되니, 이것은 온 산을 다 보지 못하여, 결국 일정한 근거지가 없게 되는 것이다."

[35-1-40]

問[132]: "'仁者以天地萬物爲一體', 此卽人物初生時驗之可見. 人物均受天地之氣而生, 所以同一體. 如人兄弟異形, 而皆出父母胞胎, 所以皆當愛. 故推老老之心則及人之老, 推幼幼之心則及人之幼. 惟仁者其心公溥, 實見此理, 故能以天地萬物爲一體否?"

물었다. "'인仁한 사람은 천지만물을 한 몸으로 삼는 것이다.'[133] 라고 했는데, 이는 사람과 사물이 처음 생겨날 때에서 그것을 증험해보면 알 수 있는 것입니다. 사람과 사물은 모두 천지의 기氣를 받아서 생겨나므로, 똑같이 한 몸이 되는 것입니다. 예컨대 사람에게서 형과 동생이 모습은 다르지만 모두 부모의 태에서 나온 것이므로, 모두 마땅히 사랑해야하는 것입니다. 그러므로 (나의) 늙은이를 늙은이로 대하는 마음을 미루어나가면 남의 늙은이에게까지 미치게 되고, (나의) 어린이를 어린이로 대하는 마음을 미루어나가면 남의 어린이에게까지 미치게 됩니다. 오직 인仁한 사람만이 그 마음이 공정하고 넓어서 이 리理를 실제로 보므로, 천지만물을 한 몸으로 여길 수 있는 것입니까?"

曰: "人與萬物均受此氣, 均受此理,[134] 所以皆當愛, 便是不如此. '愛'字不在同體上說, 自不屬同體事, 他那物事自是愛. 這箇是說那無所不愛了, 方能得同體. 若愛則是自然愛, 不是同體了方愛. 惟其同體, 所以無所不愛. 所以愛者, 以其有此心也. 所以無所不愛者, 以其同體也. '仁者愛之理', 只是愛之道理, 猶言'生之性.' 愛則是理之見於用者也. 蓋仁, 性也, 性只是理而已. 愛是情, 情則發於用. 性者指其未發, 故曰'仁者愛之理'. 情卽已發, 故曰'愛者仁之用.'"[135]

(주자가) 대답했다. "사람과 만물은 똑같이 이 기氣를 받고, 똑같이 이 리理를 받았으므로, 모두 마땅히 사랑해야 된다는 것은 곧 그렇지 않다. '사랑'이라는 말은 '한 몸[同體]'에서 말한 것이 아니고, 본래 '한 몸'의 일에 속하지도 않으니, 그것 자체가 본래 사랑이다. 이것은 무엇이건 사랑하지 않음이 없어야 비로소 '한 몸'일 수 있다는 것을 말하는 것이다. 만약 사랑하게 되면 자연히 사랑하는 것[136]이지, '한

알 수 없으니, 다만 몸이 이 산 속에 있기 때문이다.(橫看成嶺側成峯, 遠近高低無一同, 不識廬山眞面目, 只緣身在此山中.)"라고 하였다.

132 問:『朱子語類』권33, 89조목에는 問 앞에 '林安卿'이 있다.

133 '仁한 사람은 … 것이다.':『河南程氏遺書』권2;『二程粹言』「論道」

134 均受此理:『朱子語類』권33, 89조목에는 '受'가 '得'으로 되어 있다.

135 問: "'仁者以天地萬物爲一體.' … 所以無所不愛者, 以其同體也.는『朱子語類』권33, 89조목의 글이고, 仁者愛之理, 只是愛之道理. … 情卽已發, 故曰愛者仁之用.은『朱子語類』권20, 86조목의 글이다.

136 자연히 사랑하는 것:『朱子語類考文解義』제7에는 '자연히 사랑하는 것[自然愛]'에 "유독 한 사람만이다.(單獨一人也.)"라고 하여, 이때의 사랑을 '한 몸[同體]'으로서 '사랑하지 않음이 없는 것(無所不愛)'과 구별을 두고 있다.

몸'이어서 비로소 사랑하게 되는 것이 아니다. 오직 그 '한 몸'이라야만 사랑하지 않는 것이 없게 된다. 사랑을 하는 까닭은 이 마음이 있기 때문이다. 사랑하지 않은 것이 없는 까닭은 그 '한 몸' 때문이다. '인仁은 사랑의 리理이다.'라는 것은 다만 사랑의 도리이니, '생겨나게 하는 성[生之性]'이라고 말하는 것과 같다. 사랑은 이 리가 용用에서 드러난 것이다. 인은 성性이고, 성은 다만 리일 뿐이다. 사랑은 정情이고, 정은 용에서 발한다. 성은 그것이 미발未發한 것을 가리킨 것이므로 '인은 사랑의 리이다.'라고 하였다. 정은 이발已發한 것이므로 '사랑은 인의 용이다.'이라고 하였다."

[35-1-41]

問[137]: "仁者愛之理."

曰: "這一句只將心性情看便分明. 一身之中, 渾然自有箇主宰者, 心也. 有仁義禮智, 則是性. 發爲惻隱羞惡辭遜[138]是非, 則是情. 惻隱, 愛也, 仁之端也. 仁是體, 愛是用."

又曰: "'愛之理', 愛自仁出也. 然亦不可離了愛去說仁."

"인은 사랑의 리이다."에 대해 물었다.

(주자가) 대답했다. "이 한 구절은 다만 심心·성性·정情을 연관시켜 보아야만 분명하다. 한 몸 가운데 혼연히 저절로 주재하는 것은, 심心이다. 인·의·예·지가 있는 것은, 바로 성性이다. 발하여 측은·수오·사양[辭遜]·시비가 된 것은, 바로 정情이다. 측은은 사랑이고, 인의 단서이다. 인은 체體이고 사랑은 용用이다."

(주자가) 또 말했다. "'(인은) 사랑의 리'에서 사랑은 인으로부터 나오는 것이다. 그러나 또한 사랑을 떠나서 인을 이야기할 수는 없다."

問: "韓愈'博愛之謂仁'."

曰: "是指情爲性了."

問: "周子說'愛曰仁', 與博愛之說如何?"

曰: "'愛曰仁', 猶曰'惻隱之心, 仁之端也', 是就愛處指出仁. 若'博愛之謂仁', 之謂, 便是把博愛做仁了, 終不同."[139]

한유韓愈[140]의 '널리 사랑함을 인이라고 한다.'[141]는 것에 대해 물었다.

137 問: 『朱子語類』 권20, 90조목에는 問 앞에 '仁父'가 있다.

138 辭遜: 辭讓. 宋英宗의 생부인 濮安懿王 趙允讓의 讓을 피하여 遜으로 대용한 것이다.

139 『朱子語類』 권20, 90조목

140 韓愈(768~824): 당나라 河南河陽 사람으로, 자는 退之이고, 昌黎先生으로도 불렸다. '唐宋八大家' 가운데 한 사람으로 고문운동을 주도하는 등 송나라 이후의 道學의 선구자가 되었다. 저서에 『昌黎先生集』 40권과 『外集』 권10 『遺文』 권1 등이 있다.

141 '널리 사랑함을 … 한다.': 『昌黎先生集』「原道」

(주자가) 대답했다. "이는 정을 가리켜 성이라고 한 것이다."
물었다. "주자周子[周敦頤]가 말한 '사랑을 인이라고 한다.'[142]는 것은 (한유의) 널리 사랑함이라는 주장[143]과 어떤 관계입니까?"
(주자가) 대답했다. "'사랑은 인이다.'라는 것은 '측은지심은 인의 단서이다'라고 말하는 것과 같으니, 사랑에서 인을 지적해낸 것이다. '널리 사랑함을 인이라고 한다.'에서 '…을 이라고 한다[之謂]'는 것은, 곧 널리 사랑함을 인으로 간주한 것이니, 결국 ('사랑은 인이다.'와) 같지 않다."

[35-1-42]

"以生字說仁, 生自是上一節事. 當來天地生我底意, 我而今須要自體認得. 試自看一箇物堅硬如頑石, 成甚物事! 此便是不仁. '藹乎若春暘之溫,[144] 汎乎若醴酒之醇', 此是形容仁底意思."[145]

(주자가 말했다.) "생生이라는 의미로 인을 설명하니, 생生은 본래 생겨나기 이전 단계의 일이다. 처음에 천지가 나를 생겨나게 한 뜻을 내가 지금 반드시 스스로 체인해야 한다. 생각건대 돌처럼 단단한 것이 무엇을 이루겠는가! 이것이 바로 불인不仁이다. '성대함이 봄볕의 따뜻함과 같고, 은은함이 단 술의 순수함과 같다.'[146]라고 한 것이 인의 의미를 형용한 것이다."

[35-1-43]

"仁是根, 惻隱是萌芽. 親親·仁民·愛物, 便是推廣到枝葉處."[147]

(주자가 말했다.) "인은 뿌리이고 측은은 싹이다. 친족을 친애하는 것과 남을 사랑하는[仁] 것과 사물을 아끼는 것[148]은, 바로 가지와 잎까지 미루어 넓힌 것이다."

142 '사랑을 인이라고 한다.' : 『周元公集』 권1 「誠幾德」 제3장
143 널리 사랑함이라는 주장 : 『昌黎先生集』「原道」
144 藹乎若春暘之溫 : 『朱子語類』 권6, 87조목에는 '暘'이 '陽'으로 되어 있다.
145 『朱子語類』 권6, 87조목. 이 문장 바로 앞에 "인은 온화하고 유연한 것이다. 노자가 말하길 '유약한 것은 생의 무리이고, 굳세고 강한 것은 죽음의 무리이다'라고 했는데, 이해한 것이 옳다. 돌에서 어떤 것이 나오겠는가!(仁是箇溫和柔軟底物事. 老子說 : '柔弱者, 生之徒 ; 堅强者, 死之徒.' 見得自是. 看石頭上如何種物事出!)"가 연결되어 있다.
146 '성대함이 봄볕의 … 같다.' : 『朱文公文集』 권77 「克齋記」에는 "어느 날 아침에 환하게 사람의 욕심이 다 사라지고 이치가 순수해지면, 가슴 속에 보존된 것들이, 어찌 순수하게 천지가 사물을 생겨나게 하는 마음이 아니겠으며, 성대함이 봄볕의 따뜻함과 같지 않겠는가?(以至於一旦豁然欲盡而理純, 則其胸中之所存者, 豈不粹然天地生物之心, 而藹然其若春陽之溫哉?)"라고 하였다. 『性理群書句解』에서는 '藹然其若陽春之溫哉'를 "따뜻한 것이 마치 봄이 만물을 기르는 것과 같도다!(溫溫乎其如陽春之育物耶!)"라고 풀이했다.
147 『朱子語類』 권6, 112조목
148 친족을 친애하는 … 것 : 『孟子』「盡心上」

[35-1-44]

問: "伊川云, '萬物之生意最可觀.'"

曰: "物之初生, 其本未遠, 好看. 及幹成葉茂, 不好看. 如赤子入井時, 惻隱怵惕之心, 只些子仁, 見得時却好看. 到得發政施仁, 其仁固廣, 便看不見得何處是仁."[149]

물었다. "이천伊川[程頤]이 '만물의 생의生意가 가장 볼 만하다.'[150]라고 했습니다."

(주자가) 대답했다. "사물이 처음 생겨날 때에는 그 근본이 멀지 않아 (생의를) 보기가 좋다. 줄기가 이루어지고 잎사귀가 무성해지면 보기가 좋지 않다. 예를 들어 갓난아기가 우물에 빠져 들어가려고 할 때, 깜짝 놀라고 측은해하는 마음은 다만 조금의 인仁일뿐이지만, (그것을) 보았을 때에는 보기가 좋다. (훌륭한) 정치를 펼쳐 인을 베풂[151]에 이르게 되면, 그 인이 진실로 넓어지나, 어느 곳이 인인지 알 수가 없다."

[35-1-45]

"萬物之生, 天命流行. 自始至終, 無非此理. 但初生之際, 淳粹未散, 尤易見爾. 只如元·亨·利·貞皆是善, 而元則爲善之長, 亨利貞皆是那裏來. 仁·義·禮·智亦皆善也, 而仁則爲萬善之首, 義·禮·智皆從這裏出爾."[152]

(주자가 말했다.) "만물이 생겨나는 것은 천명이 유행流行하는 것이다. 처음부터 끝까지 이러한 이치가 아님이 없다. 다만 처음 생길 때에는 순수하고 아직 흩어지지 않아, 더욱 보기 쉬울 뿐이다. 예컨대

149 『朱子語類』 권95, 62조목

150 '만물의 生意가 … 만하다.': 『河南程氏遺書』 권11 「師訓」

151 (훌륭한) 정치를 … 베풂: 『孟子』「梁惠王上」에 "지금 왕께서 정치를 펼쳐 仁을 베풀어 천하에 벼슬하는 자들이 모두 왕의 조정에서 벼슬하려고 하며, 경작하는 자들이 모두 왕의 들에서 경작하려고 하며, 장사꾼들이 모두 왕의 시장에 물건을 저장하려고 하며, 여행하는 자들이 모두 왕의 길에 나아가고자 하게 한다면, 천하에 자기 임금을 미워하는 자들이 모두 왕에게 달려와 하소연하고자 할 것이니, 이와 같으면 누가 이것을 막겠습니까?(今王發政施仁, 使天下仕者皆欲立於王之朝, 耕者皆欲耕於王之野, 商賈皆欲藏於王之市, 行旅皆欲出於王之塗, 天下之欲疾其君者皆欲赴愬於王. 其若是, 孰能禦之?)"라고 하였고, 『孟子集註』에는 이 구절에 대해 "'정치를 펼쳐 인을 베풂'은 천하에 왕 노릇 하는 것의 근본이다.(發政施仁, 所以王天下之本也.)"라고 주해했다. 「梁惠王下」에는 "옛적에 文王이 岐周를 다스릴 때, … 늙어서 아내가 없는 것을 홀아비[鰥]라고 하고, 늙어서 남편이 없는 것을 과부[寡]라 하고, 늙어서 자식이 없는 것을 獨이라 하고, 어려서 부모가 없는 것을 고아[孤]라고 하니, 이 네 가지는 천하의 곤궁한 백성으로서 하소연할 곳이 없는 자들입니다. 文王은 정치를 펼쳐 仁을 베푸실 때 반드시 이 네 사람들을 먼저 하였습니다.(昔者文王之治岐也, … 老而無妻曰鰥. 老而無夫曰寡. 老而無子曰獨. 幼而無父曰孤. 此四者, 天下之窮民而無告者. 文王發政施仁, 必先斯四者.)"라고 하였다.

152 『朱子語類』 권95, 63조목. 『朱子語類』에는 이 문장 앞에 "問, '「萬物之生意最可觀, 此『元者善之長也』, 斯所謂仁也.」 此只是先生向所謂'初'之意否?' 曰, (물었다. '(정자의) 「만물의 生意가 가장 볼 만하다. 이는 (『周易』에서) 『元이 선의 으뜸이다』인 것이니 이것이 이른바 인이다.」(『河南程氏遺書』 권11 「師訓」)는 말은 다만 선생께서 지난번에 말씀하신 「처음」이라는 의미입니까?' (주자가) 대답했다.)"라는 말이 있다.

원·형·이·정은 모두 선이지만 원元은 선의 으뜸이고, 형·이·정은 모두 그 속에서 나오는 것과 같을 뿐이다. 인·의·예·지 또한 모두 선이지만 인은 모든 선의 으뜸이고, 의·예·지는 모두 이 속에서 나오는 것일 뿐이다."

[35-1-46]

"仁自是箇和柔底物事. 譬如物之初生, 自較和柔, 及至夏間長茂, 方始稍堅硬, 秋則收結成實, 冬則斂藏. 然四時生氣無不該貫. 如程子說生意處, 非是說以生意爲仁. 只是說生物皆能發動, 死物則都不能. 譬如穀種, 蒸殺則不能生也."

又曰: "以穀種譬之, 一粒穀春則發生, 夏則成苗, 秋則結實, 冬則收藏, 生意依舊包在裏面. 每箇穀子裏, 有一箇生意藏在裏面, 種而後生也. 仁義禮智亦然."

又曰: "仁與禮, 自是有箇發生底意思, 義與智自是有箇收斂底意思."[153]

(주자가 말했다.) "인은 본래 온화하고 부드러운 것이다. 비유컨대 사물이 처음 생겨날 때에는 본래 비교적 온화하고 부드럽지만, 여름에 무성하게 자라게 되면 비로소 조금씩 단단해지고, 가을에는 열매를 맺어 거두어들이며, 겨울에는 저장한다. 그러나 사계절에 생기生氣가 모두 다 관통하지 않음이 없다. 예를 들어 정자程子가 (만물의) 생의生意를 말한 곳[154]은 생의生意를 인이라고 말한 것은 아니다. 다만 살아있는 것은 모두 생동[發動]할 수 있고, 죽은 것은 모두 그렇게 할 수 없음을 말한 것이다. 비유컨대 씨앗은 증기의 열로 찌면 싹을 틔울 수[生] 없는 것과 같다."

(주자가) 또 말했다. "씨앗으로써 비유하면, 한 알의 곡식이 봄에는 발생하고, 여름에는 모가 이루어지며, 가을에는 열매를 맺고, 겨울에는 거두어들여 저장하니, 생의生意가 여전히 내포되어 있다. 모든 씨앗 속에 생의가 내재되어 있어, 심고 나면 생겨난다. 인·의·예·지도 또한 그러하다."

(주자가) 또 말했다. "인과 예는 본래 발생하는 뜻을 가지고 있다. 의와 지는 본래 수렴하는 뜻을 가지고 있다."

[35-1-47]

或問: "仁有生意, 如何?"

曰: "只此生意. 心是活物, 必有此心, 乃能知辭遜; 必有此心, 乃能知羞惡; 必有此心, 乃能知是非. 此心不生, 又烏能辭遜·羞惡·是非! 且如春之生物也, 至於夏之長, 則是生者長; 秋之遂, 亦是生者遂; 冬之成, 亦是生者成也. 百穀之熟, 方及七八分, 若斬斷其根, 則生者喪矣, 其穀亦只得七八分. 若生者不喪, 須及十分. 收而藏之, 生者似息矣, 只明年種之, 又復有生."[155]

어떤 사람이 물었다. "인에 생의生意가 있다는 것은 무슨 의미입니까?"

153 『朱子語類』 권20, 91조목

154 生意를 말한 곳: 『河南程氏遺書』 권11 「師訓」. 이에 대한 주자의 견해는 [35-1-44]와 [35-1-45]를 참고

155 『朱子語類』 권20, 109조목

(주자가) 대답했다. "다만 생의生意일 뿐이다. 마음[心]은 살아있는 것이니, 반드시 이 마음이 있어야 사양[辭遜]할 줄 알 수 있고, 반드시 이 마음이 있어야 수오羞惡할 줄 알 수 있으며, 반드시 이 마음이 있어야 시비를 가릴 줄 알 수 있다. 이 마음이 살아 있지 않으면 또 어찌 사양·수오羞惡·시비是非를 할 수 있겠는가! 예를 들면 봄에 만물이 생겨나고, 성장하는 여름에 이르면 생겨난 것이 성장하고, 여무는 가을에 이르면 생겨난 것이 여물고, 완성되는 겨울에 이르면 생겨난 것이 완성된다. 백곡이 익은 것이 7~8할 정도 되었을 때 만일 그 뿌리를 베어 절단한다면 생겨나는 것은 손상될 것이고 그 곡식도 역시 다만 7~8할 정도만 얻을 수 있을 뿐이다. 만일 생겨나는 것이 손상되지 않는다면 (얻는 것이) 틀림없이 10할에 이르게 될 것이다. 거두어들여 저장하면 생겨나는 것은 마치 종식된 것과 같지만 다만 다음해에 심기만 하면 다시 생겨남이 있게 된다."

[35-1-48]

問："曩者論仁包四者，蒙教以初底意思看仁. 昨觀『孟子』四端處，似頗認得此意."

曰："如何?"

曰："仁者生之理，而動之機也. 惟其運轉流通，無所間斷，故謂之仁，故能貫通四者."

曰："這自是難說，他自活. 今若恁地看得來，只見得一邊. 只見得他用處，不見他體了."

물었다. "지난번에 인이 네 가지를 포괄한다고 논할 적에, 처음이라는 생각으로 인을 보라[156]고 가르쳐 주셨습니다. 어제 『맹자』에 나오는 사단四端을 보았는데, 마치 이 뜻을 잘 알 수 있을 것 같았습니다."

(주자가) 말했다. "어떤 것인가?"

말했다. "인은 생겨남[生]의 리理이자, 움직임의 기틀[機]입니다. 오직 그 운행하고 유통流通하여 잠시도 끊어짐이 없으므로, 인仁이라고 하며, 그러므로 네 가지를 관통할 수 있는 것입니다."

(주자가) 말했다. "이는 본래 설명하기 어려운 것이니, 그것은 본래 살아 있는 것이다. 지금 만일 이렇게 본다면 다만 한쪽 면만을 본 것이다. 다만 그것의 용用의 측면만 본 것이고, 그것의 체體를 보지 못한 것이다."

問："生之理便是體否?"

曰："若要見得分明，只看程先生說'心譬如穀種，生之性便是仁'，便分明. 若更要眞實識得仁之體，只看夫子所謂'克己復禮'，克去己私，如何便喚得做仁."

曰："若如此看，則程子所謂'公'字，愈覺親切."

曰："'公'也只是仁底殼子，盡他未得在. 畢竟裏面是箇甚物事? '生之性'，也只是狀得仁之體."[157]

물었다. "생겨남[生]의 리理가 바로 체體입니까?"

(주자가) 대답했다. "만일 분명하게 알려면, 다만 정선생程先生[程頤]이 '마음은 비유하자면 씨앗과 같은

156 처음이라는 생각으로 … 보라 : [35-1-32]를 참고

157 『朱子語類』 권95, 12조목

것이고, 생生하는 성性[生之性]이 바로 인이다.'[158]라고 말한 것을 보면 곧 분명할 것이다. 만일 더욱 진실하게 인의 체를 알려고 하면, 다만 공자가 말한 '자기의 사욕을 극복하여 예로 돌아간다.'[159]에서 개인의 사사로움을 극복하여 제거하는 것을 어떻게 곧 인이라고 할 수 있는가를 보아야 한다."
물었다. "이와 같이 본다면 정자가 말한 '공公'이 더 절실한 것 같습니다."
(주자가) 대답했다. "'공'은 또한 인의 껍데기일 뿐이어서, 아직 그것을 다 담고 있지 못한다.[160] 결국 속에 있는 것은 어떤 것인가? '생生하는 성性[生之性]'은 또한 인의 체를 형용할 뿐이다."

[35-1-49]

問[161]: "仁包四德, 如'元者善之長', 從四時生物意思觀之, 則陰陽都偏了."

曰: "如此則秋冬都無生物氣象. 但生生之意至此退了, 到得退未盡處, 則陽氣依舊在."[162]

물었다. "인仁이 사덕四德을 포괄하는 것은 마치 '원元은 선善의 으뜸이다.'[163]는 것과 같아서, 사계절에 만물을 생겨나게 하는 뜻으로 보면, 음양이 모두 치우쳤습니다."[164]
(주자가) 대답했다. "이와 같다면 가을·겨울은 모두 만물을 생겨나게 하는 기상이 없게 된다. 다만 '생기고 생기는 뜻[生生之意]'은 가을·겨울에 이르러 물러나게 되니, 물러남이 다하지 못한 곳에 이르면, 양기가 여전히 존재한다."

[35-1-50]

問: "周子窗前草不除去, 卽是謂生意與自家一般."

曰: "他也只是偶然見與自家意思相契."

158 '마음은 비유하자면 … 인이다.':『河南程氏遺書』 권18「伊川先生語」
159 '자기의 사욕을 … 돌아간다.':『論語』「顔淵」
160 아직 그것을 … 못한다.:『朱子語類考文解義』 권22에는 "공은 다만 인의 껍데기여서, 여전히 인의 본체를 다 설명하지는 못한다.(公則只是仁之皮殼, 猶未盡說仁之本体也.)"라고 풀이하였다.
161 問:『朱子語類』 권95, 13조목에는 問 앞에 '直卿'이 있다.
162 『朱子語類』 권95, 13조목
163 '元은 善의 으뜸이다.':『周易』「乾卦 · 文言傳」
164 음양이 모두 치우쳤습니다.:『朱子語類考文解義』 권22에는 이 구절에 대해 다음과 같이 풀이했다. "이 의미는 분명하지 않다. 아마도 인이 사덕을 포함하는 뜻이 마치 '선의 으뜸이다.'라고 한 것이 이것일 것이다. 만일 사계절의 生意로부터 본다면 인이 차지하고 있는 것이 많고 의 · 예 · 지가 차지하고 있는 것이 적으니 이는 음양이 모두 치우친 것이다. 그러나 만일 이와 같이 말한다면 이는 生意가 오로지 봄·여름에만 있는 것이고, 가을 · 겨울에는 生意가 없어야만 된다. (이는 다음과 같은 것을 전혀 이해하지 못하는 것이다.) 인의 生意가 사계절을 꿰뚫어 통하여, 가을·겨울의 생의가 비록 물러나지만 다하지 않은 것이 있으니, 인의 본체가 여전히 여기에 있고, 이것이 포괄한다는 것임을 전혀 모르는 것이다.(此義未明. 蓋謂仁包四德之義, 如曰'善之長'是也. 若從四時生意處而觀之, 則仁之所占者多, 而義禮智所占者少, 是陰陽皆偏也. 然若如此說, 則是生意專在春夏, 而秋冬則無生意, 乃可也. 殊不知仁之生意貫徹四時, 秋冬生意雖退而有未盡之者, 則仁之本体依舊在此, 是爲包者也.)"

又問："橫渠驢鳴是天機自動意思?"

曰："固是. 但也是偶然見他如此. 如謂草與自家意一般, 木葉便不與自家意思一般乎? 如驢鳴與自家呼喚一般, 馬鳴便不與自家一般乎?"

問："程子'觀天地生物氣象', 也是如此."

曰："他也只是偶然見如此, 便說出來示人. 而今不成只管去守看生物氣象!"[165]

물었다. "주자周子[周敦頤]가 창 앞의 풀을 뽑지 않은 것은 곧 생의生意가 자신과 같기 때문이라고 말했습니다."[166]

(주자가) 대답했다. "그도 다만 우연히 자신의 뜻과 서로 합치하는 것을 보았을 뿐이다."

또 물었다. "횡거의 나귀가 운 것[167]은 천기天機가 저절로 움직이는 뜻입니까?"

(주자가) 대답했다. "진실로 옳다. 다만 또한 우연히 그것이 이와 같음을 본 것이다. 예를 들어 풀이 자신의 뜻과 같다면, 나뭇잎은 자신의 뜻과 같지 않다는 것인가? 예를 들어 나귀가 우는 것을 자신과 같다고 한다면, 말이 우는 것은 자신과 같지 않다는 것인가?"

물었다. "정자의 '천지가 만물을 생겨나게 하는 기상을 본다.'[168]는 것 역시 이와 같은 것입니다."

(주자가) 대답했다. "그 역시 우연히 이와 같은 것을 보고, 곧 말하여 사람들에게 보여준 것이다. 지금 오로지 만물을 생겨나게 하는 기상만을 보려고 고집해서는 안 된다!"

[35-1-51]

問："程子謂'切脈可以體仁', 莫是心誠求之之意否?"

曰："還是切脈底是仁? 那脈是仁?"

曰："切脈是仁."

曰："若如此, 則當切脈時, 又用着箇意思去體仁."

復問童蜚卿曰："切脈體仁又如何?"

曰："脈是那血氣周流, 切脈則便可以見仁."

曰："然. 恐只是恁地. 脈理貫通乎一身, 仁之理亦是恁地."

165 『朱子語類』 권96, 84조목

166 周子[周敦頤]가 창 … 말했습니다.：『河南程氏遺書』 권3에서는 "周茂叔[周敦頤]이 창 앞의 풀을 뽑지 않았다. 그 까닭을 묻자 (주무숙이) '(생의가) 자신의 뜻과 같아서이다.'라고 하였다.(周茂叔窗前草不除去. 問之, 云, '與自家意思一般.')"고 했으며, 朱熹는 이 문장에 대한 주석에서 "子厚[張載]가 당나귀 우는 것을 본 것 또한 이와 같은 것을 말한다.(子厚觀驢鳴, 亦謂如此.)"라고 하였다.

167 횡거의 나귀가 … 것：『張載集』「語錄 · 後錄下」에서는 "물었다. '횡거께서 당나귀가 우는 것을 본 것은 어떻습니까?' 선생이 웃으며 말했다. '그가 목숨을 걸고 있는 힘을 다해 울어서 무엇을 하는가?' 한참 있다가 다시 말했다. '또한 다만 天理가 흘러가는 것일 뿐이니 스스로 그만둘 수 없는 것이다.(問, '橫渠觀驢鳴, 如何?' 先生笑曰, '不知他抵死著許多氣力鳴做甚?' 良久復云, '也只是天理流行, 不能自已.')"라고 했다.

168 '천지가 만물을 … 본다.'：『河南程氏遺書』 권6

又問："雞雛如何是仁?"

楊道夫曰，"先生嘗謂初與嫩底便是."

曰："如此看，較分明．蓋當是時飲啄自如，未有所謂爭鬪侵陵之患者．只此便是仁也."[169]

물었다. "정자가 '맥을 짚는 것에서 인을 체인할 수 있다.'[170]라고 했는데, 마음으로 진실하게 구한다는 뜻이 아닙니까?"

(주자가) 대답했다. "맥을 짚는 것이 인인가? 아니면 그 맥이 인인가?"

말했다. "맥을 짚는 것이 인입니다."

(주자가) 말했다. "이와 같다면, 맥을 짚을 때에 또 마음을 쏟아서 인을 체인해야 한다."

(주자가) 다시 동비경童蜚卿[童伯羽][171]에게 물었다. "맥을 짚는 것에서 인을 체인할 수 있다는 것은 또 어떤 것인가?"

(동비경이) 대답했다. "맥은 혈기가 두루 흐르는 것이니, 맥을 짚어보면 인을 알 수 있습니다."

(주자가) 말했다. "그렇다. 다만 이와 같을 뿐일 것이다. 맥의 이치[理]는 한 몸에 관통하니, 인의 이치[理] 또한 그러하다."

(주자가) 또 물었다. "병아리는 어떻게 인인가?"

양도부楊道夫[172]가 대답했다. "선생님께서 막 생겨난 것과 어린 것[173]이 바로 이것이라고 말씀하신 적이 있습니다."

(주자가) 말했다. "이와 같이 보면 비교적 분명하다. 이때에는 물을 마시고 먹이를 쪼아 먹는 것이 자연스러우니,[174] 이른바 아직 다투고 침범하는 근심이 있지 않은 것이다. 다만 이것이 바로 인이다."

[35-1-52]

問："'觀雞雛，此可觀仁'，何也?"

曰："凡物皆可觀，此偶見雞雛而言耳." 小小之物，生理悉具.[175]

169 『朱子語類』 권97, 31조목

170 '맥을 짚는 … 있다.'：『河南程氏遺書』 권3에서는 "맥을 짚는 것에서 인을 가장 잘 체인할 수 있다.(切脈最可體仁.)"라고 했다.

171 童伯羽(1144~?)：남송 建寧 甌寧 사람이다. 자는 蜚卿으로, 飛卿이라고도 한다. 주자에게 배웠으며 관직에 나가려고 하지 않았다. 저서에 『孝經衍義』와 『五經訓』·『四書集成』·『性理發微』 등이 있다.

172 楊道夫：남송 崇安 사람으로 자는 仲思이다. 아들 若海와 함께 주자의 제자이고, 『易』·『詩』·『禮』를 배웠다.

173 '막 생겨난 … 것'：『朱子語類考文解義』 권22에 "'막 생겨난 것'은 막 생겨나 가련한 것을 말하고, '어린 것'은 싱싱하고 연한 것을 말한다.('初'謂初生可憐，'嫩'謂新鮮軟嫩.)"라고 하였다.

174 물을 마시고 … 자연스러우니：『莊子』「養生主」에서는 "못가에 사는 꿩은 열 걸음 만에 한 입 쪼아 먹으며, 백 걸음 만에 한 모금 마시지만 새장 속에서 길러지기를 바라지 않는다.(澤雉十步一啄，百步一飮，不蘄畜乎樊中.)"라고 했으며, 褚伯秀(남송 鹹淳(1265~1274) 연간의 臨安 사람)는 『南華眞經義海纂微』에서 이 문장을 "못가의 꿩은 마시고 쪼아 먹는 것이 자연스러우니, 마음이 하늘과 함께 노닐어 그 성명에 들어맞는다는 것을 비유했다.(澤雉飮啄自如，心與天遊而適其性命之譬也.)"라고 풀이했다.

물었다. "(정자의) '병아리를 보면 여기서도 인을 볼 수 있다.'[176]는 것이 무엇입니까?"
(주자가) 대답했다. "만물에서 모두 볼 수 있으니, 이는 우연히 병아리를 보고 말씀하신 것일 뿐이다." 아주 작은 사물도 생生의 리理를 다 갖추고 있다.

[35-1-53]

問:"聖賢言仁, 有專指體而言者, 有包體用而言者."

曰:"仁對義禮智言之, 則爲體; 專言之, 則兼體用."[177]

물었다. "성현께서 인仁을 말씀한 것에는 단독으로 체體를 가리켜서 말한 것도 있고, 체와 용을 포괄하여 말한 것도 있습니다."
(주자가) 대답했다. "인을 의·예·지에 상대해서 말하면 체이고, 단독으로 말한 것[專言]은 체와 용을 겸한다."

[35-1-54]

"孔子說仁, 多說體; 孟子說仁, 多說用. 如'克己復禮', '惻隱之心'之類."[178]

(주자가 말했다.) "공자가 인仁을 말한 것은 체를 말한 것이 많고, 맹자가 인을 말한 것은 용을 말한 것이 많다. 예를 들면 '자기의 사욕을 극복하여 예로 돌아간다.'[179]거나 '측은해 하는 마음'[180]과 같은 종류이다."

[35-1-55]

"以'心之德'而專言之, 則未發是體, 已發是用. 以'愛之理'而偏言之, 則仁便是體, 惻隱是用."[181]

(주자가 말했다.) "'마음의 덕'이라고 전언專言하면, 미발未發은 체體이고 이발已發이 용用이다. '사랑의 리理'라고 편언偏言하면, 인은 체이고 측은이 용이다."

[35-1-56]

問:"程子云'仁道難言. 唯公近之, 非以公訓仁', 當公之時, 仁之氣象, 自可嘿識."[182]

175 『朱子語類』 권97, 29조목
176 병아리를 보면 여기서도 인을 볼 수 있다: 『河南程氏遺書』 권3
177 『朱子語類』 권6, 90조목
178 『朱子語類』 권6, 89조목
179 '자기의 사욕을 … 돌아간다.': 『論語』「顔淵」에서 안연이 仁을 물었을 때 공자가 한 대답이다.
180 측은해 하는 마음: 『孟子』「公孫丑上」에서 맹자는 어린아이가 우물로 들어가려는 것을 보고 누구나 놀라고 惻隱해 하는 마음을 느끼게 된다고 하였고, 이런 마음이 없으면 사람이 아니며, 이 마음이 인의 단서가 된다고 하였다.
181 『朱子語類』 권20, 104조목
182 自可嘿識: 『朱文公文集』: 「書·答范伯崇 5」에는 嘿이 默으로 되어 있다.

曰 : "公固非仁. 然公乃所以仁也. 仁之氣象於此固可黙識, 然學者之於仁, 非徒欲識之而已."[183]
물었다. "정자가 '인仁의 도道는 말하기 어렵다. 오직 공公만이 이에 가깝지만, 공을 인이라고 풀이할 수는 없다.'[184]라고 했는데, 공이 구현되었을 때에 인의 기상氣象을 저절로 말없이 알 수 있습니다." (주자가) 대답했다. "공은 진실로 인이 아니다. 그러나 공이 바로 인이 되게 하는 것이다.[185] 인의 기상을 여기에서 진실로 말없이 알 수 있지만, 배우는 자들이 인에 대해 다만 알려고만 해서는 안 된다."

[35-1-57]

"仁是愛底道理, 公是仁底道理. 故公則仁, 仁則愛. 公却是仁發處, 無公則仁行不得."[186]
(주자가 말했다.) "인仁은 사랑의 도리이고, 공公은 인의 도리이다. 그러므로 공하면 인하고, 인하면 사랑한다. 공은 인이 발發하는 곳이니, 공이 없으면 인은 행해질 수 없다."

[35-1-58]

"公之爲仁, 公不可與仁比並看. 公只是無私, 纔無私, 這仁便流行. 程先生云, '唯公爲近之', 却不是近似之近. 纔公, 仁便在此, 故云近. 猶云'知所先後, 則近道矣', 不是道在先後上, 只知先後, 便近於道. 如去其壅塞, 則水自流通. 水之流通, 却不是去壅塞底物事做出來. 水自是元有, 只被塞了, 纔除了塞便流. 仁自是元有, 只被私意隔了, 纔克去己私, 做底便是仁."
(주자가 말했다.) "공公은 인仁이 되지만, 공을 인과 나란히 견주어 볼 수는 없다. 공은 다만 사사로움이 없는 것이니, 사사로움이 없으면 이 인이 유행流行하게 된다. 정선생程先生[程頤]이 '오직 공이 그것에 가깝다.'[187]라고 했는데, 근사近似(비슷)하다고 할 때의 '근近'이 아니다. 공하면 인이 여기에 있으므로 가깝다고 한 것이다. '먼저 해야 할 것과 뒤에 해야 할 것을 알면 도에 가깝다.'[188]고 하는 것과 같으니, 도는 먼저 하고 뒤에 함에 있는 것이 아니지만, 다만 먼저 할 것과 뒤에 할 것을 알면 도에 가까운 것이다. 예를 들어 막힌 것을 제거하면 물은 저절로 흘러 통한다. 물이 흘러 통하는 것은 막힌 것을 제거해내서가 아니다. 물은 스스로 (그러한 성질을) 원래 가지고 있는 것인데, 다만 막혀 있었을 뿐, 막힌 것을 제거하기만 하면 곧 흐르게 된다. 인은 스스로 (그러한 성질을) 원래 가지고 있는 것인데, 다만 사사로운 뜻에

183 『朱文公文集』: 「書·答范伯崇 5」
184 '仁의 道는 … 없다.' : 『河南程氏遺書』 권3에는 "仁의 道는 명명하기 어렵다. 오직 公만이 이에 가깝지만, 공을 인이라고 할 수는 없다.(仁道難名. 惟公近之, 非以公便爲仁.)"라고 되어 있다.
185 공이 바로 … 것이다 : 『朱子語類』 권95, 162조목에는 "공은 인이 되게 하는 것 … 인은 비유하면 샘과 같고, 사사로움은 비유하면 모래나 돌이 샘을 막을 수 있는 것과 같으며, 공은 (물길을) 터서 모래나 돌을 제거하는 것과 같다.(公所以爲仁. … 仁譬如水泉, 私譬如沙石能壅卻泉, 公乃所以決去沙石者也.)"라고 하였다.
186 仁是愛底道理, … 仁則愛는 『朱子語類』 권6, 98조목의 글이고, 公却是仁發處, 無公則仁行不得은 『朱子語類』 권6, 100조목의 글이다.
187 '오직 공이 … 가깝다.' : 『河南程氏遺書』 권3에는 "仁의 道는 명명하기 어려우니, 오직 公만이 이에 가깝지만, 공을 인이라고 할 수는 없다.(仁道難名, 惟公近之, 非以公便爲仁.)"라고 되어 있다.
188 '먼저 해야 … 가깝다.' : 『大學』 경1장

막혀 있었을 뿐, 자기의 사욕을 극복하여 제거하면, 행하는 것마다 인이다."

葉賀孫問: "公是仁之體, 仁是理."
曰: "不用恁地說, 徒然不分曉. 只公是無私,[189] 無私則理無或蔽. 今人喜也是私喜, 怒也是私怒, 哀也是私哀, 懼也是私懼, 愛也是私愛, 惡也是私惡, 欲也是私欲. 苟能克去己私, 擴然大公, 則喜是公喜, 怒是公怒, 哀懼愛惡欲, 莫非公矣. 此處煞係利害. 顏子所授於夫子, 只是'克己復禮爲仁.'"[190]
섭하손葉賀孫[191]이 물었다. "공은 인의 체이고 인은 리理입니다."
(주자가) 대답했다. "이렇게 말할 필요가 없으니, 쓸데없이 분명하지 않게 된다. 다만 공은 사사로움이 없는 것이니, 사사로움이 없으면 리理가 가려지는 경우가 없다. 지금 사람들은 기뻐하는 것도 사사롭게 기뻐하는 것이고, 성내는 것도 사사롭게 성내는 것이고, 슬퍼하는 것도 사사롭게 슬퍼하는 것이고, 두려워하는 것도 사사롭게 두려워하는 것이고, 사랑하는 것도 사사롭게 사랑하는 것이고, 미워하는 것도 사사롭게 미워하는 것이고, 하고자 하는 것도 사사롭게 하고자 하는 것이다. 만일 자기의 사욕을 극복하고 제거하여 널리 크게 공公할 수 있으면, 기쁨은 공정한 기쁨이고, 성냄은 공정한 성냄이고 슬픔과 두려움과 사랑함과 미워함과 하고자 함이 공이 아닌 것이 없게 된다. 이는 이로움과 해로움에 매우 관련되어 있는 곳이다. 안자顏子[顏回]가 공자에게 전수받은 것은 다만 '자기의 사욕을 극복하여 예로 돌아가는 것이 인이 된다는 것이다.'[192]는 것이다."

[35-1-59]
或問仁與公之別.
曰: "仁在內, 公在外."
又曰: "惟仁然後能公."
又曰: "仁是本有之理, 公是克己工夫極至處. 故惟仁然後能公, 理甚分明. 故程子曰, '公而以人體之', 則是克盡己私之後, 只就自身上看, 便見得仁也."[193]
어떤 사람이 인仁과 공公의 차이에 대해 물었다.
(주자가) 대답했다. "인은 안에 있고 공은 밖에 있다."
(주자가) 또 말했다. "오직 인한 다음에야 공할 수 있다."
(주자가) 또 말했다. "인은 본래부터 가지고 있는 리理이고, 공은 자기의 사욕을 이기는 공부가 지극한

189 只公是無私: 『朱子語類』 권117, 59조목에는 '公'이 '要'로 되어 있다.
190 『朱子語類』 권117, 59조목
191 葉賀孫(?~?): 남송 括蒼사람으로 溫州永嘉縣으로 이주했다. 자는 味道이며 주자의 문인이다.
192 '자기의 사욕을 … 것이다.': 『論語』「顏淵」
193 『朱子語類』 권6, 102조목

곳이다. 그러므로 오직 인한 다음에야 공할 수 있다는 것은, 이치상 매우 분명하다. 따라서 정자程子가 '공하되 사람(의 품성)으로써 그것을 체인한다.'[194]고 했으니, 자기의 사사로움을 다 극복한 다음에 다만 자신에게서 보면, 바로 인을 알 수 있다."

[35-1-60]

"'公而以人體之故爲仁', 蓋公猶無塵也, 人猶鏡也, 仁則猶鏡之光明也. 鏡無纖塵則光明, 人能無一毫之私欲則仁. 然鏡之明, 非自外求也, 只是鏡元來自有這光明, 今不爲塵所昬爾.[195] 人之仁, 亦非自外得也, 只是人心元來自有這仁, 今不爲私欲所蔽爾. 故人無私欲, 則心之體用廣大流行而無時不仁, 所以'能愛能恕.' '仁之道, 只消道一「公」字', 非以公爲仁, 須是'公而以人體之.' 伊川自曰'不可以公爲仁.' 世有以公爲心而慘刻不恤者, 須公而有惻隱之心, 此功夫却在'人'字上. 蓋人體之以公方是仁, 若以私欲, 則不仁矣."[196]

(주자가 말했다.) "'공하되 사람으로써 그것을 체인하므로 인이 된다.'[197]에서, 공은 티끌이 없는 것과 같고, 사람은 거울과 같으며, 인仁은 거울이 밝게 빛나는 것과 같다. 거울에 조금의 티끌도 없으면 밝게 빛나고, 사람에게 털끝만큼의 사욕도 없을 수 있으면 인하다. 그러나 거울의 밝음은 밖에서 구하는 것이 아니라, 다만 거울에 원래 저절로 이 밝게 빛남이 있으니, 이제 먼지에 의해 어두워지지 않아야 한다. 사람의 인도 밖으로부터 구하는 것이 아니라, 다만 사람의 마음에 원래 저절로 이 인이 있으니, 이제 사욕에 의해 가려지지 않아야 한다. 그러므로 사람이 사욕이 없다면 마음의 체體와 용用이 광대해지고 유행流行하여 어느 때이건 인하지 않음이 없으므로, '사랑할 수 있고 서恕할 수 있게 된다.'[198] '인의 도는 다만 「공」을 말할 필요가 있지만',[199] 공을 인이라고 할 수 없으니, 반드시 '공하되 사람으로써 그것을 체인하는 것이다.'[200] 이천伊川[程頤]은 스스로 '공을 인이라고 여겨서는 안 된다.'[201]라고 했다. 세상에는

194 '공하되 사람 … 체인한다.' : 『河南程氏遺書』 권15 「入關語錄」에 "공하되 사람(의 품성)으로써 그것을 체인하므로, 인이 된다. 다만 공을 행하기만 하면 만물과 나를 아울러 비추어 본다.(公而以人體之, 故爲仁. 只爲公, 則物我兼照.)"라고 하였다. 여기서 '體'는 『朱子語類』 권95, 155조목에 "이른바 '체'는 '체인'의 '체'로 해도 무방하다. 체인은 이 몸으로 내면으로 들어가 체찰하는 것이니, 예컨대 『中庸』의 '여러 신하들의 마음을 體察함'의 '체'와 같다.(所謂'體'者, 便作'體認'之'體', 亦不妨. 體認者, 是將此身去裏面體察, 如中庸'體群臣'之'體'也.)"라고 하였다. 또 『朱子語類』 권95, 159조목에는 "사람이 공으로써 그것을 체인하는 것이 仁이다.(蓋人體之以公方是仁.)"라고 풀이하였다. [35-1-9]를 참고

195 今不爲塵所昬爾. : 『朱子語類』 권95, 158조목에는 '昬'이 '昏'으로 되어 있다.

196 公而以人體之故爲仁, 蓋公猶無塵也, … 則心之體用廣大流行而無時不仁, 所以能愛能恕.는 『朱子語類』 권95, 158조목의 글이고, 仁之道, 只消道一公字 … 若以私欲, 則不仁矣.는 『朱子語類』 권95, 159조목의 글이다.

197 '공하되 사람으로써 … 된다.' : 『河南程氏遺書』 권15 「入關語錄」. [35-1-9]를 참고

198 '사랑할 수 … 된다.' : 『河南程氏遺書』 권15 「入關語錄」에는 "인이 서할 수 있고 사랑할 수 있게 된다.(仁所以能恕, 所以能愛.)"라고 되어 있다. [35-1-9]를 참고

199 '인의 도는 … 있지만' : 『河南程氏遺書』 권15 「入關語錄」 [35-1-8]을 참고

200 '공하되 사람으로써 … 것이다.' : 『河南程氏遺書』 권15 「入關語錄」 [35-1-9]를 참고

공평하기만 하려고 무자비하고 모질어 불쌍히 여기지 않는 자가 있는데, 공평하면서도 측은지심이 있어야 하니, 이 공부는 '사람[人]'이라는 글자에 달려 있다. 사람이 공公으로써 그것을 체인해야 비로소 인仁이 되지, 만약 사욕으로써 한다면 불인不仁이다."

[35-1-61]

"仁是人心所固有之理. 公則仁, 私則不仁, 未可便以公爲仁, 須是體之以人方是仁. 公·恕·愛, 皆所以言仁者也. 公在仁之前, 恕與愛在仁之後. 公則能仁, 仁則能愛能恕故也."[202]

(주자가) 말했다. "인仁은 사람의 마음에 본래 가지고 있는 리理이다. 공정[公]하면 인하고 사사로우면[私] 인하지 않지만, 곧바로 공정[公]을 인이라고 말할 수는 없으니, 반드시 사람으로써 그것을 체인해야 인이다. 공정[公]·서恕·사랑[愛]은 모두 인을 말한 것이다. 공정[公]은 인의 앞에 있고,[203] 서와 사랑은 인의 뒤에 있다. 공정[公]하면 인할 수 있고, '인하면 사랑할 수 있고 서할 수 있기'[204] 때문이다."

[35-1-62]

問: "'公而以人體之故爲仁', 竊謂此段之意, '人'字只是指吾此身而言, 與『中庸』言'仁者人也'之'人'自不同. 不必重看, 緊要却在'體'字上. 蓋仁者心之德, 主性情, 宰萬事, 本是吾身至親至切底物. 公只是仁之理, 專言公, 則只虛空說著理, 而不見其切於己. 故必以身體之, 然後我與理合而謂之仁. 亦猶孟子'合而言之, 道也.'

물었다. "'공公하되 사람으로써 그것을 체인[體]하기 때문에 인이 된다'고 했는데, 제 생각에는 이 단락의 의미에서 '사람[人]'이란 글자가 다만 나의 이 몸을 가리켜 말한 것일 뿐이니, 『중용』에서 '인仁은 사람[人]이다.'[205]라는 '사람[人]'과 본디 같지 않습니다. ('사람[人]'은) 중요하게 볼 필요는 없고 긴요한 것은 도리어 '체인[體]'라는 글자에 있습니다. 인仁은 마음의 덕으로 성性과 정情을 주관하고 만사를 주재하니 본래 내 몸의 지극히 친밀하고 절실한 것입니다. 공公은 다만 인仁의 이치이니, 오로지 공만을 말하면[專言] 다만 공허하게 리理를 말하고 있을 뿐, 자기에게 절실함을 보지 못하는 것입니다. 그러므로 반드시 몸으로 그것을 체인한 뒤에라야 내가 리理와 합쳐진 것을 인仁이라고 합니다. 또한 『맹자』에서 '합하여 말하면 도이다.'[206]라고 한 것과 같습니다.

201 '공을 인이라고 … 된다.': 『河南程氏遺書』 권3에는 "공이 바로 인이 되는 것이 아니다.(非以公便爲仁.)"라고 되어 있다.

202 『朱子語類』 권95, 160조목

203 공정[公]은 인의 … 있고: 『朱子語類考文解義』 권6에는 "공한 다음에 인할 수 있으므로 '앞'이라고 한 것이다.(公而後能仁, 故曰'前'.)"라고 하였다.

204 '인하면 사랑할 … 있기': 『河南程氏遺書』 권15 「入關語錄」에는 "인이 서할 수 있고 사랑할 수 있다.(仁所以能恕, 所以能愛.)"라고 되어 있다. [35-1-9]를 참고

205 '仁은 사람[人]이다.': 『中庸章句』 제20장에 "仁은 사람이니, 친애할 사람을 친애함이 크고, 義는 마땅함이니, 어진 이를 높임이 크다.(仁者, 人也, 親親爲大, 義者, 宜也, 尊賢爲大.)"라고 하였다.

然公果如之何而體，如之何而謂之仁？亦不過克盡己私．至於此心豁然，瑩淨光潔，徹表裏純是天理之公，生生無間斷，則天地生物之意常存．故其寂而未發，惺惺不昧，如一元之德昭融於地中之復，無一事一物不涵在吾生理之中．其隨感而動也，惻然有隱，如春陽發達於地上之豫，無一事非此理之貫，無一物非此生意之所被矣．此體公之所以爲仁，所以能恕，所以能愛，雖或爲義爲禮爲智爲信，無所往而不通也．不審是否？"

曰："此說得之．"[207]

그러나 공公을 과연 어떻게 해서 체인하며, 어떻게 해야만 그것을 인仁이라고 합니까? 또한 자기의 사사로움을 다 극복하는 것에 불과합니다. 이 마음이 확 트여 밝고 깨끗하여 안팎으로 순전히 천리天理의 공公이며 '생겨나고 생겨나서 끊김이 없게 되면[生生無間斷]', 천지가 만물을 생겨나게 하는 뜻이 항상 보존됩니다. 그러므로 (마음이) 고요하여 아직 발동[發]하기 전에는 항상 깨어있어 어둡지 않으니, 마치 '하나의 원[一元]'의 덕이 땅 속에서 밝게 드러나는 복復괘와 같아, 어떤 일이나 어떤 사물도 모두 나의 생生의 리理 속에 포함되어 있지 않은 것이 없습니다. (마음이) 감지[感]함을 따라서 움직일 때에는 가여워 아파함이 있으니, 마치 봄의 양기陽氣가 땅 위에서 발달하는 예豫괘[208]와 같아서, 어떤 일도 이 이치가 관통하지 않은 것이 없고, 어떤 사물도 이 생의生意를 받지 않은 것이 없습니다. 이는 공公을 체인함이 인仁이 되고, 서恕할 수 있고, 사랑할 수 있는 것이니, 비록 간혹 의가 되고 예가 되고 지가 되고 신이 된다하더라도 어디에서든 통하지 않음이 없습니다. 옳은지 모르겠습니다."
대답했다. "이 말은 옳다."

[35-1-63]

問："公'所以能恕，所以能愛．恕則仁之施，愛則仁之用'，愛是仁之發處，恕是推其愛之之心以及物否？"

曰："如公所言，亦非不是．只是自是湊合不著，都無滋味．"

又問："莫是帶那上文公字說否？"

曰："然．恕與愛本皆出於仁．然非公則安能恕？安能愛？"

206 '합하여 말하면 도이다.'：『孟子』「盡心下」에 "仁은 사람이니, 합하여 말하면 道이다.(仁也者，人也，合而言之，道也.)"라고 하였다.

207 『朱文公文集』 권57 「答陳安卿 3」

208 봄의 陽氣가 땅 위에서 발달하는 豫괘：『伊川易傳』「復卦」에 "사물이 처음 생겨날 때에는 그 기운이 지극히 미미하므로 어려움이 많고, 陽이 처음 생겨날 때에는 그 기운이 지극히 미미하므로 꺾임이 많다. 봄의 陽氣가 발할 적에 陰의 寒氣에게 꺾임을 당하니, 草木을 아침저녁에 보면 이것을 볼 수 있다.(物之始生，其氣至微，故多屯艱，陽之始生，其氣至微，故多摧折．春陽之發，爲陰寒所折，觀草木於朝暮則可見矣.)"라고 하였다. 『伊川易傳』「豫卦」에 "陽이 처음에 땅 속에 잠겨 갇혀 있다가, 동하여 땅을 나옴에 이르러서는 그 소리를 떨쳐 일으켜 막힘이 없고 和豫하다. 그러므로 豫라 한 것이다.(陽始潛閉於地中，及其動而出地，奮發其聲，通暢和豫．故爲豫也.)"라고 하였고, 『本義』에서는 "예는 화락함이다.(豫，和樂也.)"라고 하였다.

물었다. “공公은 ‘서恕할 수 있게 하는 것이고 사랑할 수 있게 하는 것이다. 서恕는 인仁의 베풂이고, 사랑은 인仁의 용用이다.’[209]라고 하는데, 사랑은 인이 발하는 곳이며, 서는 그 사랑하는 마음을 미루어 남에게까지 미친 것입니까?”
(주자가) 대답했다. “그대가 말한 것 또한 틀린 것은 아니다. 다만 본래 수렴이 되지 않아서 도무지 맛이 없다.”
또 물었다. “앞글의 ‘공公’자와 관련시켜 말씀하신 것 때문[210]이 아닙니까?”
(주자가) 대답했다. “그렇다. 서와 사랑은 본래 모두 인에서 나왔다. 그러나 공이 아니면 어떻게 서할 수 있고 어떻게 사랑할 수 있겠는가?”

又問 : “愛只是合下發處便愛, 未有以及物, 在恕則方能推己以及物否?”
曰 : “仁之發處自是愛, 恕是推那愛底, 愛是恕之所推者. 若不是恕去推, 那愛也不能及物, 也不能親親仁民愛物, 只是自愛而已. 若裏面元無那愛, 又只推箇甚麼? 如開溝相似, 是裏面元有這水, 所以開着便有水來. 若裏面元無此水, 如何會開着便有水? 若不是去開溝, 縱有此水, 也如何得他流出來? 愛, 水也. 開之者, 恕也.”
又問 : “若不是推其愛以及物, 縱有此愛, 也無可得及物否?”
曰 : “不是無可得及物, 若不能推, 則不能及物.”[211]
또 물었다. “사랑은 원래 발동하는 것이 사랑일 뿐 아직 남에게까지는 미치지 못한 것이고, 서의 경우에야 비로소 자기를 미루어 남에게 미친 것입니까?”
(주자가) 대답했다. “인이 발동한 것이 본래 사랑이니, 서는 그 사랑을 미룬 것이고, 사랑은 서가 미루어진 것이다. 만약 서로 미루어 가지 않으면, 사랑도 남에게 미치지 못하고 또한 친족을 친애하고 남을 사랑하며 사물을 아끼지도 못하여, 다만 자신을 사랑할 뿐이다. 만일 마음속에 원래 이 사랑이 없다면 또 다만 무엇을 미루어가겠는가? (이는) 마치 도랑을 파는 것과 비슷하니, (그) 속에 원래 물이 있으므로 파면 바로 물이 오는 것이다. 만약 속에 원래 물이 없다면 어찌 판다고 해서 물이 있을 수 있겠는가?

209 公은 ‘恕할 … 用이다.’ : 『河南程氏遺書』 권15 「入關語錄」에는 “仁은 恕하게 할 수 있는 것이고 사랑하게 할 수 있는 것이다. 恕는 仁의 베풂이고, 사랑은 仁의 用이다.(仁所以能恕, 所以能愛. 恕則仁之施, 愛則仁之用也.)”라고 되어 있고, 『二程粹言』 권上 「論道篇」에는 “공은 인의 이치이고, 서는 인의 베풂이고, 사랑은 인의 용이다.(公者仁之理, 恕者仁之施, 愛者仁之用.)”라고 하였다.
210 앞글의 ‘公’자와 … 때문 : 『朱子語類考文解義』 권22에는 “‘앞글’은 정자의 어구에서 첫 ‘공’자를 가리킨다. 이는 마땅히 ‘공’자를 중요한 것으로 여겨 인을 말하면 됩니까라고 말한 것이다. 질문하는 말에서는 ‘공’자를 가지고 어구를 시작했는데, 그 다음에 도리어 다시 미루어 사랑과 서를 말했으며, ‘공’자를 잊고 말하지 않았다. 그러므로 선생이 인정해 주지 않았으며 대답하실 때 ‘공’자를 중요한 것으로 여긴 것이다.(‘上文’, 指程語句首‘公’字. 謂此當歸重於公字以言仁可乎? 蓋問語固以公字發句, 而其下却復推言愛恕, 而忘却公字不言. 故先生不許而其答歸重於公字爲說也.)”라고 하였다.
211 『朱子語類』 권95, 154조목

만약 도랑을 파지 않는다면 설사 물이 있다하더라도 또한 어떻게 그것이 흘러나올 수 있겠는가? 사랑은 물이고, (도랑을) 파는 것은 서이다."

또 물었다. "만약 그 사랑을 미루어 남에게까지 미치는 것이 아니라면, 설사 이 사랑이 있다 하더라도 또한 남에게 미칠 수 있는 것이 없다는 것[無可得及][212]입니까?"

(주자가) 대답했다. "남에게 미칠 수 없는 것이 아니고, 만일 미루어가지 않으면 남에게 미치지 못하는 것이다."

[35-1-64]

或問 : "'恕則仁之施, 愛則仁之用', '施'與'用'如何分別?"

曰 : "恕之所施, 施其愛爾. 不恕, 則雖有愛而不能及人也."

又曰 : "施是從這裏流出, 用是就事說. '推己爲恕', 恕是從己流出去及那物, 愛是才調恁地. 愛如水, 恕如水之流."

又問 : "先生謂'愛如水, 恕如水之流', 退而思, 有所未合. 竊謂仁如水, 愛如水之潤, 恕如水之流, 不審如何?"

曰 : "說得好. 昨日說過了."[213]

어떤 사람이 물었다. "(정자는) '서恕는 인仁의 베풂이고, 사랑은 인仁의 용用이다.'[214]라고 했는데, '베풂'과 '용'은 어떻게 구별됩니까?"

(주자가) 대답했다. "서의 베풂은 사랑을 베푸는 것일 뿐이다. 서하지 않으면 비록 사랑이 있어도 남에게 미칠 수 없다."

(주자가) 또 말했다. "베풂은 여기에서부터 흘러나오는 것이고, 용은 일에 나아가 말한 것이다. '자기 마음을 미루어 가는 것이 서이다.'[215]인데, 서는 자신으로부터 흘러나와 저 사물로 미치는 것이고, 사랑은 자질이 이러한 것이다. 사랑은 물과 같고, 서는 물의 흐름과 같다."

또 물었다. "선생님은 '사랑은 물과 같고, 서는 물의 흐름과 같다.'고 했는데, 물러나 생각해보니 부합되지 않는 것이 있습니다. 제 생각에 인은 물과 같고, 사랑은 물의 적셔줌과 같으며, 서는 물의 흐름과 같은데,

212 미칠 수 … 것[無可得及] : 『朱子語類考文解義』 권22에 "만일 '남에게 미칠 수 있는 것이 없다[無可得及物]'고 하면 이는 이 인이 없는 것이다. 그러므로 이와 같지 않다고 한 것이다.(若曰'無可得及物', 則是無此仁矣. 故曰非如此也.)"라고 하였다.

213 昨日說過了. : 『朱子語類』의 어떤 판본(중화서국, 1981)에는 說이 就로 되어 있다.

214 '恕는 仁의 … 用이다.' : 『河南程氏遺書』 권15 「入關語錄」. [35-1-9]를 참고

215 '자기 마음을 … 서이다.' : 『河南程氏遺書』 권11 「師訓」에 "자신으로써 남에게 미침은 仁이요, 자기 마음을 미루어서 남에게 미침은 恕이니, (『中庸』에) '(충과 서는) 도와 거리가 멀지 않다.'는 것이 이것이다.(以己及物, 仁也. 推己及物, 恕也. '違道不遠', 是也.)"라고 하였다. 『論語或問』 「里人」에서는 이를 程伯子(程顥)의 말로 인용하면서 "정백자는 자기 마음을 미루어 가는 것을 서라고 여기고는 도에서 거리가 멀지 않은 일이라고 여겼다.(程伯子以推己爲恕爲違道不遠之事.)"라고 하였다.

어떠한지 자세히 알지 못하겠습니다."
(주자가) 대답했다. "잘 말했다. 어제 말한 것은 잘못되었다."

又曰 : "恕是分俵那愛底. 如一桶水, 愛是水, 恕是分俵此水何處一杓, 故謂之施. 愛是仁之用, 恕所以施愛者."

又曰 : "'施'·'用'兩字, 移動全不得. 這般處, 惟有孔·孟能如此. 下自荀·楊諸人便不能,[216] 便不移易者.[217] 昔有言'盡己之謂忠, 盡物之謂恕', 伊川言'盡物只可言信, 推己之謂恕'. 蓋恕是推己, 只可言施. 如此等處, 極當細看."[218]

(주자가) 또 말했다. "서는 사랑을 나누어 주는 것이다. 예컨대 물 한 통에서, 사랑은 물이고, 서는 이 물을 어딘가에 한 국자씩 나누어주는 것이므로, 그것을 베풂이라고 한다. 사랑은 인의 용이고, 서는 사랑을 베푸는 것이다."

(주자가) 또 말했다. "'베풂[施]'·'용用' 두 글자는 절대로 바꿀 수 없다. 이러한 것들은 오직 공자와 맹자만이 이같이 할 수 있다. 이후로 순자나 양웅 같은 여러 사람들부터는 잘 알지 못했으니, 옮겨 바꿀 수 없는 것이다.
전에 어떤 사람이 '자신의 마음을 다하는 것을 충忠이라고 하고 남에게 마음을 다하는 것을 서恕라고 한다.'라고 말했는데, 이천伊川[程頤]은 '남에게 마음을 다하는 것은 다만 신信이라고 할 수 있을 뿐이고, 자기의 마음을 미루어가는 것을 서라고 한다.'[219]고 하였다. 서는 자기의 마음을 미루어가는 것이니,

216 下自荀·楊諸人便不能 : 『朱子語類』 권95, 167조목에는 '楊'이 '揚'으로 되어 있다.

217 便不移易者 : 『朱子語類』 권95, 167조목에는 '便可移易'으로 되어 있다. 이에 따르면 순자와 양웅은 '베풂[施](恕)'·'用(愛)'을 바꿀 수 있는 역량이 못 되는데, 함부로 바꾸었다는 내용이 된다. 순자의 성악설과 양웅의 성선악혼설에 대해서 『近思錄』 권14에서는 다음과 같이 평가하고 있다. "순자는 지극히 편벽되고 잡박하나, 다만 성악이라는 한 구절일 뿐에서 큰 근본이 이미 상실되었다. 양자는 비록 허물이 적지만 이미 스스로 본성을 알지 못했으므로 다시 무엇을 말하겠는가?(荀子極偏駁, 只一句性惡, 大本已失. 揚子雖少過, 然已自不識性, 更說甚道?)"

218 或問 : "'恕則仁之施, 愛則仁之用' … 不恕, 則雖有愛而不能及人也."는 『朱子語類』 권95, 164조목의 글이고, 曰, "施是從這裏流出, 用是就事說. … 說得好, 昨日說過了."는 『朱子語類』 권95, 165조목의 글이며, 曰, "恕是分俵那愛底. 如一桶水, … 愛是仁之用, 恕所以施愛者."는 『朱子語類』 권95, 166조목의 글이고, "'施'·'用'兩字, 移動全不得. … 如此等處, 極當細看."은 『朱子語類』 권95, 167조목의 글이다.

219 '남에게 마음을 … 한다.' : 『河南程氏遺書』 권23에 "어떤 사람이 자신의 마음을 다하는 것을 忠이라고 하고 남에게 마음을 다하는 것을 恕라고 한다라고 말한다. 자신의 마음을 다하는 것을 충이라고 하면 진실로 옳지만, 남에게 마음을 다하는 것을 서라고 하면 미진하다. 자기의 마음을 미루어가는 것을 서라고 하고, 남을 다하는 것을 信이라고 한다.(人謂盡己之謂忠, 盡物之謂恕. 盡己之謂忠固是, 盡物之謂恕則未盡. 推己之謂恕, 盡物之謂信.)"라고 하였다. 『朱子語類』 권27, 99조목에는 이에 관해 다음과 같은 질문과 답변이 있다. "물었다. '侯氏(侯仲良)가 「남에게 마음을 다하는 것을 충이라고 한다.」라고 한 것을, 정자는 옳지 않다고 여겼는데, 왜 그렇습니까?' (주자가) 대답했다. '「서」자에는 「다한다[盡]」는 글자를 쓸 수 없다. 서라는 말은 다만 자기의 마음을 미루어 가는 것일 뿐이고, 「盡物」은 남에게 마음을 다하지 않는 바가 없는 것이니,

다만 베풂이라고만 말할 수 있을 뿐이다. 이 같은 곳은 매우 자세하게 보아야 한다."

[35-1-65]

"上蔡以知覺言仁. 只知覺得那應事接物底, 如何便喚做仁? 須是知覺那裏,[220] 方是. 且如一件事是合做與不合做, 覺得這箇, 方是仁. 喚着便應, 抉着便痛, 這是心之流注在血氣上底. 覺得那理之是非, 這方是流注在理上底. 喚着不應, 抉着不痛, 這固是死人, 固是不仁. 喚得應, 抉着痛, 只這便是仁, 則誰箇不會如此? 須是分作三截看. 那不聞痛癢底, 是不仁. 只覺得痛癢, 不覺得理底, 雖會那一等, 也不便是仁. 須是覺這理, 方是."[221]

"상채上蔡[謝良佐]는 지각을 인이라고 했다. 일에 대응하고 사물에 접촉함을 단지 지각하는 것을 어떻게 인仁이라고 할 수 있겠는가? 반드시 거기에서 지각하는 것은 옳다. 예컨대 한 가지 일에서 해야 하는지[222] 하지 말아야 하는지 이것을 깨닫는 것이 비로소 인이다. 부르면 대답하고 찌르면 아파하는 것은 마음이 혈기血氣에 가 있는 것이다. 그 리理의 옳고 그름을 깨닫는 것은 (마음이) 바로 리理에 가 있는 것이다. 부르는데 대답하지 않고, 찌르는데 아파하지 않은 사람은 참으로 죽은 사람이니, 진실로 인하지 않은 것이다. 부르면 대답하고 찌르면 아파하는 것, 단지 이것을 바로 인仁이라고 한다면, 누군들 이와 같이 할 수 없겠는가? 반드시 세 단계로 나누어 보아야[223] 한다. 아픔과 가려움을 깨닫지 못하는 것[224]이 인하지 않은 것이다. 다만 아픔과 가려움을 지각하기만 하면서, 리理를 지각하지 못하면, 비록 한 등급만큼 이해했다하더라도[225] 또한 바로 인은 아니다. 반드시 이 리理를 지각해야 비로소 옳다."

[35-1-66]

或問: "謝上蔡以覺言仁, 是如何?"

曰: "覺者, 是要覺得箇道理. 須是分毫不差, 方能全得此心之德, 這便是仁. 若但知得箇痛癢, 則凡人皆覺得, 豈盡是仁者邪? 醫者以頑痺爲不仁, 以其不覺, 故謂之不仁. 不覺固是不仁, 然

뜻이 본래 다르다.(問, '侯氏云「盡物之謂恕」, 程子不以爲然, 何也?' 曰, '「恕」字上著「盡」字不得. 恕之得名, 只是推己, 「盡物」, 卻是於物無所不盡, 意思自別.)"

220 須是知覺那裏: '裏'는 『朱子語類』 권101, 43조목에는 '理'로 되어 있다. 이 경우 "반드시 그 理를 지각하여야만"이라고 해석이 달라진다. 뒤에 "覺得那理之是非, 這方是流注在理上底."가 있는 것을 고려한다면 '理'로 보는 것도 일리는 있지만, 우선 底本에 따라 그대로 두었다.

221 『朱子語類』 권101, 43조목

222 해야 하는지: '合做'는 『역주어록총람』에서 '마땅히 해야 한다'라고 하였다.

223 세 단계로 … 보아야: 『朱子語類考文解義』 권24에 "아픔과 가려움을 모르는 것, 아픔과 가려움을 지각하는 것, 그 理를 지각하는 것이 세 단계이다.(不聞痛癢也, 覺痛癢也, 覺這理也, 凡三節也.)"라고 하였다.

224 깨닫지 못하는 것: 『朱子語類考文解義』 권24에 "'聞'은 지각함이고 인식함이다. 어쩌면 글자가 잘못되었을 것이다.('聞', 卽覺也, 識也. 或字誤也.)"라고 하였다.

225 비록 한 … 이해했다하더라도: 『朱子語類考文解義』 권24에 "다만 아픔과 가려움 한 가지 일을 알게 되었다는 말이다. '이해하다[會]'는 '깨우치다[曉]'는 뜻과 같다.(謂但識痛癢一事也. 會, 猶曉也.)"라고 하였다.

便謂覺是仁, 則不可."[226]

어떤 사람이 물었다. "사상채謝上蔡[謝良佐]는 지각[覺]으로 인仁을 설명했는데, 이것은 어떻습니까?" (주자가) 대답했다. "지각은 도리를 깨달아야 하는 것이다. 반드시 조금도 어긋남이 없어야 마음의 덕을 온전히 할 수 있으니, 이것이 바로 인이다. 그저 아픔이나 가려움을 아는 것이라면, 보통 사람들이 모두 알 수 있는 것인데, 어찌 모두 인자仁者이겠는가? 의가醫家에서 마비된 것을 불인不仁이라고 하는데, 느끼지[覺] 못하기 때문에 불인이라고 하였다. 느끼지[覺] 못하는 것은 진실로 불인이지만, 그러나 곧바로 지각[覺]을 인이라고 하면 안 된다."

[35-1-67]

問: "程門以知覺言仁, 「克齋記」乃不取, 何也?"

曰: "仁離愛不得. 上蔡諸公不把愛做仁, 他見伊川言, '博愛非仁也. 仁是性, 愛是情', 伊川也不是道愛不是仁. 若當初有人會問, 必說道'愛是仁之情, 仁是愛之性', 如此方分曉. 惜門人只領那意, 便專以知覺言之. 於愛之說, 若將浼焉, 遂蹉過仁地位去說, 將仁更無安頓處. '見孺子匍匐將入井, 皆有怵惕惻隱之心', 這處見得親切. 聖賢言仁, 皆從這處說."

물었다. "정자의 문하에서 지각을 인仁이라고 말했는데, 「극재기克齋記」[227]에서는 (이런 입장을) 취하지 않은 것은 무엇 때문입니까?"

(주자가) 대답했다. "인은 사랑[愛]과 떨어질 수 없다. 상채上蔡[謝良佐]와 여러 사람들이 사랑을 인이라고 하지 않는데, 그들은 이천伊川[程頤]이 '널리 사랑하는 것[博愛]은 인이 아니다. 인은 성性이고 사랑은 정情이다.'[228]라고 한 말에 주목한 것이겠지만, 이천도 사랑이 인이 아니라고 말한 것은 아니다. 만약 애초에 어떤 사람이 제대로 질문했다면, 반드시 '사랑은 인의 정이고 인은 사랑의 성이다'라고 말했을 것이니, 이와 같아야 비로소 분명한 것이다. 애석하게도 (정자의) 문인들은 다만 그 (말의) 뜻만을 알고는, 오로지 지각으로만 (인을) 말한 것이다. 사랑으로 인을 설명하는 것에 대해서는, 마치 장차 잘못될 것 같이 여겨서[229] 마침내 인의 지위를 잃어버리고 말한 나머지, 인을 더 이상 놓을 곳이 없게 되었다. '어린아이

226 『朱子語類』 권101, 41조목

227 「克齋記」: 주자가 克齋(石𡼖, 1128~1182)에게 지어준 글로, 『朱文公文集』 권77에 수록되어 있다. 극재는 石𡼖의 호이며, 거처하던 집의 이름이기도 하다. 石𡼖은 남송 台州 林海 사람으로 이름을 𡼖 또는 墪이라고 하기도 하며, 字는 子重이다. 주자와 교유했으며, 저서에 『周易·大學·中庸集解』 및 문집이 있다.

228 '널리 사랑하는 … 情이다.': 『二程粹言』 권1 「論道篇」에 "어떤 사람이 인에 대해 물었다. 정자가 대답했다. '성현이 인에 대해 말한 것이 많으니, 잘 살펴보아 체인할 수 있으면 반드시 식견이 생기게 된다. 韓文公[韓愈]이 「널리 사랑함을 인이라고 한다.」라고 했는데, 사랑은 情이고 인은 性이다. 인은 진실로 널리 사랑하는 것이지만, 널리 사랑하는 것을 인을 다하는 것이라고 해서는 안 된다.'(或問仁. 子曰, '聖賢言仁多矣, 會觀而體認之, 其必有見矣. 韓文公曰, 「博愛之謂仁」, 愛, 情也, 仁, 性也. 仁者固博愛, 以博愛爲盡仁則不可.')"라고 하였다.

229 마치 장차 … 여겨서: 『孟子』 「公孫丑上」에 "伯夷는 섬길 만한 군주가 아니면 섬기지 않으며, 벗할 만한 사람이 아니면 벗하지 않으며, 악한 사람의 조정에 서지 않으며, 악한 사람과 말하지 않았다. 악한 사람의

가 우물로 기어 들어가려는 것을 보면 모두 깜짝 놀라고 측은惻隱해하는 마음을 가지는 것'[230] 여기에서 절실함을 알 수 있다. 성현이 인을 말한 것이 다 여기로부터 말했다."

又問: "知覺亦有生意."

曰: "固是. 將知覺說來冷了. 覺在智上却多, 些小搭在仁邊. 仁是和底意. 然添一句, 又成一重. 須自看得, 便都理會得."[231]

또 물었다. "지각知覺에도 생의生意가 있습니다."

(주자가) 대답했다. "진실로 옳다. 지각知覺으로만 말하면 냉정하다. 지각[覺]은 도리어 지智의 측면이 많고, 인의 측면에 실려 있는 것은 적다. 인은 온화하다[和]는 뜻이다. 그러나 한 마디를 덧붙이면 또 한 겹이 늘어난다. 반드시 스스로 간파해야만 모두 이해할 수 있다."

[35-1-68]

「答張敬夫書」曰: "胡廣仲引『孟子』'先知先覺'以明上蔡'心有知覺'之說, 已自不倫. 其謂'知此覺此', 亦未知指何爲說. 要之大本旣差, 勿論可也. 今觀所示, 乃直以此爲仁, 則是以'知此覺此'爲知仁覺仁也. 仁本吾心之德, 又將誰使知之而覺之邪? 若據『孟子』本文, 則程子釋之已詳矣. 曰'知是知此事, 知此事當如此也. 覺是覺此理, 知此事之所以當如此之理也.' 意已分明, 不必更求玄妙.

「장경부張敬夫[張栻][232]에게 답하는 편지」에서 말했다. "호광중胡廣仲[胡實][233]은 맹자의 '먼저 알고 먼저

조정에 서며 악한 사람과 말하는 것을, 마치 朝服과 朝冠을 착용하고 진흙과 숯구덩이에 앉은 듯이 여겼으며, 악을 미워하는 마음을 미루어서 생각하기를 시골사람과 함께 서있을 때에 그 冠이 바르지 못하면 돌아보지 않고 떠나가 마치 장차 그에게 더럽혀질 듯이 여겼다.(伯夷非其君不事, 非其友不友, 不立於惡人之朝, 不與惡人言. 立於惡人之朝, 與惡人言, 如以朝衣朝冠, 坐於塗炭, 推惡惡之心, 思與鄕人立, 其冠不正, 望望然去之, 若將浼焉)"라고 하였다.

230 '어린아이가 우물로 … 것': 『孟子』「公孫丑上」에서는 "지금 사람들이 갑자기 어린아이가 장차 우물로 기어 들어가려는 것을 보면 모두 깜짝 놀라고 측은해 하는 마음을 가지게 된다. (이것은) 어린아이의 부모와 교분을 맺으려고 해서도 아니며, 마을 사람들과 친구들에게 명예를 구해서도 아니며, (잔인하다는) 명성을 싫어해서 그러한 것도 아니다.(所以謂人皆有不忍人之心者, 今人乍見孺子將入於井, 皆有怵惕惻隱之心. 非所以內交於孺子之父母也, 非所以要譽於鄕黨朋友也, 非惡其聲而然也.)"라고 하였고, 「滕文公上」에는 "갓난아이가 기어서 우물로 들어가려고 하는 것은 갓난아기의 죄가 아니다.(赤子匍匐將入井, 非赤子之罪也.)"라고 했다.

231 『朱子語類』 권6, 117조목

232 張栻(1133~1180): 송대 漢州 綿竹(현 사천성 廣漢縣) 사람으로, 자는 敬夫·欽夫·樂齋이고, 호는 南軒이다. 知撫州·知嚴州·湖北安撫使·吏部侍郞兼侍講 등을 역임했으며, 주자·呂祖謙과 친구로 지냈으며, 후대에 이들 셋을 '東南三賢'이라고 부른다. 장식은 스승 胡宏으로부터 이어지는 胡湘學派를 정립하였으며, 그의 察識端倪說은 주희의 中和舊說을 확립하는데 중요한 역할을 하였다. 저서는 『南軒易說』·『論語解』·『孟子

깨닫는다.[先知先覺]'[234]를 인용하여 '마음에는 지각知覺이 있다'는 상채上蔡[謝良佐]의 학설을 설명했는데 이미 저절로 서로 맞지 않습니다. '이것을 알고 이것을 깨닫는다[知此覺此]'라고 한 것도 무엇을 가리켜 말한 것인지 모르겠습니다. 요컨대 큰 근본이 이미 어긋났으니 논하지 않는 것이 괜찮을 것입니다. 지금 보내 준 글을 보건대 바로 이것을 인이라고 여겼으니, 이는 '이것을 알고 이것을 깨닫는다[知此覺此].'를 인을 알고 인을 깨달음[知仁覺仁]이라고 본 것입니다. (그러나) 인은 본래 내 마음의 덕이니 또 장차 누가 그것을 알게[知] 해주고 깨닫게[覺] 해 주겠습니까? 만약 『맹자』의 본문에 근거하여 보면, 정자程子가 이것을 해석한 것이 이미 상세합니다. '지知는 이 일을 아는 것이고, 이 일이 마땅히 이와 같아야 함을 아는 것이다. 각覺은 이 이치를 깨닫는 것이다.'[235] 이 일이 마땅히 이와 같아야 하는 까닭의 이치를 아는 것이다.'는 말에서 뜻이 이미 분명하니, 다시 현묘함을 추구할 필요가 없습니다.

且其意與上蔡之意亦初無干涉也. 上蔡所謂知覺, 正謂知寒暖飽飢之類爾. 推而至於'酬酢佑神', 亦只是此知覺, 無別物也, 但所用有小大爾. 然此亦只是智之發用處. 但惟仁者爲能兼之, 故謂仁者心有知覺則可, 謂心有知覺謂之仁, 則不可. 蓋仁者心有知覺, 乃以仁包四者之用而言, 猶云仁者知所羞惡辭讓云爾. 若曰心有知覺謂之仁, 則仁之所以得名初不爲此也. 今不究其所以得名之故, 乃指其所兼者便爲仁體, 正如言'仁者必有勇', '有德者必有言', 豈可遂以勇爲仁言爲德哉?"

또 그 뜻은 상채의 뜻과 역시 애초부터 아무런 관계가 없습니다. 상채가 말하는 지각知覺은 바로 추위와 따뜻함과 배부름과 배고픔 등을 아.는 것을 말할 뿐입니다. 미루어서 '응대하고 신을 돕는 것'[236]까지도 또한 다만 지각일 뿐 다른 것이 없고, 다만 쓰임에 크고 작음이 있을 뿐입니다. 그러나 이 또한 다만

說』·『伊川粹言』·『南軒集』 등이 있다.

233 胡實(1136~1173) : 송대 崇安(현 복건성 소속) 사람으로, 자는 廣仲이다. 文定公 胡安國의 조카이자 胡宏의 사촌동생으로, 호굉에게 학문을 배웠으나 평생 벼슬에 나아가지 않고 講學에 힘을 쏟았다. 주자·張栻 등과 학술 논변을 벌였으나 합치되지 않았다.

234 '먼저 알고 … 깨닫는다.' : 『孟子』「萬章上」과 「萬章下」에 "(이윤이 말하기를) '하늘이 이 백성을 만드실 때, 먼저 안 사람으로 하여금 늦게 아는 사람을 깨우치며, 먼저 깨달은 자로 하여금 뒤늦게 깨닫는 자를 깨우치게 하신 것이니, 나는 하늘이 낸 백성 중에 선각자이다. 내 장차 이 道로써 이 백성들을 깨우칠 것이다.(天之生此民也, 使先知覺後知, 使先覺覺後覺也. 予天民之先覺者也, 予將以斯道覺斯民也.)"라고 하였다.

235 '知는 이 … 것이다.' : 『河南程氏遺書』 권18

236 '응대하고 신을 … 것' : 『周易』「繫辭上」 제9장에 "이 때문에 함께 응대할 수 있으며 함께 神을 도울 수 있는 것이다.(是故可與酬酢, 可與佑神矣.)"라고 하였고, 『本義』에서 "'酬酢'은 應對함을 말하고, '祐神'은 신묘한 造化의 功을 도움을 말한다.('酬酢', 謂應對, '祐神', 謂助神化之功.)"라고 주해하였다. 또 이에 대해 『伊川經說』「易說」에서는 "만 가지 변화에 응대할 수 있고, 神道에 도울 수 있다.(可與應對萬變, 可贊祐於神道矣.)"라고 하였고, 『朱子語類』 권75, 38조목에서는 "이는 시초로 점친 괘의 用을 말한 것이다. … 이미 길흉을 알게 되면 일의 변화에 응대할 수 있다. 신이 또 어찌 스스로 길흉과 인사를 말할 수 있겠는가! 『易』이 있은 후에야 비로소 드러나 보이니, 곧 『易』이 와서 신을 돕는 것이다.(此是說蓍卦之用. … 旣知吉凶, 便可以酬酢事變. 神又豈能自說吉凶與人! 因有易後方著見, 便是易來佑助神也.)"라고 하였다.

지智가 발용發用한 것일 뿐입니다. 다만 오직 인자라야 이것을 겸할 수 있으므로, 인자는 마음에 지각이 있다고 말하면 괜찮지만, 마음에 지각이 있는 것을 인이라고 말하면 안 됩니다.[237] '인자는 마음에 지각이 있다'는 것은, 인이 네 가지의 용用을 포함하는 것으로써 말한 것이니, 마치 인자가 수오羞惡·사양辭讓할 것을 안다고 말하는 것과 같습니다. 만약 '마음에 지각이 있는 것을 인이라고 한다'라고 말한다면, 인이라고 이름을 붙인 까닭은 애당초 이것 때문이 아닙니다. 지금 (인이라고) 이름을 붙인 까닭을 궁구하지 않고, 곧 겸한 것을 가리켜 인의 체體라고 하면, 바로 '인자는 반드시 용기가 있고 덕이 있는 사람은 반드시 말이 있다.'[238]라는 말에서 어찌 용기를 인으로 삼고 말을 덕으로 삼을 수 있겠습니까?"

又答曰 : "來教云, '夫其所以與天地萬物一體者, 以夫天地之心之所有, 是乃生生之蘊, 人與物所公共, 所謂愛之理也.' 熹詳此數句, 似頗未安. 蓋仁只是愛之理, 人皆有之. 然人或不公, 則於其所當愛者反有所不愛, 惟公, 則視天地萬物皆爲一體而無所不愛矣. 若愛之理則是自然本有之理, 不必爲天地萬物同體而後有也. 熹向所呈似「仁說」, 其間不免尚有此意, 方欲改之而未暇, 來教以爲不如「克齋」之云是也. 然於此却有所未察.

또 (주자가) 답서[239]에 말했다. "보내온 편지에서 '천지 만물과 한 몸이 되는 까닭은, 천지의 마음에 지니고 있는 것이 바로 '생하고 생하는 온축함[生生之蘊]'이고, 사람과 만물이 서로 공유하는 것이니 이른바 사랑의 리理이다.'라고 하였는데, 제가 이 몇 구절을 상세히 살펴보니, 상당히 온당치 못한 듯합니다. 인은 다만 사랑의 리理로서 사람들이 모두 이것을 가지고 있습니다. 그러나 사람이 혹시라도 공평[公]하지 않으면, 마땅히 사랑해야 할 것에 대해 오히려 사랑하지 않는 일이 있으니, 오직 공평[公]해야만 천지 만물이 모두 한 몸이 되는 것으로 보아서 사랑하지 않는 일이 없게 될 것입니다. 사랑의 리理는 저절로 본래 지니는 이치[理]이니, 꼭 천지만물이 한 몸이 되고 난 후에 갖게 되는 것은 아닙니다. 제가 지난번에 드린[240] 「인설仁說」은, 그 속에 아직 이런 뜻이 있음을 면하지 못해서, 바로 고치고 싶었으나 겨를이 없었으니, 보내온 편지에서 「극재기」[241]보다 못하다고 하신 말씀은 옳습니다. 그러나 여기에도 잘 살펴보지 못한 점이 있습니다.

237 인자는 마음에 … 됩니다. : 『朱子語類』 권20, 128조목에 "곧 상채가 인을 말한 것과 같으니, '시험삼아 내가 어버이를 섬기고 형에게 순종할 때를 보면, 이 마음은 어떤 것인가?'라고 했는데 모두 남는 것 같다. 인은 바로 지각하는 바가 있는 것이고 不仁은 바로 지각하는 바가 없는 것이니, 이와 같아야 설명이 올바르다. 만일 '마음에 자각이 있는 것을 인이라고 한다'라고 말하면, 안 된다. '인'자는 설명하기 매우 어려우니, 그러므로 공자도 인을 드물게 말했다.(且如上蔡說仁, 曰, '試察吾事親·從兄時, 此心如之何?' 便都似剩了. 仁者便有所知覺, 不仁者便無所知覺, 恁地卻說得. 若曰'心有知覺之謂仁', 卻不得. '仁'字最難言, 故孔子罕言仁.)"라고 하였다.

238 '인자는 반드시 … 있다.' : 『論語』「憲問」

239 답서 : 『朱文公文集』 권32의 「又論仁說」 세 번째 편지이다.

240 드린 : 呈似의 似에도 '주다[與, 給]'라는 의미가 있다. 편지투식에서 자주 쓰인다.

241 「克齋記」 : 『朱文公文集』 권77 「克齋記」

竊謂莫若將'公'字與'仁'字且各作一字看得分明, 然後却看中間兩字相近處之爲親切也. 若遽混而言之, 乃是程子所以訶以公便爲仁之失. 此毫釐間, 正當子細也. 又看'仁'字, 當并'義'·'禮'·'智'字看, 然後界限分明, 見得端的. 今舍彼三者而獨論'仁'字, 所以多說而易差也. 又謂體用一源, 內外一致爲仁之妙, 此亦未安. 蓋義之有羞惡, 禮之有恭敬, 智之有是非, 皆內外一致, 非獨仁爲然也."

저는 '공公'자와 '인仁'자를 우선 각각 한 자씩 분명하게 보고, 그런 다음에 중간에 두 글자가 공유하는 부분을 보는 것이 가장 절실하다고 생각합니다. 만약 갑자기 이 둘을 섞어서 말하면, 이는 '공'을 바로 '인'으로 여기는 잘못이라고 정자가 꾸짖었던 것입니다. 이 미세한 차이를 마땅히 자세히 살펴보아야 합니다. 또 '인'자를 볼 때는 마땅히 '의'·'예'·'지'자를 함께 보아야 하니, 그런 다음에야 경계가 분명해지고 보는 것이 확실해집니다. 이제 저 세 가지를 놓아두고 '인'자만을 홀로 논했기 때문에 (이는) 말은 많아지지만 어긋나기 쉽습니다. 또 체體와 용用이 근원이 하나이고 안과 밖이 일치함이 인의 묘함이라고 했는데 이 역시 온당치 못합니다. 의에 수오羞惡함이 있는 것과, 예에 공경함이 있는 것과, 지에 시비是非를 가림이 있는 것이 모두 안과 밖의 일치함이지, 유독 인만 그런 것이 아닙니다."

南軒張氏與朱子書曰 : "仁之爲說, 推原其本, 人與天地萬物一體也. 是以其愛無所不至, 猶人之身無分寸之膚而不貫通, 則無分寸之膚不愛也. 故以'惟公近之'之語, 形容仁體, 最爲親切. 欲人體夫所以愛者言仁, 然愛字只是明得其用.[242] 必曰'仁者愛之理', 乃更親切. 夫其所以與天地一體者, 以夫天地之心之所存, 是乃生生之蘊, 人與物所公共, 所謂愛之理者此也. 故探其本, 則未發之前, 愛之理存乎性, 是乃仁之體 ; 察其動, 則已發之際, 愛之施被乎物, 是乃仁之用. 體用一源, 內外一致, 此仁之所以爲妙也."[243]

남헌 장씨南軒張氏[張栻]가 주자에게 보낸 편지에서 말했다. "인에 대한 설명은 그 근본을 추구하면 사람과 천지 만물이 한 몸인 것입니다. 그런 까닭에 그 사랑이 이르지 않는 곳이 없는 것은, 마치 사람의 몸에서 어느 조그마한 피부도 통하지 않음이 없어서, 아주 조그마한 피부도 사랑하지 않음이 없는 것과 같습니다.[244] 그러므로 '오직 공만이 이에 가깝다.'[245]는 말로 인의 체體를 형용한 것이 가장 분명합니다. 사람들에게 사랑하는 까닭[246]으로 인을

242 欲人體夫所以愛者言仁, 然愛字只是明得其用. : 『南軒集』 권20에는 '然'이 '中蓋言之矣而以所言'으로 되어 있다. 『朱子全書』 외편 「南軒先生文集」 제20(상해고적출판사, 2002)에서는 앞의 '言仁'을 書名으로 보고, '欲人體夫所以愛者, 言仁中蓋言之矣, 而以所言愛字只是明得其用耳.'라고 하였다. 참고로 『朱子語類箚疑』 권32에는 '言仁之書'에 대해 "남헌이 편찬한 南軒所編洙泗言仁錄"이라고 하였다.

243 南軒張氏與朱子書曰 … 此仁之所以爲妙也. : 『南軒集』 권20

244 그 사랑이 … 같습니다. : 『孟子』 「告子上」에서는 "사람이 자기 몸에 대해서 사랑하는 것을 겸하니, 사랑하는 것을 겸하면 기르는 바를 겸한다. 한 자와 한 치의 살을 사랑하지 않음이 없다면, 한 자와 한 치의 살을 기르지 않음이 없을 것이니, 잘 기르고 잘못 기름을 상고하는 것이 어찌 다른 것이 있겠는가? 자기에게서 취할 뿐이다.(人之於身也, 兼所愛, 兼所愛, 則兼所養也. 無尺寸之膚不愛焉, 則無尺寸之膚不養也, 所以考其善不善者, 豈有他哉? 於己取之而已矣.)"라고 했다.

245 '오직 공만이 … 가깝다.' : 『河南程氏遺書』 권3에는 "仁의 道는 명명하기 어렵다. 오직 公만이 이에 가깝지만, 공을 인이라고 할 수는 없다.(仁道難名. 惟公近之, 非以公便爲仁.)"라고 하였다.

말한 것을 체득하게 하려고 하였지만, '사랑'은 그 용用을 밝힐 뿐입니다. 반드시 '인이 사랑의 리理'라고 말해야만 더욱 좋습니다. 천지와 한 몸이 되는 까닭은 천지의 마음에 지니고 있는 것이 바로 '생하고 생하는 온축함[生生之蘊]'이고, 사람과 만물이 서로 공유하는 것이니 이른바 사랑의 리理라는 것이 이것입니다. 그러므로 그 근본을 궁구하면 미발未發일 때에 사랑의 리理가 성性에 보존되어 있는데, 이것이 바로 인의 체體이며, 그 동動을 살펴보면 이발已發의 때에 사랑의 베풀어짐이 사물에게 영향을 입히는데, 이것이 바로 인의 용用입니다. 체와 용이 근원이 하나이고 안과 밖이 일치함, 이것이 인이 묘함이 되는 까닭입니다."

又答曰："程子言仁, 本末甚備. 今撮其大要, 不過數言. 蓋曰'仁者, 生之性也, 而愛其情也, 孝悌其用也.' '公者所以體仁', 猶言克己復禮爲仁也.' 學者於前三言者可以識仁之名義. 於後一言者可以知其用力之方矣. 今不深考其本末指意之所在, 但見其分別性情之異, 便謂愛之與仁了無干涉, 見其以公爲近仁, 便謂直指仁體最爲深切. 殊不知仁乃性之德而愛之本. 因其性之有仁, 是以其情能愛. 但或蔽於有我之私, 則不能盡其體用之妙. 惟克己復禮廓然大公, 然後此體渾全, 此用昭著, 動靜本末, 血脉貫通爾.

또 답서에 말했다. "정자가 인을 말한 것은 근본과 말단이 진실로 다 갖추어져 있습니다. 지금 그 큰 요점을 개괄해보면 몇 마디 말에 불과합니다. 인이라고 하는 것은 '생하는 성[生之性]'[247]인데, 사랑은 그것의 정이고,[248] 효제는 그것의 용用입니다.[249] 공公은 인을 체인하는 것[250]이니, '자기의 사욕을 극복하여 예로 돌아가는 것이 인이 되는 것이다.'[251]라고 말하는 것과 같습니다. 배우는 자들은 (인은 성이고, 사랑은 정이며, 효제는 용이라는) 앞의 세 마디 말에서는 인의 의미를 알 수 있으며, (공이라는) 뒤의 한 마디 말에서 힘을 쓰는 방법을 알 수 있습니다. 지금 근본과 말단의 뜻이 있는 곳을 깊이 고찰하지 않고는, 성과 정의 다름을 분별한 것만 보고서, 곧 사랑은 인과 조금도 관계가 없다고 하고, '공이 인에 가깝다'[252]고 여기는 것을 보고서, 인의 체를 직접 가리키는 데에[253] 가장 절실하다고 하니, (이는) 인이

---

246 사람들에게 사랑하는 까닭 : 『河南程氏遺書』 권19에 "인은 사람을 사랑하게 되는 까닭이다.(仁所以愛人.)"라고 하였고, 『朱子語類』 권33, 89조목에 "사랑하는 까닭은 이 마음이 있기 때문이다. 사랑하지 않음이 없게 되는 까닭은 같은 몸이기 때문이다.(所以愛者, 以其有此心也；所以無所不愛者, 以其同體也.)"라고 하였다.

247 생하는 성[生之性] : 『河南程氏遺書』 권18 「伊川先生語」에는 "마음은 비유하자면 씨앗과 같은 것이니, '생하는 성[生之性]'이 바로 仁이다.(心譬如穀種, 生之性便是仁也.)"라고 하였다.

248 사랑은 그것의 정이고 : 『河南程氏遺書』 권18에 "맹자가 '측은한 마음이 仁이다.'라고 했는데, 후대의 사람들이 사랑을 仁이라고 여기게 되었다. 측은함은 진실로 사랑이지만, 사랑은 본래 情이고 仁은 본래 性이니, 어찌 오로지 사랑을 仁이라고 할 수 있겠는가?(孟子曰, 「惻隱之心仁也」, 後人遂以愛爲仁. 惻隱固是愛也, 愛自是情, 仁自是性, 豈可專以愛爲仁?)"라고 하였다. [35-1-4]를 참조

249 효제는 그것의 用입니다. : 『河南程氏遺書』 권18에 "인은 성이다. 효제는 용이다.(蓋仁是性也. 孝弟是用也.)"라고 하였고, 『二程粹言』 권1, 「論道篇」에도 "효제는 인의 일이다. 인은 성이고, 효제는 용이다.(孝弟, 仁之事也. 仁, 性也；孝弟, 用也.)"라고 하였다.

250 公은 인을 … 것 : 『河南程氏遺書』 권15 「入關語錄」에 "공하되 사람으로써 그것을 체인하므로 인이다.(公而以人體之, 故爲仁.)"라고 하였다. [35-1-9]를 참고

251 '자기의 사욕을 … 것이다.' : 『論語』 「顔淵」

성性의 덕이며 사랑의 근본임을 전혀 모르는 것입니다. 성性에 인이 있기 때문에, 그 정情이 사랑할 수 있는 것입니다. 다만 어떤 경우에는 나라는 사사로움[254]에 가려지게 되면 그 체體·용用의 묘함을 다할 수 없습니다. 오직 '자기의 사욕을 극복하여 예로 돌아가'[255] 활짝 트여 크게 공公한 다음에야 이 체體가 온전해지고 이 용用이 밝게 드러나 움직이건 고요하건, 근본이건 말단이건 맥락이 관통하게 됩니다.

程子之言, 意蓋如此, 非謂愛之與仁了無干涉也, 此說前書言之已詳, 今請復以兩言決之. 如熹之說, 則性發爲情, 情根於性. 未有無性之情, 無情之性, 各爲一物而不相管攝. 二說得失, 此亦可見. **非謂公之一字便是直指仁體也.** 細觀來喻, 所謂'公天下而無物我之私, 則其愛無不溥矣', 不知此兩句甚處是直指仁體處. 若以愛無不溥爲仁之體, 則陷於以情爲性之失. 高明之見必不至此. 若以'公天下而無物我之私'便爲仁體, 則恐所謂公者漠然無情, 但如虛空木石, 雖其同體之物, 尙不能有以相愛, 況能無所不溥乎? 然則此兩句中初未嘗有一字說着仁體. 須知仁是本有之性, 生物之心, 惟公爲能體之, 非因公而後有也. 故曰公而以人體之故爲仁. 細看此語, 却是人字裏面帶得仁字過來.

정자의 말은 뜻이 대개 이와 같으니, 사랑이 인과 조금도 관계가 없다고 한 것은 아니며, 이런 주장은 이전 편지에서 이미 상세하게 말했는데, 지금 다시 두 측면의 말로 결단을 내려 볼까 합니다. 제[朱熹] 주장은, 성性이 발하여 정情이 되고, 정은 성에 근원한다는 것입니다. 성이 없는 정과 정이 없는 성이 각기 하나의 것이 되어 서로 간섭하지 않는 경우는 없습니다. 두 주장의 잘잘못을 여기에서도 볼 수 있습니다. 공이라는 말이 바로 인의 체體를 직접 가리킨다고 한 것도 아닙니다. 보내온 편지를 자세히 살펴보니, 이른바 '천하를 공公으로 여겨 남과 나를 차별하는 사사로움이 없으면 그 사랑을 두루 넓히지 않음이 없게 된다.'[256]는 것에서, 이 두 구절 중 어느 곳이 인의 체體를 직접 가리킨 것인지 모르겠습니다. 만약 '사랑을 두루 넓히지 않음이 없다'는 것을 인의 체로 여긴다면, 정을 성으로 여기는 잘못에 빠지게 되고 맙니다. 그대의 견해가 반드시 여기에 이를 리가 없습니다.

252 '공이 인에 가깝다.' : 『河南程氏遺書』 권3에 "仁의 道는 명명하기 어렵다. 오직 公만이 이에 가깝지만, 공을 인이라고 할 수는 없다.(仁道難名. 惟公近之, 非以公便爲仁.)"라고 하였다.

253 인의 체를 … 데에 : 『朱子語類』 권33, 66조목에 "그러므로 ('어찌 인에만 그치겠는가?[何事於仁]'와 '반드시 성일 것이다. 요순도 이에 대해서는 오히려 근심하셨을 것이다.[必也聖乎, 堯舜其猶病諸]'라는) 앞의 두 구절은 인을 직접 가리켜서 말한 것이고, ('가까이 자신에게서 취하여 미루어 남이 원하는 바에 미치는 것[能近取譬]'이라는) 뒤의 한 구절은 다만 '인의 방법'으로 삼은 것이다.(故上二句直指仁者而言, 而下一句則止以爲'仁之方'.)"라고 하였다. 『朱文公文集』 권31 「答張敬夫」에 "보내주신 편지는 오히려 이곳에 나아가 억지로 인의 體를 엿보려고 하고 있습니다.(如來喩者, 猶是要就此處彊窺仁體)"라고 하였다.

254 나라는 사사로움 : 『論語』 「子罕」에 "공자는 네 가지가 전혀 없었으니, 사사로운 뜻이 없었고, 기필하는 마음이 없었고, 집착이 없었고, 자기만 이롭게 함이 없었다.(子絶四, 毋意, 毋必, 毋固, 毋我.)"라고 하였다. 『朱子語類』 권36, 20조목에서 "意는 사사로운 뜻이 발동하는 것이다. … 我는 사사로운 뜻이 성취되는 것이다.(意, 私意之發. … 我, 私意成就.)"라고 하였고, 권36, 22조목에는 "'我'에 이르면, 단지 나만 있는 줄 알지 남이 있는 것은 모른다.(到'我', 但知有我, 不知有人.)"라고 하였으며 25조목에는 "'意'는 처음 발동하는 생각이고, '我'는 일이 마무리되는 것이다.('意'是初發底意思, '我'則結撮成箇物事矣.)"라고 하였다.

255 '자기의 사욕을 … 돌아가' : 『論語』 「顔淵」

256 '천하를 公으로… 된다.' : 『南軒集』 권21 「答朱元晦秘書·又 7」

만약 '천하를 공公으로 여겨 외물과 자신이라는 사사로움이 없음'을 바로 인의 체라고 여긴다면 아마도 이른바 공은 냉담하게 무정한 것이 예컨대 허공과 목석과 같아서 비록 같은 몸이라도 오히려 서로 사랑할 수가 없는데, 더구나 두루 펼칠 수 있겠습니까? 그렇다면 이 두 구절 가운데 애초부터 한 글자도 인의 체를 설명하고 있는 것이 없었습니다. 인은 본래부터 가지고 있는 성性이며, 만물을 생生하는 마음이지만, 오직 공公해서 그것을 체인할 수 있는 것이지, 공公한 다음에 있게 되는 것은 아님을 반드시 알아야 합니다. 그러므로 '공하되 사람으로써 그것을 체인하므로 인이 된다.'[257]라고 한 것입니다. 이 말을 자세히 보면, '사람[人]'속에 '인仁'을 지니고 있다는 것입니다.

由漢以來, 以愛言仁之弊, 正爲不察性情之辨而遂以情爲性爾. 今欲矯其弊, 反使'仁'字汎然無所歸宿, 而性情遂至於不相管, 可謂矯枉過直, 是亦枉而已矣. 其弊將使學者終日言仁而實未嘗識其名義. 且又并與天地之心性情之德而昧焉. 竊謂程子之意必不如此. 南軒書云, '仁說如「天地以生物爲心」之語, 平看雖不妨, 然不若只云天地生物之心人得之爲人之心似完全.[258]「仁道難名. 惟公近之, 然不可便以公爲仁」, 又曰, 「公而以人體之故爲仁」, 此意指仁之體極爲深切. 愛只是情. 蓋公天下而無物我之私焉, 則其愛無不溥矣. 如此看乃可. 由漢以來, 言仁者蓋未嘗不以愛爲言也.'"[259]

한대漢代 이래로 사랑으로 인仁을 말하는 폐단은, 바로 성性과 정情의 구별을 살피지 못하고 마침내 정을 성이라고 여겼기 때문입니다. 지금 그 폐단을 바로잡으려다가, 도리어 '인仁'을 정처 없이 돌아갈 곳이 없도록 만들어 버리고, 성性과 정情이 마침내 서로 상관하지 않는 데에 이르게 된 것은, '굽은 것을 바로 잡으려다가 지나친 것'이라고 할 수 있으니 이 역시 굽은 것일 뿐입니다. 그 폐단은 배우는 자들에게 종일토록 인을 말하지만 실제로는 그 의미를 알 수 없게 할 것입니다. 또 아울러 천지의 마음과 성性과 정情의 덕에 대해서도 어둡게 할 것입니다. 제 생각에 정자程子의 뜻은 반드시 이와 같지 않았을 것입니다. 남헌의 편지에 말했다. '인설仁說에 「천지는 만물을 생겨나게 함으로 마음을 삼는다.」[260]는 말과 같은 경우에는 평범하게 보면 무방하지만, 천지가 만물을 생겨나게 하는 마음을 사람이 얻어서 사람의 마음으로 삼았다라고 말하는 완전함만 못합니다. (정자가) 「인仁의 도道는 명명하기 어렵다. 오직 공公만이 이에 가깝지만, 공을 인이라고 할 수는 없다.」[261]라고 하고 또 「공公하되 사람으로써 그것을 체인하기 때문에 인이 된다.」[262]라고 했는데, 이 뜻은 인의 체를 가리킨 것이 지극히 깊고 적절합니다. 사랑은 그저 정情일뿐입니다. 천하를 공公으로 여겨 외물과

257 '공하되 사람으로써 … 된다.' : 『河南程氏遺書』 권15 「入關語錄」. [35-1-9]를 참고

258 然不若只云天地生物之心人得之爲人之心似完全. : 『南軒集』 권21 「答朱元晦秘書 · 又 7」에는 이 구절 뒤에 如何가 있다.

259 「答張敬夫書」曰 : … '有德者必有言', 豈可遂以勇爲仁言爲德哉?는 『朱文公文集』 권32 「答張欽夫論仁說」 다음에 「又論仁說 1」이 있고 그 다음의 「又論仁說 2」의 글이다. 又「答」曰 : "來教云, 夫其所以與天地萬物一體者, … 皆內外一致, 非獨仁爲然也.는 다시 그 다음의 「又論仁說 3」의 글이다. 마지막으로 又「答」曰 : "程子言仁, 本末甚備. … 且又并與天地之心性情之德而昧焉. 竊謂程子之意必不如此는 다시 앞의 「又論仁說 2」의 글이다. 仁說如天地以生物爲心之語, 平看雖不妨, … 由漢以來, 言仁者蓋未嘗不以愛爲言也.는 『南軒集』 권21 「答朱元晦秘書 · 又 7」의 글이다.

260 「천지는 만물을 … 삼는다.」 : 『朱文公文集』 권67 「仁說」. [35-1-29] 참고

261 「仁의 道는… 없다.」 : 『河南程氏遺書』 권3에는 '仁道難名. 惟公近之, 非以公便爲仁.'이라고 되어 있다.

262 「公하되 사람으로써 … 된다.」 : 『河南程氏遺書』 권15 「入關語録」. [35-1-9]를 참고

자신이라는 사사로움이 없게 되면 그 사랑을 두루 넓히지 않음이 없게 됩니다. 이와 같이 보아야만 됩니다. 한대漢代 이래로부터 인을 이야기하는 자들은 사랑을 가지고 (인을) 말하지 않는 경우가 없었습니다.'"

[35-1-69]

問: "'愛之理'實具于心, '心之德'發而爲愛否?"

曰: "解釋文義則可, 實下工夫當如何?"

曰: "據其已發之愛, 則知其爲'心之德'; 指其未發之仁, 則知其爲'愛之理.'"

曰: "某記少時與人講論此等道理, 見得未真, 又不敢斷定, 觸處問人,[263] 自爲疑惑, 皆是臆度所致, 至今思之, 可笑. 須是就自己實做工夫處, 分明見得這箇道理, 意味自別. 如'克己復禮'則如何爲仁? '居處恭, 執事敬', 與'出門如見大賓'之類, 亦然. '克己復禮'本非仁, 却須從'克己復禮'中尋究仁在何處, 親切貼身體驗出來, 不須向外處求."

물었다. "'사랑의 이치'는 실제로 마음에 갖추어져 있고, '마음의 덕'은 발하여 사랑이 됩니까?"

(주자가) 대답했다. "글의 뜻을 해석한 것은 괜찮지만, 실제 공부는 마땅히 어떠해야 하는가?"

말했다. "이미 발한[已發] 사랑에 근거하면 '마음의 덕'이 됨을 알고 아직 발하지 않은[未發] 인仁을 가리키면 '사랑의 이치'임을 압니다."

(주자가) 말했다. "내 기억에, 어렸을 적에 다른 사람과 이런 도리를 강론했는데, 아는 것이 아직 진실되지 못했고, 또 감히 단정하지 못하여, 만날 때마다 남에게 질문하며, 또 스스로 의심했으나 모두 다 억측에 의한 것이니, 지금 생각해보면 가소롭다. 반드시 스스로 실제 공부를 하는 곳에서, 분명히 이 도리를 알아야, 의미가 저절로 분명해진다. 예를 들어 '자기의 사욕을 극복하여 예로 돌아간다.'[264]는 것은 어떻게 인이 되는가? '생활은 공손하고, 일을 할 때에는 경건한 것'[265]과 '문을 나가서는 큰 손님을 대하듯이 하는 것'[266]과 같은 부류도[267] 또한 그러하다. '자기의 사욕을 극복하여 예로 돌아가는 것'은

---

263 觸處問人 : 『朱子語類』 권20, 112조목(中華書局, 1994)에는 '問人'이 '間又'로 되어 있다. 이 경우 뒷 문장과 연결되어 "접촉하는 중에 또 스스로 의혹으로 여겼는데(觸處間又自爲疑惑)"라고 해석된다. 『朱子全書』(上海古籍出版社, 1997, 권14 p.715)에는 이에 대해 '問'이 만력본에는 '間'으로 되어 있고, 조선본에는 '問' 그대로 되어 있다고 교감했다.

264 '자기의 사욕을 … 돌아간다.' : 『論語』「顔淵」

265 '생활은 공손하고 … 것' : 『論語』「子路」에서 "樊遲가 仁에 대해 물었다. 공자가 말했다. '생활은 공손하고, 일을 할 때에는 경건하며, 남을 대할 때에는 진심을 다해야 한다. 비록 오랑캐의 땅에 가더라도 이를 버려서는 안 된다.'(樊遲問仁. 子曰, '居處恭, 執事敬, 與人忠. 雖之夷狄, 不可棄也.')"라고 하였다.

266 '문을 나가서는 … 것' : 『論語』「顔淵」에 "중궁이 인에 대해 물었다. 공자가 말했다. '문을 나가서는 큰 손님을 대하듯이 하고, 백성을 부릴 때는 큰 제사를 받들 듯이 하고, 자신이 원하지 않는 일을 남에게 베풀지 말아야 한다. 이렇게 하면 나라에서도 원망함이 없고 집안에서도 원망함이 없을 것이다.'(仲弓問仁. 子曰, '出門如見大賓, 使民如承大祭, 己所不欲, 勿施於人, 在邦無怨, 在家無怨.')"라고 하였다.

267 반드시 스스로 … 부류도 : 『朱子語類』 권6, 87조목에 "이미 인을 이와 같이 분명하게 알게 되면 공부를 하는데 이르게 되니, 반드시 '자기의 사욕을 극복하여 예로 돌아가고' '문을 나가서는 큰 손님을 대하듯이

본래 인이 아니니, 반드시 '자기의 사욕을 극복하여 예로 돌아가는 것'에서 인이 어느 곳에 있는지 찾아, 내 몸에서 절실하게 체험해내야지, 바깥에서 구해서는 안 된다."

周謨曰 : "平居持養, 只克去己私, 便是本心之德, 流行發見, 無非愛而已."

曰 : "此語近.[268] 正如疏導溝渠, 初爲物所壅蔽, 才疏導得通, 則水自流行. '克己復禮', 便是疏導意思, 流行處, 便是仁."[269]

주모周謨[270]가 말했다. "평소에 함양할 때 다만 사욕을 극복하여 제거하면, 본심의 덕이 흘러 발현하여 사랑이 아님이 없습니다."

(주자가) 말했다. "이 말은 도리에 가깝다. 바로 마치 도랑을 트는 것과 같으니, 처음에는 어떤 것에 막혀 있다가 물길을 터서 통하게 하면 물이 저절로 흘러가게 된다. '사욕을 극복하여 예로 돌아가는 것'은 바로 '터주다'의 뜻이니, 흘러가는 것이 바로 인이다."

[35-1-70]

問 : "敦厚虛靜者, 仁之本."

曰 : "敦厚虛靜, 是爲仁之本."

又問 : "虛者, 仁之原."

曰 : "虛只是無欲, 故虛. 虛明無欲, 此仁之所由生也."

又問 : "此'虛'字與'一大淸虛'之'虛'如何?"

曰 : "這虛也只是無欲. 渠便將這箇喚做道體. 然虛對實而言, 却不似形而上者."[271]

물었다. "돈후敦厚하고 허정虛靜한 것이 인仁의 근본입니다."

(주자가) 대답했다. "돈후하고 허정한 것은 인을 행하는 근본이다."

또 물었다. "허는 인의 근원입니다."

(주자가) 대답했다. "허는 다만 욕심이 없기 때문에 허이다. 텅 비고 밝으며[虛明] 욕심이 없는 것, 이것은 인이 그로부터 생겨나는 것이다."

또 물었다. "이 '허'와 '일대청허一大淸虛'[272]의 '허'는 어떠합니까?"

하고, 백성을 부릴 때는 큰 제사를 받들 듯이 하며' '자신이 원하지 않는 일을 남에게 베풀지 않아야' 하는 것이 비로소 공부해야 할 곳이다.(旣認得仁如此分明, 到得做工夫, 須是'克己復禮', '出門如見大賓, 使民如承大祭', '己所不欲, 勿施於人', 方是做工夫處.)"라고 하였다.

268 此語近. : 『朱子語類』 권20, 112조목에는 此語近之로 되어 있다.

269 『朱子語類』 권20, 112조목

270 周謨(1141~1202) : 남송 南康 사람이며 자는 舜弼이다. 주희가 남강군 지사로 있을 때 제자가 되었다.

271 問 : "敦厚虛靜者, … 敦厚虛靜是爲仁之本."은 『朱子語類』 권98, 119조목의 글이고, 問 : "虛者, 仁之原." … 却不似形而上者.는 『朱子語類』 권99, 36조목의 글이다.

272 一大淸虛 : 『張載集』「後錄下」에 "'청허일대'는 도체를 이와 같이 형용한 것이다.('淸虛一大', 形容道體如此.)"

(주자가) 대답했다. "이 허도 다만 무욕無欲일 뿐이다. 그것은 이것을 도체道體라고 한 것이다. 그러나 '허'는 '실'에 상대해서 말한 것이니, 도리어 형이상자 같지는 않다."

[35-1-71]

程子云,[273] "大率把捉不定, 皆是不仁." 問 : "心之本體, 湛然虛明, 無一毫私欲之累, 則心德未嘗不存矣. 把捉不定, 則爲私欲所亂, 是心外馳, 而其德亡矣."

曰 : "如公所言, 則是把捉不定, 故謂之不仁. 今此但曰'皆是不仁', 乃是言惟其不仁, 所以致把捉不定也."[274]

정자가 "대개 붙잡아 지키는 것이 확고하지 않은 것이 모두 불인不仁이다."[275]라고 했는데, 이에 대해 물었다. "마음의 본체는 맑게 텅 비고 밝아虛明, 털끝 하나만큼도 사욕에 얽매임이 없으면, 마음의 덕이 보존되지 않은 적이 없습니다. 붙잡아 지키는 것이 확고하지 않으면, 사욕에 의해 어지러워져, 마음이 바깥으로 치달리고 그 덕이 없어집니다."

(주자가) 대답했다. "그대의 말대로라면, 붙잡아 지키는 것이 확고하지 않기 때문에 불인不仁이라고 한 것이다. 지금 여기에서 다만 '모두 불인이다'라고만 한 것은 바로 오직 불인이기 때문에 붙잡아 지키는 것이 확고하지 않는 데에 이르게 되었음을 말한 것이다."

[35-1-72]

余正叔謂 : "無私欲是仁."

曰 : "謂之無私欲然後仁, 則可 ; 謂無私便是仁, 則不可. 蓋惟無私欲而後仁始見, 如無所壅底而後水方行."

方叔曰 : "與天地萬物爲一體是仁."

曰 : "無私是仁之前事, 與天地萬物爲一體是仁之後事. 惟無私然後仁, 惟仁然後與天地萬物爲一體, 要在二者之間, 識得畢竟仁是甚模樣. 欲曉得仁名義, 須并義·禮·智三字看. 欲眞箇見得仁底模樣, 須是從'克己復禮'做工夫去. 今人說仁, 如糖皆道是甜, 不曾喫着, 不知甜是甚滋

라고 했고, "횡거가 처음 '청허일대'를 말했는데, 이천에게 힐난을 받으니, '청은 탁을 겸하고 허는 실을 겸하며 일은 이를 겸하고 대는 소를 겸한다.'라고 말했다.(渠初云'清虛一大', 爲伊川詰難, 乃云'清兼濁, 虛兼實, 一兼二, 大兼小.')"라고 하였다. 이정은 『河南程氏遺書』 권11 「師訓」에서 "'형이상자를 도라고 하고 형이하자를 기라고 하는데', 어떤 사람이 淸虛一大를 천도로 여기는 것 같은 것은, 바로 器로써 말하는 것이니 도가 아니다.('形而上者謂之道, 形而下者謂之器', 若如或者以淸虛一大爲天道, 則乃以器言而非道也.)"라고 장재의 이론을 평하였다.

273 程子云 : 『朱子語類』 권96, 54조목에는 程子云이 없다. 인용한 말이 이정의 말이기 때문에 『性理大全書』의 편집자가 추가한 것으로 보인다.

274 『朱子語類』 권96, 54조목

275 '대개 붙잡아 … 不仁이다." : 『二程外書』 권1 「朱公掞錄拾遺」

味. 聖人都不說破, 在學者以身體之而已矣."[276]

여정숙余正叔[余大雅][277]이 말했다. "사욕이 없는 것이 인仁입니다."

(주자가) 말했다. "사욕이 없게 된 다음을 인이라고 하면 괜찮지만, 사욕이 없는 것이 바로 인이라고 하면 안 된다. 오직 사욕이 없어진 다음에야 인이 비로소 드러나니, 마치 막혔던 것을 없어진 후에 물이 흘러가는 것과 같다."

방숙方叔[余大猷][278]이 말했다. "천지만물과 한 몸이 되는 것이 인입니다."

(주자가) 말했다. "사욕이 없는 것은 인하기 전의 일이고, 천지만물과 한 몸이 되는 것은 인한 다음의 일이다. 오직 사욕이 없어진 뒤에야 인하고, 오직 인한 다음에야 천지만물과 한 몸이 되니, 둘 사이에서 끝내 인이 어떤 모습인지 알도록 해야 한다. 인의 의미를 알고자 한다면 반드시 의·예·지 셋을 함께 보아야 한다. 인의 모습을 진실로 알고 싶으면 반드시 '사욕을 극복하여 예로 돌아감'으로부터 공부해나가야 한다. 지금 사람들이 인을 말하는 것은, 마치 사탕이 모두 달다고 말은 하지만, 먹어본 적이 없어서 단 것이 무슨 맛인지 모르는 것과 같다. 성인마저도 자세히 말하지 않았으니, 배우는 자들이 몸소 체득하는 데에 달려 있을 뿐이다.

[35-1-73]

問: "程子云, '「敬以直內, 義以方外」, 仁也.' 如何以此便謂之仁?"

曰: "亦是仁也. 若能到私欲淨盡, 天理流行處, 皆可謂之仁."[279]

물었다. "정자가 '「경敬하여 안을 곧게 하고 의義하여 밖을 방정하게 한다.」[280]는 것은 인仁이다.'[281]라고 했는데, 어떻게 이것을 바로 인이라고 할 수 있습니까?"

(주자가) 대답했다. "역시 인이다. 만약 사욕이 깨끗이 사라지고 천리가 유행하는 곳에 이를 수 있다면, 모두 인이라고 할 수 있다."

[35-1-74]

問: "存得此心, 便是仁."

曰: "且要存得此心, 不爲私欲所勝, 遇事每每着精神照管, 不可隨物流去, 須要緊緊守着. 若常存得此心, 應事接物, 雖不中不遠. 思慮紛擾于中, 都是不能存此心. 此心不存, 合視處也不知視, 合聽處也不知聽."

或問: "莫在於敬否?"

276 『朱子語類』 권6, 109조목

277 余大雅(?~?): 남송 上饒 사람으로, 자는 正叔이다. 동생 余大猷과 함께 주자의 문인이다.

278 余大猷(?~?): 남송 上饒 사람으로, 자는 方叔이다. 형인 余正叔(余大雅)과 함께 주자의 문인이다.

279 『朱子語類』 권96, 20조목

280 「敬하여 안을 … 한다.」: 『周易』「坤卦 · 文言傳」

281 정자가 '「敬하여 … 仁이다.': 『河南程氏遺書』 권11 「明道先生語 · 師訓」

曰："敬非別是一事，常喚醒此心便是．人每日只鶻鶻突突過了，心都不曾收拾得在裏面．"
又曰："仁雖似有剛直意，畢竟本是箇溫和之物．但出來發用時有許多般，須得是非·辭遜·斷制三者，方成仁之事．及至事定，三者各退，仁仍舊溫和，緣是他本性如此．人但見有是非節文斷制，却謂都是仁之本意，則非也．春本溫和，故能生物，所以說仁如春．"[282]

물었다. "이 마음을 보존한 것이 바로 인입니다."
(주자가) 대답했다. "이 마음을 보존하여 사욕에 지지 않고, 만나는 일마다 모두 정신을 차려 살펴서, 외물을 따라 흘러가지 않도록 하려면, 반드시 단단히 지켜야 한다. 만약 이 마음을 항상 보존하면 일처리를 할 때에, 비록 딱 맞지는 않더라도 (도리에서) 멀지는 않을 것이다.[283] 생각이 안에서 어지러운 것은 전혀 이 마음을 보존하지 못한 것이다. 이 마음이 보존되지 못하면, 보아야 할 것도 볼 줄 모르고 들어야할 것도 들을 줄 모른다."
어떤 사람이 물었다. "혹시 경敬에 있는 것이 아닙니까?"
(주자가) 대답했다. "경은 별도의 다른 일이 아니고, 항상 이 마음을 깨어있게 하는 것이 바로 이것이다. 사람들은 매일 흐리멍덩하게 지내기만 하여, 마음이 도무지 거두어들여져 내면에 있은 적이 없다."
(주자가) 또 말했다. "인仁은 비록 굳세고 곧다는 의미가 있는 것 같지만, 결국에는 본래 온화한 것이다. 다만 밖으로 드러나 작용할 때에는 여러 가지 모습이 있으니, 시비와 사양辭遜과 단제斷制[284]라는 세 가지를 갖추어야 비로소 인한 일이 이루어진다. 일이 정해지고 나면 이 세 가지는 각각 물러나고 인은 예전처럼 온화하게 되니, 그것의 본성이 이와 같기 때문이다. 사람들은 다만 시비와 절문節文과 단제斷制가 있음만을 보고, 도리어 이것이 모조리 인의 본의라고 하는데, 잘못이다. 봄은 본래 온화하므로 만물을 생겨나게 할 수 있으니 그 때문에 인은 봄과 같다고 말한다."

[35-1-75]

問求仁．

曰："看來'仁'字只是箇渾淪底道理．如『大學』致知·格物，所以求仁也；『中庸』博學·審問·謹思·明辨·力行，亦所以求仁也．"[285]

---

282 『朱子語類』 권6, 84조목

283 비록 딱 … 것이다. : 『大學』에서는 "「康誥」에 이르기를 '갓난아기를 보호하듯이 한다.' 하였으니, 마음으로 진실로 구하면 비록 딱 맞지는 않더라도 멀지는 않을 것이다.(康誥曰, '如保赤子', 心誠求之, 雖不中不遠矣.)"라고 했다.

284 斷制 : 『朱子語類』 권68, 129조목에 "의는 끊어 제재하고[斷制] 마름질하여 나누는 것이니, 마치 不和한 것과 같다. 그러나 오직 의라야만 사물로 하여금 각기 그 마땅함을 얻게 하고 서로 방해하지 못하도록 하며 어그러짐이 없도록 하여 각각 그 분수의 和를 얻도록 할 것이니, (이것이) 의의 和가 되는 것이다.(義是斷制裁割底物, 若似不和. 然惟義能使事物各得其宜, 不相妨害, 自無乖戾, 而各得其分之和, 所以爲義之和也.)"라고 하였다.

285 『朱子語類』 권6, 83조목

인仁을 구하는 것에 대해 물었다.
(주자가) 대답했다. "살펴보건대, '인'은 다만 혼륜渾淪한 도리이다. 예컨대 『대학』의 '치지致知'와 '격물格物'은 인을 구하는 것이고, 『중용』의 '널리 배움[博學]'과 '자세히 물음[審問]'과 '신중히 생각함[謹思]'과 '밝게 분별함[明辨]'과 '힘써 행함[力行]' 역시 인을 구하는 것이다."

[35-1-76]

"學者須是求仁. 所謂求仁者, 不放此心. 聖人亦只教人求仁. 蓋仁·義·禮·智四者, 仁足以包之. 若是存得仁, 自然頭頭做着, 不用逐事安排. 故曰:'苟志於仁矣, 無惡也.' 今看『大學』, 亦要識此意, 所謂'顧諟天之明命', '無他, 求其放心而已.'"[286]

(주자가 말했다.) "배우는 자는 반드시 인仁을 구해야 한다. 인을 구한다는 것은 이 마음을 풀어놓지 않는 것이다. 성인은 또한 다만 사람들에게 인을 구하도록 했다. 인·의·예·지의 네 가지는 인이 포괄할 수 있다. 만약 인을 보존하면 저절로 일마다 행해지니 일에 따라 안배할 필요가 없다. 그러므로 '진실로 인에 뜻을 두면 악함이 없다.'[287]고 한 것이다. 지금 『대학』을 볼 때 또한 이 뜻을 알아야 하니, 이른바 '이 하늘의 밝은 명령을 돌아본다.'[288]는 것은 '다른 것이 없으니, 그 방심放心을 구하는 것일 뿐이다.'"[289]

[35-1-77]

"前輩教人求仁, 只說是淵深溫粹, 義理飽足."[290]

(주자가 말했다.) "선배들이 사람들에게 인仁을 구하도록 한 것은, 다만 말한 것이 깊고 온화하고 순수하여, 의리가 넉넉하다."

[35-1-78]

問仁.

曰:"聖賢說話, 有說自然道理處, 如'仁, 人心', 是也. 有說做工夫處, 如'克己復禮', 是也."[291]

286 『朱子語類』 권6, 82조목
287 '진실로 인에 … 없다.':『論語』「里人」
288 '이 하늘의 … 돌아본다.':『大學』 전1장에서 『書經』「太甲」의 말을 인용하였다. 주자는 『大學集註』에서 "하늘의 밝은 명령은 바로 하늘이 나에게 주어서 내가 덕으로 삼은 것이다.(天之明命, 卽天之所以與我而我之所以爲德者也.)"라고 하였다. 『書經』「太甲上」에는 "선왕이 이 하늘의 밝은 명령을 돌아보아 상하의 神祇를 받들고, 사직과 종묘를 공경하고 엄숙히 하지 않음이 없다.(先王顧天之明命, 以承上下神祇, 社稷宗廟罔不祗肅.)"라고 되어 있다.
289 '다른 것이 … 뿐이다.':『孟子』「告子上」에 "학문하는 방법은 다른 것이 없다. 그 放心을 구하는 것일 뿐이다.(學問之道, 無他. 求其放心而已矣.)"라고 하였다.
290 『朱子語類』 권6, 92조목
291 『朱子語類』 권6, 91조목.

인仁에 대해 물었다.
(주자가) 대답했다. "성현들이 말한 것에는 자연스러운 도리를 말한 것이 있으니, 예를 들어 '인은 사람의 마음이다.'[292]라는 것이 이것이다. 공부를 할 곳을 말한 것이 있으니, 예를 들어 '사욕을 극복하여 예로 돌아간다.'[293]는 것이 이것이다."

[35-1-79]

"二程先生之前, 學者全不知有'仁'字, 凡聖賢說仁處, 不過只作'愛'字看了. 自二先生以來, 學者始知理會仁字, 不敢只作愛說. 然其流復不免有弊者. 蓋專務說仁, 而於操存涵泳之功, 不免有所忽略, 故無復優柔厭飫之味, 克己復禮之實, 不但其蔽也愚而已. 而又一向離了愛字懸空揣摸, 旣無眞實見處, 故其爲說恍惚驚怪, 弊病百端, 殆反不若全不知有仁字, 而只作愛字看却之爲愈也.

"두 정선생 이전에는 배우는 자들이 '인仁'이라는 말이 있는지 전혀 알지 못했고, 성현들이 인을 말한 곳을 다만 '사랑[愛]'으로 보는데 불과했습니다. 두 정선생 이래로, 배우는 자들이 비로소 '인'을 이해할 줄 알게 되어서 감히 '사랑[愛]'이라고 말하지 않게 되었습니다. 그러나 그 흐름에도 폐단이 생기게 되는 것을 다시 면하지 못하게 되었습니다. 오로지 인을 설명하는 데에만 힘쓰고, 마음을 붙잡아 간직하며[操存][294] 서두르지 않고 조용히 깊이 완미하는[涵泳][295] 공부에는 소홀히 하는 바가 있음을 면치 못했기 때문에, 다시는 느긋이 만끽하는 맛도 없고, 사욕을 극복하여 예로 돌아가는 실질도 없으니, 그 폐단이 어리석은 것[296]일 뿐만이 아닙니다. 그리고 또, 줄곧 '사랑[愛]'을 떠나서 허공을 더듬으니 이미 진실을 본 것이 없습니다. 그러므로 그 주장이 흐릿하고 괴이하여 병폐가 백방으로 일어나니, 아마도 도리어 '인'이라는 말이 있는 줄을 전혀 모르거나 다만 '사랑[愛]'이라는 글자로만 보는 것이 더 나은 것만 못할

---

292 '인은 사람의 마음이다.': 『孟子』「告子上」
293 '사욕을 극복하여 … 돌아간다.': 『論語』「顏淵」
294 마음을 붙잡아 간직하며[操存]: 『孟子』「告子上」에서는 "공자가 말했다. '잡으면 보존되고 놓으면 잃어서, 나가고 들어옴이 정한 때가 없으며, 그 방향을 알 수 없는 것은 오직 마음을 두고 말한 것일 것이다!'(孔子曰, '操則存, 舍則亡, 出入無時, 莫知其鄕, 惟心之謂與!')"라고 했다.
295 서두르지 않고 … 완미하는[涵泳]: 『二程粹言』「論學篇」에서는 "덕에 들어가는 것에 반드시 敬으로부터 시작하므로 용모는 반드시 공손해야 하고 언어는 반드시 삼가야 한다. 비록 그렇지만, 서두르지 않고 조용히 그것을 길러야 된다. 구차하게 급박하면 (덕에) 들어갈 수 없다.(入德必自敬始, 故容貌必恭也, 言語必謹也. 雖然, 優游涵泳而養之, 可也. 拘迫, 則不能入矣.)"라고 하였다. 또 『河南程氏遺書』 제2장에서는 "배우는 자들은 반드시 이 마음을 공경되게 지키되, 급박해서는 안 되니, 마땅히 심고 북돋우기를 깊고 두텁게 하고, 그 속에서 서두르지 않고 조용히 깊이 완미한 후에야, 자득할 수 있다. 다만 급박하게 구하면 자신을 사사롭게 하는 것일 뿐이니, 끝내 도에 이르기에 부족하다.(學者須敬守此心, 不可急迫. 當栽培深厚, 涵泳於其間, 然後可以自得. 但急迫求之, 只是私己, 終不足以達道.)"고 했으며, 『朱子語類』 권12, 53조목에는 이 말을 풀어서 설명한 것이 있다.
296 그 폐단이 어리석은 것: 『朱子大全箚疑輯補』 제4책에는 "『論語』(「陽貨」)의 '仁만 좋아하고 배우기를 좋아하지 않으면 그 폐단은 어리석다.'이다."라고 하였다.

것입니다.

某竊嘗謂若實欲求仁, 固莫若力行之近. 但不學以明之, 則有擿埴冥行之患, 故其蔽愚. 若主敬致知交相爲助, 則自無此蔽矣. 若且欲曉得仁之名義, 則又不若且將'愛'字推求. 若見得仁之所以愛, 而愛之所以不能盡仁, 則仁之名義意思瞭然在目矣. 初不必求之於恍惚有無之間也."[297]

저는 일찍이 만약 실제로 인을 구하고자 한다면 힘써 행하는 것만큼 가까운 것[298]이 진실로 없다고 한 적이 있습니다. 그러나 배움으로써 그것을 밝히지 않으면 지팡이로 땅을 두드리며 어둠 속을 헤매며 가는 괴로움이 있으므로, 그 폐단이 어리석은 것입니다. 만약 '경敬을 주로 함[主敬]'과 '앎을 지극히 함[致知]'이 상호 도움이 된다면 이 폐단은 저절로 없어집니다. 만약 또 인의 개념[名義]을 이해하고자 한다면, 또 '사랑[愛]'을 추구하는 것이 가장 낫습니다. 인은 사랑하는 것이지만 사랑은 인을 다할 수 없는 것임을 이해할 수 있다면, 인의 개념[名義]이 눈 앞에 명료해집니다. 애초부터 흐릿한 '유''무'의 사이에서 구할 필요가 없습니다."

[35-1-80]

南軒張氏曰: "'仁者, 天下之正理.' 此言仁乃天下之正理也, 天下之正理而體之於人, 所謂仁也. 若一毫之偏, 則失其正理而爲不仁矣."[299]

남헌 장씨南軒張氏[張栻]가 말했다. "'인은 천하의 바른 이치이다.'[300]라는 이것은 인이 바로 천하의 바른 이치이니, 천하의 바른 이치를 사람에게서 체인한 것이 이른바 인이라는 것을 말했다. 털끝 하나만큼이라도 치우치면 바른 이치를 잃어서 불인이 되어버린다."

[35-1-81]

勉齋黃氏曰: "仁包四者, 包字須看得出. 嘗記朱先生云, 未發則有仁義禮智之性, 而仁則包四德. 已發則有惻隱羞惡恭敬是非之情, 而惻隱則貫四端. '貫'字如一箇物串在四箇物裏面過. '包'字如四箇物都合在一箇物裏面."

면재 황씨勉齋黃氏[黃榦]가 말했다. "인이 네 가지를 포괄한다는 것에서 '포괄'을 반드시 간파해낼 수 있어야 한다. 주선생朱先生이 미발未發에는 인의예지의 성性이 있지만 인은 네 가지 덕을 포괄한다. 이발에는 측은·수오·공경·시비의 정情이 있지만, 측은은 사단을 관통한다라고 말한 것을 기록한 적이 있다. '관통함[貫]'은 하나의 사물이 네 개의 사물의 속을 꿰고 지나간 것과 같다. '포괄함'은 네 개의 사물이

297 『朱文公文集』 권31 「答張敬夫」
298 힘써 행하는 … 것: 『中庸』 제20장에서는 "힘써 행하는 것이 인에 가깝다.(力行, 近乎仁.)"라고 했다.
299 『南軒集』 권19 「答吳晦叔·又 2」
300 '인은 천하의 … 이치이다.': 『二程粹言』 권1 「論道篇」

모두 하나의 사물 속에서 합쳐져 있는 것이다."

[35-1-82]

北溪陳氏曰: "仁道甚廣大精微. 可以用處只爲愛,[301] 而發見之端爲惻隱."

又曰: "仁是此心生理全處, 常生生不息, 故其端緖方從心中萌動發出來, 自然惻然有隱. 由惻隱而充及到那物上遂成愛. 故仁乃是愛之根, 而惻隱則根之萌芽, 而愛則又萌芽之長茂已成者也. 觀此, 則仁者愛之理, 愛者仁之用, 自可見得脉絡相關處矣."[302]

북계 진씨北溪陳氏[陳淳]가 말했다. "인의 도는 매우 광대하고 정미하다. 용用하는 곳이 다만 사랑 때문이지만 발현하는 단서는 측은 때문일 수 있다."

또 말했다. "인은 이 마음의 생리生理가 온전한 곳이니, 항상 쉬지 않고 생하고 생하므로, 그 단서가 마음속으로부터 싹터 움직여 나올 때 자연히 가여워 아파함이 있게 된다. 측은함으로부터 충만해져서 상대방에게까지 도달하게 되면 마침내 사랑이 된다. 그러므로 인은 사랑의 뿌리이고, 측은은 뿌리의 맹아이며, 사랑은 또 맹아가 무성하게 자라 이미 이루어진 것이다. 이것을 보면, 인은 사랑의 리理이고, 사랑은 인의 용用이니, 맥락이 서로 연관되는 곳을 저절로 알 수 있게 된다."

[35-1-83]

"孔門教人, 求仁爲大. 只專言仁. 以仁包萬善. 能仁, 則萬善在其中矣. 至孟子乃兼仁義對言之, 猶四時之陰陽也."[303]

(진순이 말했다.) "공자의 문하에서 사람들을 가르칠 때, 인을 구하는 것이 큰 것이었다. 다만 인을 전언專言하였으나, 인으로써 만 가지 선을 포괄하였다. 인할 수 있으면 만 가지 선이 그 속에 있다. 맹자에 이르러 인의를 아울러 상대하여[對言] 말하였는데, 마치 사계절의 음양과도 같다."[304]

[35-1-84]

"自孔門後, 人都不識仁. 漢人只把做恩愛說,[305] 是又太泥了愛, 又就上起樓起閣, 將仁看得全粗了, 故韓子遂以博愛爲仁. 至程子始分別得明白, 謂'仁是性, 愛是情.' 然自程子此言一出, 門人又將愛全掉了, 一向求高遠去, 不知仁是愛之性, 愛是仁之情, 愛雖不可以正名仁, 而仁

301 可以用處只爲愛 : 『北溪字義』에는 可가 何로 되어 있다.

302 『北溪字義』 권상 「仁義禮智信」

303 『北溪字義』 권상 「仁義禮智信」

304 마치 사계절의 … 같다. : 『北溪字義』 권상 「仁義禮智信」 같은 편 윗 문장에 "인·의·예·지의 네 가지를 두 측면으로 나누면 다만 인과 의 두 개로 할 수 있다. 마치 봄·여름·가을·겨울 사 계절을 나누면 다만 음과 양 두 개인 것과 같다. 봄과 여름은 양에 속하고 가을과 겨울은 음에 속한다.(仁義禮智四者判作兩邊, 只作仁義兩個. 如春夏秋冬四時, 分來只是陰陽兩個. 春夏屬陽, 秋冬屬陰.)"라고 하였다.

305 漢人只把做恩愛說 : 『北溪字義』 권상 「仁義禮智信」에는 "恩愛"가 "恩惠"로 되어 있다.

亦豈能離得愛? 上蔡遂專以知覺言仁.[306] 夫仁者固能知覺, 謂知覺爲仁則不可. 若轉一步看,[307] 只知覺純是理, 便是仁也.

(진순이 말했다.) "공문孔門 이후로부터는 사람들이 모두 인을 알지 못했다. 한나라 사람들은 다만 인仁을 온정과 애정이라고 여겨서 설명하였는데, 이는 지나치게 사랑에 집착한 것이며 누각을 올린 위에 또 누각을 올린 것이니, 인을 이해한 것이 온통 거칠어졌고, 그러므로 한자韓子[韓愈]가 드디어 널리 사랑함을 인이라고[308] 한 것이다. 정자程子에 이르러 비로소 명백하게 분별이 되었으니, '인은 성性이고 사랑은 정情이다'라고 하였다. 그러나 정자의 이 말씀이 한번 나오고 나서부터 문인들은 또 사랑을 온통 빠뜨리게 되었고, 한결같이 고원高遠한 것을 구하려 하였으니, 인이 사랑의 성性이고 사랑이 인의 정情이어서 사랑을 비록 인이라고 바로 명명할 수는 없지만 인을 또한 어떻게 사랑과 떨어뜨릴 수 있는 것인지 알지 못했다. 상채上蔡[謝良佐]는 드디어 오로지 지각을 인이라고 하였다. 인은 진실로 지각할 수 있는 것이지만, 지각을 인이라고 하면 안 된다. 만약 한 발자국 돌려서 본다면 다만 지각하기만 하는 것은 순전히 리理이고, 곧 인이다.

龜山又以'萬物與我爲一'爲仁體. 夫仁者固能與萬物爲一, 謂與萬物爲一爲仁, 則不可. 此乃是仁之量. 若能轉來看,[309] 只於與物爲一之前, 徹表裏純是天理流行無間, 便是仁也. 呂氏克己銘又欲克去有己, 須與物合爲一體方爲仁, 認得仁都曠蕩在外了, 於我都無統攝. 必己與物對時, 方下得克己工夫. 若平居獨處不與物對時, 工夫便無可下手處, 可謂疎濶之甚. 據其實, 己如何得與物合一? 洞然八方, 如何得皆在我闥之內? 此不過只是想像箇仁中大底氣象如此耳. 仁實何在焉? 殊失向來孔顔傳授心法本旨.[310] 其他門人又淺, 皆無有說得親切者."[311]

구산龜山[楊時]은 또 '만물이 나와 하나가 되는 것'을 인의 체體라고 여겼다. 인은 진실로 만물과 하나가 될 수 있는 것이지만, 만물과 하나가 되는 것을 인이라고 하면 안 된다. 이것이 바로 인의 분한分限이다. 만일 돌려서 볼 수 있다면, 다만 만물과 하나가 되기 이전에, 겉과 속을 꿰뚫는 것은 순전히 천리天理가 유행하여 틈이 없는 것[流行無間]이고, 바로 인이다. 여씨呂氏[呂大臨]의 「극기명克己銘」은 또 자기의 사욕을 이겨내려 하여,[312] 반드시 만물과 합하여 한 몸이 되어야 비로소 인이라고 했으니, 인이 모두 아득히

306 上蔡遂專以知覺言仁. : 『北溪字義』 권상 「仁義禮智信」에는 이 뒤에 "又流入佛氏'作用是性'之說去."가 있다.
307 若轉一步看 : 『北溪字義』 권상 「仁義禮智信」에는 "若能轉一步看"으로 되어 있다.
308 널리 사랑함을 인이라고 : 『昌黎先生集』「原道」
309 若能轉來看 : 『北溪字義』 권상 「仁義禮智信」에는 "若能轉一步看"으로 되어 있다.
310 殊失向來孔顔傳授心法本旨. : 『北溪字義』 권상 「仁義禮智信」에는 "孔顔"이 "孔門"으로 되어 있다.
311 『北溪字義』 권상 「仁義禮智信」
312 자기의 사욕을 … 하여 : 여대림은 「克己銘」에서 "생명이 있는 것들은 기운도 균일하게 하고 체를 같이 한다. 그런데 어찌하여 不仁한가? 나에게는 자기 자신이 있다고 생각하기 때문이다. 다른 사물과 내가 이미 대립되어 사사로이 외물과 나 사이를 갈라놓고 다퉈 이기고자 하는 마음이 제멋대로 생겨나서 어지러이 평정을 유지하지 못하게 된다.(凡厥有生, 均氣同體, 胡爲不仁? 我則有己. 物我旣立, 私爲町畦, 勝心橫發,

멀리 외부에 있는 것이어서 나에게서는 도무지 통섭統攝함이 없다고 여긴 것이고, 반드시 자기 자신과 만물이 상대할 때에야 비로소 극기공부를 할 수 있다고 여긴 것이다. 만약 평상시 홀로 거처하여 만물과 상대하지 않을 때라면, 공부를 착수할 곳이 없게 되니, 심하게 소략하다고 할 수 있겠다. 그 실제에 근거한다면, 이미 어떻게 만물과 합일할 수 있겠는가? 사방팔방으로 환히 트이면, 어떻게 모두 나의 문 안에 있겠는가?[313] 이는 다만 인 가운데 큰 기상이 이와 같다는 것을 상상한 것에 불과할 뿐이다. 인은 실제로 어디에 존재하는가? 예전에 공자와 안자가 전수한 심법의 본 뜻을 특히 잃어버린 것이다. 그 밖의 문인들은 또 (수준이) 얕아서, 절실하게 말한 자들이 전혀 없다."

[35-1-85]

"仁有以理言者, 有以心言者, 有以事言者. 以理言, 則只是此心全體天理之公, 如文公所謂'心之德, 愛之理', 此是以理言者也. 心之德乃專言, 而其體也. 愛之理乃偏言, 而其用也. 程子曰, 仁者天下之公, 善之本也, 亦以理言者也. 以心言, 則知此心純是天理之公, 而絶無一毫人欲之私以間之也. 如夫子稱'回心三月不違仁',[314] 程子謂'只是無纖毫私欲, 少有私欲便是不仁', 及'雍也不知其仁'等類, 皆是以心言者也. 以事言, 則只是當理而無私心之謂. 如'夷齊求仁而得仁', '殷有三仁', 及'子文之忠, 文子之清, 皆未知焉得仁'等類, 是也. 若以用工言,[315] 則只是去人欲復天理以全其本心之德而已矣. 如夫子當時荅羣弟子問仁, 雖各隨其才質病痛之不同, 而其旨意所歸, 大槩不越乎此."[316]

(진순이 말했다.) "인에는 리理의 측면으로 말한 것이 있고, 심心의 측면으로 말한 것이 있으며, 일[事]의 측면으로 말한 것이 있다. 리의 측면으로 말한 것은 단지 이 마음의 전체 천리天理의 공평함[公]이니, 문공文公[朱子]이 말한 '마음의 덕이며, 사랑의 리理'라고 한 것, 이것이 리의 측면에서 말한 것이다. 마음의 덕은 전언專言한 것으로 그 체體이다. 사랑의 리는 편언偏言한 것으로 그 용用이다. 정자가 '인은 천하의 공이고, 선의 근본이다.'[317]라고 한 것 또한 리의 측면에서 말한 것이다. 마음의 측면으로 말하면, 이 마음이 순전히 천리의 공公임을 알아서 조금도 인욕의 사사로움이 전혀 끼어들지 못하게 하는 것이다. 예를 들면 공자께서 '안회는 마음이 삼 개월 동안 인을 떠나지 않았다.'[318]고 칭찬한 것과, 정자가 '다만 가는 털만큼의 사욕도 없었으니, 조금이라도 사욕이 있으면 바로 불인不仁이다.'[319]고 한 것과, '옹야는

擾擾不齊.)"라고 하였다. 여대림의 「克己銘」은 熊節의 『性理群書句解』, 『性理大全書』 등에 전해진다.

313 사방팔방으로 환히 … 있겠는가?: 「克己銘」에서는 "또한 사욕을 극복하면, 마음이 넓고 밝게 사방으로 통할 것이고, 팔방의 먼 곳까지도 훤히 트여서, 그것들이 모두 나의 작은 문 안에 있게 된다.(亦已克之, 皇皇四達, 洞然八荒, 皆在我闥.)"라고 했다.

314 如夫子稱回心三月不違仁 : 『北溪字義』 권상 「仁義禮智信」에는 "回" 뒤에 "也"가 있다.

315 若以用工言 : 『北溪字義』 권상 「仁義禮智信」에는 "用工"이 "用功"으로 되어 있다.

316 『北溪字義』 권상 「仁義禮智信」

317 '인은 천하의 … 근본이다.' : 『伊川易傳』「復卦 · 象傳」

318 '안회는 마음이 … 않았다.' : 『論語』「雍也」

그가 인仁한지는 모르겠으나'[320] 등의 부류는 모두 마음의 측면에서 말한 것이다. 일의 측면으로 말하면, 다만 리에 합당하여 사심이 없는 것을 말한다. 예를 들어 '백이와 숙제가 인을 구하여 인을 얻은 것',[321] '은나라에 세 인자가 있은 것',[322] 그리고 '자문子文의 충성스러움과 문자文子의 청렴함이 모두 모르겠으나 어찌 인仁이 될 수 있겠는가?'[323]등의 부류가 이것이다. 만약 배우는 측면에서 말하면, 다만 인욕을 제거하고 천리를 회복하여 그 본심의 덕을 온전히 하는 것일 뿐이다. 예를 들어 공자가 당시 여러 제자들이 인을 질문할 때, 비록 각각 그 재질과 문제점의 차이에 따라 대답하였지만, 그 뜻이 귀결되는 바는 대개 여기에서 넘지 않은 것과 같다."

[35-1-86]

問[324] : "明道謂'學者能識仁體, 實有諸己, 只要義理栽培. 如講求經義, 皆栽培之意', 若仁之在人心一耳, 不學之人獨無仁乎?"

潛室陳氏曰[325] : "識得仁體, 謂'滿腔子是惻隱之心.' 旣體認得分明, 無私意夾雜, 又須讀書涵泳義理以灌漑滋養之."[326]

319 '다만 가는 … 不仁이다.' : 『河南程氏遺書』 권22상 「伊川雜錄」

320 '옹야는 그가 … 모르겠으나' : 『論語』「公冶長」

321 '백이와 숙제가 … 것' : 『論語』「述而」에 "(冉有가) 말했다. '백이와 숙제는 어떤 사람입니까?' (공자가) 말했다. '옛날의 현인이다.' (염유가) 말했다. '원망했을까요?' (공자가) 말했다. '인을 구하여 인을 얻었으니 또 무엇을 원망했겠느냐?'(曰, 伯夷叔齊, 何人也? 曰, 古之賢人也. 曰, 怨乎? 曰, 求仁而得仁, 又何怨?)"라고 하였다.

322 '은나라에 세 … 것' : 『論語』「微子」에 "微子는 떠나가고 箕子는 종이 되고 比干은 諫하다가 죽었다. 공자가 말했다. '殷나라에 세 仁者가 있었다.'(微子去之, 箕子爲之奴, 比干諫而死. 孔子曰, '殷有三仁焉.')"라고 하였다. 주자는 『集註』에서 "세 사람의 행함은 같지 않지만 동일하게 지성스럽고 가엾이 여겨 슬퍼하는 뜻에서 나왔다. 그러므로 사랑의 理에 어긋나지 않아 마음의 덕을 온전히 할 수 있었다.(三人之行, 不同, 而同出於至誠惻怛之意. 故不咈乎愛之理而有以全其心之德也.)"라고 하였다.

323 '子文의 청렴함이 … 있겠는가?' : 『論語』「公冶長」에 "자장이 물었다. '令尹인 子文이 세 번 벼슬하여 令尹이 되고서도 기뻐하는 기색이 없었고, 세 번 벼슬을 그만두면서도 성내는 기색이 없었으며 옛날 자신이 맡아보던 영윤의 정무를 반드시 새로 부임해 온 영윤에게 알려주었으니, 어떻습니까?' 공자가 대답했다. '충성스럽다.' (자장이) 물었다. '仁이라고 할 만합니까?' (공자가) 대답했다. '모르겠다. 어찌 仁이 될 수 있겠는가?' '崔子가 齊나라 임금을 시해하자, 陳文子는 말 10乘을 소유하고 있었는데, 이것을 버리고 그 곳을 떠나 다른 나라에 이르러 「이 사람도 우리나라 대부 최자와 같다.」고 말하고 그 곳을 떠났으며, 또 한 나라에 이르러서도 「이 사람 역시 우리나라 대부 최자와 같다.」고 또 말하며 떠나갔으니, 어떻습니까?' 하고 묻자, 공자가 대답했다. '청렴하다.' (자장이) 물었다. '仁이라고 할 만합니까?' (공자가) 대답했다. '모르겠다. 어찌 仁이 될 수 있겠는가?'(子張問曰, '令尹子文三仕爲令尹, 無喜色 ; 三已之, 無慍色. 舊令尹之政, 必以告新令尹. 何如?' 子曰, '忠矣.' 曰, '仁矣乎?' 曰, '未知, 焉得仁?' '崔子弑齊君, 陳文子有馬十乘, 棄而違之. 至於他邦, 則曰, 「猶吾大夫崔子也.」 違之. 之一邦, 則又曰, 「猶吾大夫崔子也.」 違之. 何如?' 子曰, '淸矣.' 曰, '仁矣乎?' 曰, '未知. 焉得仁?')"라고 하였다.

324 問 : 『木鍾集』 권10 「近思雜問附」에는 "問"이 없다.

325 潛室陳氏曰 : 『木鍾集』 권10 「近思雜問附」에는 "潛室陳氏曰"이 없다.

물었다. "명도는 '배우는 자들은 인의 체體를 알 수 있으면 실제로 자기에게 가지고 있게 되니, 다만 의리로 심고 북돋아주기만 하면 된다. 예를 들어 경전의 뜻을 강구講求하는 것이 모두 심고 북돋아주는 의미이다.'[327]라고 했는데, 만약 인이 사람의 마음속에서 하나일 뿐이라면, 배우지 않은 사람만 유독 인이 없는 것입니까?"

잠실 진씨潛室陳氏[陳埴][328]가 대답했다. "인의 체를 알 수 있다는 것은 '온 몸통 가득한 것이 측은지심'[329]이라는 것을 말한 것이다. 이미 체인한 것이 분명하다면, 사사로운 뜻이 끼어들 수 없으며, 또 반드시 독서를 통해 의리를 조용히 깊이 완미[涵泳]함으로써, 물을 대고 영양분을 공급하여 그것을 길러주어야 한다."

[35-1-87]

問: "周子曰'愛曰仁', 程子云'愛自是情, 仁自是性, 豈可專以愛爲仁?' 程子學周子者也, 何故議論逈別?"

曰: "善言性者必有驗於情. 故孟子以惻隱爲仁之端, 周子以愛言仁, 皆是借情以明性. 若便以愛爲仁, 則是指情作性, 語死不圓矣. 韓子博愛之仁是."[330]

물었다. "주자周子[周敦頤]는 '사랑을 인이라고 한다.'[331]라고 했고, 정자程子는 '사랑은 본래 정情이고 인仁은 본래 성性이니, 어찌 오로지 사랑만이 인仁이 될 수 있겠는가?'[332]라고 했으니, 정자는 주자를 배운 사람으로써, 어찌하여 논의한 것이 판이하게 다릅니까?"

(잠실 진씨가) 대답했다. "성性에 대해 잘 말하는 사람은 반드시 정情에서 증험함이 있었다. 그러므로 맹자는 측은을 인의 단서라고 여겼고,[333] 주자周子는 사랑을 인이라고 말했으니, 모두 정情을 빌려서 성性을 밝힌 것이다. 만약 곧바로 사랑을 인이라고 한다면, 이는 정을 가리켜 성이라고 한 것이니, 말이 융통성이 없어서 원만하지 않다. 한자韓子[韓愈]가 널리 사랑하는 것을 인[334]이라고 한 것이 이것이다.

326 『木鍾集』 권10 「近思雜問附」. 『木鍾集』에는 이 뒤에 "不爾便枯燥入空門去"가 있다.

327 '배우는 자들은 … 의미이다.': 『河南程氏遺書』 권2상에는 "學者識得仁體, 實有諸己, 只要義理栽培. 如求經義, 皆是栽培之意."라고 되어 있다.

328 陳埴: 남송 溫州 永嘉 사람. 자는 器之고, 호는 潛室先生 또는 木鍾이다. 젊어서 永嘉 事功派의 대표적 인물인 葉適에게 배웠고, 나중에 주희에게 배웠다. 저서에 『禹貢辨』·『洪範解』·『王制章句』·『木鍾集』이 있다.

329 '온 몸통 … 측은지심': 『河南程氏遺書』 권3

330 『木鍾集』 권10 「近思雜問附」

331 '사랑을 인이라고 한다.': 『周敦頤集』 권1 「誠幾德」 제3장

332 '사랑은 본래 … 있겠는가?': 『河南程氏遺書』 권18 『河南程氏遺書』에는 이 앞에 "맹자가 '측은한 마음이 仁이다'라고 했는데, 후대의 사람들이 사랑을 仁이라고 여기게 되었다. 측은함은 진실로 사랑이다.(孟子曰, '惻隱之心仁也', 後人遂以愛爲仁. 惻隱固是愛也.)"이라는 문장이 있다. [35-1-4]를 참조

333 맹자는 측은을 … 여겼고: 『孟子』「公孫丑上」에 "측은지심은 인의 단서이다.(惻隱之心, 仁之端也.)"라고 하였다.

334 널리 사랑하는 … 인: 『昌黎先生集』「原道」

[35-1-88]

問 : "仁者有知覺, 知覺何可以盡仁哉? 仁者特有之耳. 竊以爲纔言知覺已入智中來."

曰 : "程門雖有以覺言仁, 然不專主此說, 其他話頭甚多. 上蔡專主此說, 所以晦翁絶口不言, 只說愛之理心之德, 此一轉語亦含知覺在中, 可更思求."[335]

물었다. "인에는 지각이 있지만, 지각이 어찌 인을 다할 수 있겠습니까? 인에 다만 그것이 있을 뿐입니다. 제 생각에는 지각이라고 하자마자 이미 지智에 속하게 됩니다."

(잠실 진씨가 대답했다.) "정자의 문하에서 비록 지각[覺]을 인이라고 한 경우가 있었지만, 오로지 이 설만을 주장하지는 않았고, 다르게 말한 것도 매우 많았다. 상채上蔡[謝良佐]는 이 설만을 오로지 주장했으므로 회옹晦翁[朱熹]이 제쳐두고 말하지 않고,[336] 사랑의 리理와 마음의 덕이라고만 말했으니, 이 한 번 전환한 말[一轉語][337] 속에도 또한 지각이 그 속에 포함되어 있으니, 더욱 생각해 볼만하다."

[35-1-89]

問 : "仁者偏言之只一事, 兼言之則包四端. 四端皆心之德, 頭面逈異, 仁旣是愛之理, 則義禮智亦當謂之理, 四者皆當用工夫. 然孔門大率多去仁上着力, 何邪?"

曰 : "所謂愛之理是偏言之, 將四端分作四去看, 截然界限不可相侵. 心之德是兼言之, 將四端只作仁字看. 仁爲善之長, 猶家之嫡長子包貫得諸子. 故獨以理言以心德言, 須見移在諸位上用不同, 方是詣理."[338]

물었다. "인仁은 한 측면으로 말하면 다만 한 가지 일이고, 겸해서 말하면 사단四端을 포함합니다. 사단은 모두 마음의 덕이지만, 모습이 완전히 다릅니다. 인이 사랑의 리라면 의와 예와 지 역시 마땅히 리라고 말해야 할 것이니, 네 가지는 모두 마땅히 노력해야할 것입니다. 그러나 공자의 문하에서 대부분 인에 힘을 쏟는 것은 왜 그런 것입니까?"

(잠실 진씨가 대답했다.) "이른바 사랑의 리理는 한 측면으로 말한 것으로, 사단을 넷으로 나누어 본 것이니, 분명한 한계를 서로 침범할 수 없다. 마음의 덕은 겸하여 말한 것으로, 사단을 다만 인으로만 본 것이다. 인이 선의 우두머리인 것은, 마치 집안의 적장자가 여러 자식들을 포괄하고 있는 것과 같다. 그러므로 (인을) 유독 리로써 말하고, 마음의 덕으로써 말했으니, (인을) 여러 경우에 따라 옮겨서 사용함이 다른 것임을 알아야, 이치에 합당하다.

335 『木鍾集』 권10 「近思雜問附」

336 晦翁[朱熹]이 … 않고 : 『朱子語類』 권101, 41조목에는 사상채가 지각으로 인을 설명한 것에 대해 옳지 못하다고 비판하고 있다. [35-1-66] 참조

337 이 한 … 말[一轉語] : 기존의 상황과 국면을 뒤집고 논점을 바꿔서 마음을 새롭게 啓發하는 말이다. 여기에서는 주자가 인을 정의할 때 '지각'으로 논의하지 않고, 논점을 바꿔서 '사랑의 理와 마음의 덕'[愛之理心之德]이라는 새로운 명제를 제시한 것을 뜻한다.

338 『木鍾集』 권10 「近思雜問附」

[35-1-90]

問: "晦翁說仁爲愛之理心之德, 如何?"

曰: "愛是情, 理是性, 心統情性者也. 單說愛字與心字, 猶是就情上看, 必曰愛之理心之德, 方和性在裏面. 是愛之所以爲愛, 而心之所以爲心者也, 是之謂仁. 前輩謂心爲穀種, 能生處卽是他所以爲穀種處. 故桃杏之核皆曰仁. 孔門不曾正說仁之體段, 只說求仁爲仁之方. 孟子方說怵惕惻隱處以狀仁之體段. 又說'仁, 人心也', 須認得仁爲人心, 方見仁着落. 所以不仁之人全無人心,[339] 旣無人心, 問他恁麼羞惡·恭敬·是非? 仁包四端, 卽此可見. 心如穀種, 所以生處是性, 生許多枝葉處便是情, 心亦是有形影底物事, 情亦是有形影底物事, 獨性無形影."[340]

물었다. "회옹晦翁[朱熹]이 인仁을 사랑의 리理이고 마음의 덕이라고 한 것[341]은 어떠합니까?"

(잠실 진씨가 대답했다.) "사랑은 정情이고, 리는 성性이며, 마음은 정과 성을 통괄하는 것이다. 사랑과 마음만을 말하면, 정에서 본 것이니, 반드시 사랑의 리와 마음의 덕이라고 말해야 비로소 성이 그 속에 있게 된다. 이것이 사랑이 사랑으로 되는 까닭이고, 마음이 마음으로 되는 까닭이니, 이것을 인이라고 한다. 선배[程頤]가 마음을 씨앗[穀種][342]이라고 했는데, 생生할 수 있는 것이 그 씨앗이 되는 까닭이다. 그러므로 복숭아와 살구의 씨를 모두 인이라고 하였다.[343] 공자의 문하에서는 일찍이 인의 체단體段(본모습)을 직접 말한 적이 없고, 다만 인을 구하고 인을 행하는 방법을 말했을 뿐이다.[344] 맹자가 비로소 깜짝 놀라고 측은해 하는 것[345]을 말하여 인의 체단을 묘사하였다. 또 '인仁은 사람의 마음이다.'[346]라고 했으니, 인이 사람의 마음임을 알아야만 인의 소재를 아는 것이다. 그러므로 불인不仁한 사람에게는 전혀 사람의 마음이 없으니, 이미 사람의 마음이 없다면, 그에게 무슨 수오羞惡·공경恭敬·시비是非를 따지겠는가? 인이 사단을 포괄함을 여기에서 알 수 있다. 마음은 씨앗과 같아서, 생生하는 까닭이 성이

339 所以不仁之人全無人心: 陳埴의 『木鍾集』 권10 「近思雜問附」에는 이 문장 다음에 작은 글씨로 "의사들은 손발이 痲痺된 것을 不仁이라 하니, 가장 훌륭하게 형용한 것이다.(醫者以手足偏痺爲不仁, 最是名狀得好.)"라고 주가 달려있다.

340 『木鍾集』 권10 「近思雜問附」

341 仁을 사랑의 … 것: 『論語』「學而」의 "효와 제는 그 仁을 행하는 근본일 것이다.(孝弟也者, 其爲仁之本與.)"의 「集註」와, 『孟子』「梁惠王上」의 "맹자가 대답했다. '왕은 하필 利를 말씀하십니까? 또한 仁義가 있을 뿐입니다.'(孟子對曰: '王何必曰利, 亦有仁義而已矣.')"의 「集註」에 보인다.

342 씨앗[穀種]: 『河南程氏遺書』 권18 「伊川先生語」에는 "마음은 비유하자면 씨앗과 같은 것이니, '생하는 성[生之性]'이 바로 仁이다.(心譬如穀種, 生之性便是仁也.)"라고 하였다. [35-1-33]과 [35-1-37]을 참고

343 복숭아와 살구의 … 하였다.: 『上蔡語錄』 권1에 "桃杏之核可種而生者, 謂之桃仁杏仁, 言有生之意."라고 하였다. [35-1-23]을 참고.

344 공자의 문하에서는 … 뿐이다: 楊時, 『龜山集』 권11 「語錄」2 「京師所聞」에 "問, '『論語』言仁處, 何語最爲親切?' 曰, '皆仁之方也. 若正所謂仁, 則未之嘗言也.'"라고 하였다. [35-1-21]을 참고

345 깜짝 놀라고 … 것: 『孟子』「公孫丑上」에서 "지금 사람들이 갑자기 어린아이가 장차 우물로 들어가려는 것을 보고는 모두 깜짝 놀라고 측은해 하는 마음을 가진다.(今人乍見孺子將入於井, 皆有怵惕惻隱之心.)"라고 하였다.

346 '仁은 사람의 마음이다.': 『孟子』「告子上」

고, 많은 가지와 잎이 생生한 것은 정이며, 마음은 또한 형체와 그림자가 있는 것이고, 정 또한 형체와 그림자가 있는 것이지만, 유독 성만은 형체와 그림자가 없다."

[35-1-91]

問程子云'把捉不定皆是不仁'者.

曰: "'仁, 人心也.' 心走作不在腔子裏, 則人形雖具而所以爲形者死矣, 故謂之不仁."

정자가 '(마음을) 다잡아 안정시키지 못하는 것은 모두 불인이다.'[347]라고 한 것에 대해 물었다. (잠실 진씨가) 대답했다. "'인은 사람의 마음이다.'[348] 마음이 달아나 몸속에 있지 않으면,[349] 사람의 형체가 비록 갖추어져 있더라도 형체가 되는 까닭은 없어지게 되므로, 불인이라고 한 것이다."

[35-1-92]

西山眞氏曰: "仁之一字, 從古無訓. 且如義訓宜, 禮訓理, 又訓履, 智訓知, 皆可以一字名其義. 惟仁不可以一字訓. 『孟子』曰, '仁者, 人也', 亦只是言仁者乃人之所以爲人之理, 亦不是以人訓仁. 蓋緣仁之道大, 包五常, 貫萬善, 所以不可以一言盡之. 自漢以後, 儒者只將愛字說仁, 殊不知仁固主乎愛, 然愛不足以盡仁. 『孟子』曰, '惻隱之心, 仁之端也', 惻隱者, 此心惻然有隱, 卽所謂愛也, 然只是仁之發端而已. 韓文公言博愛之謂仁, 程先生非之, 以爲仁自是性, 愛自是情, 以愛爲仁, 是以情爲性也, 至哉言乎! 朱文公先生始以愛之理心之德六字形容之, 所謂愛之理者, 言仁非止乎愛, 乃愛之理也. 蓋以體言之, 則仁之道大無所不包, 發而爲用, 則主乎愛. 仁者, 愛之體也. 愛者, 仁之用也.[350] 愛者, 如見赤子入井而惻然欲有以救之, 以至矜憐憫惜慈祥恩惠, 愛之謂也. 性中旣有仁, 發出來便是愛. 如根上發出苗, 以苗爲出於根, 則可; 以苗便爲根, 則不可. 以愛出於仁, 則可; 以愛便作仁, 則不可. 故文公以愛之理三字言之, 方說得盡."

서산 진씨西山眞氏[眞德秀]가 말했다. "인이라는 한 글자는 예로부터 풀이한 것이 없다. 예컨대 의는 의宜(마땅함)으로 풀이하고, 예는 리理(이치)로 풀이하거나 리履(실행)로 풀이하고, 지는 지知(앎)로 풀이한 것들

347 '(마음을) 다잡아 … 불인이다.': 『河南程氏外書』 권1에 "大率把捉不定皆是不仁"이라고 했고, 呂柟은 『二程子抄釋』 권7에서 이 구절에 대해 "다잡지 못함[不定]은 또한 용감하지 못함과 관계된 것이다.(釋不定亦係未勇.)"라고 풀이하였다.

348 '仁은 사람의 마음이다.': 『孟子』「告子上」

349 마음이 달아나 … 않으면: 『河南程氏遺書』 권7에 "마음은 몸속에 있어야 한다.(心要在腔子裏.)"라고 하였고, 『近思錄』 권4 「存養」에는 이 구절에 대해 "몸속은 이른바 신명의 집과 같으니, 몸속에 있는 것은 마음이 바깥으로 치닫지 않는 것을 말한다.(腔子, 猶所謂神明之舍, 在腔子裏, 謂心不外馳也.)"라고 하였다.

350 仁者, 愛之體也. 愛者, 仁之用也.: 『性理大全書』와 『圖書編』에는 이 문장이 큰 글씨로 되어 있지만, 『西山文集』과 『閩中理學淵源考』에는 이 문장이 작은 글씨로 되어 있다. 내용상으로 볼 때에도 주석으로 보는 것이 타당하다.

은 모두 한 글자로 그 뜻을 형용할 수 있는 것들이다. 오진 인만은 한 글자로 풀이할 수 없다. 맹자가 '인仁은 사람이다.'[351]라고 한 것은, 또한 다만 인이 사람이 사람된 리理임을 말한 것일 뿐, 또한 사람으로써 인을 풀이한 것이 아니다. 인의 도가 크기 때문에 오상五常을 포함하고 모든 선을 관통하니, 그래서 한 마디말로 다할 수 없는 것이다. 한나라 이후로 유자들이 다만 사랑을 가지고 인을 설명했는데, (이는) 인이 본디 사랑을 주로 하는 것이지만, 사랑은 인을 다하기에는 부족하다는 것을 전혀 알지 못한 것이다. 맹자가 '측은지심은 인의 단서이다.'[352]라고 한 것에서, 측은은 이 마음이 가여워 아파하는 것으로, 이른바 사랑이지만, 다만 인이 드러나는 단서일 뿐이다. 한문공韓文公[韓愈]은 박애를 인이라고 하였는데, 정선생程先生[程頤]은 잘못이라고 하여,[353] 인은 본래 성性이고, 사랑은 본래 정情이니, 사랑을 인이라고 하면 정을 성이라고 한 것이 된다고 하였는데,[354] 지극하신 말씀이다! 주문공朱文公[朱熹] 선생이 비로소 '사랑의 리와 마음의 덕[愛之理心之德]'이라는 여섯 글자를 가지고 (인을) 형용했으니, 이른바 사랑의 리는 인이 사랑에 그치는 것이 아니라 사랑의 리임을 말한 것이다. 체體로써 말하면 인의 도가 커서 포함하지 않는 것이 없고, 발하여 용用이 되면 사랑을 주로 하게 된다. 인은 사랑의 체體이고, 사랑은 인의 용用이다. 사랑은 예컨대 갓난아기가 우물로 들어가는 것을 보고 측은해 하며 구하려고 하는 것[355]에서부터, 불쌍히 여기고 애석하게 여기며 자상하고 은혜로운 데 이르기까지 사랑이라고 한다. 성 속에 이미 인이 있으니, (그것이) 드러나면 곧 사랑이다. 예를 들어 뿌리에서 싹이 나오는 것과 같으니, 싹을 뿌리에서 나오는 것이라고 하면 옳지만, 싹을 곧바로 뿌리라고 하면 옳지 않다. 사랑을 인에서 나오는 것이라고 하면 옳지만 사랑을 곧바로 인이라고 하면 옳지 않다. 그러므로 문공文公[朱熹]이 '사랑의 리'라는 세 글자로 말하고 나서야 완전하게 말한 것이다.

又曰 : "心之德, 何也? 蓋心者此身之主, 而其理則得於天, 仁義禮智皆此心之德, 而仁又爲五常之本. 如元亨利貞皆乾之德, 而元獨爲四德之長. 天之元, 卽人之仁也. 元爲天之全德, 故仁亦爲人心之全德. 然仁之所以爲心之德者, 正以主乎愛故也. 仁所以能愛者, 蓋天地以生物爲心, 而人得之以爲心, 是以主乎愛也. 愛之理心之德六字之義, 乃先儒所未發, 而朱文公始發之, 其有功於學者至矣. 豈可不深味之乎?"[356]

(서산 진씨가) 또 말했다. "마음의 덕은 무엇인가? 마음은 이 몸의 주인이고 그 리는 하늘에서 얻었으며,

351 '仁은 사람이다.' : 『孟子』「盡心下」에는 "仁은 사람이니, 합하여 말하면 道이다.(仁也者, 人也, 合而言之, 道也.)"라고 하였다.

352 '측은지심은 인의 단서이다.' : 『孟子』「公孫丑上」

353 韓文公[韓愈]은 박애를 … 하여 : 『河南程氏遺書』 권18 「劉元承手編」. [35-1-4]를 참고

354 인은 본래 … 하였는데 : 『二程粹言』 권1 「論道篇」에 "韓文公[韓愈]이 '널리 사랑함을 인이라고 한다'라고 했는데, 사랑은 情이고 인은 性이다. 인은 진실로 널리 사랑하는 것이지만, 널리 사랑하는 것을 인을 다하는 것이라고 해서는 안 된다.'(韓文公曰, '博愛之謂仁', 愛, 情也, 仁, 性也. 仁者固博愛, 以博愛爲盡仁則不可.')"라고 하였다.

355 갓난아기가 우물로 … 것 : 『孟子』「公孫丑上」

356 『西山文集』 권30 「問答」. 『西山文集』에는 이 앞에 "'인'자의 뜻에 대해 물었다.(問仁字之義.)"라고 되어 있다.

인 · 의 · 예 · 지는 모두 이 마음의 덕이고, 인은 또 오상의 근본이다. 예컨대 원元 · 형亨 · 이利 · 정貞은 모두 건乾의 덕이지만, 단지 원만이 사덕四德의 우두머리인 것과 같다. 천天의 원은 사람의 인仁이다. 원은 천의 완전한 덕이 되기 때문에 인仁 또한 인심人心의 완전한 덕이 된다. 그러나 인이 마음의 덕이 되는 까닭은 바로 사랑을 주로 하기 때문이다. 인이 사랑할 수 있는 까닭은 천지가 만물을 생生하는 것으로써 마음을 삼고, 사람이 그것을 얻어서 마음을 삼는 것이, 사랑을 주로 하기 때문이다. '사랑의 리와 마음의 덕'[愛之理心之德]이라는 여섯 글자의 뜻은 선유先儒들이 드러내지 못한 것인데, 주문공朱文公이 비로소 드러내었으니, 학자들에게 끼친 공이 지극하다. 어찌 깊이 음미하지 않을 수 있겠는가?"

[35-1-93]

"自非聖人未有不由恕而至仁者. 故孟氏亦曰,[357] '强恕而行, 求仁莫近焉', 恕必强言,[358] 蓋明用力之難. 學者當以强矯自厲云爾. 夫恕之所以難者, 何也? '道心惟微', 物欲易錮, 私見一立, 人己異觀, 天理之公於是遏絶而不行矣. 有志於仁者, 當知穹壤之間, 與吾並生, 莫非同體, 體同則性同, 性同則情同. 公其心, 平其施, 必均齊而毋偏吝, 必方正而無頗邪. 帥是以往, 將無一物不獲者, 所以謂絜矩之道也. 然『大學』旣言絜矩而繼以義利者, 豈異指哉? 利則惟己是營, 義則與人同欲, 世之君子平居論說, 孰不以平物我公好惡爲當然? 而私意橫生, 莫能自克者, 以利焉爾. 利也者, 其本心之螟蝨, 正塗之榛莽歟! 『大學』丁寧於絶簡, 『孟子』懇激於首章, 聖賢深切爲人, 未有先乎此者. 然則士之求仁, 當自絜矩始, 而推其端, 又自明義利之分始."[359]

(서산 진씨가 말했다.) "성인이 아니고서, 서恕에 말미암지 않고 인仁에 이른 자는 없었다. 그러므로 맹씨孟氏[孟子]도 '서恕를 힘써서 행하면 인仁을 구함이 이보다 가까운 것이 없다.'[360]라고 하였는데, 서에 반드시 '힘써야 한다[强]'고 말한 것은, '힘을 쓰는 것[用力]'의 어려움을 밝힌 것이다. 배우는 자는 마땅히 굳세게 스스로 힘써야 할 뿐이다. 서가 어려운 것은 어째서인가? '도심은 은미하여'[361] 물욕物欲에 가로막히기 쉽고, 사사로운 견해가 한 번 세워지면, 남과 자기를 다르게 보니,[362] 천리의 공公이 여기에서 단절

357 故孟氏亦曰 : 『西山文集』 권25 「矩堂記」에는 孟氏가 孟子로 되어 있다.
358 恕必强言 : 『西山文集』 권25 「矩堂記」에는 恕必以强言으로 되어 있다.
359 『西山文集』 권25 「矩堂記」
360 '恕를 힘써서 … 없다.' : 『孟子』「盡心上」
361 '도심은 은미하여' : 『書經』「大禹謨」
362 남과 자기를 … 보니 : 주자는 『中庸輯略』 권上에서 楊時의 글을 인용하여 "세상의 배우는 자들이 지혜가 여기에 미치기에 부족하여, 성인의 은미한 말을 망녕되게 헤아리므로, 남과 나를 다르게 보고, 하늘과 사람이 다른 곳으로 돌아가서, 고명한 『中庸』의 학문이 비로소 둘로 나누어졌다.(世之學者, 智不足以及此, 而妄意聖人之微言, 故物我異觀, 天人殊歸, 而高明中庸之學, 始二致矣.)"라고 하였다. 『龜山集』 권17 「寄翁好德 · 其二」에서는 "도가 폐해진지 천년이 되자, 선비들은 그칠 곳을 모르게 되어, 남과 나를 다르게 보고, 하늘과 사람이 다른 곳으로 돌아가서(道廢千年, 士不知所止, 故物我異觀, 天人殊歸.)"라고 했다.

되어 행해지지 않게 된다. 인에 뜻을 둔 자는, 하늘과 땅 사이에서 나와 함께 나란히 살아가는 것들이 같은 몸[同體]이 아님이 없으니,[363] 몸이 같으면 성性이 같고, 성이 같으면 정情이 같음을 알아야 한다. 마음을 공정하게 하고, 베풂을 공평하게 하며, 반드시 가지런하고 고르게 하여 치우치거나 인색한 것이 없도록 하고, 반드시 방정하여 편파적이고 사악한 것이 없게 해야 할 것이다. 이것을 따라서 가게 되면, 어느 하나도 제 자리를 얻지 못한 것이 없게 될 것이니, 그래서 혈구지도絜矩之道[364]라고 하는 것이다. 그러나 『대학』에서 이미 혈구를 말하고는 의義와 이로움[利]으로 이어간 것[365]이 어찌 다른 뜻이겠는가? 이로움은 오직 자기만 도모하는 것이고, 의는 남과 원하는 것을 함께 하는 것이니, 세상의 군자가 평소에 논의할 때 누군들 남과 나를 공평하게 함과 호好·오惡를 공정하게 함을 당연한 것으로 삼지 않겠는가? 그러나 사사로운 뜻이 멋대로 일어나는데도 스스로 이겨내지 못하는 것은 이로움[利] 때문이다. 이로움은 본심을 파먹는 해충이고, 올바른 길을 가로막는 덤불일 것이다! 『대학』은 마지막 장에서 간곡하였고, 『맹자』는 첫 장에서 정성스러웠으니,[366] 성현이 남들을 위하여 깊고 간절함이 이보다 앞설 것이 없다. 성현들께서 남을 위하는 데 깊이 간절하셨으니 이것보다 우선할 것이 없었다. 그러하니 선비가 인을 구하는데 마땅히 '혈구'로부터 시작하여 그 단서를 미루어나가고 또 의義·이로움[利]의 분별로부터 시작해야 한다."

[35-1-94]

"凡天下至微之物皆有箇心, 發生皆從此出. 緣是稟受之初, 皆得天地發生之心以爲心, 故其心無不能發生者. 一物有一心, 自心中發出生意, 又成無限物. 且如蓮實之中, 有所謂么荷者,

363 하늘과 땅 … 없으니 : 眞德秀는 『西山文集』 권24 「睦亭記」에서도 "천지로부터 보면, 하늘과 땅 사이에서 나와 함께 나란히 살아가는 것들은 모두 동일한 몸이다.(自天地而觀之, 則凡與吾並生於穹壤間者, 皆同一體也.)"라고 하였다.

364 絜矩之道 : 곱자로 재는 도. 『大學』에 "윗사람에게서 싫었던 것으로써 아랫사람을 부리지 말며, 아랫사람에게서 싫었던 것으로써 윗사람을 섬기지 말며, 앞사람에게서 싫었던 것으로써 뒷사람에게 가하지 말며, 뒷사람에게서 싫었던 것으로써 앞사람에게 따르지 말며, 오른쪽에게서 싫었던 것으로써 왼쪽에게 사귀지 말며, 왼쪽에게서 싫었던 것으로써 오른쪽에게 사귀지 말 것이니, 이것을 혈구지도라고 하는 것이다.(所惡於上, 毋以使下, 所惡於下, 毋以事上, 所惡於前, 毋以先後, 所惡於後, 毋以從前, 所惡於右, 毋以交於左, 所惡於左, 毋以交於右, 此之謂絜矩之道也.)"라고 하였다.

365 이미 혈구를 … 것 : 『大學』 전문10장에서는 혈구지도에 대한 설명에 뒤이어, "백성들이 좋아하는 바를 좋아하고, 백성들이 미워하는 바를 미워하는 것이니, 이것을 '백성의 부모'라고 한다.(民之所好好之, 民之所惡惡之, 此之謂民之父母.)" … "위에서 仁을 좋아하는데 아래에서 義를 좋아하지 않는 경우는 없으니, 義를 좋게 여기고 그 일이 마무리 되지 못하는 경우가 없으며, 창고의 재물이 그의 재물이 아닌 경우가 없다.(未有上好仁而下不好義者也, 未有好義其事不終者也. 未有府庫財非其財者也.)" … "이것을 '나라는 利를 이익으로 여기지 않고, 義를 이로움으로 여긴다.'라고 하는 것이다.(此謂國不以利爲利, 以義爲利也.)"라고 하였다.

366 『大學』은 마지막 … 정성스러웠으니 : 『大學』 전10장의 끝에 "이를 일러 나라는 리로 리를 삼지 않고 의로 리를 삼는다는 것이다.(此謂國不以利爲利, 以義爲利也.)"라고 하여 義와 利를 절실하게 논의하였고, 『孟子』의 모두에 "어찌 반드시 리를 말씀하십니까?(何必曰利?)"라고 하여 역시 리를 절실하게 논의하였다.

便儼然如一根之荷. 他物亦莫不如是. 故上蔡先生論仁以桃仁杏仁比之, 謂其中有生意, 纔種便生故也. 惟人受天地之中以生, 全具天地之理, 故其爲心又最靈於物, 故其所蘊生意纔發出, 則近而親親, 推而仁民, 又推而愛物, 無所不可, 以至於覆冒四海, 惠利百世, 亦自此而推之爾. 此人心之大, 所以與天地同量也. 然一爲利祿所汨, 則私意橫生, 遂流而爲殘忍, 爲刻薄, 則生意消亡, 頑如鐵石, 便與禽獸相去不遠, 豈不可畏也哉! 今爲學須要常存此心, 平居省察, 覺得胷中盎然有慈祥惻怛之意, 無忮忍刻害之私. 此卽所謂本心, 卽所謂仁也. 便當存之養之使之不失, 則萬善皆從此而生."[367]

(서산 진씨가 말했다.) "천하에 지극히 하찮은 물건에도 모두 마음이 있으니, '발생發生'이 모두 이로부터 나왔다. 품수받는 시초에 모두 천지의 발생發生하는 마음을 얻어 마음으로 삼았기 때문에, 그 마음이 발생發生할 수 없는 것이 없다. 하나의 물건마다 하나의 마음이 있어서, 마음속에서 생의生意를 내서 또 무한한 것을 생성한다. 예를 들어 연밥 속에 있는 이른바 어린 연 싹이 바로 엄연히 한 그루의 연蓮인 것과 같다. 다른 물건도 또한 이와 같지 않음이 없다. 그러므로 상채上蔡[謝良佐] 선생이 인仁을 논할 때 복숭아씨나 살구씨로 비유[368]한 것은, 그 속에 생의生意가 있어서 심으면 곧 생生하기 때문이다. 오직 사람만이 천지의 중도[中]을 받아서 생生하여, 천지의 리理를 온전히 갖추고 있으므로, 그 마음이 또 만물 중에서 가장 영묘하니, 그러므로 온축된 생의生意가 발출發出하기만 하면, 가까이는 어버이를 친하게 여기고, 미루어 나가면 백성을 사랑하며, 또 미루어나가면 만물을 아끼는 것을 못할 것이 없고, 사해四海를 덮고 백 대에 혜택을 주는 것까지도, 또한 이로부터 미루어나가는 것일 뿐이다. 이는 사람의 마음의 크기가 천지와 같은 까닭이다. 그러나 한 번 이록利祿에 어지럽혀지면, 사의私意가 제멋대로 생겨나서, 마침내 흘러넘쳐서 잔인하게 되고 각박하게 되니, 생의生意가 소멸되어 완악頑惡하기가 철석같아져서, 짐승과 거리가 멀지 않게 되니, 어찌 두려워할만 하지 않은가! 지금 배움에 있어 반드시 이 마음을 늘 보존하고, 평상시에 성찰省察하며, 가슴 속에 가득히 자상하고 가엽이 여겨 슬퍼하는 뜻을 두고, 질시하고 잔인하고 모질게 상처주는 사사로움이 없음을 느껴야 한다. 이것이 이른바 본심本心이고, 이른바 인仁이다. 마땅히 보존하고 길러서 잃지 않도록 하면, 수만 가지 선善이 모두 이로부터 생겨나게 된다."

[35-1-95]

"人得天地生物之心以爲心, 其心本無不仁. 只因有私欲, 便有違仁之時, 能克去私欲, 則心常仁矣. 心者, 指知覺而言也; 仁者, 指心所具之理而言也. 蓋圓外竅中者, 是心之體. 謂形質也, 此乃血肉之心 虛靈知覺者, 是心之靈. 靈, 謂精爽也. 言其妙則謂神明不測 仁·義·禮·智·信, 是心之理. 理, 卽性也 知覺屬氣, 凡能識痛痒, 識利害, 識義理者, 皆是也. 此所謂人心 若仁·義·禮·智·信則純是義理. 此所謂道心 人能克去私欲, 則所知覺者皆義理, 不能克去私欲, 則所知

367 『西山文集』 권30 「問答」. 『西山文集』에는 이 앞에 "인이라는 글자에 대해 물었다.(問仁字)"라고 되어 있다.
368 仁을 논할 … 비유: 『上蔡語錄』 권1 [35-1-23]을 참고

覺者物我利害之私而已. 純是理, 卽是不違仁, 雜以私欲, 便是違仁."[369]

(서산 진씨가 말했다.) "사람은 천지가 만물을 생生하는 마음[心]을 얻어서 마음[心]으로 삼으므로, 그 마음이 본래 인하지 않음이 없다. 다만 사욕이 있음으로 인해서, 인을 어기는 때가 있으니, 사욕을 이겨 없앨 수 있다면 마음[心]이 항상 인하게 된다. 심心은 지각을 가리켜 말한 것이고, 인은 심心이 갖추고 있는 리理를 가리켜 말한 것이다. 바깥은 둥글고 안에 구멍이 뚫려 있는 것[370]은 심心의 체體이다. 형질形質을 말하니, 이것이 바로 피와 살로 이루어진 심心[心臟]이다. 허령虛靈 지각은 심心의 령靈이다. 령靈은 정상精爽이다. 그 신묘한 측면을 말하면, 신명神明하여 헤아릴 수 없음을 말한 것이다. 인 · 의 · 예 · 지 · 신은 이 심心의 리이다. 리는 성이다. 지각은 기에 속하니, 아픔이나 가려움을 알 수 있는 것, 이로움이나 해로움을 알 수 있는 것, 의리를 알 수 있는 것이 모두 이것이다. 이것이 이른바 인심人心이다. 인 · 의 · 예 · 지 · 신의 경우에는 순전히 의리이다. 이것이 이른바 도심道心이다. 사람이 사욕을 이겨 없앨 수 있다면 지각하는 것이 모두 의리이고, 사욕을 이겨 없앨 수 없다면, 지각하는 것은 남과 나, 이로움과 해로움의 사사로움일 뿐이다. 순전히 리이면 인을 어기지 않고, 사욕이 섞이면 바로 인을 어긴다."

[35-1-96]

"手足不仁者, 非曰手足自不仁也. 蓋手足本吾一體, 緣風痺之人血氣不貫於手足, 便與不屬己相似. 人與物亦本吾一體, 緣頑忍之人此心不貫於人物, 亦與不屬己相似. 風痺之人不仁於手足, 頑忍之人不仁於民物, 皆以其不屬己故也. 殊不知天地吾之父母, 與人雖有彼我之異, 與物亦有貴賤之殊, 要本同一體. 只緣私意一生, 天理泯絶, 便以人己爲二致, 亦如手足本是吾身之物, 只緣風邪所中, 血氣隔塞, 遂以手足爲外物. 手足, 民物之比也, 風邪, 私意之比也. 人無私意之害, 則民物之休戚自然相關, 一見赤子入井, 則此心爲之怵惕. 無風邪之病, 則手足之痒痾亦自然相關, 雖小小疾苦, 此心亦爲之痛楚. 當如此玩味, 方曉程子痿痺不仁之意."[371]

369 『西山文集』 권31 「問答」. 『西山文集』에는 이 앞에 "인을 어기지 않는 것에 대해 물었다.(問不違仁)"라고 되어 있다.

370 바깥은 둥글고 … 것 : 『西山文集』 권30 「問答」에는 "心이라는 것이 실제로 몸을 주재하는 것에 대해 물었다. (서산 진씨가 대답했다.) '둥근 것 바깥의 구멍 속은 心의 형체이니, 물체라고 말할 수 있다. 여러 理를 다 갖추어, 神明하여 헤아릴 수 없는 것은 이 心의 리이니, 물체라고 말할 수 없다. 그러나 이 형체가 있어야 이 리를 포괄한다.'(問心之爲物實主於身. '圜外竅中者, 心之形體, 可以物言 ; 備具衆理, 神明不測, 此心之理, 不可以物言. 然有此形體, 方包得此理.')"라고 하였다. 옛날 중국인들은 심장에 구멍이 있어서[心竅], 사고나 이해를 할 수 있다고 생각했다. 사마천의 『史記』 권38 「宋微子世家」에도 "왕자 비간은 紂의 친척이다. … 이에 주에게 직언으로 간하였다. 주가 노하여 말하기를 '내 들으니, 성인의 심장에는 일곱 구멍이 있다는데, 진실로 있는가?' 하고는 마침내 왕자 비간을 죽이고, 배를 갈라 그 심장을 보았다.(王子比干者, 亦紂之親戚也. … 乃直言諫紂. 紂怒曰, '吾聞聖人之心, 有七竅, 信有諸乎?' 乃遂殺王子比干, 刳視其心.)"라고 하였고, 채침이 『書經集傳』에 이 기사를 인용하였다.

371 『西山文集』 권31 「問答」. 『西山文集』에는 이 앞에 "손발이 불인한 것에 대해 물었다.(問手足不仁)"라고 되어 있다.

(서산 진씨가 말했다.) "손발이 불인한 것은 손발이 본래 불인함을 말함이 아니다. 손발은 본래 나의 한 몸인데, 중풍으로 마비된 사람은 혈기가 손발까지 통하지 않기 때문에, (손발이) 자신에게 속해있지 않은 것 같다. 다른 사람과 만물도 또한 본래 나와 한 몸인데, 완악하고 잔인한 사람은 이 마음이 다른 사람과 만물에게까지 통하지 않기 때문에, (이들이) 자신에게 속해 있지 않은 것 같다. 중풍으로 마비된 사람은 손발에 대해 불인하고, 완악하고 잔인한 사람은 다른 사람과 만물에 대해 불인하니, 모두 그것들이 자신에게 속해 있지 않은 것으로 여기기 때문이다. 천지가 나의 부모임을 전혀 알지 못하여, 다른 사람에 대해서 비록 남과 자신의 차이가 있고, 만물에 대해서 비록 귀함과 천함의 다름이 있다 하더라도 요는 본래 한 몸이다. 다만 사의私意가 한 번 생겨나 천리가 끊어져 곧 남과 자신을 둘로 여기게 되니, 또한 손발이 본래 내 몸의 것인데, 풍사風邪[372]에 맞아 혈기가 막혀서 마침내 손발이 '남의 것[外物]'으로 되어 버리는 것과 같다. 손발은 다른 사람과 만물을 비유한 것이고, 풍사는 사의私意를 비유한 것이다. 사람에게 사의私意의 해害가 없다면, 다른 사람이나 만물의 즐거움과 근심이 자연히 서로 연관되어, 갓난아기가 우물로 들어가는 것을 한 번 보게 되면 이 마음이 그 때문에 깜짝 놀라게 된다. 풍사風邪의 병이 없으면 손발의 가려움도 또한 자연히 서로 연관되어, 비록 소소한 고통도 이 마음이 또한 (그 때문에) 아파한다. 마땅히 이와 같이 완미해야만 정자의 '마비된 것을 불인'[373]이라고 하는 뜻을 알게 될 것이다."

[35-1-97]

魯齋許氏曰: "仁爲四德之長. 元者善之長. 前人訓元爲廣大, 直是有理. 心胷不廣大, 安能愛敬, 安能教思容保民無疆?"[374]

노재 허씨魯齋許氏[許衡]가 말했다. "인仁은 사덕四德의 우두머리가 된다. 원元은 선의 우두머리이다. 앞사람들이 원元을 광대하다고 풀이한 것이 곧 그럴 듯하다. 마음이 광대하지 않으면 어찌 사랑하고 공경[敬]할 수 있겠으며, 어찌 가르치려는 생각과 백성을 포용하여 보호함이 끝이 없을 수 있겠는가?"[375]

[35-1-98]

"仁與元俱包四德而俱列並稱, 所謂合之不渾, 離之不散. 仁者, 性之至, 而愛之理也; 愛者, 情之發, 而仁之用也. 公者, 人之所以爲仁之道也; 元者, 天之所以爲仁之至也. 仁者人心之所

372 風邪: 한의학에서는 외부에서 몸에 침입하여 병을 일으키는 원인을 '六淫'이라 하여 바람[風], 추위[寒], 더위[暑], 습함[濕], 건조함[燥], 불[火]의 여섯 가지 종류로 제시하고 있다. 이 중 바람이 병의 원인으로 작용한 것이며, 風寒, 風熱, 風濕 등의 증상으로 나타난다.

373 마비된 것을 불인: 『河南程氏遺書』 권2상에는 "의서에서 손발이 마비된 것을 불인이라고 하는데, 이 말이 인을 가장 잘 형용한 것이다.(醫書言, 手足痿痺爲不仁, 此言最善名狀仁者.)"라고 되어 있다.

374 『魯齋遺書』 卷1 「語錄上」. 『魯齋遺書』에는 "安能教思容保民無疆"이 "安能教思無窮, 容保民無疆?"으로 되어 있다.

375 어찌 가르치려는 … 있겠는가?: 『周易』 「臨卦·象傳」에 "못 위에 땅이 있는 것이 臨이니, 군자가 이것을 본받아서, 가르치려는 생각이 다함이 없으며 백성을 포용하여 보호함이 끝이 없다.(澤上有地臨, 君子以, 教思無窮, 容保民無疆.)"라고 하였다.

固有, 而私或蔽之以陷於不仁, 故仁者必克己, 克己則公, 公則仁, 仁則愛. 未至於仁, 則愛不可以充體. 若夫知覺則知之用, 而仁者之所兼也. 元者, 四德之長, 故兼亨利貞; 仁者, 五常之長, 故兼義禮智信. 此二者所以必有知覺, 不可便以知覺名仁也."[376]

(노재 허씨가 말했다.) "인仁과 원元은 모두 사덕四德을 포괄하면서 함께 열거되고 병칭되니, 이른바 '합해도 섞이지 않고 분리해도 흩어지지 않는다.'[377]는 것이다. 인은 성의 지극함[378]이며, 사랑의 리理이고, 사랑은 정의 발함[發]이며, 인의 용用이다. 공公은 사람이 인을 행하게 하는 도이고, 원元은 하늘이 인을 행하게 하는 지극함이다. 인은 사람의 마음에 본래 가지고 있는 것인데, 사사로움이 혹 가려서 불인으로 빠지게 되므로 인자는 반드시 사욕을 이겨야 하니, 사욕을 이기면 공평[公]하고, 공평[公]하면 인하고, 인하면 사랑한다. 인함에 이르지 못하면, 사랑은 몸[體]을 가득 채울 수 없다. 지각의 경우에는 지智의 용用으로, 인이 겸한 것이다. 원元은 사덕四德의 우두머리이므로, 형亨·이利·정貞을 겸하고, 인은 오상의 우두머리이므로, 의·예·지·신을 겸한다. 이 두 가지는 지각이 있게 하는 원인이지만,[379] 지각을 곧바로 인이라고 할 수는 없다."

[35-1-99]

臨川吳氏曰: "天之爲天也, 元而已; 人之爲人也, 仁而已. 四序, 一元也; 五常, 一仁也. 人之

376 『魯齋遺書』 卷1 「語錄上」

377 '합해도 섞이지 … 않는다.': 揚雄은 『揚子法言』 卷3 「問道篇」에 "도는 그것으로써 이끄는 것이고, 덕은 그것으로써 얻는 것이고 인은 그것으로써 사람이 되는 것이고 의는 그것으로써 합당하게 되는 것이고, 예는 그것으로써 몸에 익히는 것이니, 天性이다. 합하면 섞이고 분리하면 흩어지니, 한 사람으로서 네 가지 체를 겸하여 통괄하는 자는 그 몸이 온전해질 것이다!(夫道以導之, 德以得之, 仁以人之, 義以宜之, 禮以體之, 天也. 合則渾離則散, 一人而兼統四體者其身全乎!)"라고 하였고, 司馬光은 여기서 "다섯 가지를 합해서 말하면 섞여서 하나가 되고, 각각의 일을 따라서 말하면 흩어져 다섯이 된다.(五者, 合而言之, 則渾而爲一, 隨事言之, 則散而爲五.)"라고 주해했다. 한편 呂祖謙은 『東萊集』 「別集」 권7 「與朱侍講」에서 "(『禮記』 「樂記」에) '사람이 생겨나서 고요한 때가 천의 성이다.'는 것이 바로 中·正·仁·義의 체이며 만물의 한 근원[一源]입니다. 中은 바르지[正] 않음이 없으므로 반드시 中正이라고 병칭하며, 仁은 옳지[義] 않음이 없으므로 반드시 仁義라고 병칭하니, 또한 元이 사덕을 포괄할 수 있어, 亨·利·貞과 함께 나란히 있는 것과 같고, 인이 사단을 포괄할 수 있어, 의·예·지와 같이 부를 수 있는 것과 같습니다. 이것이 이른바 '합해도 섞이지 않고, 분리해도 흩어지지 않는 것입니다.('人生而靜, 天之性也', 乃中正仁義之體而萬物之一源也. 中則無不正矣, 必並言之曰中正, 仁則無不義矣, 必並言之曰仁義, 亦猶元可以包四德, 而與亨利貞俱列, 仁可以包四端 而與義禮智同稱. 此所謂'合之不渾離之不散'者也.)"라고 하였다.

378 성의 지극함: 사량좌는 『上蔡語錄』 권2에 "맹자가 성선을 논한 것은 논함이 지극하다. 성은 불선을 행할 수 있는 것이지만, (이는) 성의 지극함이 아닌 것이다. 마치 물이 아래로 내려가지만 물을 쳐서 튀어오르게 하면 위로 올라가게 할 수 없는 것이 아니지만, (이는) 물의 성이 아닌 것과 같다.(孟子論性善, 論之至也. 性非不可爲不善, 但非性之至, 如水之就下, 搏擊之非不可上, 但非水之性.)"라고 하였다.

379 이 두 … 원인이지만: 『魯齋遺書』와 『宋元學案』에는 "二"가 "仁"으로 되어 있다. 이런 경우, 이 문장은 "이것이 仁에 반드시 지각이 있지만, 지각을 곧바로 인이라고 할 수는 없는 까닭이다."라고 번역된다.

有仁, 如木之有本. 木有本, 幹枝所由生也; 人有仁, 萬善所由出也. 人而賊其仁, 猶木戕其本也. 木無本, 則其枝瘁而幹枯; 人不仁, 則其心死, 而身雖生也, 奚取?"380

임천 오씨臨川吳氏[吳澄]가 말했다. "하늘이 하늘이 되는 것은 원元일 뿐이고, 사람이 사람이 되는 것은 인일 뿐이다. 사 계절은 하나의 원元이고, 오상은 하나의 인이다. 사람에게 인이 있는 것은 나무에 뿌리가 있는 것과 같다. 나무에 뿌리가 있으니, 줄기와 가지가 그로 말미암아 생겨나고, 사람에게 인이 있으니 수만 가지 선이 그로 말미암아 나온다. 사람으로서 그 인을 해치는 것은 나무가 그 뿌리를 해치는 것과 같다. 나무에 뿌리가 없어지면 그 가지가 시들고 줄기는 마른다. 사람이 불인하면 그 마음이 죽어버리니, 몸은 비록 살아있더라도 무엇을 취할 것인가?"

[35-1-100]

"仁者壽, 非聖人之言乎? 天地生物之心曰仁, 惟天地之壽最久, 聖人之仁如天地, 亦惟上古聖人之壽最久. 人所稟受有萬不齊, 豈能人人如聖人之仁哉? 夫人全德, 固未易全, 然禮儀三百, 威儀三千, 無一而非仁者. 得三百三千之一, 亦可謂仁, 則亦可以得壽矣. 予嘗執此, 觀天下之人. 凡氣之溫和者壽, 質之慈良者壽, 量之寛洪者壽, 貌之重厚者壽, 言之簡默者壽. 蓋溫和也, 慈良也, 寛洪也, 重厚也, 簡默也, 皆仁之一端. 其壽之長, 決非猛厲 · 殘忍 · 褊狹 · 輕薄 · 淺躁者之所能及也."381

(임천 오씨가 말했다.) "인자가 장수한다382는 것은 성인의 말씀이 아니겠는가? 천지가 만물을 생生하는 마음을 인이라고 하는데, 오직 천지의 장수함만이 가장 길었고, 성인의 인은 천지와 같은데,383 또한 상고시대 성인의 장수함만이 가장 길었다. 사람이 품수 받은 것은 수만 가지로 같지 않은데, 어찌 사람들마다 성인의 인과 같을 수 있겠는가? 사람의 완전한 덕384은 완전하기가 진실로 쉽지 않지만, 예의가 삼백이고, 위의가 삼천385인 가운데, 하나라도 인이 아닌 것이 없다. 삼백이나 삼천 가운데 하나를 얻어도 또한 인이라고 할 수 있으니, 또한 장수할 수 있다. 나는 일찍이 이 점에 주목하여 천하의 사람들을 살펴보았다. 기운[氣]이 온화한 사람은 장수하였고, 기질[質]이 자애롭고 선량한 사람은 장수하였고, 도량[量]이 관후하고 넓은 사람은 장수하였고, 모습[貌]이 중후한 사람은 장수하였으며, 말이 간결하고 과묵한

380 『吳文正集』 권4 「說 · 仁本堂說」

381 『吳文正集』 권4 「說 · 仁壽堂說」

382 인자가 장수한다 : 『論語』「雍也」

383 성인의 인은 … 같은데 : 張栻은 『癸巳論語解』 권9에서 "성인의 인은 천지가 만물을 生하는 마음일 것이다! (聖人之仁, 天地生物之心與!)"라고 하였다.

384 사람의 완전한 덕 : 『吳文正集』 권4 「說 · 仁壽堂說」에는 "夫人全德"이 "夫人之全德"으로 되어 있는 것에 근거하여 해석했다.

385 예의가 삼백이고 … 삼천 : 『中庸』 제27장에 "크도다. 성인의 도여! … 가득차 남을 정도로 크도다! 禮儀(큰 절목의 예)가 삼백이고, 威儀(작은 절목의 예)가 삼천이로다.(大哉, 聖人之道! … 優優大哉! 禮儀三百, 威儀三千.)"라고 하였다.

자는 장수하였다. 온화함, 자애롭고 선량함, 관후하고 넓음, 중후함, 간결하고 과묵함은 모두 인의 한 단서일 것이다. 그 장수함은 결코 사납고 모질고, 잔인하고, 편협하고, 경박하고, 경솔하고 성급한 자들이 미칠 수 있는 것이 아니다."

[35-1-101]

"夫東南西北, 地之四方也, 而東爲先 ; 元亨利貞, 天之四德也, 而元爲長. 地之東, 天之元, 時之春, 人之仁也. 易曰'體仁足以長人', 仁者何? 人之心也. 苟能體此, 則有我之私纖芥不留, 及物之春洞徹無間, 眞足爲人之長矣. 不然, 失其本心, 沒於下流, 而不能自拔也, 又奚長之云?"[386]

(임천 오씨가 말했다.) "동 · 남 · 서 · 북은 땅의 사방인데, 동쪽이 먼저이고, 원 · 형 · 이 · 정은 하늘의 사덕인데, 원元이 우두머리이다. 땅의 동쪽과 하늘의 원과 계절의 봄은, 사람의 인仁이다. 『주역』에 '인을 근간[體]으로 하면 사람들의 우두머리가 되기에 충분하다.'[387]라고 했는데, 인은 무엇인가? 사람의 마음이다. 진실로 이것을 근간[體]으로 할 수 있다면, 나[我]라고 여기는 사사로움이 조금도 남아있지 않게 되고, 만물에 미치는 봄기운[388]이 통하여 간격이 없게 되니, 진실로 사람들의 우두머리가 되기에 충분하다. 그렇지 않으면 그 본심을 잃어버리고 하류下流로 빠져버려 스스로 빠져나올 수 없으니, 또 어찌 우두머리 노릇하겠는가?"

386 『吳文正集』 권7 「字說 · 黃東字說」

387 '인을 근간[體]으로 … 충분하다.' : 『周易』「乾卦 · 文言傳」

388 만물에 미치는 봄기운 : 『河南程氏遺書』 권2下에 "仁은 바로 木의 기상이니, 측은지심은 바로 만물을 生하는 봄의 기상이다.(仁便是一箇木氣象, 惻隱之心便是一箇生物春底氣象)"라고 하였다. 또 『河南程氏遺書』 권2上에 "(『周易』「繫辭傳上」에) '生하고 生하는 것을 『易』이라고 하니', 이것이 하늘이 도를 행하는 것이다. 하늘은 다만 生하는 것을 도로 삼는다. 이 生理를 계승하는 것이 선이다. 선에는 元이라는 뜻이 있다. (『周易』「乾卦 · 文言傳」에서) '원은 선의 우두머리이니', 만물에는 모두 봄뜻[春意]이 있으니, 바로 (『周易』「繫辭傳上」에서) '이것을 계승하는 것이 선이다.'('生生之謂易', 是天之所以爲道也. 天只是以生爲道. 繼此生理者, 卽是善也. 善便有一箇元底意思. '元者善之長', 萬物皆有春意, 便是'繼之者善也.')"라고 하였다.

性理八 성리 8

性理八
성리 8

仁義 인의

[36-1-1]

程子曰 : "仲尼言仁, 未嘗兼義, 獨於『易』曰, '立人之道, 曰仁與義.' 孟子言仁, 必以義配. 蓋仁者體也, 義者用也. 知義之爲用而不外焉者, 可與論道矣. 世之論仁義者多外之. 不然, 則混而無別. 非知仁義之說也."[1]

정자가 말했다. "중니는 인仁을 말할 때 의義를 함께 말한 적이 없었는데, 유독 『주역』에서 '사람의 도를 세우는 것이 인과 의이다.'[2]라고 하였다. 맹자는 인을 말할 때 반드시 의와 짝지었다. 인은 체體이고 의는 용用이다. 의가 용이 되어도 외면에 있지 않은 것을[3] 알아야 함께 도를 논의할 수 있다. 세상에서 인의仁義를 논하는 자들은 대부분 의를 외면에 있는 것으로 여긴다. 그렇지 않으면 (인의를) 뒤섞어서 구별이 없도록 하니 인의의 학설을 알지 못하는 것이다."

[36-1-2]

"昔者聖人立人之道, 曰仁曰義. 孔子曰, '仁者人也, 親親爲大 ; 義者宜也, 尊賢爲大.' 唯能親

1 『河南程氏遺書』 권4

2 '사람의 도를 … 의이다.' : 『周易』「說卦傳」 제2장

3 의와 짝지었다. … 것을 : 『孟子』「公孫丑上」에서는 "告子도 나보다 먼저 마음을 동요하지 않았다. … (호연지기의) 기됨은 의와 도에 짝지워지니, 이것이 없으면 굶주리게 된다. … 나는 그러므로 '고자가 일찍이 의를 알지 못했다.'고 했으니, (고자가) 의를 외면이라고 여기기 때문이다.(告子先我不動心, … 其爲氣也, 配義與道, 無是, 餒也. … 我故曰, 告子未嘗知義, 以其外之也.)"라고 하였다. 또한 『孟子』「告子上」에서는 "고자가 말하였다. '食色이 性이니, 인은 내면에 있고, 외면에 있는 것이 아니며, 의는 외면에 있고, 내면에 있는 것이 아니다.'(告子曰, 食色性也, 仁內也, 非外也 ; 義外也, 非內也.)"라고 하였다.

親, 故'老吾老以及人之老, 幼吾幼以及人之幼.' 唯能尊賢, 故'賢者在位, 能者在職.' 唯仁與義盡人之道, 則謂之聖人."[4]

(정자가 말했다.) "옛날에 성인이 사람의 도를 세우는 것을 인이라고 하고 의라고 하였다.[5] 공자는 '인仁은 사람이니 친한 이를 친애함이 크고, 의義는 마땅함이니 어진 이를 높임이 크다.'[6]라고 하였다. 오직 능히 친한 이를 친애하는 까닭에, '내 노인을 노인으로 섬겨서 남의 노인에게까지 미치며, 내 어린이를 어린이로 사랑해서 남의 어린이에게까지 미친다.'[7] 오직 능히 어진 이를 높이는 까닭에, '어진 이가 지위에 있고 재능이 있는 자가 직책에 있는 것이다.'[8] 오직 인과 의에서 사람의 도를 다하면 성인이라고 한다."[9]

[36-1-3]

"人必有仁義之心, 然後仁義之氣睟然達於外."[10]

(정자가 말했다.) "사람은 반드시 인의仁義의 마음이 있은 뒤라야 인의의 기가 맑게 밖에까지 나온다."

[36-1-4]

朱子曰: "仁義如陰陽, 只是一氣. 陽是正長底氣, 陰是方消底氣. 仁便是方生底義, 義便是收回頭底仁. 要之, 仁未能盡得道體. 道則平鋪地散在裏, 仁固未能盡得. 然仁却是足以該道之體. 若識得陽, 便識得陰; 識得仁, 便識得義. 識得一箇, 便曉得其餘箇."[11]

주자가 말했다. "인의仁義는 음양처럼 다만 하나의 기일 뿐이다. 양은 바로 자라나는 기이고, 음은 바로 사라지는 기이다. 인은 바로 살리는[生] 의이고, 의는 거둬들이는 인이다. 요컨대 인은 도체道體를 아직 다 하지 못한 것이다. 도는 고르게 펴져 있어서,[12] 인이 진실로 다 할 수 없는 것이다. 그러나 인은

4 『河南程氏遺書』 권25

5 사람의 도를 … 하였다. : 『周易』「說卦傳」 제2장에서는 "立人之道, 曰仁與義."라고 하였다.

6 '仁은 사람이니 … 크다.' : 『中庸』 제20장

7 '내 노인을 … 미친다.' : 『孟子』「梁惠王上」

8 '어진 이가 … 것이다.' : 『孟子』「公孫丑上」에서는 "어진 자가 지위에 있으며, 재능이 있는 자가 직책에 있어, 국가가 한가하거든 이 때에 이르러 그 정사와 형벌을 밝힌다면, 비록 강대국이라도 반드시 두려워할 것이다. (賢者在位, 能者在職, 國家閒暇, 及是時, 明其政刑, 雖大國, 必畏之矣.)"라고 하였다.

9 오직 인과 … 한다. : 『河南程氏遺書』 권25에는 '唯仁與義盡人之道' 뒤에 '盡人之道'가 한 번 더 반복되었다. 이 경우 "오직 인과 의라야 사람의 도가 다 포괄되어 있으니, (사람의 도를 다하는 것을) 성인이라고 한다."가 된다.

10 『二程粹言』 권下

11 『朱子語類』 권6, 138조목

12 도는 고르게 … 있어서 : 『河南程氏遺書』 권2上에서는 "(『孟子』「盡心上」에서) '만물이 모두 나에게 갖추어져 있다.'는 것은 유독 사람만 그런 것이 아니라, 만물이 모두 그러하다. 모두 그 속에서 나오는 것인데, 다만 만물은 미루어 갈 수 없고, 사람은 미루어 갈 수 있다. … 수백 가지 理가 다 갖추어져 있는데, 고르게 펼쳐져

도리어 충분히 도의 체를 포괄할 수 있다. 만약 양을 알게 되면 곧 음을 알게 되고, 인을 알게 되면 곧 의를 알게 된다. 하나를 알게 되면, 곧 그 나머지 것들을 알게 된다."

[36-1-5]

問 : "於仁也柔, 於義也剛."

曰 : "仁體柔而用剛, 義體剛而用柔."

又問 : "此豈所謂'陽根陰, 陰根陽'邪?"

曰 : "然."[13]

"인에서는 유柔하고 의에서는 강剛하다."[14]는 것에 대해 물었다.
(주자가) 대답했다. "인의 체體는 유하고 용用은 강하며, 의의 체는 강하고 용은 유하다"
또 물었다. "이는 이른바 '양은 음에 뿌리를 두고, 음은 양에 뿌리를 둔다'는 것이 아닙니까?"
(주자가) 대답했다. "그렇다."

[36-1-6]

問[15] **: "自太極之動言之, 則仁爲剛, 而義爲柔. 自一物中陰陽言之, 則仁之用柔, 義之用剛."**

曰 : "是如此.[16] **仁便有箇流動發越之意, 然其用則慈柔. 義便有箇商量從宜之義, 然其用則決裂."**[17]

물었다. "태극의 동動으로부터 말하면, 인은 강剛이 되고 의는 유柔가 됩니다. 한 사물 속의 음양陰陽으로부터 말하면, 인의 용用은 유이고 의의 용은 강입니다."
(주자가) 대답했다. "이와 같다. 인에는 흐르듯 움직이며 퍼져나간다[流動發越]는 뜻이 있지만, 그 용은 자애롭고 부드럽다[柔]. 의에는 생각하여 마땅함[宜]을 따르는 뜻이 있지만, 그 용은 단호하다."

있는 것이다.('萬物皆備於我', 不獨人爾, 物皆然. 都自這裏出去, 只是物不能推, 人則能推之. … 百理具在, 平鋪放著.)"라고 하였다.

13 『朱子語類』 권6, 135조목

14 "인에서는 柔하고 … 剛하다." : 『揚子法言』 권9 「君子篇」. 『揚子法言』에서 "어떤 사람이 군자의 강유에 대해 물었다. (양웅이) 대답했다. 군자는 인에서는 柔하고 의에서는 剛하다.(或問君子之柔剛. 曰, 君子於仁也柔, 於義也剛.)"라고 하였고, 司馬光은 이에 대해 "사람을 사랑하는 데에 유하고, 악을 제거하는 데에 강하다.(柔於愛人, 剛於去惡.)"라고 주해했다.

15 問 : 『朱子語類』 권6, 136조목에는 "問"이 "선생이 숙중의 의문에 답하였다. '인의 체는 강하고 용은 유하며, 의의 체는 유하고 용은 강하다.' 광청이 물었다.(先生答叔重疑問曰, '仁體剛而用柔, 義體柔而用剛.' 廣請曰)"라고 되어 있다.

16 是如此 : 『朱子語類』 권6, 136조목에는 "也是如此"로 되어 있다.

17 『朱子語類』 권6, 136조목

[36-1-7]

問[18]: "仁義體用動靜何如?"

曰: "仁固爲體, 義固爲用. 然仁義各有體用, 各有動靜."[19]

물었다. "인仁과 의義의 체용體用과 동정動靜은 어떠합니까?"

(주자가) 대답했다. "인은 본래 체이고 의는 본래 용이다. 그러나 인과 의에는 각각 체와 용이 있고, 각각 동과 정이 있다."

[36-1-8]

"仁義互爲體用動靜. 仁之體本靜, 而其用則流行不窮. 義之用本動, 而其體則各止其所."[20]

(주자가 말했다.) "인의는 서로 체體와 용用, 동動과 정靜이 된다. 인의 체는 본래 정靜이지만, 그 용은 끝없이 유행한다. 의의 용은 본래 동動이지만, 그 체는 각각 제 자리에 머문다."

[36-1-9]

"義之嚴肅, 卽是仁底收斂."[21]

(주자가 말했다.) "의의 엄숙함은 곧 인의 거두어들임이다."

[36-1-10]

"尋常人施恩惠底, 心便發得易. 當刑殺時, 此心便疑. 可見仁屬陽屬剛, 義屬陰屬柔."

黃直卿云: "只將'舒斂'二字看, 便見喜則舒, 怒則斂."[22]

(주자가 말했다.) "보통 사람들은 은혜를 베풀 때, 마음이 쉽게 드러난다. 형벌하여 죽일 때, 이 마음은 곧 머뭇거린다. (여기서) 인이 양에 속하고 강에 속하며, 의는 음에 속하고 유에 속한다는 것을 알 수 있다."

황직경黃直卿[黃榦]이 말했다. "다만 '폄[舒]'과 '거둠[斂]'이라는 두 글자로 보면, 곧 기쁠 때는 펼쳐지고, 성낼 때는 거두어들임을 알 수 있습니다."

[36-1-11]

問: "義者, 仁之質?"

曰: "義有裁制割斷意, 是把定處, 便發出許多仁來. 如'非禮勿視聽言動', 便是把定處; '一日

18 問: 『朱子語類』 권6, 131조목에는 "問"앞에 "趙致道"가 있다.
19 『朱子語類』 권6, 131조목
20 『朱子語類』 권6, 132조목
21 『朱子語類』 권6, 133조목
22 『朱子語類』 권6, 137조목

克己復禮, 天下歸仁', 便是流行處."[23]

물었다. "의는 인의 질質입니까?"

(주자가) 대답했다. "의에는 재제裁制하고 잘라낸다는 의미가 있으니, 이는 잡아서 확고하게 하는 것으로, 곧 많은 인을 일으켜낸다. 예를 들어 '예가 아니면 보지도 말고, 듣지도 말고, 말하지도 말고, 움직이지도 말라.'[24]는 것은 잡아서 확고하게 하는 것[25]이고, '하루 동안이라도 사욕을 이겨 예에 돌아가면, 천하가 인을 인정한다.'[26]는 것은 유행하는 것이다."

[36-1-12]

問: "孟子以惻隱爲仁之端, 羞惡爲義之端. 周子云, '愛曰仁, 宜曰義.' 然以其存於心者而言, 則惻隱與愛固爲仁心之發. 然羞惡乃就恥不義上反說, 而非直指義之端也. 宜字乃是就事物上說. 不知義在心上, 其體段如何?"

曰: "義之在心, 乃是決裂果斷者也."[27]

물었다. "맹자는 측은惻隱을 인의 단서라고 하고, 수오羞惡를 의의 단서라고[28] 했습니다. 주자周子[周敦頤]는 '사랑을 인이라고 하고, 마땅함[宜]을 의라고 한다.'[29]라고 했습니다. 그러나 그 마음에 보존되어 있는 것을 가지고 말하면, 측은과 사랑은 진실로 인심仁心이 발한 것입니다. 그러나 수오는 불의不義를 부끄러워하는 데 나아가 반대로 말한 것이지, 의의 단서를 곧바로 가리킨 것이 아닙니다. '마땅함[宜]'이라는 말은 사물에 나아가 말한 것입니다. 잘 모르겠습니다만, 의가 마음에 있을 때 그 모습[體段]이 어떠합니까?"

(주자가) 대답했다. "의가 마음에 있을 때는 단호하고 과단성 있는 것이다."

[36-1-13]

或曰: "存得此心, 卽便是仁."

曰: "此句甚好. 但下面說'合於心者爲之, 不合於心者勿爲', 却又從義上去了, 不干仁事. 今且

23 『朱子語類』 권6, 139조목
24 '예가 아니면 … 말라.': 『論語』「顔淵」
25 잡아서 확고하게 … 것: 『朱子語類』 권12, 119조목에서는 "대개 다잡아서 확고하게 하지 않으면 모두 불인이다. 사람의 마음에 담연하고 허정한 것이 인의 본체이다. 다잡아서 확고하게 하지 않으면, 사욕이 빼앗아서 동요하여 어지러워진다.(大率把捉不定, 皆是不仁. 人心湛然虛定者, 仁之本體. 把捉不定者, 私欲奪之, 而動搖紛擾矣.)"라고 하였다.
26 '하루 동안이라도 … 인정한다.': 『論語』「顔淵」
27 『朱子語類』 권6, 140조목
28 측은을 인의 … 단서라고: 『孟子』「公孫丑上」에 "측은지심은 인의 단서이고, 수오지심은 의의 단서이다.(惻隱之心, 仁之端也, 羞惡之心, 義之端也.)"라고 하였다.
29 '사랑을 인이라고 … 한다.': 周敦頤, 『通書』

只以孟子'仁, 人心也, 義, 人路也', 便見得仁義之別. 蓋仁是此心之德. 才存得此心, 卽無不仁. 如說'克己復禮', 亦只是要得私欲去後, 此心常存耳, 未說到行處也. 纔說合於心行之, 便侵過'義, 人路'底界分矣. 然義之所以能行, 却是仁之用處. 學者須是此心常存, 方能審度事理, 而行其所當行也. 此孔門之學, 所以必以求仁爲先. 蓋此是萬理之原, 萬事之本, 且要先識認得, 先存養得, 方有下手立脚處耳."[30]

어떤 사람이 물었다. "이 마음을 보존하는 것이 바로 인입니다."
(주자가) 대답했다. "이 구절은 매우 좋다. 다만 그 다음에 '마음에 합치되는 것은 행하고, 마음에 합치되지 않는 것은 행하지 말라'고 말한 것은 오히려 의에 따른 것이지 인의 일과는 무관하다. 지금 또 다만 맹자의 '인은 사람의 마음이고, 의는 사람의 길이다.'[31]라는 것에서 인과 의의 구별을 볼 수 있다. 인은 이 마음의 덕이다. 이 마음을 보존하기만 하면 인하지 않음이 없다. 예컨대 '자기를 이겨 예에 돌아간다.'[32]는 말 또한 다만 사욕을 제거한 뒤라야만 이 마음이 항상 보존된다는 것일 뿐이지, 아직 실행하는 것까지는 말하지 않았다. 마음에 부합하는 것을 실행하라고 말한다면 곧 '의는 사람의 길이다'라는 경계선을 침범한 것이다. 그러나 의를 행할 수 있는 까닭이 바로 인의 용처用處이다. 그러므로 배우는 자는 반드시 이 마음을 항상 보존해야 사리事理를 자세히 살피고 헤아려서, 그 마땅히 행해야 할 것을 행할 수 있게 된다. 이것이 공문孔門의 학문에서 반드시 인을 구하는 것을 우선으로 삼는 까닭이다. 이것은 수만 가지 이치의 근원이고, 만사의 근본이니, 우선 먼저 알아야 하고 먼저 보존하고 길러야만 착수할 곳이 있게 될 뿐이다."

[36-1-14]

"克己復禮爲仁, 善善惡惡爲義."[33]

(주자가 말했다.) "'극기복례는 인이고',[34] '선을 좋게 여기고 악을 미워하는 것'은 의다."

[36-1-15]

"仁只是那流行底; 義是那合當做處.[35] 仁只是發出來底, 及至發出來有截然不可亂處, 便是義."[36]

(주자가 말했다.) "인仁은 다만 유행流行하는 것이고, 의義는 마땅히 해야 하는 것이다. 인은 다만 발하여

30 『朱子語類』 권6, 85조목. 권101, 162조목에는 李維申의 질문으로 나왔고, 『朱文公文集』 권59 「答李元翰」에도 같은 맥락의 편지글이 나와 있다.
31 '인은 사람의 … 길이다.' : 『孟子』「告子上」
32 '자기를 이겨 … 돌아간다.' : 『論語』「顔淵」
33 『朱子語類』 권6, 128조목
34 '극기복례는 인이고' : 『論語』「顔淵」
35 義是那合當做處. : 『朱子語類』 권98, 104조목에는 '那'가 없다.
36 『朱子語類』 권98, 104조목

나오는 것이고, 발해서 나와 분명하여 어지럽힐 수 없는 데까지 이른 것이 바로 의이다."

[36-1-16]

"仁存諸心, 性之所以爲體也; 義制夫事, 性之所以爲用也."[37]

(주자가 말했다.) "인이 마음속에 보존되어 있으니 성이 그 때문에 체가 되고, 의가 일을 통제하니 성이 그 때문에 용이 된다."

[36-1-17]

"天命之性, 流行發用, 見於日用之間, 無一息之不然, 無一物之不體. 其大端全體, 卽所謂仁. 而於其間事事物物, 莫不各有自然之分. 如方維上下, 定位不易, 毫釐之間, 不可差謬, 卽所謂義. 立人之道不過二者, 而二者則初未嘗相離也."[38]

(주자가 말했다.) "천명지성天命之性이 유행流行하고 펼쳐 작용[發用]하여, 일상생활 속에서 드러나는데, 어느 한 순간도 그렇지 않을 때가 없고 어느 한 물건도 근간으로 하지 않음이 없다. 큰 범위와 전체가 바로 이른바 인仁인데, 그 사이의 사물마다 각각 본래의 분수分數가 있지 않음이 없다. 예를 들면 사방四方과 사유四維[39]와 상하는 그 일정한 위치가 바뀌지 않아, 털끝만한 차이도 어긋나서는 안 되니, 이것이 이른바 '의義'이다. 사람의 도를 세우는 것은 이 두 가지[40]에 불과하며, 이 두 가지는 애초부터 서로 분리되었던 적이 없다."

[36-1-18]

問: "龜山說, '知其理一, 所以爲仁; 知其分殊, 所以爲義.' 仁便是體, 義便是用否?"

曰: "仁只是流出來底, 義是合當做底. 如水, 流動處是仁; 流爲江河, 匯爲池沼, 便是義. 如惻隱之心便是仁, 愛父母, 愛兄弟, 愛鄉黨, 愛朋友故舊, 有許多等差, 便是義."[41]

물었다. "구산龜山[楊時]이 '리일理一을 아는 것이 인을 행하는 까닭이고, 분수分殊를 아는 것이, 의를 행하는 까닭이다.'[42]라고 말했는데, 인은 곧 체이고, 의는 곧 용 아닙니까?"

---

37 『四書或問』 권20 「孟子」

38 『朱文公文集』 권38 「書 · 答江元適」

39 四方과 四維: 徐堅(659~729)은 類書의 일종인 『初學記』 권1 「天部」에서 "동서남북을 '사방'이라고 하고, 사방의 모퉁이를 '사유'라고 한다.(東西南北曰四方, 四方之隅曰四維.)"라고 하였다.

40 사람의 도를 … 가지: 『周易』 「說卦傳」 제2장에, "사람의 도를 세우는 것이 인과 의이다.(立人之道曰仁與義.)"라고 하였다.

41 『朱子語類』 권116, 30조목

42 '理一을 아는 … 까닭이다.': 『龜山集』 권11 「語錄」; 권20 「書」. 『龜山集』 권11 「語錄」에서는 계속해서 "이른바 分殊는 맹자가 말한 '어버이를 친하게 모시고서 백성을 사랑하며, 백성을 사랑하고서 만물을 아껴라.'라고 한 것과 같으니, 그 分數가 같지 않으므로 베푸는 것에 차등이 없을 수 없는 것이다. 어떤 사람이 말했다.

(주자가) 대답했다. "인은 다만 흘러나오는 것이고, 의는 마땅히 해야 하는 것이다. 예를 들어 물이 흘러 움직이는 것[流動處]은 인이고, 흘러서 강이 되고 모여서 못이 되는 것이 의이다. 예를 들어 측은지심은 바로 인이고, 부모를 사랑하고 형제를 사랑하고 마을 사람을 사랑하고 벗과 친구를 사랑하는데 다양한 차등이 있는 것이 바로 의이다."

[36-1-19]

問 : "心無內外.[43] 心而有內外, 是私心也, 非天理也. 故愛吾親而人之親亦所當愛, 敬吾長而人之長亦所當敬. 今吾有親則愛焉而人之親不愛, 有長則敬焉而人之長不敬, 是心有兩也, 是二本也. 且天之生物, 使之一本, 而二本可乎?"

南軒張氏曰[44] : "此緊要處, 不可毫釐差. 蓋愛敬之心由一本, 而施有差等, 此仁義之道所以未嘗相離也. 『易』所謂'稱物平施', 稱物之輕重而吾施無不平焉. 此吾儒所謂理一而分殊也."[45]

물었다. "마음에는 안팎이 없는데, 마음에 안팎을 둔다면 이는 사심私心이지 천리天理가 아닙니다. 그러므로 내 어버이를 사랑하지만 남의 어버이도 또한 마땅히 사랑해야 하고, 나의 어르신을 공경하지만 남의 어르신도 또한 마땅히 공경해야 합니다. 지금 나에게 어버이가 있어 사랑하면서 남의 어버이를 사랑하지 않고, 어르신이 있어 공경하면서 남의 어르신을 공경하지 않는 것은, 마음이 둘이 있는 것이니 두 개의 근본을 두게 되는 것[二本][46]입니다. 또 하늘이 만물을 생겨나게 할 때, 하나의 근본이 되게 하였는데 두 개의 근본으로 할 수 있겠습니까?"

남헌 장씨南軒張氏[張栻]가 대답했다. "이는 중요한 곳이니 털끝만큼도 차이가 있어서는 안 된다. 사랑과 공경의 마음은 하나의 근본에서 말미암았으나, 시행하는 데에는 차등이 있으니, 이는 인의의 도가 일찍이 서로 분리된 적이 없는 까닭이다. 『주역』에서 이른바 '사물을 저울질하여 베풂을 공평하게 한다.'[47]는 것은, 사물의 경중을 저울질하여, 나의 베풂에 공평하지 않음이 없도록 한다는 것이다. 이는 우리 유학에서 말하는 '리일분수理一分殊'이다."

'이와 같다면 체용이 과연 분리되어 둘이 되어 버립니다.' 구산이 말했다. '용은 체에서 분리된 적이 없었다.' (所謂分殊, 猶孟子言'親親而仁民, 仁民而愛物', 其分不同, 故所施不能無差等. 或曰, 如是則體用果離而爲二矣. 曰, 用未嘗離體也.)"라고 하였다.

43 問心無內外 : 『南軒集』 권30 「答問 · 答陳平甫」에는 "問"이 없다.

44 南軒張氏曰 : 『南軒集』 권30 「答問 · 答陳平甫」에는 "南軒張氏曰"이 없다.

45 『南軒集』 권30 「答問 · 答陳平甫」

46 두 개의 … 것[二本] : 『孟子』 「滕文公上」에서는 孟子가 墨者인 夷子를 비난하면서 "하늘이 만물을 낼 적에는 하나의 근본이 되게 하였는데, 이자에게는 두 개의 근본이 있기 때문에 그런 것이다.(天之生物也, 使之一本, 而夷子二本故也.)"라고 하였다.

47 '사물을 저울질하여 … 한다.' : 『周易』 「謙卦 · 象傳」. 주자는 『本義』에서 "사물의 마땅함을 저울질하여 그 베푸는 것을 공평하게 한다.(稱物之宜而平其施.)"라고 주해했다.

[36-1-20]

勉齋黃氏曰 : “『論語』一書未嘗以仁義對言, 而『孟子』言仁義者不一而足. 聖賢之教宜無異指, 而若是不同, 何也? 仁義性所有也. 夫子言性不可得聞, 而孟子道性善也. 夫子教人無非仁義之道, 使人油然入於仁義而不自知也. 孟子憫斯世之迷惑, 故開關啓鑰, 直指人心而明告之也. 五常百行皆性所有, 而獨言仁義, 又何也? 仁義蓋總其名, 而五常百行其支派也. 孟子提綱挈領, 使人由是而推之, 無往而非仁義也. 孟子之言仁義也, 其强爲是名耶? 抑亦有自來也? 且何以知其爲性所有, 而五常百行之總名也? 夫子固常言之矣.[48] ‘立天之道, 曰陰與陽. 立地之道, 曰柔與剛. 立人之道, 曰仁與義.’ 三才之道一而已. 陰陽以氣言, 剛柔以質言, 仁義以理言也. 人受氣於天, 賦形於地. 稟陰陽剛柔氣質以爲體, 則具仁義之理以爲性. 此豈人之所能强名, 而五常百行孰有出於仁義之外哉?”[49]

면재 황씨勉齋黃氏[黃榦]가 말했다. “『논어』에서는 인仁과 의義를 상대시켜 말한 적이 없었는데, 『맹자』에서는 인의를 말한 것이 매우 많다. 성현의 가르침은 마땅히 서로 다른 뜻이 없을 텐데 이와 같이 다른 것은 무엇 때문인가? 인의는 성이 가지고 있는 것이다. 공자[夫子]께서 성性을 말한 것은 들을 수 없지만,[50] 맹자는 성의 선함을 말하였다.[51] 공자께서 사람을 가르친 것이 인의의 도가 아닌 것이 없어서, 사람이 저절로 인의로 들어가고도 스스로 알지 못하도록 하였다. 맹자는 당시 세상의 미혹됨을 안타깝게 여겼으므로, 빗장과 자물쇠를 열고는 사람의 마음을 곧바로 가리켜서 분명하게 알려준 것이다. 오상五常과 온갖 행실은 모두 성이 가지고 있는 것인데, 유독 인의만을 말한 것은 또 무엇 때문인가? 인의는 총괄한 명칭이고, 오상과 온갖 행실은 그것에서 파생된 가지이다. 맹자는 핵심적인 강령綱領을 들어서 사람들이 이로부터 미루어 가게 하였으니, 하는 것 마다 인의가 아님이 없도록 하였다. 맹자가 인의를 말한 것은 억지로 이런 이름을 지었겠는가? 아니면 또한 본래 유래가 있는 것인가? 또 (인의가) 성이 가지고 있는 것이면서 오상과 온갖 행실의 총칭[總名]임을 어떻게 알 수 있는가? 공자는 진실로 그것을 늘상 말했다. ‘하늘의 도道를 세운 것은 음陰과 양陽이고, 땅의 도를 세운 것은 유柔와 강剛이고, 사람의 도를 세운 것이 인과 의이니’,[52] 삼재三才의 도는 하나일 뿐이다. 음양은 기氣를 가지고 말한 것이고, 강유는 질質을 가지고 말한 것이며, 인의는 리理를 가지고 말한 것이다. 사람은 하늘에서 기氣를 받았고 땅에서 형질을 받았다. 음양과 강유의 기질을 받아서 몸으로 삼았으니, 인의의 리理를 구비하여 성으로 삼았다. 이것이 어찌 사람이 억지로 이름붙일 수 있는 것이겠으며, 오상과 온갖 행실 중의 어떤 것인들 인의의 밖으로 벗어날 수 있겠는가?”

48 夫子固常言之矣. : 『勉齋集』 권1 「講義 · 新淦縣學」에는 ‘常’이 ‘嘗’으로 되어 있다.

49 『勉齋集』 권1 「講義 · 新淦縣學」

50 공자[夫子]께서 性을 … 없지만 : 『論語』「公冶長」에서는 “선생님께서 性과 天道를 말씀하시는 것은 들을 수 없다.(夫子之言性與天道, 不可得而聞也.)”라고 하였다.

51 성의 선함을 말하였다. : 『孟子』「滕文公上」에서는 “맹자께서 (등나라 태자에게) 性의 善함을 말하셨는데, 말씀마다 반드시 堯舜을 칭하셨다.(孟子道性善, 言必稱堯舜.)”라고 하였다.

52 ‘하늘의 道를 … 의이니’ : 『周易』「說卦傳」 제2장

[36-1-21]

"仁義之道不在他求. 『孟子』曰, '惻隱之心, 仁之端也. 羞惡之心, 義之端也.' 又曰, '孩提之童, 無不知愛其親者, 及其長也, 無不知敬其兄也. 親親仁也, 敬長義也.' 仁義之道根於吾心之固有, 初非有甚高難能之事也. 存之於虛靜純一之中, 推之於動作應酬之際, 則仁義之道在我矣. 試以吾平日設心者思之, 果能事親而孝乎? 果能處宗族而睦乎? 果能交於鄉黨朋友而兼所愛乎? 果能視人如己乎? 果能視民如傷乎? 卽是心而充之, 以至於無一念之不公, 則仁之道盡矣. 果能從兄而順乎? 果能事上而敬乎? 果能應事接物而求其是乎? 果能見利不趨乎? 果能見害不避乎? 卽是心而充之, 以至於無一事之不宜, 則義之道盡矣. 盡仁義之道, 則仰不愧, 俯不怍, 而上下與天地同流矣."[53]

(면재 황씨가 말했다.) "인의仁義의 도는 다른 곳에서 구할 것이 아니다. 『맹자』에 '측은지심은 인仁의 단서이고, 수오지심은 의義의 단서이다.'[54]라고 말하였고, 또 '어린 아이가 그 어버이를 사랑할 줄 모르는 이가 없으며, 자라서는 그 형을 공경할 줄 모르는 이가 없다. 어버이를 친애하는 것은 인이고, 연장자를 공경하는 것은 의이다.'[55]라고 말하였다. 인의의 도는 내 마음에 본래부터 있는 것에 근본하니, 애초부터 매우 높아서 하기 어려운 일이 아니다. 허정虛靜 순일純一 한 마음속에 그것을 보존하고, 움직이고 대응하는 때에 그것을 미루어나가면, 인의의 도가 나에게 있게 된다. 시험삼아 내가 평소에 마음을 쓰는 것을 가지고 생각해보면, 어버이를 섬길 때 효도를 과연 제대로 하고 있는가? 친족들을 대할 때 화목함을 과연 제대로 하고 있는가? 마을의 벗들과 교제할 때 사랑하는 바를 겸하는 것[56]을 과연 제대로 하고 있는가? 남을 보기를 나처럼 여기는 것을 과연 제대로 하고 있는가? 백성을 돌보기를 다친 사람 보듯이 여기는 것[57]을 과연 제대로 하고 있는가? 이 마음에 나아가 그것을 채워서, 한 생각도 공평[公]하지 않음이 없는 데에까지 이르면, 인의 도를 다하게 된다. 형을 따를 때 순응함을 과연 제대로 하고 있는가? 윗사람을 섬길 때 공경함을 과연 제대로 하고 있는가? 일에 대응하고 사물에 접할 때 그 올바름을 구하는 것을 과연 제대로 하고 있는가? 이익을 보고도 좇지 않는 것을 과연 제대로 하고 있는가? 해로움을 보고도 피하지 않는 것을 과연 제대로 하고 있는가? 이 마음에 나아가 그것을 확충하여, 한 가지 일도

53 『勉齋集』 권1 「講義 · 安慶郡學」

54 '측은지심은 仁의 … 단서이다.' : 『孟子』「公孫丑上」

55 '어린 아이가 … 의이다.' : 『孟子』「盡心上」

56 사랑하는 바를 … 것 : 『孟子』「告子上」에서는 "사람이 자기 몸에 대해서 사랑하는 바를 겸하니, 사랑하는 바를 겸하면 기르는 바를 겸한다. 한 자와 한 치의 살을 사랑하지 않음이 없다면, 한 자와 한 치의 살을 기르지 않음이 없을 것이다.(人之於身也, 兼所愛, 兼所愛, 則兼所養也. 無尺寸之膚不愛焉, 則無尺寸之膚不養也.)"라고 하였고, 『孟子集註大全』에서 新安陳氏(陳櫟, 1252~1334)는 "사랑하지 않는 바가 없음을 '겸하여 사랑함[兼愛]'이라고 한다. 기르지 않는 바가 없음을 '겸하여 기름[兼養]'이라고 한다.(無所不愛曰兼愛; 無所不養曰兼養.)"라고 주해했다.

57 백성을 돌보기를 … 것 : 『孟子』「離婁下」에서는 "文王은 백성을 보기를 다칠 듯이 여기셨다.(文王視民如傷.)"라고 하였고, 주자는 『集註』에서 "백성이 이미 편안하더라도 그들을 보기를 오히려 다침이 있을까 하듯이 여겼다.(民已安矣, 而視之, 猶若有傷.)"라고 주해했다.

마땅하지 않음이 없는 데에까지 이르면, 의의 도를 다하게 된다. 인의의 도를 다하면 우러러보아도 부끄럽지 않고 구부려 보아도 부끄럽지 않아,[58] 상하上下가 천지와 함께 유행하는 것이다."[59]

[36-1-22]

北溪陳氏曰: "仁義起發是惻隱羞惡, 及到那人物上, 方見得愛與宜. 故曰愛之理, 宜之理."[60]

북계 진씨北溪陳氏[陳淳]가 말했다. "인과 의가 발동한 것은 측은惻隱과 수오羞惡이고, 사람과 사물에 미쳐서야 사랑함[愛]과 마땅함[宜]을 볼 수 있다. 그러므로 '사랑함의 리理이고, 마땅함의 리理'[61]라고 말한다.

仁義禮智 인의예지

[36-2-1]

問[62]: "仁義禮智, 立名還有意義否?"

朱子曰: "說仁, 便有慈愛底意思; 說義, 便有剛果底意思. 聲音氣象, 自然如此."

黃直卿云[63]: "六經中專言仁者, 包四端也. 言仁義而不言禮智者, 仁包禮, 義包智."[64]

물었다. "인의예지라는 명칭을 만들 때 아무래도 의미가 있었던 것 아닙니까?"

주자가 대답했다. "인을 말할 때는 자애의 의미가 있고, 의를 말할 때는 강직과 과단의 의미가 있다. 말소리[聲音]의 분위기[氣象][65]도 본래 이와 같다."

황직경黃直卿[黃榦]이 말했다. "육경 가운데 인을 전언專言한 것은 사단을 포함한 것이다. 인과 의를 말하고 예와 지를 말하지 않은 것은, 인은 예를 포함하고 의는 지를 포함하고 있기 때문이다."

58 부끄럽지 않고 … 않아: 『孟子』「盡心上」에서는 "군자가 세 가지 즐거움이 있는데, … 위로 우러러보아 하늘에 부끄럽지 않으며, 아래로 구부려보아 인간에 부끄럽지 않은 것이 두 번째 즐거움이(君子有三樂, … 仰不愧於天, 俯不怍於人, 二樂也.)"라고 했다.

59 上下가 천지와 … 것이다.: 『孟子』「盡心上」에서는 "군자는 지나는 곳마다 敎化가 되며, 마음에 두고 있으면 神妙해진다. 그러므로 상하가 천지와 함께 유행하니, 어찌 소소하게 보충함이 있다고 하겠는가!(夫君子所過者化, 所存者神, 上下與天地同流, 豈曰小補之哉!)"라고 하였다.

60 『北溪字義』 권상 「仁義禮智信」

61 '사랑함의 理이고 … 理': 『朱子語類』 권20, 103조목에서는 "나누어서 말하면 인은 사랑의 리이고, 의는 마땅함의 리이다.(分而言之, 則仁是愛之理, 義是宜之理.)"라고 하였다. 권20, 100조목과 108조목에도 같은 맥락의 설명이 보인다.

62 問: 『朱子語類』 권6, 52조목에는 '吉甫問'으로 되어 있다.

63 黃直卿云: 『朱子語類』 권6, 52조목에는 '黃直卿'이 '直卿'으로 되어 있다.

64 『朱子語類』 권6, 52조목

65 말소리[聲音]의 분위기[氣象]: '仁'은 平聲이기 때문에 소리가 부드럽고 '義'는 去聲이기 때문에 소리가 거세다.

[36-2-2]

"生底意思是仁, 殺底意思是義, 發見會通是禮, 收一作深藏不測是智."[66]

(주자가 말했다.) "살리려는[生] 뜻은 인仁이고, 죽이려는[殺] 뜻은 의義이며, 발현하여 회통會通하는 것은 예禮이고[67] 거둬들여 어떤 판본에는 '깊이[深]'로 되어 있다. 감추어서 헤아릴 수 없는 것은 지智이다."[68]

[36-2-3]

"仁與義是柔軟底, 禮智是堅實底. 仁義是頭, 禮智是尾. 一似說春秋夏冬相似. 仁義一作仁禮是陽底一截, 禮智一作義智是陰底一截."[69]

(주자가 말했다.) "인과 의는 유연한 것이고, 예와 지는 견실한 것이다. 인과 의는 머리이고, 예와 지는 꼬리이다. 마치 봄·가을·여름·겨울을 말하는 것과 서로 유사하다. 인과 의는 어떤 판본에는 인과 예로 되어 있다. 양의 영역이고, 예와 지는 어떤 판본에는 의와 지로 되어 있다. 음의 영역이다.

[36-2-4]

問仁義禮智體用之別.

曰: "自陰陽上看下來, 仁禮屬陽, 義智屬陰.[70] 春夏是陽, 秋冬是陰. 只將仁義說, 則春作夏長仁也; 秋斂冬藏義也. 若將仁義禮智說, 則春, 仁也; 夏, 禮也; 秋, 義也; 冬, 智也. 仁禮是敷施出來底, 義便是肅殺果斷底, 智便是收藏底. 如人肚臟有許多事, 如何見得! 其智愈大, 其臟愈深. 正如『易』中道'立天之道, 曰陰與陽; 立地之道, 曰柔與剛; 立人之道, 曰仁與義.' 解者

---

66 『朱子語類』 권6, 57조목

67 발현하여 會通하는 … 禮이고: 『周易』「繫辭上」 제8장에서는 "성인이 천하의 動함을 보고서 그 會通함을 관찰하여 典禮를 행하며, 말을 달아 길·흉을 결단하였다.(聖人有以見天下之動, 而觀其會通, 以行其典禮, 繫辭焉, 以斷其吉凶.)"라고 하였다. 주자는 『本義』에서 "會는 이치가 모여 있어 빠뜨릴 수 없는 부분을 말하고, 通은 이치가 행해질 수 있어 막힘이 없는 부분을 말한다. 예컨대 庖丁이 소를 해체할 때에 會는 힘줄과 뼈가 모인 곳이고, 通은 그 빈 곳인 것과 같다.(會, 謂理之所聚而不可遺處; 通, 謂理之可行而无所礙處. 如庖丁解牛, 會則其族, 而通則其虛也.)"라고 주해하였다.

68 감추어서 헤아릴 … 지이다.: 『朱子語類』 권53, 54조목에서는 "賀孫이 물었다. '맹자의 사단은 어찌해서 智를 뒤로 했습니까?' (주자가) 대답했다. '맹자는 다만 순환해서 말했을 뿐이다. 智는 본래 인·의·예를 저장해 두고 있으니, 오직 智가 이러해야만, 이와 같이 인·의·예가 智 속에 저장되어져 있게 된다. 예를 들면 원·형·이·정에서 정이 智이니, 정이 원·형·이의 뜻을 속에 저장해 두고 있는 것과 같다. 예를 들면 봄·여름·가을·겨울에서 겨울이 智이니, 겨울이 봄에 생겨나고 여름에 자라고 가을에 완성되는 뜻을 속에 저장해 두고 있는 것과 같다.(賀孫問, "孟子四端, 何爲以知爲後?" 曰, "孟子只循環說. 智本來是藏仁義禮, 惟是知恁地了, 方恁地, 是仁禮義都藏在智裏面. 如元亨利貞, 貞是智, 貞卻藏元亨利意思在裏面. 如春夏秋冬, 冬是智, 冬卻藏春生·夏長·秋成意思在裏面.)"라고 하였다.

69 『朱子語類』 권6, 53조목

70 義智屬陰.: 『朱子語類』 권6, 54조목에는 이 뒤에 "仁禮是用, 義智是體.(인과 예는 용이고, 의와 지는 체이다.)"라는 구절이 더 있다.

多以仁爲柔, 以義爲剛, 非也. 却是以仁爲剛, 以義爲柔. 蓋仁是箇發出來了, 便硬而强. 義便是收斂向裏底, 外面見之便是柔."[71]

인·의·예·지의 체용體用의 구분에 대해 물었다.
(주자가) 대답했다. "음양으로부터 보면, 인과 예는 양에 속하고, 의와 지는 음에 속한다. 봄과 여름은 양이고, 가을과 겨울은 음이다. 다만 인과 의만을 말하면, 봄에 발생하고 여름에 자라는 것은 인이며, 가을에 거두고 겨울에 저장하는 것은 의이다. 만약 인·의·예·지를 말하면 봄은 인이고, 여름은 예이고, 가을은 의이고, 겨울은 지이다. 인과 예는 펼쳐져 나온 것이고, 의는 싸늘하게 과감히 자르는[肅殺果斷] 것이고, 지는 거둬들여 저장하는 것이다. 예컨대 사람의 뱃속에는 매우 많은 것들이 있는데, 어떻게 볼 수 있겠는가! 그 지智가 클수록, 그 저장한 것도 더욱 깊어진다. (이는) 바로 『주역』에서 '하늘의 도를 세운 것은 음과 양이고, 땅의 도를 세운 것은 유와 강이며, 사람의 도를 세운 것은 인과 의이다.'[72]라고 한 것과 꼭 같다. 풀이하는 자들이 대부분 인을 유라고 하고, 의를 강이라고 하는 것은 그르다. 도리어 인이 강이 되고 의가 유가 된다. 인은 발하여 나오는 것이어서, 단단하고 강하다. 의는 안으로 수렴하는 것이어서, 밖에서 보면 유하다."

[36-2-5]

"仁禮屬陽, 義智屬陰. 袁機仲却說 : '義是剛底物, 合屬陽 ; 仁是柔底物, 合屬陰.' 殊不知舒暢發達, 便是那剛底意思 ; 收斂藏縮, 便是那柔底意思. 他只念得'於仁也柔, 於義也剛'兩句, 便如此說. 殊不知正不如此."

又云 : "以氣之呼吸言之, 則呼爲陽, 吸爲陰. 吸便是收斂底意. 「鄕飮酒義」云, '溫厚之氣盛於東南, 此天地之仁氣也. 嚴凝之氣盛於西北, 此天地之義氣也.'"[73]

(주자가 말했다.) "인과 예는 양에 속하고, 의와 지는 음에 속한다. 원기중袁機仲[袁樞]은 도리어 '의는 강剛한 것으로 마땅히 양에 속해야 하고, 인은 유柔한 것으로 마땅히 음에 속해야 한다.'고 말했는데, (이는) 활짝 펼쳐져 나가는 것[舒暢發達]이 강剛의 뜻임을 전혀 알지 못한 것이고, 수렴하여 저장해 두는 것[收斂藏縮]이 유柔의 뜻임을 전혀 알지 못한 것이다. 그는 단지 '인에서는 유하고 의에서는 강하다.'[74]는 두 구절만 보고, 이처럼 말한 것이다. (이는) 꼭 이와 같지는 않다는 것을 전혀 알지 못한 것이다."
(주자가) 또 말했다. "기의 호흡을 가지고 말하면 내쉬는 것[呼]은 양이고 들이마시는 것[吸]은 음이다. 들이마시는 것은 수렴의 뜻이다. 『예기』「향음주의鄕飮酒義」에서는 '온후한 기운은 동남쪽에서 왕성하니, 이는 천지의 인기仁氣이다. 엄혹하게 얼어붙는[嚴凝] 기운은 서북쪽에서 왕성하니, 이는 천지의 의기義氣이다.'[75]라고 했다."

71 『朱子語類』 권6, 54조목
72 '하늘의 도를 … 의이다.' : 『周易』「說卦傳」 제2장
73 『朱子語類』 권6, 55조목
74 '인에서는 유하고 … 剛하다.' : 『揚子法言』 권9 「君子篇」. [36-1-5] 참조
75 '온후한 기운은 … 義氣이다.' : 『禮記』「鄕飮酒義」에는 "천지의 엄혹하게 얼어붙는[嚴凝] 기운은 서남쪽에서

[36-2-6]

"仁禮屬陽屬健, 義智屬陰屬順."

問: "義則截然有定分, 有收斂底意思. 自是屬陰順, 不知智如何解?"

曰: "智更是截然, 更是收斂. 如知得是, 知得非, 知得便了, 更無作用, 不似仁義禮三者有作用. 知只是知得了, 便交付惻隱·羞惡·辭遜三者, 他那箇更收斂得快."[76]

(주자가 말했다.)"인과 예는 양에 속하고 건健에 속하며, 의과 지는 음에 속하고 순順에 속한다."

물었다. "의는 자른 듯이 정해진 분수分數가 있어서, 수렴하는 뜻이 있습니다. (이는) 본래 음陰과 순順에 속하는데, 지智를 어떻게 이해해야 할지 모르겠습니다."

(주자가) 대답했다. "지智는 더욱 자른 듯하고, 더욱 수렴하는 것이다. 예컨대 옳은 것을 알고 그른 것을 알아서, 알면 그만일 뿐 더 이상의 작용이 없으니, 인과 의와 예 세 가지에 작용이 있는 것과는 같지 않다. 지는 다만 알고 나면 바로 측은·수오·사양[辭遜][77] 세 가지에 넘겨주니, 그것은 수렴하는 것이 더욱 빠르다."

[36-2-7]

"人只是此仁·義·禮·智四種心, 如春·夏·秋·冬. 千頭萬緒, 只是此四種心發出來."[78]

(주자가 말했다.) "사람은 다만 이 인·의·예·지 네 가지의 마음일 뿐이니, 예컨대 봄·여름·가을·겨울과 같다. 천만 가지의 단서는 다만 이 네 가지의 마음이 발현해 나온 것일 뿐이다."

[36-2-8]

"仁·義·禮·智, 便是元·亨·利·貞. 若春間不曾發生得, 到夏無緣得長, 秋冬亦無可收藏."[79]

(주자가 말했다.) "인·의·예·지는 바로 원·형·이·정이다. 만약 봄에 생겨나지 않으면, 여름에 자랄 수 없고, 가을과 겨울에 또한 거두어들여 저장할 수 없다."

[36-2-9]

問: "仁是天地之生氣, 義·理·智又於其中分別.[80] 然其初只是生氣, 故爲全體."

시작하여 서북쪽에서 왕성하다. 이것은 천지의 존엄한 기운이며, 이것은 천지의 義氣이다. 천지의 온후한 기운은 동북쪽에서 시작하여 동남쪽에서 왕성하다. 이것은 천지의 성덕의 기운이며, 이것은 천지의 仁氣이다.(天地嚴凝之氣, 始於西南, 而盛於西北. 此天地之尊嚴氣也, 此天地之義氣也. 天地溫厚之氣, 始於東北, 而盛於東南. 此天地之盛德氣也, 此天地之仁氣也.)"라고 되어 있다.

76 『朱子語類』 권6, 56조목

77 辭遜: 辭讓. 宋英宗의 생부인 濮安懿王 趙允讓의 '讓'을 피하여 '遜'으로 대용한 것이다.

78 『朱子語類』 권6, 51조목

79 『朱子語類』 권6, 58조목

80 義·理·智又於其中分別.: '義·理·智'는 『朱子語類』 권6, 65조목에 '義·禮·智'로 되어 있다. 번역은 『朱子

曰："然."

問："肅殺之氣, 亦只是生氣?"

曰："不是二物, 只是斂些. 春·夏·秋·冬, 亦只是一氣."[81]

물었다. "인은 천지의 생기生氣이고, 의·예·지는 또 그 속에서 나뉘어 구별됩니다. 그러나 그 시초에는 다만 생기일뿐이므로, 전체全體가 됩니다."
(주자가) 대답했다. "그렇다."
물었다. "숙살지기肅殺之氣도 또한 생기일뿐입니까?"
(주자가) 대답했다. "서로 다른 것은 아니고 (숙살지기는) 다만 좀 더 수렴하는 것일 뿐이다. 봄·여름·가을·겨울도 또한 다만 하나의 기氣일 뿐이다."

[36-2-10]

問[82]："仁包義·禮·智, 惻隱包羞惡·辭讓·是非. 元包亨·利·貞, 春包夏·秋·冬. 以五行言之, 亦如木是包得火·金·水."[83]

曰："木是生氣, 有生氣, 然後物可得而生. 若無生氣, 則火·金·水皆無自而能生矣. 故木能包此三者. 仁·義·禮·智, 性也, 性無形影可以摸索, 只是有這理耳. 惟情乃可得而見, 惻隱·羞惡·辭遜·是非是也. 故孟子言性曰, '乃若其情, 則可以爲善矣.' 蓋性無形影, 惟情可見. 觀其發處旣善, 則知其性之本善必矣."[84]

물었다. "인이 의·예·지를 포함하고, 측은이 수오·사양·시비를 포함하며, 원이 형·이·정을 포함하고, 봄이 여름·가을·겨울을 포함합니다. 오행으로써 말하면 또한 예컨대 목은 화·금·수를 포함합니다."
(주자가) 대답했다. "목은 생기生氣이니, 생기가 있은 후에야 사물이 생겨날 수 있다. 만약 생기가 없다면 화·금·수가 모두 본래 생겨날 수가 없다. 그러므로 목이 이 세 가지를 포함할 수 있는 것이다. 인·의·예·지는 성性이니, 성에는 더듬어 찾을 수 있는 형체와 모습이 없고, 다만 이러한 리理가 있을 뿐이다. 오직 정情만을 볼 수 있는 것이니, 측은·수오·사양·시비가 이것이다. 그러므로 맹자가 성性을 설명하면서 '그 정情으로 말하면 선하다고 할 수 있다.'[85]라고 한 것이다. 성은 형체와 그림자가 없으니, 오직 정으로만 드러날 수 있다. 그 발하는 곳이 이미 선함을 보면, 그 성이 본래 선한 것이 틀림없음을

語類』에 따른다.

81 『朱子語類』 권6, 65조목

82 問：『朱子語類』 권6, 68조목에는 '味道問'으로 되어 있다.

83 亦如木是包得火·金·水.：『朱子語類』 권6, 68조목에는 "잘 모르겠습니다만 목은 어떻게 화·금·수를 포함하는지요?(不知木如何包得火金水?)"라고 되어 있다.

84 『朱子語類』 권6, 68조목

85 '그 情으로 … 있다.'：『孟子』「告子上」. 주자는 『集註』에서 "情은 性이 動한 것이다. 사람의 정은 본래 다만 선만 행할 수 있고, 악은 행할 수 없으니, 그렇다면 성이 본래 선함을 알 수 있는 것이다.(情者, 性之動也. 人之情, 本但可以爲善, 而不可以爲惡, 則性之本善, 可知矣.)"라고 주해하였다.

알 수 있다.”

[36-2-11]

或問『論語』言仁處.

曰: “理難見, 氣易見. 但就氣上看便見. 如看元 · 亨 · 利 · 貞是也. 元 · 亨 · 利 · 貞也難看, 且看春 · 夏 · 秋 · 冬. 春時盡是溫厚之氣, 仁便是這般氣象. 夏 · 秋 · 冬雖不同, 皆是陽春生育之氣行乎其中. 故‘偏言則一事, 專言則包四者.’[86] 明道謂義 · 禮 · 智皆仁也. 若見得此理, 則聖人言仁處, 或就仁上說,[87] 或就事上說, 皆是這一箇道理. 程正叔云,[88] ‘滿腔子是惻隱之心.’”

曰: “仁便是惻隱之母.”

又曰: “若曉得此理, 便見得‘克己復禮.’ 私欲盡去, 便純是溫和沖粹之氣, 乃天地生物之心. 其餘人所以未仁者, 只是心中未有此氣象. 『論語』但云求仁之方者, 是其門人必嘗理會得此一箇道理, 今但問其求仁之方, 故夫子隨其人而告之.”

趙致道云: “李先生云, ‘仁是天理之體統.’[89]”

曰[90]: “是.”[91]

어떤 사람이 『논어』에서 인을 말한 곳에 대해 물었다.

(주자가) 대답했다. “리理는 보기 어렵고, 기氣는 보기 쉽다. 다만 기에서 보면 곧 (리를) 볼 수 있다. 예컨대 원 · 형 · 이 · 정을 보는 것이 이것이다. 원 · 형 · 이 · 정 또한 보기 어려우니, 우선 봄 · 여름 · 가을 · 겨울에서 보아야 한다. 봄에는 온통 온후한 기운이니, 인이 바로 이런 기상氣象이다. 여름 · 가을 · 겨울은 비록 다르지만 모두 따뜻한 봄이 생육生育하는 기운이 그 속에서 유행한다. 그러므로 ‘한 측면으로 말하면 한 가지 일이고, 오로지 말하면 네 가지를 모두 포함한다.’[92] 그러므로 명도明道[程顥]는 ‘의 · 예 · 지가 모두 인이다.’[93]라고 하였다. 만일 이 이치를 알게 되면, 성인이 인을 말한 곳이 어떤 것은 인에서

86 專言則包四者. : 『朱子語類』 권6, 79조목에는 이 뒤에 “예를 들면, 福州의 知事가 이 사람인 것은 한 측면으로 말한 것이고, 오로지 말하게 되면 전국[九州]의 按撫使가 되는 것 또한 이 사람인데, 두 사람이 아니다.(如知福州是這箇人, 此偏言也 ; 及專言之, 爲九州安撫, 亦是這一箇人, 不是兩人也.)”가 있다.

87 或就仁上說 : ‘仁’은 『朱子語類』 권6, 79조목에는 ‘人’으로 되어 있다. 이를 따를 경우, ‘어떤 것은 인에서 말했고’의 의미가 된다.

88 程正叔云 : 『朱子語類』 권6, 79조목에는 ‘正叔云’으로 되어 있다.

89 仁是天理之體統. : 『朱子語類』 권6, 79조목에는 ‘體統’이 ‘統體’로 되어 있다.

90 曰 : 『朱子語類』 권6, 79조목에는 ‘先生曰’로 되어 있다.

91 『朱子語類』 권6, 79조목

92 ‘한 측면으로 … 포함한다.’ : 『伊川易傳』 「乾卦 · 彖傳」에서는 “四德의 元은 五常(仁, 義, 禮, 智, 信)의 仁과 같으니, 한 측면으로 말하면 한 가지 일이고, 오로지 말하면 네 가지를 모두 포함한다.(四德之元, 猶五常之仁, 偏言則一事, 專言則包四者.)”라고 하였다.

93 ‘의 · 예 · 지가 모두 인이다.’ : 『河南程氏遺書』 권2上에서는 “배우는 자는 반드시 먼저 인을 알아야 한다. 인은 혼연하게 만물과 한 몸이 되는 것이다. 의 · 예 · 지 · 신이 모두 인이다. 이 이치를 알아서 誠 · 敬으로써

말했고, 어떤 것은 일에서 말했지만, 모두 이 하나의 도리인 것이다. 정정숙程正叔[程頤]은 '온 몸통 가득한 것이 측은지심이다.'[94]라고 하였다."
(주자가) 말했다. "인은 측은의 어머니이다."[95]
(주자가) 또 말했다. "만약 이 이치를 깨닫게 되면, 곧 '사욕을 이겨 예로 돌아감'[96]을 알 수 있다. 사욕을 다 제거한 것이 곧 순전히 온화하고 맑은 기운이니, 바로 천지가 만물을 낳는 마음이다. (그렇게 하지 못한) 나머지 사람들이 인하지 못한 것은 다만 마음속에 이런 기상氣象이 아직 없기 때문이다. 『논어』에서 다만 인을 구하는 방법만 말한 것은, 그 문인들이 틀림없이 이 도리를 이해했었고 이제는 다만 인을 구하는 방법만을 물었기 때문에, 공자가 (질문한) 그 사람에 따라서 알려주었던 것이다."
조치도趙致道[趙師夏][97]가 말했다. "이선생李先生이 '인은 천리天理의 통체[體統]이다'라고 하였습니다."
(주자가) 말했다. "옳다."

[36-2-12]

"仁有兩般, 有作爲底, 有自然底. 看來人之生便自然如此, 不待作爲. 如說父子欲其親, 君臣欲其義, 是他自會如此, 不待欲也. 父子自會親, 君臣自會義, 旣自會恁地, 便活潑潑地, 便是仁.[98]『孟子』說'乍見孺子入井時, 皆有怵惕惻隱之心,' 最親切. 人心自是會如此, 不是內交要譽方如此. 大凡人心中皆有仁·義·禮·智, 然元只是一物, 發用出來, 自然成四派. 如破梨相似, 破開成四片. 如東對著西, 便有南北相對. 仁對著義, 便有禮智相對. 以一歲言之, 便有寒暑; 以氣言之, 便有春·夏·秋·冬; 以五行言之, 便有金·木·水·火·土. 且如陰陽之間, 儘有次第. 大寒後不成便熱, 須是且做箇春溫, 漸次到熱田地. 大熱後不成便寒, 須是且做箇秋涼, 漸次到寒田地. 所以仁·義·禮·智, 自成四派, 各有界限. 仁流行到義處便成義,[99] 禮·智處便成禮智. 且如萬物收藏, 何嘗休了? 都有生意在裏面. 如穀種·桃仁·杏仁之類,

그것을 보존할 뿐이다.(學者須先識仁. 仁者, 渾然與物同體. 義·禮·知·信皆仁也. 識得此理, 以誠敬存之而已.)"라고 하였다.

94 온 몸통 가득한 것이 측은지심이다 : 『河南程氏遺書』 권3

95 "인은 측은의 어머니이다." : 『朱子語類』 권59, 155조목에는 "인은 측은의 어머니이고, 측은의 인의 자식이다. 또 인은 의·예·지 세 가지를 포괄하니, 인은 큰 형과 같이 의·예·지를 관할할 수 있다.(仁是惻隱之母, 惻隱是仁之子. 又仁包義·禮·智三者, 仁似長兄, 管屬得義·禮·智.)"라고 했다.

96 '사욕을 이겨 … 돌아감' : 『論語』「顔淵」

97 趙師夏 : 남송 사람으로, 자는 致道이며, 호는 遠庵이다. 紹熙 元年(1190)에 進士를 했고, 朝奉大夫를 지냈다. 주자의 제자이다. 저서에 『延平李先生答問後錄』이 있다.

98 便是仁. : 『朱子語類』 권6, 80조목에는 이 다음에 '因擧手中扇云, 只如搖扇, 熱時人自會恁地搖, 不是欲他搖. (계속해서 손에 있던 부채를 들어 보이며 말했다. 다만 마치 부채를 부치는 것과 같으니, 더울 때에 사람들은 자연스럽게 이렇게 부칠 줄 아는 것이지 그것을 부치고자 하는 것이 아니다.)'가 더 있다.

99 仁流行到義處便成義 : 『朱子語類』 권6, 80조목에는 "仁流行到那田地時, 義處便成義.(인이 유행하여 그런 곳에 이르렀을 때, 의에서는 의가 된다)"로 되어 있다.

種著便生, 不是死物, 所以名之曰仁, 見得都是生意. 如春之生物, 夏是生物之盛, 秋是生意漸漸收斂, 冬是生意收藏."

又曰 : "春 · 夏是行進去, 秋 · 冬是退後去. 正如人呵氣, 呵出時便熱, 吸入時便冷."[100]

(주자가 말했다.) "인에는 두 가지가 있으니, 작위적인 것이 있고 저절로 그러한 것이 있다. 살펴보니, 사람의 삶은 저절로 이와 같은 것이지, 작위할 필요가 없다. 예를 들어 부모와 자식이 친애하고자 하는 것과 군주와 신하가 의롭고자 하는 것에 대해 말하면, 그들이 저절로 이와 같이 할 수 있는 것이지 하고자 해서 그런 것은 아니다. 부모와 자식이 저절로 친애할 수 있고, 군주와 신하가 저절로 의로울 수 있는 것은 이미 저절로 그렇게 할 수 있는 것이어서, 곧 아주 활발[活潑潑]하고 바로 인이다. 『맹자』에서 '어린아이가 막 우물에 빠지려는 것을 얼핏 보고, 모두 깜짝 놀라 측은해하는 마음을 가진다'[101]고 말한 것이 가장 절실하다. 사람의 마음은 저절로 이와 같이 할 수 있는 것이지, (어린아이의 부모와) 교분을 맺으려고 하거나 (마을사람들과 벗들에게) 명예를 얻으려 해야 이렇게 하는 것은 아니다. 대개 사람의 마음속에는 모두 인 · 의 · 예 · 지가 있지만, 원래는 다만 하나일 뿐인데, 발현되어 나오면 저절로 네 갈래를 이루게 된다. (이것은) 예컨대 배[梨]를 쪼개는 것과 비슷하니, 갈라져 네 조각이 되는 것이다. 예컨대 동쪽이 서쪽과 마주하고 있으면 남쪽과 북쪽도 서로 마주한다. 인이 의와 마주하고 있으면, 예와 지가 서로 마주한다. 일 년으로 말하면 추위와 더위가 있고, 절기[氣]로 말하면 봄 · 여름 · 가을 · 겨울이 있으며, 오행으로 말하면 금 · 목 · 수 · 화 · 토가 있다. 또 예컨대 음과 양의 사이에도 진실로 순서가 있다. 큰 추위 뒤에 곧바로 더워지는 것이 아니라, 반드시 우선 봄볕의 따뜻함을 겪고 나야 점차로 뜨거운 정도에 이른다. 큰 더위 뒤에 곧바로 추워지는 것이 아니라, 반드시 우선 가을의 서늘함을 겪고 나야 점차 추워짐에 이른다. 그래서 인 · 의 · 예 · 지는 저절로 네 갈래를 이루게 되며 각각 나누어진 경계가 있게 된다. 인이 유행하여 의에 도달하면 곧 의가 되고, 예와 지에 도달하면 곧 예와 지가 된다. 또 예컨대 만물이 수렴하여 저장하더라도 어찌 쉰 적이 있었던가? 모두 생의生意를 그 속에 가지고 있다. 예를 들어 곡식의 씨앗과 복숭아씨[桃仁]와 살구씨[杏仁] 같은 종류는 파종하면 곧바로 생겨나, 죽은 것이 아니므로, 그것을 인仁이라고 이름한 것이니, 모두가 생의生意임을 본 것이다. 예를 들어 봄에는 만물을 낳고, 여름에는 낳은 만물을 융성하게 하고, 가을에는 생의生意가 점점 수렴되며, 겨울에는 생의가 거두어져 저장된다."

(주자가) 또 말했다. "봄과 여름에는 앞으로 나아가고, 가을과 겨울에는 뒤로 물러난다. (이는) 마치 사람이 숨을 쉬는 것과 같으니, 숨을 내쉴 때는 덥고, 들이마실 때는 차갑다."

[36-2-13]

問[102] : "仁是生底意, 義 · 禮 · 智則如何?"

曰 : "天是一元之氣. 春生時, 全見是生 ; 到夏時長也只是這底 ;[103] 到秋來成遂也只是這底 ;

100 『朱子語類』 권6, 80조목

101 '어린아이가 막 … 가진다.' : 『孟子』「公孫丑上」

102 問 : 『朱子語類』 권6, 64조목에는 '鄭問'으로 되어 있다.

到冬天藏斂也只是這底. 仁·義·禮·智割做四段, 一箇便是一箇; 渾淪看, 只是一箇."[104]

물었다. "인은 살리는[生] 뜻인데, 의와 예와 지는 어떠합니까?"

(주자가) 말했다. "하늘은 다만 일원一元의 기氣일 뿐이다. 봄에 생겨날 때 보이는 것은 온통 생生이고, 여름이 되었을 때에 자라는 것도 다만 이러할 뿐이며, 가을이 되어 이루어내는 것도 다만 이러할 뿐이며, 겨울이 되어 저장하고 수렴하는 것도 또한 이와 같을 뿐이다. 인·의·예·지는 나누어 네 조각으로 하면 하나하나가 각각 하나인데, 통틀어 전체로 보면 단지 하나일 뿐이다."

[36-2-14]

問: "先生以爲一分爲二, 二分爲四, 四分爲八, 又細分將去. 程子說,'性中只有仁義禮智四者'而已, 只分到四便住, 何也?"

曰: "周先生亦只分到五行住, 若要細分, 則如『易』樣分."[105]

물었다. "'선생님은 1이 나뉘어 2가 되고, 2가 나뉘어 4가 되고, 4가 나뉘어 8이 되고, 다시 세분해 나간다.'[106]고 했습니다. 정자程子는 '성性 속에는 다만 인·의·예·지 네 가지가 있다.'[107]고 했을 뿐이니, 다만 나누는 것이 넷에서 그친 것은 어째서입니까?"

(주자가) 대답했다. "주선생周先生[周敦頤] 역시 다만 나누는 것이 오행에서 그쳤으나, 만약 세분한다면 『역』과 같이 나누어질 것이다."

[36-2-15]

"若說仁義, 便如陰陽; 若說四端, 便如四時; 若分四端八字, 便如八節. 蓋嘗言仁·義·禮·智,[108] 只是一箇道理分爲兩箇,[109] 兩箇分爲四箇,[110] 一箇是仁, 一箇是義, 一箇是禮, 一箇是

103 到夏時長也只是這底:『朱子語類』 권6, 64조목에는 '到夏時長'이 '到夏長時(여름에 자랄 때가 되어)'로 되어 있다.

104 『朱子語類』 권6, 64조목

105 『朱子語類』 권6, 49조목

106 1이 나뉘어 … 나간다.:『朱子語類』 권100, 22조목에서는 "『易』은 卜筮이고 『皇極經世書』는 曆法을 推算해 나가는 것이니, 1이 나뉘어 2가 되고, 2가 나뉘어 4가 되고, 4가 나뉘어 8이 되고, 8이 나뉘어 16이 되고, 16이 나뉘어 32가 되고, 또 여기서 세분하여 추산해 나간다.(『易』是卜筮, 『經世』是推步, 是一分爲二, 二分爲四, 四分爲八, 八分爲十六, 十六分爲三十二, 又從裏面細推去.)"라고 하였다.

107 '性 속에는 … 있다.':『河南程氏遺書』 권18에서는 "인은 성이고, 효제는 용이다. 성 속에는 다만 인·의·예·지 네 가지가 있는 것이지 어찌 일찍이 효제가 있었겠는가?(蓋仁是性也, 孝弟是用也. 性中只有仁義禮智四者, 幾曾有孝弟來?)"라고 하였다.

108 蓋嘗言仁義禮智:『朱子語類』 권6, 50조목에는 이 뒤에 '而以手指畫扇中心, 曰(손가락으로 부채의 중심에 선을 그으면서 말했다.)'라는 구절이 더 있다.

109 分爲兩箇:『朱子語類』 권6, 50조목에는 이 뒤에 '又橫畫一畫, 曰(또 가로로 한 획을 그으면서 말했다.)'라는 구절이 더 있다.

110 兩箇分爲四箇:『朱子語類』 권6, 50조목에는 이 뒤에 '又以手指逐一指所分爲四箇處, 曰(나뉘어져 넷으로 된

智. 這四箇便是箇種子, 惻隱 · 羞惡 · 恭敬 · 是非, 便是種子所生底苗."[111]

(주자가 말했다.) "인의를 말하면 곧 음양과 같고, 사단을 말하면 곧 사시와 같으며, 사단의 여덟 글자[112]를 나누면 팔절八節[113]과 같다. 일찍이 인 · 의 · 예 · 지는 다만 하나의 도리가 나뉘어 둘이 되었고, 둘이 나뉘어 넷이 되었으니, 하나는 인이고 하나는 의이고 하나는 예이고 하나는 지일뿐이라고 말한 적이 있다. 이 네 개는 곧 씨앗이고, 측은 · 수오 · 공경 · 시비는 곧 씨앗에서 생겨난 싹이다."

[36-2-16]

問: "以愛名仁, 是仁之迹; 以覺言仁, 是仁之端. 程子云, '仁道難名, 惟公近之, 不可便以公爲仁.' 畢竟仁之全體如何識認? '克己復禮, 天下歸仁', 『孟子』所謂'萬物皆備於我', 是仁之體否?"

曰[114]: "覺決不可以言仁, 雖足以知仁, 自屬智了. 愛分明是仁之迹."

曰[115]: "惻隱, 是仁情之動處. 要識仁, 須是兼義 · 禮 · 智看. 有箇宜底意思是義, 有箇讓底意思是禮, 有箇別白底意思是智, 有箇愛底意思是仁. 仁是天理, 公是天理, 故伊川謂'惟公近之.' 又恐人滯著, 隨卽曰'不可便以公爲仁.' '萬物皆備'固是仁, 然仁之得名却不然."[116]

물었다. "사랑을 인이라고 부르는 것은 인의 자취이고, 지각[覺]을 인이라고 말하는 것은 인의 단서입니다. 정자程子는 '인의 도는 이름붙이기 어렵고, 오직 공公만이 가깝지만, 공公이 바로 인이 될 수는 없다.'[117]라고 했는데, 결국에는 (그렇다면) 인의 전체全體를 어떻게 알 수 있습니까? '사욕을 이겨 예로 돌아가면, 천하가 인으로 돌아간다.'[118]는 것이나, 『맹자』에서 이른바 '만물이 모두 나에게 갖추어져 있다.'[119]는 것이 인의 체體 아닙니까?"

곳을 또다시 손가락으로 하나하나 짚어가면서, 말했다.)'라는 구절이 더 있다.

111 '若說仁義 … 便如八節'은 『朱子語類』 권53, 43조목이고, '蓋嘗言仁義禮智 … 便是種子所生底苗.'는 『朱子語類』 권6, 50조목의 글이다.

112 사단의 여덟 글자: 측은 · 수오 · 공경 · 시비의 여덟 글자이며, 글자마다 각각의 다른 의미가 있다. 주자의 『孟子集註』에 의하면, 惻은 간절히 서글퍼함[傷之切也]이고, 隱은 마음이 깊이 쓰라린 것[痛之深也]이다. 羞는 자기의 不善함을 부끄러워함[恥己之不善也]이고, 惡는 남의 不善함을 증오하는 것[憎人之不善也]이다. 辭는 풀어서 자기에게서 떠나가게 하는 것[解使去己也]이고, 讓은 미루어서 남에게 주는 것[推以與人也]이다. 是는 그것이 선함을 알아서 옳게 여기는 것[知其善而以爲是也]이고, 非는 그것이 악함을 알아서 그르게 여기는 것[知其惡而以爲非也]이다.

113 八節: 이십사절기 중 기준점이 되는 8절기. 곧 입춘, 춘분, 입하, 하지, 입추, 추분, 입동, 동지이다.

114 曰: 『朱子語類』 권6, 115조목에는 '先生曰'로 되어 있다.

115 曰: 『朱子語類』 권6, 115조목에는 '浩曰'로 되어 있고, '浩曰이란 두 글자를 의심할만하다.(浩曰二字可疑.)'라고 교감이 되어 있다.

116 『朱子語類』 권6, 115조목

117 '인의 도는 … 없다.': 『河南程氏遺書』 권3, 『二程粹言』 권上. '不可便以公爲仁'은 『河南程氏遺書』에는 '非以公便爲仁'으로, 『二程粹言』에는 '非指公爲仁也'로 되어 있다.

118 '사욕을 이겨 … 돌아간다.': 『論語』「顔淵」

119 '만물이 모두 … 있다.': 『孟子』「盡心上」

(주자가) 대답했다. "지각[覺]은 결코 인이라고 말할 수 없으니, 비록 그것으로써 충분히 인을 알 수 있지만, (그것은) 본래 지智에 속한다. 사랑은 분명히 인의 자취이다."
(주자가) 말했다. "측은은 인仁의 정情이 발동한 것이다. 인을 알려면 반드시 의 · 예 · 지를 함께 보아야 한다. 마땅함[宜]의 뜻을 가지고 있는 것이 의이고, 사양함의 뜻을 가지고 있는 것이 예이고, 분별함의 뜻을 가지고 있는 것이 지이며, 사랑함의 뜻을 가지고 있는 것이 인이다. 인도 천리이고, 공公도 천리이므로, 이천伊川[程頤]은 '오직 공公만이 가깝다'고 말했다. 또 사람들이 (그 말에) 얽매일까봐 두려워하여, 이어서 곧 '공公이 바로 인이 될 수는 없다'라고 말했다. '만물이 모두 갖추어져 있다'는 것은 진실로 인이지만, 인이란 이름을 얻은 것은 도리어 그것 때문은 아니다."

[36-2-17]

問: "元 · 亨 · 利 · 貞有次第, 仁 · 義 · 禮 · 智因發而感,[120] 則無次第."

曰: "發時無次第, 生時有次第."[121]

물었다. "원 · 형 · 이 · 정에는 순서가 있지만, 인 · 의 · 예 · 지는 유발함에 따라서 감응하니, 순서가 없습니다."
(주자가) 대답했다. "발할 때는 순서가 없지만, 생겨날 때는 순서가 있다."

[36-2-18]

"仁 · 義 · 禮 · 智, 性之大目. 皆是形而上者, 豈可分也!"[122]

(주자가 말했다.) "인 · 의 · 예 · 지는 성의 큰 조목이다. 모두 형이상인데, 어떻게 나눌 수 있겠는가!?

[36-2-19]

問: "仁得之最先, 蓋言仁具義 · 禮 · 智."

曰: "先有是生理, 三者由此推之."[123]

물었다. "'인을 얻기를 가장 먼저 하였다'[124]는 것은 인이 의 · 예 · 지를 갖추고 있음을 말한 것입니다."
(주자가) 대답했다. "먼저 이 생하는 리[生理]가 있고, 세 가지는 이로부터 미루어나간다."

---

120 仁 · 義 · 禮 · 智因發而感 : '因發而感'은 『朱子語類』 권6, 59조목과 『文公易說』에는 '因感而發'로 되어 있다. 이를 따를 경우 "감지하는 대로 발한다."고 번역할 수 있다.

121 『朱子語類』 권6, 59조목

122 『朱子語類』 권6, 61조목

123 『朱子語類』 권6, 62조목

124 '인을 얻기를 … 하였다.' : 주자는 『孟子』 「公孫丑上」의 『集註』에서 "인 · 의 · 예 · 지는 모두 하늘이 부여한 본래부터 귀한 것인데, 仁은 천지가 만물을 내는 마음으로서 얻기를 가장 먼저 하였고, 네 가지를 겸하여 통솔하니, (『周易』의) 이른바 '元은 선의 으뜸'이다.(仁義禮智, 皆天所與之良貴, 而仁者, 天地生物之心, 得之最先而兼統四者, 所謂元者善之長也.)"라고 하였다.

[36-2-20]

"仁渾淪言, 則渾淪都是一箇生意, 義·禮·智都是仁. 對言則仁與義·禮·智一般."[125]

(주자가 말했다.) "인은 통틀어 말하면 전체가 다 하나의 생의生意이니, 의·예·지가 모두 인이다. 상대시켜 말하면, 인은 의·예·지와 마찬가지이다."

[36-2-21]

"仁與智包得, 義與禮包不得."[126]

(주자가 말했다.) "인이나 지는 (인·의·예·지를) 포함할 수 있는데,[127] 의나 예는 (인·의·예·지를) 포함할 수 없다."

[36-2-22]

"仁所以包三者, 蓋義·禮·智皆是流動底物, 所以皆從仁上漸漸推出. 仁智元貞是始終之事, 這兩頭却重, 如坎與震是始萬物終萬物處, 艮則是中間接續處."[128]

(주자가 말했다.) "인이 세 가지를 포함하는 것은 의·예·지가 모두 흘러 움직이는 것이기 때문이니, 그래서 모두 인으로부터 점점 미루어 나간다. 인과 지, 원과 정은 일의 시작과 끝이라서, 이 두 끝이 매우 중요하니, 마치 감坎과 진震이 만물을 시작하고 만물을 마치는 곳이고, 간艮은 중간에서 이어주는 곳인 것과 같다."[129]

[36-2-23]

問: "孟子說仁·義·禮·智, 義在第二; 「太極圖」以義配利, 則在第三."

曰: "禮是陽, 故曰亨. 仁·義·禮·智, 猶言東·西·南·北; 元·亨·利·貞, 猶言東·南·西·北. 一箇是對說. 一箇是從一邊說起."[130]

125 『朱子語類』 권6, 63조목

126 『朱子語類』 권6, 66조목

127 인이나 지는 … 있는데: 『朱子語類』 권20, 125조목에서는 "智도 네 가지를 포함할 수 있는 것은 知가 앞에 있기 때문이다.(智亦可以包四者, 知之在先故也.)"라고 했다.

128 『朱子語類』 권6, 67조목

129 坎과 震이 … 같다.: 문왕8괘에서, 震괘는 동방으로 시작하는 곳이고, 坎괘는 북방으로 끝나는 곳이며, 艮괘는 震과 坎의 중간이다. 『周易』「說卦傳」 제5장에서는 "帝가 震에서 나와 … 坎에서 위로하고, 艮에서 이룬다. 만물이 震에서 나오니, 震은 동방이다. … 坎은 물이니, 정북방의 卦이다. 위로하는 卦이니, 만물이 돌아가는 것이기 때문에 '坎에 위로한다'고 하였다. 艮은 東北의 卦이니, 만물이 끝마침[終]을 이루고 시작[始]을 이루는 것이기 때문에 '艮에서 이룬다'고 하였다.(帝出乎震, … 勞乎坎, 成言乎艮. 萬物出乎震, 震, 東方也. … 坎者, 水也, 正北方之卦也, 勞卦也, 萬物之所歸也, 故曰勞乎坎. 艮, 東北之卦也, 萬物之所成終而所成始也, 故曰成言乎艮.)"라고 하였고, 『周易』「說卦傳」 제6장에서는 "만물을 마치고 만물을 시작함은 艮보다 성함이 없다.(終萬物始萬物者, 莫盛乎艮.)"라고 하였다.

물었다. "맹자가 인 · 의 · 예 · 지를 말할 때에는 의가 두 번째에 있었는데, 「태극도」에서는 의義를 이利에 짝지웠으니 세 번째에 있습니다."
(주자가) 대답했다. "예는 양陽이므로, 형亨이라고 하였다. 인 · 의 · 예 · 지는 동 · 서 · 남 · 북이라고 하는 것과 같고, 원 · 형 · 이 · 정은 동 · 남 · 서 · 북이라고 하는 것과 같다. 하나는 상대시켜 말한 것이고, 하나는 한쪽으로부터 차례대로 말한 것이다."

[36-2-24]

"四端猶四德. 逐一言之, 則各自爲界限; 分而言之, 則仁義又是一大界限, 故曰, '仁, 人心也. 義, 人路也.' 如乾文言旣曰'四德', 又曰, '乾元者, 始而亨者也; 利貞者, 性情也.'"[131]

(주자가 말했다.) "사단四端은 사덕四德과 같다. 하나하나씩 말하면 제각각 경계가 되고, 나누어서 말하면 인과 의는 또 하나의 큰 경계이므로, '인은 사람의 마음이고, 의는 사람의 길이다.'[132]라고 했다. 마치 (『주역』) 「건괘 · 문언전」에서 이미 '사덕四德'을 말하고, 또 '건원乾元은 시작하여 형통한 것이고, 이利와 정貞은 (건의) 성정性情이다.'라고 한 것과 같다."[133]

[36-2-25]

或言[134]: "性之四端, 迭爲賓主, 然仁智其總統也. '恭而無禮則勞', 是以禮爲主也; '君子義以爲質', 是以義爲主也. 蓋四德未嘗相離, 遇事則迭見層出, 要在人黙而識之."
曰: "說得是."[135]

어떤 사람이 말했다. "성의 사단四端은 번갈아가며 주객이 되지만, 인과 지는 그것의 총괄자입니다. '공손하면서 예가 없으면 수고롭다.'[136]는 것은 예를 주로 한 것이고, '군자는 의로써 바탕을 삼는다.'[137]는 것은 의를 주로 한 것입니다. 사덕은 일찍이 서로 분리되었던 적이 없으나, 일을 만나면 번갈아가며 거듭하여 나타나니, 요체는 사람이 묵묵히 그것을 아는 것에 달려 있습니다."
(주자가) 대답했다. "그 말이 옳다."

130 『朱子語類』 권6, 69조목
131 『朱子語類』 권6, 70조목
132 '인은 사람의 … 길이다.' : 『孟子』「告子上」
133 마치 (『周易』) … 같다. : 『周易』「乾卦 · 文言傳」에 "君子行此四德者. … 乾元者, 始而亨者也; 利貞者, 性情也"라고 하였다.
134 或言 : 『朱子語類』 권6, 71조목에는 '正淳言'으로 되어 있다.
135 『朱子語類』 권6, 71조목
136 '공손하면서 예가 … 수고롭다.' : 『論語』「泰伯」
137 '군자는 의로써 … 삼는다.' : 『論語』「衛靈公」

[36-2-26]

"仁·義·禮·智, 才去尋討他時, 便動了, 便不是本來底."

又曰:"心之所以會做許多, 蓋具得許多道理."

又曰:"何以見得有此四者? 因其惻隱, 知其有仁; 因其羞惡, 知其有義."

又曰:"伊川穀種之說最好."

又曰:"冬飮湯, 是宜飮湯; 夏飮水, 是宜飮水. 冬飮水, 夏飮湯, 便不宜."[138]

(주자가 말했다.) "인·의·예·지는 자세히 따져 들어가자마자, 곧 움직여서, 본래의 모습이 아니다."
또 말했다. "마음이 많은 일을 할 수 있는 것은 많은 도리를 갖추고 있기 때문이다."
또 말했다. "어떻게 이 네 가지를 볼 수 있는가? 측은을 통해서 인이 있음을 알고, 수오를 통해서 의가 있음을 안다."
또 말했다. "이천의 곡식 씨앗의 이론[139]은 매우 좋다."
또 말했다. "겨울에는 더운 물을 마시는데 이는 더운 물을 마시는 것이 마땅하기 때문이고, 여름에는 찬 물을 마시는데 이는 찬 물을 마시는 것이 마땅하기 때문이다. 겨울에 찬 물을 마시고 여름에 더운 물을 마시는 것은 마땅하지 않다."

[36-2-27]

童蜚卿問[140]:"仁恐是生生不已之意. 人惟爲私意所汨, 故生意不得流行. 克去己私, 則全體大用, 無時不流行矣."

曰:"此是衆人公共說底, 畢竟緊要處不知如何. 今要見仁字意思, 須將仁·義·禮·智四者共看, 便見仁字分明. 如何是義, 如何是禮, 如何是智, 如何是仁, 便仁字自分明. 若只看仁字, 越看越不出."

曰:"仁字恐只是生意, 故其發而爲惻隱, 爲羞惡, 爲辭遜, 爲是非."

曰:"且只得就'惻隱'字上看."

동비경童蜚卿[童伯羽]이 물었다. "인은 아마도 생生하고 생生하여 그치지 않는다는 뜻인 것 같습니다. 사람들이 오직 사의私意에 빠지므로 생의生意가 유행流行할 수 없는 것입니다. 사욕을 극복하여 제거하면 전체全體 대용大用이 유행하지 않을 때가 없게 됩니다."
(주자가) 대답했다. "이는 여러 사람들이 공통적으로 말하는 것인데, 결국은 요지가 무엇인지 모르겠다. 지금 '인'의 의미를 보려면, 반드시 인·의·예·지의 넷을 함께 보아야 '인'이 분명해진다. 어떠한 것이 의이고, 어떠한 것이 예이고, 어떠한 것이 지이고, 어떠한 것이 인인가 따지면, '인'은 저절로 분명해진다.

138 『朱子語類』 권6, 74조목

139 이천의 곡식 … 이론: 『河南程氏遺書』 권18 「伊川先生語」에 "마음은 비유하자면 씨앗과 같은 것이니, 싹을 틔워내는 성[生之性]이 바로 인이다.(心譬如穀種, 生之性便是仁也.)"라고 되어 있다.

140 童蜚卿問: 『朱子語類』 권6, 77조목에는 '蜚卿問'으로 되어 있다.

만약 다만 '인'만을 보면, 볼수록 더욱 분명하지 않게 된다."[141]
물었다. "'인'은 아마도 다만 생의生意일 뿐이니, 그러므로 그것이 발하여 측은이 되고, 수오가 되고, 사양이 되고, 시비가 되는 듯합니다."
대답했다. "우선 다만 '측은'에서 보아야 한다."

楊道夫問：“先生嘗說仁字就初處看，只是乍見孺子入井，而怵惕惻隱之心，蓋有不期然而然，便是初處否?”

曰：“恁地靠著也不得.[142] 大抵人之德性上，自有此四者意思. 仁，便是箇溫和底意思；義，便是箇慘烈剛斷底意思；[143] 禮，便是箇宣著發揮底意思；[144] 智，便是箇收斂無痕迹底意思，性中有此四者. 聖門却只以求仁爲急者，緣仁却是四者之先. 若常存得溫厚底意思在這裏，到宣著發揮時，便自然會宣著發揮；到剛斷時，便自然會剛斷；到收斂時，便自然會收斂. 若將別箇做主，便都對副不著了，此仁之所以包四者也.”

양도부楊道夫[145]가 물었다. "선생님께서는 일찍이 인은 처음 발하는 곳에서 보아야 한다고 하셨는데, 다만 어린 아이가 우물 속으로 빠져 들어가는 것을 얼핏 보고 깜짝 놀라 측은한 마음[146]이 그렇게 하려고 하지 않아도 그러한 것이 바로 처음 발하는 곳 아닙니까?"
(주자가) 대답했다. "그렇게 접근해서는 역시 안 된다.[147] 대개 사람의 덕성에는 본래 네 가지의 뜻이 있다. 인은 곧 온화한 뜻이고, 의는 곧 냉혹하고 결단하는 뜻이며, 예는 곧 펼쳐서 발휘하는 뜻이고, 지는 곧 수렴하여 흔적을 남기지 않는 뜻이니, 성性 속에는 이 네 가지가 있는 것이다. 성인의 문하에서 다만 인을 구하는 것만을 급선무로 삼은 것은 인이 네 가지 중의 우선이기 때문이다. 만약 온후한 뜻을 항상 여기에 둔다면, 펼쳐서 발휘할 때에 이르러 곧바로 자연히 펼쳐서 발휘할 수 있고, 결단할 때에 이르러 곧 자연히 결단할 수 있고, 수렴할 때에 이르러 곧 자연히 수렴할 수 있다. 만약 다른 것을 주主로 삼게 되면,[148] 모두 제대로 부합할 수 없게 되니, 이것이 인이 네 가지를 포함하는 까닭이다.

141 볼수록 더욱 … 된다.：『朱子語類考文解義』 제3에는 이 구절에 대해 "볼수록 깨닫지 못한다.(愈看愈不曉也.)"라고 주해하였다.
142 恁地靠著也不得：『朱子語類』 권6 77조목에는 '也(역시)'가 '他(그것)'로 되어 있다.
143 便是箇慘烈剛斷底意思：『朱子語類』 권6, 77조목에는 '箇'가 없다.
144 便是箇宣著發揮底意思：『朱子語類』 권6, 77조목에는 '箇'가 없다.
145 楊道夫：남송 崇安 사람이다. 자는 仲思이다. 주희의 제자로, 『易』, 『詩』, 『禮』를 배웠다.(『宋元學案』 권69；『閩中理學淵源考』 권20)
146 어린 아이가 … 마음：『孟子』「公孫丑上」
147 그렇게 접근해서는 … 안 된다.：『朱子語類考文解義』 제3에서는 "처음 발하는 곳으로써 인을 논해서는 안 된다는 말이다. '처음 자리[初處]'는 처음 발하는 곳이다. 인이 사덕을 포함하는 것을 이것으로써 논해야 한다.(言不可以初處論仁. '初處,' 卽初發處. 蓋仁包四德當以此論之也.)"라고 주해하였다.
148 만약 다른 … 되면：『朱子語類考文解義』 제3에서는 "'다른 것'이란 예·의·지를 가리킨다.('別箇', 指禮義智.)라고 주해했다.

直卿問："此恐如五行之木, 若不是先有箇木, 便亦自生下面四箇不得."

曰："若無木便無火, 無火便無土, 無土便無金, 無金便無水."

又曰："仁字如人釀酒. 酒方微發時, 帶些溫氣, 便是仁；到發得極熱時, 便是禮；到得熟時, 便是義；到得成酒後, 却只與水一般, 便是智. 又如一日之間, 早間天氣淸明, 便是仁；午間極熱時, 便是禮；晩下漸涼, 便是義；到夜半全然收斂無些形迹時, 便是智. 只如此看, 甚分明."[149]

직경直卿[黃榦]이 물었다. "이것은 아마도 오행五行 가운데 목木과 같을 것이니, 만일 먼저 목이 있지 않으면, 또한 다음의 네 가지를 저절로 생겨나게 할 수 없겠지요."

(주자가) 대답했다. "만약 목이 없다면 화도 없고, 화가 없다면 토도 없으며, 토가 없다면 금도 없고, 금이 없으면 수도 없다."

(주자가) 또 말했다. "인은 마치 사람이 술을 빚는 것과 같다. 술이 막 조금 발효할 때, 조금의 온기를 지니게 되는 것이 바로 인이고, 발효해서 지극히 따뜻해졌을 때가 바로 예이며, 숙성하게 되었을 때가 바로 의이고, 술이 완성된 후에 도리어 다만 물과 같으니, 바로 지이다. 또 예컨대 하루를 예로 들면, 아침나절에 천기가 청명한 것은 바로 인이고, 한 낮에 지극히 따뜻할 때가 예이며, 저녁에 점차 서늘한 것이 의이고, 한밤중에 모조리 수렴되어 조금의 형체나 자취도 없는 것이 바로 지이다. 다만 이와 같이 본다면 매우 분명해진다."

[36-2-28]

"當來得於天者只是箇仁, 所以爲心之全體. 却自仁中分四界子, 一界子上是仁之仁, 一界子上是仁之義,[150] 一界子是仁之禮, 一界子是仁之智. 一箇物事, 四脚撑在裏面, 唯仁兼統之. 心裏只有此四物, 萬物萬事皆自此出."[151]

(주자가 말했다.) "애초에 하늘에서 얻은 것은 다만 인일뿐이니, 마음의 전체全體가 되는 까닭이다. 그런데 본래 인에는 네 영역으로 나누어지니, 한 영역은 인의 인이고, 한 영역은 인의 의이며, 한 영역은 인의 예이고, 한 영역은 인의 지이다. 하나의 물건은 네 개의 다리가 안에서 그것을 지탱하고 있는데, 오직 인仁만이 겸하여 통괄한다. 마음속에는 다만 이 네 가지가 있는데, 만물과 만사가 모두 이로부터 나온다."

[36-2-29]

問[152]："如溫和之氣, 固是見得仁. 若就包四者意思看, 便自然有節文, 自然得宜, 自然明辨."

曰："然"[153]

149 『朱子語類』 권6, 77조목

150 一界子上是仁之義：『朱子語類』 권6, 87조목에는 '一界子是仁之義'로 되어 있다.

151 『朱子語類』 권6, 87조목

152 問：『朱子語類』 권6, 78조목에는 '賀孫曰'로 되어 있다.

물었다. "예를 들어 온화한 기운에서 분명히 인을 볼 수 있습니다. 만약 (인이) 네 가지를 포함한 뜻에서 보면, 바로 자연히 절문節文[禮]이 있고, 자연히 마땅함[宜(義)]을 얻고, 자연히 밝게 분별[明辨(智)]합니다." (주자가) 대답했다. "그렇다."

[36-2-30]

"禮者, 仁之發; 智者, 義之藏. 且以人之資質言之, 溫厚者多謙遜, 通曉者多刻剝."[154]

(주자가 말했다.) "예는 인이 발현된 것이고, 지는 의가 저장된 것이다. 또 사람의 자질資質로써 말하면, 온후한 자들은 대부분 겸손하고, 두루 잘 아는 자들은 대부분 각박하다."

[36-2-31]

"仁字專言之, 則混然而難名, 必以仁·義·禮·智四者兼擧而並觀, 則其意味情狀互相形比, 乃爲易見.[155] 仁·義·禮·智同具於性, 而其體渾然莫得而見. 至於感物而動, 然後見其惻隱·羞惡·辭遜·是非之用. 而仁·義·禮·智之端, 於此形焉, 乃所謂情, 而程子以謂'陽氣發處'者此也. 但此四者同在一處之中, 而仁乃生物之主, 故雖居四者之一, 而四者不能外焉. 此『易傳』所以有'偏言則一事, 專言則包四者'之說. 固非獨以仁爲性之統體, 而謂三者必已發而後見也. 大抵仁·義·禮·智, 性也, 惻隱·羞惡·辭遜·是非, 情也, 心則統乎性情者也. 以此觀之, 則區域分辯而不害其同, 脈絡貫通而不害其別, 庶乎其得之矣!"[156]

(주자가 말했다.) "인仁은 전언專言하면, 섞여 있어서[混然] 이름붙이기 어려우니, 반드시 인·의·예·지 네 가지를 모두 들어서 함께 살펴야만, 그 의미와 실상이 서로 뚜렷이 모습이 비교되어 알기 쉽다. 인·의·예·지는 모두 성性에 갖추어져 있으나, 그 체體는 한 덩어리로 되어 있어서 볼 수가 없다. 사물에 감촉하여 움직임에 이른 뒤에야, 측은·수오·사양·시비의 용用을 보게 된다. 인·의·예·지의 단서가 여기에서 나타나니[形], 이것이 바로 정情이며, 정자程子가 '양기가 발하는 곳'[157]이라고 말한 것이 이것이다. 다만 이 네 가지는 모두 한 곳에 있지만, 인은 바로 만물을 생겨나게 하는 주체[主]이므로, 비록 네 가지 중의 하나이지만 네 가지는 (인에서) 벗어날 수 없다. 이것이 (이천의) 『역전』에 '편언偏言하면

---

153 『朱子語類』 권6, 78조목

154 『朱子語類』 권6, 144조목

155 乃爲易見. : 『朱文公文集』 권56 「書·答方賓王 3」에는 '乃爲易見'과 '仁·義·禮·智同具於性' 사이에 '蓋人之性, 皆出於天, 而天之氣化, 必以五行爲用. 故仁·義·禮·智·信之性, 即水·火·金·木·土之理也. 木仁·金義·火禮·水智, 各有所主, 獨土無位, 而爲四行之實, 故信亦無位, 而爲四德之實也.'라는 문장이 더 있다.

156 『朱文公文集』 권56 「書·答方賓王」 3

157 '양기가 발하는 곳': 『河南程氏遺書』 권18에 "어떤 사람이 물었다. '비유하자면 오곡의 씨앗은 반드시 양기를 기다려 생겨나는 것과 같습니다.' 대답했다. '옳지 않다. 양기가 발하는 곳은 도리어 정이다. 마음은 비유하자면 곡식의 씨앗과 같고, 씨앗을 틔우는 성이 인이다.(或曰, 譬如五穀之種, 必待陽氣而生. 曰, 非是. 陽氣發處, 却是情也. 心譬如穀種, 生之性便是仁也.)"라고 하였다.

한 가지 일이고, 전언專言하면 네 가지를 포함한다.'[158]라고 말한 까닭이다. 진실로 인은 성의 통체統體일 뿐만 아니라, 세 가지가 반드시 이미 발한 후에야 보게 된다고 말하는 것이다. 대저 인·의·예·지는 성性이고, 측은·수오·사양·시비는 정情이며, 심心은 성과 정을 통괄하는 것이다. 이로써 본다면, 구역을 나누어도 그 같음을 해치지 않고, 맥락을 관통하여도 그 분별을 해치지 않아야, 거의 옳을 것이다!"

[36-2-32]

"人之爲人孰不具是性? 若無是四端, 則亦非人之道矣. 然分而論之, 其別有四, 猶四體然. 其位各置, 不容相奪, 而其體用互爲相須. 合而言之, 則仁蓋可兼包也. 故言其未發,[159] 則仁之體立, 而義·禮·智卽是而存焉. 循其旣發, 則惻隱之心形, 而其羞惡·辭讓·是非亦由是而著焉. 故孟子首擧不忍人之心, 而後復詳於四端也. 人有之而自謂不能, 是自賊其良心者也."[160]

(주자가 말했다.)[161] "사람이라면 누군들 이 성性을 갖추지 않았을까? 만일 이 사단이 없다면, 역시 사람의 도가 아니다. 그러나 나누어서 논의해 보면, 그 구별에는 네 가지가 있어 사지와 같고, 그 자리는 각각 배정되어 서로 빼앗을 수 없으며, 그 체와 용은 서로 의지한다. 합해서 말하면 인이 모두 포함할 수 있다. 그러므로 그 미발未發을 말하면, 인의 체가 서고 의·예·지는 여기에 있게 된다. 그 이발旣發한 것을 살펴보면, 측은지심이 생겨나서形 수오·사양·시비 또한 이로부터 드러나게 된다. 그러므로 『맹자』가 처음에 '남에게 차마하지 못하는 마음'을 거론한 뒤에 다시 '사단'을 상세하게 논했다.[162] 사람이

158 '偏言하면 한 … 포함한다.': 이천의 『易傳』 권1 「乾卦·彖傳」에 "四德의 元은 五常의 仁과 같으니, 偏言하면 한 가지 일이고, 專言하면 네 가지를 포함한다.(四德之元, 猶五常之仁, 偏言則一事, 專言則包四者.)"라고 하였다.

159 故言其未發: 『癸巳孟子說』 권2 「孟子說」에는 '故原其未發'로 되어 있다.

160 張栻(장식), 『癸巳孟子說』 권2 「孟子說」

161 주자가 말했다.: 이하의 문장들은 『性理大全書』에서는 주자의 글로 보았으나, 張栻의 『계사맹자해』 권2 「孟子說」에는 장식의 글로 실려 있다.

162 『孟子』가 처음에 … 논했다.: 『孟子』「公孫丑上」 제6장에서는 먼저 "사람들은 모두 남에게 차마하지 못하는 마음을 가지고 있다.(人皆有不忍人之心.)"라고 하고, 뒤에 "지금 사람들이 어린 아기가 우물로 빠지려는 것을 문득 보고는 모두 깜짝 놀라고 측은해 하는 마음을 가지니, 이것은 어린아이의 부모와 교분을 맺으려고 해서도 아니며, 마을 사람들과 친구들에게 명예를 구해서도 아니며, (잔인하다는) 명성을 싫어해서 그러한 것도 아니다. 이로 말미암아 본다면 측은지심이 없으면 사람이 아니며, 수오지심이 없으면 사람이 아니며, 사양지심이 없으면 사람이 아니며, 시비지심이 없으면 사람이 아니다. 측은지심은 仁의 단서이고, 수오지심은 義의 단서이고, 사양지심은 禮의 단서이고, 시비지심은 智의 단서이다. 사람이 이 四端을 가지고 있음은 四體를 가지고 있음과 같으니, 이 사단을 가지고 있으면서도 스스로 仁義를 행할 수 없다고 말하는 자는 자신을 해치는 자이고, 자기 군주가 仁義를 행할 수 없다고 말하는 자는 군주를 해치는 자이다. 四端이 나에게 있는 것을 다 넓혀서 채울 줄 알면, 마치 불이 처음 타오르며 샘물이 처음 나오는 것과 같을 것이니, 만일 이것을 채울 수 있다면 충분히 四海를 보호할 수 있고, 만일 채우지 못한다면 부모도 섬길 수 없을 것이다.(所以謂人皆有不忍人之心者, 今人乍見孺子將入於井, 皆有怵惕惻隱之心, 非所以內交於孺子之父母也, 非所以要譽於鄕黨朋友也, 非惡其聲而然也. 由是觀之, 無惻隱之心, 非人也; 無羞惡之心, 非人也; 無辭讓

이것을 가지고 있으면서도 스스로 할 수 없다고 말하는 것은, 그 본래의 마음을 스스로 해치는 것이다."

[36-2-33]

"性是太極渾然之體, 本不可以名字言. 但其中含具萬理, 而綱領之大者有四, 故命之曰仁義禮智. 孔門未嘗備言, 至孟子而始備言之者, 蓋孔子時性善之理素明, 雖不詳著其條而說自具. 至孟子時異端蠭起, 往往以性爲不善, 孟子思有以明之,[163] 於是別而言之.[164] 蓋四端之未發也, 雖寂然不動, 而其中自有條理, 自有間架, 不是儱侗都無一物, 所以外邊纔感, 中間便應. 如赤子入井之事感, 則仁之理便應, 而惻隱之心於是乎形. 如過廟過朝之事感, 則禮之理便應, 而恭敬之心於是乎形. 蓋由其中間衆理渾具, 各各分明, 故外邊所遇, 隨感而應, 所以四端之發, 各有面貌之不同.

(주자가 말했다.) "성性은 태극의 혼연渾然한 체體이니 본래 명칭으로 말할 수 없다. 그러나 그 속에 온갖 리理를 갖추고 있지만, 큰 강령은 네 가지가 있으므로, 그것을 인의예지라고 명명했다. 공자의 문하에서는 (이 네 가지를) 다 말한 적이 없었고, 맹자에 이르러 비로소 다 말하였으니, 공자 당시에는 성선性善의 이치가 원래 밝아서 비록 그 조목을 상세하게 드러내지 않아도 이론이 저절로 완비되었다. 맹자 때에 이르러 이단이 벌떼처럼 일어나, 왕왕 성性을 불선不善하다고 여기니, 맹자는 그것을 밝히고자 해서, 이에 구별하여 말한 것이다. 사단四端이 미발未發일 때에는 비록 고요히 움직이지 않지만[165] 그 속에 본래 조리條理가 있고 본래 영역체계가 있어, 흐리멍텅하여 아무 것도 없는 것이 아니므로, 그래서 외면에서 감촉[感]하기만 하면, 속에서 곧 응應하는 것이다. 예를 들면 갓난아기가 우물로 빠져 들어가는 일이 감촉해[感] 오면, 인의 리理가 곧 응應하여, 측은지심이 여기에서 드러난다. 예를 들면 종묘나 조정을 지나는 일이 감촉[感]해오면, 예의 리理가 곧 응應하여, 공경지심이 여기에서 드러난다. (이는) 그 속에 여러 리理가 모두 갖추어져 각각 분명하므로, 바깥에서 만난 감촉에 따라 응應하므로, 그래서 사단이 발發한 것에는 각각 모습이 다른 것이다.

之心, 非人也 ; 無是非之心, 非人也. 惻隱之心, 仁之端也 ; 羞惡之心, 義之端也 ; 辭讓之心, 禮之端也 ; 是非之心, 知之端也. 人之有是四端也, 猶其有四體也, 有是四端而自謂不能者, 自賊者也, 謂其君不能者, 賊其君者也. 凡有四端於我者, 知皆擴而充之矣, 若火之始然, 泉之始達, 苟能充之, 足以保四海, 苟不充之, 不足以事父母.)"라고 하였다.

163 孟子思有以明之 : 『朱文公文集』 권58 「答陳器之」에는 '孟子'와 '思有以明之'사이에 '懼是理之不明而(이 이치가 밝혀지지 못할까 두려워하여)'라는 구절이 더 있다. 또한 '思有以明之' 다음에는 '苟但曰渾然全體, 則恐其如無星之秤 · 無寸之尺終, 不足以曉天下.(만일 다만 혼연한 전체라고만 말하면, 그것이 마치 눈금이 없는 저울이나 단위가 없는 자와 같아서 끝내 천하 사람들을 깨우치기에 부족하게 될까 걱정하였다.)'라는 구절이 더 있다.

164 於是別而言之. : 『朱文公文集』 권58 「答陳器之」에는 이 문장 다음에 '界爲四破, 而四端之說於是而立.(경계를 구분지어 넷으로 쪼개니, 사단의 학설이 여기에서 세워졌다.)'라는 구절이 더 있다.

165 고요히 움직이지 않지만 : 『周易』 「繫辭上」 제10장

是以孟子析而爲四, 以示學者, 使知渾然全體之中, 而粲然有條若此, 則性之善可知矣. 然四端之未發也, 所謂渾然全體, 無聲臭之可言, 無形象之可見, 何以知其粲然有條如此? 蓋是理之可驗, 乃依然就他發處驗得. 凡物必有本根, 性之理雖無形, 而端的之發最可驗.[166] 故由其惻隱, 所以必知其有仁; 由其羞惡, 所以必知其有義; 由其恭敬, 所以必知其有禮; 由其是非, 所以必知其有智. 使其本無是理於內, 則何以有是端於外? 由其有是端於外, 所以必知有是理於內而不可誣也. 故孟子言'乃若其情, 則可以爲善矣, 乃所謂善也.' 是則孟子之言性善, 蓋亦遡其情而逆知之耳."[167]

그러므로 맹자는 나누어 네 가지로 만들어서 배우는 자들에게 보여주어, 혼연한 전체[渾然全體] 가운데에 뚜렷하게 조리條理가 있는 것이 이러함을 알도록 하였으니, 성의 선함을 알 수 있게 되었다. 그러나 사단이 미발未發일 때에는 이른바 혼연한 전체[渾然全體]니, 말로 형용할 수 있는 소리나 냄새도 없고, 볼 수 있는 형상도 없는데, 무엇을 가지고 뚜렷하게 조리條理가 있음이 이러함을 알겠는가? 이 리理를 증험할 수 있는 것은 결국 그것이 발發한 곳에서 증험할 수 있다. 사물에는 반드시 근본이 있으니, 성의 리理가 비록 형태는 없지만 단서가 발發하는 것에서 가장 잘 증험할 수 있다. 그러므로 측은惻隱으로 말미암아서 반드시 인仁이 있음을 알게 되고, 수오羞惡로 말미암아서 반드시 의義가 있음을 알게 되고, 공경恭敬으로 말미암아서 반드시 예禮가 있음을 알게 되고, 시비是非로 말미암아서 반드시 지智가 있음을 알게 된다. 만약 본래 이 리理가 안에 없다면, 어떻게 이 단서가 밖에 있겠는가? 이 단서가 밖에 있기 때문에 그래서 필연적으로 이 리理가 안에 있어서 거짓일 수 없다는 것을 알게 된다. 그러므로 맹자는 '그 정情이라면 선할 수 있으니, 이것이 이른바 선善이다.'[168]라고 했다. 이렇다면 맹자가 성性의 선善함을 말한 것도 그 정情을 거슬러 올라가 역逆으로 알았을 뿐이다."

[36-2-34]

問[169]: "仁兼四端意思, 理會不透."

曰: "謝上蔡見明道先生, 擧史文成誦. 明道謂其'玩物喪志.' 上蔡汗流浹背, 面發赤色. 明道云, '此便見得惻隱之心.' 且道上蔡聞得過失,[170] 恁地慙惶, 自是羞惡之心. 如何却說道'見得惻隱之心'? 公試思."

久之, 先生曰: "惟是有惻隱之心方會動, 若無惻隱之心却不會動. 惟是先動了, 方始有羞惡, 方始有恭敬, 方始有是非, 動處便是惻隱. 若不會動, 却不成人. 若不從動處發出, 所謂羞惡者

166 而端的之發最可驗.: 내각본『朱子大全』권8(1771년 간행된 完營藏板, 간행 당시 표제명은『朱子文集大全』)에는 '端的'이 '端緖'로 되어 있다.

167 『朱文公文集』권58「答陳器之」

168 '그 情이라면 … 善이다.':『孟子』「告子上」

169 問:『朱子語類』권53, 85조목에는 '黃景申嵩老問'으로 되어 있다.

170 且道上蔡聞得過失:『朱子語類』권53, 85조목에는 '公且道上蔡聞得過失'로 되어 있다.

非羞惡, 所謂恭敬者非恭敬, 所謂是非者非是非. 天地生生之理, 這些動意未嘗止息. 看如何梏亡, 亦未嘗盡消滅, 自是有時而動. 學者只怕間斷了."[171]

물었다. "인이 사단을 겸한다[172]는 뜻을 확실하게 이해하지 못하겠습니다."

(주자가) 대답했다. "사상채謝上蔡[謝良佐]가 명도선생明道先生[程顥]을 뵙고, 역사서의 문장을 인용하며 외웠더니, 명도가 '외물에 빠져서 뜻을 잃어버렸다.[玩物喪志]'라고 평했다. 상채가 이 말을 듣고 땀이 흘러 등을 적시고 얼굴은 붉은 색으로 달아올랐다. 명도가 '여기에서 바로 측은지심을 볼 수 있다.'[173]라고 말했다. 또 상채가 과실過失을 듣고 이렇게 당황하는 것은 본래 수오지심이다. 어떻게 도리어 '측은지심을 볼 수 있다'고 말했는지 그대는 생각해보라."

한참 있다가, 선생이 말했다. "오직 측은지심이 있어야만 비로소 동動할 수 있으니, 만약 측은지심이 없으면 동動할 수 없다. 오직 먼저 동해야 비로소 수오羞惡가 있고, 비로소 공경恭敬이 있고, 비로소 시비是非가 있으니 동한 것[動處]이 바로 측은이다.[174] 만약 동할 수 없다면 온전한 사람이 아니다. 만약 동하는 곳[動處]으로부터 발하여 나오지 않으면, 이른바 수오羞惡가 수오가 아니고, 이른바 공경이 공경이 아니며, 이른바 시비가 시비가 아니게 된다. 천지가 생生하고 생生하는 리理는 이러한 동動의 뜻이 그친 적이 없다. 아무리 옥죄어 질식[梏亡]하였더라도[175] 또한 다 소멸된 적이 없으니, 원래 때때로 동動하는

171 『朱子語類』 권53, 85조목

172 인이 사단을 겸한다 : 『朱子語類』 권20, 101조목에서는 "'마음의 덕'은 사단을 겸하여 말한 것이다. '사랑의 리'는 다만 인의 체단에서 말한 것이다. 그것이 발하면 사랑이 되고, 그것의 리는 인이다. 인이 사단을 겸하는 것은 모두 이러한 生意가 유행하는 것이다.('心之德', 是兼四端言之. '愛之理', 只是就仁體段說. 其發爲愛, 其理則仁也. 仁兼四端者, 都是這些生意流行.)"라고 했다.

173 사상채가 명도선생을 … 있다.' : 『上蔡語錄』 권2에는 "明道見謝子記問甚博, 曰, '賢却記得許多, 可謂玩物喪志. 謝子被他折難身汗面赤.' 先生曰, '只此便是惻隱之心.'"이라고 되어 있다. 『宋名臣言行錄』「外集」 권7 「謝良佐 上蔡先生」에는 胡安國의 말로 다음과 같이 더욱 자세히 인용되어 있다. "胡文定云, '先生初以記問爲學, 自負該博, 對明道, 擧史書不遺一字. 明道曰賢却記得許多, 可謂玩物喪志. 謝聞此語, 汗流浹背, 面發赤. 明道却云只此便是惻隱之心. 及看明道讀史, 又却逐行看過不差一字. 謝甚不服, 後來省悟, 却將此事做話頭接引博學之士.'"

174 오직 측은지심이 … 측은이다. : 『朱子語類考文解義』 제9에서는 "人心의 전체는 仁인데, 仁은 천지의 生理이므로, 지각이 發用하는 곳이다. 이 마음의 動이 인의 단서이고, 세 가지의 단서는 이것을 이어받아 드러나니 그러므로 수오의 情 또한 인에서 통괄된다.(人心之全體是仁, 而仁者天地之生理, 故凡知覺發用處. 卽是此心之動, 仁之端, 而三者之端, 繼此而見, 故羞惡之情, 亦統於仁也.)"라고 하였고 李光地의 『榕村集』 권16 「主靜說」에서는 "대저 사물에 感하여 動하는 경우에는, 측은에서 動하니, 진실로 인이고, 수오에서 동하는 것이나 사양이나 시비나 어디를 가든 모두 인이 아님이 없다. 이것이 인을 통괄하는 것이다. … 그러므로 명도는 상채의 외물에 빠짐과 수오지심을 측은이라고 여겼고, 이천은 (호랑이에게 해를 당했던 사람이) 호랑이를 이야기하기만 해도 안색이 변하고 두려워하는 마음을 참된 앎[眞知]이라고 여긴 것이 모두 이 뜻이다.(若夫感物而動, 動於惻隱, 固仁也, 動於羞惡, 若辭遜, 若是非, 無適非仁也. 此其統夫仁者也. … 故明道以上蔡玩物羞惡之心爲惻隱, 伊川以譚虎色變恐懼之心爲眞知, 蓋此意也.)"라고 하였다.

175 아무리 옥죄어 질식[梏亡]하였더라도 : 『朱子語類考文解義』 제9에서는 "비록 심하게 梏亡하더라도(言雖甚梏亡.)"라고 풀이하였다.

것이다. 배우는 자들은 다만 끊김을 두려워할 뿐이다."

[36-2-35]

南軒張氏曰 : "四者具於性而根於心. 猶木之著本, 水之發源, 由是而生生不息也. 仁義禮智根於心而生色於外, 充盛著見, 自不可揜. 故其睟然之和, 見於面, 盎於背, 施於四體, 四體不言而喻. 涵養擴充, 積久而熟, 天理融會, 動容周旋, 無非此理."[176]

남헌 장씨南軒張氏[張栻]가 말했다. "네 가지가 성性에 갖추어져 있으며 마음에 근본한 것은 마치 나무가 뿌리에 붙어 있고, 물이 샘에서 나오는 것과 같으니, 이로부터 말미암아 생生하고 생生하여 쉼이 없다. 인의예지는 마음에 근원하여, 바깥으로 형색에 나타나며 가득 차 성대하게 드러나 보여, 저절로 가릴 수가 없다. 그러므로 그 맑고 윤택한 화기和氣가 얼굴에 드러나고, 등에 가득하며, 사지에 베풀어져서, 사지가 굳이 말하지 않아도 알 수 있다.[177] 함양하고 확충하여, 쌓기를 오래하여 익숙해지면, 천리를 꿰뚫어 알게 되어, 일상의 동작들이 모두 이 리理가 아님이 없게 된다."

[36-2-36]

"人之性, 仁義禮智四德具焉. 其愛之理則仁也 ; 宜之理則義也 ; 讓之理則禮也 ; 知之理則智也. 是四者雖未形見, 而其理固根於此, 則體實具於此矣. 性之中只有是四者, 萬善皆管乎是焉. 而所謂愛之理者, 是乃天地生物之心, 而其所由生者也. 故仁爲四德之長, 而又可以兼包焉. 惟性之中有是四者, 故其發見於情, 則爲惻隱羞惡是非辭讓之端. 而所謂惻隱者, 亦未嘗不貫通焉. 此性情之所以爲體用, 而心之道則主乎性情者也. 人惟己私蔽之, 以失其性之理而爲不仁, 甚至於爲忮爲忍, 豈人之情也哉! 其陷溺者深矣. 是以爲仁莫要乎克己. 己私旣克, 則廓然大公, 而其愛之理素具於性者無所蔽矣. 愛之理無所蔽, 則與天地萬物血脈貫通, 而其用亦無不周矣.

(남헌 장씨가 말했다) "사람의 성性에는 인의예지의 사덕四德이 갖추어져 있다. 그 사랑[愛]의 리理는 인이고, 마땅함[宜]의 리는 의이고, 사양함[讓]의 리는 예이고, 앎[知]의 리는 지이다. 이 네 가지는 비록 드러나 보이지는 않지만, 그 리理는 진실로 여기에 근본하였으니, 체體는 확실히 여기에 갖추어져 있는 것이다. 성 속에 다만 이 네 가지만 있으니, 온갖 선善이 모두 여기에서 관할된다. 그런데 이른바 사랑의 리라는 것은 천지가 만물을 생겨나게 하는 마음으로, (만물들이 이로부터) 말미암아 생겨난다. 그러므로 인仁은 사덕의 우두머리가 되고, 또 넷을 겸하여 포함할 수 있다. 오직 성 속에는 이 네 가지가 있으므로, 그것들

176 『계사맹자해』 권7 「孟子說」

177 맑고 윤택한 … 있다. : 『孟子』「盡心上」에서는 "군자의 본성은 인의예지가 마음에 뿌리내려, 그 생겨난 빛이 온화하고 윤택하여, 얼굴에 드러나며 등에 가득차고 사지에 베풀어져서, 사지가 움직일 때 굳이 말하지 않아도 저절로 알게 된다.(君子所性, 仁義禮智根於心, 其生色也睟然, 見於面, 盎於背, 施於四體, 四體不言而喩.)"고 했다.

이 정情으로 발현되면 측은·수오·시비·사양이라는 단서가 된다. 그런데 이른바 측은은 또한 일찍이 (모두를) 관통하지 않은 적이 없다. 이것이 성性과 정情이 체體와 용用으로 되는 이유이고, 마음의 도는 성과 정을 주재하는 것이다. 사람은 오직 사사로움이 가려서, 그 성性의 리理를 잃고 불인不仁하게 되며 심지어 해치고 잔인하게까지 되는데, 이것이 어찌 사람의 정情이겠는가! 그 (사욕에) 빠진 것이 깊다. 그러므로 인을 행함은 사욕을 이기는 것보다 중요한 것이 없다. 사욕을 이미 극복하고 나면, 탁 트여 크게 공평[公]해져서 성性에 본래부터 갖추어져 있는 그 사랑의 리理가 가려짐이 없다. 사랑의 리理가 가려짐이 없으면, 천지만물의 혈맥이 관통하여 그 용用 또한 두루 미치지 않음이 없게 된다.

故指愛以名仁則迷其體, 程子所謂'愛是情, 仁是性', 謂此. **而愛之理則仁也. 指公以爲仁則失其眞,** 程子所謂'仁道難名, 惟公近之, 不可便指公爲仁', 謂此. **而公者人之所以能仁也. 夫靜而仁義禮智之體具, 動而惻隱羞惡辭讓是非之端達. 其名義位置, 固不容相奪倫. 然而惟仁者爲能推之而得其宜, 是義之所存者也. 惟仁者爲能恭讓而有節文,**[178] **是禮之所存者也. 惟仁者爲能知覺而不昧, 是智之所存者也. 此可見其兼能而貫通者矣. 是以孟子於仁統言之曰'仁, 人心也', 亦猶在『易』乾坤四德而統言乾元坤元也."**[179]

그러므로 사랑을 인仁이라고 명명하면 그 체體를 헷갈리게 하니, 정자가 말한 '사랑은 정이고, 인은 성'[180]이라고 한 것이 이것을 말한다. 사랑의 리理가 인仁이다. 공公을 인仁이라고 하면, 그 진실을 잃게 되니, 정자가 말한 '인仁의 도는 명명하기 어려우니 오직 공公이 가깝지만, 공公을 곧바로 인仁이라고 할 수 없다.'[181]는 것이 이것을 말한다. 공公은 사람이 인仁할 수 있게 하는 이유이다. 정靜하면 인의예지의 체體가 갖추어지고, 동動하면 측은·수오·사양·시비의 단서가 드러난다. 그 명칭과 위치는 진실로 서로 (정해진) 차례를 빼앗을 수 없다. 그러나 오직 인자仁者만이 그것들을 미루어 나가 그 마땅함[宜]을 얻을 수 있으니, 이것이 의義가 보존되는 것이다. 오직 인자만이 공손하고 사양하면서 절문節文이 있을 수 있으니, 이것이 예가 보존되는 것이다. 오직 인자만이 지각하면서 어둡지 않을 수 있으니, 이것이 지智가 보존되는 것이다. 여기에서 (인이 네 가지를) 겸하여 할 수 있고[兼能] 관통하는 것임을 알 수 있다. 이런 까닭에 맹자는 인에 대해 통틀어 말하여서 '인仁은 사람의 마음이다.'[182]라고 했으니, 또한 『주역』에서 건괘와 곤괘의 네 가지 덕을 통틀어 건원乾元과 곤원坤元이라고 말한 것[183]과 같다."

178 惟仁者爲能恭讓而有節文 : 『南軒集』 권18 「說·仁說」에는 '節文'이 '節'로 되어 있다.

179 『南軒集』 권18 「說·仁說」

180 '사랑은 정이고 … 성' : 『河南程氏遺書』 권18에서는 "愛自是情, 仁自是性, 豈可專以愛爲仁?"라고 했다.

181 '仁의 도는 … 없다.' : 『河南程氏遺書』 권3과 『二程粹言』 권상 「論道篇」에 "仁道難名, 惟公近之, 非以公便爲仁"이라고 했다.

182 '仁은 사람의 마음이다.' : 『孟子』 「告子上」

183 건괘와 곤괘의 … 것 : 『周易』 「乾卦·彖傳」에 "크도다! 건원이여.(大哉乾元.)" 「坤卦·彖傳」에 "지극하도다! 곤원이여.(至哉坤元)"라고만 한 것을 가리킨다. 즉 원형이정을 다 말하지 않고, 건원·곤원으로만 지칭한 것을 말한다. 이에 대해 이천도 『易傳』에서 "四德의 元은 五常 仁과 같으니, 편언하면 한 가지 일이요, 전언

[36-2-37]

勉齋黃氏曰："道固莫大於仁義, 而孟子又曰, '惻隱之心, 仁也；羞惡之心；義也；恭敬之心, 禮也；是非之心, 智也.' 向之二者分而爲四, 又何也? 天固不外乎陰陽矣. 陰陽互分而爲老少, 則爲四矣. 陰陽互分而爲老少, 金木水火之所以流行也. 木神則仁, 金神則義, 火神則禮, 水神則智, 五行旣不外乎陰陽, 則五性亦不外乎仁義也. 嗟夫! 人禀五行陰陽之秀氣以生, 而具有仁義禮智之性, 所以與天地並立而爲三也. 自其氣禀所昏, 物慾所汩, 則惻隱者變而爲殘忍矣；羞惡者變而爲鄙賤矣；恭敬者變而爲傲慢矣；是非者變而爲昏愚矣. 如是則雖具人之形, 而亦何異於禽獸哉!"[184]

면재 황씨勉齋黃氏[黃榦]가 말했다. "도道는 진실로 인의보다 큰 것이 없는데, 맹자가 또 '측은지심은 인이고, 수오지심은 의이며, 공경지심은 예이고, 시비지심은 지이다.'[185]라고 했다. 앞의 두 가지가 나뉘어 넷으로 된 것은 또 어째서인가? 하늘은 진실로 음양에서 벗어나지 않는다. 음양은 서로 나뉘어져서 노소가 되니, 넷이 된다.[186] 음양이 서로 나뉘어져서 노소가 된 것은 금·목·수·화가 유행流行하는 까닭이다. 목신木神은 인仁이고, 금신金神은 의義이며, 화신火神은 예禮이고, 수신水神은 지智이니 오행이 이미 음양에서 벗어나지 않은 것이며, 따라서 오성五性 또한 인의에서 벗어나지 않은 것이다. 아아! 사람이 오행과 음양의 빼어난 기운을 받아서 생겨나서 인의예지의 성性을 갖추었으니, 천지와 나란히 셋이 되는 까닭이다. 그 기품氣禀이 어둡고, 물욕에 빠지게 되면 측은이 변하여 잔인이 되고, 수오가 변하여 비루하고 천함이 되며, 공경이 변하여 오만함이 되고, 시비가 변하여 어둡고 어리석음이 된다. 이와 같다면 비록 사람의 형체를 갖추고 있다하더라도 또한 금수와 무엇이 다르겠는가!"

[36-2-38]

北溪陳氏曰："人性之有仁義禮智, 只是天地元亨利貞之理. 仁在天爲元, 於時爲春, 乃生物之始, 萬物於此方萌芽發露. 如仁之生生, 所以爲衆善之長也. 禮在天爲亨, 於時爲夏, 萬物到此時, 一齊盛長, 衆美所會聚. 如'經禮三百, 曲禮三千', 燦然文物之盛, 亦衆美所會聚也. 義在天爲利, 於時爲秋, 萬物到此時,[187] 皆成遂, 各得其所. 如義斷制萬事, 亦各得其宜. 秋有肅殺氣, 義亦有嚴肅底意. 智在天爲貞, 於時爲冬, 萬物到此時, 皆歸根復命, 收斂都定了. 如智見得萬事是非都一定, 確然不可易, 便是貞固道理.

북계 진씨北溪陳氏[陳淳]가 말했다. "사람의 성性에 인의예지가 있는 것은, 다만 천지의 원형이정의 리理이다. 인仁이 하늘에서는 원元이 되고, 계절에서는 봄이 되니, 만물을 생겨나게 하는 시작으로, 만물이

하면 네 가지를 모두 포함한다.(四德之元, 猶五常之仁, 偏言則一事, 專言則包四者.)"라고 하였다.

184 『勉齋集』 권1 「講義·新淦縣學」

185 '측은지심은 인이고 … 지이다.' : 『孟子』「告子上」

186 음양은 서로 … 된다. : 음양이 老陰, 老陽, 少陰, 少陽으로 분화됨을 말한다.

187 萬物到此時 : 『北溪字義』 권上 「仁義禮智信」에는 '時'가 없다.

여기에서 막 싹이 터 올라와 드러나게 된다. 이는 예컨대 인의 생生하고 생生함이 여러 선善의 우두머리가 되는 것과 같다. 예禮는 하늘에서는 형亨이 되고, 계절에서는 여름이 되니, 만물이 이때에 이르러 일제히 성장하며, 여러 아름다움이 모인다, 이는 예컨대 '경례 삼백 가지와 곡례 삼천 가지'[188]가 찬연한 문물의 성대함으로서 여러 아름다움이 모인 바인 것과 같다. 의義가 하늘에서는 이利가 되고, 계절에서는 가을이 되니, 만물이 이때에 이르러 모두 다 완성되어 각각 제자리를 찾는다. 이는 예컨대 의로 만사를 결단함에 또한 각각 그 마땅함을 얻는 것과 같다. 가을에는 싸늘한[肅殺] 기운이 있으니, 의도 역시 엄숙함의 뜻이 있다. 지智는 하늘에서는 정貞이 되고, 계절에서는 겨울이 되니, 만물이 이때에 이르러 모두 뿌리로 돌아가고 (부여받은 제) 명命으로 돌아가,[189] 수렴된 것이 모두 확정된다. 이는 예컨대 지智로 만사의 시비가 모두 정해져서 확고하여 바꿀 수 없음을 보는 것이, 바로 정고貞固의 도리道理[190]인 것과 같다.

貞後又生元, 元又生亨, 亨又生利, 利又生貞. 只管如此去, 循環無端. 總而言之, 又只是一箇元. 蓋元是箇生意, 亨只是此生意之通, 利只是此生意之遂, 貞也只是此生意之藏. 此元所以兼通四德. 故曰, '大哉乾元, 萬物資始, 乃統天.' 謂統乎天, 則終始周流, 都是一箇元. 如仁兼統四者, 義禮智都是仁. 至其爲四端, 則所謂惻隱一端, 亦貫通乎羞惡辭讓是非之端而爲之統焉. 今卽就四端不覺發動之初, 眞情懇切時, 便自見惻隱貫通處. 故程子曰, '四德之元, 猶五常之仁. 偏言則一事, 專言則包四者,' 可謂示人親切, 萬世不易之論矣."[191]

정貞 다음에 또 원元을 생하고, 원元은 또 형亨을 생하고, 형亨은 또 이利를 생하고, 이利는 또 정貞을 생한다. 오로지 이와 같이 하여, 끝없이 순환하기만 한다. 총괄해서 말하면 또 다만 하나의 원元일 뿐이다. 원元은 하나의 생의生意이고, 형亨은 다만 이 생의生意가 통하는 것이고, 이利는 다만 이 생의生意가 이루어지는 것이고, 정貞도 다만 이 생의生意가 저장되는 것이다. 이것이 원元이 네 가지 덕을 겸하고 통할 수 있는 까닭이다. 그러므로 '크도다! 건원이여. 만물이 그것을 취하여 시작하니, 이에 하늘을 통솔

188 '경례 삼백 … 가지' : 『禮記』「禮器」

189 뿌리로 돌아가고 … 돌아가 : 『老子』 제16장에서는 "텅 빔에 이르기를 지극하게 하고, 고요함을 지키기를 돈독하게 하라. 만물이 나란히 자라나는데, 나는 그 (근원으로) 돌아감을 본다. 만물은 쑥쑥 자라지만, 모두가 결국에는 각각 뿌리로 돌아갈 뿐이다. 뿌리로 돌아가는 것을 고요함[靜]이라 하고, 이것을 또 (부여받은 제) 명으로 돌아간다[復命]라고 한다.(致虛極, 守靜篤, 萬物竝作, 吾以觀復. 夫物芸芸, 各復歸其根. 歸根曰靜, 是謂復命.)"라고 하였다.

190 貞固의 道理 : 『周易』「乾卦 · 文言傳」에서는 "군자가 仁을 체로 삼아 남의 우두머리가 될 만하며, 모임을 아름답게 함이 충분히 禮에 합하며, 물건을 이롭게 하여 충분히 義에 조화되며, 貞固함이 충분히 일의 근간이 될 수 있다.(君子體仁足以長人, 嘉會足以合禮, 利物足以和義, 貞固足以幹事.)"라고 했다. 주자는 『本義』에서 "貞固는 正道가 있는 곳을 알아 굳게 지키는 것이니, 이른바 알아서 버리지 않는다는 것이다. 그러므로 일의 근간이 될 수 있는 것이다.(貞固者, 知正之所在而固守之, 所謂知而弗去者也. 故足以爲事之幹.)"라고 했다.

191 『北溪字義』 권上 「仁義禮智信」

한다.'[192]라고 하였다. 하늘을 통솔한다고 말했으니, 처음부터 끝까지 두루 유행하는 것이 모두 하나의 원元이다. 예컨대 인이 네 가지를 겸하고 통솔하여, 의와 예와 지가 모두 인인 것과 같다. 그것이 사단四端이 되는 데에 이르면, 이른바 측은이라는 한 단서가 또한 수오와 사양과 시비라는 단서를 관통하여 그것들을 통솔한다. 지금 사단이 처음 부지불식간에 발동하여 참된 정이 간절할 때에 바로 측은이 관통하는 것을 저절로 볼 수 있다. 그러므로 정자는 '사덕의 원元은 오상의 인仁과 같다. 편언偏言하면 한 가지 일이고, 전언專言하면 네 가지를 포함한다.'[193]고 했으니, 사람들에게 절실하게 말해준 것이고, 영원토록 바꿀 수 없는 이론이라고 할 만 하다."

[36-2-39]

問[194]: "何謂義禮智都是仁?"

曰: "仁者,[195] 此心渾是天理流行, 到那'禮儀三百, 威儀三千', 亦都渾是這天理流行; 到那義之裁斷千條萬緒各得其宜,[196] 亦都渾是這天理流行; 到那智之分別萬事是非各定,[197] 亦都渾是這天理流行."[198]

물었다. "무엇 때문에 의·예·지를 다 인이라고 합니까?"

(북계 진씨가) 대답했다. "인仁은 이 마음에 온통 천리天理가 유행하는 것이니, 그 '예의 삼백 가지와 위의 삼천 가지'[199]의 경우도, 또한 모두 온통 이 천리가 유행하는 것이고, 그 의義가 수만 가지의 일을 재단하여 각각 그 마땅함을 얻는 경우도 또한 모두 온통 이 천리가 유행하는 것이며, 그 지智가 만사를 분별해서 시비가 각각 정해지는 경우에도 또한 모두 온통 이 천리가 유행하는 것이다."

[36-2-40]

"仁義禮智四者判作兩邊, 只是仁義兩箇.[200] 如春夏秋冬四時分來, 只是陰陽兩箇. 春夏爲陽, 秋冬爲陰. 夏之通暢, 只是春之發生盛大處; 冬之斂藏, 只是秋之肅殺歸根處."[201]

---

192 '크도다! 건원이여. … 하늘을 통솔한다: 『周易』「乾卦·彖傳」

193 '사덕의 元은 … 포함한다.': 『伊川易傳』 권1 「乾卦·彖傳」

194 問: 『北溪字義』 권上 「仁義禮智信」에는 '問'이 없다.

195 仁者: 『北溪字義』 권上 「仁義禮智信」에는 '蓋仁者'로 되어 있다.

196 到那義之裁斷千條萬緒各得其宜: 『北溪字義』 권上 「仁義禮智信」(中華書局, 1981)에는 '到那義, 裁斷千條萬緒, 各得其宜.'로 되어 있다.

197 到那智之分別萬事是非各定: 『北溪字義』 권上 「仁義禮智信」(中華書局, 1981)에는 '到這智, 分別萬事, 是非各定.'으로 되어 있다.

198 『北溪字義』 권上 「仁義禮智信」

199 '예의 삼백 … 가지': 『中庸』 제27장에 "크도다. 성인의 도여! … 가득 차서 남을 정도로 크도다! 禮儀(큰 절목의 예)가 삼백이고, 威儀(작은 절목의 예)가 삼천이로다.(大哉, 聖人之道! … 優優大哉! 禮儀三百, 威儀三千.)"라고 하였다.

200 只是仁義兩箇.: 『北溪字義』 권上 「仁義禮智信」에는 '是'가 '作'으로 되어 있다.

(북계 진씨가 말했다.) "인의예지 네 가지는 둘로 나누면 다만 인과 의 두 개 뿐이다. 마치 춘하추동 사계절을 나누면 다만 음과 양 두 개 뿐 인 것과 같다. 봄과 여름은 양이 되고, 가을과 겨울은 음이 된다. 여름에 막힘없이 통하는 것은 다만 봄의 발생發生한 것이 성대해진 것일 뿐이고, 겨울에 수렴하여 저장한 것은 다만 가을의 싸늘[肅殺]한 것이 뿌리로 돌아간 것일 뿐이다."

[36-2-41]

潛室陳氏曰[202]: "性是太極渾然之全體, 本不可以名字言. 但其中含具萬理, 而綱領之大者有四, 故命之曰仁義禮智. 孔門未嘗備言, 至孟子始備言之,[203] 苟但曰渾然本體, 則恐爲無星之秤, 無寸之尺, 而終不足以曉天下. 於是別而言之, 界爲四破, 而四端之說於是乎立.[204] 孟子之言, 亦遡其情而逆知之耳. 仁義禮智旣見得他界分分明, 又須知四者之中, 仁義是一箇對立底關鍵. 蓋仁, 仁也, 而禮者, 則仁之著; 義, 義也, 而智者, 則義之藏. 猶春夏秋冬雖爲四時, 然春夏皆陽之屬也, 秋冬皆陰之屬也. 故曰'立天之道曰陰與陽', '立人之道曰仁與義.' 是知天地之道不兩則不能以立, 故端有四而立之兩耳. 仁義雖對立而成兩, 然仁實通乎四者之中. 蓋偏言則一事, 專言則包四者. 故仁者仁之本,[205] 禮者仁之節文, 義者仁之節制, 智者仁之分別. 猶春夏秋冬雖不同而同出於春, 春則春之生, 夏則春之長, 秋則春之收, 冬則春之藏也. 自四而兩, 自兩而一, 則'統之有宗, 會之有元矣.' 故曰'五行一陰陽, 陰陽一太極', 是天地之理固然

201 『北溪字義』 권上 「仁義禮智信」

202 潛室陳氏曰: 『木鍾集』 권2 「孟子」에는 '四端說'로 되어 있다. 四端說에 관한 진식의 질문에 주자가 답해준 내용으로 보인다.

203 至孟子始備言之: 『木鍾集』 권2 「孟子」에는 '至孟子始備言之'와 '苟但曰渾然本體'사이에 '蓋孔子之時, 性善之理素明, 雖不詳著其說而其說自具. 至孟子時異端鑫起, 往往以性爲不善, 孟子懼是理之不明, 而思有以明之.'라는 문장이 더 있다. 『朱文公文集』 권58 「答陳器之」에도 주자의 말로 같은 내용의 글이 보인다. [36-2-33]을 참조

204 而四端之說於是乎立.: 『木鍾集』 권2 「孟子」에는 '而四端之說於是乎立'과 '孟子之言'사이에 "蓋四端之未發也, 性雖寂然不動而其中自有條理, 自有間架, 不是籠統都是一物, 所以外邊才動, 中邊便應. 如赤子之事感, 則仁之理便應, 而惻隱之心形. 如蹴爾嘑爾之事感, 則義之理便應, 而羞惡之心形. 如過朝廷過宗廟之事感, 則禮之理便應, 而恭敬之心形. 如姸醜美惡之事感, 而智之理便應, 而是非之心形. 蓋由其中間衆理渾然, 各各分明, 故外邊所遇, 隨感隨應, 所以四端之發, 各似面貌不同. 是以析而四之, 以示學者, 使知渾然全體之中, 燦然有條如此, 則性之善可知矣. 然四端之未發也, 渾然全體之理, 無聲臭之可言, 無形象之可見, 何以知其燦然有條如此? 蓋是理之可驗, 乃依然就他發處驗得. 凡物必有本根, 而後有枝葉, 見其枝葉則知有本根, 性之理雖無形, 而端緖之發則可驗. 故由其惻隱, 所以知其有是仁; 由其羞惡, 所以知其有是義; 由其恭敬是非, 所以知其有是禮智. 使其無是理於內, 何以有是端於外? 由其有是端於外, 所以知其有是理於內而不可誣也. 故孟子言'乃若其情, 則可以爲善矣, 乃所謂善也是. 則"이라는 문장이 더 있다. 『朱文公文集』 권58 「答陳器之」에도 주자의 말로 같은 내용의 글이 보인다. [36-2-33]을 참조

205 故仁者仁之本: 『木鍾集』 권2 「孟子」에는 '本'이 '本體'로 되어 있다.

也. 仁包四端, 而智居四端之末者, 蓋冬者, 藏也, 所以終萬物而始萬物者也. 智有藏之義焉, 有終始之義焉, 是惻隱羞惡恭敬三者皆有可爲之事, 而智則無事可爲, 但分別其爲是爲非耳. 是以謂之藏也. 又惻隱羞惡恭敬, 皆是一面底道理, 而是非則有兩面, 旣別其所是, 又別其所非, 終始萬物之象也. 故仁爲四端之首, 而智則或終而或始, 猶元爲四德之長, 然元不生於元, 而生於貞. 蓋天地之化, 不翕聚則不能發散, 理固然也. 仁智交際之間, 乃萬化之機軸, 循環不窮, 脗合無間, 程子所謂'陰陽無端, 動靜無始'者此也."[206]

잠실 진씨潛室陳氏[陳埴]가 말했다.[207] "성性은 태극의 혼연한 전체全體이니, 본래 명칭으로 말할 수 없다. 그러나 그 속에 온갖 리理를 갖추고 있지만 큰 강령은 네 가지가 있으므로, 그것을 인의예지라고 명명했다. 공자의 문하에서는 (이에 대해) 다 말한 적이 없었고, 맹자에 이르러 비로소 다 말하였으니, 만약 다만 한 덩어리의 본체[渾然本體]라고만 말하면, 아마도 눈금이 없는 저울이나 단위가 없는 자가 되어 끝내 천하 사람들을 깨우치기에 부족할까 걱정하였다. 이에 분별하여 말하여, 경계를 구분지어 넷으로 쪼개니, 사단의 학설이 여기에서 세워졌다. 맹자의 말은 또한 그 정情을 거슬러 올라가 역逆으로 알았을 뿐이다. 인의예지의 경계가 분명함을 이미 안 뒤에도 또 네 가지 중에 인의가 대립하는 관건임을 알아야 한다. 인仁은 인仁인데, 예는 인이 드러난 것이다. 의는 의인데, 지는 의가 간직된 것이다. 마치 봄 · 여름 · 가을 · 겨울이 네 계절이지만, 봄과 여름은 모두 양에 속하는 것이고, 가을과 겨울은 모두 음에 속하는 것과 같다. 그러므로 '하늘의 도道를 세운 것은 음陰과 양陽이고',[208] '사람의 도를 세운 것은 인과 의이다.'[209]라고 했다. 이로부터 천지의 도가 둘이 아니면 설 수 없다는 것을 알 수 있으므로, 단서에는 넷이 있지만 세우는 것은 둘 일 뿐이다. 인의仁義는 비록 대립해서 둘로 되지만, 인仁은 실제로 이 네 가지의 가운데에 통한다. 편언偏言하면 한 가지 일이고, 전언專言하면 네 가지를 포함하기 때문이다. 그러므로 인은 인의 본체[本]이고 예는 인의 절문節文이며, 의는 인의 절제節制이고, 지는 인의 분별分別이다. 마치 봄 · 여름 · 가을 · 겨울이 비록 같지 않지만 동일하게 봄에서 나온 것이니, 봄은 봄의 생겨남[生]이고, 여름은 봄의 자람이고, 가을은 봄의 거두어들임이고, 겨울은 봄의 간직함인 것과 같다. 넷으로부터 둘이 되고, 둘로부터 하나가 되니, '통솔함에는 종주宗主가 있고, 모임에는 우두머리가 있다.'[210] 그러므로

206 『木鍾集』 권2 「孟子」

207 潛室陳氏[陳埴]가 말했다. : 이하의 구절은 『朱文公文集』 권58 「答陳器之」에도 주자의 말로 같은 내용의 글이 보인다. 이 글은 陳埴의 『木鍾集』에 실려 있긴 하지만, 주자의 옥산강의에 관해 陳埴(器之는 陳埴의 字)이 질문한 것에 대하여 주자가 보낸 답서로 보인다. 『朱文公文集』 권58 「答陳器之」의 제목 옆에 "옥산에서의 강의에 대해 물음(問玉山講義)"이라는 주가 달려 있는데, 陳來의 고증에 의하면, 주자는 갑인년(1194년)에 玉山에 가서 강학하였고, 그 내용이 『朱文公文集』 권74 「玉山講義」에 실려 있다. 옥산에서는 강의한 내용을 을묘년(1195)에 간행하였으며, 위의 편지 역시 을묘년 또는 그 이후의 것이다. 또 『朱子語類』 권117, 59조목에 "器之가 지난번에 몇 가지 조목들을 편지로 질문해 와서, 이미 답을 해 보냈다. 지금 다시 이야기해 왔는데 또한 아직까지 이해하지 못하고 있다.(器之昨寫來問幾條, 已答去. 今再說來, 亦未分曉.)"라는 구절도 전거로 들고 있다.(『朱子書信編年考證』, 北京 : 三聯書店, 2007, 396쪽)

208 '하늘의 道를 … 陽이고' : 『周易』「說卦傳」 제2장

209 '사람의 도를 … 의이다.' : 『周易』「說卦傳」 제2장

'오행은 하나의 음양이고, 음양은 하나의 태극'[211]이라고 했으니, 이는 천지의 리理가 본래 그런 것이다. 인이 사단을 포함하는데, 지智가 사단의 끝에 있는 것은, 겨울은 저장함이어서 만물을 끝내고 만물을 시작하는 까닭이기 때문이다. 지智에는 저장한다는 뜻이 있으며, 끝내고 시작한다는 뜻이 있으니, 이는 측은·수오·공경의 세 가지는 모두 할 수 있는 일이 있지만 지智는 할 수 있는 일이 없고 다만 어떤 것이 옳은지 그른지를 분별할 뿐이다. 그래서 저장한다[藏]라고 하였다. 또 측은·수오·공경은 모두 한 측면의 도리이지만 시비는 두 측면을 가지고 있어, 옳은 것을 분별하기도 하고 또 그른 것을 분별하기도 하니, 만물을 끝내고 시작하는 상象이다.[212] 그러므로 인이 사단의 으뜸이지만, 지智는 끝이기도 하고 시작이기도 하니, 마치 원元이 사덕의 으뜸이지만, 원은 원에서 생겨나지 않고, 정貞에서 생겨나는 것과 같다. 천지의 변화는 모이지 않으면 발산할 수 없으니, 이치가 본래 그러한 것이다. 인과 지가 교차[交際]하는 사이가 바로 온갖 변화의 기축機軸으로, 무궁하게 순환하며 빈틈없이 꼭 합하니, 정자가 이른바 '음양은 끝이 없고, 동정은 시작이 없다'[213]는 것이 이것이다."

[36-2-42]

西山眞氏曰："人之爲人所以與天地並立而爲三者，蓋形有大小之殊，而理無大小之間故也. 理者何? 仁義禮智是也. 人之有是理者，天與之也. 自天道而言，則曰元亨利貞；自人道而言，則曰仁義禮智，其實一而已.[214] 人與天地本一無二，而其所以異者，天地無心而人有欲. 天地

210 '통솔함에는 宗主가 … 있다.'：왕필의 『周易註』 권10 「周易略例 上·明象」에서는 "통솔함에 종주가 있고, 모임에 우두머리가 있으므로, 많아도 어지럽지 않고 무리지어도 미혹되지 않는다(統之有宗, 會之有元, 故繁而不亂衆而不惑.)"라고 했고, 邢璹은 이에 대해 "통솔하고 거느림에 종주로써 하고, 모임에 우두머리로써 한다. 통솔함에 종주가 있으니, 비록 많아도 어지럽지 않고, 모임에 우두머리로써 하니, 비록 무리지어도 미혹되지 않는다.(統領之以宗主, 會合之以元首. 統之有宗主, 雖繁而不亂, 會之以元首, 雖衆而不惑.)"라고 주해하였다.

211 '오행은 하나의 … 태극'：『周敦頤集』 권1 「太極圖說」

212 시비는 두 … 象이다.：『木鍾集』의 이 문장들은 『朱文公文集』 권58 「答陳器之」에도 있는데, 韓元震은 『朱子言論同異攷』 권2 「仁義禮智信」에서 이 구절(答陳器之曰, 是非則有兩面, 旣別其所是, 又別其所非是, 終始萬物之象.)에 대해 "생각건대, 시비의 두 측면이 다만 끝내고 시작하는 象을 가지고 있다는 것은 실제로 끝내고 시작한다는 뜻이 있는 것은 아니다. (『禮記』「樂記」에서) '사물이 (나에게) 이르렀을 때 지각으로 인식함'은 智가 만물을 시작하는 것이며, (『周易』「繫辭上」 제11장에서) '지혜로 지나간 일을 보관함'은 智가 만물을 끝내는 것이다. 이는 智에 실제로 끝내고 시작한다는 뜻이 있는 것으로, 다만 象을 가지고 있을 뿐이 아닌 것이다. 선생(주자)은 여기에서 시비의 두 측면을 다만 '상'이라고 말했을 뿐이지, 뜻이라고 말하지 않았으니, (그) 의미를 또한 알 수 있다.(按是非兩面特其有終始之象, 非實有終始之義也. '物至知知', 智之所以始萬物也, '知以藏往', 智之所以終萬物也. 此智之實有終始之義, 而非特有象而已. 先生於是非兩面但曰'象'而已, 不曰義, 則意亦可見矣.)"라고 주해했다.

213 '음양은 끝이 … 없다.'：『二程粹言』 권上 「論道篇」에는 "동정은 끝이 없고 음양은 시작이 없다.(動靜無端, 陰陽無始.)"로 되어 있다.

214 其實一而已.：『西山文集』 권32 「講義」에는 '其實一而已矣'로 되어 있다. 또한 '其實一而已矣'와 '人之生也'사이에 "自楊子雲作『太玄』, 以四德配五常後, 儒因之論述衆矣. 然其發明精切, 未有如文公先生者也. 文公之說

惟無心也, 是以於穆之命, 終古常新. 元而亨, 亨而利, 利而貞, 貞而又元. 一通一復, 循環而無間. 人之生也, 初皆全具此理, 惟其有形體之累, 則不能無物欲之私. 故當其惻隱之發而有以撓之, 則仁不能充矣; 當其羞惡之發而有以奪之, 則義不能充矣; 恭敬是非之發亦然. 此孟子所以惓惓於'充之'一言也. 蓋善端之發, 其始甚微, 亦猶陰陽之氣兆於二至, 初皆眇然而未著也. 迨陽浸而長, 至于正月, 則天地之氣和而物皆發達矣. 陰浸而長, 至于七月, 則天地之氣肅而物皆收斂矣. 天地無心, 其生成萬物之理, 皆自微至著, 無一歲不然者. 人能體天地之心以爲心, 因其善端之發, 保養扶持, 去其所以害之者. 若火之然, 因而噓之; 若泉之達, 因而導之. 則一念之惻隱可以澤百世, 一念之羞惡可以正萬民. 堯舜之仁, 湯武之義, 所以與天地同其大者, 以其能充之也."[215]

서산 진씨西山眞氏[眞德秀]가 말했다. "사람이 사람이 되어서 천지와 나란히 서서 셋이 되는 까닭은,[216] 형체에는 크고 작은 차이가 있지만 리理에는 크고 작은 구별이 없기 때문이다. 리理란 무엇인가? 인의예지가 이것이다. 사람이 이 리理를 가지고 있는 것은 하늘이 그것을 준 것이다. 천도天道로 말하면 원·형·이·정이라 하고, 인도로 말하면 인·의·예·지라 하지만, 사실은 하나일 뿐이다. 사람과 천지가 본래 하나이지 둘이 아닌데, 그 다른 까닭은 천지는 마음이 없지만 사람에게는 욕구[欲]가 있기 때문이다. 천지는 오직 마음이 없기 때문에, '아, 심원한 명命'[217]이 영원히 늘 새롭다. 원元에서 형亨이 되고, 형에서 이利가 되며, 이에서 정貞이 되고, 정에서 또다시 원이 된다. 한 번 통해 나가고 한 번 돌아와[218] 순환하여

曰, '元者, 生物之始, 天地之德, 莫先於此, 故於時爲春, 於人則爲仁, 而衆善之長也. 亨者, 生物之通, 物至於此, 莫不嘉美, 故於時爲夏, 於人則爲禮, 而衆美之會也. 利者, 生物之遂, 物各得宜, 不相妨害, 故於時爲秋, 於人則爲義, 而得其分之和也. 貞者, 生物之成, 實理具備, 隨在隨足, 故於時爲冬, 於人則爲智, 而衆事之幹也.' 深味斯言."이라는 문장이 더 있다.

215 『西山文集』 권32 「講義·代劉季文浦城縣庠四德四端講義」

216 천지와 나란히 … 까닭은: 『中庸』 제22장에서는 "오직 천하의 지극한 誠이라야 자신의 性을 다할 수 있으니, 자신의 性을 다할 수 있으면 다른 사람의 性을 다할 수 있고 다른 사람의 性을 다할 수 있으면 사물의 性을 다할 수 있고 사물의 性을 다할 수 있으면 천지의 화육을 도울 수 있고 천지의 화육을 도울 수 있으면 천지와 함께 서서 셋이 될 수 있다.(惟天下至誠, 爲能盡其性, 能盡其性, 則能盡人之性, 能盡人之性, 則能盡物之性, 能盡物之性, 則可以贊天地之化育, 可以贊天地之化育, 則可以與天地參矣.)"라고 했다.

217 '아, 심원한 命': 『詩經』 「周頌·維天之命」에서는 "하늘의 命이 아, 深遠하여 그치지 않는다.(維天之命, 於穆不已)"라고 했으며, 『中庸』 제26장에는 "『詩經』에서 '하늘의 명이 아, 심원하여 그치지 않는다.'고 했으니, 이것은 하늘이 하늘이 된 까닭을 말한 것이다.(詩云'維天之命, 於穆不已', 蓋曰天之所以爲天也)"라고 하였다. 또 『朱子語類』 권21, 111조목에는 "오직 천지와 성인만이 일찍이 한 순간도 끊임이 없었다. '하늘의 명이 아, 심원하여 그치지 않는데', 어찌 끊긴 적이 있었겠는가. 끊기면 조화가 곧 죽어버린다!(惟天地聖人未嘗有一息間斷. '維天之命, 於穆不已', 何嘗間斷. 間斷, 造化便死了!)"라고 하였다.

218 한 번 통해 … 돌아와: 『朱文公文集』 권31 「答張敬夫」에서는 "원·형·이·정이 한번 통하고 한번 돌아오는데, 어찌 동정이 없을 수 있겠습니까?(元·亨·利·貞一通一復, 豈得爲無動靜乎?)"라고 했고, 『朱子大全箚疑』에서는 "周子는 (『周敦頤集』 권1 「誠上」 제1장에서) '元亨은 誠의 통함이요 利貞은 誠의 돌아옴이다'라고 하여 통함은 陽·動·春夏에 귀속시키고, 復은 陰·靜·秋冬에 귀속시켰다.(周子曰, '元亨, 誠之通, 利貞,

끊임이 없다. 사람이 생겨날 때 애초에 모두 이 리理를 완전히 갖추고 있었는데, 오직 형체의 얽매임이 있으니, 물욕物欲의 사사로움이 없을 수 없다. 그러므로 측은이 발할 때에 (물욕의 사사로움으로) 그것을 어지럽히면 인을 채울 수 없고, 수오가 발할 때 (물욕의 사사로움으로) 그것을 빼앗으면 의를 채울 수 없으며, 공경과 시비가 발할 때에도 또한 마찬가지이다. 이것이 맹자가 '채운다'[219]는 한 마디 말을 간절하게 한 까닭이다. 선한 단서를 발할 때 그 시초는 매우 은미하니, 또한 마치 음양의 기가 하지와 동지에서 조짐이 시작되는데 애초에는 모두 미미하여 드러나지 않는 것과 같다. 양이 점점 자라게 되어 정월에 이르면 천지의 기가 온화[和]하여 만물이 모두 발현하여 이르게 된다. 음이 점점 자라나 7월에 이르면 천지의 기가 싸늘해져서[肅] 만물이 모두 수렴된다. 천지는 마음이 없지만, 그 만물을 생성하는 리理는 모두 은미함으로부터 드러남에 이르니, 어느 해도 그러하지 않은 적이 없다. 사람은 천지의 마음을 몸받아 (자기) 마음으로 삼을 수 있으니, 그 선한 단서가 발함에 의지하여, 잘 보호하고 기르며 부축하고 보살펴서, 그 해로움을 끼치는 원인을 제거해야 한다. 마치 불이 처음 타오를 때, 이에 따라서 공기를 불 듯이 하고, 샘물이 처음 나올 때,[220] 이에 따라서 터주듯이 하면, 한 생각의 측은으로 백대에 은택을 미칠 수 있고, 한 생각의 수오로 만백성을 바로 잡을 수 있다. 요·순의 인과 탕·무의 의가 천지와 그 크기를 같이 할 수 있는 까닭은 그것을 채울 수 있었기 때문이다."

誠之復.' 通, 屬陽, 屬動, 屬春夏; 復, 屬陰, 屬靜, 屬秋冬.)"라고 주해했다. 『通書』에서는 "원은 시작이고, 형은 통함이며, 이는 이룸이고, 정은 바름이니, 건의 네 덕이다. 통함은 막 나와서 사물에 부여함이니, 선의 이어감이다. 돌아옴은 각기 얻어서 자기에게 저장함이니, 성의 이룸이다. 이것은 『太極圖說』에서 이미 5행의 性으로 여긴 것이다.(元, 始; 亨, 通; 利, 遂; 貞, 正; 乾之四德也. 通者, 方出而賦於物, 善之繼也. 復者, 各得而藏於己, 性之成也. 此於圖已爲五行之性矣.)"라고 했다. [6-1]을 참조

219 '채운다': 『孟子』「公孫丑上」에서는 "四端이 나에게 있는 것을 다 넓혀서 채울 줄[擴充] 알면, 마치 불이 처음 타오르며 샘물이 처음 나오는 것과 같을 것이니, 만일 이것을 채울[擴充] 수 있다면 충분히 四海를 보호할 수 있고, 만일 채우지 못한다면 부모도 섬길 수 없을 것이다.(凡有四端於我者, 知皆擴而充之矣, 若火之始然, 泉之始達, 苟能充之, 足以保四海, 苟不充之, 不足以事父母.)"라고 했다.

220 불이 처음 … 때: 『孟子』「公孫丑上」에서는 "四端이 나에게 있는 것을 다 넓혀서 채울 줄[擴充] 알면, 마치 불이 처음 타오르며 샘물이 처음 나오는 것과 같다.(凡有四端於我者, 知皆擴而充之矣, 若火之始然, 泉之始達.)"라고 했다. 조기는 『孟子註』에서 "사단이 나에게 있는 것을 다 확충하여 크게 할 줄 아는 것은, 마치 불이나 샘이 처음에는 작고 미미하다가 그것을 크게 만들면 이르지 못할 곳이 없는 것과 같으니, 이로써 사람의 사단을 비유한 것이다.(凡有四端在於我者, 知皆廓而充大之, 若火泉之始微小, 廣大之, 則無所不至, 以喩人之四端也.)"라고 주해했고, 『孟子集註大全』에서는 쌍봉 요씨(雙峰饒氏: 饒魯, 1193~ 1264)가 "사람이 확충할 수 있으면, 사단의 유행하고 발달하는 것이 항상 불이 처음 타오르고 물이 처음 나오는 것과 같아서, 그 형세가 막 왕성해져서 막을 수 없으니, 곧 이로 말미암아 불이 타오르는 벌판이나 바다로 달려가는 강물이 될 수 있다. (그러나) 만약 확충시킬 수 없다면, 마치 불이 처음 타오르다가 곧바로 꺼지는 것과 같고, 물이 처음 나오다가 곧 막혀버리는 것과 같으니, 다만 이렇게 그치게 될 뿐이다.(人能充廣, 則四端之流行發達, 常如火始然泉始達, 其勢方張而不可遏, 便由此而可以燎原赴海. 若不能充廣, 則如火始然而即滅, 泉始達而即壅, 便只恁地休了.)"라고 주해했다.

性理大全書卷之三十七
성리대전서 권37

性理九 성리 9

性理九
성리 9

仁義禮智信 인의예지신

[37-1-1]

程子曰 : "仁者, 公也, 人此者也.[1] 義者, 宜也, 權量輕重之極也.[2] 禮者, 別也. 智者, 知也. 信者, 有此者也. 萬物皆有性,[3] 此五常性也."[4]

정자가 말했다. "인仁은 공평함[公]이니, 이것을 사람으로 한 것[5]이다. 의는 마땅함이니, 무게를 더없이

1 人此者也. : 『河南程氏遺書』 권9에는 '人'에 대해 "어떤 판본에는 仁으로 썼다.(一作仁.)"라는 주가 달려 있다.

2 權量輕重之極也. : 『河南程氏遺書』 권9에는 '權量輕重之極'으로 되어 있다.

3 萬物皆有性 : 『河南程氏遺書』 권9에는 '性'에 대해 "어떤 판본에는 信으로 되어 있다.(一作信)"라는 주가 달려 있다.

4 『河南程氏遺書』 권9에는 '此五常性也.' 뒤에 "만약 측은과 같은 부류는 모두 情이니, 움직이는 것은 모두 정이라고 한다.(若夫惻隱之類皆情也凡動者謂之情.)"라는 원문과 "성은 저절로 그렇게 완전히 갖추어진 것이고, 신은 다만 이것들을 가지고 있는 것인데, 믿지 않은 연후에 드러나기 때문에 사단을 성이라고 말하지 않는다.(性者自然完具, 信只是有此, 因不信然後見, 故四端不言性.)"라는 주가 달려 있다.

5 사람으로 한 것 : 이 구절의 '人此者'의 이해는 다음과 같은 곳을 참고할 수 있다. 이 구절은 원래 『禮記』「祭義」에서 "증자가 말했다. 효도에는 세 가지가 있으니 가장 큰 효는 부모를 높이는 것이고, 그 다음은 욕되지 않게 하는 것이고, 그 다음은 잘 부양하는 것이다. … 仁은 이것[孝]을 사랑[仁]하는 것이고, 예는 이것을 실천하는[履] 것이며, 의는 이것을 마땅하게 하는[宜] 것이고, 신은 이것을 미덥게 하는[信] 것이며, 强함은 이것을 强하게 하는 것이다. 즐거움은 이것을 따르는 것으로부터 생겨나고 형벌은 이것을 거스르는 것으로부터 일어난다.(曾子曰, '孝有三, 大孝尊親, 其次弗辱, 其下能養. … 仁者, 仁此者也, 禮者, 履此者也, 義者, 宜此者也, 信者, 信此者也, 强者强此者也. 樂自順此生, 刑自反此作.')"라고 한 문장에서 따왔다. 陳澔(진호)는 『禮記集說』에서 "'仁은 이것을 사랑[仁]하는 것' 이하 7개의 '이것[此]'은 효를 가리켜 말한 것이다.('仁者仁此者也' 以下凡七'此'字, 皆指孝而言也.)"라고 주해했고, 孔穎達은 『禮記注疏』 권48 「附錄」에서 "인을 행하려는 자는 이 효에서 먼저 사랑[仁恩]한다는 말이다.(疏言欲行仁者, 先仁恩於此孝也.)"라고 주해했다. 정자는 이곳에서 '이것을 인하게 함(仁此者)'을 '이것을 사람에게 적용함(人此者)'으로 고쳤다. 『河南程氏遺書』 권6에서는 "인

잘 저울질하는 것이다. 예는 분별이다. 지는 앎이다. 신은 이것들을 가짐이다. 만물은 모두 성性을 가지고 있으니, 이것이 오상五常의 성性이다."

[37-1-2]

"仁義禮智信, 於性上要言此五事, 須要分別出. 仁則固一,[6] 一所以爲仁. 惻隱則屬愛, 乃情也, 非性也. 恕者入仁之門, 而恕非仁也. 因其惻隱之心, 知其有仁. 惟四者有端, 而信無端. 只有不信, 更無信.[7] 如東西南北已有定體, 更不用信. 若以東爲西, 以南爲北, 則有不可信. 如東卽東, 西卽西, 則無信."[8]

(정자가 말했다.) "인·의·예·지·신은 성性에서 이 다섯 가지를 말하려고 하는 것이니, 반드시 분별해 내야 한다. 인은 진실로 하나이니, 하나는 인하게 하는 것이다.[9] 측은은 사랑에 속하니 바로 정情이지, 성性이 아니다. 서恕는 인에 들어가는 문이지 서가 인은 아니다. 그 측은지심에 따라서 인이 있음을 안다. 네 가지에만 실마리가 있고 신信에는 실마리가 없다. 다만 불신不信만이 있을 뿐 다른 신信은 없다.

은 이것을 사람에게 적용하는 것이고, 의는 이것을 마땅히 하는 것이다. 어버이를 섬기는 것이 인의 실제이고, 형을 따르는 것이 의의 실제이니, 하나의 길 속에서 다르게 나온 것이다.(仁, 人此; 義, 宜此. 事親仁之實, 從兄義之實, 須去一道中別出.)"라고 하였고, 『河南程氏遺書』 권11에도 "맹자가 말했다. '인은 사람이다. 합해서 말하면 도이다.' 『中庸』에서 이른바 '性을 따르는 것이 도이다.'라는 것이 이것이다. 仁은 이것[道]을 사람으로 한 것이다.(孟子曰, 「仁也者, 人也. 合而言之, 道也.' 中庸所謂'率性之謂道'是也. 仁者, 人此者也.)"라고 한 것이 보인다. 그러나 한편으로 『河南程氏遺書』 권2上에는 "理는 천하에 다만 하나의 리일 뿐이니 … 그러므로 敬은 이것을 敬하게 한 것이고, 仁은 이것을 仁하게 한 것이며, 信은 이것을 미덥게[信] 한 것이다.(理則天下只是一箇理, … 故敬則只是敬此者也, 仁是仁此者也, 信是信此者也.)"라고 하여 '이것을 인하게 함(仁此者)'으로 되어 있다. 참고로 『朱文公文集』 권41 「答連嵩卿」에서는 "생각건대 오륜과 온갖 행실에 이치가 관통하지 않음이 없습니다. 인은 이것을 사람으로 한 것이고, 의는 이것을 마땅히 하는 것이고, 예란 이것을 실천하는 것입니다. 인과 예는 비록 그 명칭은 다르지만 각각 마땅한 바가 있으니 다 天理입니다.(竊謂五常百行, 理無不貫. 仁者人此者也, 義者宜此, 禮者履此. 仁之與禮, 其命名雖不同, 各有所當, 皆天理也.)"라고 하여 '이것을 사람에게 적용함(人此者)'으로 고친 것이 보이고, 『朱子語類』 권20, 105조목에는 『禮記』의 문장에 관해(『朱子語類考文解義』 권6의 주해에 의함) 주자에게 질문한 내용 속에 "戴氏가 말했다. '인은 이것을 인하게 하는 것이고, 의는 이것을 마땅히 하는 것이며, 예는 이것을 실천하는 것이고, 지는 이것을 아는 것이다.'에서 다만 효제를 주로 삼았습니다. 인의예지는 다만 이 효제를 행하는 것입니다.(戴云: "'仁者, 仁此者也; 義者, 宜此者也; 禮者, 履此者也; 智者, 知此者也.' 只是以孝弟爲主. 仁義禮智, 只是行此孝弟也.)"라고 '이것을 인하게 함(仁此者)'을 그대로 인용한 것이 보인다.

6 仁則固一: 『河南程氏遺書』 권15에는 '若仁則固一'로 되어 있다.

7 更無信.: 『河南程氏遺書』 권15에는 '更無'에 대해 "어떤 판본에는 '便有'라고 되어 있다.(一作便有.)"라는 주가 달려 있다.

8 『河南程氏遺書』 권15에는 '則無'뒤에 "어떤 판본에는 '不'字가 있다.(一有不字.)"라는 주가 달려 있다.

9 인은 진실로 … 것이다.: 『朱子語類』 권6, 95조목과 권140, 119조목에 "'인은 진실로 하나이니, 하나는 인하게 하는 것이다.'라는 것은 하나가 되는 까닭은 인이다라는 말이다('仁則固一, 一所以爲仁.' 言所以一者是仁也.)"라고 하였다.

예컨대 동·서·남·북에는 이미 정해진 체가 있어서, 다시 신信이 필요 없다. 만일 동을 서로 여기고, 남을 북으로 여기면, 믿을[信] 수 없음이 있다. 동은 동이고 서는 서라고 한다면 신信이 없다."[10]

[37-1-3]

"仁載此四事. 由行而宜之謂義, 履此之謂禮, 知此之謂智, 誠此之謂信."[11]

(정자가 말했다.) "인은 이 네 가지를 싣고 있다. 행하면서 마땅하게 하는 것을 의라고 하고, 이것을 실천하는 것을 예라고 하며, 이것을 아는 것을 지라고 하고, 이것을 참되게 하는 것을 신이라고 한다."

[37-1-4]

"仁義禮智信, 五者性也. 仁者全體, 四者四支. 仁, 體也. 義, 宜也. 禮, 別也. 智, 知也. 信, 實也."[12]

(정자가 말했다.) "인·의·예·지·신의 다섯 가지는 성이다. 인은 온몸[全體]이고, 네 가지는 사지四肢이다. 인은 체體이다. 의는 마땅함[宜]이다. 예는 분별[別]이다. 지智는 앎[知]이다. 신信은 실제[實]이다."

[37-1-5]

"凡有血氣之類, 皆具五常, 但不知充而已矣."[13]

(정자가 말했다.) "모든 혈기를 지니고 있는 것들은 다 오상을 갖추고 있지만, 채울 줄 모를 뿐이다."

[37-1-6]

張子曰: "仁不得義則不行, 不得禮則不立, 不得智則不知, 不得信則不能守. 此致一之道也."[14]

장자張子[張載]가 말했다. "인이 의가 아니면 행하지 못하고, 예가 아니면 서지 못하고, 지가 아니면 알지 못하고, 신이 아니면 지킬 수 없다. 이것이 하나에 이르게 하는 도이다."

[37-1-7]

朱子曰: "在天只是陰陽五行, 在人得之只是剛柔五常之德."[15]

---

10 네 가지에만 … 없다. : 『河南程氏遺書』 권18에서는 "물었다. '사단에 信을 언급하지 않은 것은 어째서인가?' 대답했다. '성에는 다만 사단만 있을 뿐, 信이 없다. 不信이 있기 때문에 信이라는 글자가 있는 것이다. 예컨대 지금 동은 동이고, 서는 서라면 信字를 어디에 쓰겠는가? 다만 不信이 있기 때문에 信이라는 글자가 있는 것이다.'(問, '四端不及信, 何也?' 曰, '性中只有四端, 却無信. 爲有不信, 故有信字. 且如今東者自東, 西者自西, 何用信字? 只爲有不信, 故有信字.')"라고 했다.

11 『河南程氏外書』 권1

12 『河南程氏遺書』 권2上

13 『河南程氏遺書』 권21下

14 『張子全書』 권6 「義理」

주자가 말했다. "하늘에서는 다만 음양오행이고, 사람이 그것을 얻으면 다만 강유剛柔 오상五常의 덕일 뿐이다."

[37-1-8]

或問 : "仁義禮智, 性之四德, 又添箇信字, 謂之五性, 如何?"

曰 : "信是誠實此四者, 實有是仁, 實有是義, 禮智皆然. 如五行之有土, 非土不足以載四者."[16]

어떤 사람이 물었다. "인 · 의 · 예 · 지는 성의 사덕四德인데, 또 '신信'을 덧붙여서 '오성五性'이라고 한 것은 왜 그렇습니까?"

(주자가) 대답했다. "신信은 이 네 가지를 참되게[誠實] 하는 것이니, 실제로 인이 있게 하고, 실제로 의가 있게 하며, 예와 지도 모두 그러하다. 예컨대 오행에 토土가 있으니, 토가 아니면 네 가지를 실을 수 없는 것과 같다."

[37-1-9]

"仁只是一箇渾然天理.[17] 義字如一橫劍一利刃相似, 凡事物到前, 便兩分去. 胷中許多勞勞攘攘, 到此一齊割斷了. '君子義以爲質', '義以爲上', '義不食也', '義弗乘也', '精義入神, 以致用也', 此是義十分精熟, 用便見也. 禮者節文也. 智主含藏分別, 有知覺無運用.[18] 信是義理之全體本質, 不可得而分析者. 故明道言'四端不言信'."[19]

(주자가 말했다.) "인은 다만 하나의 혼연한 천리天理일 뿐이다. '의'는 마치 하나의 횡검이나 하나의 날카로운 칼날과 같아서, 어떤 사물이 앞에 다가오면 곧 둘로 나누어 버린다. 마음속 수많은 번민이 여기에서 일제히 판단된다. '군자는 의로써 바탕을 삼은 것',[20] '의로써 으뜸을 삼은 것'[21] '의리상 먹지

15 『朱子語類』 권6, 44조목

16 『朱子語類』 권6, 46조목

17 仁只是一箇渾然天理. : 『朱子語類』 권6, 106조목에 "余正叔嘗於先生前論仁, 曰, '仁是體道之全.' 曰, '只是一箇渾然天理.'(여정숙이 일찍이 선생 앞에서 인을 논하며 '인은 도를 완전히 체득하는 것입니다.'라고 말했다. 주자는 '다만 하나의 혼연한 천리일 뿐이다.'라고 대답했다.)"라고 되어 있다.

18 有知覺無運用. : 『朱文公文集』 권45 「答廖子晦 5」에는 "有知覺而無運用, 冬之象也.(지각은 있지만 운용함은 없는 것이 겨울의 상입니다.)"로 되어 있다.

19 '仁只是一箇渾然天理'는 『朱子語類』 권6, 106조목의 글이며, '義字如一橫劍一利刃相似, 凡事物到前, 便兩分去'는 『朱子語類』 권6, 127조목의 글이다. '胸中許多勞勞攘攘, 到此一齊割斷了'는 『朱子語類』 권6, 126조목의 글이다. '義以爲上, 義不食也, 義弗乘也, 精義入神, 以致用也, 此是義十分精熟, 用便見也'는 『朱子語類』 권6, 127조목의 글이다. '禮者節文也'는 『朱子語類』 권6, 142조목의 글이고, '智主含藏分別, 有知覺無運用'은 『朱文公文集』 권45 「答廖子晦 5」의 글이며, '信是義理之全體本質, 不可得而分析者. 故明道言四端不言信'은 『朱文公文集』 권52 「答吳伯豐」의 글이다. '故明道言四端不言信'은 『朱文公文集』 권52 「答吳伯豐」에는 '故明道之言如此'라고 되어 있다.

20 '군자는 의로써 … 것' : 『論語』「衛靈公」에 "군자는 義로써 바탕을 삼고, 禮로써 그것을 행하며, 겸손함으로써

않는 것',[22] '의리상 수레를 타지 않은 것',[23] '의義를 정밀하게 하여 신神에 들어가는 것은 씀을 지극히 하는 것'[24] 등등의 말은 의義에 충분히 숙련하여 쓰임이 그때마다 드러나는 것이다. 예는 절문節文이다. 지智는 간직하고 분별하는 것을 주관하니 지각은 있지만 운용은 없다. 신信은 의리義理의 전체全體 본바탕이니 나눌 수 없는 것이다. 그러므로 명도明道는 '사단에서 신信을 말하지 않았다'[25]고 하였다."

[37-1-10]

"得此生意以有生, 然後有禮智義信. 以先後言之, 則仁爲先; 以大小言之, 則仁爲大."[26]

(주자가 말했다.) "이 생의生意를 얻어서 생겨남이 있은 후에 예·지·의·신이 있게 된다. 선후로 말하면 인이 먼저이고, 크기로 말하더라도 인이 크다."

[37-1-11]

問: "蒙喻仁意思,[27] **云'義禮智信上著不得, 又須見義禮智信上少不得, 方見得仁統五常之意.' 今以樹爲喻,**[28] **夫樹之根, 固有生氣, 然貫徹首尾, 豈可謂幹與枝花與葉無生氣也?"**

曰: "固然. 只如四時, 春爲仁, 有箇生意在, 夏則見其有箇亨通意在, 秋則見其有箇成實意在, 冬則見其有箇貞固意在. 夏秋冬生意何嘗息! 本雖凋零, 生意則常存. 大抵天地間只一理, 隨其到處, 分許多名字出來. 四者於五行各有配, 惟信配土, 以見仁義禮智實有此理, 不是虛說. 又如乾四德, 元最重, 其次貞亦重, 以明始終之義, 非元則無以生, 非貞則無以終, 非終則無以爲始, 不始則不能成終矣. 如此循環無窮也."[29]

물었다. "제게 인의 의미를 말씀하시면서 '의·예·지·신에 결합될 수는 없지만, 또 반드시 의·예·지·신에서 빠져서는 안 된다는 것을 알아야만,[30] 인이 오상을 통괄한다는 의미를 알게 된다.'고 하셨습

그것을 내며, 信으로써 그것을 이룬다.(君子義以爲質, 禮以行之, 孫以出之, 信以成之.)"라고 하였다.

21 '의로써 으뜸을 … 것': 『論語』「陽貨」에 "군자는 義를 으뜸으로 삼는다. 군자가 勇만 있고 義가 없으면 亂을 일으키고, 소인이 용만 있고 의가 없으면 도적질을 할 것이다.(君子義以爲上. 君子有勇而無義爲亂, 小人有勇而無義爲盜)"라고 하였다.

22 '의리상 먹지 … 것': 『周易』「明夷·象傳」에서는 "군자가 떠나감은 의리상 먹지 않는 것이다.(君子于行, 義不食也.)"라고 하였다.

23 '의리상 수레를 … 것': 『周易』「賁·象傳」에서는 "수레를 버리고 도보로 가는 것은 의리상 수레를 타지 않기 때문이다.(舍車而徒, 義弗乘也.)"라고 하였다.

24 '義를 정밀하게 … 것': 『周易』「繫辭下」 제5장

25 '사단에서 信을 … 않았다.': 『河南程氏遺書』 권6, 권9, 권22, 권24

26 『朱子語類』 권6, 48조목

27 蒙喻仁意思: 『朱子語類』 권6, 47조목에는 '向蒙戒喩, 說仁意思'로 되어 있다.

28 今以樹爲喻: 『朱子語類』 권6, 47조목에는 '大雅今以樹爲喩'로 되어 있다.

29 『朱子語類』 권6, 47조목

30 의·예·지·신에서 결합될 수는 … 알아야만: 『朱子語類考文解義』 제3에서는 "명칭의 理가 각각 다르므로

니다. 지금 나무를 비유로 든다면, 나무의 뿌리에는 본래 생기가 있지만 머리에서 꼬리까지 꿰뚫어 통하니[貫徹] 어찌 줄기와 가지, 꽃과 잎사귀에 생기가 없다고 할 수 있겠습니까?"

(주자가) 대답했다. "진실로 그러하다. 다만 사계절과 같으니, 봄은 인이 되어 하나의 생의生意가 있고, 여름은 형통亨通의 뜻이 있는 것을 보며, 가을은 열매를 이루는 뜻이 있음을 보고, 겨울은 정고貞固의 뜻이 본다. 여름 · 가을 · 겨울에 생의生意가 어찌 쉬어본 적이 있었겠는가! 뿌리가 비록 쇠하여도 생의生意는 항상 존재한다. 대체로 천지 사이는 다만 하나의 리理일 뿐인데, 그것이 이르는 곳을 따라서 수많은 이름으로 나뉘어져 나온다. 네 가지는 오행과 각각 짝하는 바가 있는데, 오직 신信만이 토土와 짝하여서 인 · 의 · 예 · 지에 실제로 이 리理가 있음을 보여주었으니, 헛된 소리가 아니다. 또 건乾괘의 사덕에서 원元이 가장 중요하고 그 다음 정貞도 역시 중요하여 시작과 끝이라는 뜻을 밝혔으니, 원이 아니면 생生하게 할 수 없고 정이 아니면 끝맺게 할 수 없으며, 끝이 아니면 시작으로 삼을 수 있는 것이 없고, 시작하지 않으면 끝맺을 수 없다. 이와 같이 순환해서 끝이 없다."

[37-1-12]

或問[31]: "人之所以爲性者五, 而獨擧仁義, 何也?"

曰: "天地之所以生物者, 不過乎陰陽五行, 而五行實一陰陽也. 故人之所以爲性者, 雖有仁義禮智信之殊, 然其曰仁義, 則其大端已擧矣. 蓋以陰陽五行而言, 則木火皆陽, 金水皆陰, 而土無不在. 以性而言, 則禮者仁之餘, 知者義之歸,[32] 而信亦無不在也."[33]

어떤 사람이 물었다. "사람이 성性으로 삼는 것이 다섯 가지인데 유독 인과 의만을 거론하는 것은 무엇 때문입니까?"

(주자가) 대답했다. "천지가 만물을 생生하는 것은 음양오행에 지나지 않지만, 오행은 실제로 하나의 음양이다. 그러므로 사람이 성으로 삼는 것은 비록 인 · 의 · 예 · 지 · 신의 다름이 있지만, 그러나 인의라고 하면 그 대강大綱을 이미 들은 것이다. 음양오행으로써 말하면 목木 · 화火는 다 양이고, 금金 · 수水는 다 음이며, 토土는 없는 곳이 없다. 성性으로써 말하면 예는 인의 나머지이고, 지는 의의 귀결이며, 신은 또한 없는 곳이 없다."

붙을 수 없는 것[著不得]이다. 生意가 관통하므로 빼놓을 수 없는 것[少不得]이다. 아래 문장에서 나무의 뿌리와 가지는 모두 생기를 가지고 있는 것으로 빼놓을 수 없는 것이고, 또 아래 조항에서 이 生意를 얻은 연후에 의 · 예 · 지가 있는 것도 모두 빼놓을 수 없음[少不得]의 의미이다. 그런데 아랫 문장의 '하나의 理가, 그것이 이르는 곳을 따라서 수많은 이름으로 나뉘어져 나오고' '각각 짝하는 바가 있는 것'은 붙을 수 없는 것[著不得]이다.(名理各殊, 故著不得. 生意貫通, 故少不得. 下文樹之根枝, 皆有生氣是少不得, 又下條得此生意, 然後有義禮智, 皆少不得之義. 而此下文'一理隨其到處, 分許多名字', '各有配者', 則是著不得者.)"라고 하였다.

31 或問 : 『四書或問』 권26 「孟子」에는 '曰'로 되어 있다

32 知者義之歸 : 『四書或問』 권26 「孟子」에는 '知'가 '智'로 되어 있다

33 『四書或問』 권26 「孟子」

[37-1-13]

"人稟五行之秀以生.[34] 故木神曰仁,[35] 則愛之理也, 而其發爲惻隱. 火神曰禮, 則敬之理也, 而其發爲恭遜. 金神曰義, 則宜之理也, 而其發爲羞惡. 水神曰智, 則別之理也, 而其發爲是非. 土神曰信, 則實有之理也, 而其發爲忠信. 是皆天理之固然, 人心之所以爲妙也."[36]

(주자가 말했다.) "사람은 오행 가운데 빼어남을 품수받아서 생겨난다. 그러므로 목신木神을 인仁이라고 하니[37] 사랑의 리理이고, 그것이 발하여 측은이 된다. 화신을 예라고 하니, 경敬의 리이고, 그것이 발하여 공손이 된다. 금신을 의라고 하니, 마땅함[宜]의 리이고, 그것이 발하여 수오羞惡가 된다. 수신을 지라고 하니, 분별의 리이고, 그것이 발하여 시비가 된다. 토신을 신이라고 하니, 실제로 있음[實有]의 리이고, 그것이 발하여 충신忠信이 된다. 이것은 모두 천리가 본래 그러한 것이고 인심人心이 신묘한 까닭이다."

[37-1-14]

答袁機仲曰[38]: "所論仁義禮智, 分屬五行四時.[39] 蓋天地之間, 一氣而已, 分陰分陽, 便是兩物, 故陽爲仁, 而陰爲義. 然陰陽又各分而爲二, 故陽之初爲木爲春爲仁, 陽之盛爲火爲夏爲禮, 陰之初爲金爲秋爲義, 陰之極爲水爲冬爲智. 蓋仁之惻隱方自中出, 而禮之恭敬, 則已盡發於外, 義之羞惡方自外入, 而智之是非, 則已全伏於中. 故其象類如此, 非是假合附會. 若能黙會於心, 便自可見. 元亨利貞, 其理亦然.[40] 五行之中, 四者旣各有所屬, 而土居中宮, 爲四行之地, 四時之主. 在人則爲信爲眞實之義, 而爲四德之地, 衆善之主也五聲, 五色, 五臭, 五味,

34 人稟五行之秀以生. : 『四書或問』 권6 「論語」에는 이 문장 앞에 "或問, '仁何以爲愛之理也?' 曰(어떤 사람이 물었다. '인은 어찌해서 사랑의 리가 되는 것입니까?' (주자가) 대답했다.)"라는 구절이 있다.

35 故木神曰仁 : 『四書或問』 권6 「論語」에는 '故'와 '木神曰仁' 사이에 "其爲心也未發, 則具仁義禮智信之性, 以爲之體; 已發則有惻隱羞惡恭敬是非誠實之情, 以爲之用. 蓋(그 마음이 미발일 때에 인·의·예·지·신의 성이 갖추어져 있어서 체로 삼고, 이발일 때에 측은·수오·공경·시비·성실의 정이 있어서 용으로 삼는다. 대개)"라는 구절이 있다.

36 『四書或問』 권6 「論語」

37 木神을 仁이라고 하니 : 『禮記正義』 권52 「中庸」에서 鄭玄은 "목신은 인이고, 금신은 의이며, 화신은 예이고, 수신은 신이며, 토신은 지이다.(木神則仁, 金神則義, 火神則禮, 水神則信, 土神則知.)"라고 하였다. 정현은 수신을 신이라고 하고, 토신을 지라고 했지만, 주자는 수신을 지로, 토신을 신으로 변화시켰음을 볼 수 있다.

38 答袁機仲曰 : 『朱文公文集』 권38 「答袁機仲別幅」에는 이 구절이 없다.

39 所論仁義禮智, 分屬五行四時. : 『朱文公文集』 권38 「答袁機仲別幅」에는 "前書所論仁·義·禮·智分屬五行四時, 此是先儒舊說, 未可輕詆. 今者來書雖不及之, 然此大義也, 或恐前書有所未盡, 不可不究其說.(지난번 편지에서 논한 인·의·예·지를 오행과 사시에 나누어 소속시킨 것은 先儒들의 옛 설로서 가벼이 비난할 수 없는 것입니다. 지금 보내온 편지에 비록 언급하고 있지는 않지만, 이것은 중요한 의미이므로 혹시라도 지난번 편지에서 미진한 바가 있을까 두려워하여 그 설을 궁구하지 않을 수 없습니다.)"로 되어 있다.

40 其理亦然. : 『朱文公文集』 권38 「答袁機仲別幅」에는 '其理亦然'과 '五行之中' 사이에 "「文言」取類允爲明白, 非區區今日之臆說也"라는 구절이 있다.

五藏, 五蟲, 其分倣此 蓋天人一物, 內外一理, 流通貫徹, 初無間隔. 若不見得, 則雖生於天地間, 而不知所以爲天地之理 ; 雖有人之形貌, 而亦不知其所以爲人之理矣."[41]

(주자가) 원기중에게 답하는 편지에서 말했다. "그대의 편지에 인 · 의 · 예 · 지를 오행과 사시에 나누어 소속시켰습니다. 천지의 사이는 하나의 기일 뿐인데, 나뉘어 음이 되고 양이 되어 곧 두 가지가 되었으므로, 양이 인이 되고 음이 의가 되었습니다. 그런데 음양은 또 각각 나뉘어 둘이 되었으므로 양의 시초에는 목이 되고 봄이 되고 인이 되며, 양이 왕성할 때는 화가 되고 여름이 되고 예가 되며, 음의 시초에는 금이 되고 가을이 되고 의가 되며, 음이 왕성할 때는 수가 되고 겨울이 되고 지가 됩니다. 인의 측은이 막 속으로부터 나오면서, 예의 공경은 이미 바깥에서 다 발했고, 의의 수오가 막 바깥으로부터 들어오면서, 지의 시비는 이미 속에서 완전히 잠복했습니다. 그러므로 그 모습과 부류[象類]가 이와 같은 것이지, 견강부회한 것이 아닙니다. 만일 묵묵히 마음으로 이해할 수 있다면 곧 저절로 알 수 있습니다. 원 · 형 · 이 · 정도 그 리가 또한 그러합니다. 오행 가운데에 네 가지는 이미 각각 소속되는 바가 있지만 토는 중궁中宮에 머무르면서 사행四行의 바탕과 사시四時의 주인이 됩니다. 사람에게서는 신信이 되고 진실함의 뜻이 되며, 사덕四德의 바탕과 여러 선善의 주인이 됩니다. 오성五聲, 오색五色, 오취五臭, 오미五味, 오장五藏, 오충五蟲[42] 등은 분류도 이와 같다. 하늘[天]과 인간[人]은 하나의 사물이고, 안과 밖은 하나의 리理이니, 흘러 통하며 관통[貫徹]하여 애초부터 틈이 없습니다. 만약 알지 못하면 비록 천지 사이에 살고 있더라도 천지가 되는 리理를 알지 못하고, 비록 사람의 모습을 가지고 있더라도 또한 사람이 되는 리理를 알지 못합니다."

[37-1-15]

程珙問[43] : "『論語』多是說仁, 『孟子』却兼說仁義. 意者夫子說元氣, 孟子說陰陽, 仁恐是體, 義恐是用."

先生嘗曰[44] : "孔孟之言, 有同有異, 固所當講. 然今且當理會何者爲仁, 何者爲義, 如何說箇仁義二字底道理.[45] 大凡天之生物, 各付一性, 性非有物, 只是一箇道理之在我者耳. 故性之

41 『朱文公文集』 권38 「答袁機仲別幅」

42 五蟲 : 옛날에는 동물에 대해 다음과 같이 다섯 가지 벌레로 분류했다. 살이 드러나 보이는 인간을 의미하는 倮蟲, 털이 있는 들짐승을 의미하는 毛蟲, 날개가 있는 날짐승을 의미하는 羽蟲, 비늘이 있는 물고기를 의미하는 鱗蟲, 딱지가 있는 벌레를 의미하는 介蟲 또는 介殼蟲

43 程珙問 : 『朱文公文集』 권74 「玉山講義」에는 '時有程珙起而請曰'로 되어 있다.

44 先生嘗曰 : 『朱文公文集』 권74 「玉山講義」에는 '先生曰'로 되어 있다.

45 何者爲義, 如何說箇仁義二字底道理. : 『朱文公文集』 권74 「玉山講義」에는 "然今且當理會何者爲仁, 何者爲義, 曉此兩字義理分明, 方於自己分上有用力處. 然後孔孟之言有同異處, 可得而論. 如其不曉, 自己分上元無工夫, 說得雖工, 何益於事? 且道如何說箇仁義二字底道理?(그러나 지금 또 어떤 것이 인이고 어떤 것이 의인지를 마땅히 이해해야 하니, 이 두 글자의 의미에 대해 분명하게 안다면 이제 막 자신의 경우에 힘쓸 곳이 있을 것이다. 그런 다음에 공자와 맹자의 말에 같은 점과 다른 점이 있다는 것에 대해 논할 수 있을 것이다. 만일 그것을 이해하지 못한다면 자신의 분수에서 원래부터 공부가 없으니, 설명이 비록 교묘하다 하더라도 일에는 무슨 보탬이 되겠는가? 또 어떻게 인의라는 두 글자의 도리를 설명하겠는가?)"라고 되어 있다.

所以爲體, 只是仁義禮智信五字, 天下道理不出於此. 韓文公云, '人之所以爲性者五', 其說最爲得之. 却爲後世之言性者多雜,[46] 所以將性字作知覺心意看了, 非聖賢所說性字本指也.

정공程珙[47]이 물었다. "『논어』에서는 인仁을 말한 곳이 많은데, 『맹자』는 인의를 겸해서 말했습니다. 생각건대, 공자는 원기元氣를 말했고, 맹자는 음양을 말한 것이니, 인은 아마도 체이며, 의는 아마도 용인 듯합니다."

선생[朱子]이 일찍이 말했다. "공자와 맹자의 말씀에는 같은 점도 있고 다른 점도 있으니, 진실로 마땅히 강구해야 할 것이다. 그러나 지금은 우선 어떤 것이 인이고 어떤 것이 의인지, 또 어떻게 인과 의 두 가지의 도리를 설명하는지를 마땅히 이해해야 한다. 대체로 하늘이 만물을 생겨나게 할 때 각각 하나의 성을 부여하는데, 성은 있는 물건이 아니고, 단지 나에게 있는 하나의 도리일 뿐이다. 그러므로 성이 체體가 되는 것은 단지 인·의·예·지·신이란 다섯 글자일 뿐이니, 천하의 도리는 여기에서 벗어나지 않는다. 한문공韓文公[韓愈]이 '사람이 성으로 삼은 것은 다섯 가지'[48]라고 했는데 그의 설명이 가장 옳다. 오히려 후세에 성을 말하는 자들은 대부분 잡박하여, '성'을 지각知覺이라는 심心의 뜻으로 간주하였으니, 성현이 말한 성의 본 뜻은 아니다.

五者之中所謂信者, 是箇眞實無妄底道理. 如仁義禮智, 皆眞實而無妄者也. 故信字更不須說. 只仁義禮智四字於中各有分別, 不可不辯. 蓋仁則是箇溫和慈愛底道理, 義則是箇斷制裁割底道理, 禮則是箇恭敬撙節底道理, 智則是箇分別是非底道理. 凡此四者具於人心, 是乃性之本體. 方其未發, 漠然無形象之可見, 及其發而爲用, 則仁者爲惻隱, 義者爲羞惡, 禮者爲恭敬, 智者爲是非. 隨事發見, 各有苗脈, 不相殽亂, 所謂情也. 故孟子曰, '惻隱之心, 仁之端也. 羞惡之心, 義之端也. 恭敬之心, 禮之端也. 是非之心, 智之端也.' 謂之端者, 猶有物在中而不可見, 必因其端緒發見於外, 然後可得而尋也. 蓋一心之中, 仁義禮智, 各有界限, 而其性情體用, 又自各有分別. 須是見得分明, 然後就此四者之中, 又自見得仁義兩字是箇大界限, 如天地造化, 四序流行, 而其實不過於一陰一陽而已.

다섯 가지 가운데 이른바 '신'은 진실하여 망령됨이 없는[眞實無妄] 도리이다. 인·의·예·지와 같은 것은 모두 진실하여 망령됨이 없는 것이다. 그러므로 '신'은 다시 말할 필요가 없다. 다만 인·의·예·지 넷은 그 속에 각각 분별이 있으니 판별하지 않을 수 없다. 인은 온화溫和하고 자애慈愛하는 도리이고, 의는 결단[斷制]하고 마름질[裁割]하는 도리이며, 예는 공경恭敬하고 절도를 지키는[撙節] 도리이고, 지는 분별分別하고 시비是非하는 도리이다. 이 네 가지가 사람의 마음에 갖추어진 것이, 바로 성의 본체이다. 미발일 때에는 막연하여 볼 수 있는 형상이 없지만, 발하여 쓰이게 되면 인은 측은이 되고, 의는 수오가

46 却爲後世之言性者多雜 : 『朱文公文集』 권74 「玉山講義」에는 '却爲後世之言性者多雜佛老而言'으로 되어 있다.

47 程珙 : 자는 仲璧, 호는 柳湖이며, 남송 강서 鄱陽縣 사람으로, 저서에 『易說』이 있다.

48 '사람이 성으로 … 가지' : 『昌黎先生文集』 「原性」에 "其所以爲性者五, 曰仁曰禮曰信曰義曰智."라고 하였다.

되고, 예는 공경이 되고, 지는 시비가 된다. 일에 따라 발현하게 되는 데, 각각 실마리[苗脈]가 있어서 서로 어지러이 뒤섞이지 않으니, (이것이) 이른바 정이다. 그러므로 맹자는 '측은지심은 인의 단서이고, 수오지심은 의의 단서이고, 공경지심은 예의 단서이고, 시비지심은 지의 단서이다.'[49]라고 했다. 단서[端]라고 한 것은, 마치 어떤 사물이 속에 있어서 볼 수 없다가, 반드시 그 단서가 밖으로 발현한 다음에야 살필 수 있는 것과 같다.

한 마음속에 인·의·예·지는 각각 정해진 경계가 있고, 성과 정, 체와 용도 또 각각 분별이 있다. 반드시 (이것을) 분명하게 안 뒤에라야 이 네 가지 가운데 나아가서, 또 인과 의라는 두 글자가 하나의 커다란 경계임을 알 수 있게 될 것이니, 예를 들면 천지가 조화造化하고 사계절이 유행하지만, 실제로는 하나의 음[一陰]과 하나의 양[一陽]에 불과한 것과 같다.

於此見得分明, 然後就此又自見得仁字是箇生底意思, 通貫周流於四者之中. 仁固仁之本體也, 義則仁之斷制也, 禮則仁之節文也, 智則仁之分別也. 正如春之生氣, 貫徹四時, 春則生之生也, 夏則生之長也, 秋則生之收也, 冬則生之藏也. 故程子謂'四德之元, 猶五常之仁, 偏言則一事, 專言則包四者', 正謂此也. 孔子只言仁, 以其專言者言之也. 故但言仁而仁義禮智皆在其中. 孟子兼言義, 以其偏言者言之也. 然亦不是於孔子所言之外, 添入一箇義字, 但於一理之中分別出來耳. 其又兼言禮智, 亦是如此. 蓋禮又是仁之著, 智又是義之藏, 而仁之一字, 未嘗不流行乎四者之中也. 若論體用, 亦有兩說. 蓋以仁存於心, 而義形於外言之, 則曰'仁, 人心也, 義, 人路也', 而以仁義相爲體用. 若以仁對惻隱, 義對羞惡而言, 則就其一理之中, 又以未發已發相爲體用. 若認得熟, 看得透, 則玲瓏穿穴, 縱橫顚倒, 無處不通, 而日用之間, 行著習察, 無不是著工夫處矣."

曰[50]: "孔門方說仁字, 則是列聖相傳, 到此方漸次說親切處爾. 夫子所以賢於堯舜, 於此亦可見其一端也."[51]

이 점에 대해[52] 분명히 본 다음에야, 여기에서 또 인仁은 생生의 뜻이 네 가지 속에 관통하고 두루 흐르고 있음을 볼 수 있다. 인은 진실로 인의 본체이고, 의는 인의 결단[斷制]이며, 예는 인의 절문節文이고, 지智

---

49 '측은지심은 인의 … 단서이다.' : 『孟子』「公孫丑上」

50 曰 : 『朱文公文集』 권74 「玉山講義」에는 "珙又請曰, '三代以前, 只是說中說極. 至孔門答問, 說著便是仁, 何也?' 先生曰, '說中說極, 今人多錯會了他文義, 今亦未暇一一詳說. 但至'(정공이 또 청하여 물었다. '삼대 이전에는 다만 中을 말하고 極을 말했는데, 孔門의 문답에 이르러 말하는 것들이 바로 인인 것은 왜 그런 것입니까?' 주자가 말했다. '中을 말하고 極을 말한 것은 요즘 사람들이 그 글 뜻을 대부분 잘못 이해한 것이니, 지금 또한 일일이 상세히 설명할 겨를이 없다. 다만 …에 이르러')"라고 되어 있다.

51 『朱文公文集』 권74 「玉山講義」

52 이 점에 대해 : 『朱子大全箚疑輯補』 권74 「雜著」에서는 "'이 점'은 인·의 두 글자를 가리킨다.('此'指仁義兩字也.)"라고 하였다.

는 인의 분별이다. 바로 마치 봄의 생기生氣가 사계절을 관통하여서 봄은 생生의 생生함이고, 여름은 생生의 자람이며, 가을은 생生의 거둠이고, 겨울은 생生의 저장함인 것과 같다. 그러므로 정자程子가 '사덕四德의 원元은 오상五常의 인仁과 같으니, 편언偏言하면 한 가지 일이고, 전언專言하면 네 가지를 포괄한다.'[53]라고 한 것이 바로 이것을 말한 것이다. 공자는 다만 인仁만을 말하였으니, 전언專言한 것으로써 말한 것이다. 그러므로 다만 인仁만을 말했지만 인·의·예·지가 모두 그 속에 있다. 맹자는 의義를 겸하여 말하였으니, 편언偏言한 것으로써 말한 것이다. 그러나 공자가 말한 것 이외에 의義자字를 덧붙인 것이 아니라, 다만 하나의 리理 속에서 분별해낸 것일 뿐이다. 또 (맹자가) 예·지를 겸하여 말한 것도 역시 이와 같다. 예는 또 인의 드러남이고 지는 또 의의 저장함이니, 인이라는 한 글자가 네 가지 속에 유행流行하지 않은 적이 없다. 만약 체·용을 논한다면 또한 두 가지 설이 있다. 인이 마음에 보존되고 의가 바깥으로 드러난다는 측면으로 말하면 '인은 사람의 마음이고, 의는 사람의 길이다.'[54]라고 하는 것이니, 인·의를 서로 체·용으로 삼는다. 만약 인을 측은에 대하고, 의를 수오에 대하여 말하면, 하나의 리理 속에 나아가, 또 미발未發·이발已發을 서로 체·용으로 삼는다.[55] 만약 아는 것이 익숙하고, 보는 것이 투철하게 되면, 눈부시게 찬란하고 훤하게 꿰뚫어,[56] 종횡으로 뒤집어놓아도 통하지 않는 곳이 없으니, 매일 쓰는 사이에 행하면서도 밝게 알고 익히면서도 정밀하게 살피게[57]되어 어디든 공부를 할 곳이 된다."

(주자가 또) 말했다. "공자의 문하에서 인仁에 대해 말한 것은 여러 성인들이 서로 전한 것이고, 여기에 이르러 점차 절실하게 말한 것일 뿐이다. 공자가 요순보다 훌륭한 것을 여기에서 그 일단一端을 볼 수 있다."

[37-1-16]

或問："仁義禮智信有本耶?"[58]

53 '四德의 元은 … 포괄한다.':『伊川易傳』 권1

54 '인은 사람의 … 길이다.':『孟子』「告子上」

55 만약 인을 … 삼는다.:『朱子大全箚疑輯補』 권74「雜著」에서는 "미발은 인·의이고, 이발은 측은·수오이다.(未發, 仁義也, 已發, 惻隱羞惡也.)라고 하였다.

56 눈부시게 찬란하고 … 꿰뚫어:『朱子大全箚疑輯補』 권74「雜著」에서는 "'玲瓏'은 눈부시게 비추는 것이다. '穿穴'은 훤하게 꿰뚫는 것이다.('玲瓏', 照耀也. '穿穴', 通透也.)"라고 하였다.

57 행하면서도 밝게 … 살피게:『孟子』「盡心上」편에서는 "행하면서도 밝게 알지 못하며, 익히면서도 살피지 못한다. 그러므로 종신토록 행하면서도 그 도를 모르는 자가 많은 것이다.(行之而不著焉, 習矣而不察焉, 終身由之而不知其道者衆也.)"라고 했고, 주자는 집주에서 "著는 앎이 밝은 것이고, 察은 앎이 정밀한 것이다. 막 행하고 있으면서도 그 所當然을 분명히 알지 못하며, 이미 익히고 있으면서도 오히려 그 所以然을 알지 못하니, 이 때문에 종신토록 행하면서도 그 도를 알지 못하는 자가 많음을 말한 것이다.(著者, 知之明, 察者, 識之精. 言方行之而不能明其所當然, 旣習矣而猶不識其所以然, 所以終身由之而不知其道者多也.)"라고 주해하였다. 『朱文公文集』 권42「答石子重」에도 나오는 데, 이곳의『朱子大全箚疑輯補』 권42에도 이에 대한 설명(此反其語意, 謂行之而能著, 習矣而能察也.)이 보인다.

58 或問："仁義禮智信有本耶?":『四書或問』 권6「論語」에는 "曰, '然則義禮智信爲之亦有本耶?' 曰, '有.' '請問

曰 : "亦孝弟而已矣. 但以愛親而言, 則爲仁之本也 ; 其順乎親, 則爲義之本也 ; 敬乎親, 則爲禮之本也 ; 其知此者, 則爲智之本也 ; 其誠此者, 則爲信之本也. 蓋人之所以爲五常百行之本, 無不在此.[59] 孟子之論仁義禮智樂之實者, 正爲是爾. 此其所以爲至德要道也歟!"[60]

어떤 사람이 물었다. "인 · 의 · 예 · 지 · 신에 근본이 있습니까?"

(주자가) 대답했다. "또한 효제일 뿐이다. 다만 어버이를 사랑하는 것으로써 말하면 인을 행하는 근본이 되고, 어버이에게 순종하는 것으로써 말하면 의를 행하는 근본이 되며, 어버이에게 공경하는 것으로써 말하면 예를 행하는 근본이 되고, 이것들을 아는 것으로써 말하면 지를 행하는 근본이 되며, 이것들을 진실되게 하는 것으로써 말하면 신을 행하는 근본이 된다. 사람이 오상五常과 온갖 행실을 행하는 근본이 여기에 있지 않음이 없다. 맹자가 논한 인 · 의 · 예 · 지 · 악의 실제[61]라는 것도 바로 이것 때문이다. 이것이 그 지극한 덕과 긴요한 도가 되는 까닭일 것이다!"

[37-1-17]

北溪陳氏曰 : "仁者, 心之全德, 兼統四者. 義禮智信,[62] 無仁不得. 蓋仁是心中箇生理, 常流行生生不息,[63] 徹終始無間斷. 苟無這生理, 則心便死了, 其待人接賓, 恭敬何自而發? 必無所謂禮. 處事之際, 必不解裁制,[64] 而無所謂義. 其於是非也,[65] 亦頑然無所知覺, 而無所謂智. 旣無是四者, 又烏有所謂實理哉?

북계 진씨北溪陳氏[陳淳]가 말했다. "인은 심心의 완전한 덕으로, 네 가지를 겸하여 통솔한다. 의 · 예 · 지 · 신은 인이 없으면 안 된다. 인은 심心 속의 생리生理(生하는 도리)가 항상 유행流行하며 생生하고 생生하여 쉼이 없는 것이고, 처음과 끝을 관통하여 끊어짐이 없는 것이다. 이 생리生理가 없다면 심心이 곧 죽어버리니, 다른 사람을 대하거나 손님을 맞이할 때 공경이 어디로부터 발發하겠는가? 반드시 이른바 예가 없게 될 것이다. 일을 조처할 때에 반드시 제재할 줄 모르니, 이른바 의가 없게 될 것이다. 시비是非에

之.'(어떤 사람이 물었다. '그렇다면 의 · 예 · 지 · 신도 그것을 행하는 데에 또한 근본이 있습니까?' 주자가 말했다. '있다' (어떤 사람이 물었다) '청컨대 그 내용을 묻겠습니다.')"라고 되어 있다. 이 문장 앞에는 인 · 의 · 예 · 지는 性이므로, 효제는 인의 근본이 아니라 인을 행하는 근본이 된다는 것(此孝弟所以爲行仁之本也.)에 대한 주자의 설명이 있다.

59 無不在此. : 『四書或問』 권6 「論語」에는 "無不在於此"로 되어 있다.

60 『四書或問』 권6 「論語」

61 맹자가 논한 … 실제 : 『孟子』 「離婁上」에서는 "仁의 실제는 어버이를 섬기는 것이고, 義의 실제는 형에게 순종하는 것이며, 智의 실제는 이 두 가지를 알아서 버리지 않는 것이고, 禮의 실제는 이 두 가지를 節文하는 것이며, 樂의 실제는 이 두 가지를 즐거워하는 것이다.(仁之實, 事親是也 ; 義之實, 從兄是也 ; 智之實, 知斯二者, 弗去是也 ; 禮之實, 節文斯二者是也 ; 樂之實, 樂斯二者.)"라고 하였다.

62 義禮智信 : 『北溪字義』 권上 「仁義禮智信」에는 '義禮智'로 되어 있다

63 常流行生生不息 : 『北溪字義』 권上 「仁義禮智信」에는 '常行生生不息'으로 되어 있다.

64 必不解裁制 : 『北溪字義』 권上 「仁義禮智信」에는 '必不解裁斷'으로 되어 있다.

65 其於是非也 : 『北溪字義』 권上 「仁義禮智信」에는 '也'가 없다.

대해서도 또한 미련하여 지각하는 것이 없게 되니, 이른바 지가 없게 될 것이다. 이미 이 네 가지가 없다면 또 어디에 이른바 실리實理가 있겠는가?

就事物言, 父子有親便是仁, 君臣有義便是義, 夫婦有別便是禮, 長幼有序便是智, 朋友有信便是信. 此是竪觀底意. 若横而觀之, 以仁言, 則所謂親·義·別·序·信, 皆莫非此心天理流行, 又是仁. 以義言, 則只那合當親, 合當義, 合當別, 合當序, 合當信底, 皆各當乎理之宜, 又是義. 以禮言, 則所以行乎親義別序信中之節文, 又是禮.[66] 以智言, 則所以知是五者當然而不昧, 又是智. 以信言, 則所以實是五者誠然而不妄又是信.

사물에서 말하면, 부모와 자식 간에 친함이 있는 것이 바로 인이고, 군주와 신하 간에 의로움이 있는 것이 바로 의이며, 부부 간에 분별이 있는 것이 예이고, 연장자와 연소자 간에 차례가 있는 것이 바로 지이고, 친구 사이에 믿음이 있는 것이 바로 신이다. 이것은 종적으로[竪] 본 것의 의미이다. 만약 횡적으로[横] 본다면, 인으로써 말하면 이른바 친함·의로움·분별·차례·믿음이 모두 이 심心의 천리天理가 유행流行한 것이 아님이 없는 것이 또 인仁이다. 의로써 말하면, 다만 마땅히 친하고 마땅히 의롭고 마땅히 분별하고 마땅히 차례에 맞고 마땅히 믿는 것이 모두 각각 리理의 마땅함에 들어맞는 것이 또 의이다. 예로써 말하면, 친함·의로움·분별·믿음을 행하는 가운데의 절문節文이 또 예이다. 지智로써 말하면, 이 다섯 가지가 마땅히 그러함을 알아서 (사리에) 어둡지 않은 것이 또 지이다. 신信으로써 말하면, 이 다섯 가지가 참으로 그러함을 성실히 하여 망령되지 않는 것이 또 신이다.

若又錯而言之, 親親, 仁也: 所以愛親之誠, 則仁之仁也; 所以諫乎親, 則仁之義也; 所以溫凊定省之節文, 則仁之禮也; 自良知無不知是愛, 則仁之智也; 所以爲事親之實, 則仁之信也. 從兄, 義也: 所以愛兄之誠, 則義之仁也; 所以當敬在兄,[67] 則義之義也; 所以徐行後長之節文, 則義之禮也; 自良知無不知是敬, 則義之智也; 所以爲從兄之實, 則義之信也. 敬賓, 禮也: 所以懇惻於中, 則禮之仁也; 所以接待之宜, 則禮之義也; 所以周旋之節文, 則禮之禮也; 所以酬酢而不亂, 則禮之智也; 所以爲敬賓之實, 則禮之信也. 察物, 智也: 是是非非之懇惻, 則智之仁也; 是是非非之得宜, 則智之義也; 是是非非之中節, 則智之禮也; 是是非非之一定, 則智之智也; 所以爲是非之實, 則智之信也. 復言, 信也: 由乎天理之公, 則信之仁也; 發而皆天理之宜, 則信之義也; 出而中節, 則信之禮也; 所以有條而不紊, 則信之智也; 所以爲是言之實, 則信之信也."[68]

66 則所以行乎親義別序信中之節文, 又是禮. : 『北溪字義』 권上 「仁義禮智信」에는 '則所以行乎親義別序信之中節文, 又是禮.'로 되어 있다.

67 所以當敬在兄 : '當'은 『北溪字義』 권上 「仁義禮智信」에는 '庸'으로 되어 있고, 『御定孝經衍義』에는 陳淳의 글을 인용하면서 '常'으로 되어 있다.

만약 또 섞어서 말하면, 어버이에게 친한 것이 인인데, 어버이를 사랑하는데 정성[誠]을 드리게 하는 것은 인의 인이고, 어버이에게 간하도록 하는 것[69]은 인의 의이며, 겨울에는 따뜻하게 해드리고 여름에는 시원하게 해드리며 저녁에는 잠자리를 준비해드리고 아침에는 문안인사를 드려 절문節文이 되게 하는 것[70]은 인의 예이고, 양지良知로부터 이 사랑을 모르는 이가 없는 것[71]은 인의 지이며, 어버이를 섬기는 실질[72]이 되게 하는 것은 인의 신이다. 형에게 순종하는 것이 의인데, 형을 사랑하는데 정성[誠]을 드리게 하는 것은 의의 인이고, 평상시의 공경이 형에게 있게 하는 것[當敬在兄][73]은 의의 의이며, 천천히 걸어서 어르신보다 뒤에 가서 절문節文이 되게 하는 것[74]은 의의 예이고, 양지로부터 이 공경을 모르는 이가 없는 것[75]은 의의 지이며, 형에게 순종하는 실질[76]이 되게 하는 것은 의의 신이다. 손님을 공경하는 것이 예인데, 마음속에서 간절하고 애닯아 하게 하는 것이 예의 인이고, 접대를 마땅하게 하는 것은 예의 의이며, 주선하여 절문節文이 되게 하는 것이 예의 예이고, 응대하되 어지럽지 않게 하는 것이

68 『北溪字義』 권上 「仁義禮智信」

69 어버이에게 간하도록 … 것 : 『論語』 「里人」에서는 "부모를 섬길 때 은미하게 諫해야 하니, 부모의 뜻이 내 말을 따르지 않음을 보고서도 더욱 공경하고 어기지 않으며, 수고로워도 원망하지 않아야 한다.(事父母, 幾諫, 見志不從, 又敬不違, 勞而不怨.)"라고 하였다.

70 겨울에는 따뜻하게 … 것 : 『禮記』 「曲禮上」에서는 "자식의 예는 겨울에는 따뜻하게 해드리고 여름에는 시원하게 해드리며 저녁에는 잠자리를 준비해 드리고 아침에는 문안인사 드리는 것이다.(凡爲人子之禮, 冬温而夏凊, 昏定而晨省. 在醜夷不爭.)"라고 하였다.

71 良知로부터 이 … 것 : 『孟子』 「盡心上」에서는 "사람들이 배우지 않고도 할 수 있는 것은 良能이고, 생각하지 않고도 아는 것은 良知이다. 어린 아이가 그 어버이를 사랑할 줄 모르는 이가 없다.(人之所不學而能者, 其良能也, 所不慮而知者, 其良知也. 孩提之童, 無不知愛其親也)"라고 하였다.

72 어버이를 섬기는 실질 : 『孟子』 「離婁上」에서는 "仁의 실제는 어버이를 섬기는 것이다.(仁之實, 事親, 是也.)"라고 하였다.

73 평상시의 공경이 … 것[當敬在兄] : 『孟子』 「告子上」에서는 "孟季子가 公都子에게 물었다. '어찌하여 義가 내면에 있다고 하는가?' … '마을 사람[鄕人]이 맏형[伯兄]보다 나이가 한 살이 더 많으면 누구를 공경하는가?' '형을 공경한다.' '술을 따를 때에는 누구에게 먼저 하는가?' '먼저 마을 사람에게 술을 따른다.' '그렇다면 공경하는 것은 여기(맏형)에 있고, 어른으로 높이는 것은 저기(마을 사람)에 있으니, 義는 과연 외면에 있는 것이요, 내면으로부터 나오는 것이 아니구나.' … '평상시의 공경은 兄에게 있고, 잠시의 공경은 마을 사람[鄕人]에게 있는 것이다.'(孟季子問公都子曰, '何以謂義内也?' … '鄕人長於伯兄一歲則誰敬?' 曰, '敬兄.' '酌則誰先?' 曰, '先酌鄕人.' '所敬在此, 所長在彼, 果在外, 非由內也.' … '庸敬在兄, 斯須之敬在鄕人.')"라고 하였다.

74 천천히 걸어서 … 것 : 『孟子』 「告子下」에서는 "천천히 걸어서 어르신[長者]보다 뒤에 감을 '공경한다'고 하고, 빨리 걸어서 어르신보다 앞서 감을 '공경하지 않는다'고 하니, 천천히 걸어가는 것이 어찌 사람들이 할 수 없는 것이겠는가? 하지 않는 것이니, 堯舜의 도는 효제일 뿐이다.(徐行後長者, 謂之弟, 疾行先長者, 謂之不弟, 夫徐行者, 豈人所不能哉? 所不爲也, 堯舜之道, 孝弟而已矣.)"라고 하였다.

75 양지로부터 이 … 것 : 『孟子』 「盡心上」에서는 "사람들이 배우지 않고도 할 수 있는 것은 良能이고, 생각하지 않고도 아는 것은 良知이다. … (어린 아이가) 장성해서는 그 형을 공경할 줄 모르는 이가 없다.(人之所不學而能者, 其良能也, 所不慮而知者, 其良知也. … 及其長也, 無不知敬其兄也.)"라고 하였다.

76 형에게 순종하는 실질 : 『孟子』 「離婁上」에서는 "義의 실제는 兄에게 순종하는 것이다.(義之實, 從兄, 是也.)"라고 하였다.

예의 지이고, 손님을 공경하는 실질이 되게 하는 것이 예의 신이다. 사물을 살피는 것이 지인데, 시시비비에서 간절하고 애닯아하는 것은 지의 인이고, 시시비비에서 마땅함을 얻는 것이 지의 의이며, 시시비비에서 절도에 맞음[中節]이 지의 예이고, 시시비비를 하나로 정한 것이 지의 지이고, 시비하는 실질이 되게 하는 것이 지의 신이다. 말을 실천하는 것[77]이 신인데, 천리天理의 공公에 따르는 것은 신의 인이고, 발하여서 다 천리의 마땅함인 것이 신의 의이며, 나와서 절도에 맞는 것[中節]이 신의 예이고, 조리가 있어 어지럽지 않게 하는 것이 신의 지이며, 이 말이 실질이 되게 하는 것은 신의 신이다."

[37-1-18]

"仁義禮智信五者,[78] 謂之五常, 亦謂之五性. 就造化上推原來, 只是五行之德. 仁在五行爲木之神, 在人性爲仁; 義在五行爲金之神, 在人性爲義; 禮在五行爲火之神, 在人性爲禮; 智在五行爲水之神, 在人性爲智. 人性中只有仁義禮智四位, 却無信位, 如五行木位東, 金位西, 火位南, 水位北, 而土無定位, 只寄處於四位之中,[79] 木屬春, 火屬夏, 金屬秋, 水屬冬, 土無專氣, 只分寄旺於四季之間. 四行無土, 便都無所該載, 猶仁義禮智無信, 便都不實了. 只仁義禮智之實理便是信. 信却易曉. 仁義禮智須逐件看得分明, 又要合聚看得脈絡都不亂."[80]

(북계 진씨가 말했다.) "인 · 의 · 예 · 지 · 신 다섯 가지를 오상五常이라고 하고 또한 오성五性이라고 한다. 조화造化에서 근본을 추구하면, 다만 오행의 덕일 뿐이다. 인은 오행에서는 목의 신이 되고, 인성人性에서는 인이 되며, 의는 오행에서는 금의 신이 되고 인성에서는 의가 되며, 예는 오행에서는 화의 신이 되고, 인성에서는 예가 되며, 지는 오행에서는 수의 신이 되고, 인성에서는 지가 된다. 인성 속에는 다만 인 · 의 · 예 · 지 네 자리만 있고, 신의 자리는 없으니, 마치 오행에서 목은 동쪽에 위치하고, 금은 서쪽에 위치하며, 화는 남쪽에 위치하고, 수는 북쪽에 위치하지만, 토는 정해진 자리가 없이 다만 네 자리 가운데 붙어서 머무르는 것과 같고, 목은 봄에 속하고 화는 여름에 속하고 금은 가을에 속하고 수는 겨울에 속하지만 토는 전담하는 기[專氣]가 없이 다만 사 계절의 사이에 나뉘어 붙어서 왕성한 것과 같다. 사행四行에 토가 없으면, 갖추어 실을 것이 모두 없으니, 마치 인 · 의 · 예 · 지에 신이 없으면, 모두 실행할 수 없는 것과 같다. 다만 인 · 의 · 예 · 지의 실리實理가 바로 신이다. 신은 도리어 이해하기 쉽다. 인 · 의 · 예 · 지는 반드시 하나하나씩 분명하게 보아야 하고, 또 합해서 보되 맥락이 모두 어지럽지 않아야 한다."

77 말을 실천하는 것 : 『論語』「學而」에서는 "有子가 말하였다. '약속[信]이 義에 가깝게 하면 그 약속한 말을 실천할[復] 수 있다.'(有子曰, '信近於義, 言可復也.')"라고 하였다. 주자는 『集註』에서 "'信'은 약속이다. '義'는 일의 마땅함이다. '復'은 말을 실천하는 것이다. … 약속을 하면서 그 마땅함에 합하게 하면 그 약속한 말을 반드시 실천할 수 있을 것이라는 말이다.('信', 約信也. '義'者, 事之宜也. '復', 踐言也. … 言約信而合其宜, 則言必可踐矣.)"라고 하였다.

78 仁義禮智信五者 : 『北溪字義』 권上 「仁義禮智信」에는 '五者'로 되어 있다.

79 只寄處於四位之中 : 『北溪字義』 권上 「仁義禮智信」에는 '只寄旺於四位之中'으로 되어 있다.

80 『北溪字義』 권上 「仁義禮智信」

[37-1-19]

"四者端緖, 日用間常常發見. 只是人看理不明, 故茫然不知得. 且如一事到面前, 便自有箇是有箇非, 須是知得此便是智. 若是也不知, 非也不知, 便是心中頑愚無知覺了. 旣知得是非已明, 便須判斷, 只當如此做, 不當如彼做, 有可否從違便是義. 若要做此, 又不能割捨得彼, 只管半間不界,[81] 便是心中頑鈍而無義. 旣斷定了, 只如此做, 便看此事, 如何是太過, 如何是不及, 做得正中恰好, 有箇節文, 無過無不及, 此便是禮. 做事旣得中, 更無些子私意夾雜其間, 便都純是天理流行, 此便是仁. 事做成了, 從頭至尾, 皆此心眞實所爲便是信. 此是從下說上去. 若從上說下來, 且如與箇賓客相接, 初間纔聞之, 便自有箇懇惻之心, 怛然動於中是仁. 此心旣怛然動於中, 便肅然起敬去接見他是禮.[82] 旣接見畢, 便須合作如何待,[83] 輕重厚薄, 處之合宜便是義.[84] 或輕或重, 或厚或薄, 明白一定是智. 從首至末皆眞實是信. 此道理循環無端, 若見得熟, 則大用小用皆宜, 橫說竪說皆通."[85]

(북계 진씨가 말했다.) "네 가지의 단서는 일상생활에서 늘 발현한다. 다만 사람이 리理를 분명하게 보지 않기 때문에 모호하여 알지 못하는 것이다. 예컨대 한 가지 일이 눈앞에 이르면 하나의 옳음과 하나의 그름이 있게 되니, 이것을 알아야 하는 것이 바로 지이다. 만약에 옳은 것도 모르고 그른 것도 모른다면, 마음속이 어리석어 지각이 없게 된다. 옳음과 그름을 이미 분명하게 알게 되었다면, 반드시 판단하여 다만 이와 같이 해야 마땅하고 저와 같이 하는 것은 마땅하지 않아, 옳은지 그른지 따를 것인지 어길 것인지를 결정하는 것이 바로 의이다. 만약 이것을 하려고 하는데, 또 저것을 잘라내 버리지 못하고 단지 이러지도 저러지도 못하면, 곧 마음속이 미련하여 의義가 없게 된다. 이미 결정하였으면 다만 이와 같이 할 뿐인데, 곧 이 일이 어떻게 하면 너무 지나치고 어떻게 하면 미치지 못하는지를 보아서, 알맞고 적절하게 행하여 절문節文이 있고 지나침이나 미치지 못함은 없는 것, 이것이 바로 예이다. 한 일이 이미 알맞게 되어[得中], 더 이상 그 사이에 조금의 사의私意도 끼어듦이 없으면, 곧 모두 순전히 천리가 유행한 것이니, 이것이 바로 인이다. 일이 완성되었는데, 처음부터 끝까지 모두 이 마음이 진실하게 하는 것이 바로 신이다. 이는 아래로부터 위로 말해간 것이다. 만약 위로부터 아래로 말해오면, 예컨대 손님과 서로 접대할 때, 처음에 소식을 들으면 곧 저절로 간절한 마음이 있어서 애틋하게 마음속에서 움직이는 것이 인이다. 이 마음이 이미 애틋하게 속에서 움직이고 나면 바로 숙연히 공경함을 일으켜, 가서 그를 접견하는 것이 예이다. 이미 접견하고 나서, 반드시 마땅히 어떻게 대접해야 할 것인지 헤아려, 가볍고 무겁고 후하고 박한 것을 조처하여 마땅하게 하는 것이 바로 의이다. 가볍게 할지, 무겁게 할지, 후하게 할지, 박하게 할지 분명하게 하나로 정하는 것이 지이다. 처음부터 끝까지 모두 진실한

81 只管半間不界 : 『北溪字義』 권上 「仁義禮智信」에는 '只管半間半界'로 되어 있다. 둘이 같은 의미이다.
82 便肅然起敬去接見他是禮. : 『北溪字義』 권上 「仁義禮智信」에는 '便肅然起敬去接他是禮'로 되어 있다.
83 便須合作如何待 : 『北溪字義』 권上 「仁義禮智信」에는 '便須商量合作如何待, 或喫茶, 或飮酒'로 되어 있다.
84 處之合宜便是義. : 『北溪字義』 권上 「仁義禮智信」에는 '處之得宜是義'로 되어 있다.
85 『北溪字義』 권上 「仁義禮智信」

것이 신이다. 이 도리는 끝없이 순환하니, 만일 익숙하게 알면, 크던 작던 쓰는 것이 모두 마땅하고, 이렇게 말하건 저렇게 말하건 다 통한다."

[37-1-20]

"程子論'心譬如穀種, 生之性便是仁.' 此一語說得極親切. 只按此爲準去看, 更兼所謂'仁是性, 愛是情', 及'仁不可訓覺', 與'公而以人體之故爲仁'等數語相參照, 體認出來, 則主意不差, 而仁可得矣.

(북계 진씨가 말했다.) "정자는 '마음은 비유하자면 곡식의 씨앗과 같고, 생生하는 성이 인이다.'[86]라고 논했다. 이 한 마디 말은 매우 절실하다. 다만 생각건대 이것을 기준으로 삼아서 보되, 다시 아울러 이른바 '인은 성이고 사랑은 정이다.'[87]와 '인을 지각[覺]으로 풀이할 수 없다.'[88]와 '공公하되 사람이 체현하기 때문에, 인仁이 된다.'[89]라는 몇 마디의 말들을 서로 참조하여 체인해내면 주된 의미가 어긋나지 않아서 인을 얻을 수 있다.

義就心上論, 則是心之裁制決斷處. 宜字乃裁斷後事,[90] 裁斷當理, 然後得宜. 凡事到面前, 便須有剖判, 是可是否. 文公謂'義之在心, 如利刃然, 物來觸之, 便成兩片.' 若可否都不能剖判, 便是此心頑鈍無義了. 且如有一人來邀我同出去, 便須能剖判當出不當出. 若要出又不要出, 於中遲疑不能決斷, 更何義之有? 此等處須是自看得破. 如韓文公以'行而宜之之謂義', 則是就外面說成義外去了.

의는 마음에서 논하면, 이 마음을 제재하고 결단하는 것이다. '마땅함[宜]'은 제재하고 결단한 후의 일이니, 제재하고 결단함이 이치[理]에 합당한 뒤에야 마땅함[宜]을 얻게 된다. 어떤 일이든 눈앞에 닥치면, 옳은가 그른가를 판별함이 있어야 된다. 문공은 '의가 마음속에 있어서는, 마치 날카로운 칼날과 같으니, 사물이 와닿으면 곧 두 조각으로 나눈다.'[91]라고 하였다. 만약 옳음과 그름을 도무지 판별할 수 없다면, 곧 이 마음이 미련하여 의義가 없게 된 것이다. 예컨대 어떤 사람이 와서 나에게 함께 나가자고 요청할

86 '마음은 비유하자면 … 인이다.' : 『河南程氏遺書』 권18

87 '인은 성이고 … 정이다.' : 『河南程氏遺書』 권18에서는 "사랑은 본래 정이고, 인은 본래 성이니, 어찌 오로지 사랑을 인이라고 하겠는가?(愛自是情, 仁自是性, 豈可專以愛爲仁?)"라고 하였다. [35-1-4]를 참조

88 인을 지각[覺]으로 풀이할 수 없다 : 『河南程氏遺書』 권24에서는 "의는 마땅함으로 풀이하고, 예는 분별로 풀이하고 智는 앎으로 풀이하는데, 인은 마땅히 무엇으로 풀이해야 하는가? 어떤 사람들은 지각으로 풀이하고 사람으로 풀이하는데 모두 그르다.(義訓宜, 禮訓別, 智訓知, 仁當何訓? 說者謂訓覺, 訓人, 皆非也.)"라고 하였다.

89 『河南程氏遺書』 권15 「入關語錄」. [35-1-9]를 참조

90 宜字乃裁斷後事 : 『北溪字義』 권上 「仁義禮智信」에는 '宜字乃裁斷後字'로 되어 있다.

91 의가 마음속에 … 나눈다.' : 『朱子語類』 권58, 64조목에서는 "의는 한 자루의 날카로운 칼과 같아서 어떤 일이든 눈앞에 이르면 바로 두 조각으로 나누어 버린다.(義是一柄利刀, 凡事到面前, 便割成兩片.)"라고 하였다.

때, 곧 나갈지 나가지 말지를 판단할 수 있어야 한다. 만약 나가려 하면서 또 나가지 않으려 한다면, 마음속에서 주저하여 결단할 수 없는 것이니 다시 어떤 의義가 있겠는가? 이런 것들은 스스로 간파해야 한다. 예컨대 한문공韓文公[韓愈]은 '행하여 마땅한 것을 의라고 한다.'[92]고 했는데, 이는 외면으로 말하여 의가 밖에 있는 것으로 만들어 버린 것이다.[93]

'禮者天理之節文, 而人事之儀則',[94] 朱子[95]以此兩句對言之, 何也? 蓋天理, 只是人事中之理而具於心者也. 天理在中而著見於事,[96] 人事在外而根於中, 天理其體而人事其用也. 儀, 謂容儀而形見於外者, 有粲然可象底意, 與文字相應. 則, 謂法則準則, 是箇骨子所以存於中者, 乃確然不易底意, 與節字相應. 文而後儀, 節而後則, 必有天理之節文, 而後有人事之儀則.

'예는 천리天理의 절문節文이고 인사人事의 의칙儀則(마땅히 지켜야할 규범)이다.'[97]라고 했으니, 주자가 이 두 구절로 짝지어 말한 것은 어째서인가? 천리는 다만 인사 가운데의 리理로서 마음에 갖추어진 것이다. 천리는 마음속에 있으면서 일에서 드러나고, 인사는 바깥에 있으면서 마음속에 근본하니, 천리는 체體이고 인사는 용用이다. '의儀'는 몸가짐의 형식[容儀]으로서 모습이 바깥으로 드러난 것을 이르니, 조리가 분명하여 형상화할 수 있는 뜻이 있어서, (절문의) '문文'자와 서로 호응한다. '칙則'은 법칙이나 준칙으로, 골자骨子가 마음속에 보존되어 있는 것을 이르니, 곧 확연히 바꿀 수 없는 뜻이 (절문의) '절節'자와 서로 호응한다. 문채[文]가 있은 뒤에 형식[儀]이 있고, 절도[節]가 있은 뒤에 법칙[則]이 있으니, 반드시 천리의 절문이 있은 이후에 인사의 의칙이 있게 된다.

禮者, 心之敬而天理之節文也. 心中有箇敬油然自生便是禮, 見於應接, 便自有箇節文. 節則無太過, 文則無不及. 如做事太質無文彩, 是失之不及; 末節繁文太盛, 是流於太過. 天理之節文, 乃其恰好處, 便是理合當如此.[98] 更無太過, 更無不及, 當然而然, 便卽是中.

예는 마음의 경敬이고, 천리天理의 절문節文이다. 마음속에 있는 경이 자연스럽게 절로 생겨나는 것이 바로 예이니, (사물에) 응하고 접하는 것에 드러나면, 곧 저절로 절문이 있게 된다. 절도가 있으면[節]

92 '행하여 마땅한 … 한다.' : 『昌黎先生集』「原道」

93 이는 외면으로 … 것이다. : 『孟子』「告子上」에는 "고자가 말하였다. '食色이 性이니, 인은 내면에 있고, 외면에 있는 것이 아니며, 義는 외면에 있고, 내면에 있는 것이 아니다.'(告子曰, '食色性也, 仁, 內也, 非外也, 義, 外也, 非內也.')"라는 주장과 이에 대한 맹자의 반론이 보인다.

94 '禮者天理之節文, 而人事之儀則' : 『北溪字義』 권上 「仁義禮智信」에는 이 구절 앞에 '文公曰'이라는 문구가 있다.

95 朱子 : 『北溪字義』 권上 「仁義禮智信」에는 '朱子'라는 문구가 없다.

96 天理在中而著見於事 : 『北溪字義』 권上 「仁義禮智信」에는 '事'가 '人事'로 되어 있다.

97 '예는 天理의 … 의칙이다.' : 『論語』「學而」편의 주자 『集註』의 문장이다.

98 乃其恰好處, 便是理合當如此. : 『北溪字義』 권上 「仁義禮智信」에는 '乃其恰好處. 恰好處便是理合當如此'로 되어 있다.

너무 지나친 것이 없고, 문채가 있으면[文] 미치지 못하는 것이 없다. 예를 들면 일을 할 때 너무 질박하여 문채文彩가 없는 것은 미치지 못하는 잘못이고, 자잘한 절차와 번거로운 문채가 너무 심한 것은 너무 지나친 데로 흘러 가버린 것이다. 천리의 절문은 꼭 들어맞는 것이니, 바로 이치상 마땅히 이와 같아야 하는 것이다. 더 이상은 너무 지나침도 없고, 더 이상은 미치지 못함도 없어서, 마땅히 그러하고 그러한 것이 바로 중中이다.

智, 只是心中一箇知覺處. 知得是是非非, 恁地確定是智. 孟子謂'知斯二者弗去是也'. 知是知識, 弗去便是確定不易之意.

지智는 다만 마음의 작용 가운데 지각하는 것이다. 시비를 가릴 줄 알아서, 그렇게 확정하는 것이 지이다. 맹자가 '이 두 가지를 알아서 버리지 않는 것이 이것이다.'[99]라고 하였다. 아는 것은 지식이고, 버리지 않는 것은 바로 확정하여 바꾸지 않는다는 뜻이다.

信, 在性只是四者都實底道理. 及發出來便爲忠信之信, 由內面有此信, 故發出來方有忠信之信. 忠信只是一物, 而判作二者, 便是信之端緒, 是就外面應接事物發原處說."[100]

신信은 성性에서 다만 인·의·예·지 네 가지가 모두 진실한 도리이다. 발하여 나오면 곧 충신忠信의 신이 되니,[101] 내면에 이 신이 있으므로, 발하여 나오면 비로소 충신의 신이 있게 된다. 충과 신은 다만 하나인데, 충과 신 둘로 나눈 것은, 바로 신의 단서이고, 외면으로 사물에 응접하는 발원처에서 말한 것이다."

[37-1-21]

魯齋許氏曰 : "五常, 性也. 天命之性, 性分中之所固有, 君臣, 父子, 夫婦, 長幼, 朋友所行之道也. 率性之道, 職分之所當然.[102]"[103]

99 '이 두 … 이것이다.' : 『孟子』「離婁上」에서는 "맹자가 말했다. '인의 실제는 어버이를 섬기는 것이 이것이고, 의의 실제는 형에게 순종하는 것이 이것이다. 智의 실제는 이 두 가지를 알아서 버리지 않는 것이 이것이고, 禮의 실제는 이 두 가지를 節文하는 것이 이것이고, 樂의 실제는 이 두 가지를 즐거워하는 것이다.(孟子曰, '仁之實, 事親, 是也 ; 義之實, 從兄, 是也. 智之實, 知斯二者, 弗去是也 ; 禮之實, 節文斯二者是也 ; 樂之實, 樂斯二者.')"라고 하였다.

100 『北溪字義』 권上 「仁義禮智信」. 『北溪字義』 권上 「仁義禮智信」에는 '是就外面應接事物發原處說'이 '是統外面應接事物發原處說'로 되어 있다.

101 발하여 나오면 … 되니 : 『朱子語類』 권6, 152조목에서는 "충은 안으로부터 발하여 나오는 것이고, 신은 일에서 말한 것이다. 충은 스스로 이 마음을 다하려는 것이고, 신은 스스로 이 도리를 다하려는 것이다.(忠自裏面發出, 信是就事上說. 忠, 是要盡自家這箇心 ; 信, 是要盡自家這箇道理.)"라고 하였다. 또한 『河南程氏遺書』 권11에는 "자기를 다하는 것을 충이라 하고, 그것을 실제로 하는 것을 신이라고 한다. 자기 마음을 발하여 스스로를 다하는 것을 충이라 하고, 남을 따라 어김이 없는 것을 신이라고 하니, (이 둘은) 표리의 뜻이다.(盡己之謂忠, 以實之謂信. 發己自盡爲忠, 循物無違謂信, 表裏之義也.)"라고 되어 있다.

노재 허씨魯齋許氏[許衡]가 말했다. "오상五常은 성이다. 하늘이 명한 성[天命之性]은 성에 고유한 것이니, 군신, 부자, 부부, 장유, 벗 등이 행하는 도이다. 성을 따르는 도[率性之道][104]는 직분에 당연한 것이다."[105]

誠 성

[37-2-1]

程子曰[106] : "無妄之謂誠. 不欺其次也."[107] 一本云 : '李邦直云, 「不欺之謂誠」, 便以不欺爲誠. 徐仲車云, 「不息之謂誠」, 中庸言「至誠無息」, 非以無息解誠也. 或以問先生. 先生遂云然.'[108]

정자가 말했다. "망령됨이 없는 것[無妄]을 성誠이라고 한다. 속이지 않는 것은 그 다음이다." 어떤 판본에는 다음과 같이 말했다. '이방직李邦直[109]이 「속이지 않음을 성誠이다」라고 한 것은, 곧 속이지 않는 것을 성誠이라고 여긴 것이다. 서중거徐仲車[110]는 「쉬지 않는 것을 성誠이다」라고 했는데, 『중용』에서 「지극한 성誠은 쉼이 없다.」[111]라고 한 것은, 쉼이 없음으로 성誠을 풀이한 것은 아니다. 어떤 사람이 이것을 선생에게 물었다. 선생은 곧 이렇게 말했다.'

[37-2-2]

"動以天爲無妄, 動以人欲則妄矣. 無妄者, 至誠也, 至誠者, 天之道也."[112]

102 『魯齋遺書』 권1에는 '當然'이 '當爲'로 되어 있다.

103 『魯齋遺書』 권1

104 하늘이 명한 … 도 : 『中庸』 제1장에서는 "하늘이 命한 것을 性이라 하고, 性을 따름을 道라 하고, 道를 닦는 것을 敎라 한다.(天命之謂性, 率性之謂道, 修道之謂敎.)"라고 하였다.

105 성에 고유한 … 것이다. : 주자는 『大學章句』「序」에서 "이러므로 당세의 사람들이 배우지 않은 이가 없었고, 배운 자들은 그 성[性分]에 固有한 것과 職分에 當然한 것을 알아서 각기 힘써 그 힘을 다하지 않음이 없었다.(是以, 當世之人, 無不學, 其學焉者, 無不有以知其性分之所固有, 職分之所當爲, 而各俛焉以盡其力.)"라고 하였다.

106 程子曰 : 『河南程氏遺書』 권6에는 '程子曰'이 없다.

107 『河南程氏遺書』 권6에는 '也'가 '矣'로 되어 있다.

108 『河南程氏遺書』 권6에는 '先生遂云然'이 '先生曰云云'으로 되어 있다.

109 李淸臣(1032~1102) : 북송 魏 사람으로, 자는 邦直이다. 歐陽修가 그의 문장을 칭찬하여 蘇軾에게 비교하기도 하였다. 神宗이 그에게 兩朝史編修官을 맡기기도 하였고, 徽宗 때에는 門下侍郎이 되었다.

110 徐積(1028~1103) : 북송 楚州 山陽 사람으로, 자는 仲車이다. 3세 때 아버지가 돌아가셨는데, 아버지의 함자가 石이었으므로, 평생토록 石器를 사용하지 않고, 길을 가다가 돌과 마주치면 밟지 않고 피했다. 어머니에 대한 효 또한 극진하였으며, 돌아가신 후 시묘살이 3년을 하였다. 초기에는 胡瑗에게 배웠고 치평 2년(1065년) 진사가 되고, 후에 楚州敎授가 되었다.

111 「지극한 誠은 … 없다.」 : 『中庸』 제26장

(정자가 말했다.) "움직임이 천리에 맞게 하면 망령됨이 없고[無妄], 움직임이 인욕에 맞게 하면 망령된다[妄].[113] 망령됨이 없음[無妄]은 지극한 성誠이고, 지극한 성誠은 하늘의 도이다."

[37-2-3]

"信不足以盡誠, 猶愛不足以盡仁."[114]

(정자가 말했다.) "신信이 성誠을 다하기에 부족한 것은, 사랑[愛]이 인仁을 다하기에 부족한 것과 같다."

[37-2-4]

"閑邪則誠自存, 不是外面捉一箇誠將來存著."[115]

(정자가 말했다.) "사악함을 막으면 성誠은 저절로 보존되는 것이지, 바깥에서 성誠을 붙잡아 가지고 와서 보존하는 것이 아니다."[116]

[37-2-5]

"不誠則有累, 誠則無累."[117]

(정자가 말했다.) "성誠하지 않으면 얽매임[累]이 있고, 성誠하면 얽매임[累]이 없다."[118]

[37-2-6]

"誠則無不敬. 未至於誠, 則敬然後誠."[119]

(정자가 말했다.) "성誠하면 경敬하지 않음이 없다. 아직 성誠에 이르지 못하였다면, 경敬한 연후에 성誠하

112 『伊川易傳』 권2 「无妄卦」

113 움직임이 인욕에 … 망령된다[妄]. : 『河南程氏遺書』 권11에서는 "무망괘는 진괘가 아래에 있고 건괘가 위에 있으니, 天으로써 動한다. 어찌 망령됨이 있겠는가? 人으로써 동하면 망령됨이 있게 된다.(无妄, 震下乾上, 動以天. 安有妄乎? 動以人, 則有妄矣.)"라고 하였고, 또 "무망괘는 진괘가 아래에 있고 건괘가 위에 있다. 성인의 動함은 천으로써 하고, 현인의 동함은 인으로써 한다. 顏子[顏回]에게 不善함이 있는 것이 어찌 보통 사람들과 같겠는가? 오직 다만 이 사이에 있을 뿐이니, 오히려 사욕이 있는 것[有己]과 같다. 사욕이 없는[無己] 데에 이르면 곧 성인이다.(无妄, 震下乾上. 聖人之動以天, 賢人之動以人. 若顏子之有不善, 豈如衆人哉? 惟只在於此間爾, 蓋猶有己焉. 至於無我, 則聖人也.)"라고 하였다.

114 『河南程氏遺書』 권25 『二程粹言』 권상

115 『河南程氏遺書』 권15

116 "사악함을 막으면 … 아니다." : 『近思錄』에서 葉采는 이 구절에 대해 "사악함을 막는 뜻이 바로 誠이다. 만일 사악하고 망령됨에 마음이 부림을 당하면서 잠깐 그 誠을 보존하려 한다면 또한 보존될 리가 없다.(閑邪之意即是誠也. 苟役心於邪妄, 而暫欲存其誠, 則亦無可存之理.)"라고 주해하였다.

117 『二程粹言』 권상

118 "誠하지 얽매임[累]이 … 없다." : 呂柟은 『二程子抄釋』 권2에서 "얽매임이 있는 것은 모두 사사로움임을 풀이한 것이다(釋凡有累者, 皆私也.)"라고 하였다.

119 『二程粹言』 권상

게 된다."

[37-2-7]

"主一者謂之敬, 一者謂之誠."[120]

(정자가 말했다.) "'하나에 집중하는 것[主一]'을 경敬이라고 하고, '하나'를 성誠이라고 한다."[121]

[37-2-8]

"誠之爲言, 實而已矣."[122]

(정자가 말했다.) "성誠이란 말은 진실함이라는 것일 뿐이다."

[37-2-9]

張子曰[123] **: "誠則實也. 太虛者, 天之實也. 萬物取足於太虛, 人亦出於太虛. 太虛者, 心之實也."**[124]

장자張子[張載]가 말했다. "성誠은 진실함[實]이다. 태허는 하늘의 진실함[實]이다. 만물은 태허에서 충분함을 얻고, 사람도 태허에서 나온다. 태허는 마음의 진실함[實]이다."[125]

[37-2-10]

"誠者, 虛中求出實."[126]

(장자가 말했다.) "성誠은 허虛 속에서 실實을 구해 내는 것이다."

[37-2-11]

藍田呂氏曰 : "誠者理之實然, 一而不可易者也."[127]

120 『河南程氏遺書』 권24

121 "하나에 집중하는 … 한다." : 『河南程氏遺書』 권24에는 이 구절 뒤에 "주로 한다는 것은 뜻을 둠이 있는 것이다.(主則有意在.)"라는 문장이 더 있다.

122 『程氏經說』 제8 「中庸解」에는 "夫誠者實而已矣."로 되어 있다.

123 張子曰 : 『張子全書』 권12 「語錄」에는 '張子曰'이 없다.

124 『張子全書』 권12 「語錄」

125 "誠은 진실함[實] … 진실함이다." : 呂柟은 『張子抄釋』 권5에서 "虛는 무욕이므로 實할 수 있다는 것이다.(釋虛者無欲也故能實.)"라고 주해하였다.

126 『張子全書』 권5에서는 "도는 평이하고자 하니, 텅 빈 속에서 옳음을 구하고, 虛 속에서 實을 구해 낸다. 그런데 文으로써 확장하면 더욱 견고하여 誠이 되고, 文을 얻지 못하면 誠을 행할 방법이 없다.(道要平, 曠中求其是, 虛中求出實. 而又轉之以文, 則彌堅轉誠, 不得文, 無由行得誠.)"라고 했으며, 『張子全書』 권12에는 "천지의 도는 지극한 허를 실로 삼지 않음이 없으니, 사람은 허 속에서 실을 구해 내야 한다.(天地之道, 無非以至虛爲實, 人須於虛中求出實.)"라고 했다.

남전 여씨藍田呂氏[呂大臨]가 말했다. "성誠은 리理의 실제로 그러함이니, 하나여서 바꿀 수 없는 것이다."

[37-2-12]

"實理不二, 則其體無雜. 其體不雜, 則其行無間. 故至誠無息."[128]

(남전 여씨가 말했다.) "실리實理는 둘로 하지 않으니, 그 체가 잡됨이 없다. 그 체가 잡되지 않으면, 그 행함이 끊어짐이 없다. 그러므로 지극한 성誠은 쉼이 없다."

[37-2-13]

上蔡謝氏曰 : "誠是實理, 非專一也."[129]

상채 사씨上蔡謝氏(사량좌)가 말했다. "성誠은 실리實理이니, 전일專一(오로지 하나로 함)한 것이 아니다."[130]

[37-2-14]

朱子曰 : "誠者, 實有此理."[131]

주자가 말했다. "성誠은 실제로 이런 리理가 있는 것이다."

[37-2-15]

"誠, 實理也. 亦誠慤也. 由漢以來, 專以誠慤言誠. 至程子乃以實理言, 後學皆棄誠慤之說不觀. 『中庸』亦有言實理爲誠處, 亦有言誠慤爲誠處. 不可只以實爲誠, 而以誠慤爲非誠也."[132]

(주자가 말했다.) "성誠은 실리實理이고, 또한 성각誠慤(성실함)이다. 한대漢代이래로 오로지 성각誠慤으로

---

127 朱子, 『孟子精義』 권7 ; 『中庸輯畧』 권하에는 '一而不可易者也'가 '致一而不可易者也'로 되어 있다.

128 眞德秀, 『西山讀書記』 권17

129 眞德秀, 『西山讀書記』 권17

130 "誠은 實理이니 … 아니다." : 眞德秀는 『西山讀書記』 권17에서 이 구절에 대해 "보통 사람들은 지극한 誠은 다만 專一이라고 하지만, 實理는 악취를 싫어하고 호색을 좋아하는 것과 같으니, 안배한 것이 아니다. 주자가 말했다. '실리로써 성을 말한 것은, 사씨가 올바르다. 내 생각에 악취를 싫어하고 호색을 좋아하는 것은 아마도 다만 實心일 뿐이니, 誠은 천도에 속한 것으로 바로 실리이다.'(尋常人謂至誠止是專一, 實理則如惡惡臭如好好色, 不是安排來. 朱子曰, '以實理言誠, 謝氏得之. 愚謂如惡惡臭如好好色, 恐只是實心, 誠者天道之屬, 乃實理也.')"라고 주해하였다. 한편 『上蔡語録』 권2에서는 "어떤 사람이 誠을 專(오로지 함)의 의미로 보았다. 선생이 말했다. '誠은 實理이지, 專이 아니다.'(或以誠專意. 先生曰, '誠是實理不是專.')"라고 되어 있고, 주석에 "曾天隱의 판본에는 '성은 實理이지, 專一함이 아니다. 보통 사람들은 지극한 誠과 지극한 옳음은 專一함이어서 마치 악취를 싫어하고 아름다운 이성을 좋아하는 것과 같이 안배하는 것이 아니라고 한다.'라고 되어 있다(曽本云, 誠是實理不是專一. 尋常人謂至誠至是謂專一, 如惡惡臭好好色, 不是安排來.)"라고 풀이하였다.

131 『朱子語類』 권6, 26조목

132 『朱子語類』 권6, 28조목

써 성을 말했다. 정자程子에 이르러 실리로써 말하자, 후학들이 모두 성각誠慤의 설을 버리고 관심을 두지 않았다. 『중용』에서도 또한 실리가 성이라고 말한 곳이 있고,[133] 또한 성각誠慤이 성이라고 말한 곳이 있다. 단지 실(리)만이 성이고 성각誠慤은 성이 아니라고 여겨서는 안 된다."

[37-2-16]

問[134] : '無妄之謂誠, 不欺其次也.'

曰 : "非無妄故能誠, 無妄便是誠. 無妄, 是四方八面都去得. 不欺, 猶是兩箇物事相對."[135]

'망령됨이 없는 것을 성誠이라고 하고, 속이지 않는 것은 그 다음이다.'[136]에 대해 물었다.

(주자가) 대답했다. "망령됨이 없기 때문에 성誠할 수 있는 것이 아니고, 망령됨이 없는 것이 바로 성誠이다. 망령됨이 없는 것은, 사방팔방 어디든 갈 수 있는 것이다. 속이지 않는 것은 바로 두 가지가 서로 상대하는 것이다."

[37-2-17]

"無妄, 是兼天地萬物所同得底渾淪道理. 不欺, 是就一邊人身說."[137]

(주자가 말했다.) "망령됨이 없음은 천지만물과 더불어 동일하게 얻은 혼륜渾淪(일체)한 도리이다. 속이지 않음은 사람의 경우로만 말한 것이다."

[37-2-18]

問 : "無妄, 誠之道, 不欺, 則所以求誠否?"

曰 : "無妄者, 聖人也. 謂聖人爲無妄, 則可 ; 謂聖人爲不欺, 則不可."

又問 : "此正所謂'誠者天之道, 思誠者人之道'否?"

曰 : "然. 無妄是自然之誠, 不欺是著力去做底."[138]

물었다. "망령됨이 없음은 성誠의 도이고, 속이지 않음은 성誠을 구할 수 있는 것 아닙니까?"

(주자가) 대답했다. "망령됨이 없는 것은 성인이다. 성인에 대해 망령됨이 없다고 하면 괜찮지만 성인에 대해 속이지 않는다고 하면 안 된다."

또 물었다. "이것이 바로 이른바 '성誠함은 하늘의 도이고, 성誠하려고 생각함은 사람의 도이다.'[139]라는

133 『中庸』에서도 또한 … 있고 : 주자는 『中庸』 제25장 "誠은 사물의 끝과 시작이니 誠하지 않으면 사물이 없다.(誠者, 物之終始, 不誠無物.)"에 대해 『集註』에서 "천하의 사물은 모두 실리가 하는 것이다.(天下之物, 皆實理之所爲.)"라고 주해하였다.

134 問 : 『朱子語類』 권95, 74조목에는 '味道問'으로 되어 있다.

135 『朱子語類』 권95, 74조목

136 '망령됨이 없는 … 다음이다.' : 『河南程氏遺書』 권6

137 『朱子語類』 권95, 75조목에는 '是就一邊人身說'이 '是就一邊人身說'로 되어 있다.

138 『朱子語類』 권95, 72조목

것 아닙니까?"
(주자가) 대답했다. "그러하다. 망령됨이 없음은 자연스러운 성誠이고, 속이지 않음은 애를 써서 하는 것이다."

[37-2-19]

"無妄, 自是我無妄. 故誠. 不欺者, 對物而言之. 故次之."[140]

(주자가 말했다.) "망령됨이 없음은 본래 내가 망령됨이 없다는 것이다. 그러므로 성誠이다. 속이지 않음은 다른 사람에 상대하여 말한 것이다. 그러므로 그 다음이다."

[37-2-20]

"上蔡云, '誠是實理', 不是專說是理. 後人便只於理上說, 不於心上說, 未是."[141]

(주자가 말했다.) "상채上蔡[謝良佐]의 '성誠은 진실한 리[實理]이다.'라는 말은 리理만을 말한 것이 아니다. 후세 사람들이 다만 리에서만 말하고 심心에서는 말하지 않은 것은 옳지 않다."

[37-2-21]

問[142] : "誠與信如何分?"

曰 : "誠是箇自然之實, 信是箇人所爲之實. 『中庸』說'誠者, 天之道也', 便是誠. 若'誠之者, 人之道也', 便是信. 上是,[143] 下不是. 誠是自然底實, 信是人做底實. 故曰'誠者, 天之道'. 這是聖人之信. 若衆人之信, 只可喚做信, 故信未可喚做誠.[144] 誠是自然無妄之謂. 如水只是水, 火只是火. 仁徹底是仁, 義徹底是義."[145]

물었다. "성誠과 신信은 어떻게 구분합니까?"

(주자가) 대답했다. "성誠은 자연적인 진실함이고, 신信은 사람이 해내는 진실함이다. 『중용』에서 말하는 '성誠한 것은 하늘의 도이다.'[146]는 바로 성誠이다. '성誠하려는 것은 사람의 도이다.'[147]와 같은 것은 바로

---

139 '誠함은 하늘의 … 도이다.' : 『孟子』「離婁上」
140 『朱子語類』 권95, 76조목
141 『朱子語類』 권101, 60조목
142 問 : 『朱子語類』 권6, 36조목에는 '叔器問'으로 되어 있다.
143 便是信. 上是 : 『朱子語類』 권6, 36조목에는 이 두 구절 사이에 "信不足以盡誠, 猶愛不足以盡仁.(信이 誠을 다할 수 없는 것은 사랑이 仁을 다할 수 없는 것과 같다.)"이라는 문장이 있다.
144 故信未可喚做誠 : 『朱子語類』 권6, 35조목에는 '未可喚做誠'으로 되어 있다.
145 問 : "誠與信如何分?" … 便是信. 上是下不是.까지는 『朱子語類』 권6, 36조목의 문장이고, 誠是自然底實 … 義徹底是義는 『朱子語類』 권6, 35조목의 문장이다.
146 '誠한 것은 … 도이다.' : 『中庸』 제20장
147 '誠하려는 것은 … 도이다.' : 『中庸』 제20장

신信이다. (『중용』의) 윗 문장은 성誠이지만 아랫 문장은 성이 아니다.[148] 성誠은 자연적인 진실함이고, 신信은 사람이 해내는 진실함이다. 그러므로 '성誠한 것은 하늘의 도이다.'라고 말한 것이다. 이는 성인의 신信이다. 일반 사람들의 경우 신信은 다만 신信이라고만 할 수 있으므로 신信은 아직 성誠이라고 할 수 없다. 성誠은 자연스럽고 망령됨이 없음을 말한다. 예를 들면 물은 단지 물이고, 불은 단지 불이며, 인은 철저하게 인이고, 의는 철저하게 의인 것과 같다."

[37-2-22]

"誠者, 實有之理, 自然如此. 忠信, 以人言之, 須是人體出來方見得."[149]

(주자가 말했다.) "성誠은 실제로 있는 리理이니, 자연적으로 이와 같은 것이다. 충신忠信은 사람의 경우로써 말한 것이니, 사람이 몸소 해내야만[體出來] 알 수 있는 것이다."

[37-2-23]

"誠字以心之全體而言, 忠字以其應事接物而言, 此義理之本名也. 至曾子所言'忠恕', 則是聖人之事, 故其忠與誠, 仁與恕, 得通言之."[150]

(주자가 말했다.) "성誠은 마음의 전체를 가지고 말한 것이고, 충忠은 그것이 사물에 응접하는 것을 가지고 말한 것이니, 이것이 이치의 본래 뜻[本名]이다. 증자가 말한 '충서忠恕'[151]에 이르러서는 성인의 일이므로 충과 성, 인과 서는 통용하여 말할 수 있다."

[37-2-24]

問性誠.

曰: "性是實, 誠是虛. 性是理底名, 誠是好處底名. 性譬如這扇子相似, 誠譬則這扇子做得好."

又曰: "五峯云, '誠者, 命之道乎! 中者, 性之道乎! 仁者, 心之道乎!' 此語分得輕重虛實處却好. 某以爲道字不若改做德字更親切."[152]

148 윗 문장은 … 아니다. : 李震相의 『寒洲先生文集』 권18에는 '上是, 下不是'에 대해 "誠은 천도의 근본의 실제이니, 성의 본지를 얻은 것이다. 그러므로 '上是'라고 말했다. 성하려는 자는 사람이 그것을 실제로써 행하는 것이니, '신'과 비슷하다. 그러므로 '下不是'라고 말했다.(誠者天道之本實, 得誠字本旨. 故曰'上是'. 誠之者人爲之以實, 頗似信字. 故曰下不是.)"라고 풀이하였다.

149 『朱子語類』 권6, 37조목

150 『朱子語類』 권6, 38조목

151 증자가 말한 '忠恕' : 『論語』「里人」에 공자가 증자에게 "나의 도는 하나로써 모든 것을 꿰뚫는다.(吾道一以貫之.)"라고 했고, 이에 대해 다른 문인들이 질문했을 때 증자가 "선생님의 도는 忠과 恕일 뿐이다.(夫子之道, 忠恕而已矣)"라고 한 구절을 가리킨다.

152 『朱子語類』 권6, 29조목

성性과 성誠에 대해 물었다.
(주자가) 대답했다. "성性은 실實이고 성誠은 허虛이다.[153] 성性은 리理에 대한 명칭이고, 성誠은 좋은 것에 대한 명칭이다. 성性은 비유하자면 이 부채와 비슷하고, 성誠은 비유하자면 이 부채를 잘 만드는 것이다."
또 (주자가) 말했다. "오봉五峯[胡宏]은 '성誠은 명命의 도道이구나! 중中은 성性의 도이구나! 인仁은 심心의 도이구나!'[154]라고 했는데, 이 말은 경중허실輕重虛實을 분별한 것이 훌륭하다. 내 생각에는 '도道'자는 '덕德'자로 바꾸는 것이 더 절실할 것이다."

[37-2-25]
問[155] : "誠是體, 仁是用否?"
曰 : "理一也. 以其實有, 故謂之誠. 以其體言, 則有仁義理智之實 ; 以其用言, 則有惻隱羞惡恭敬是非之實. 故曰'五常百行非誠, 非也.' 蓋無其實矣, 又安得有是名乎?"[156]
물었다. "성誠은 체體이고 인仁은 용用 아닙니까?"
(주자가) 대답했다. "리理는 하나이다. 그것이 실제 있기 때문에, 성誠이라고 하였다. 그 체로 말하면 인의예지의 실제가 있고, 그 용으로 말하면 측은·수오·공경·시비의 실제가 있다. 그러므로 '오상과 모든 행위는 성誠이 아니면 안 된다.'[157]라고 하였다. 그 실제가 없다면 또 어떻게 이런 명칭이 있을 수 있는가?"

[37-2-26]
問[158] : "'一心之謂誠, 盡心之謂忠,' 其分如何? 又謂'忠, 天道也', 其與盡心之義同否?"
曰[159] : "'一心之謂誠', 專以體言. '盡心之謂忠', 是當體之用. '忠, 天道也', 對恕推己而言, 正指盡心之義."[160]

---

153 誠은 虛이다. : 韓愈(768~824)는 『昌黎文集』「原道」에서 다음과 같이 도와 덕을 '비어 있는 지위[虛位]'라고 정의했다. "널리 사랑하는 것을 인이라고 하고, 행동할 때에 마땅히 하는 것을 의라고 하며, 이로부터 가는 것을 도라고 하며, 자기에게 충족하여 밖의 것을 기다릴 필요가 없는 것을 덕이라고 한다. 인과 의는 확정된 이름이고 도와 덕은 비어 있는 지위이다. 그러므로 도에는 군자와 소인이 있지만, 덕에는 흉함도 있고 길함도 있다.(博愛之謂仁, 行而宜之之謂義, 由是而之焉之謂道, 足乎己而無待于外之謂德. 仁與義爲定名, 道與德爲虛位. 故道有君子小人, 而德有凶有吉.)"
154 '誠은 命의 … 도이구나!' : 『知言』 권1
155 問 : 『朱子語類』 권6, 40조목에는 '或問'으로 되어 있다.
156 『朱子語類』 권6, 40조목
157 '오상과 모든 … 안 된다.' : 周敦頤, 『通書』 제2장 「誠下」
158 問 : 『朱文公文集』 권47 「答呂子約」에는 '問'이 없다.
159 曰 : 『朱文公文集』 권47 「答呂子約」에는 '曰'이 없다.
160 『朱文公文集』 권47 「答呂子約」

물었다. "'마음을 하나로 하는 것을 성誠이라고 하고, 마음을 다하는 것을 충忠이라고 한다.'[161]는 것은 어떻게 분별합니까? 또 '충은 천도天道이다.'[162]라고 한 것은 마음을 다한다[盡心]는 뜻과 같은 것 아닙니까?"

(주자가) 대답했다. "'마음을 하나로 하는 것을 성誠이라고 한다.'는 것은 오로지 체體로써 말한 것이다. '마음을 다하는 것을 충이라고 한다.'는 것은 그 체體의 용用이다. '충은 천도이다.'는 서恕의 자기를 미루는 것에 상대하여 말한 것이니, 바로 마음을 다하는[盡心] 뜻을 가리킨다."

[37-2-27]

"誠字, 在道則爲實有之理, 在人則爲實然之心, 而其維持主宰, 全在敬字. 今但實然用力於敬, 則日用工夫自然有總會處, 而道體之中, 名實異同, 先後本末, 皆不相礙. 若不以敬爲事而徒曰誠, 則所謂誠者, 不知其將何所錯. 且五常百行, 無非可願, 雜然心目之間, 又將何所擇而可乎?"[163]

(주자가 말했다.) "성誠은 도에 있어서는 실제로 있는 리理이고, 사람에게 있어서는 실제로 그러한 마음인데, 그것을 유지하고 주재하는 것은 완전히 '경敬'에 달려 있다. 지금 단지 실제로 경敬에 힘을 쓰게 되면, 날마다 하는 공부가 자연히 모두 모이는 곳이 있게 될 것이니, 도체道體의 가운데 이름과 실제, 같음과 다름, 먼저 할 것과 나중에 할 것, 근본과 말단 등이 모두 서로 장애가 되지 않을 것이다. 만약 경敬을 일삼지 않고 한갓 성誠이라고만 말하면, 이른바 성誠을 장차 어디에 두어야 할지 알지 못한다. 또 오상과 모든 행위에 바랄 만한 것이 아닌 것이 없는데, 마음속에서 뒤섞이면 또 어느 것을 선택해야 되겠는가?"

[37-2-28]

問[164] : "'誠敬'二字如何看?"

輔廣云[165] : "先敬然後誠."

曰 : "且莫理會先後. 敬是如何, 誠是如何?"

廣曰 : "敬是把捉工夫,[166] 誠則到自然處."

曰 : "敬也有把捉時, 也有自然時 ; 誠也有勉爲誠時, 亦有自然誠時. 且說此二字義, 敬只是箇

161 '마음을 하나로 … 한다.' : 『程氏經說』 권7

162 '충은 天道이다' : 『河南程氏遺書』 권21 하에서는 "忠者, 無妄之謂也. 忠, 天道也 ; 恕, 人事也. 忠爲體, 恕爲用.(충은 망령됨이 없는 것을 이른다. 충은 천도이고, 서는 인사이다. 충은 체이고, 서는 용이다.)"이라고 하였다.

163 『朱文公文集』 권46 「答曾致虛」

164 問 : 『朱子語類』 권113, 21조목에는 '因問'으로 되어 있다.

165 輔廣云 : 『朱子語類』 권113, 21조목에는 '廣云'으로 되어 있다.

166 敬是把捉工夫 : 『朱子語類』 권113, 21조목에는 '把捉'이 '把作'로 되어 있다.

收斂畏懼不縱放, 誠只是箇朴直慤實不欺誑. 初時須著如此不縱放不欺誑, 到得工夫到時, 則自然不縱放不欺誑矣."[167]

(주자가) 물었다. "성誠과 경敬 두 가지를 어떻게 보아야 하는가?"

보광輔廣[168]이 대답했다. "먼저 경敬하고 다음에 성誠해야 합니다."

(주자가) 말했다. "우선 먼저 할 것과 뒤에 할 것을 생각하지 말아라. 경敬은 어떠한 것이며, 성誠은 어떠한 것인가?"

보광輔廣이 대답했다. "경敬은 다잡는 공부이고, 성誠은 저절로 그러한 곳[自然處]에 도달하는 것입니다."

(주자가) 말했다. "경敬에는 다잡을 때도 있고, 저절로 그러할 때도 있다. 성誠에는 힘써 노력하여 성誠하게 될 때도 있고, 또한 저절로 그렇게 성誠하는 때도 있다. 또 이 두 가지의 뜻을 말하면 경敬은 다만 수렴하고 두려워하여 방종하지 않는 것이고, 성誠은 다만 솔직하고 성실하여 속이지 않는 것이다. 처음에는 반드시 이렇게 방종하지 않고 속이지 않아야 하지만, 공부가 경지에 이르게 되면 그 때에는 저절로 방종하지 않고 속이지 않게 된다."

[37-2-29]

"誠是不欺妄底意思, 敬是不放肆底意思."[169]

(주자가 말했다.) "성誠은 속이거나 망령되지 않는다는 뜻이고, 경敬은 함부로 하지 않는다는 뜻이다."

[37-2-30]

"妄誕欺詐爲不誠, 怠惰放肆爲不敬. 此誠敬之別."[170]

(주자가 말했다.) "망령되고 속이는 것은 불성不誠이 되고, 나태하고 함부로 하는 것은 불경不敬이 된다. 이것이 성誠과 경敬의 차이이다."

[37-2-31]

勉齋黃氏曰: "'無妄之謂誠, 不欺其次矣.' 無妄, 便是'誠者天之道'; 不欺, 便是'誠之者人之道.'"

면재 황씨勉齋黃氏[黃榦]가 말했다. "'망령됨이 없는 것을 성誠이라고 하고, 속이지 않는 것은 그 다음이다.'[171]

167 『朱子語類』 권113, 21조목

168 輔廣: 자는 漢卿이고 호는 潛菴이다. 송대 趙州慶源(현 강서성 婺源縣 동북) 사람이다. 여조겸과 주자에게 배웠다. 慶元 초기 僞學을 금하는 일이 일어나 학자들이 대부분 흩어졌지만 보광은 홀로 변함없이 주자를 곁에서 모셨다. 黃幹 · 魏了翁과 동문수학하여 주자의 학문을 많이 토론하였다. 傳貽書院을 세워 후학들이 궁행실천에 힘쓰도록 가르쳤다. 당시 사람들이 傳貽先生이라고 불렀다. 저서에 『四書纂疏』 · 『六經集解』 · 『朱子讀書法』 · 『通鑑集義』 · 『詩童子問』 · 『日新錄』이 있다.

169 『朱子語類』 권6, 30조목에는 "敬是不放肆底意思, 誠是不欺妄底意思."로 되어 있다.

170 『朱子語類』 권6, 32조목

171 '망령됨이 없는 … 다음이다.' : 『河南程氏遺書』 권6

고 했으니, 망령됨이 없기 때문에 바로 '성誠한 것은 하늘의 도이다.'[172]라고 하고, 속이지 않기 때문에 바로 '성誠하려는 것은 사람의 도이다.'[173]라고 한다."

[37-2-32]

"誠字也隨人看. 如說誠'自不妄語入', 不妄語, 只是不欺裏面一路, 未及躬行底話. 假如'天下雷行, 物與無妄', 天地這一副當道理與你, 都恁實剝剝地. 仁便實是仁, 義便實是義, 更無一點虛. 又如'周天三百六十五度', 循環不已, 曷嘗有些子挫過! 今年冬至'一陽來復', 明年冬至亦'一陽來復', 這是眞實無妄. 人體這實理, 便莫以欺僞存心. 所謂不欺, 是外面爲事, 裏面須實是如此. 纔有七分爲善, 更有兩三分爲不善底意, 便是不實. 如顏子三月不違仁, 是三月間無不實, 三月之後, 未免有之, 卽是有些不實, 便屛去了."

(면재 황씨가 말했다.) "성誠도 사람에 따라 보아야 한다. 예컨대 성誠은 '말을 망령되게 하지 않는 것[不妄語]으로부터 들어간다.'[174]라고 (사마광이) 말하였는데, 말을 망령되게 하지 않는다는 것[不妄語]은 다만 속이지 않는 일[不欺] 가운데 하나일 뿐이어서, 몸소 실행하는 데에는 미치지 못했다는 말이다. 가령 '하늘 아래 우레가 행해서 모든 사물에게 망령됨이 없음[無妄]을 부여하는 것'[175]은 천지가 이 하나의 도리를 그대에게 준 것이니, 모두 이처럼 아주 진실된 것이다. 인은 곧 진실로 인이고, 의는 곧 진실로 의여서, 다시 한 점의 헛됨[虛]도 없다. 또 예컨대 '하늘 한 바퀴 365도를 돌아',[176] 순환하여 그치지 않는 것이 어찌 일찍이 조금이라도 멈춘 적이 있었겠는가! 올해 동지에 '한 양[一陽]이 와서 회복'하고, 내년 동지 또한 '한 양[一陽]이 와서 회복'하니, 이는 진실하고 망령됨이 없는 것[眞實無妄]이다. 사람이 이 진실된 리[實理]를 체득하면[體認], 속임과 거짓을 마음에 두지 않는다. 이른바 속이지 않는다[不欺]는 것은 외면의 일이지만, 그 속도 실제로 이와 같아야 한다. 7할 정도만 선을 행하면 2~3할은 불선의 뜻이 있게 되니, 진실하지 못한 것이다. 예를 들면, 안자顏子가 석 달 동안 인仁을 떠나지 않은 것[177]은 석 달간 진실되지

---

172 '誠한 것은 … 도이다.': 『中庸』 제20장

173 '誠하려는 것은 … 도이다.': 『中庸』 제20장

174 '말을 망령되게 … 들어간다.': 주자, 『宋名臣言行錄後集』 권12에서는 "劉安世가 사마온공을 따라 배웠다. … 5년동안 '誠'이라는 한 마디를 얻었다. 안세가 그 조목을 묻자, 사마온공이 기뻐하여 말했다. '이 질문은 매우 훌륭하구나. 마땅히 말을 망령되게 하지 않는 것[不妄語]으로부터 들어가야 한다.'(從溫公學. … 凡五年得一語曰誠. 安世問其目, 公喜曰, '此問甚善當自不妄語入.')"라고 하였고, 眞德秀의 『西山讀書記』 권17에서는 "元城劉公(劉安世)이 물었다. '도를 배우는 것은 어디로부터 들어가야 합니까?' 대답했다. '誠으로부터 들어가야 한다.' (유안세가) 또 물었다. '誠은 어디로부터 들어가야 합니까?' 대답했다. '망령되게 말하지 않는 것[不妄語]으로부터 들어가야 한다.'(元城劉公問, 學道從何而入? 曰, 自誠入. 又問, 誠自何而入? 曰, 自不妄語入.)"라고 했다.

175 '하늘 아래 … 것': 『周易』 「无妄卦·大象傳」

176 '하늘 한 … 돌아': 『後漢書』 권13 「律曆志」; 『周髀算經』 권下

177 顏子가 석 … 것: 『論語』 「雍也」에서는 "顏回는 그 마음이 3개월 동안 仁을 떠나지 않았고, 그 나머지 사람들은 하루나 한 달에 한 번 인에 이를 뿐이다.(回也, 其心三月不違仁, 其餘則日月至焉而已矣.)"라고 하였다.

않음이 없는 것이요, 석 달 후에는 (진실되지 않음이) 있음을 면하지 못한 것이지만, 조금이라도 진실되지 못함이 있게 되면, 곧 제거해 버렸다."

[37-2-33]

北溪陳氏曰: "誠字, 後世都說差了. 到伊川方云, '無妄之謂誠', 字義始明. 至晦翁又增兩字, 曰'眞實無妄之謂誠', 道理分曉易明.[178] 後世說'至誠'兩字, 動不動輒加諸人,[179] 只成箇謙恭敬謹底意思,[180] 不知'誠者, 眞實無妄之謂'. 至誠乃是眞實極至, 而無一毫之不盡, 惟聖人可以當之. 如何可容易以加諸人!"[181]

북계 진씨北溪陳氏[陳淳]가 말했다. "'성誠'은 후세에 모두 잘못 말하였다. 이천이 '망령됨이 없는 것을 성이라고 한다.'[182]고 말한 것에 이르러서, '성'의 뜻이 비로소 분명해졌다. 회옹晦翁[朱子]이 또 두 글자를 더하여 '진실하고 망령됨이 없는 것을 성이라고 한다.'[183]고 한 데에 이르러서, 도리가 분명하고 알기 쉽게 되었다. 후세에 '지성至誠'이라는 두 글자를 걸핏하면 사람에게 붙여서 말하면서, 다만 겸손하고 공손하고 경건하고 삼간다는 뜻으로 굳어져 버렸을 뿐이니, '성誠은 진실하고 망령됨이 없는 것을 이른다'는 것을 알지 못했다. 지성은 바로 진실함이 지극하여 털끝만큼도 다하지 않음이 없는 것이니, 오직 성인이라야 이것을 감당할 수 있다. 어떻게 쉽게 사람들에게 붙일 수 있겠는가!"

[37-2-34]

"誠字本就天道論. '維天之命, 於穆不已', 只是一箇誠. 天道流行, 自古及今, 無一毫之妄. 暑往則寒來, 日往則月來. 春生了便夏長, 秋殺了便冬藏. 元亨利貞, 終始循環, 萬古常如此, 皆是眞實道理爲之主宰. 如天行一日一夜一周而又過一度, 與日月星辰之運行躔度, 萬古不差, 皆是誠實道理如此. 又就果木觀之, 甜者萬古甜, 苦者萬古苦, 青者萬古常青, 白者萬古常白, 紅者萬古常紅, 紫者萬古常紫, 圓者萬古常圓, 缺者萬古常缺. 一花一葉, 文縷相等對, 萬古常然, 無一毫差錯. 便待人力十分安排撰造來, 終不相似. 都是眞實道理, 自然而然, 此『中庸』所以謂'其爲物不貳, 其生物不測', 而五峯亦曰, '誠者命之道乎!', 皆形容得親切.

(북계 진씨가 말했다.) "성誠은 본래 천도에 대해서 논한 것이다. '하늘의 명命이 아, 심원深遠하여 그치지 않는다.'[184]고 한 것은 다만 성誠일 뿐이다. 천도의 유행은 예로부터 지금에 이르기까지 털끝만큼의 망령

---

178 道理分曉易明. : 『北溪字義』 권상 「誠」에는 "道理尤見分曉"로 되어 있다.
179 動不動輒加諸人 : 『北溪字義』 권상 「誠」에는 '輒'이 없다.
180 只成箇謙恭敬謹底意思 : 『北溪字義』 권상 「誠」에는 "只成箇謙恭敬謹愿底意思"로 되어 있다.
181 『北溪字義』 권상 「誠」
182 '망령됨이 없는 … 한다.' : 『河南程氏遺書』 권6
183 '진실하고 망령됨이 … 한다.' : 주자, 『中庸章句集註』 제16장과 제20장의 주에는 "誠者, 眞實無妄之謂"로 되어 있다.

됨이 없다. 더위가 가면 추위가 오고, 해가 가면 달이 온다. 봄에 생겨나 여름에 자라나고, 가을에 시들어지면 겨울에 저장한다. 원·형·이·정이 끝과 시작을 이루어 순환하는 것이 영원토록 항상 이와 같았으니, 모두 진실한 도리가 주재해서이다. 예를 들면 하늘의 운행은 하루 낮과 하루 밤에 한 번 돌고서 또 1도를 더 지나가지만,[185] 일월성신의 운행 궤도에서 영원히 어긋남이 없는 것은, 모두 성실誠實한 도리가 이와 같아서이다. 또 과실수에서 보면, 단 것은 영원히 달고, 쓴 것은 영원히 쓰며, 푸른 것은 영원히 항상 푸르고, 흰 것은 영원히 항상 희며, 붉은 것은 영원히 항상 붉고, 자색인 것은 영원히 항상 자색이며, 둥근 것은 영원히 항상 둥글고, 이지러진 것은 영원히 항상 이지러져 있다. 꽃 하나 잎사귀 하나의 무늬결이 서로 같은 것이 영원히 항상 그러하여 털끝만큼도 틀림이 없다. 사람의 힘으로 완전히 안배하여 만들어 낸 것과는 끝끝내 같지 않다. 모두 진실한 도리이고 자연히 그러한 것이니, 이것이 『중용』에서 '그 물物이 두 가지로 하지 않으니, 만물을 생겨나게 하는 것을 헤아릴 수 없다.'[186]라고 한 이유이며, 오봉五峯[胡宏] 또한 '성은 천명의 도이구나!'[187]라고 말하였으니, 모두 형용한 것이 절실하다.

就人論, 則只是這實理流行付與於人, 自然發見出來底. 未說到做工夫處. 且誠之一字, 不成受生之初, 便具這理, 到賦形之後, 未死之前, 這道理便無了. 在吾身日用, 常常流行發見, 但

184 '하늘의 命이 … 않는다.' : 『詩經』「周頌·淸廟之什」

185 하늘의 운행은 … 지나치지만 : [4-1-2]의 "하늘의 운행이 1도를 지나친다는 것은, 하늘의 운행이 강건하여 하루 밤낮에 하늘을 일주하여 365와 1/4도를 돌고 또 1도를 지나친다는 말이다.(天行過一度者, 天行健, 一日一夜周天三百六十五度四分度之一而又過一度也.)"를 참조. 『朱子語類』 권2, 10조목에는 "하늘의 운행은 매우 강건하니, 하루 낮과 하루 밤에 365도와 4분의 1도를 돌고, 또 나아가 1도를 지나친다. 해의 운행은 빠르고 강건함은 하늘에 다음가는데, 하루 낮과 하루 밤에 365도와 4분의 1도를 도는 것이 딱 들어맞는다. 하늘에 비해서 1도 나아가니, 해는 1도 물러난다. 제2일에는 하늘이 2도 나아가니 해는 2도 물러난다.(蓋天行甚健, 一日一夜周三百六十五度四分度之一, 又進過一度. 日行速, 健次於天, 一日一夜周三百六十五度四分度之一, 正恰好. 比天進一度, 則日爲退一度. 二日天進二度, 則日爲退二度.)"라고 하였고, 채침은 『書經集傳』「堯典」에서 "천체는 지극히 둥그니, 주위가 365도와 4분의 1도이다. 천체는 땅을 왼쪽으로 한 바퀴 돌되 항상 하루에 한 바퀴를 돌고 1도를 지나치게 되니, 해는 하늘에 걸려 있는데 이보다 다소 늦다. 그러므로 해의 운행은 하루에 또한 땅을 한 바퀴 돌되 하늘에 있어 1도를 미치지 못하게 된다.(天體至圓, 周圍三百六十五度四分度之一. 繞地左旋, 常一日一周而過一度, 日麗天而少遲. 故日行一日亦繞地一周, 而在天爲不及一度)"라고 하였다.

186 '그 物이 … 없다.' : 『中庸』 제26장에서는 "天地之道, 可一言而盡也, 其爲物不貳, 則其生物不測"이라고 하였고, 이에 대해 주자는 『集註』에서 "천지의 道를 한마디 말로 다할 수 있다는 것은 誠을 말한 것에 불과할 뿐이다. 두 가지로 하지 않는 것은 誠하는 것이다.(天地之道可一言而盡, 不過曰誠而已. 不貳, 所以誠也.)"라고 주해하였다.

187 '성은 천명의 도이구나!' : 『知言』 권1에는 "성은 명의 도인가! 중은 성의 도인가! 인은 마음의 도인가! 오직 인자만이 성을 다하고 명을 지극히 할 수 있다.(誠者, 命之道乎! 中者, 性之道乎! 仁者, 心之道乎! 唯仁者爲能盡性至命)"라고 되어 있고, 『朱子語類』 권101, 158조목에서는 "'중은 성의 도'는 미발을 말한 것이고, '성은 명의 도'는 실리를 말한 것이며 '인은 마음의 도'는 발동하는 단서를 말한 것이다.('中者性之道', 言未發也 ; '誠者命之道', 言實理也 ; '仁者心之道', 言發動之端也.)"라고 풀이하였다.

人之不察耳.[188] 如孩提之童, 無不知愛親敬兄, 都是這實理發見出來, 乃良知良能, 不待安排. 又如乍見孺子將入井, 便有怵惕之心, 至行道乞人, 饑餓瀕死, 而蹴爾嗟來等食, 乃不屑就. 此皆是降衷秉彝眞實道理, 自然發見出來. 雖極惡之人, 物慾昏蔽之甚, 及其稍息, 則良心之實, 自然發見, 終有不可殄滅者. 此皆天理自然流行眞實處. 雖曰見於在人, 而亦天之道也. 及就人做工夫處論, 則又是慤實不欺之理.[189] 是乃人事之當然, 此人之道也.[190] 故存心全體慤實, 固誠也; 若一言之實, 亦誠也; 一行之實, 亦誠也."[191]

사람에 대해서 논하면, 다만 이 실리實理가 유행하여 사람에게 부여되어 있다가, 자연히 발현되어 나오는 것일 뿐이다. 공부하는 것에 대해서는 아직 말하지 않았다. 또 성誠은 태어난 시초에는 이 리를 갖추고 있지만 형체를 부여받고 나서 죽기 전까지 이 도리가 없어지는 것은 아니다. 내 몸이 일상생활에서 항상 유행하여 발현하지만 다만 사람들이 살피지 못할 뿐이다. 예를 들면, 어린 아이가 그 어버이를 사랑할 줄 모르는 이가 없고 그 형을 공경할 줄 모르는 이가 없는 것은 모두 이 실리實理가 발현해 나온 것으로, 바로 양지와 양능이니[192] 안배할 필요가 없다. 또 예를 들면 어린 아이가 우물로 들어가려는 것을 얼핏 보고는 곧 깜짝 놀라는 마음을 가지게 되며,[193] 길 가는 사람과 걸인이 굶주려서 죽음이 임박했더라도 발로 밟고 혀를 차 꾸짖으면서 주는 부류의 음식은, 달갑게 먹으려 하지 않을 것이다.[194] 이는 모두 강충降衷(하늘이 내려준 본성)[195]과 병이秉彝(사람이 지닌 일정한 본성)[196]의 진실된 도리가 자연히

188 但人之不察耳. : 『北溪字義』 권상 「誠」에는 "但人不之察耳"로 되어 있다.
189 則又是慤實不欺之理. : 『北溪字義』 권상 「誠」에는 "則只是慤實不欺僞之謂"로 되어 있다.
190 此人之道也. : 『北溪字義』 권상 「誠」에는 "便是人之道也"로 되어 있다.
191 『北溪字義』 권상 「誠」
192 어린 아이가 … 양능이니 : 『孟子』「盡心上」에는 "人之所不學而能者, 其良能也, 所不慮而知者, 其良知也. 孩提之童, 無不知愛其親也."라고 되어 있다.
193 어린 아이가 … 되며 : 『孟子』「公孫丑上」에는 "今人乍見孺子將入於井, 皆有怵惕惻隱之心"이라고 되어 있다. 주자는 『集註』에서 사량좌의 주해를 인용하여 "바로 진심이다. 이는 생각하여 아는 것도 아니며 힘써서 맞는 것도 아니며, 천리의 自然이다.(乃眞心也. 非思而得, 非勉而中, 天理之自然也.)"라고 하였다.
194 길 가는 … 것이다. : 『孟子』「告子上」에서는 "한 그릇의 밥과 한 그릇의 국을 얻으면 살고 얻지 못하면 죽더라도, 혀를 차고 꾸짖으며 주면 길 가는 사람도 받지 않으며, 발로 밟고 주면 乞人도 달갑게 여기지 않는다.(一簞食, 一豆羹, 得之則生, 弗得則死, 嘑爾而與之, 行道之人弗受, 蹴爾而與之, 乞人不屑也.)"라고 했고, 주자는 『集註』에서 "이것은 羞惡의 본심이다.(是其羞惡之本心.)"라고 주해하였다.
195 降衷(하늘이 내려준 본성) : 『書經』「湯誥」에서는 "위대하신 상제가 백성들에게 衷을 내려주어 순히 하여 불변의 性을 소유하였으니, 그 道에 편안하게 할 수 있는 이는 군주인 것이다.(惟皇上帝降衷于下民, 若有恒性, 克綏厥猷, 惟后.)"라고 하였고, 채침은 『集傳』에서 "皇은 위대함이고, 衷은 中이며, 若은 순함이다. 하늘이 命을 내릴 적에 인·의·예·지·신의 理를 갖추어 편벽되거나 치우친 바가 없으니 이른바 衷이다. 사람이 命을 받을 적에 인의예지신의 理를 얻어 마음과 함께 나오니 이른바 性이다. 猷는 道이니, 理의 자연을 따라 인의예지신의 행실이 있으니 이른바 道이다. 衷을 내려준 입장에서 말하면 편벽되거나 치우친 바가 없으니, 자연을 순히 하여 본래 일정한 性을 보유하고 있으나 稟受한 입장에서 말하면 淸과 濁, 純과 雜의 다름이 없는 것이 아니다.(皇, 大, 衷, 中, 若, 順也. 天之降命, 而具仁義禮智信之理, 無所偏倚, 所謂衷也.

발현해 나오는 것들이다. 비록 지극히 악한 사람으로서 물욕에 어둡게 가려진 것이 심하더라도, 잠시 (그것을) 멈추게 되면, 양심의 진실함이 자연히 발현하여 끝내 절멸시킬 수 없는 것이 있다.[197] 이것은 모두 천리가 자연히 유행하는 진실한 것이다. 비록 그것이 드러나 사람들에게 있다고 하더라도 또한 하늘[天]의 도이다. 사람이 공부하는 곳에서 논한다면 또한 성실하여 속이지 않는 이치[理]이다. 이것은 바로 인사人事의 당연當然함이니, 이는 사람의 도道이다. 그러므로 마음을 보존하여 전체가 성실한 것이 진실로 성誠이지만, 말 한 마디의 진실함 같은 것도 또한 성이고, 행동 한 가지의 진실함 같은 것도 또한 성이다."

[37-2-35]

"誠與信相對論, 則誠是自然, 信是用力. 誠是理, 信是心. 誠是天道, 信是人道. 誠是以命言, 信是以性言. 誠是以道言, 信是以德言."[198]

(북계 진씨가 말했다.) "성誠과 신信을 상대해서 논하면 성은 자연스러운 것이고 신은 힘을 쓰는 것이다. 성은 리理이고, 신은 심心이다. 성은 천도이고, 신은 인도이다. 성은 명命으로써 말한 것이고, 신은 성性으로써 말한 것이다. 성은 도道로써 말한 것이고, 신은 덕德으로써 말한 것이다."

人之稟命, 而得仁義禮智信之理, 與心俱生, 所謂性也. 猷, 道也, 由其理之自然, 而有仁義禮智信之行, 所謂道也. 以降衷而言, 則無有偏倚, 順其自然, 固有常性矣, 以稟受而言, 則不無淸濁純雜之異.)"라고 주해하였다.

196 秉彝(사람이 지닌 일정한 본성) : 『詩經』「大雅 · 烝民」에서는 "하늘이 여러 백성을 내시니 사물이 있음에 法이 있도다. 백성이 일정한 성품을 갖고 있는지라 이 아름다운 德을 좋아하도다.(天生烝民, 有物有則. 民之秉彝, 好是懿德.)"라고 하였고, 주자는 『集傳』에서 "秉은 잡음이고, 彝는 떳떳함이다. … 하늘이 여러 백성을 냄에 이 사물이 있으면 반드시 이 法이 있으니, 百骸, 九竅, 五臟으로부터 君臣, 父子, 夫婦, 長幼, 朋友에 이르기까지 사물 아닌 것이 없으며 여기에는 법이 있지 않음이 없으니, 예컨대 보는 것에 눈밝음과 듣는 것에 귀밝음과 모양에 공손함과 말하는 것에 순함과 군신 간에 義가 있음과 부자간에 親함이 있음과 같은 부류가 이것이니, 이는 바로 백성들이 가지고 있는 바의 일정한 성품[性]이다. 그러므로 그 情이 이 아름다운 덕을 좋아하지 않는 자가 없는 것이다. … 맹자가 이것을 인용하여 性善의 학설을 증명하였으니, 그 뜻이 깊다.(秉, 執, 彝, 常. … 言天生衆民, 有是物, 必有是則, 蓋自百骸九竅五臟, 而達之君臣父子夫婦長幼朋友, 無非物也而莫不有法焉, 如視之明, 聽之聰, 貌之恭, 言之順, 君臣有義, 父子有親之類 是也, 是乃民所執之常性. 故其情無不好此美德者. … 孟子引之, 以證性善之說, 其旨深矣.)"라고 주해하였다.

197 끝내 절멸시킬 … 있다. : 『河南程氏遺書』 권2에서는, "다만 불변의 본성이며 또 절멸시킬 수 없다.(只爲些秉彝又殄滅不得.)"라고 했고, "지금 오히려 폐할 수 없는 것은, 마치 다만 그런 불변의 본성이 있어 끝내 절멸시킬 수 없는 것과도 같다.(今尙不廢者, 猶只是有那些秉彝, 卒殄滅不得.)"고 했다. 또 주자는 『朱文公文集』 권44 「答江德明」에서 "천리이자 사람의 본성으로 절멸시킬 수 없는 것(天理民彝有不容殄滅者)"이라 하였고, 권67 「雜著」에서는 "천리이자 불변의 본성으로 끝내 절멸시킬 수 없는 것(天理秉彝終非可殄滅者)"이라고 하였다.

198 『北溪字義』 권상 「誠」

[37-2-36]

西山眞氏曰[199] : "唐虞之時, 未有誠字. 「舜典」所謂允塞, 卽誠之義也. 至伊尹告太甲, 乃曰'鬼神無常享, 享于克誠.' 誠字始見於此."[200]

서산 진씨西山眞氏[眞德秀]가 말했다. "요순 시대에는 '성誠'자가 없었다. 「순전舜典」에서 이른바 윤색允塞(성실하고 독실함)[201]이 바로 '성'의 뜻이다. 이윤이 태갑에게 고할 때에 '귀신은 일정하게 흠향함이 없으니, 제대로 정성스럽게 하는 자에게 흠향합니다.'[202]라고 하였다. '성'자는 여기에서 비로소 보인다."

[37-2-37]

臨川吳氏曰 : "誠者, 中之實也. 純乎天理之實爲誠, 徇人欲則妄矣."[203]

임천 오씨臨川吳氏[吳澄]가 말했다. "성誠은 마음속[中]의 진실함이다. 천리의 진실함에 순수한 것이 성이고, 인욕을 따르면 망령된 것이다."

忠信 충신

[37-3-1]

程子曰[204] : "盡己無歉爲忠, 體物無違爲信, 表裏之義也."[205]

정자가 말했다. "자기를 다하여 부족함이 없는 것이 충이고, 사물의 뼈대가 되어[206] 어김이 없는 것이

199 西山眞氏曰 : 『西山讀書記』 권17에는 "按"으로 되어 있다.

200 『西山讀書記』 권17

201 「舜典」에서 이른바 允塞 : 『書經』「舜典」에서는 "옛 帝舜을 상고하건대 … 온화하고 공손하고 성실하고 독실하시니(若稽古帝舜, … 溫恭允塞)"라고 했고, 채침은 『書經集傳』에서 "'塞'은 독실함이다. … 화하고 순수하면서도 공경하고 誠信하면서도 독실하다.(塞, 實也, … 和粹而恭敬, 誠信而篤實.)"라고 주해하였다.

202 '귀신은 일정하게 … 흠향합니다.' : 『書經』「太甲下」

203 『吳文正集』 권10 「宋誠字說」. 여기에는 "誠者, 中之實也 ; 文者, 外之華也. 中有其實, 外有其華, 所謂誠於中形於外也. 然實與妄對, 華與澆對, 純乎天理之實爲誠, 狥乎人欲之妄爲不誠."으로 되어 있다.

204 程子曰 : 『二程粹言』「論道篇」에는 '子曰'로 되어 있다.

205 『二程粹言』「論道篇」. 『河南程氏遺書』 권11에는 "盡己之謂忠, 以實之謂信. 發己自盡爲忠, 循物無違謂信, 表裏之義也.(자기를 다하는 것을 충이라 하고, 그것을 실제로 하는 것을 신이라고 한다. 자기 마음을 발하여 스스로를 다하는 것을 충이라 하고, 남을 따라 어김이 없는 것을 신이라고 하니, (이 둘은) 표리의 뜻이다.)"라고 되어 있다.

206 사물의 뼈대가 되어 : 『中庸』 제16장에서는 "귀신의 덕이 그 지극하다. 보려고 해도 보지 못하며 들으려고 해도 듣지 못하지만, 사물의 體가 되어 빠뜨릴 수가 없다.(鬼神之爲德, 其盛矣乎. 視之而弗見, 聽之而弗聞, 體物而不可遺.)"라고 하였고, 주자는 『集註』에서 "이는 그 사물의 근간[體]이 되어, 사물이 빠뜨릴 수 없는 것이다. 體物이라고 말한 것은 (『周易』「乾卦 · 文言傳」에) 이른바 '일에 근간이 된다.'는 말과 같다.(是其爲物

신이니, 표리의 뜻[관계]이다."

[37-3-2]

"盡己爲忠, 盡物爲信. 極言之,[207] 盡己者, 盡己之性也; 盡物者, 盡物之性也. 信者無僞而已, 於天性有所損益, 則爲僞矣. 『易』「無妄」曰, '天下雷行, 物與無妄', 動以天理故也."[208]

(정자가 말했다.) "자기를 다하는 것이 충이고, 다른 사람에게 다하는 것이 신信이다. 극진하게 말하자면 자기를 다하는 것은 자기의 본성을 다 발휘하는 것이고, 다른 사람에게 다하는 것은 다른 사람의 본성을 다 발휘하는 것이다. 신은 거짓됨이 없을 뿐이니, 천성天性에 덜하거나 더함이 있는 것은 거짓됨이다. 『역』「무망」괘에 '하늘 아래 우레가 행해서 모든 사람에게 망령됨이 없음[無妄]을 부여하는 것'[209]이라고 했으니, 움직임을 천리로 하기 때문이다."

[37-3-3]

"忠信者, 以人言之, 要之則實理也."[210]

(정자가 말했다.) "충과 신은 인도人道로써 (사람을 기준으로 하여) 말한 것이니, 요컨대 실리實理이다."[211]

[37-3-4]

朱子曰: "盡己之謂忠, 盡物之謂信, 只是一理. 但忠是盡己, 信却是於人無所不盡, 猶曰'忠信, 內外也.'"[212]

주자가 말했다. "자기를 다하는 것을 충이라고 하고 다른 사람에게 다하는 것을 신이라고 하는데, 다만 하나의 리理일 뿐이다. 그러나 충은 자기를 다하는 것인데, 신은 오히려 남에게 다하지 않는 것이 없는 것이다. '충과 신은 안과 밖이다.'[213]라는 말과 같다."

之體而物之所不能遺也. 其言體物, 猶『易』所謂'幹事'.)"라고 주해하였다.

207 極言之: 『河南程氏遺書』 권24에는 '極言之則'으로 되어 있다.

208 『河南程氏遺書』 권24

209 '하늘 아래 … 것': 『周易』「无妄卦 · 大象傳」

210 『河南程氏遺書』 권11

211 "충과 신은 … 實理이다.": 『朱子語類』 권21, 19조목에서는 "충신은 사람의 경우로써 말한 것이다. 충신을 리로써 말하면 다만 하나의 實理일 뿐이고, 사람으로써 말하면 충신이다.(忠信, 以人言之. 蓋忠信以理言, 只是一箇實理; 以人言之, 則是忠信.)"라고 하였다. 또 권21, 107조목에서는 정자의 이 말의 의미에 대한 질문에, "사람으로써 말하면 충신이고, 사람으로써 말하지 않으면 다만 하나의 실리이다. 예를 들면 '성한 것은 하늘의 도이다.'는 다만 하나의 실리이고, '오직 천하의 지극한 성'은 곧 사람으로써 말한 것이다.(以人言之, 則爲忠信; 不以人言之, 則只是箇實理. 如'誠者天之道', 則只是箇實理; 如'惟天下之至誠', 便是以人言之.)"라고 하였다.

212 『朱子語類』 권21, 59조목

213 '충과 신은 … 밖이다.': 『朱子語類』 권21, 49조목에서 이천의 말로 인용하였다. 『河南程氏遺書』 권11에는

[37-3-5]

"忠自裏面發出, 信是就事上說. 忠是要盡自家這箇心, 信是要盡自家這箇道理."214

(주자가 말했다.) "충은 안으로부터 발해나오는 것이고, 신은 일에서 말한 것이다. 충은 자기의 이 마음을 다하려고 하는 것이고, 신은 자기의 이 도리를 다하려고 하는 것이다."

[37-3-6]

"信者, 忠之驗. 忠只是盡己, 因見於事而爲信.215 又見得忠如此."216

(주자가 말했다.) "신은 충의 증험이다. 충은 다만 자기를 다하는 것이고, (그것이) 일에서 드러나므로 신이 된다. 또 충도 이와 같이 볼 수 있다."217

[37-3-7]

"忠信只是一事. 但自我而觀謂之忠, 自彼而觀謂之信. 此程子所以有'盡己爲忠,218 盡物爲信'之論也."219

(주자가 말했다.) "충과 신은 다만 한 가지 일이다. 다만 나로부터 보면 충이라고 하고, 상대방으로부터 보면 신이라고 한다. 이는 정자가 '자기를 다하는 것이 충이고, 다른 사람에게 다하는 것이 신'220이라는 논의를 하게 된 까닭이다."

[37-3-8]

"忠信只是一理. 自中心發出來便是忠, 著實便是信, 謂與人說話時, 說到底. 見得恁地了, 若說一半不肯盡說, 便是不忠. 有這事說這事, 無這事便說無, 便是信. 只是一箇理, 自其發於心謂之忠, 驗於事謂之信."221

(주자가 말했다.) "충과 신은 다만 하나의 이치일 뿐이다. 마음속으로부터 발해 나오는 것이 바로 충이고, 착실하게 하는 것이 바로 신이니, 다른 사람과 이야기할 때 남김없이 다 이야기하는 것을 말한다. 이런 것을 알고서도, 만약 반만 말하고 다 말하려 하지 않으면 곧 불충不忠이다. 이런 일이 있으면 이런 일을

"表裏之義也"라고 되어 있다.

214 『朱子語類』 권6, 152조목

215 因見於事而爲信. : 『朱子語類』 권21, 20조목에는 '因見於事而信'으로 되어 있다.

216 『朱子語類』 권21, 20조목

217 "신은 충의 … 있다." : 『朱子語類考文解義』 권6에서는 "'이와 같다'는 것은 '일에서 드러난 것'이 또한 충이어서, 두 가지가 아니라는 것이다. 이는 신은 충이 바깥의 하나의 일에 증험이 되어서, 안과 밖이 있다는 것이다.('如此', 謂'見於事'者亦是忠, 非有二也. 是謂信爲忠之驗, 於外一事而有內外也.)"라고 주해하였다.

218 此程子所以有盡己爲忠 : 『朱文公文集』 권41 「答黃子厚」에는 '程子'가 '先生'으로 되어 있다.

219 『朱文公文集』 권41 「答黃子厚」

220 '자기를 다하는 … 신' : 『河南程氏遺書』 권24 [37-3-7] 참조

221 『朱子語類』 권21, 32조목

이야기하고, 이런 일이 없으면 없다고 이야기하는 것이 바로 신이다. 다만 하나의 리理일 뿐이지만, 마음에서 발하는 것을 충이라고 하고, 일에서 증험되는 것을 신이라고 한다."

[37-3-9]

問: "'發己自盡爲忠, 循物無違爲信.' 所謂發己, 莫是奮發自揚之意否? 循物無違, 未曉其義."[222]

曰: "發己自盡, 但謂凡出於己者,[223] 必自竭盡, 而不使其有苟簡不盡之意耳, 非奮發之謂也. 循物無違, 謂言語之發, 循其物之眞實而無所背戾. 如大則言大, 小則言小, 言循於物而無所違耳."[224]

물었다. "'발기자진發己自盡은 충이고, 순물무위循物無違는 신이다.'[225]에서 이른바 '발기'는 분발하여 스스로 발양한다는 뜻이 아닙니까? '순물무위循物無違'는 그 의미를 모르겠습니다."

(주자가) 대답했다. "'발기자진發己自盡'은 다만 자기에게서 우러나온 것들을 반드시 스스로 다하고, 소홀하여 다하지 아니함이 없게 해야 한다는 뜻일 뿐, 분발을 말한 것이 아니다. '순물무위循物無違'는 말을 할 때 사물의 진실대로 하여 어긋남이 없는 것을 말한다. 예컨대 크면 크다고 말하고 작으면 작다고 말하는 것이니, 사물을 따라 어긋남이 없는 것을 말할 뿐이다."

[37-3-10]

問: "明道云,[226] '發己自盡爲忠,[227] 循物無違爲信,[228] 表裏之謂也.' 又曰, '盡己之謂忠, 以實之謂信, 忠信內外也.' 蓋因其理之有定, 當其可而無違, 是之謂忠信. 忠信本無二致, 自其發於內而言之之謂忠, 自其因物應之之謂信, 故曰'表裏之謂'也. 明道以此釋曾子之言曰, '「爲人謀而不忠, 與朋友交而不信」, 「爲人謀」, 則謀在我, 是亦發於中之意; 「與朋友交」, 則朋友在外, 是亦遇事而應之之意.' 明道論忠信內外大槩如此否?"

南軒張氏曰[229]: "盡於己爲忠, 形於物爲信. 忠信可以內外言, 亦可以體用言也. 要之形於物者, 卽其盡於己者也. 玩程子之辭, 意義蓋包涵矣."[230]

222 未曉其義. :『朱文公文集』 권61 「答嚴時亨」에는 '未曉其義如何'로 되어 있다.

223 但謂凡出於己者 :『朱文公文集』 권61 「答嚴時亨」에는 '但譖凡出於己者'로 되어 있다.

224 『朱文公文集』 권61 「答嚴時亨」

225 '발기자진은 충이고 … 신이다.' :『河南程氏遺書』 권11에는 "자기 마음을 발하여 스스로를 다하는 것을 충이라 하고, 남을 따라 어김이 없는 것을 신이라고 한다.(發己自盡爲忠, 循物無違謂信.)"로 되어 있다.

226 問明道云 :『南軒集』 권32 「答游誠之」에는 '明道先生曰'로 되어 있다.

227 發己自盡爲忠 :『南軒集』 권32 「答游誠之」에는 '發己自盡謂忠'으로 되어 있다.

228 循物無違爲信 :『南軒集』 권32 「答游誠之」에는 '循物無違謂信'으로 되어 있다. 『河南程氏遺書』 권11에도 '循物無違謂信'으로 되어 있다.

229 南軒張氏曰 :『南軒集』 권32 「答游誠之」에는 '南軒張氏曰'이 없다.

230 『南軒集』 권32 「答游誠之」. 明道 … 明道論忠信內外大槩如此否까지는 游誠之의 글로, 盡於己爲忠부터 끝

물었다. "명도明道[程顥]가 '자기에게서 우러나와 스스로 다하는 것을 충이라 하고, 사물을 따라 어김이 없는 것을 신이라고 하니, (이 둘은) 표리를 말한 것이다.'[231]라고 하였고, '자기를 다하는 것을 충이라 하고, 그것을 실제대로 하는 것을 신이라고 하니, 충과 신은 안과 밖이다.'[232]라고 하였습니다. 그 이치[理]가 정해짐이 있음에 따라, 그 올바름에 합당하게 하여 어김이 없는 것, 이것을 충·신이라고 합니다. 충과 신에는 본래 두 가지 이치가 없으나, 그것이 안에서 발한다는 점에서 말한 것을 충이라고 하고, 그것이 사물에 따라 응한다는 점에서 말한 것을 신이라고 하므로, '표리를 말한다'라고 하였습니다. 명도明道는 이것으로써 증자의 말을 풀이하여 '「남을 위하여 도모함에 충忠하지 못한지, 벗과 사귐에 신信하지 못한지」[233]에 대해서 「남을 위하여 도모함」은 도모하는 것이 나에게 있으니, 이는 또한 안에서 발한다는 뜻이고, 「벗과 사귐」은 벗이 바깥에 있으니, 이는 또한 일을 만나 그것에 응한다는 뜻이다.'라고 하였습니다. 명도가 충·신을 안과 밖으로 논한 대략의 내용이 이와 같은 것 아닙니까?"
남헌 장씨南軒張氏[張栻]가 말했다. "자기를 다하는 것이 충이고, 사물에서 드러나는 것이 신이다. 충과 신은 안과 밖으로 말할 수 있고, 또한 체와 용으로 말할 수 있다. 요컨대 사물에서 드러난다는 것은 바로 자기를 다하는 것이다. 정자의 말을 완미하면 의미가 다 담겨져 있을 것이다."

[37-3-11]

北溪陳氏曰 : "忠信二字, 從古未有人解得分曉. 諸家說忠, 都只以事君不欺而言. 夫忠固能不欺, 而以不欺名忠則不可. 如此則忠之一字, 只事君方使得. 說信又只以不疑而言, 信固能不疑, 而以不疑解信則不可. 如此則所謂不疑者, 不疑何事, 說字骨不出.[234]

북계 진씨北溪陳氏[陳淳]가 말했다. "충과 신에 대해서는 예로부터 분명하게 이해한 사람이 없었다. 여러 학자들이 충을 이야기하면서 모두 다만 임금을 섬길 때 속이지 않는 것으로만 말했다. 충은 진실로 속이지 않을 수 있는 것이지만, 속이지 않는 것을 충이라고 하면 안 된다. 이와 같다면 충은 다만 임금을 섬기는 경우에서만 쓸 수 있다. 신을 말할 때도 다만 의심스럽지 않은 것으로만 말했는데, 신은 진실로 의심스럽지 않을 수 있는 것이지만, 의심스럽지 않는 것을 신이라고 하면 안 된다. 이와 같다면 이른바 의심스럽지 않다는 것은 무엇을 의심하지 않는다는 것인지, 글자의 핵심의미가 제대로 드러나지 않았다.

까지는 이에 대한 張栻의 답글로 되어 있다. 또한 『南軒集』 권32 「答游誠之」에는 '意義蓋包涵矣'가 '義蓋包涵矣'로 되어 있다.

231 '자기에게서 우러나와 … 것이다.' : 『河南程氏遺書』 권11 『河南程氏遺書』에는 "표리의 뜻이다.(表裏之義也.)"로 되어 있다.

232 '자기를 다하는 … 밖이다.' : '자기를 다하는 … 신이라고 하니'는 『河南程氏遺書』 권11이고 '충과 신은 안과 밖이다.'는 주자가 『朱子語類』 권21, 49조목에서 이천의 말로 인용하였다. 『河南程氏遺書』 권11에는 "表裏之義也"라고 되어 있다.

233 「남을 위하여 … 못한지」 : 『論語』「學而」

234 說字骨不出 : 현행본 『北溪字義』 권상 「忠信」에는 '說字骨不出'이 없다. 그런데, 1714년 顧仲 등이 판각한 顧刻本 『北溪字義』에는 '說字意義都不出'이라고 되어 있다.

直至程子曰, '盡己之謂忠, 以實之謂信', 方說得確定. '盡己', 是盡自家心裏面,[235] 以所存主者而言, 須是無一毫不盡方是忠. 如十分底話,[236] 只說得七八分, 猶留兩三分, 便是不盡, 不得謂之忠. '以實', 是就言上說, 有話只據此實物說, 無便曰無, 有便曰有. 若以無爲有, 以有爲無, 便是不以實, 不得謂之信. 忠信非判然二物. 從內面發出無一不盡是忠, 發出外來皆以實是信.

곧바로 정자가 '자기를 다하는 것을 충이라 하고, 그것을 실제로 하는 것을 신이라고 한다.'[237]라고 한 것에 이르러서야 말이 확실하게 되었다. '자기를 다한다'는 것은 자기 마음속을 다하는 것으로, 보존하고 주인으로 삼는[存主][238] 것으로써 말한 것이니, 반드시 털끝만큼도 다하지 않음이 없어야만 충이다. 만일 10할의 이야기 중에서 다만 7·8할만을 말하고, 오히려 2·3할을 남겨두면, 곧 다하지 않은 것이니 충이라고 할 수 없다. '실제로 한다'는 것은 말하는 것과 관련하여, 어떤 말이 다만 이 실제의 사물에 근거해서, 없으면 없다고 말하고, 있으면 있다고 말하는 것일 뿐이다. 만약 없음을 있음이라고 하거나, 있음을 없음이라고 하면 실제로 하는 것[以實]이 아니니, 신[信]이라고 할 수 없다. 충과 신은 판연하게 두 가지의 것이 아니다. 내면으로부터 발하여 하나도 다하지 않음이 없는 것이 충이고, 외면으로 발하여 모두 실제로 하는 것이 신이다.

明道發得又明暢曰, '發己自盡爲忠, 循物無違爲信.' 從己心中發出無一不盡是忠. 循物之實而言無些子違背他, 如是便曰是, 不與是底相背, 非便曰非, 不與非底相背, 便是信. 伊川說得簡要確實, 明道說得發越條暢."[239]

명도는 (이것을) 드러내어 더 분명하게 '자기 마음을 발하여 스스로를 다하는 것을 충이라 하고, 사물을 따라 어김이 없는 것을 신이라 한다.'[240]라고 했다. 자기 마음속으로부터 발하여 나와 하나도 다하지 않음이 없는 것이 충이다. 사물[物]의 실제를 따라서 그것에 조금도 어긋남이 없도록 말하는 것, 예를 들면 옳은 것은 곧 옳다고 말하여 옳음과 서로 배치되지 않는 것, 그른 것은 곧 그르다고 말하여 그름과 서로 배치되지 않는 것이 바로 신[信]이다. 이천이 말한 것은 간명하고 확실하고, 명도가 말한 것은 의미를 잘 밝히고 조리가 분명하다."

235 是盡自家心裏面 : 『北溪字義』 권상 「忠信」에는 '自盡自家心裏面'로 되어 있다.

236 如十分底話 : 『北溪字義』 권상 「忠信」에는 '如十分裏話'로 되어 있다.

237 '자기를 다하는 … 한다.' : 『河南程氏遺書』 권11

238 보존하고 주인으로 삼는[存主] : 『河南程氏遺書』 권15에서는 『孟子』「盡心上」의 "군자는 지나는 곳이 교화가 되며, 마음에 두고 있는 것이 신묘하다.(夫君子所過者化, 所存者神.)"에 대해 "보존하여 주인으로 삼는 곳이 바로 신묘하다.(存主處便是神.)"라고 설명하였고, 주자도 『集註』에서 이러한 맥락으로 "마음에 두어 주인으로 삼는 곳에는 곧 神妙하여 측량할 수 없게 되는 것(心所存主處, 便神妙不測)"이라고 주해하였다.

239 『北溪字義』 권상 「忠信」

240 '자기 마음을 … 한다.' : 『河南程氏遺書』 권11

[37-3-12]

"信有就言上說, 是發言之實; 有就事上說, 是做事之實, 有以實理言, 有以實心言."[241]

(북계 진씨가 말했다.) "신信은 말의 측면에서 이야기하면, 실제에 맞게 말한 것이고, 일의 측면에서 이야기하면, 실제에 맞게 일을 하는 것이다. 실리實理로써 이야기한 것도 있고, 실제 마음[實心]으로써 이야기한 것도 있다."

[37-3-13]

"忠信兩字近誠字. 忠信只是實, 誠也只是實. 但誠是自然實的, 忠信是做工夫實底. 誠是就本然天賦眞實道理上立字, 忠信是就人做工夫上立字."[242]

(북계 진씨가 말했다.) "충과 신 두 글자는 성誠의 뜻과 가깝다. 충과 신은 다만 진실함[實]이고, 성도 다만 진실함[實]이다. 다만 성은 자연히 진실한 것이고, 충과 신은 공부를 해서 진실한 것이다. 성은 본연의 천부적인 진실한 도리라는 점에서 개념을 정립한 것이고, 충과 신은 사람이 공부를 한다는 점에서 개념을 정립한 것이다."

[37-3-14]

問[243]: "忠信之信, 與五常之信, 如何分別?"

曰[244]: "五常之信, 以心之實理而言; 忠信之信, 以言之實理而言, 須是逐一看得透徹. 古人言語有就忠信之信言者, 有就五常之信言者, 不可執一看. 若泥著則不通."[245]

물었다. "'충·신의 신과 오상의 신은 어떻게 구별됩니까?"

(북계 진씨가 대답했다.) "오상의 신은 마음의 실리實理를 가지고 말한 것이고, 충신의 신은 말의 실리를 가지고 말한 것이니, 반드시 하나하나 투철하게 살펴 보아야 한다. 옛 사람들의 말에는 충신의 신으로 말한 것도 있고, 오상의 신으로 말한 것도 있으니, 어느 한 가지로만 고집해서 보아서는 안 된다. (한쪽에) 집착한다면 (뜻을) 통할 수 없게 된다."

[37-3-15]

"聖人分上忠信, 便只是'誠', 是天道. 賢人分上忠信, 只是'思誠', 是人道."[246]

(북계 진씨가 말했다.) "성인의 입장에서 충과 신은 곧 다만 '성誠함'일 뿐이니, 천도天道이다. 현인의 입장에서 충과 신은 '성誠하려고 생각함'이니 인도人道이다."[247]

241 『北溪字義』 권상 「忠信」
242 『北溪字義』 권상 「忠信」
243 問: 『北溪字義』 권상 「忠信」에는 '問'이 없다.
244 曰: 『北溪字義』 권상 「忠信」에는 '曰'이 없다.
245 『北溪字義』 권상 「忠信」
246 『北溪字義』 권상 「忠信」

[37-3-16]

"誠與忠信對, 則誠天道, 忠信人道. 忠與信對, 則忠天道, 信人道.[248]

(북계 진씨가 말했다.) "성誠과 충·신을 짝으로 하면, 성은 천도이고 충과 신은 인도이다. 충과 신을 짝으로 하면, 충은 천도이고 신은 인도이다."

[37-3-17]

"孔子云,[249] '主忠信.' 主與賓相對, 賓是外人, 出入無常, 主人是吾家之主, 常存在這屋裏. 以忠信爲吾心之主, 是心中常要忠信, 蓋無時而不在是也. 心中所主者忠信, 則其中許多道理便都實在這裏. 若無忠信, 則一切道理都虛了. '主'字下得極有力."[250]

(북계 진씨가 말했다.) "공자가 '충과 신을 주로 하라.'[251]고 했다. '주主'는 '빈賓'과 상대되니, 빈은 외인으로 출입이 일정하지 않지만, 주인은 우리 집의 주인으로 항상 이 집안에 있다. 충과 신을 내 마음의 주인으로 삼는다는 것은, 마음속에 항상 충忠하고 신信하려 한 것이니, 어느 때이든 여기에 있지 않음이 없는 것이다. 마음속에서 주인으로 삼는 것이 충과 신이면, 그 속에서 수많은 도리가 모두 실제로 이 속에 있게 된다. 만약 충과 신이 없다면 일체의 도리가 다 공허해질 것이다. '주'자를 쓴 것이 매우 힘이 있다."

[37-3-18]

"忠信等字骨看得透, 則無往而不通. 如事君之忠, 亦只是盡己之心以事君. 爲人謀之忠, 亦只是盡己之心以爲人謀耳."[252]

(북계 진씨가 말했다.) "충·신 등의 글자의 골자를 투철하게 알면, 어떤 경우든 통하지 않음이 없다. 예를 들면 임금을 섬기는 충은 또한 다만 자기의 마음을 다하여 임금을 섬기는 것일 뿐이다. 남을 위해 일을 도모하는 충은 또한 다만 자기의 마음을 다하여 남을 위해 도모하는 것일 뿐이다."

[37-3-19]

"忠信是就人用工夫上立字. 大抵性中只有仁義禮智四位.[253] 萬善皆從此而生, 四位實爲萬善之總括. 如忠信, 如孝弟等類, 皆在萬善之中. 孝弟便只是仁之實,[254] 但到那事親事兄處, 方

247 '誠하려고 … 人道이다.: 『孟子』「離婁上」에서는 "誠함은 하늘의 도이고, 誠하려고 생각함은 사람의 도이다.(誠者, 天之道也, 思誠者, 人之道也.)"라고 했다.

248 『北溪字義』 권상 「忠信」

249 孔子云: 『北溪字義』 권상 「忠信」에는 '孔子曰'로 되어 있다.

250 『北溪字義』 권상 「忠信」

251 '충과 신을 … 하라.': 『論語』「學而」

252 『北溪字義』 권상 「忠信」

253 大抵性中只有仁義禮智四位.: 『北溪字義』 권상 「忠信」에는 '大抵性中只有箇仁義禮智四位'로 되어 있다.

始目之曰孝弟. 忠信便只是五常實理之發, 但到那接物發言處, 方始名之曰忠信."[255]

(북계 진씨가 말했다.) "충과 신은 사람이 공부를 하는 데에서 개념을 정립한 것이다. 대체로 성에는 다만 인의예지 네 가지가 있을 뿐이다. 온갖 선이 모두 여기로부터 생겨나니, 네 가지는 실제로 온갖 선을 총괄한 것이다. 예컨대 충과 신, 효와 제 등은 모두 온갖 선 속에 있는 것이다. 효와 제는 곧 다만 인의 실제이지만, 부모를 섬기고 형을 섬기는 곳에 이르러 비로소 그것을 지목하여 효와 제라고 한다. 충과 신은 곧 다만 오상이라는 실리實理가 발한 것이지만, 사물에 접하여 말하는 곳에 이르러 비로소 그것을 명명하여 충과 신이라고 한다."

忠恕 충서

[37-4-1]

上蔡謝氏曰: "昔人有問明道先生云,[256] '如何斯可謂之恕心?' 明道曰, '充廣得去則爲恕心.'[257] '如何是充廣得去底氣象?' 曰, '天地變化草木蕃.' '充廣不去時如何?' 曰, '天地閉, 賢人隱.'[258] 察此可以見盡不盡矣."[259]

상채 사씨上蔡謝氏[謝良佐]가 말했다. "전에 어떤 사람이 명도선생에게 물었다. '어떻게 해야 서恕하는 마음이라고 할 수 있습니까?' 명도가 대답했다. '확충시켜 가면 서하는 마음이다.' (또 물었다.) '어떻게 하는 것이 확충시켜 가는 기상입니까?' (명도가) 대답했다. '천지가 변화하여 초목이 우거지는 것이다.'[260] (또 물었다.) '확충시켜 가지 못할 때에는 어떠합니까?' (명도가) 대답했다. '천지가 닫혀지고, 현인이 숨는다.'[261] 이 문답을 살펴보면 다함과 다하지 못함을 볼 수 있다."

[37-4-2]

"忠恕猶形影也. 無忠做恕不出來."[262]

254 孝弟便只是仁之實. :『北溪字義』 권상 「忠信」에는 '孝弟便是箇仁之實'로 되어 있다.
255 『北溪字義』 권상 「忠信」
256 昔人有問明道先生云 :『上蔡語録』 권1에는 '昔有人問明道先生'으로 되어 있다.
257 '充廣得去則爲恕心.' :『上蔡語録』 권1에는 '廣'이 '擴'으로 되어 있다. 뒤에 나오는 '廣'도 '擴'으로 되어 있다.
258 昔人有問明道先生云, … 賢人隱.' :『河南程氏外書』 권12 『河南程氏外書』에는 "或問明道先生, '如何斯可謂之恕?' 先生曰, '充擴得去則爲恕.' '心如何是充擴得去底氣象?' 曰, '天地變化草木蕃.' '充擴不去時如何?' 曰, '天地閉, 賢人隱.'"이라고 되어 있다.
259 『上蔡語録』 권1
260 '천지가 변화하여 … 것이다.' :『周易』「坤卦 · 文言傳」
261 '천지가 닫혀지고, 현인이 숨는다.' :『周易』「坤卦 · 文言傳」
262 『上蔡語録』 권2

(상채 사씨가 말했다.) "충과 서는 형체와 그림자와 같다. 충이 없으면 서를 해낼 수 없다."

[37-4-3]

河東侯氏曰 : "無恕不見得忠, 無忠做不出恕來. 誠有是心之謂忠, 見於功用之謂恕."[263]

하동 후씨河東侯氏[侯仲良][264]가 말했다. "서가 없으면 충을 볼 수 없고, 충이 없으면 서를 해낼 수 없다. 진실하게 이 마음을 가지고 있는 것을 충이라고 하고, 공용功用(일)에 드러내는 것을 서라고 한다."

[37-4-4]

朱子曰 : "主於內爲忠, 見於外爲恕. 忠是無一毫自欺處, 恕是'稱物平施'處."[265]

주자가 말했다. "안을 위주로 하는 것이 충이고, 밖으로 드러나는 것이 서이다. 충은 털끝만큼도 스스로를 속임이 없는 것이고, 서는 '사물을 저울질하여 베풂을 공평하게 한다.'[266]는 것이다."

[37-4-5]

"忠因恕見, 恕由忠出."[267]

(주자가 말했다.) "충은 서로 인하여 드러나고, 서는 충으로 말미암아 나온다."

[37-4-6]

"忠只是一箇忠, 做出百千萬箇恕來."[268]

(주자가 말했다.) "충은 다만 하나의 충인데, 수많은 서를 만들어낸다."

[37-4-7]

"忠恕只是體用, 便是一箇物事. 猶形影, 要除一箇除不得. 若未曉, 且看過去, 却時復潛玩. 忠

263 주자의 『中庸輯畧』 권상과 주자의 『論語精義』 권2하에서 侯仲良의 말로 인용하였다.

264 侯仲良 : 자는 師聖이며, 본관은 太原盂縣이고, 華陰 사람으로, 생졸년은 알 수 없다. 아버지인 侯可(1008~1079, 자는 無可)는 독실하게 공부하여 예, 악, 시, 역, 천문지리, 의약산수에 이르기까지 두루 공부했고, 후에 사방으로 遊學하다가 陝西華陰에 자리잡았다. 당시 西夏와 전쟁 중에 큰 공을 세웠고, 程頤가 「聞舅氏侯無可應辟南征詩에서 그 재능을 칭찬했다. 중량의 누나는 景德원년(1004) 太原에서 태어났는데, 학문이 뛰어나 아버지가 '아들이 아닌 것을 한탄하고' 19세 때 程珦(이정의 부친)에게 시집보냈다. 후중량은 이러한 家學을 바탕으로 아버지의 '華學'을 계승하고, 이정의 '洛學을 융합했다. 처음에는 이천을 따라 배우다가 깨우침을 얻지 못하자, 주렴계를 찾아가 가르침을 구하고 3일 만에 自得했다고 한다. 저서에 『論語說』과 『侯子雅言』이 있다.

265 『朱子語類』 권27, 16조목

266 '사물을 저울질하여 … 한다.' : 『周易』 「謙卦 · 大象傳」

267 『朱子語類』 권27, 17조목

268 『朱子語類』 권27, 19조목

與恕不可相離一步."[269]

(주자가 말했다.) "충과 서는 다만 체와 용일 뿐이니, 곧 하나이다. 마치 형체와 그림자와 같아서, 하나를 없애려 해도 없앨 수 없다. 만약 이해하지 못했다면 우선 보고 넘어갔다가, 때때로 다시 깊이 완미해야한다. 충과 서는 한 걸음도 떨어질 수 없는 것이다.

[37-4-8]

"忠是本根, 恕是枝葉. 非是別有枝葉, 乃是本根中發出枝葉, 枝葉卽是本根."[270]

(주자가 말했다.) "충은 뿌리이고, 서는 가지와 잎사귀이다. (이는) 별도로 가지와 잎사귀가 있는 것이 아니고, 뿌리에서 가지와 잎사귀를 자라나게 한 것이니, 가지와 잎사귀가 곧 뿌리이다."

[37-4-9]

"忠恕猶曰中庸. 不可偏擧."[271]

(정자가 말했다.) "충·서는 중·용이라고 말하는 것과 같다. 어느 하나만 거론할 수 없다."

[37-4-10]

"人謂盡己之謂忠, 盡物之謂恕. 盡己之謂忠固是, 盡物之謂恕則未盡. 推己之謂恕, 盡物之謂信."[272]

(정자가 말했다.) "사람들은 자기를 다하는 것을 충이라고 하고 사물을 다하는 것을 서라고 한다. 자기를 다하는 것을 충이라고 하면 진실로 옳지만, 사물을 다하는 것을 서라고 하면 미진하다. 자기를 미루는 것을 서라고 하고, 사물을 다하는 것을 신이라고 한다."

[37-4-11]

"忠者天下大公之道, 恕所以行之也. 忠言其體, 天道也, 恕言其用, 人道也."[273]

(정자가 말했다.) "충은 천하의 크게 공공한[公] 도이고, 서는 그것을 행하는 것이다. 충은 그 체體를 말한 것이니 천도天道이고, 서는 그 용用을 말한 것이니 인도人道이다."

[37-4-12]

"'維天之命, 於穆不已', 不其忠乎! 天地變化草木蕃, 不其恕乎!"[274]

269 『朱子語類』 권27, 21조목

270 『朱子語類』 권27, 23조목

271 『二程粹言』 권상 「論道篇」. 주자의 『論語正義』 권2하에서도 이천의 말로 인용하였다. [37-4-9]부터 [37-4-13]까지 『性理大全書』에는 주자의 말로 편집되어 있지만, 정자의 말이다.

272 『河南程氏遺書』 권23과 주자의 『論語正義』 권2하에서도 이천의 말로 인용하였다.

273 『河南程氏外書』 권2

(정자가 말했다.) "'하늘의 명命이여 아, 심원深遠하여 그치지 않는구나!'[275]는 충이 아니겠는가! '천지가 변화하면 초목이 번성한다.'[276]는 서가 아니겠는가!"

[37-4-13]

問 : '忠恕之別.'

曰 : "猶形影也. 無忠則不能爲恕矣."[277]

'충서의 차이'에 대해 물었다.

(정자가) 대답했다. "형체와 그림자와 같다. 충이 없으면 서가 될 수 없다."

[37-4-14]

"忠恕兩字, 在聖人有聖人之用. 在學者有學者之用."

又曰 : "就聖人身上說, 忠者天之天, 恕者天之人. 就學者身上說, 忠者人之天, 恕者人之人. 要之只是箇'小德川流, 大德敦化'意思."[278]

(주자가 말했다.) "충과 서는 성인에 있어서는 성인의 용用이 있고, 배우는 사람에 있어서는 배우는 사람의 용用이 있다."

(주자가) 또 말했다. "성인의 입장에서 말하면 충은 천天의 천天이고, 서는 천天의 인人이다. 배우는 사람의 입장에서 말하면 충은 인人의 천天이고, 서는 인人의 인人다. 요컨대 다만 '작은 덕은 냇물의 흐름과 같고, 큰 덕은 조화造化를 두텁게 한다.'[279]는 뜻일 뿐이다."

[37-4-15]

問 : "程子言'如心爲恕', 如心之義如何?"

274 『河南程氏外書』 권7

275 '하늘의 命이여 … 않는구나!' : 『詩經』「周頌 · 淸廟之什」

276 '천지가 변화하면 … 번성한다.' : 『周易』「坤卦 · 文言傳」. 이천은 『易傳』에서 "하늘과 땅이 서로 감동하면 만물이 변화하여 초목이 번성한다.(天地交感, 則變化萬物, 草木蕃盛)"라고 주해하였다.

277 『河南程氏外書』 권11

278 忠恕兩字, 在聖人有聖人之用. 在學者有學者之用.은 『朱文公文集』 권37 「與范直閣」의 글이고, 又曰 : 就聖人身上說, … 大德敦化意思.는 『朱子語類』 권27, 102조목의 글이다. 『朱子語類』에는 直卿云, "就聖人身上說, 忠者天之天, 恕者天之人 ; 就學者身上說, 忠者人之天, 恕者人之人." "曰 : "要之, 只是箇'小德川流, 大德敦化' 意思."으로 되어 있어 又曰 … 恕者人之人는 제자인 직경의 말이고, 要之 이하는 주자의 말로 되어 있다.

279 '작은 덕은 … 한다.' : 『中庸』 제30장. 주자는 『集註』에서 "작은 덕은 전체의 나뉨이고, 큰 덕은 萬殊의 근본이다. '川流'는 마치 냇물이 흐르는 것처럼 맥락이 분명하면서도 쉬지 않고 가는 것이다. '敦化'는 그 조화를 돈후하게 하는 것이니, 근본이 성대하면서 나오는 것이 무궁하다는 것이다. 이는 천지의 도를 말한 것이다.(小德者, 全體之分, 大德者, 萬殊之本. 川流者, 如川之流, 脈絡分明而往不息也. 敦化者, 敦厚其化, 根本盛大而出無窮也. 此言天地之道)"라고 하였다.

曰："萬物之心，便如天地之心；天下之心，便如聖人之心. 天地之生萬物，一箇物裏面，便有一箇天地之心. 聖人於天下，一箇人裏面，便有一箇聖人之心. 聖人之心，自然無所不到，此便是'乾道變化，各正性命'，聖人之忠恕也. 如'己所不欲，勿施於人'，便是推己之心，求到那物上,[280] 賢者之忠恕也."

물었다. "정자가 말한 '마음과 같이 하는 것이 서이다'에서 마음과 같이 한다는 것의 의미가 무엇입니까?" (주자가) 대답했다. "만물의 마음은 바로 천지의 마음과 같고, 천하 사람들의 마음은 바로 성인의 마음과 같다. 천지가 만물을 생겨나게 함에, 하나의 사물 속에 바로 하나의 천지의 마음이 있다. 성인의 천하 사람들과 관계에서는, 한 사람 속에 하나의 성인의 마음이 있다. 성인의 마음은 자연히 이르지 않는 것이 없으니, 이것이 바로 '건의 도가 변하고 화함에 각기 성명을 바로 한다.'[281]는 것으로, 성인의 충서忠恕이다. 예컨대 '내가 바라지 않는 것을 남에게 베풀지 말라.'[282]는 것은 바로 자기의 마음을 미루어 저것에게 도달하기를 구하는 것이니, 현자의 충서이다."

又曰："恕只是推得去. 推不去底人，只要理會自己，不管別人，別人底事，便說不關我事. 今如此人，便爲州爲縣，亦只理會自己，百姓盡不管他，直是推不去."

又問："恕字恁地闊?"

曰："所以道'一言而可以終身行之者，其恕乎!'"

又曰："也須是忠. 無忠，把甚麼推出來?"[283]

(주자가) 또 말했다. "서는 다만 미루어 가는 것일 뿐이다. 미루어 가지 못하는 사람은 다만 자기자신만을 알려고 할 뿐 다른 사람은 상관하지 않아서, 다른 사람의 일은 나의 일과 관계없다고 한다. 이제 이러한 사람은 곧 주州나 현縣을 맡아 다스리더라도 또한 자기자신만을 알 뿐, 백성들이 모두 자기와 관련되지 않는 것으로 여기니, 바로 미루어가지 못한 것이다."

또 물었다. "서가 이렇게 넓은 것입니까?"

(주자가) 대답했다. "그 때문에 '한 마디 말로서 종신토록 행할 만한 한 것은 서일 것이다!'[284]라고 말한 것이다."

또 말했다. "또한 반드시 충해야 한다. 충이 없으면 무엇을 미루어 나가겠는가?"

280 求到那物上：『朱子語類』 권27, 63조목에는 做到那物上으로 되어 있다.

281 '건의 도가 … 한다.'：『周易』「乾卦 · 彖傳」

282 '내가 바라지 … 말라.'：『論語』「顔淵」

283 問："程子言'如心爲恕' … 賢者之忠恕也는 『朱子語類』 권27, 63조목의 글이고 又曰："恕只是推得去. … 把甚麽推出來!"는 『朱子語類』 권27, 92조목의 글이다.

284 '한 마디 … 것이다!'：『論語』「衛靈公」에는 "子貢問曰, '有一言而可以終身行之者乎? 子曰, '其恕乎! 己所不欲, 勿施於人.'"으로 되어 있다.

[37-4-16]

"忠者, 盡己之心. 無少僞妄, 以其必於此而本焉, 故曰'道之體.' 恕者, 推己及物. 各得所欲, 以其必由是而之焉, 故曰'道之用.'"[285]

(주자가 말했다.) "충은 자기의 마음을 다하는 것이다. 조금이라도 거짓됨이나 망령됨이 없는 것이, 반드시 여기에서 근본하기 때문에 '도의 체'라고 한다. 서는 자기를 미루어 남에게 미치는 것이다. 각각 바라는 것을 얻는 것이, 반드시 여기로부터 말미암아 나가기 때문에 '도의 용'이라고 한다."

[37-4-17]

問 : "孔子言恕, 必兼忠, 如何對子貢只言恕?"[286]

曰 : "不得忠時不成恕. 說恕時忠在裏面."[287]

물었다. "공자가 서를 말할 때, 반드시 충을 겸해서 말했는데, 어찌해서 자공에 대해서는 다만 서만을 이야기했습니까?"[288]

(주자가) 대답했다. "충하지 못할 때에는 서를 이룰 수 없다. 서를 말할 때, 충은 그 속에 있다."

[37-4-18]

南軒張氏曰 : "忠, 體也, 恕, 用也. 體立而用未嘗不存其中. 用之所形, 體亦無乎不具也."[289]

남헌 장씨南軒張氏[張栻]가 말했다. "충은 체이고, 서는 용이다. 체가 확립되면 용은 그 속에 있지 않은 적이 없다. 용이 드러나는 곳에, 체도 또한 갖추어지지 않음이 없다."

[37-4-19]

北溪陳氏曰 : "忠信, 是以忠對信而論. 忠恕, 又是以忠對恕而論. 伊川謂'盡己之謂忠, 推己之謂恕.' 忠是就心說, 是盡己之心無不眞實者. 恕是就待人接物處說, 只是推己心之所眞實者, 以及人物而已. 字義, 中心爲忠, 是盡己之中心無不實故爲忠. 如心爲恕, 是推己心以及人, 要如己心之所欲者便是恕.

북계 진씨北溪陳氏[陳淳]가 말했다. "충신忠信은 충과 신에 상대하여 논하였다. 충서忠恕는 또 충과 서를 상대하여 논하였다. 이천은 '자기를 다하는 것을 충이라고 하고, 자기를 미루는 것을 서라고 한다'[290]라고

285 『朱子語類』 권27, 75조목

286 如何對子貢只言恕? : 『朱子語類』 권45, 51조목에는 '如何此只言恕'로 되어 있다.

287 『朱子語類』 권45, 51조목

288 어찌해서 자공에 … 이야기했습니까? : 『論語』「衛靈公」에서 "자공이 물었다. "한 마디로 종신토록 행할 만한 것이 있습니까?" 공자가 대답했다. "恕일 것이다. 자기가 바라지 않는 것을 남에게 베풀지 말라는 것이다.(子貢問曰 : '有一言而可以終身行之者乎?' 子曰 : '其恕乎! 己所不欲, 勿施於人')"라고 한 것을 가리킨다.

289 『南軒集』 권32 「答游誠之」

290 '자기를 다하는 … 한다.' : 『程氏經說』 권7

하였다. 충은 마음에서 말한 것이니, 자기의 마음을 다하여 진실하지 않음이 없는 것이다. 서는 다른 사람을 대하고 다른 사물을 만나는 곳에서 말한 것이니, 다만 자기 마음의 진실함을 미루어서, 다른 사람이나 사물에게까지 미치는 것일 뿐이다. 글자의 뜻으로는, 중中과 심心이 충忠이 되니, 자기의 속마음을 다하여서 참되지 않음이 없기 때문에 충이 된다. 여如와 심心이 서恕가 되니, 자기의 마음을 미루어 남에게 미쳐서, 자기 마음이 바라는 것같이 하려는 것이 바로 서이다.

夫子謂'己所不欲, 勿施於人', 只是就一邊論, 其實不止是勿施己所不欲者. 凡己之所欲者, 須要施於人方可. 如己欲孝人亦欲孝, 己欲弟人亦欲弟, 必推己之所欲孝欲弟者以及人, 使人亦得以遂其欲孝欲弟之心. 己欲立人亦欲立, 己欲達人亦欲達, 必推己之所欲立欲達者以及人, 使人亦得以遂其欲立欲達之心. 便是恕. 只是己心流底去到那物而已.

공자가 말한 '자신이 바라지 않는 바를 남에게 베풀지 말라.'[291]는 것은 다만 한쪽 면에서만 논한 것이니, 사실은 자기가 바라지 않는 것을 베풀지 않는데에만 그치는 것이 아니다. 자기가 바라는 것을 반드시 남에게 베풀어야만 된다. 만일 자기가 효도를 바란다면 다른 사람 또한 효도를 바랄 것이고, 자기가 공경함을 바란다면 다른 사람 또한 공경함을 바랄 것이니, 반드시 자기가 바라는 효도나 바라는 공경함을 미루어 남에게 미쳐서, 남으로 하여금 또한 그 효도를 바라고 공경함을 바라는 마음을 이룰 수 있도록 해주어야 한다. 자기가 서고자 하면 남도 또한 서고자 하며, 자기가 통달하고자 하면 남도 또한 통달하고자 하는 법이니, 반드시 자기가 서고자 하는 마음과 통달하고자 하는 마음을 미루어 남에게 미쳐서, 남으로 하여금 그 서기를 바라고 통달하기를 바라는 마음을 이룰 수 있도록 해주어야 한다.[292] (이것이) 바로 서이다. 다만 자기의 마음이 흘러가 상대방에게 도달하는 것일 뿐이다.

然恕道理甚大, 在士人只一門之內, 應接無幾, 其所推者有限. 就有位者而言, 則所推者大而所及者甚廣. 苟中天下而立, 則其所推者愈大, 如吾欲以天下養其親, 却使天下之人父母凍餓不得以遂其孝; 吾欲長吾長幼吾幼, 却使天下之人兄弟妻子離散不得以安其處; 吾欲享四海之富, 却使海內困窮無告者不得以遂其生生之樂, 如此便是全不推己, 便是不恕."[293]

그러나 서의 도리는 매우 커서, 그저 집 안에만 있는 선비의 경우에는 별로 응하고 접할 것이 없으니, 미루는 것에 한계가 있다. 지위가 있는 자의 경우에서 말하면, 미루는 것이 크고 미치는 것이 매우 넓다. 진실로 천하의 한 가운데에 서서 왕자王者가 되면[294] 미루는 것이 더욱 커지니, 예컨대 내가 천하로써

291 '자신이 바라지 … 말라.' : 『論語』「顔淵」

292 자기가 서고자 … 한다. : 『論語』「雍也」에서는 "仁者는 자신이 서고자 함에 남도 서게 하며, 자신이 통달하고자 함에 남도 통달하게 하는 것이다.(夫仁者, 己欲立而立人, 己欲達而達人.)"라고 하였다.

293 『北溪字義』 권上

294 천하의 한 … 되면 : 『孟子』「盡心上」에서는 "천하의 한 가운데에 서서 王者가 되어 四海의 백성을 안정시키는 것을 군자가 즐거워하지만, 性은 여기에 있지 않다.(中天下而立, 定四海之民, 君子樂之, 所性不存焉.)"라고 했다.

부모를 봉양하고자[295] 하면서, 도리어 천하 사람들로 하여금 부모가 얼고 굶주려서[296]그 효를 완수할 수 없게 하는 것이나, 내가 나의 어르신을 어르신으로 섬기고 나의 어린이를 어린이로 사랑하고자[297] 하면서, 도리어 천하 사람들로 하여금 형제와 처자가 흩어져 거처할 곳을 안정되지 못하도록 하는 것이나, 내가 사해의 부유함을 누리고자 하면서, 도리어 나라 안의 곤궁하여 하소연할 곳 없는 사람들[298]로 하여금 그들의 살아가는 즐거움을 완수하지 못하게 하는 것, 이와 같은 것들은 바로 전혀 자기를 미루지 못한 것이니 서가 아니다."

[37-4-20]

"大槩忠恕只是一物. 就中截作兩片, 則爲二物. 上蔡謂'忠恕猶形影', 說得好. 蓋存諸中者旣忠, 則發出外來便是恕. 應事接物處不恕, 則在我者必不十分眞實. 故發出忠底心, 便是恕底事；做成恕底事, 便是忠底心."[299]

(북계 진씨가 말했다.) "대체로 충과 서는 다만 하나일 뿐이다. 가운데에서 잘라 두 조각으로 만들면 두 가지가 된다. 상채上蔡[謝良佐]가 '충과 서는 형체와 그림자와 같다.'[300]라고 했는데, 말한 것이 훌륭하다. 안에 보존하고 있는 것이 충이라면 바깥으로 발출하여 나오는 것이 바로 서이다. 일과 사물에 응하고 접할 때 서恕하지 않다면, 내게 있는 것은 분명 완전히 진실하지 않은 것이다. 그러므로 충의 마음을 발출하는 것은 바로 서의 일이고, 서의 일을 완수하는 것은 바로 충의 마음이다."

295 천하로써 부모를 봉양하고자 : 『孟子』「萬章上」에서는 "효자의 지극함은 어버이를 높임보다 더 큰 것이 없고, 어버이를 높임의 지극함은 천하로써 봉양함보다 더 큰 것이 없다. (고수는) 천자의 아버지가 되었으니, 높임이 지극하고, (순임금은) 천하로써 봉양하였으니, 봉양함이 지극한 것이다.(孝子之至, 莫大乎尊親, 尊親之至, 莫大乎以天下養. 爲天子父, 尊之至也, 以天下養, 養之至也.)"라고 하였다.

296 천하 사람들로 … 굶주려서 : 『孟子』「梁惠王上」에서는 "저들이 백성들의 농사철을 빼앗아 백성들로 하여금 밭 갈고 김매어 그 부모를 봉양하지 못하게 하면, 부모가 얼고 굶주리며, 형제·처자가 흩어지게 될 것이니, 저들이 그 백성을 함정에 빠뜨리고 도탄에 빠뜨리거든 왕께서 가서 바로잡으신다면 누가 왕과 대적하겠습니까?(彼奪其民時, 使不得耕耨以養其父母. 父母凍餓, 兄弟妻子離散. 彼陷溺其民, 王往而征之, 夫誰與王敵?)"라고 했다.

297 나의 어르신을 … 사랑하고자 : 『孟子』「梁惠王上」에서는 "내 노인을 노인으로 섬겨서 남의 노인에게까지 미치며, 내 어린이를 어린이로 사랑해서 남의 어린이에게까지 미친다면 천하를 손바닥에 놓고 움직일 수 있습니다.(老吾老, 以及人之老, 幼吾幼, 以及人之幼, 天下可運於掌.)"라고 했다.

298 곤궁하여 하소연할 … 사람들 : 『孟子』「梁惠王下」에서는 "늙어서 아내가 없는 것을 鰥(홀아비)이라 하고, 늙어서 남편이 없는 것을 寡(과부)라 하고, 늙어서 자식이 없는 것을 獨(무의탁자)이라 하고, 어려서 부모가 없는 것을 孤(고아)라 하니, 이 네 가지는 천하의 곤궁한 백성으로서 하소연할 곳이 없는 자들입니다. 文王은 政事를 펴고 仁을 베푸실 때 반드시 이 네 사람들을 먼저 하셨습니다.(老而無妻曰鰥, 老而無夫曰寡, 老而無子曰獨, 幼而無父曰孤. 此四者, 天下之窮民而無告者. 文王發政施仁, 必先斯四者.)"라고 하였다.

299 『北溪字義』 권上

300 『上蔡語録』 권2

[37-4-21]

"有天地之忠恕, '至誠無息而萬物各得其所', 是也. 有聖人之忠恕, '吾道一以貫之', 是也. 有學者之忠恕, '己所不欲, 勿施於人', 是也. 皆理一而分殊."301

(북계 진씨가 말했다.) "천지의 충서忠恕는 '지극한 성誠은 쉼이 없어서 만물이 각각 제자리를 얻는 것'302이 이것이다. 성인의 충서는 '나의 도는 하나로써 모든 것을 꿰뚫고 있다.'303는 것이 이것이다. 배우는 자들의 충서는 '내가 바라지 않는 것을 남에게 베풀지 말라.'304는 것이 이것이다. 모두 리일분수理一分殊(리理는 하나이나 나뉘어진 곳의 리理는 다르다)이다."

[37-4-22]

"聖人本無私意, 此心豁然大公, 物來而順應, 何待於推! 學者未免有私意錮於其中, 視物未能無爾汝之間, 須是用力推去, 方能及到那物上. 旣推得去, 則亦豁然大公矣. 所以子貢問'一言可以終身行之者', '其恕乎!' 蓋學者須是著力推己以及物, 則私意無所容, 而仁可得矣."305

(북계 진씨가 말했다.) "성인은 본래 사사로운 생각[私意]이 없어 이 마음이 훤히 트여 크게 공정[公]하므로 사물이 다가오면 순응하니, 어찌 미루어갈 필요가 있겠는가! 배우는 자는 사사로운 생각[私意]이 그 속을 꽉 막고 있음을 면하지 못하여, 사물을 보는데 너와 나의 차이가 없을 수 없으니, 반드시 애를 써서 미루어 가야 비로소 저 사물에 미칠 수 있게 된다. 이미 미루어 나갈 수 있으면, 또한 훤히 트여 크게 공정[公]하게 된다. 그래서 자공이 '한 마디 말로서 종신토록 행할 만한 것'을 물었을 때 '서일 것이다!'306라고 한 것이다. 배우는 자가 반드시 힘을 써서 자기를 미루어 남에게 미치면, 사사로운 뜻이 용납될 곳이 없고 인을 얻을 수 있다."

[37-4-23]

"自漢以來, 恕字義甚不明. 至有謂'善恕己量主'者, 而范忠宣公亦謂'以恕己之心恕人', 不知恕之一字, 就己上著不得. 據他說恕字, 只是箇饒人底意思. 如此, 則是己有過且自恕己, 人有過又幷恕人, 是相率爲不肖之歸, 豈古人推己如心之義乎! 故忠宣公謂'以責人之心責己'一句說

301 『北溪字義』 권上

302 '지극한 誠은 … 것': 『論語』「里人」 '나의 도는 하나로써 모든 것을 꿰뚫고 있다.(吾道一以貫之.)'의 주자집주에 보인다. 또 『朱子語類』 권27, 83조목에서도 "'성인은 지극한 성이 쉼이 없어서 만물이 각각 제자리를 얻는다.'라고 말한 경우에는 충서를 합한 것으로 인의 뜻인 것이다.(如曰'聖人至誠無息, 而萬物各得其所', 便是合忠恕是仁底意思.)"라고 하였다. '지극한 誠은 쉼이 없다'는 『中庸』 제26장의 말이다.

303 '나의 도는 … 있다.': 『論語』「里人」

304 '내가 바라지 … 말라.': 『論語』「顔淵」

305 『北溪字義』 권上

306 '한 마디 … 것이다!': 『論語』「衛靈公」에는 "子貢問曰, '有一言而可以終身行之者乎?' 子曰, '其恕乎! 己所不欲, 勿施於人.'"으로 되어 있다.

得是, '以恕己之心恕人'一句說得不是. 其所謂恕, 恰似今人說'且恕''不輕恕'之意. 字義不明, 爲害非輕."[307]

(북계 진씨가 말했다.) "한대漢代 이래로 서恕의 뜻은 아주 불명확했다. '자기를 용서하고 군주의 뜻을 헤아리는 것을 잘한다.'[308]라는 말이 있게 되기에 이르렀고, 범충선공范忠宣公[范純仁][309] 또한 '자기를 용서하는 마음으로 남을 용서한다.'[310]고 했으니, 서를 자기 자신에 대해서 쓸 수 없다는 것을 모른 것이다. 그가 서를 설명한 것에 따르면, 다만 사람을 용서한다는 뜻일 뿐이다. 이와 같다면, 자기에게 잘못이 있으면 우선 스스로 자기를 용서하고, 남에게 잘못이 있으면 또 아울러 남을 용서한다는 것이니, 이는 서로 이끌어서 불초한 데로 돌아가는 것이지, 어찌 옛 사람들이 말한 자기의 마음과 같이 미루어 간다는 뜻이겠는가! 그러므로 충선공忠宣公의 '남을 책망하는 마음으로 자기를 책망한다.'[311]는 말은 옳지만, '자기를 용서하는 마음으로 남을 용서한다'는 말은 옳지 않다. 그가 이른바 서는 마치 요즘 사람들이 말하는 '우선 용서하다', '가볍게 용서하지 않는다'는 뜻과 흡사하다. 의미가 불명확하여 해로움이 가볍지 않다."

[37-4-24]

西山眞氏曰: "忠之爲義, 先儒以爲中心釋之, 又以盡己言之, 蓋本諸心而無僞者忠也. 發乎己而必盡者亦忠也. 然未有本諸心而不盡於己, 盡乎己而不本諸心者,[312] 其亦一而已爾. 聖賢之言忠, 不顓於事君也, 爲人謀必忠也, 於朋友必忠告也, 事親必忠養也. 至於以善敎人, 以利敎民, 無適而非忠也. 平居有一之可媿而能盡忠其君, 無是道也. 恕者如心之謂, 非寬厚之謂也. 如我能爲善, 亦欲他人如我之善; 我無惡, 亦欲人如我之無惡; 我欲立, 亦欲人之立; 我欲達, 亦欲人之達. 大槩是視人如己, 推己及物之謂."[313]

서산 진씨西山眞氏[眞德秀]가 말했다. "충忠의 뜻에 대해 선유先儒는 속마음[中心]으로 풀이했고, 또 자기를

307 『北溪字義』 권上

308 '자기를 용서하고 … 잘한다.': 『後漢書』 권59 「郅惲傳」. 주자는 『四書或問』 권2에서 "광무제가 '惲이 자기를 용서하고 군주의 뜻을 헤아리는 것을 잘한다.'고 말했으니 그 잘못이 또 매우 깊어서, 남의 신하된 사람으로서 (군주에게) 어려운 일을 실행하도록 요구하거나 선을 베풀도록 하려 하지 않아서, 자기 군주를 해치는 죄가 있음을 크게 일깨워준 것이다.('光武乃謂'惲爲善恕己量主', 則其失又甚遠, 而大啟爲人臣者不肯責難陳善以賊其君之罪')"라고 하였다.

309 范純仁(1027~1101) 字는 堯夫이고, 시호는 忠宣이며, 北宋 吳縣 사람이다. 范仲淹의 둘째 아들로, 胡瑗과 孫復에게 배웠다. '布衣宰相'으로 불렸으며, 저서에 『范忠宣公集』이 있다.

310 '자기를 용서하는 … 용서한다.': 『宋名臣言行錄』「後集」 권11 「范純仁忠宣公」

311 '남을 책망하는 마음으로 자기를 책망한다.': 『宋名臣言行錄』「後集」 권11 「范純仁忠宣公」

312 然未有本諸心而不盡於己, 盡乎己而不本諸心者: 『西山文集』 권29 「序 · 劉氏傳忠録後序」에는 '然未有本諸心而不盡於己者, 亦未有盡乎己而不本諸心者'로 되어 있다.

313 忠之爲義, … 無是道也.는 『西山文集』 권29 「序 · 劉氏傳忠録後序」의 글이고, 恕者如心之謂, … 推己及物之謂는 『西山文集』 권30 「問答 · 問治國平天下章」의 글이다. 『西山文集』에는 '大槩是視人如己, 推己及物之謂'가 주석으로 되어 있다.

다한다는 것으로 말했는데, 대개 마음에 근본하여 거짓이 없는 것이 충이다. 자기에게서 발하여 반드시 다하는 것도 또한 충이다. 그러나 마음에 근본하지 않고서 자기를 다하는 것은 없고, 자기에게 다하면서 마음에 근본하지 않는 것도 없으니, 그 또한 한 가지일 뿐이다. 성현이 충을 말한 것은 오로지 임금을 섬기는 데에만 국한된 것이 아니니, 남을 위해 일을 도모할 때에도 반드시 충으로 해야 하고, 벗에게도 반드시 충으로 고해야 하며, 어버이를 섬길 때도 반드시 충으로 봉양해야 한다. 선善으로써 남을 가르치고 이로움으로써 백성을 가르칠 때에 이르러서도 충忠이 아님이 없다. 평상시에 한 가지라도 부끄러워할 만한 것이 있으면서 군주에게 충을 다할 수 있는 것은, 이러한 도리가 없다. 서恕는 '마음과 같이 한다[如心]'는 말이지, 관대하고 두텁게 한다는 것이 아니라는 말이다. 예컨대 내가 선을 행할 수 있으면 또한 타인도 나의 선과 같아지기를 바라는 것이다. 내게 악이 없다면, 또한 타인도 나의 악이 없음과 같아지기를 바라는 것이다. 내가 서고자 하면 또한 남도 서기를 바라는 것이고, 내가 통달하고자 하면 또한 남도 통달하기를 바라는 것이다. 대체로 남을 보기를 자기 자신처럼 하는 것은 자기를 미루어 남에게 미친다는 말이다."

[37-4-25]

"忠者盡己之心也, 恕者推己之心以及人也. 忠盡乎內者也, 恕形於外者也. 己之心旣無一毫之不盡, 則形之於外亦無一毫之不當. 如事親當孝, 事兄當悌, 處朋友當信, 事事物物, 各盡其所以當然之理以處之, 卽是恕也 **有忠而後有恕, 忠者形也, 恕者影也.** 如有形而後有影也 **在聖人則曰誠, 在學者則曰忠. 誠是自然而然, 忠是須用著力. 在聖人則不必言恕, 在學者則當言恕. 蓋聖人不待乎推, 學者先盡己而後能及人, 故有待乎推也. 然學若能於忠恕二字上著力,[314] 於盡己盡人之間, 無不極其至, 久之亦可以到至誠地位."[315]**

서산 진씨西山眞氏[眞德秀]가 말했다. "충은 자기의 마음을 다하는 것이고, 서는 자기의 마음을 미루어서 남에게 미치는 것이다. 충은 안에서 다하는 것이고, 서는 밖에서 드러나는 것이다. 자기의 마음에 이미 털끝만큼도 다하지 않음이 없다면, 밖으로 드러내는 것 또한 털끝만큼도 마땅하지 않음이 없다. 예를 들면, 어버이를 섬길 때는 마땅히 효도해야 하고, 형을 섬길 때는 마땅히 공손해야 하며, 벗을 대할 때는 마땅히 미덥게 하여, 사사물물에 그 당연한 리理를 다해서 대처하는 것이 바로 서恕이다. 충이 있은 뒤에 서가 있으니, 충은 형체이고, 서는 그림자이다. 형체가 있은 뒤에 그림자가 있는 것과 같다. 성인에게 있어서는 성誠이라고 하고, 배우는 자에게 있어서는 충이라고 한다. 성誠은 자연히 그러한 것이고, 충은 반드시 노력해야 한다. 성인에게 있어서는 서恕를 말할 필요가 없지만, 배우는 자에게 있어서는 마땅히 서恕를 말해야 한다. 성인은 미루는 것[推]이 필요 없지만, 배우는 자는 먼저 자기를 다한 뒤에 남에게 미칠 수 있는 것이므로, 미루는 것[推]이 필요하다. 그러나 배움이 만약 충과 서에서 힘을 쏟을 수 있다면, 자기를 다하고 남을 다하는 사이에서 그 지극함을 다하지 않음이 없고, 오래되면 또한 성誠의 경지에 이르게

314 然學若能於忠恕二字上著力 : 『西山文集』 권31 「問忠恕」에는 '學'이 '學者'로 되어 있다.
315 『西山文集』 권31 「問忠恕」

될 수 있을 것이다."

恭敬 공경

[37-5-1]

程子曰: "發於外者謂之恭, 有諸中者謂之敬."[316]

정자가 말했다. "밖으로 드러나는 것을 공恭이라고 하고, 안에 있는 것을 경敬이라고 한다."

[37-5-2]

朱子嘗因言恭敬二字如忠信, 或云: "敬, 主於中者也, 恭, 發於外者也."

曰: "凡言發於外, 比似主於中者較大. 蓋必充積盛滿, 而後發於外, 則發於外者, 豈不如主於中者! 然主於中者却是本, 不可不知."[317]

주자가 일찍이 공·경이 충·신과 같다고 말했던 것에 기인하여 어떤 사람이 물었다. "경은 안에서 주장하는 것이고, 공은 밖으로 드러나는 것입니다."

(주자가) 대답했다. "밖으로 드러난다는 말은 안에서 주장한다는 것보다 비교적 큰 것 같다. 반드시 가득 찬 뒤에라야 밖으로 드러나는 법이니, 밖으로 드러난다는 것이 어찌 안에서 주장하는 것만 못하겠는가! 그러나 안에서 주장하는 것이 오히려 근본임을 알지 않으면 안 된다."

[37-5-3]

"恭主容, 敬主事. 有事著心做, 不易其心而爲之, 是敬. 恭形於外, 敬主於中. 自誠身而言, 則恭較緊; 自行事而言, 則敬爲切."[318]

(주자가 말했다.) "공恭은 용모를 주로 하고 경敬은 일을 주로 한다. 일이 있으면 마음을 써서 행하며, 그 마음을 소홀히 하지 않고 하는 것이 경敬이다. 공恭은 밖으로 드러나고 경은 안에서 주장한다. 몸을 정성되게 하는 것으로 말하면 공이 더 긴요하고, 일을 하는 것으로 말하면 경이 절실하다."

[37-5-4]

"初學則不如敬之切, 成德則不如恭之安. 敬是主事. 然專言, 則又如'修己以敬', '敬是直內.'[319]

316 『河南程氏遺書』 권6

317 『朱子語類』 권6, 150조목

318 『朱子語類』 권6, 146조목

319 '敬是直內.': 敬以直內의 오자로 보인다.

只偏言是主事, 恭是容貌上說."[320]

(주자가 말했다.) "처음 배우는 때에는 경의 절실함만 한 것이 없고, 덕을 완성하는 데에는 공의 편안함만 한 것이 없다. 경은 일을 위주로 하는 것이다. 그러나 전언專言하면, 또 '경으로써 자기를 닦는다.',[321] '경하여 안을 곧게 한다.'[322]는 것과 같다. 다만 편언偏言하면, 일을 위주로 하는 것이고, 공은 용모에 대해서 말한 것이다."

[37-5-5]

問 : "恭敬二字, 恭在外,[323] 工夫猶淺, 敬在內, 工夫大段細密."

曰 : "二字不可以深淺論. 恭敬猶忠信兩字."

問 : "恭卽是敬之發見."

曰 : "本領雖在敬上, 若論那大處, 恭反大於敬. 若不是裏面積盛, 無緣發出來做得恭."[324]

물었다. "공恭과 경敬에서 공은 바깥에 있어서 공부가 오히려 얕지만, 경은 안에 있어서 공부가 매우 세밀합니다."

(주자가) 대답했다. "(공과 경) 두 가지는 깊고 얕음으로 이야기할 수 없다. 공 · 경은 충 · 신과 같다."

물었다. "공은 바로 경이 발현한 것입니다."

(주자가) 대답했다. "본령은 비록 경敬에 있다 하더라도, 만약 그 크기를 논하면, 공恭이 도리어 경敬보다 크다. 만약 안쪽에서 쌓여 가득차지 않으면 발하여 나와 공恭을 할 수가 없다."

[37-5-6]

問 : "恭敬二字, 語孟之言多矣. 如'敬而無失', '與人恭而有禮', '居處恭, 執事敬', '行己也恭, 事上也敬', '責難於君謂之恭, 陳善閉邪謂之敬.' 伊川先生言'發於外者謂之恭, 有諸中者謂之敬.' 蓋恭敬只一理."

曰 : "恭主容, 敬主事, 自學者而言, 則恭不如敬之力 ; 自成德而言, 則敬不如恭之安."[325]

물었다. "공恭과 경敬 두 글자는 『논어』와 『맹자』에서 언급한 것이 많습니다. 예컨대 '경敬하면서 과실이 없다',[326] '남과 어울릴 때 공손[恭]하면서 예가 있다',[327] '거처할 때 공손[恭]하고 일을 처리할 때 경敬한다',[328]

320 『朱子語類』 권6, 147조목

321 '경으로써 자신을 닦는다.' : 『論語』「憲問」

322 '경하여 안을 … 한다.' : 『周易』「坤卦 · 文言傳」

323 恭在外 : 『朱子語類』 권6, 148조목에는 '以謂恭在外'로 되어 있다.

324 『朱子語類』 권6, 148조목

325 『朱文公文集』 권41 「答連嵩卿」

326 '敬하면서 과실이 없다.' : 『論語』「顏淵」

327 '남과 어울릴 … 있다.' : 『論語』「顏淵」

328 '거처할 때 … 공경한다.' : 『論語』「子路」

'몸가짐이 공손하고, 윗사람을 섬김이 공경스럽다.',[329] '임금에게 어려운 일을 요구하는 것을 공恭이라 이르고, 선善한 것을 말하여 사심邪心을 막는 것을 경敬이라고 한다.'[330]라고 하였습니다. 이천선생은 '밖으로 드러나는 것을 공恭이라고 하고, 안에 있는 것을 경敬이라고 한다.'[331]라고 하였습니다. 공恭과 경敬은 다만 하나의 이치[理]일 뿐입니다."
(주자가) 대답했다. "공恭은 용모를 주로 하고, 경敬은 일을 주로 하니, 배우는 사람으로부터 말하면, 공恭은 경敬의 힘만 못하고, 덕을 이루는 것으로부터 말하면, 경敬은 공恭의 편안함만 못하다."

[37-5-7]
問: "恭與敬如何?"
曰: "恭是主容貌而言. 貌曰恭, 手容恭 敬是主事而言. 執事敬, 事思敬."
問: "敬如何是主事而言?"
曰: "而今做一件事, 須是專心在上面方得, 不道是不好事. 而今若讀『論語』, 心又在『孟子』上, 如何理會得! 若做這一件事, 心又在那事, 永做不得."
又曰: "敬是畏底意思."
又曰: "敬是就心上說, 恭是對人而言."
又曰: "若有事時, 則此心便卽專在這一事上, 無事, 則此心湛然."
又曰: "恭是謹, 敬是畏, 莊是嚴. '嚴威儼恪, 非所以事親', 是莊於這處使不得. 若以臨下, 則須是莊. '臨之以莊則敬', '不莊以蒞之, 則民不敬.'"[332]
물었다. "공恭과 경敬은 어떠한 것입니까?"
(주자가) 대답했다. "공恭은 용모를 주로 해서 말한 것이다. '모습은 공손하고'[333] '손의 모양은 공손하다'[334] 경敬은 일을 주로 해서 말한 것이다. '일을 처리할 때 경敬한다.',[335] '일은 경건함을 생각한다.'"[336]
물었다. "경은 어떤 점에서 일을 주로 하여 말한다는 것입니까?"
(주자가) 대답했다. "지금 한 가지 일을 하려면 반드시 그 일에 전심하여야 되니, 좋지 않은 일을 말하는 것은 아니다. 지금 만약 『논어』를 읽는데, 마음이 또 『맹자』에 가 있으면 어떻게 이해할 수 있겠는가! 만약 이 한 가지 일을 하는데, 마음이 또 저 일에 가 있다면 영원히 할 수 없을 것이다."
(주자가) 또 말했다. "경은 두려워한다는 뜻이다."

329 '몸가짐이 공손하고 … 공경스럽다.': 『論語』「公冶長」
330 '임금에게 어려운 … 한다.': 『孟子』「離婁上」
331 '밖으로 드러나는 … 한다.': 『河南程氏遺書』 권6
332 『朱子語類』 권96, 51조목
333 '모습은 공손하고': 『書經』「洪範」
334 '손의 모양은 공손하다.': 『禮記』「玉藻」
335 '일을 처리할 때 경한다.': 『論語』「子路」
336 '일은 경건함을 생각한다.': 『論語』「季氏」

(주자가) 또 말했다. “경은 마음에서 말한 것이고, 공은 사람에 대해서 말한 것이다.”

(주자가) 또 말했다. “만약 일이 있을 때에는 이 마음이 오로지 이 하나의 일에 있고, 일이 없으면 이 마음은 맑다.”

(주자가) 또 말했다. “공은 삼가는 것이고, 경은 두려워하는 것이고, 장莊은 엄한 것이다. ‘엄숙하고 위엄이 있고 근엄하고 삼가는 것[嚴威儼恪]은 어버이를 섬기는 도리가 아니다.’[337]는 것은 여기에서는 장엄해서는 안 된다는 것이다. 만약 아랫 사람을 대한다면 반드시 장엄해야 한다. ‘대하기를 장엄하게 하면 백성들이 공경[敬]하고’[338] ‘장엄함으로써 백성들에게 임하지 않으면 백성들이 그를 공경[敬]하지 않는다.’”[339]

[37-5-8]

“人常恭敬, 則心常光明.”[340]

(주자가 말했다.) “사람들이 항상 공恭하고 경敬하면, 마음이 항상 밝다.”

[37-5-9]

北溪陳氏曰 : “恭有嚴底意. 敬字較實.”[341]

북계 진씨北溪陳氏[陳淳]가 말했다. “공에는 엄하다는 뜻이 있다. 경은 비교적 실질적이다.”

[37-5-10]

“身體嚴整, 容貌端莊, 此是恭底意. 但恭是敬之見於外者, 敬是恭之存於中者. 敬與恭不是二物, 如形影然. 未有內無敬而外能恭者, 亦未有外能恭而內無敬者. 此與忠信忠恕相關一般.”[342]

(북계 진씨가 말했다.) “몸가짐이 엄정하고, 용모가 단정한 것, 이것이 공의 뜻이다. 그러나 공은 경이 밖으로 드러난 것이고, 경은 공이 안에 보존된 것이다. 경과 공은 둘이 아니니 마치 형체와 그림자와 같다. 안으로 경이 없으면서 밖으로 공할 수 있는 경우는 없고, 또한 밖으로 공할 수 있으면서 안으로 경이 없는 경우도 없다. 이것은 충·신, 충·서가 상관된 것과 같다.”

337 ‘엄숙하고 위엄이 … 아니다.’ : 『禮記』「祭義」. 진호는 『集說』에서 “마음에 간직하고 있는 것으로, 사랑과 敬이 함께 이르러야 효자의 도이다. 그러므로 엄숙하고 위엄이 있고 근엄하고 삼가는 것은 사람들로 하여금 바라보고 두렵게 하는 것이니, 이는 남을 이루어주는 도리이지 효자의 도리가 아니다.(心之所存, 愛敬兼至, 乃孝子之道. 故嚴威儼恪, 使人望而畏之, 是成人之道, 非孝子之道也.)”라고 주해하였다.

338 ‘대하기를 장엄하게 … 공경[敬]하고’ : 『論語』「爲政」

339 ‘장엄함으로써 백성들에게 … 않는다.’ : 『論語』「衛靈公」

340 『朱子語類』 권12, 93조목

341 『北溪字義』 권上

342 『北溪字義』 권上

[37-5-11]

"'坐如尸, 立如齊', 便是敬之容. '正其衣冠, 尊其瞻視, 儼然人望而畏之', 便是恭之容. 敬工夫細密, 恭氣象闊大."[343]

(북계 진씨가 말했다.) "'앉아 있을 때는 시동처럼 하고, 서 있을 때에는 재계하는 것처럼 하는 것'[344]이 바로 경의 모습이다. '의관을 바르게 하며, 바라보는 것을 존엄히 하며, 엄숙해서 사람들이 바라보고 두려워하는 것'[345]이 바로 공의 모습이다. 경의 공부는 세밀하고, 공의 기상은 광대하다."

[37-5-12]

"且如恭敬,[346] 古人皆如此著力. 如堯之'欽明', 舜之'溫恭', 湯之'聖敬日躋', 文王之'緝熙敬止', 都是如此做工夫."[347]

(북계 진씨가 말했다.) "또 공·경의 경우에, 옛 사람들이 모두 이렇게 노력하였다. 예컨대 요 임금이 '공경하고 밝은 것[欽明]',[348] 순임금이 '온화하고 공손한 것[溫恭]',[349] 탕임금이 '거룩한 경[聖敬]이 날마다 올라감'[350] 문왕이 '경敬을 계속하여 밝히심'[351]이 모두 이와 같이 공부한 것이다."

[37-5-13]

"誠與敬字不相關, 恭與敬字却相關."[352]

(북계 진씨가 말했다.) "성誠과 경敬은 서로 관련되지 않지만, 공恭과 경敬은 도리어 서로 관련된다."

343 『北溪字義』 권上

344 '앉아 있을 … 것': 『禮記』「曲禮上」

345 '의관을 바르게 … 것': 『論語』「堯曰」

346 且如恭敬: 『北溪字義』 권上에는 '且如恭敬'이 없다.

347 『北溪字義』 권上. '都是如此做工夫'는 『北溪字義』에는 '都是如此'로 되어 있다.

348 요 임금이 공경하고 밝은 것[欽明]: 『書經』「堯典」. 채침은 『集傳』에서 "欽은 공경함이고 明은 모든 것에 통달하여 밝음[通明]이니, 敬이 體이고 明이 用이다.(欽, 恭敬也, 明, 通明也, 敬體而明用也.)"라고 주해하였다.

349 순임금이 '온화하고 공손한 것[溫恭]': 『書經』「舜典」

350 '거룩한 경[聖敬]이 … 올라감': 『詩經』「商頌·長發」. 주자는 『集註』에서 "탕임금의 聖敬이 또 날마다 올라가 하늘에 밝게 이른다.(其聖敬, 又日升, 以至昭假于天)"라고 주해하였다.

351 敬을 계속하여 밝히심: 『詩經』「文王之什·文王」. 주자는 『集註』에서 "緝은 계속함이고, 熙는 밝힘이니, 또한 그치지 않는 뜻이다. 止는 어조사이다.(緝, 續, 熙, 明, 亦不已之意. 止, 語辭.)"라고 풀이하였다.

352 『北溪字義』 권上

해제解題

성리대전 권29~37「성리性理」 해제

'성리性理'의 문제는 권29~37까지 여덟 권으로 이루어져 있다. 권29에서는 '성명性命', '성性', '인물지성人物之性'에 대해 논하고 있다. 권30과 31에서는 '기질지성氣質之性' 권32는 '심心', 권33은 '심성정心性情', '정성定性', '정의情意', '지기지의志氣志意', '사려思慮', 권34는 '도道' '리理' '덕德', 권35는 '인仁', 마지막으로 권36과 37에 걸쳐서 '인의仁義'와 '인의예지仁義禮智', '인의예지신仁義禮智信', '성誠', '충신忠信', '충서忠恕', '공경恭敬'에 대해 각각 다루고 있다.

• 권29

권29 성리1의 '성명性命'은 『중용中庸』 제1장의 천명지위성天命之謂性에 근거하여 하늘에 있어서의 천명과 인간의 성을 풀이한 내용이다. 정자程子에 따르면, 하늘에 있는 것을 명命이라고 하고, 사람에 있는 것을 성性이라고 하며, 성을 따르는 것을 도道라고 하며, 사물에 드러나는 것을 리理라고 하는데, 리와 성과 명은 다른 것이 아니다. 리를 궁구하면 성을 다 구현하고 성을 다 구현하면 천명을 알게 된다. 맹자가 성선性善에 대해 말한 것도 여기에 근거한 것이다.

이 중에서 주자는 리를 가장 포괄적인 범주로 본다. 즉 "리理는 천天의 체體이고, 명命은 리의 용用이다. 성性은 사람이 받은 것이고, 정情은 성의 작용이다." 리 · 명 · 성은 다른 것이 아니지만, 그 주체에 따라 명칭을 달리하는 것일 뿐이다. 이에 대해 주자는 "명은 (관료를 임명하는) 칙서와 같고, 성은 (임명된 관료의) 직무와 같으며, 정은 (그 관료가 직무를) 실행하는 것과 같고, 심心은 (관리로 임명되어 직무를 실행하는) 그 사람이다."라는 명료한 예시를 든다. 그래서 합쳐서 말하게 되면 천은 곧 리이고, 명은 곧 성이며, 성은 곧 리이다. 성을 본연지성과 기질지성으로 나누어 볼 수 있듯, 명이라는 말도 리와 기의 차원에서 다르게 사용된다.

진순은 "'천명'은 곧 천도가 유행하여 만물에 부여한 것이다. 원 · 형 · 이 · 정의 리에서 말하면 천도天道라고 하며, 이 도가 유행하여 만물에 부여한 것에서 말하면 천명天命이라고 한다. 기의 차원에서 말하면 한 가지는 가난함[貧]과 부유함[富], 귀함[貴]과 천함[賤], 장수함[壽]과 단명함[夭], 재앙[禍]과 복[福] 등을 말한 것으로 이는 명분命分이라고 할 때의 명命이다. 품부 받은 기의 깨끗함[淸]과 혼탁함[濁]이 가지런하지 않음에서 논한 것이니, 이 명은 사람의 지혜로움과 어리석음, 현명함과 그렇지 않음을 말하는 것이다."

'성性'은 사람의 본성을 논하는 동시에 이후 전개될 '인물지성'과 '기질지성'의 총론격에 해당한다. 여기에서 강조하고자 하는 것은 본성의 선함과 그 내원, 그리고 인의 실질적 항목인 인의예지신에 대한 것이다. 정자는 "성性의 선함이 도道이니 도와 성은 하나이다. 성의 본원을 명命이라고 하고, 성이 저절로 그러한 것을 천天이라고 하며, 성이 형체가 있는 것에서부터 심心이라고 하고, 성이 움직임이 있는 것에서부터 정情이라고 하니, 천天·명命·도道·심心·정情은 하나의 성性을 다른 측면에서 지칭한 것이거나, 다른 용用을 말한 것이다. 포괄하자면 성은 곧 리理이다. 이에 주자는 말한다. "성性은 곧 리理이다. 심心에서는 성이라고 부르고, 일에서는 리라고 부른다."

성의 구체적 내용은 인의예지, 또는 인의예지신이다. 성리학자들은 이 인의예지신의 성이 선함을 주장한다. 이때의 선은 악과 대비되는 상대적 선이 아니라, 선악의 대립을 초월한 절대선이다. 성리학자들의 이러한 성론은 "성性은 도道의 형체이고, 심心은 성性의 성곽이다."라고 한 소옹邵雍의 말이 잘 대표하고 있다. 주자는 이에 대해 "도는 곧 리이니 '부자간에는 친함이 있고, 군신간에는 의義가 있다.'는 것이 이것이다. 그러나 성이 아니면 무엇으로써 리가 있는 곳을 볼 수 있겠는가? 그러므로 '성은 도의 형체이다.'라고 하였다. 인·의·예·지는 성이고 리이며 이 성을 구비한 것은 심心이다. 그러므로 '심心은 성의 성곽이다.'라고 하였다."라고 해설한다.

성은 하늘로부터 부여된 것이다. 그렇다면 성은 모든 존재에게 동일한 것인가, 아니면 각기 다른 것인가 하는 인물성동이의 문제는 '사람과 만물의 성[人物之性]'의 부분에서 다루어지고 있다. 사람과 만물에 있어서 성의 근원은 동일하다는 점에 있어서는 차이가 없다. 그 성은 모두 하늘로부터 부여받은 것이다. 주자에 따르면 "성은 사람과 만물이 같이 얻은 것이다. 자신만이 이것을 가지고 있는 것이 아니라 남도 이것을 가지고 있으며, 사람만이 이것을 가지고 있는 것이 아니라 만물도 이것을 가지고 있다." 비록 품부된 기질이 다르다고 하더라도 하늘이 명령한 성은 차이가 없다. 주자는 또 "사람과 만물은 성이 본래 같지만 다만 기를 품부한 것이 다르다. 예컨대 물은 맑지 않음이 없지만 흰색 사발에 담으면 똑같이 흰색이고, 검은색 사발에 담으면 또 똑같이 검은색이며, 푸른색 사발에 담으면 또 똑같이 푸른색이 되는 것과 같다."라고 한다. 그러나 품부된 이후의 만물의 성은 통하고 막힘의 차이가 있다. 금수禽獸의 경우도 모두 부여된 근원에서 보면 같은 성性이지만, 형체에 의해 얽매여서 생겨나면서 기질이 가려지고 막히어 있기 때문에 품부받은 이후의 성은 다르다고 할 수 있다. 예를 들면 호랑이와 이리의 부자관계에서의 인仁, 승냥이와 수달이 먹이를 놓고 제사지내는 것, 벌과 개미의 군신관계에서의 의義는 한 방면으로만 조금 통하는 것으로서, 틈새로 비치는 한 줄기 빛에 비유할 수 있다. 이러한 이유로 사람과 만물의 성은 같다고도 할 수 있고 다르다고도 할 수 있다.

이와 같이 인물성의 동이를 말하고는 있지만, 사람과 만물의 성을 논의한 부분에서 강조하고자 하는 것은 사실 인물성의 동이 그 자체가 아니라, 사람의 성에 대한 것이다. 주자는 말한다. "사람은 바르고 통하는 기를 얻고, 만물은 치우치고 막힌 기를 얻는다. 오직 사람만이 바른 것을 얻기 때문에 리가 통하여 막힌 것이 없다. 만물은 치우친 것을 얻기 때문에 이 리가 막혀 인지능력이 없다." 또 "하늘이 만물을 낳을 때 그 리는 본디 차별이 없지만 단지 사람과 만물이 품부 받은 형기形氣가 같지 않기 때문에, 그 마음에는 밝음과 어두움의 다름이 있고 성性에는 온전함과 온전하지 못함의 차이가 있을 뿐이다. 이른바 인仁은 성性 가운데 있는 네 가지 덕의 으뜸인 것이지, 성 밖에서 따로 어떤 것이 되어 성과 병행하는 것이 아니다. 그러나 오직 사람의 마음만이 지극히 영험하기 때문에 이 네 가지 덕을 온전하게 하여 그것을 사단四端으로 드러나게 할 수도 있다. 만물은 기氣가 치우치고 잡박하여 마음이 어둡고 가려져서 본디 온전하게 할 수 없는 것이 있다." 장식이 말한 바와 같이 "오직 사람만이 천지의 성을 온전하게 가지고 있기 때문에 주재主宰하는 것이 있어서 사람의 마음이 되니, 여러 종류의 많은 사물들과 다른 까닭은 다만 여기에 있을 뿐이다."

사람은 오행의 빼어난 것을 얻어서 바르고 소통하므로 인·의·예·지를 순수하게 갖추어 모두 만물과 다르다. 그러나 같은 사람들 중에도 성인과 어리석은 차이가 있다. "만물은 성을 가지고 있지 않음이 없다. 성이 소통됨과 가려짐, 열림과 막힘으로 말미암아 사람과 만물의 구별이 있고, 가려짐에 두터움과 엷음이 있음으로 말미암아 지혜로운 사람과 어리석은 사람의 구별이 있다. 막힌 것이 견고하면 열릴 수 없다. 가려짐이 두터운 것은 열 수 있지만 열기가 어렵고, 엷은 것은 열기 쉽다. 열면 천도天道에 도달하여 성인과 같게 된다."

• 권30~31

권30~31 성리2~3에 걸쳐 소개되고 있는 '기질지성氣質之性'은 그것이 차지하는 분량만큼이나 분분한 의견을 담고 있다. 비록 기질지성이라는 제목 하에 서술되고 있지만, 명命과 재才의 문제를 포함하여 논의되는 범위는 비교적 방대하다. '기질지성'에서 서술되고 있는 문제는 '기질 및 기질지성의 의미', '본연지성과 기질지성의 관계', '기질변화론', 그리고 일종의 운명론에 가까운 '명命'의 문제와 사람의 자질·재주·재능에 대한 논의인 '재才' 등으로 요약할 수 있다.

먼저 기질은 음양오행으로 구성된 것으로서 그것은 온전함[全]과 치우침[偏], 바름[正]과 잘못됨[邪], 맑음[淸]과 탁함[濁], 순수함[粹]과 잡박함[駁]의 차이를 가진다. 사람은 기를 부여받는 방식에 따라 굳셈[剛]과 부드러움[柔], 느긋함[緩]과 조급함[急], 강함[强]과 약함[弱], 어두움[昏]과 밝음[明] 등등의 성향적 차이, 즉 개인에 따라 다른 기질지성을 형성하게 된다. 물론 이 기질지성이 전부를 결정하는 것은 아니지만 이러한 기질지성의 차이는 사람이 상지上智 · 중인中人 · 하우下愚가 형성되는 원인이 된다.

그러나 본연지성은 순수한 리理로서 순선무악한 것이며, 사람이 받아서 성性으로 삼은 것도 선한 것이지 악한 것이 없다. 그렇다면 본연지성과 기질지성의 관계에 문제가 발생한다. 본연지성과 기질지성은 독립된 다른 성性인가, 아니면 분리될 수 없는 하나의 성인가? 만일 전자라고 한다면 한 사람에게 두 개의 성이 있는 것이 되고, 후자라면 본연지성은 실제로는 존재하지 않고 이론상으로만 존재하는 성性이 되는 것이다. 여기에 대해서는 논의가 분분하다.

기질지성이라는 개념을 처음으로 등장시킨 장재는 "형체가 있은 다음에 기질지성이 있으니 잘 돌이키면 천지지성이 보존된다. 그러므로 기질지성은 군자가 성性으로 여기지 않음이 있다."라고 하여 본연지성이 기질지성 안에 타재해 있음을 명확히 밝히는 한편, 본연지성이 독립적일 수 있다는 사실을 배제하지는 않고 있다. 정자程子는 『맹자』에 등장하는 고자告子의 성론 '생겨난 그대로를 성性이라고 한다[生之謂性]'고 한 성을 기질지성으로 보았다. 그는 "'생겨난 그대로를 성性이라고 한다.'는 것은 다만 품부 받은 것을 해석한 것일 뿐"이라고 하여 이를 본연지성과 분리했다. 주자는 "하늘이 명령한 것과 기질은 또한 서로 함께 뒤섞여 있다. 하늘이 명령한 것이 있자마자 곧 기질이 있어서 서로 떨어질 수 없다."라고 하여 양자의 불가분성을 주장하는 한편으로, "천지의 성을 논하면 오로지 리를 위주로 말하는 것이고, 기질의 성을 논하면 리와 기를 섞어서 말하는 것이다. 아직 이 기가 없어도 이미 이 성은 있다. 기는 존재하지 않은 것이 있지만 성은 또한 늘 존재한다. 비록 리가 막 기 가운데 있을 때라도 기는 본디 기이고 성은 본디 성이니, 또한 서로 뒤섞이지 않는다."라고 하여 본연지성의 독립성을 언급하고 있다. 이와 같은 문제는 본연지성이 과연 기질의 영향을 받아 왜곡될 수 있는가 하는 문제로 연결된다. "하늘이 명령하는 성은 본래 치우친 적이 없지만 기질을 품부 받은 것은 도리어 치우친 곳이 있다. 기에는 어두움과 밝음, 두터움과 엷음의 같지 않음이 있지만, 인 · 의 · 예 · 지는 또한 그 어느 하나라도 결핍되는 경우가 없다."는 말을 보면, 본연지성은 기질의 영향을 받지 않는 것으로 이해된다. 그러나 한편으로는 "사람이 품부 받은 기에는 맑음과 흐림, 치우침과 바름의 차이가 있기 때문에 하늘이 명령한 바른 것도 역시 얕음과 깊음, 두터움과 엷음의 다름이 있으니, 요컨대 그것 또한 성이라고 하지 않을 수 없다."라는 주장도 대두된다.

이러한 기질의 차이는 도덕적 능력의 우열을 의미하기도 한다. 주자는 "사람이 품부 받은 것으로 말하면 또 어두움과 밝음, 맑음과 흐림의 차이가 있다. 그러므로 매우 지혜로운 자와 태어나면서부터 아는 자의 자질은 기가 청명하고 순수하여 조금도 혼탁함이 없기 때문에, 태어나면서부터 알고 편안히 실천하는 사람으로서 배울 필요도 없이 잘 할 수 있으니, 예컨대 요임금과 순임금 같은 사람이다. 그 다음가는 사람은 태어나면서부터 아는 사람에 버금하는 자이니, 반드시 배운 뒤에 알 수 있고 실천한 뒤에 이르게 된다. 또 그 다음가는 사람은 품부 받은 자질이 이미 치우치고 또 가려짐이 있으니, 반드시 매우 열심히 공부하여 '남이 한 번하면 자신은 백 번하고, 남이 열 번하면 자신은 천 번한'뒤에 비로소 태어나면서부터 아는 사람의 버금하는 자에까지 이를 수 있다. 향상시키기를 그치지 않으면 그 성공은 마찬가지이다."라고 설명한다.

성리학자들에 따르면 기질은 반드시 극복되어야 하는 요소로서 기질에 대한 관점은 기질변화론으로 이어진다. 기는 애초에 선하지 않음이 없다. 그러므로 기는 애초에 맑은 것만 있고 흐린 것은 없었으며, 아름다운 것만 있고 추한 것은 없었는데, 흐린 것은 맑은 것이 변한 것이며, 추한 것은 아름다운 것이 변한 것이다. 기질을 변화시킨다는 것은 또한 그것으로 그 애초의 상태를 회복하는 것이다.

기질을 구체적 개념으로 지칭한 말은 '재才'이다. 재는 재질才質·재능才能과 같은 의미로 파악될 수 있다. 진순陳淳에 따르면 "재질은 마치 재료才料나 '사물의 주체[質幹]'를 말하는 것과 같으니 본체[體]로서 말하는 것이다. 재능은 일을 해낼 수 있는 것으로서, 같은 일에 대하여 어떤 사람은 자기의 능력을 잘 발휘할 수 있고 어떤 사람은 전혀 발휘하지 못하는 것은 곧 재才가 같지 않은 것이니, 작용[用]으로서 말하는 것이다." 정이程頤가 '성은 천天에서 품부 받았고, 재才는 기氣에서 품부 받았다.'라고 말한 것과 같이, 재才는 성性이나 덕德과 대비되기도 하지만, 리기의 관계와 같이 이 둘은 서로 불가분의 관계에 있다. 주자는 "재도 성 가운데서 나온 것이며, 덕도 어떠한 기가 있은 뒤에 어떠한 덕이 있는 것이다."라고 주장한다.

이와 같이 성리학자들이 말하는 재才는 두 가지 층차를 가지고 있는 것으로 보인다. 첫째는 재능·재주·자질 등의 능력적 측면의 요소이다. 둘째는 엄격함·과감함·굳셈·유약과 같은 기질적 성향의 요소로 볼 수 있다.

• 권32~33

권32~33 성리4~5에 걸쳐서는 심心과 관련된 내용을 다루고 있다. 먼저 마음의 총론격에 해당하는 권32에서는 주로 마음의 본체와 작용, 선악의 문제, 인심과 도심에 대한 내용을 다루고 있다.

성리학에서 마음[心]은 매우 중요한 개념이다. 마음은 성性의 성곽으로서 성性과 정情을 통괄한다. 마음이 비록 사람에게 있는 것이기는 하지만 성리학자들은 마음의 한계를 짓지 않는다. 마음은 한계가 있는 기와 대비되어 멀고 가까움의 한계가 없다. 주자는 "오직 마음[心]만이 짝이 없다." 고 했다. 또한 마음은 신명神明이 올라가고 내려오는 곳이다. 그리하여 "한 사람의 마음이 바로 천지의 마음"이라고 한다. 정자는 "마음에는 천덕天德이 갖추어져 있다."고 말한다.

마음의 작용은 오묘하다. 마음은 형체가 없으면서도 일신을 주재하는 존재이다. 마음은 마치 음양 속에 있으면서 음양을 주재하는 태극과 같다. 성리학자들이 마음을 텅 비게 해야 함을 주장하면서도 마음을 일신의 주인이 되게 하고 주主가 되게 해야 함을 역설하는 이유이다. 마음을 크고 공정하게 하여 사심이나 욕심에 의해 좌우되는 일이 없으면서도 리理를 주인으로 삼아야 하는 이유가 여기에 있다. 바로 이러한 이유에서 경敬은 성리학의 공부론에서 큰 비중을 차지한다.

마음이 주인이 된다는 것은 마음이 주인으로 꽉 차 있는 것을 말하는 동시에, 마음이 텅 비어 있음을 말하는 것이기도 하다. 주자는 "마음속에 주인이 있으면 외부의 사특한 기운이 들어올 수 없기에, 마음속에 주인이 있다는 점으로부터 말하면, 꽉 찼다고 말한다. 외부의 사특한 기운이 들어오지 못한다는 것으로부터 말하면 텅 빈다고 말한다."라고 했다. 마음이 텅 비면 리理가 꽉 차고, 마음이 꽉 차면 리理가 텅 비어 거기에는 욕심이 자리하게 된다. 즉, 선善의 측면에서 말한다면 마음은 선으로 가득 차야 한다. 그래야만 이목구비로부터 욕망이 들어오지 않게 된다. 한편 텅 빈 것으로 말한다면, 마음속에 사특한 기운이 없으니 텅 비었다고 말할 수 있다.

마음의 작용은 생生이다. 이는 천지가 만물을 살게 하는 마음, 즉 인仁과 다르지 않다. 그래서 이 마음은 항상 살아 있는[生活] 마음이지, 죽은 마음이어서는 안 된다. 죽은 마음이란 욕심으로 가득 찬 마음이다. 그래서 주자는 "마음은 살아있어야 한다. 살아 있다는 것은 생생하게 살아있다는 말의 살아 있다는 것이니 죽었다는 것과 대조해서 말한다. 살아 있는 것이 천리天理이고 죽은 것이 인욕人欲이다."라고 말한다. "인仁은 천지가 만물을 낳는 마음이고, 사람과 만물이 그것을 얻어 마음으로 삼는다. 사람이 그것을 얻지 못했더라도, 이 이치는 역시 천지 사이에 있지 않은 적이 없다."

마음의 작용은 또 허령지각虛靈知覺으로 설명된다. 마음이라는 기관은 어떠한 형체를 가진 물건이 아니며, 지극히 허하고 지극히 영명한 것이다. 주자에 따르면, 지각知覺은 기가 하는 것이 아니라 먼저 지각의 리理가 있어서 가능한 것이다. 그러나 리는 지각을 하지 않고, 기가 모여 형체를 이루어 리와 기가 합해야 지각할 수 있다고 한다.

마음은 움직이는 것이므로 선과 악이 있지만, 마음의 본체本體는 선하지 않은 적이 없다. 마음은 리와 기의 합으로서, 리는 선을 분명 보전하지만 기는 두 가지 측면을 함유하고 있어서 이 선한 것을 보전하지 못한다. 그러므로 악을 마음이 아니라고 할 수는 없다. 주자에 따르면, 선과 악은 단지 손을 뒤집는 것과 같을 뿐이어서, 한번 뒤집으면 악이 되기도 하고, 제대로 안착하지 못해도 불선이 된다.

마음은 하나이지만 인심人心과 도심道心으로 구별된다. 혈기를 따르는 것은 인심人心이고, 성명에 근원한 것은 도심道心이다. 먹고 마시고자 하는 것은 인심이고, 그것이 바름을 얻은 것은 도심이다. 본래 하나의 마음이 길 위에 있을 뿐인데, 잠깐 동안 인심이 내려오면 도심이 보이지 않는다. 이 마음은 둘이 아니기 때문에, 인심으로부터 수렴하면 도심이고, 도심으로부터 멀어지면 곧 인심이다. 인심이 도심으로 수렴되어 하나가 되면 마치 인심이 없어져버린 것처럼 되어 마음의 바름을 얻을 수 있다.

권33에서는 '심성정心性情'에 대한 구체적인 내용을 소개하면서 '정성定性', '정의情意', '지기지의志氣志意', '사려思慮' 등의 개념도 덧붙이고 있다.

먼저 심성정의 개념에 대해, 정자는 "성으로부터 드러남이 있는 것을 마음이라 하고, 성으로부터 움직임이 있는 것을 정情이라 한다."라고 했고, 장재는 "마음은 성과 정을 통괄한다.[心統性情]"이라고 했으며, 후중량侯仲良은 "성의 움직임이 곧 정이고, 주재하는 것이 마음이다."라고 했다. 주자는 "성은 마음의 이치이고, 정은 성의 움직임이며, 마음은 성과 정의 주재이다." "(마음이) 움직이지 않는 것이 성이고, 움직인 것이 정이며, 마음은 움직임과 고요함을 관통하여 있지 않은 곳이 없다."라고 규정하며, 마음과 성은 하나이면서 둘이고 둘이면서 하나인 관계에 있다고 보았다.

심성정의 논의에서 가장 핵심적은 것은 마음이 성과 정을 통괄한다는 '심통성정心統性情'의 개념이다. 주자는 이에 대해 마음이 적연하여 움직이지 않음에는 인·의·예·지의 이치가 구비되어 있고, 그것이 움직인 것이 정이라고 설명한다. 즉 "성은 움직이지 않는 것이고, 정은 움직인 것이고, 마음은 움직인 것과 움직이지 않은 것을 포함하는 것이다. 마음이 움직이지 않은 것이 성이고, 움직인 것이 정이니, 마음이 성과 정을 포괄한다는 것이다." 또 심통성정의 개념에 대해 진순은 "정과 성은 서로 짝이 된다. 정은 성의 움직임이다. 마음속에서 촉발되어 움직이지 않은 것은 성이고, 사물과 접촉하여 촉발되어 움직여 나온 것이 정이다. 적연하여 움직이지 않는 것이 성이고, 감응하여 통한 것이 정이다. 이 움직이는 것은 단지 성에서 발현되어 나온 것이니, 다른 것이 아니다."라고 설명하고 있다.

'정성定性'은 정호程顥의 「정성서定性書」에 대한 후대의 논의를 모은 것이다. 주자에 따르면 여기서의 성은 '마음[心]'을 가리키는 말이다. 주자는 "지금 사람들은 외부 사물이 싫으면 완전히 끊어버리거나, 좇으면 또 사물에 의해서 휘둘려 간다."고 지적하고, "거부하지 않고 휘둘려가지 않으면서 완전히 합당하게 두루 대응하는 것"을 정성定性의 핵심 요지로 보았다. 정성이란 외부의 자극에 무반응으로 대응한다는 것이 아니다. 주자에 따르면, "마땅히 반응해야할 것은 반응해야만 한다. 여러 가지 분수分殊가 오면 여러 가지 분수로 반응하는데, 여기에 원래 안정이 있다." 그러므로 성을 안정시켜 보존하고 배양하는 노력이 지극해지는 것이 성의 본연을 얻는 방법이 된다.

'정의情意'는 마음의 작용인 정情과 의意에 대한 개념을 설명하는 부분이다. 주자에 따르면 정은 성이 발현한 것이고 의는 마음이 발현한 것이다. 정은 성이 그대로 발현되어 나온 것이고, 의는 마음이 그렇게 하도록 주장한 것이다. 또 정은 성이 그대로 발현한 것이고, 의는 여러 가지를 계교해서 하는 것이다. 예를 들면, 어떤 사태에 접촉할 때, 마음속에서 주재하는 것이 마음이고, 기쁨이나 분노로 움직여 나오는 것이 정情이다. 저 사람에 대해 기뻐하고 싶다고 생각하거나 화내고 싶다고 운용하는 것이 의意의 작용이다.

'지기지의志氣志意'에서는 지志와 기氣의 대비를 제시한 후, 지志와 의意의 개념을 구분하여 설명하고 있다. 먼저 지와 기에 대해서는, 『맹자』 '호연장'의 "지가 한결같으면 기를 움직이고, 기가 한결같으면 지를 움직인다."고 한 것과 마찬가지로, 양자를 대립구도로 보고 있다. 정자는 "지志가 기를 제어하면 다스려지고, 기가 지를 부리면 혼란해진다."라고 했고, 주자는 정과 의에 비해 지志가 중요하며, 기는 이에 비해서 비교적 조잡하다고 말하고 있다. 다음으로 지와 의의 구분에 대해서는 대체로 지공의사志公意私의 입장을 취하고 있다. 주자에 따르면, 지志는 마음이 곧장 가는 것이고, 의意는 또 지가 경영하고 왕래하는 것이다. 지는 공공연하게 주장하면서 일을 해나가려는 것이고, 의는 사사롭게 몰래 행하여 틈을 타서 발현하는 것이다.

'사려思慮'에서는 사려의 양면성을 지적한다. 사려는 한편으로 마음의 고요함을 방해하고 마음을 혼란스럽게 만드는 원인이 되지만, 한편으로 사려를 하지 않고는 도를 얻을 수 없다. 정자는 "사람이 사려를 많이 하면 스스로 편안해질 수 없다." "사려에 가득한 것보다는 지킬 수 있는 것을 집약하는 것이 낫다."고 하면서도 "깊이 사려하지 않으면 도를 스스로 만들 수가 없다."고 했다. 주자는 "(사려는) 오직 경敬하면 모두 사라진다."라고 하여 사려의 무화를 주장하면서도, "사람의 마음에는 사려가 없을 수 없다. 사려해야만 하면 사려해야지, 원래 힘들게 배척하고 억제할 필요가 없다."고 하여 사려의 양면성을 동시에 지적한다. 없애야 할 사려는 인욕에 의한 사특한 사려이고, 의리에 대한 사려는 없어서는 안 된다. 허형의 다음의 말이 압축적으로 이를 대변하고 있다. "당연히 알아야할 것을 구하는 데 수 만 가지의 사려가 있어도 좋다. 그러나 인욕이 싹트려고 한다면 당장 제거해야만다."

• 권34

권34 성리6은 '도道', '리理', '덕德'에 대해 논하고 있다. 『주역』 「계사전」에서 "형이상의 것을 도라고 하고, 형이하의 것을 기라고 한다."고 하였듯이 도道는 형이상의 원리로서 형이하의 사물인 기器와 구별된다. 형체가 있고 상象이 있는 것이 기器이고, 그 기를 기이게끔 하는 것이 도다. 『주역』에 따르면, 음과 양의 이치는 천도天道이고, 강剛과 유柔의 원리는 지도地道이며, 인仁과 의義의 도리가 인도人道가 된다. 천지는 물론 사람에게도 도道가 있으니, 도道를 떠난 사물이 없고 사물 바깥에 도道가 없다. 이러한 측면에서 정명도가 "도道 역시 기器이고, 기 역시 도다."라고 한 것이다. 양자는 개념적으로 반드시 나누어 보아야 하지만 실제적으로는 기器속에 도道가 내재해 있으므로, 전자의 측면에서 보면 불상잡不相雜이고 후자의 측면에서 보면 불상리不相離이다. 결론적으로 보면, 기를 가리켜 도라고 해서도 안 되지만 도에서 기를 분리해 보아서도 안 된다.

도道는 보이지 않는 은미함[隱]이 그 체體라면 그것의 드러남[費]은 용用이다. 정자程子가 "텅 비고 막막하여 조짐이 없지만 삼라만상이 이미 구비되어 있다"고 한 것은 도道의 체體를 말한 것이고, 『중용』에서 "솔개는 날아 하늘에 이르고, 물고기는 연못에서 뛰논다."고 한 것은 도가 사물에서 발현된 것은 그 작용[用]을 말한 것이다. 유학에서의 도는 일상을 벗어난 것이 아니다. 그래서 정자는 "도 밖에는 사물이 없고, 사물 밖에는 도가 없으니, 이것이 천지 사이에 어디를 가든 도가 아님이 없는 것이다. 아버지와 아들의 경우 아버지와 아들 사이는 친함에 있고, 군주와 신하의 경우 군주와 신하 사이는 근엄함에 있는 것으로부터 남편과 아내, 어른과 아이들, 친구들 사이에 이르기까지 무엇을 하든 도가 아님이 없으니, 이것이 도가 순간이라도 떠날 수 없는 까닭이다."라고 말한다.

도道가 총체적 이름이라면, 상대적으로 리理는 조리條理와 같은 세부적인 것이다. 그러나 성리학에서는 천도天道가 곧 천리天理로 이해되게 되었다. 따라서 문맥에 따라 그 의미를 살펴야 할 것이다.

사물마다 각각의 이치[理]가 있다. 물은 차가운 이치가 있고 불은 뜨거운 이치가 있으며 부자父子 사이에는 친함[親]의 도리가 있고 군신君臣 사이에는 의로움[義]의 도리가 있다. 이처럼 리理는 사물의 본질을 가리키는 물리物理와 사람의 도리를 가리키는 윤리倫理를 다 포괄한다. 만물이 비록 만 가지의 이치가 있지만 그것들은 하나의 근원에서 나온다. 정자가 말한 "만리萬理가 하나의 이치[一理]로 귀결된다."고 한 것이나 밤하늘의 달이 수많은 수면 위에 그대로 내리 찍힌다는 월영만천月映萬川의 비유를 통해 설명한 리일분수理一分殊가 바로 그 뜻이다.

사물에는 반드시 그렇게 되는 까닭인 소이연지고所以然之故가 있고, 마땅히 그렇게 해야 하는 준칙인 소당연지칙所當然之則이 있다. 부자父子 사이는 친함[親]이 있어야 한다는 것이 소당연지칙이고, 그렇게 해야 하는 까닭이 소이연지고이다. 또한 만물은 서로 짝되는 것[對待]이 있으니 그것들 사이에는 일정한 운행 규칙이 있다. 낮과 밤, 더위와 추위는 상호 순환의 이치에 따라 바뀌는 이러한 운행 규칙 역시 리의 작용인 것이다.

덕德은 얻음[得]의 의미를 함축한다. 하늘로부터 얻어 마음속에 보존된 것을 덕德이라고 한다. 정자는 "세상의 리理를 따르는 것이 도라 하고, 세상의 리理를 얻는 것을 덕이라 한다."라고 했는데, 천덕天德은 그 자체로 원래 선천적으로 완전하고 자족한 것이다. 그러므로 덕의 발현이 방해를 받지 않는다면 덕은 저절로 얼굴에 윤택하게 드러나고, 등에 가득하고, 사지에 베풀어져서, 사지가 말하지 않아도 깨달을 수 있다.

사람에게 부여된 덕을 구체적으로 말하면 인의예지仁義禮智이다. 진순은 덕을 명덕明德, 달덕達德, 의덕懿德, 덕성德性이라는 네 가지 쓰임으로 요약하여 다음과 같이 설명하고 있다. 하늘로부터 받은 것으로 본래 광명光明한 리理가 나의 마음에 구비된 것이라는 점에서 명덕明德이라고 하고, 예로부터 지금까지 세상 사람들의 마음에 동일하게 얻는 것이라는 점에서 달덕達德이라고 하며, 천리天理의 순수한 아름다움을 얻었다는 의미로 의덕懿德이라고 하고, 내가 하늘의 정리正理를 얻었다는 의미에서 덕성德性이라고 한다.

• 권35

권35 성리7은 '인仁'에 대해 논하고 있다. 『주역』에서 "천지의 큰 덕을 생生이라 한다.天地之大德曰生"이라고 하였듯이 이 세계는 생명성의 원리로 충만해 있다. 그래서 정명도는 "인仁한 사람은 천지만물을 한 몸으로 삼으니 내가 아닌 것이 없다."고 하였는데, 그 취지는 〈식인편識仁篇〉에 잘 나타나 있다. 예를 들면, 맥을 짚을 때나 병아리를 볼 때도 이 생명성의 원리를 살펴 볼 수가 있다. 복숭아씨를 도인桃仁, 살구씨를 행인杏仁이라고 하는 것은 씨앗에서 생명이 자라나기 때문이다. 금수와 초목에 있어서도 생명성의 원리[生理]는 한 순간도 쉼이 없이 행해진다. 다만 모인 기氣가 바른가 치우친가의 편차가 있을 뿐이다.

의학서적에서는 사지가 마비된 것을 불인不仁이라고 하는데, 이것은 피가 통하지 않아 생명성이 없음을 형용한 것이다. 마비된 사지는 몸에 붙어 있다하더라도 그저 군더더기에 불과할 뿐 아무런 의미가 없다. 사람에 대해 말하자면, 사람의 마음에는 덕성[心之德]이자 사랑의 원리[愛之理]인 인仁이 구비되어 있으므로 사람은 마땅히 도덕적 생명성을 표상하는 인仁을 실현해 낼 수 있어야 한다. 만약 사람이 사랑의 마음을 내지 못한다면, 그가 이 세계 내에 존재하더라도 하등의 가치가 없는 존재에 지나지 않는다.

주자는 "천지는 만물을 생겨나게 함으로 마음으로 삼고, 사람과 사물이 생겨날 때 또 각기 저 천지의 마음을 얻어서 마음으로 삼는다. 그러므로 마음의 덕을 말하면, 비록 그것이 총괄하고 관통하여 갖추지 않은 것이 없지만 한 마디로 포괄하면 인仁일 뿐이다."라고 하였는데, 건곤乾坤의 사덕四德[원형리정] 가운데 원元이 으뜸이듯이 인仁은 덕의 으뜸으로서 의·예·지·신을 비롯한 모든 덕의 근원이며 그것들을 관통해 있다.

인仁은 공평무사의 뜻이 담겨져 있다. 이에 자기의 사사로움을 극복하여 예禮로 돌아가는 것이 인仁을 실현하는 것이라고 한 것도 사적[私] 욕심을 이기고 예禮로 돌아가는 것이 바로 공평함[公]의 정신을 담고 있는 인仁을 실현하는 길이다. 사사로움이 없으면 기쁨도 공평한 기쁨이 되고 성냄도 공평한 성냄이 되어 리理가 가려지는 일이 없으니, 그것이 다름 아닌 인仁을 실현하는 것이다.

맹자가 측은지심을 인仁의 단서라고 했듯이 사랑은 인仁의 작용[用]이요, 인仁은 사랑의 본체[體]이다. 당나라의 한유韓愈가 박애博愛를 인仁이라고 한 것은 범주착오의 오류를 범한 것이다. 인仁은 사랑의 리[愛之理]이고, 사랑은 인仁의 일[事]이다. 인仁은 사랑의 체體이고 사랑은 인의 용用이다. 인仁은 덕성[性]이고 사랑은 감정[情]이다. 사랑이 미발未發한 덕성이 인仁이며, 인仁이 이발已發한 감정이 사랑이다. 인仁을 "마음의 덕[心之德]"이라고 함은 마음 안에 사랑의 싹을 틔울 수 있는 덕성을 담지하고 있다는 뜻이다. 이것은 곡물의 씨앗이 그 싹을 틔울 수 있는 본질을 담지하고 있듯이 사람의 마음도 사랑의 감정을 낼 수 있다는 것을 "마음은 곡물의 씨앗[心如穀種]"이라고 말 한 데 잘 나타나 있다. 생기生氣와 생의生意로써 세계의 운행과 사랑의 실천을 설명하는 것도 바로 이것에 의거하고 있다. 사랑이 인仁의 용用이라면, 서恕는 그 사랑을 베푸는 것이다.

• 권36

권36 성리8은 인의仁義와 인의예지仁義禮智를 논하고 있다. 먼저 인의에 대하여, 공자는 인仁과 의義를 함께 언급한 일은 없었고, 『주역』「설괘전說卦傳」에서 "사람의 도를 세우니, 인仁과 의義라고 한다."고 하였다. 맹자의 경우는 인仁을 말할 때 반드시 의義와 짝을 지워 말했다. 주자에 따르면, 측은지심은 인仁이고, 부모를 사랑하고 형제를 사랑하며 마을 사람을 사랑하고 옛 친구를 사랑하는 데 다양한 차등이 있는 것은 의義이다. 인仁은 사랑[愛]의 리理이고 의義는 마땅함[宜]의 리理이다.

인은 체體이고 의는 용用이다. 그러나 인과 의에는 각각 체와 용이 있고, 각각 동과 정이 있다. 또한 인과 의는 음양과 같은 하나의 기일 뿐이다. 양은 자라나는 기이고 음은 사라지는 기인 것처럼, 인은 살리는[生] 의이고 의는 거둬들이는 인이다. 인의를 강유剛柔로 구분했을 때, 태극의 동動으로부터 말하면, 인은 강剛이 되고 의는 유柔가 된다. 한 사물 속의 음양陰陽으로부터 말하면, 인의 용用은 유이고 의의 용用은 강이 된다.

주자는 "사람은 다만 이 인 · 의 · 예 · 지 네 가지의 마음일 뿐이니, 예컨대 봄 · 여름 · 가을 · 겨울과 같다. 천만 가지의 단서는 다만 이 네 가지의 마음이 발현해 나온 것일 뿐이다."라고 하여 인의예지가 인간의 본성임을 천명하고 있다. 이 인의예지仁義禮智는 거두어들이면 인仁이 되고 펼치면 인의예지仁義禮智 또는 인의예지신仁義禮智信이 된다. 인의예지를 나누어보면, 살리려는[生] 뜻은 인仁이고, 죽이려는[殺] 뜻은 의義이며, 발현하여 회통會通하는 것은 예禮이고 거둬들여 감추어서 헤아릴 수 없는 것은 지智이다. 그러나 하늘은 다만 일원一元의 기氣일 뿐인데, 봄에 생겨날 때 보이는 것은 온통 생生이고, 여름이 되었을 때에 자라는 것도 다만 이러할 뿐이며, 가을이 되어 이루어내는 것도 다만 이러할 뿐이며, 겨울이 되어 저장하고 수렴하는 것도 또한 이와 같다. 그러므로 의義의 죽이려는[殺] 뜻 또한 생의生意의 하나일 뿐이다.

인仁은 하늘에서는 원元이 되고, 계절에서는 봄이 되어 만물을 생겨나게 하는 시작인데, 이는 인의 생生하고 생生함이 여러 선善의 우두머리가 되는 것과 같다. 예禮는 하늘에서는 형亨이 되고, 계절에서는 여름이 되니, 만물이 이때에 이르러 일제히 성장하며, '경례 삼백 가지와 곡례 삼천 가지'가 찬연한 문물의 성대함으로서 여러 아름다움이 모인다. 의義는 하늘에서는 이利가 되고, 계절에서는 가을이 되니, 만물이 이때에 이르러 모두 다 완성되어 각각 제자리를 찾는다. 가을에는 싸늘한[肅殺] 기운이 있고, 의도 역시 엄숙함의 뜻이 있다. 지智는 하늘에서는 정貞이 되고, 계절에서는 겨울이 되니, 만물이 이때에 이르러 모두 뿌리로 돌아가고 (부여받은 제) 명命으로 돌아가, 수렴된 것이 모두 확정된다. 이는 지智로써 만사의 시비가 모두 정해져서 확고하여 바꿀 수 없음을 보는 것이, 바로 정고貞固의 도리道理인 것과 같다.

요컨대, 음양으로 보면 인仁과 예禮는 양陽에 속하고 의義와 지智는 음陰에 속한다. 사계절로 말하자면, 인은 봄이고 예는 여름이며 의는 가을이고 지智는 겨울이다. 마찬가지로 사람에게 있어서도 인仁이 본체이고, 예禮는 인仁의 절문節文이며, 의義는 인仁의 절제節制이고 지智는 인仁의 분별分別이다. 인도人道로서의 인의예지仁義禮智는 천도天道로서의 원형이정元亨利貞이다.

• 권37

권37 성리9는 '인의예지신仁義禮智信', '성誠', '충신忠信', '충서忠恕', '공경恭敬'에 대해 논하고 있다.

인간의 본성은 인의예지仁義禮智의 사덕四德에 신信을 덧붙여 오상五常으로 삼았다. 이 의미에 대해 주자는 "신信은 이 네 가지를 참되게[誠實] 하는 것이니, 실제로 인이 있게 하고, 실제로 의가 있게 하며, 예와 지도 모두 그러하다. 예컨대 오행에 토土가 있으니, 토가 아니면 네 가지를 실을 수 없는 것과 같다."라고 설명한다. 또 "다섯 가지 가운데 이른바 '신'은 진실하여 망령됨이 없는[眞實無妄] 도리이다. 인·의·예·지와 같은 것은 모두 진실하여 망령됨이 없는 것이니, '신'은 다시 말할 필요가 없다."고 하여 신信을 언급하지 않은 사덕四德과 오상이 같은 것이라 설명한다.

사람은 오행 가운데 빼어난 기氣를 품수 받아서 태어난다. 오행 가운데 목신木神을 사랑의 리理인 인仁이라고 하고, 그것이 측은惻隱의 정情으로 발한다. 화신火神을 경敬의 리理인 예禮라고 하고 그것이 공손恭遜의 정情으로 발한다. 금신金神을 마땅함[宜]의 리理인 의義라고 하고 그것이 수오羞惡의 정情으로 발한다. 수신水神을 분별分別의 리理인 지智라고 하고 그것이 시비是非의 정情으로 발한다. 토신土神을 실제로 있음[實有]의 리理인 신信이라 하고 그것이 충신忠信의 정情으로 발한다. 이와 같이 세계[天]와 인간[人]은 하나의 연관구조를 이루고 있음을 밝히고 있다.

성誠은 진실하여 망령됨이 없음[眞實無妄]을 의미한다. 성誠은 자연적 진실함이어서 『중용』에서 "성誠은 하늘의 도[天道]이다."라고 했다. 낮과 밤, 더위와 추위, 사계절, 일월성신日月星辰은 자고이래로 그 운행의 이치가 바뀐 적이 없이 항상 그러하여 털끝만큼도 망령됨이 없다. 이것이 세계의 운행 이치로서의 천도天道의 진실함이요, 자연스러움이다. 그 참된 이치[實理]가 사람에게 부여되었으니, 어린아이가 부모 사랑할 줄 알고 형을 공경할 줄 알며, 어린아이가 우물에 빠지는 것을 보면 측은지심을 갖게 되는 것은 모두 하늘이 내려준 본성이 자연히 발현되어 나오는 것이다. 그리하여 『중용』에서 "성誠하려 하는 것은 사람의 도이다."라고 하였다.

성誠과 신信을 비교해서 본다면, 성誠은 자연스러운 것이고, 신信은 힘써 행하는 것이다. 성誠이 천도天道라면, 신信은 인도人道이다. 성誠이 명命으로써 말한 것이라면, 신信은 성性으로써 말한 것이다.

성誠과 경敬을 비교해서 말하자면, 성誠은 속이거나 망령되지 않는다는 뜻이고, 이에 비해 경敬은 방심하지 않는다는 뜻이다. 망령되고 속이는 것은 불성不誠이 되고, 해이하고 방심하는 것은 불경不敬이 된다. 경敬에 힘쓰게 되면, 장차 진실무망한 성誠의 경지에 이르게 될 것이다.

'충신忠信'에 대해서는, 자기를 다하는 것[盡己]을 충忠이라 하고, 사물을 다하는 것[盡物]을 신信이라고 한다. 자기를 다함은 자기의 본성을 다 실현하는 것[盡己之性]이고, 사물을 다함은 사물의 본성을 다 실현해 내는 것[盡物之性]이다. 주자는 "충은 안으로부터 발해 나오는 것이고, 신은 일에서 말한 것이다. 충은 자기의 이 마음을 다하려고 하는 것이고, 신은 자기의 이 도리를 다하려고 하는 것이다." 공자가 '충'과 '신'을 주로 하라."고 한 뜻은 '충'과 '신'을 내 마음의 주인으로 삼으라고 한 것이다. 이것은 다름 아니라 마음속으로 항상 '충'하고 '신'하려 해야 한다는 의미이다. 이점에서 보면, 충신忠信은 공부의 차원에서 강조되었다고 할 수 있다.

'충서忠恕'는 『논어』에서 공자孔子가 "나의 도는 하나로써 관통하고 있다."고 말한 뒤 나가자 증자曾子가 "선생님의 도는 충서忠恕일 따름이다."라고 한 데서 비롯되었다. 이때의 '충忠'은 중中과 심心의 합성자로서 자기의 마음을 다하는 것[盡己之心]이다. 조금의 망령됨이나 거짓이 없음은 '충'에 의거한 것이니 도道의 체體이다. '서恕'는 여如와 심心의 합성자로서 자기를 미루어 남에게 이르는 것[推己及物]이다. 내가 바라지 않는 것을 남에게 베풀지 않는 것은 물론, 내가 서고자 하면 남도 서기를 바라고, 내가 통달하고자 하면 남도 통달하기를 바라는 것까지 모두 '서'에 관한 일이다.

'충'은 '서'로 인하여 드러나고, '서'는 '충'으로부터 말미암는다. '충'과 '서'는 체용體用의 관계이다. '충'이 확립되면 '서'가 그 속에 있고, '서'가 드러나면 '충'이 또한 갖추어져 있다. 그렇기 때문에 충과 서는 한 걸음도 떨어질 수 없는 것이다.

'공경恭敬'에 대하여 정자는 "밖으로 드러나는 것을 공恭이라고 하고, 안에 있는 것을 경敬이라고 한다."라고 하여 내외로 구분한다. 공과 경은 깊고 얕음으로 이야기할 수 없다. 공恭은 몸가짐이 엄정하고 용모容貌가 단정한 것과 같이 밖으로 드러난 경우에 해당하고, 경敬은 일에 대한 것으로 흐트러짐이 없는 마음가짐이다. 배우는 사람으로부터 말하면, 공恭은 경敬의 힘만 못하고, 덕을 이루는 것으로부터 말하면, 경敬은 공恭의 편안함만 못하다. 공과 경은 모두 수양론의 덕목이다. 그래서 주자는 "사람들이 항상 공恭하고 경敬하면, 마음이 항상 밝다."고 한다.

性理大全 硏究飜譯 役割 分擔表

<table>
<tr><th>卷</th><th>書名/大主題</th><th>飜譯</th><th>校閱</th><th>潤文</th><th>解題</th></tr>
<tr><td></td><td>序・表</td><td>金在烈</td><td rowspan="30">共同硏究員
李忠九</td><td rowspan="30">鄭修卿</td><td>尹用男, 金暎鎬</td></tr>
<tr><td>1</td><td>太極圖</td><td>尹用男</td><td>郭信煥</td></tr>
<tr><td>2~3</td><td>通書</td><td>李哲承</td><td>郭信煥</td></tr>
<tr><td>4</td><td>西銘</td><td>李哲承</td><td>李基鏞</td></tr>
<tr><td>5</td><td>正蒙 1</td><td>李哲承</td><td>李基鏞</td></tr>
<tr><td>6</td><td>正蒙 2</td><td>金炯錫</td><td>李基鏞</td></tr>
<tr><td>7~13</td><td>皇極經世書</td><td>沈義用</td><td>洪元植</td></tr>
<tr><td>14~17</td><td>易學啓蒙</td><td>尹元鉉</td><td>李善慶</td></tr>
<tr><td>18~21</td><td>家禮</td><td>秋琦淵</td><td>李迎春</td></tr>
<tr><td>22~23</td><td>律呂新書</td><td>尹元鉉</td><td>李善慶</td></tr>
<tr><td>24~25</td><td>洪範皇極內篇</td><td>秋琦淵</td><td>李迎春</td></tr>
<tr><td>26~27</td><td>理氣</td><td>李致億</td><td>李致億, 金演宰</td></tr>
<tr><td>28</td><td>鬼神</td><td>尹元鉉</td><td>李致億, 金演宰</td></tr>
<tr><td>29~31</td><td>性理 1~3</td><td>尹元鉉</td><td>李致億, 鄭相峯</td></tr>
<tr><td>32~34</td><td>性理 4~6</td><td>沈義用</td><td>李致億, 鄭相峯</td></tr>
<tr><td>35~37</td><td>性理 7~9</td><td>金炯錫</td><td>李致億, 鄭相峯</td></tr>
<tr><td>38</td><td>道統・聖賢</td><td>尹元鉉</td><td>沈義用, 金演宰</td></tr>
<tr><td>39~40</td><td>諸儒 1~2</td><td>金炯錫</td><td>沈義用, 金演宰</td></tr>
<tr><td>41~42</td><td>諸儒 3~4</td><td>沈義用</td><td>沈義用, 金演宰</td></tr>
<tr><td>43~45</td><td>學 1~3</td><td>李致億</td><td>沈義用, 鄭炳碩</td></tr>
<tr><td>46~48</td><td>學 4~6</td><td>沈義用</td><td>沈義用, 鄭炳碩</td></tr>
<tr><td>49~50</td><td>學 7~8</td><td>金炯錫</td><td>沈義用, 鄭炳碩</td></tr>
<tr><td>51</td><td>學 9</td><td>金昡炅</td><td>沈義用, 池俊鎬</td></tr>
<tr><td>52~54</td><td>學 10~12</td><td>尹元鉉</td><td>沈義用, 池俊鎬</td></tr>
<tr><td>55~56</td><td>學 13~14</td><td>李忠九</td><td>沈義用, 池俊鎬</td></tr>
<tr><td>57~58</td><td>諸子</td><td>金在烈</td><td>李忠九, 李相益</td></tr>
<tr><td>59~64</td><td>歷代</td><td>金在烈</td><td>李忠九, 李相益</td></tr>
<tr><td>65</td><td>君道</td><td>金在烈</td><td>李忠九, 李相益</td></tr>
<tr><td>66~69</td><td>治道</td><td>金在烈</td><td>李忠九, 李相益</td></tr>
<tr><td>70</td><td>詩・文</td><td>金在烈</td><td>李忠九, 池俊鎬</td></tr>
</table>

性理大全 研究飜譯 研究陣

研究責任者
尹用男 성신여자대학교

共同研究員
郭信煥 숭실대학교
金演宰 공주대학교
李基鏞 연세대학교
李相益 부산교육대학교
李善慶 조선대학교
李迎春 국사편찬위원회
鄭炳碩 영남대학교
鄭相峯 건국대학교
池俊鎬 서울교육대학교
洪元植 계명대학교

專任研究員
李忠九 단국대학교
金在烈 단국대학교
尹元鉉 고려대학교
秋琦淵 성신여자대학교
李哲承 조선대학교
沈義用 숭실대학교
金炯錫 경상대학교
李致億 성균관대학교
金昡炅 한국외국어대학교

研究補助員
鄭修卿 성신여자대학교
宣昌坤 성신여자대학교
金洙廷 성신여자대학교
金炫在 한국고전번역원
朴智惠 서울노일중학교
權處隱 성균관대학교
徐政嬅 동방문화대학원대학교

완역 성리대전 ❻

초판 인쇄 2018년 7월 15일
초판 발행 2018년 8월 10일

역 주 자 | 윤용남·이충구·김재열·윤원현·추기연
이철승·심의용·김형석·이치억·김현경
펴 낸 이 | 하운근
펴 낸 곳 | 學古房

주 소 | 경기도 고양시 덕양구 통일로 140 삼송테크노밸리 A동 B224
전 화 | (02)353-9908 편집부(02)356-9903
팩 스 | (02)6959-8234
홈페이지 | http://hakgobang.co.kr/
전자우편 | hakgobang@naver.com, hakgobang@chol.com

등록번호 | 제311-1994-000001호

ISBN 978-89-6071-766-4 94150
978-89-6071-760-2 (세트)

값 : 800,000원 (전10책)